CONTOS UNIVERSAIS

1. CONTOS E FÁBULAS DE LA FONTAINE - Jean de La Fontaine
2. CONTOS DE PERRAULT - Charles Perrault
3. CONTOS DE GRIMM - Jacob e Wilhelm Grimm
4. CONTOS DE FADAS - Hans Christian Andersen
5. CONTOS ESCOLHIDOS - ALICE NO PAÍS DAS MARAVILHAS - Lewis Carrol
6. CONTOS NOVOS DE GRIMM - Jacob e Wilhelm Grimm

CONTOS ESCOLHIDOS

ALICE NO PAÍS DAS MARAVILHAS

Diretor editorial
Henrique Teles

Produção editorial
Eliana Nogueira

Arte gráfica
Ludmila Duarte

Revisão
Jane Rajão

Tradução
Eugênio Amado

Capa
Cláudio Martins

EDITORA GARNIER
Belo Horizonte
Rua São Geraldo, 67 - Floresta - Cep.: 30150-070 - Tel.: (31) 3212-4600
e-mail: vilaricaeditora@uol.com.br

LEWIS CARROLL

CONTOS ESCOLHIDOS

ALICE NO PAÍS DAS MARAVILHAS

GARNIER
desde 1844

Dados Internacionais de Catalogação na Publicação (CIP) de acordo com ISBD

C319c Carroll, Lewis

Contos escolhidos – Alice no país das maravilhas / Lewis Carroll. - 2. ed. - Belo Horizonte - MG : Garnier, 2020.
728 p. ; 16cm x 23cm.

Inclui índice.
ISBN: 978-85-7175-166-8

1. Literatura inglesa. 2. Literatura infantil. 3. Fantasia. I. Título.

2020-968 CDD 823
CDU 821.111

Índice para catálogo sistemático:

1. Literatura inglesa 823
2. Literatura inglesa 821.111

ÍNDICE

I

Aventuras de Alice no País das Maravilhas

Ociosamente deslizamos
Sob um sol de raios dourados.
Os remos mal tocam as águas,
por braços frágeis manejados.
Sem rumo certo ou direção,
por eles nós somos guiados.

E eu que pensava estar sozinho,
buscando minha inspiração
para uma história bem ligeira,
súbito, sinto a intromissão
de trio arrogante e cruel,
que me impõe sua direção.

Prima começa dando as ordens:
"Vamos, já é hora de iniciar!"
Segunda ordena em complemento
Disparates acrescentar,
e, enquanto a história vai surgindo,
Tertia não para de apartear.

No silêncio que se sucede,
brota a história da Fantasia:
por uma terra muito estranha,
tomando o Sonho como guia,
uma criança vai seguindo
durante um quente e longo dia.

A história, aos poucos, se encaminha
para um inesperado fim,
e o próprio autor não poderia
imaginar que fosse assim.
E o trio, será que aprovou?
Sorrindo, as três dizem que sim.

Podemos por fim regressar
da viagem ao tal país.
A barca desliza ligeira,
e a tripulação ri, feliz,
esquecendo remos e leme:
não naufragou por um triz!

Alice! Uma história infantil,
fruto de um sonho delirante,
que provém das recordações
de uma época fascinante,
a Infância: grinalda de flores
colhidas num país distante.

VOTOS DE FELIZ NATAL
(*de uma fada para uma menina*)

Queridinha, quando as fadas
deixam de proceder mal
e de agir como malvadas,
saiba: é tempo de Natal!

Cada elfo, cada duende
abandona a traquinagem
e em sua mente se acende
a luz da antiga Mensagem.

A paz então prometida
aos homens foi, na verdade,
a todo ser estendida,
havendo boa vontade.

Brota em todos a esperança,
o sentimento cordial;
por isso, para a criança,
sempre é tempo de Natal!

Esquecendo as ações más,
eu lhe desejo, querida,
que um Natal de muita paz
se entenda por sua vida.

CAPÍTULO 1

Enfiando-se pela Toca do Coelho

Alice começava sentir-se cansada de ficar sentada ali, naquele banco de jardim, ao lado de sua irmã, sem nada ter para fazer. Uma ou duas vezes tinha tentado espiar o livro que a mana estava lendo, mas nele não havia figurinhas, nem mesmo diálogos, e ela pensou: "Para que serve um livro sem desenhos e conversas?"

Reunindo o melhor que pôde seus pensamentos (e foi difícil, pois um dia quente como aquele costumava fazê-la sentir-se pesada e lerda), tentou imaginar se o prazer que teria em compor uma guirlanda de margaridinhas compensaria o esforço de colher as flores, quando, de repente, um Coelho Branco de olhinhos cor-de-rosa passou correndo bem perto dela.

Aquilo não lhe pareceu nada espantoso, nem mesmo quando ela escutou o Coelho murmurar para si próprio: "Ai, ai, ai! Estou atrasadíssimo!" (Pensando nisso tempos depois, ela achou que deveria ter ficado muito espantada com aquilo; naquele instante, porém, o fato lhe pareceu inteiramente natural). Foi então que o Coelho tirou um relógio do bolso do colete, olhou as horas e disparou a correr, dessa vez seguido por Alice, em cuja mente relampejou a ideia de que ela jamais havia visto um coelho vestindo colete, e muito menos um que tirasse do bolsinho um relógio. Ardendo de curiosidade, saiu correndo pelo campo atrás dele, e foi desse modo que pôde vê-lo enfiar-se num buraco cavado sob a cerca.

Sem pensar duas vezes, Alice entrou naquela toca atrás do bichinho, sem se preocupar em como faria para sair dali.

A toca do coelho era plana e estreita no início, como se fosse um túnel, mas subitamente se transformava numa descida vertical, e tão subitamente, que Alice não teve tempo de parar, e se precipitou em queda livre naquilo que parecia ser um poço muito, muito fundo.

Fosse por causa da profundidade do poço, fosse porque ela estava caindo bem devagar, o fato é que Alice teve tempo suficiente para observar o que havia a seu redor, sem contudo imaginar o que estava para acontecer em seguida. A princípio, tentou olhar para baixo, a fim de ver o que haveria lá no fundo, mas nada viu senão uma completa escuridão. Pôs-se então a olhar para os lados, notando que as paredes do poço eram revestidas de estantes e prateleiras. Aqui e ali havia mapas e gravuras pendurados. Ao passar por uma prateleira, agarrou um pote

que trazia escrito no rótulo: *GELEIA DE LARANJA*. Qual não foi seu desapontamento ao ver que estava vazio! Teve vontade de atirá-lo para baixo, mas desistiu da ideia, temendo machucar seriamente alguém que estivesse lá no fundo. Assim, ao passar por uma prateleira vazia, deixou-o ali.

"Bem", pensou, "depois de uma queda dessas, perdi definitivamente o medo de cair da escada. Agora, todo o mundo lá de casa vai me achar corajosa! E não vou revelar meu segredo, mesmo que caia lá de cima do telhado!"(E ela realmente estava acreditando naquilo que dizia).

E Alice continuava caindo, caindo, caindo. Será que aquele poço não teria fim? "Quantas milhas terei percorrido até agora?", perguntou-se, em voz alta. "Devo estar quase atingindo o centro da Terra. Se for assim, já percorri umas quatrocentas milhas!" (Como se pode ver, Alice tinha aprendido muitas coisas na escola, mas não achou que aquele momento fosse dos mais apropriados para exibir seus conhecimentos, já que não havia pessoa alguma que a pudesse escutar. Mesmo assim, continuou falando, apenas para se exercitar). "Sim, devo ter percorrido essa distância, mas não sei em qual latitude e em qual longitude em me encontro neste momento..." (Alice não tinha a menor ideia do que significavam essas duas palavras, mas achou que elas eram belas e imponentes para a ocasião).

Depois de uma pausa, recomeçou a pensar em voz alta: "E se eu estiver atravessando a Terra, de um lado para o outro? Deve ser bem divertido chegar a um lugar onde as pessoas andam de cabeça para baixo. Como é mesmo o nome delas? Acho que é "*Antípatas*". (Dessa vez, Alice, ficou satisfeita de não haver pessoa alguma pelas imediações, pois desconfiou que aquela não seria a palavra correta). "Mas isso não importa. O que tenho a fazer é perguntar o nome da terra aonde fui parar. Dirijo-me a uma senhora e lhe digo: Por favor, madame, aqui por acaso será a Nova Zelândia? Ou quem sabe estou na Austrália?" (e tentou curvar-se cortesmente, fazendo uma mesura enquanto falava. É bem curioso ver as tentativas de curvar-se de alguém que está descendo em queda livre! Acham que Alice conseguiu?) "Se eu fizer uma pergunta dessas, a senhora irá pensar que não passo de uma garotinha muito ignorante! É, acho que o melhor será ficar calada, e ver se enxergo o nome do país, escrito em algum lugar".

E lá veio ela caindo, caindo, caindo. Como nada mais havia para fazer, continuou a conversar consigo mesma. "Acho que, hoje à noite, vou sentir muito a falta da Diná" (Esse era o nome de sua gata). "Espero que se lembrem de lhe dar leite. Ah, querida Diná, como que queria tê-la aqui comigo! Sei que não há camundongos no ar, mas você poderia pegar um morcego, quem sabe? Os morcegos são bem parecidos com os ratinhos, não são? Há uma coisa que eu gostaria de saber: será que os gatos comem morcegos?"

Nesse momento, começou a sentir-se muito sonolenta; mesmo assim, continuou a repetir aquela pergunta: "Será que os gatos comem morcegos? Gatos comem morcegos?", e às vezes se confundia, dizendo: "Será que os morcegos comem gatos?". E como não sabia responder nem uma, nem outra pergunta, pouco importava a maneira como ela era dita.

Ela mesma sentiu que estava cochilando. No sonho que teve, caminhava de mãos dadas com Diná, e ambas conversavam amistosamente. No momento em que ela perguntou à gata: “Diga-me a verdade, Diná, você já comeu morcego alguma vez?”, ouviu-se um “puff!”, e Alice afundou num monte de talos de capim e folhas secas. Foi o fim da queda.

A menina não estava nem um pouquinho machucada. Assim, logo em seguida, pôs-se de pé, olhando para cima, afim de saber de onde tinha vindo. Apenas enxergou a escuridão. Olhando então para a frente, avistou um corredor comprido e, lá no fundo, o Coelho Branco, sempre apressado. Não havia um minuto a perder, e lá se foi ela, veloz como o vento, a tempo de ouvi-lo murmurar, quando dobrou uma quina: “Pelas minhas orelhas! Pelos meus bigodes! Como está ficando tarde!” Ela estava quase alcançando o Coelho; porém, quando ele se enfiara, já não mais o avistou. Notou então que se achava num salão comprido e baixo, iluminado por uma fileira de lâmpadas que pendiam o teto.

O salão era todo rodeado de portas, mas todas estavam fechadas. Alice experimentou uma por uma, sem conseguir abri-las: estavam trancadas a chave. Tomada de tristeza, caminhou para meio do lado, perguntando-se como faria para sair daquele lugar.

Foi então que deparou com uma mesinha de três pernas, com um tampo de vidro, só havia uma coisa em cima dela: uma chavinha dourada. Sua primeira ideia foi a de que aquela chave poderia abrir uma das portas, e tratou de experimentá-la. Infelizmente, a chave não servia: era muito pequena para os buracos de fechaduras, ou os buracos de fechadura eram muito grandes para ela; não importa — o fato é que ela não abria nenhuma daquelas portas. Entretanto, examinando as paredes do salão pela segunda vez, Alice notou a existência de uma cortina que não tinha visto antes. Abrindo-a, viu que atrás dela havia uma portinha de apenas umas quinze polegadas de altura (38cm). Enfiou a chave na fechadura e, para sua grande satisfação, ela serviu.

Alice abriu a porta e viu que ela dava para um corredorzinho estreito, não mais largo que um buraco de rato. Ajoelhando-se, olhou através dela e viu lá no fundo um jardinzinho deveras encantador. Que vontade sentiu de sair daquele salão mal-iluminado e poder passear por entre os carneiros de lindas flores e as pontes de água fresca. Mas como ela sequer conseguia enfiar a cabeça naquele corredor estreito? "E mesmo que eu conseguisse enfiar a cabeça", pensou ela, desconsolada, "de que me serviria, se meus ombros teriam de ficar do lado de fora? Ah, bem que eu queria poder encolher como um telescópio! Talvez até possa, só que não sei como começar..." (Como se pode ver, estavam acontecendo nos últimos tempos tantas coisas espantosas, que quase nada lhe parecia ser impossível).

Como não valia a pena ficar ali parada diante do corredorzinho estreito, ela voltou até a mesa, esperançosa de encontrar sobre o tampo uma outra chave, ou quem sabe um livro ensinando como se devia fazer para encolher igual um telescópio. Mas o que ela viu sobre a mesa ("e que certamente não estava aqui agorinha mesmo", pensou) foi uma garrafa, tendo preso ao gargalo um papelão, no qual estava escrito: "BEBA-ME", em letras desenhadas com grande capricho.

O simples fato de estar escrito "BEBA-ME" naquele papelão não seria suficiente para fazer Alice despejar o conteúdo da garrafa pela goela abaixo. "Não, senhor; primeiro, tenho de dar olhada pelo rótulo desta garrafa", disse ela, "e ver se existe ou não a indicação de VENENO". (Ela tinha lido algumas histórias sobre crianças que tinham sido queimadas, ou devoradas por feras, ou que tinham padecido castigos horrendos, apenas por não terem seguido umas regrinhas bobas que seus amigos lhes tinham ensinado, como por exemplo não ficar segurando durante longo tempo um atiçador de lareira, enquanto se espalha as brasas, pois tal imprudência pode levar a pessoa a sofrer queimaduras; ou não descascar frutas displicentemente com uma faca, correndo o risco de se ferir; ou um aviso que ela jamais esqueceu: quem bebe do conteúdo de uma garrafa que traz a indicação de "veneno", é quase certo que, mais cedo ou mais tarde, acabe passando muito mal).

Mas como aquela garrafa não continha qualquer alerta nesse sentido, Alice arriscou-se a provar o seu conteúdo, que era de sabor bastante agradável (uma mistura de suco de cereja, creme, abacaxi, peru assado, caramelo e torradinhas amanteigadas). Assim, de uma golada, ela bebeu tudo.

DRINK ME

“Que sensação curiosa!”, murmurou Alice. “Sinto que estou encolhendo como se fosse um telescópio!”

E era isso mesmo o que estava acontecendo. Ela agora estava com apenas dez polegadas de altura (25 cm). Seu semblante animou-se ante a ideia de que o novo tamanho lhe permitiria entrar pela portinhola e seguir pelo corredor estreito até alcançar o jardim encantador. Antes de passar por ali, porém, ela esperou por algum tempo, para ver se continuava a encolher.

A espera deixou-a um pouco nervosa. “Posso encolher até sumir”, pensou, “ou então derreter, como se fosse uma vela. E aí, que vai ser de mim?” Tentou então imaginar como ficaria uma vela que se derretesse inteiramente mas não se lembrou de jamais ter visto alguma da qual não tivesse sobrado pelo menos um toquinho.

Passado algum tempo, vendo que nada mais acontecia, resolveu seguir até o jardim. Pobrezinha: quando chegou junto à portinhola, lembrou-se de que não tinha a chave consigo. Voltando à mesa de vidro para apanhá-la, viu que não conseguia alcançar o tampo. Através do vidro, avistou a chave dourada, e tentou escalar uma das pernas da mesa para chegar até o alto. Impossível: a perna era muito escorregadia. Por fim, cansada, a pobre Alice sentou-se no chão e chorou amargamente.

“Ora, por que ficar chorando assim?”, disse para si própria, com voz zangada. “Dentro de um minuto, não quero vê-la chorando mais!”

Ela costumava dar-se excelentes conselhos (embora raramente os seguisse). Às vezes, passava em si própria reprimentadas tão severas, que chegava a ficar com os olhos cheios de lágrimas. De certa feita, chegou a puxar suas próprias orelhas, por ter roubado num jogo de croqué que disputava contra ela mesma. De fato, aquela garota curiosa gostava de fingir que era duas pessoas ao mesmo tempo. “Mas não agora”, pensou. “Como posso ser duas, se o que me sobrou mal dá para formar uma pessoa inteira?”

Nesse momento, sua atenção foi atraída para uma caixinha de porcelana que estava embaixo da mesa. Abriu-a e encontrou dentro dela um bolinho que tinha escrito na casca, em letra cursiva, “COMA-ME”. “É o que vou fazer”, disse ela, “e espero que, com isso, volte a crescer, para poder pegar a chave. Por outro lado, se em vez de crescer, eu diminuir de tamanho, poderei passar por debaixo da porta. De um modo ou de outro, acabarei chegando ao jardim; por isso, pouco importa de que maneira farei.”

Comeu um pedacinho e ficou perguntando a si própria: “Que vai acontecer? Que vai acontecer?”, enquanto apalpava a cabeça, para ver se estaria crescendo. Para sua surpresa, porém, permaneceu do mesmo tamanho. De fato, isso é o que geralmente acontece com as pessoas, depois que comem um bolinho. No caso de Alice, porém, ela já estava tão acostumada a presenciar acontecimentos surpreendentes, que chegou a sentir decepção quando viu que as coisas estavam ocorrendo da maneira normal.

Por via das dúvidas, porém, acabou comendo o bolinho inteiro.

Capítulo 2

O Lago de Lágrimas

Espantoso espanto!”, gritou Alice (e sua surpresa era tamanha, que por um momento se esqueceu de falar com elegância e correção). “Agora estou espichando, como se fosse um telescópio de tamanho anormal!” (disse isso porque, olhando para os pés, quase não os enxergou de tão distantes que estavam). “Oh meus pobres pezinhos, como poderei calçar meias e sapatos, agora que vocês estão tão longe de minhas mãos? Vocês estão fora do meu alcance! Tão distantes ficaram, que nem poderei guiá-los para onde eu quiser! Vocês é que irão escolher o caminho que seguirão. Mesmo assim, devo ser gentil com meus queridos pezinhos”, pensou, “porque, afinal de contas, não quero que caminhem para um lado diferente do que quero ir. Que fazer? Já sei: vou dar-lhes de presente um par de botinas novas, sempre que chegar o Natal.”

Começou a planejar um modo de presentear seus próprios pés. “Vou ter de enviar o presente pelo correio”, pensou. “É, vai ser muito engraçado, mandar um presente para seu pé. Posso até imaginar como terei de endereçar o pacote:

Exmo. Sr.
Pé Esquerdo de Alice
Tapete da Sala, perto da Lareira
Atenciosamente, Alice.

Gente, gente, quanta bobagem estou dizendo!”

Nesse momento, sua cabeça bateu no teto do salão. Ela então já estava com mais de nove pés de altura (2,74m). Antes que aumentasse mais ainda, tratou de pegar a chave dourada e se dirigiu para a portinhola que dava para o jardim.

Pobre Alice! Agora, o máximo que podia fazer era ficar deitada de lado, olhando para o jardim com um olho só! Quanto a entrar pelo corredor estreito, isso ficara ainda mais difícil do que antes. Voltando a sentar-se no chão, ela desatou a chorar.

“Você devia se envergonhar” ralhou. “Onde já se viu, uma menina grande assim”(e nisso ela tinha toda a razão) “chorando feito um bebezinho! Pare com isso, e já!” Mas de nada adiantaram suas palavras, e ela continuou vertendo litros e litros de lágrimas, até formar uma lagoa ao seu redor, espalhando-se pela metade do salão e alcançando quatro polegadas (10 cm) de profundidade.

Passado algum tempo, ela escutou um barulho de passos à distância. Enxugando rapidamente os olhos, viu o Coelho Branco que vinha de volta, vestido a rigor, segurando numa das mãos um par de luvas de pelicas brancas, e na outra um leque. Como sempre, estava com pressa, e murmurava para si mesmo enquanto caminhava: "Oh, a Duquesa! A Duquesa! Se ela tiver de me esperar, vai ficar muito furiosa!"

Alice estava tão desesperada, que não se importava de pedir ajuda a quem quer que fosse. Assim, quando o Coelho chegou mais perto, ela pediu, com voz tímida: "Por favor, cavalheiro..."

O Coelho estacou subitamente deixando cair as luvas de pelica e o leque das mãos, e tratou de fugir em disparada, desaparecendo na escuridão. Alice apanhou do chão o leque e as luvas e, como o salão estava muito quente, começou a se abanar, ao mesmo tempo que dizia: "Ah, meu Deus, como tudo está esquisito hoje! Quem diria que ontem tudo corria de maneira absolutamente normal! Que terá acontecido comigo durante a madrugada? Seria eu a mesma Alice de sempre, hoje de manhã? Creio que estava me sentindo ligeiramente diferente. Porém, se não sou a mesma, fico a me perguntar: então, quem é que eu sou? Esta é a grande questão!"

E começou a repassar no pensamento todas as conhecidas que tinham a sua idade, na tentativa de ver se porventura poderia ter-se transformado em uma delas. "Estou certa de que não sou a Ada", comentou "porque, nesse caso, eu estaria com o cabelo todo cacheado, e não estou. Também não posso ser a Mabel, porque sei um monte de coisas, enquanto que ela — coitada! — quase nada sabe. Além disso, ela é ela, e eu sou eu, e — gente, que confusão! Vamos ver se realmente continuo sabendo tudo que eu sabia até ontem. Lá vai: quatro vezes cinco, são doze, e quatro vezes seis são treze, e quatro vezes sete — ih, deste jeito jamais conseguirei chegar a vinte! Deixemos de lado a tabuada, e vamos para a Geografia. Londres é a capital de Paris, e Paris é a capital de Roma, e Roma — oh não! Está tudo errado! Acho que me transformei na Mabel! Vamos ver se ainda consigo recitar a poesia do crocodilo" — e, cruzando as mãos sobre o regaço, como se estivesse recitando uma lição, começou a declamar a poesia, mas sua voz soava rouca e estranha, e as palavras pareciam um pouco diferentes das que ela geralmente costumava dizer. O fato é que a poesia acabou ficando assim:

Segue a nadar o crocodilo
que há horas não come,
Agitando as águas do Nilo:
quer matar a fome.

Vendo um cardume, ele sorri:
"Que peixinhos lindos!
Entrem na boca, nesta aqui,
e sejam bem-vindos!"

"Estou certa de que as palavras não são exatamente estas", lamentou-se Alice, enquanto seus olhos de novo se enchiam de lágrimas. "É devo ter virado a Mabel! E agora, que será de mim? Terei de morar naquela casa desconfortável, sem brinquedos para me divertir, e isso sem falar nas tantas lições que vou ter de aprender. E se eu for de fato a Mabel, melhor será que fique por aqui mesmo. Já pensou como vai ser quando meu pessoal puser a cabeça na boca da toca e disser: — Volte para cima, querida! — e eu olhar para eles e responder: — Mas quem

sou eu? Digam-me quem sou, para que eu saiba se devo ou não subir e atender o chamado. Ai de mim!", disse Alice entre lágrimas, "bem que queria escutar alguma voz me chamando... Estou tão cansada de ficar aqui embaixo sozinha..."

Logo depois de dizer isso, olhou para as mãos e ficou surpresa de notar que, sem se dar conta, tinha calçado uma das luvas do Coelho. "Ué! Como pode ser isso? Se a luva coube em mim, devo ter ficado pequena de novo!"

Ficando de pé, seguiu até a mesa de vidro, a fim de comparar sua altura com a dela. Viu então que, de fato, agora estava medindo dois pés (61 cm), e que continuava a diminuir a olhos vistos. Desconfiando de que a causa fosse o fato de que o leque estava aberto, tratou de fechá-lo: foi a conta de paralisar a diminuição e evitar que acabasse por desaparecer.

"Ufa! Por pouco!", exclamou, assustada com a redução de tamanho, mas satisfeita por ter conseguido manter-se viva. "E agora, para o jardim!"

Disparou em direção da portinhola, que, por azar, tinha sido fechada de novo. A chave continuava em cima da mesa de vidro, onde ela não a poderia apanhar. "Em vez de melhorar, as coisas pioraram", pensou ela. "Estou menos do que antes, e isso não é nada, nada bom!..."

Ao dizer isso, escorregou e — splash! — caiu num lago de água salgada que lhe chegava até à altura do queixo. A primeira ideia que lhe veio foi a de ter caído no mar. "Neste caso, posso voltar para casa de trem", pensou.

(Alice tinha ido uma vez na vida ao litoral, e guardada daquela visita a impressão de que toda as praias seriam iguais, com suas barracas de trocar de roupa, crianças cavando a areia com pazinhas de madeira, uma fileira de casas de aluguel e, ao longe, a estação de trem). Logo compreendeu, porém, que aquele "mar" era o lago formado pelas lágrimas que ela havia vertido quando estava medindo nove pés de altura.

"Por que eu tinha de chorar tanto?", perguntou-se, enquanto nadava, tentando achar um meio de sair daquele lago. "E este é o meu castigo: afogar-me em minhas próprias lágrimas! Um castigo bem estranho, sem dúvida, mas está tudo tão esquisito hoje!"

Nesse momento, ela escutou o som de um corpo que caía no lago, não longe dali. Nadou em direção ao lugar, de onde havia saído o barulho, para descobrir que animal seria, imaginando tratar-se de uma morsa, ou mesmo de um hipopótamo, quando se lembrou de que estava muito pequenina, descobrindo pouco depois que todo aquele escarcéu tinha sido causado por um simples camundongo. Ele deveria ter escorregado, do mesmo modo que ela, e caído no lago de lágrimas.

"Devo ou não dirigir-me a esse camundongo?", pensou. "Da maneira como hoje está tudo tão esquisito, é bem provável que ele saiba falar. Não custa, ao menos, tentar." E ela então dirigiu-se ao camundongo, dizendo:

— Ó rato, acaso sabes de um modo de sair este lago? Estou cansada de ficar nadando aqui, ó Rato!

Imaginou que aquela era a melhor maneira de se dirigir a um roedor, coisa que nunca tinha feito antes, mas é que se lembrava de ter lido uma lição de Latim no livro de seu irmão, e a tradução dizia: "Um rato; do rato; ao rato; pelo rato; o rato; *ó rato*." Quanto ao camundongo, ficou olhando para ela com curiosidade e, num certo momento, pareceu piscar-lhe um olho, mas nada respondeu.

"Talvez ele não entenda minha língua", pensou Alice. "Quem sabe não seria um rato francês, que teria vindo para cá com Guilherme, o Conquistador?" (Apesar de todo o seu conhecimento de História, Alice não tinha uma noção muito clara dos séculos que a separavam de Guilherme, o Conquistador.)

Resolveu então dirigir-se ao camundongo em francês, dizendo-lhe:

— Où est ma chatte?

Essa era a primeira frase do livro de Francês. Ouvindo-a, o Camundongo começou a agitar-se novamente, tomado de um súbito estremecimento.

— Oh, queira desculpar-me — disse Alice, receosa de ter ferido os sentimentos do pobre animalzinho. — Esqueci-me inteiramente de que você não aprecia gatos!

— E não aprecio mesmo! — exclamou o Camundongo, em voz estridente e zangada. — Se você fosse eu, seria amiga dos gatos?

— Provavelmente não — respondeu ela, em tom apaziguador. — Não fique zangado só por causa disso. Apesar de tudo, bem que eu gostaria de apresentar-lhe minha gata Diná. Ah, se a conhecesse! Certamente mudaria sua opinião em relação aos gatos. Ela é tão gentil, tão fofinha!

Continuando a falar mais para si própria do que para o Camundongo, enquanto boiava preguiçosamente no lago, a menina disse:

— Precisa ver como ela fica ronronando ao pé do fogo, enquanto lambe as patinhas e os bigodes! Como é bom acariciar seu pelo macio! E ela é uma danadinha, quando se trata de caçar ratos... oh, perdão! — interrompeu Alice, enquanto o Camundongo ficava todo arrepiado, mostrando o quanto aquele assunto o deixava ofendido. — Já que você prefere assim, não vamos tocar mais nesse assunto.

— Não vamos! — vociferou o Camundongo, tremendo dos pés à cabeça. — Como se eu estivesse falando nisso! Toda a minha família sempre odiou gatos, essas criaturas nojentas, grosseiras, vulgares! Não me repita esse nome, por favor!

— Prometo que não! — apressou-se Alice a dizer, desejosa de mudar o rumo daquela conversa. — Você... é, você... gosta... e, gosta... de cães?

O camundongo nada respondeu, e ela continuou, tentando puxar assunto:

— Oh, ratinho, querido, não se vá! Volte, peço-lhe. Não vamos falar mais de gatos ou de cães, já que você não gosta desses assuntos!

Ouvindo isso, o Camundongo parou de espadanar água e voltou para a direção de Alice, nadando vagarosamente. Estava pálido, com uma voz trêmula que refletia sua emoção. E ele falou:

— Vamos até a margem, para que eu lhe conte minha história. Você vai compreender por que é que odeio gatos e cães.

Já era o tempo de sair dali, pois o lago estava ficando repleto de aves e outros animais que tinham caído nele: um pato, um Dodô, uma arara e um filhote de águia, além de diversas criaturas bizarras. Alice nadou à frente,seguida pelos demais, e logo todo o bando deixava o lago, ganhando a margem.

Capítulo 3

Uma Corrida Sem Lei e Uma História Comprida

Era de fato estranho aquele bando que se reunia à margem do lago: aves, escorrendo água pelas pernas, e quadrúpedes, de pelos encharcados, todos molhados, irritados e sentindo-se desconfortáveis.

O primeiro problema a ser resolvido era o da secagem de seus corpos. Para discutir o assunto, resolveram realizar uma conferência ali mesmo. Para Alice, nada mais natural que estar entre animais, conversando com eles tranquilamente, como se jamais tivesse feito outra coisa na vida. E assim foi que ela e a Arara entabularam uma conversa muito comprida. A ave acabou ficando zangada, e não parava de repetir: "Sou mais velha que você; por isso, conheço a vida muito mais." Para tirar a limpo se isso seria ou não verdade, Alice insistia em saber qual a idade da Arara, o que ela positivamente se recusava a revelar. Desse modo, nada mais havia a dizer.

Por fim, o Camundongo, que parecia ser uma criatura dotada de certa liderança entre eles, ordenou com firmeza:

— Sentem-se todos, e tratem de me escutar. Vou providenciar para que, em breve, todos estejam completamente secos!

Ouvindo isso, sentaram-se todos, formando uma roda em torno do camundongo. Alice mantinha os olhos fixos nele, pois estava certa de que iria pegar um resfriado, caso não se secasse logo.

— Ham! — pigarreou o Camundongo, com ar importante. — Estão todos prontos? Preparados para a secagem? Silêncio, por favor! Ouçam essas palavras secantes: Guilherme, o Conquistador, cuja causa era apoiada pelo Papa, logo foi aceito pelos ingleses, que ansiavam por um chefe, e que ultimamente já até estavam acostumados à usurpação e à conquista. Edwin e Morcar, que eram conde de Mércia e da Nortúmbria...

— Ai, ai, ai! — guinchou a Arara, arrepiando as penas.

— Perdão, senhora? — interrompeu o Camundongo, de cenho franzido, mas com polidez. — Disse alguma coisa?

— Eu não! — respondeu a Arara, com ar petulante.

— Pensei que tivesse dito — disse o Camundongo. — Bem vamos prosseguir. Edwin e Morcar, condes de Mércia e da Nortúmbria, declararam-se a seu favor, e até mesmo Stigand, o patriótico arcebispo da Cantuária, achava ser de bom alvitre...

— Achava o quê?! — perguntou o Pato.

— Achava ser — respondeu o Camundongo, irritado. — Naturalmente você deve saber bem o que significa "ser".

— Claro que sei — replicou o Pato — especialmente quando cato no chão algum ser. Ora se trata de uma rã, ora de um verme. A questão não é essa, e sim a seguinte: o arcebispo fulano achava ser o quê?

O Camundongo preferiu não prosseguir com o diálogo, voltando imediatamente a narrar sua história.

— ... achava ser de bom alvitre acompanhar o Edgar Atheling, seguindo ao encontro de Guilherme, a fim de lhe oferecer a coroa. Com efeito, a conduta de Guilherme tinha sido, até então, bastante razoável. Mas a insolência dos normandos... Então, querida, como está se sentindo? — perguntou, dirigindo-se a Alice.

— Molhada, como antes — respondeu ela, tristemente. — Sua história não está conseguindo secar meu vestido.

— Já que é assim — disse o Dodô, erguendo-se — proponho que esta reunião seja adiada, em virtude da necessidade de imediata adoção de medidas mais enérgicas.

— Fale língua que se entenda! — reclamou o filhote de águia. — Não conheço o significado desses palavrões, e, o que é pior, acho que você também não sabe o que eles significam.

Dizendo isso, o filhote de águia enfiou a cabeça sob as penas, querendo esconder um sorriso. Outras aves, porém menos discretas, mal disfarçaram seus sorrisos, fungando descaradamente.

— O que eu estava querendo dizer — prosseguiu o Dodô, com ar ofendido — era que a melhor maneira de nos secarmos seria participando de uma "corrida-sem-lei".

— Que corrida é essa? — perguntou Alice, não que quisesse de fato saber, mas apenas porque o Dodô tinha feito uma pausa proposital, esperando aquela pergunta que ela só formulou depois de ver que os outros animais de mantinham em completo silêncio.

— A melhor maneira de explicar é praticando — respondeu o Dodô.

(Como vocês podem querer promover uma corrida dessas num dia frio ou chuvoso, vou contar a seguir como foi que o Dodô a organizou).

Primeiramente, ele traçou uma espécie de círculo, demarcando a raia da corrida ("não é preciso ficar muito bem feito", explicou, enquanto traçava o círculo no chão). Em seguida, os participantes foram distribuídos em diferentes pontos daquele círculo. Não houve o clássico "um, dois e... já!", mas cada qual começou a correr quando lhe deu na telha, parando para descansar no momento que assim o decidia. Não havia como saber se a corrida teria ou não terminado. Entretanto, depois de meia hora, mais ou menos, quando todos já estavam enxutos, o Dodô gritou, sem mais nem menos:

— Pronto! Terminou a corrida!

Todos correram para perto dele, ofegando e perguntando:

— Quem foi que venceu?

Essa pergunta não podia ser respondido sem uma longa meditação prévia. Assim, o Dodô ficou com ar cismador, apertando a testa com a ponta das asas, na posição em que normalmente se vê Shakespeare — trocando a ponta da asa por um dedo — nas gravuras que o representam.

Os corredores aguardavam em silêncio. Por fim, o Dodô declarou:

— Todos ganharam. Todos receberão um prêmio.

— Mas quem dará o prêmio? — perguntaram todos, numa só voz.

— Quem! Claro que será ela! — disse o Dodô, apontando para Alice.

O bando rodeou a menina, exigindo:

— Prêmio! Queremos prêmio!

Alice não tinha ideia de como agir. Em desespero, enfiou a mão no bolso e tirou de lá uma caixa de balas (por sorte, a água salgada não tinha entrado dentro dela), dando uma a cada corredor. Foi a conta de distribuí-las sem que sobrasse uma só.

— Ela também merece um prêmio! — protestou o Camundongo.

— É muito justo! — concordou o Dodô, acenando a cabeça gravemente. — Vejamos, então: que mais tem no bolso, menina?

— Apenas um dedal — respondeu ela, tristemente.

— Pois passe-o para cá.

Os animais postaram-se em torno de Alice novamente, enquanto o Dodô lhe enfiava solenemente o dedal no dedo dizendo:

— Queira aceitar este elegante dedal.

Ao fim da curta cerimônia, todos aplaudiram. Alice achou tudo aquilo muito absurdo, mas não se atreveu a rir, vendo a gravidade dos semblantes que a encaravam. Não sabendo o que responder, fez uma curvatura e ficou mirando o dedal, com o ar mais respeitoso que pôde.

Os animais, em seguida, trataram de comer as balas, o que provocou barulho e confusão. As aves maiores queixavam-se de que haviam engolido as balas antes de sentir seu gosto, enquanto que os passarinhos ficavam engasgados, tendo de receber fortes tapas nas costas, para livrar a goela das balas atravessadas. Por fim, terminada a balbúrdia, sentaram-se todos em círculo, pedindo ao Camundongo que prosseguisse a história.

— Para mim — disse-lhe Alice, — você prometeu contar a sua própria história, e de explicar por que razão odeia tanto os... aqueles de iniciais G e C.

Essa última parte foi dita num sussurro, pois ela receava que a simples menção indireta aos Gatos e Cães pudesse ofendê-lo mais uma vez.

— Minha história... — suspirou o Camundongo, voltando-se para Alice — é de fato muito triste e longa...

— De fato, é bem longa — disse Alice distraída, olhando para a cauda do rato. — Mas por que você diz que é triste?

E, deixando a imaginação voar, começou a imaginar uma "história de camundongo" com o mesmo formato da cauda do animal, e que era mais ou menos assim:

Um cão bravo,
chamado Furioso,
dirigiu-se ao rato,
que viu saindo do
mato, e lhe disse:
— vou levá-lo ao
Tribunal. Venha por
bem ou por mal.
Não aceitarei
qualquer recusa.
— E de que me
acusa? Que foi
que eu fiz?
— Não importa:
serei o juiz.
Seu destino
já está selado.

Você acaba de
ser condenado.
— E qual a
pena, senhor?
Queira dizer,
peço por favor.
— Pois não:
você não teve
sorte. Foi
condenado
à pena
de morte!

— Você não está prestando atenção! — repreendeu o Camundongo. — Em que estava pensando?

— No tamanho do seu rabo — disse Alice, ainda meio distraída. — Isso não o preocupa?

— Claro que não! — exclamou o Camundongo, de cenho franzido aparentando estar bastante aborrecido. — E por que deveria ficar preocupado?

— Porque ele está dando um nó! — disse Alice. — Deixe-me ajudá-lo a desfazer o laço.

— Onde já se viu! — exclamou o camundongo, levantando-se e indo embora. — Você me insulta, sempre que diz essas asneiras!

— Não tive a intenção de ofendê-lo — desculpou-se a menina. — você é que se ofende por qualquer ninharia!

O Camundongo apenas guinchou, sem replicar, continuando a caminhar para longe dali.

— Oh, por favor! — implorou Alice. — Volte e termine a história!

Os outros animais fizeram coro:

— Sim, volte, por favor!

Mas ele prosseguiu para a frente, pisando duro e sacudindo a cabeça com impaciência.

— Oh, que pena! lamentou-se a Arara. — Ele se foi...

Enquanto o Camundongo desaparecia ao longe, Mamãe Caranguejo aproveitou a oportunidade para dar a lição a sua filha, dizendo-lhe:

— Está vendo, filha, como é feio perder a calma?

— E logo você é quem vem me dizer isso? — replicou a caranguejinha desaforadamente. — Seus palpites fazem até as ostras perderam a paciência!

— Como eu gostaria de ter Diná aqui comigo! — suspirou Alice, sem se dirigir a alguém em particular. — Ela saberia como fazê-lo voltar bem depressa.

— E quem é Diná, se não cometo a indiscrição de perguntar? — indagou a Arara.

Alice respondeu prontamente , já que sempre estava disposta a falar acerca de sua Diná:

— É a nossa gata. Para caçar camundongos, não há igual, você precisa ver! Pois se ela caça até aves! Basta que um pássaro passe perto dela, para que logo esteja no papo!

Essas palavras provocaram tremendo alvoroço no bando. Algumas aves fugiram dali precipitadamente. Uma velha Pega começou a esconder a cabeça sob a asa, enquanto dizia:

— Acho que devo ir para casa, pois o ar fresco da noite é muito prejudicial para a minha garganta.

Uma canária, com voz trêmula de medo, chamou os filhotes:

— Venham logo, queridos! É hora de ir para a caminha!

Alegando diversas desculpas, cada qual tratou de ir dando o fora. Pouco depois, Alice estava sozinha, às voltas com seus pensamentos:

— "Por que fui falar outra vez na Diná? Aqui embaixo, ninguém parece gostar dela, ainda que ela seja a melhor gata do mundo! Oh, Diná querida! Será que ainda a verei novamente um dia?

Nesse ponto, a pobre Alice prorrompeu em pranto, sentindo-se sozinha e abatida. Não demorou a ouvir um ruído de passos à distância. Enxugando os olhos, ficou à espera de ver surgir, quem sabe, o Camundongo, imaginando que ele talvez houvesse mudado de ideia e resolvido voltar para acabar de contar sua história.

Capítulo 4

O Coelho Recorre a um Tal de Bill

Era o Coelho Branco, que vinha caminhando lentamente, olhando para o chão, como se estivesse à procura de alguma coisa perdida. A menina escutou-o a murmurar para si mesmo: "A Duquesa! A Duquesa! Pelas minhas patinhas de coelho! Pela minha pele e pelos meus pelos! Ela vai me executar, tão certo como um dia eu hei de morrer! Mas onde será que os perdi? Onde?" No mesmo instante, Alice adivinhou que ele estava à procura do leque e do par de luvas de pelica. Sentindo pena, também começou a procurar aqueles objetos pelo chão, mas inutilmente: tudo ali parecia ter mudado inteiramente, desde que ela tivera de nadar no lago salgado. O salão, a mesa de vidro, a portinhola que dava para o jardim , tudo tinha desaparecido sem deixar rastro.

Logo que o Coelho avistou Alice ajudando-o na busca dos objetos perdidos, dirigiu-se a ela em tom áspero, dizendo:

— Ei, Mariana, que está fazendo por aqui? Vá para casa, já, e trate de trazer-me um par de luvas e um leque! Rápido, vamos!

Alice ficou tão assustada, que saiu correndo na direção que o Coelho Branco indicava com o dedo, sem sequer tentar explicar o engano que ele estava cometendo.

"Ele está me tomando por sua empregada", comentou baixinho, enquanto corria. "Vai ter uma tremenda surpresa, quando souber quem eu sou! Até que isso ocorra, é melhor que eu traga as luvas e o leque, se é que poderei encontrá-los."

Nesse momento, ela avistou uma casinha bonita e asseada, em cuja porta havia uma tabuleta de metal com a seguinte inscrição: "COELHO BRANCO". Entrou sem bater, e foi tratando de subir as escadas silenciosamente, com receio de deparar com a verdadeira Mariana, e de ser expulsa da casa antes de encontrar os objetos perdidos.

"Ah, que coisa mais esquisita!", pensou. "Estou cumprindo as ordens dadas por um coelho! Se a Diná souber disso, logo estará querendo dar-me ordens também!" E ela começou a imaginar uma cena que poderia vir a ocorrer, entre ela e sua babá:

— Alice! Apronte-se, que está na hora de sairmos a passeio.

— Espere um minutinho, babá. A Diná mandou que eu ficasse aqui diante de um buraco de rato, vigiando-o para ela! Só poderei sair daqui depois que ela voltar!

"Se ela começar a dar ordens desse tipo, meus pais logo irão expulsá-la de nossa casa..."

Nisso, já havia entrado num quartinho muito limpo, dentro do qual havia uma mesa diante da janela, e sobre ela um leque e dois ou três pares de luvas de pelica. Era o que esperava encontrar. Assim, passando a mão num leque e num dos pares de luvas, já se preparava para sair do quarto, quando seus olhos pousaram num frasco colocado junto ao espelho da cômoda. Não havia rótulo ou etiqueta com a indicação "BEBA-ME", mas mesmo assim ela abriu a tampa e levou o frasco aos lábios, murmurando: "Sei que alguma coisa interessante vai acontecer se eu tomar dessa bebida. Sempre acontece algo por aqui, quando bebo ou como alguma coisa. Vamos ver agora. Espero que eu cresça de novo, pois estou cansada de estar com este tamaninho."

Foi isso mesmo que aconteceu, e até mesmo antes que ela esperava. Quando apenas tinha metade do conteúdo do frasco, sua cabeça já estava batendo no teto, e ela teve de se abaixar, para não quebrar o pescoço. Mais que depressa, largou o frasco, dizendo para si mesma: "Basta! Não posso crescer mais! Do tamanho que estou, já não posso passar pela porta. Oh, por que fui tomar um gole tão grande?"

Era tarde para se arrepender. Seu crescimento prosseguiu, e em breve ela teve de ajoelhar no chão, e em seguida de se deitar, apoiada sobre um cotovelo e pondo a outra mão atrás da cabeça. Mesmo assim, não parou de crescer e, como último recurso, deixou um braço sair pela janela e enfiou uma das pernas pela chaminé da lareira, murmurando consigo própria: "Agora chega! Não tenho mais como aumentar. Que será de mim?"

Para sua sorte, tinha chegado ao fim o efeito aumentador da bebida, e ela parou de crescer. Do jeito que estava, porém, sentia-se extremamente desconfortável, e, como não via de que maneira poderia sair daquele cômodo, foi invadida por um terrível sentimento de infelicidade.

"Nada como estar na casa da gente", lastimou-se, "sem essa de ficar crescendo e diminuindo, e de receber ordens de camundongos e coelhos. Para quê fui entrar naquela toca? Por outro, como estão acontecendo coisas curiosas comigo, desde então! Quando li os contos de fada, achei que tudo aquilo era imaginação, que não poderia jamais acontecer; entretanto, aqui estou eu, em meio a acontecimentos os mais espantosos! Valia a pena até escrever um livro para narrá-los. Acho que vou escrever um, quando crescer...oh, que estou dizendo! Como crescer, se nem tenho mais espaço para isso?"

Depois de matutar algum tempo sobre sua situação, prosseguiu com seus pensamentos. "Se parei de crescer, isso quer dizer que parei de envelhecer? Por um lado, deve ser bom, porque assim não me tornarei uma velha, jamais; por outro, tem suas desvantagens, como a de ter de estudar sempre e sempre, e isso eu não quero, de modo algum!"

"Ora, Alice, sua bobinha!" murmurou, em tom de réplica. "Se você não puder sair daqui, como irá estudar? Se já não há espaço para você, muito menos haverá cadernos e livros!"

E ela assim prosseguiu, representando dois papéis ao mesmo tempo, e desse modo dialogando consigo própria. Só interrompeu a conversação quando escutou uma voz que dizia:

— Mariana! Mariana! Onde estão as luvas? Traga-as já!

Em seguida, escutou o som de passos que subiam a escada. Entendeu que era o Coelho Branco, aborrecido com seu atraso, e se pôs a tremer de medo, sacudindo toda a casa, esquecida de que não havia sentido em recear um coelhinho que devia ser umas mil vezes menor que ela.

Chegando ao topo da escada, o Coelho dirigiu-se ao quarto e tentou abrir a porta. Como esta se abria para dentro, e o cotovelo da menina estivesse encostado nela, de nada valeram suas tentativas de abrir, ou mesmo de arrombar a tal porta. Alice conseguiu escutá-lo a dizer entre os dentes: "Deixe estar! Vou dar a volta e entrar pela janela."

"Isso é o que você pensa", sussurrou ela, dando tempo para que o Coelho Branco chegasse embaixo da janela por onde seu braço se havia enfiado. Quando imaginou que ele já lá se encontrasse, desferiu um bote no vazio, sem conseguir agarrá-lo, mas provocando um pequeno desastre, pois logo em seguida escutou uma espécie de guincho e um barulho de vidros quebrados. Alice concluiu que o Coelho Branco tivesse saltado para trás, devido ao susto, e caído sobre alguma estufa de hortaliças, ou coisa parecida.

Pouco depois, ouviu-se a voz do Coelho, mais zangado que antes:

— Pat! Pat! Que é de você?

Ao que uma voz desconhecida respondeu?

— Estou aqui, Excelência! Na labuta, como sempre!

— Conheço sua labuta! — retrucou o Coelho, irritado. — Pois venha já até aqui! Venha tirar-me deste lugar!

Ouviu-se novamente o som de vidros quebrados.

— Diga-me, Pat, que é aquilo ali, na janela?

— Aquilo é um braço, Excelência, sem dúvida!

— Um braço! Só você mesmo! Onde já se viu um braço daquele tamanho? E, ainda por cima, tomando toda a janela?

— Nisso, Vossa Excelência tem razão; mas acontece que é um braço...

— Braço ou não, o fato é que aquilo não devia estar ali. Por isso, vá até lá e tire-o da janela.

Seguiu-se um longo silêncio, estremecendo aqui e ali de sussurros e palavras ditas entre os dentes, das quais Alice apenas entendia uma ou outra, como por exemplo: "Não estou gostando nada, nada, Excelência." e "Faça o que mandei, seu covarde!"

Para dar um paradeiro à murmuração, Alice esticou a mão e deu outro bote, ao qual se seguiram dessa vez, dois guinchos e novo barulho de vidros partidos. "Quantas estufas existirão por aqui?", pensou ela. "E agora, que será que vão fazer? Quem sabe estão querendo puxar-me pela janela? Como se fosse possível... Tomara que façam algo sensato, pois já não aguento mais ficar aqui!"

Durante algum tempo, nada mais se ouviu. Por fim, escutou-se o som das rodas de um carrinho-de-mão, seguido de várias vozes, todas falando ao mesmo tempo. Mesmo assim, deu para distinguir uma sequência:

— Onde está a outra escada?

— Ué! Só me disseram para trazer uma!

— O Bill trouxe a outra.

— Lá está ele. Bill! Venha cá, rapaz!

— Ponha a sua escada junto desta outra.

— Não! É uma em cima da outra! Tem de prendê-las!

— Mesmo prendendo, elas não alcançam metade da altura!

— Claro que alcançam! Não precisa ser tão exigente!

— Venha cá, Bill. Segure-se nesta corda.

— Ih!... Será que o telhado aguenta o peso?

— Cuidado! Olha uma telha solta!

— Lá vem ela! Cubram as cabeças! (Em seguida, um barulho de algo que se espatifa).

— Quem foi que fez isso?

— Só pode ter sido o Bill.

— Quem é que vai descer pela chaminé?

— Não olhe para mim! Você é quem vai descer!

— É? E por que logo eu?

— Quem vai descer é o Bill.

— Venha cá, Bill — dessa vez, Alice reconheceu claramente a voz do Coelho Branco. — Suba ao telhado e desça pela chaminé.

"Ah, então quem vai descer é o Bill, não é?", pensou Alice. "Quando a tarefa é difícil, chama-se o Bill, claro! Eu não gostaria de estar em sua pele: a chaminé da lareira é muito estreita, minha perna está dentro dela, mas mesmo assim dá para aplicar um bom pontapé em quem chegar à altura de meu pé." Encolhendo a perna o mais que pôde, ficou à espera de que o Bill (que tipo de animal seria ele?) se aproximasse. Não demorou e ouviu um ruído de patinhas que raspavam as paredes da chaminé, pouco acima dela. Devia ser o Bill. Esperou por mais um pouquinho, e então estendeu a perna de uma só vez, aplicando poderoso pontapé no infeliz, e em seguida ficou esperando o que iria acontecer.

A primeira coisa que ouviu foi um murmúrio geral ("Lá vai o Bill!), depois um silêncio, e por fim uma confusão de vozes, dizendo:

— Levantem a cabeça dele!

— Tragam conhaque!

— Assim, você sufoca o coitado!

— E aí, rapaz? Tudo bem?

— Conte o que foi que aconteceu.

Ouviu-se então, em meio ao murmúrio, uma vozinha débil e trêmula ("Agora é o Bill", pensou Alice) a dizer:

— Não sei bem o que foi que aconteceu...Obrigado, podem deixar, estou melhor.. Foi tudo tão estranho... Como explicar? Sabem aquela caixa de surpresa, da qual sai um boneco risonho, quando se abre a tampa? Alguma coisa assim aconteceu comigo. De repente, uma coisa esquisita, como se acionada por uma mola, acertou-me por debaixo e me atirou para o alto. Como se eu fosse um foguete!

— De fato, você saiu voando daquela chaminé — concordaram todos.

— O que temos a fazer é botar fogo na casa — disse o Coelho.

Foi só ouvir aquela voz esganiçada, e Alice berrou o mais alto que pôde:

— Se você fizer isso, eu chamo a Diná e a atiço contra você!

Seguiu-se um silêncio mortal. "Que farão agora?", pensou Alice. Se fossem sensatos, mandariam arrancar o telhado.

Depois de um minuto ou dois, os murmúrios recomeçaram, e Alice escutou a voz do Coelho, dizendo:

— Para começar, basta um carrinho cheio.

"Um carrinho cheio de quê?", pensou ela. Não teve muito tempo para imaginar o que seria, pois no instante seguinte caiu sobre ela uma chuva de pedras, atiradas de baixo contra a janela. Algumas acertaram seu rosto. "Vou parar com isso agora mesmo!", decidiu ela, gritando com voz ameaçadora:

— Não repitam isso! Estou avisando!

A ameaça provocou novamente um silêncio mortal.

Nesse instante, porém, Alice notou que as pedras estavam se transformando em bolachas, à medida que caíam no chão, e uma ideia brilhante veio a sua mente: "Se eu comer essas bolachas, algo me acontecerá com relação ao tamanho — é sempre assim! Tanto posso ficar maior, como ficar menor, acho."

Para tirar a dúvida, era preciso comer as bolachas, e foi o que ela fez. Depois de devorar uma, notou satisfeita que estava diminuindo. Assim, pôs-se a comê-las uma a uma, até atingir um tamanho que lhe permitia passar pela porta. Desceu as escadas, abriu a porta de entrada e deparou com um numeroso bando de animais, parados do lado de fora da casa. No meio deles jazia um pobre lagarto, assistido por dois porquinhos-da-índia, que lhe davam de beber um remédio. Quando apareceu, ergueu-se um murmúrio ameaçador, mas ela disparou a toda velocidade, passou por eles e em pouco estava a salvo, atravessando um mato fehado.

"A primeira coisa que tenho de fazer é retomar meu tamanho normal. A segunda é tentar visitar aquele jardim encantador. Este é o meu plano."

Parecia efetivamente um excelente plano, simples e objetivo. Só tinha um porém: ela não fazia a menor ideia de como executá-lo. Assim, foi vagando por entre as árvores e arbustos, até que escutou um latido, bem perto dela. Olhando para cima, avistou um cãozinho (só que de tamanho gigantesco para ela), que a fitava com olhinhos espertos e redondos. Com um certo receio, o animal estendeu uma das patas prudentemente, tendendo tocá-la.

— Ah, que gracinha! — disse Alice em tom carinhoso, assobiando para ele, ao mesmo tempo em que morria de medo de que o cãozinho estivesse com fome e decidisse devorá-la sem qualquer consideração.

Não encontrando algo melhor para fazer, ela pegou do chão um varinha e a atirou para longe. O cachorrinho latiu de satisfação, deu um salto e saiu atrás da varinha, atirando-se contra ela e fingindo querer mordê-la. Enquanto isso, Alice escondeu-se atrás de um grande cardo, a fim de evitar que fosse pisada. No instante em que apareceu do outro lado da planta, o cãozinho atirou-se de novo contra a varinha, com tamanha gana, que até rolou no chão. Alice comparou o perigo que corria de ser esmagada pelo animal com o que correria em seu tamanho normal, se brincasse de rolar pelo chão com um cavalo bem grande. Assim, voltou a esconder-se atrás do cardo e ficou apreciando a brincadeira do cãozinho, que avançava em direção à varinha e recuava logo em seguida, latindo furiosamente durante todo o tempo, até que por fim se sentou sobre as patas de trás, ofegante, com a língua para fora da boca e mantendo os olhos semicerrados.

Pareceu Alice que aquela seria uma boa oportunidade para dar o fora dali, e ela se pôs a correr, até que se sentiu invadida pelo cansaço e a ponto de perder o fôlego. Só então parou e ouviu ao longe o latido do cachorrinho. "Que pena...Era uma cãozinho tão lindo!", pensou, apoiando-se contra um botão-de-ouro para descansar, enquanto abanava com uma folha arrancada daquela planta. "Se eu

pudesse, iria ensinar-lhe vários truques. Mas seria preciso que eu estivesse com meu tamanho normal. Gente, gente! Quase me esqueci que tenho de encontrar um modo de crescer! Como conseguirei isso? Suponho que tenha um modo de crescer! Como conseguirei isso? Suponho que tenha de comer ou beber alguma coisa, só não sei o quê..."

De fato, essa era a questão. Alice olhou a seu redor, por entre as flores silvestres e os talos de relva, mas nada viu que lhe parecesse ser a coisa certa para comer ou beber, a fim de realizar seu desejo de crescer.

Ali perto havia um cogumelo de copa redonda, mais ou menos de sua altura. Dirigiu-se para ele e pôs-se a examiná-lo por todos os lados. Para poder enxergar a parte de cima, pôs-se na ponta dos pés e logo deparou com uma enorme lagarta azul, sentada bem no meio daquela cúpula redonda, de braços cruzados, fumando tranquilamente o cachimbo turco chamado narguilé, completamente alheia a tudo e a todos.

CAPÍTULO 5

Os Conselhos de Uma Lagarta

A Lagarta e Alice encararam-se durante algum tempo em silêncio. Por fim, depois de tirar o narguilé da boca, a Lagarta dirigiu-se à menina, numa voz lânguida e sonolenta:

— Quem é você?

Não era um início de conversa dos mais encorajadores. Um tanto timidamente, Alice respondeu:

— Eu? Bem... neste exato momento, senhora, estou com uma certa dúvida. De fato, eu sabia muito bem quem eu era, quando acordei hoje de manhã; depois disso, porém, sofri tantas mudanças, que...

— Não estou entendendo essa história — interrompeu a Lagarta, algo desconfiada. — Vamos, explique-se melhor.

— Explicar-se como, se nem sei se eu sou eu. A Senhora entende como devo me sentir.

— Não, não entendo — retrucou a Lagarta.

— Receio não poder esclarecer melhor — prosseguiu Alice, com toda a polidez, — porque, para início de conversa, qualquer um ficaria extremamente confuso, mudando de tamanho tantas vezes num só dia, como aconteceu amigo, não acha?

— Não, não acho.

— É porque isso ainda não aconteceu com a senhora. Mas vai acontecer. Quando se transformar numa crisálida, e depois numa borboleta — como sabe, tudo isso é uma mera questão de tempo, — certamente haverá de se sentir meio esquisita, concorda?

— Não, não concordo.

— É... talvez sua sensação seja diferente da minha. No meu caso, tudo o que sei é que estou achando esquisito isto que me acontece.

— Sua sensação, seu caso, o que lhe acontece... ora! Quem é você, afinal?

Isso trouxe Alice e a Lagarta ao início de sua conversa. A menina já começava a se aborrecer com as contestações de sua interlocutora. Assim, empertigando-se toda, assumiu um ar de seriedade e falou:

— Acho que é a senhora que deve dizer primeiro quem é.

— Por quê?

Essa era uma pergunta difícil de ser respondida. Como Alice não encontrou um argumento sequer para se justificar, e a Lagarta não parecia ser uma criatura das mais bem-humoradas, ela preferiu dar as costas e ir-se-embora.

— Volte! — chamou a Lagarta. — Tenho uma coisa importante para lhe dizer.

Enfim, uma frase encorajadora! Alice voltou-se para a Lagarta e ficou esperando.

— Mantenha a calma — disse ela.

— É tudo o que tem a me dizer? — indagou Alice, mastigando a raiva que a assaltou.

— Não — respondeu a Lagarta.

Alice raciocinou que, como nada tinha a fazer, o melhor seria esperar, já que a Lagarta poderia de fato ter algo importante a lhe dizer. Durante alguns minutos, ela ficou calada, apenas soltando baforadas de seu narguilé. Finalmente, descruzou os braços, tirou a ponta do tubo do narguilé da boca e disse:

— Quer dizer que você acha que não é você, certo?

— Receio que sim... Não me lembro das coisas do mesmo modo como me lembrava antes, e não consigo conservar meu tamanho durante dez minutos seguidos!

— Pode dar-me exemplo das coisas de que se lembra?

— Sim: tentei recitar a poesia do besourinho, e o transformei em crocodilo — respondeu a menina, com voz chorosa.

— Então recite aquela que começa assim: "Você está velho, Pai Guilherme: — ordenou a Lagarta.

Alice cruzou as mãos e começou:

— Você está velho, Pai Guilherme, e a cabeleira,
pra ficar branca, falta pouco.
Mas vi você ontem, plantando bananeira!
Não acha que é coisa de louco?

— Na mocidade — disse o pai ao filho tolo —
temi que isso fizesse mal,
mas já me convenci de não possuir miolo!
Portanto, o que faço é normal.

— Você está velho, meu pai, convença-se disso:
já está chegando ao seu final...
No entanto, apesar de gordo feito um chouriço,
gosta de dar salto mortal!

— Eu fui um grande atleta em minha mocidade,
e não parei de exercitar;
por isto, conservei a minha agilidade.
Para perdê-la, vai custar!

Você está velho, Pai Guilherme, e agora mesmo
seus dentes todos cairão;
pois, mesmo assim, você ainda mastiga torresmo!
É além da minha compreensão!

— Na mocidade, tanta injustiça sofri
e tanta raiva mastiguei;
foram tantos os desaforos que engoli,
que boca e dente reforcei!

— Você está velho, e vai perder, a qualquer dia,
Essa firmeza que mantém;
no entanto, equilibra no nariz uma enguia!
De onde esse equilíbrio provém?

— Três vezes repliquei, sem a calma perder
(assim age um pai com seus filhos);
mas, da quarta vez, você fez por merecer
um bom pontapé nos fundilhos!

— Você não recitou direito — criticou a Lagarta.

— Em parte, você tem razão — replicou Alice timidamente. — Algumas palavras foram alteradas...

— Não é bem assim. Você recitou errado do princípio ao fim — retrucou a Lagarta com firmeza, seguindo-se um silêncio que durou alguns minutos.

Quem falou primeiro foi a Lagarta.

— De que tamanho você quer ser?

— Oh, quanto a isso, não sou exigente — respondeu a menina afobadamente. — Não gosto é de ficar mudando de tamanho com tanta frequência, como a senhora deve entender.

— Não, eu entendo.

Alice preferiu não responder. Jamais em sua vida recebera tantas contestações, e receava acabar perdendo a calma por causa disso.

— Está satisfeita agora? — perguntou a Lagarta.

— Eu gostaria de ser um pouquinho maior, Dona Lagarta. — Três polegadas é um tamanho um tanto deprimente...

— Pois eu diria que é um excelente comprimento — protestou a Lagarta, esticando-se enquanto falava, até ficar exatamente com três polegadas.

— Mas não estou acostumada a ter essa altura! — retrucou Alice, com voz de súplica, ao mesmo tempo em que pensava: "Por que será que as criaturas se ofendem tão facilmente?"

— Com o tempo, você acaba se acostumando — disse a Lagarta, voltando a fumar o narguilé.

Alice esperou pacientemente que ela resolvesse prosseguir com a conversa. Daía um ou dois minutos, a Lagarta desocupou a boca, bocejou duas vezes e se espreguiçou. Em seguida, desceu do cogumelo e rastejou sobre a relva, comentando em voz baixa, enquanto seguia em frente:

— De um lado dele, você aumenta; do outro, diminui.

— Como? Lado de quê? Por favor, explique isso melhor!

— Refiro-me ao cogumelo — disse a Lagarta, pouco antes de desaparecer da vista da menina.

Ali ficou ela, contemplando o cogumelo durante um minuto, tentando descobrir qual seria o lado aumentador e o diminuidor, mas o vegetal era redondinho, não apresentando qualquer indicação nesse sentido. Por fim,ela se decidiu: abrindo os braços o mais que podia, arrancou um pedaço de cada uma das beiradas opostas do cogumelo, segurando cada qual numa das mãos.

— E agora, direito ou esquerdo? — disse ela para si própria.

Para tirar a dúvida, mordeu uma isca do pedaço, seguro na mão direita, a fim de testar o efeito. No mesmo instante, sentiu como que um golpe violento no queixo: é que ele tinha batido no seu pé! Alice assustou-se com aquela súbita redução de tamanho, entendendo que não havia tempo a perder. Antes que ficasse pequena demais para tomar qualquer providência, tratou de dar uma mordida no outro pedaço, o que não foi fácil, já que seu queixo estava encostado no pé, quase impedindo a boca de se abrir. Mas se ela acabou conseguindo engolir uma lasquinha do pedaço de cogumelo que trazia guardado na mão esquerda.

— Ufa! Por fim, consegui que minha cabeça desgrudasse do pé — murmurou Alice em tom de alegria, que daí a pouco se transformou em pânico, tão logo percebeu que já não conseguia enxergar os ombros, de tanto que seu pescoço tinha esticado. Ele parecia um enorme tronco, brotando do mar de folhas verdes que se estendia abaixo dela.

— Que tanto verde será esse lá embaixo? — perguntou-se Alice, tomada de espanto. — E meus ombros, que é deles? Ai, minhas mãozinhas, por que é que não consigo vê-las?

Ela mexia as mãos enquanto dizia isso, sem observar outro resultado que não um ligeiro movimento nas folhas verdes que se estendiam lá embaixo.

Não vendo como fazer para levar as mãos até a cabeça, tentou inverter a ação, abaixando a cabeça até encostá-la nas mãos. Ficou encantada ao notar que seu pescoço se curvava e se dobrava em qualquer direção, qual uma serpente. Ela acabava de conseguir abaixá-lo num gracioso ziguezague, preparando-se para enfiar a cabeça entre as folhas(que descobriu serem as das copas das árvores sob as quais ela anteriormente se encontrava), quando um ruflar de asas a fez recuar apressadamente. Era uma pomba que voava junto a seu rosto, gritando apavoradamente:

— Olha a cobra!

— Que cobra o quê! — replicou Alice indignada. — Suma daqui!

— É uma cobra, sim! — protestou a Pomba, embora de maneira mais contida prosseguindo depois de um soluço: — Já tentei de tudo, mas ela não se satisfaz com coisa alguma!

— Não faço a menor ideia do que é que você está falando — disse Alice.

— Tentei raiz de árvore, tentei ribanceira, tentei cercas, mas nada agrada a essas cobras... — prosseguiu a Pomba, em tom lamentoso.

Alice estava intrigada, mas preferiu manter-se calada, enquanto a Pomba prosseguia:

— Como se já não houvesse problema bastante só em chocar ovos... Mas não, ainda tenho de ficar atenta dia e noite, vigiando as cobras! Nas últimas três semanas, não pude dar nem um dormidinha!

— Oh! — exclamou Alice, começando a entender a queixa da Pomba — estou penalizada com sua aflição.

— E logo agora, que transferi meu ninho para a árvore mais alta da floresta — prosseguiu a Pomba, cuja voz se havia transformado num guincho — e que imaginava estar livre daquelas danadas, eis que uma surge lá de baixo, contorcendo-se, e se ergue até o céu! Sai, cobra!

— Já lhe disse que não cobra! — insistiu Alice. — Eu sou... sou...

— O quê? — perguntou a Pomba. — Vejo que está tentando inventar alguma mentira!

— Sou uma garotinha — concluiu Alice, embora sem muita convicção, pensando nas tantas alterações que tinha sofrido durante todo aquele dia.

— Muito interessante! — comentou a Pomba, em tom irônico. — Já vi muitas garotinhas até hoje, e nenhuma delas tinha um pescoção do tamanho do seu... Não, não, confesse, vamos: você é uma cobra, uma serpente, e não adianta negar. Suponho que vai querer fazer-me acreditar que jamais provou um ovo em toda a sua vida!

— Oh, não — protestou Alice, que era uma menina muito amiga da verdade, — eu como ovos! Garotinhas e serpentes gostam de ovos, como você devia saber.

— Não acredito! — retrucou a Pomba. — Se fosse verdade, as garotinhas seriam uma espécie de serpente: é ou não é?

Aquela maneira de raciocinar deixou Alice tão perplexa, que ela ficou em silêncio, dando à Pomba a oportunidade de prosseguir:

— O fato é que você está procurando ovos. Para mim, é o que importa. Estou pouco me lixando se você é uma garotinha ou uma serpente.

— Pois é essa a dúvida que mais me aflige: afinal de contas, eu sou o quê? Quanto aos ovos, não estou atrás deles, no momento, e, se estivesse, não seria atrás dos seus, pois detesto comer ovos crus.

— Sendo assim, caia fora. — disse a Pomba com voz emburrada, enquanto se preparava para voltar a seu ninho.

Alice continuou a esgueirar a cabeça entre as árvores com alguma dificuldade, pois de vez em quando seu pescoço se enredava entre os galhos, dando-lhe algum trabalho desemaranhá-lo. Só depois de algum tempo foi que ela se lembrou do cogumelo, pondo-se a mastigar bocadinhos de uma e de outra mão, ora aumentando, ora diminuindo, até que conseguiu retornar a seu tamanho normal.

Havia tanto tempo que não mantinha sua antiga altura, que, ela a princípio estranhou. Daí a pouco, porém, já estava acostumada, voltando a conversar consigo própria, como de costume:

— Já realizei metade do plano. Essas mudanças constantes de tamanho me deixam desnorteada! Nunca sei ao certo como estarei no próximo minuto! Agora que estou com meu tamanho normal, posso tentar chegar ao jardim. Mas como? É o que me pergunto.

Nesse instante, alcançou uma clareira da floresta, avistando ali perto uma casinha de quatro pés de altura (1,22m). "Quem será que vive ali?, pensou. "Não posso entrar nessa casa com este tamanho, ou vou deixar seus moradores aterrorizados!"

Ela então mordiscou um pedaço do cogumelo que trazia na mão direita, só se aventurando a chegar no próximo da casinha, quando sua altura se reduziu a nove polegadas (23 cm).

CAPÍTULO 6

Porco e Pimenta

Durante um ou dois minutos, ela ficou olhando para a casinha, perguntando-se como deveria agir. Foi então que ali chegou, vindo da floresta um criado vestido de libré. (Ela achou que era um criado por causa da roupa que ele usava. Não fosse por isso, e teria jurado que se tratava de um peixe). Este outro tinha cara redonda e olhos esbugalhados, parecendo antes um sapo. Como o primeiro porém, também era um criado. Alice notou que ambos usavam perucas cacheadas e polvilhadas de talco, como era costume no passado. Curiosa de saber o que iriam tratar aqueles dois, ela se aproximou discretamente e ficou escutando.

O primeiro criado, depois de tirar de sob o braço um envelope enorme, quase do seu tamanho, entregou-o ao segundo criado, dizendo com a voz solene:

— Faça-me o obséquio de entregar esse convite à Senhora Duquesa. É da parte de sua Majestade, a Rainha, que a convida para participar de um jogo de croqué.

O criado-sapo tomou o envelope nas mãos e disse, com voz igualmente solene:

— Sua Majestade convida a sua Excelência para um jogo de croqué.

Em seguida, ambos se curvaram numa reverência, de modo tal que as perucas se emaranharam, fazendo Alice rir. Para não ser vista, ela se escondeu atrás de uma moita. Quando reapareceu, viu que o criado-peixe já se fora e que o outro estava sentado no chão, olhando com cara de bobo para o céu.

Chegando-se timidamente até a porta, Alice bateu.

— Não há motivo algum para você bater aí nessa porta — disse o criado-sapo, — e por duas razões: primeiro, porque aí dentro da casa há tanto barulho, que ninguém poderia escutar suas batidas; segundo, porque estou do lado de fora da porta, do mesmo modo que você.

De fato, dentro daquela casa havia um barulho ensurdecedor, uma sequência contínua de gritos, de espirros e do som de louça quebrada.

— Diga-me, então, por favor, como devo fazer para entrar nesta casa.

— Haveria algum sentido em suas batidas — prosseguiu o criado, como se a não tivesse escutado — se existisse uma porta separando você de mim. Se você estivesse dentro de casa, por exemplo, e batesse à porta, eu poderia abri-la para que você saísse.

Enquanto falava, ele mantinha os olhos voltados para o céu, o que Alice julgou extremamente deseducado de sua parte. "Pode ser, contudo", pensou ela, "que ele não possa evitar isso, já que tem os olhos no topo da cabeça. Mas isso não o impede de responder as perguntas que eu lhe fizer".

— Diga-me, por favor — insistiu ela, — como farei para entrar?

— Vou ficar sentado aqui até amanhã — já ia prosseguindo quando a porta se abriu e uma tigela foi atirada de dentro, vindo pelos ares em direção a ele.

Por sorte, a vasilha apenas roçou em suas narinas, indo espatifar-se contra um tronco de árvore logo atrás dele.

— ... ou mesmo até depois de amanhã...

— Como farei para entrar aí? — perguntou novamente Alice, erguendo a voz.

— Precisa mesmo entrar? — Essa é a questão fundamental, como você sabe.

E era mesmo,sem dúvida; apenas, Alice não gostou de ser lembrada disso. "É realmente desagradável", pensou, "a maneira como as criaturas daqui argumentam. Deixa qualquer um louco!"

O criado achou que aquela seria uma boa oportunidade para repetir seu aviso, fazendo algumas variações. E ele o fez:

— Vou ficar sentado aqui, sem descansar, durante dias e dias.

— E quanto a mim? — tornou Alice. — Que faço?

— Faça o que você quiser — respondeu o criado, pondo-se em seguida a assoviar.

— Nem vale a pena conversar com esse daí — observou Alice, irritada. — É um perfeito idiota.

Dizendo isso, abriu a porta e entrou na casa.

A porta dava para uma cozinha uma ampla e enfumaçada. A Duquesa estava sentada num tamborete de três pernas, bem no meio do aposento, embalando uma criancinha. Uma cozinheira estava inclinada sobre o fogão, mexendo um caldeirão enorme, que parecia estar cheio de sopa.

— Essa sopa parece estar muito apimentada — murmurou Alice, tentando conter um espirro.

Até o ar estava impregnado do cheiro de pimenta, fazendo com que a Duquesa espirasse ocasionalmente. Também o bebê sentia-se incomodado, alternando espirros e gemidos sem um momento de pausa. As duas únicas criaturas dali que não espirraram eram a cozinheira e um gato muito grande, deitado ao lado do fogão e exibindo um sorriso que ia de uma orelha à outra.

— A senhora poderia fazer o favor de dizer-me — disse ela um tanto timidamente, imaginando se não seria falta de educação dirigir-se à Duquesa antes de um cumprimento formal — por que seu gato está sorrindo dessa maneira?

— É um gato da raça *cheshire* — respondeu a Duquesa. — E você não passa de um porco!

A última parte da resposta foi dita com tal fúria, que Alice quase deu um pulo. Logo notou, porém, que a Duquesa não se dirigia a ela, e sim à criancinha que trazia ao colo. Assim, tomou coragem e continuou:

— Nunca soube que os gatos dessa raça viviam a sorrir! Na realidade, eu nem sabia que os gatos podiam sorrir!

— Claro que podem — respondeu a Duquesa. — Todos podem. E a maior parte deles sorri.

— Jamais vi um gato sorridente — retrucou Alice, tentando fazê-lo com toda a polidez possível, e muito satisfeita de ter iniciado aquela conversação.

— Você não é muito sabida. — disse a Duquesa. — Nem um pouco.

A menina não gostou do tom de voz que ela usou, e resolveu mudar de assunto. Enquanto tentava arranjar um novo tema de conversação, a cozinheira tirou o caldeirão do fogo e, sem mais aquela, começou a atirar contra a Duquesa e o bebê tudo o que estivesse a seu alcance: primeiro, os atiçadores de fogo; depois, uma chuva de caçarolas, tigelas e pratos. A Duquesa parecia nem ligar, mesmo quando era atingida por algum objeto; quanto ao bebê, estava esgoelando tanto, que era quase impossível dizer se tinha recebido alguma pancada, ou se chorava apenas por birra.

— Ei! Pare com isso! — ordenou Alice, saltando aterrorizada. — Cuidado com o narizinho do bebê!

Disse isso porque uma frigideira acabava de passar rente à criança, quase acertando seu rosto.

— Se cada qual cuidasse de sua vida — resmungou a Duquesa, — o mundo era bem capaz de girar mais depressa.

— E que vantagem isso iria trazer? — retrucou Alice, satisfeita com a oportunidade de exibir seus conhecimentos. — Pense nas consequências que isso traria à duração dos dias e das noites! Como a senhora deve saber, a Terra leva vinte e quatros horas para dar um giro completo em torno de seu eixo...

— Já que falou de eixo — interrompeu a Duquesa, — seria bom arrancar sua cabeça!

Alice voltou os olhos aflitamente para a cozinheira, receosa de que ela obedecesse a ordem da patroa, mas a mulher estava ocupada em mexer a sopa, parecendo nem ter ouvido toda aquela conversa. Assim, ela voltou a falar:

— Vinte e quatro horas...bem, acho que é isso. Ou serão doze horas?

— Ora, ora, não me aborreça! — exclamou a Duquesa. — Tenho horror aos números!

Dizendo isso, voltou a embalar o bebê, entoando uma estranha canção de ninar sacudindo com força a pobre criaturinha, ao fim de cada estrofe. E era assim a letra da cantiga de ninar:

Repreenda seu neném,
Bata nele se espirrar;
Ele sabe muito bem
Perturbar e incomodar.

CORO (entoado pela cozinheira e pelo bebê)
Uou! Uou! Uou!

Enquanto a Duquesa cantava a segunda parte da cantiga, sempre sacudindo violentamente a criança ao final de cada estrofe, esta passou a gritar tão alto, que Alice mal conseguia compreender o que dizia a letra, e que era mais ou menos isso:

Quando o meu neném espirra,
Dou-lhe uma surra violenta,
E se acaso ele faz birra,
Faço-o engolir pimenta!

CORO
Uou! Uou! Uou!

— Ei, menina! Pode embalar o bebê, se quiser — disse ela dirigindo-se a Alice e atirando-lhe a criança. — Tenho de me aprontar, pois vou jogar croqué com a Rainha!

Dizendo isso, saiu às pressas. A cozinheira arremesou-lhe uma frigideira, mas dessa vez errou.

Alice equilibrou a criança nos braços com dificuldade, pois ela sacudia os braços e pernas aflitamente. "Pareceu uma estrela-do-mar", pensou Alice, e só aparece então observou a criaturinha esquisita, que

resfolegava como uma máquina a vapor, dobrando-se e esticando-se o tempo todo, como se quisesse escapar de seus braços. Era quase impossível segurá-la. Por fim, a menina descobriu como contê-la: dobrou-a de tal modo, que sua orelha direita encostou no pezinho esquerdo. Segurando-a assim, saiu com ela de casa e foi dar uma volta pelos arredores.

"Se não levar essa criaturinha comigo", pensou, "ela estará morta daqui a um ou dois dias! Deixá-la com essas duas malucas seria o mesmo que assassiná-la!"

Essas últimas palavras, pronunciou-as em voz alta. A criança, que havia parado de espirrar, pôs-se então a resmungar, fazendo com que a menina a repreendesse por isso:

— Pare de resmungar. É muito feio, viu?

Mas o bebê voltou a resmungar. Alice examinou-o atentamente, tentando adivinhar a causa de seu aborrecimento. Que bebê feio! Tinha um nariz esquisito, parecendo antes um focinho de porco. Além disso, seus olhos eram pequenos demais para um bebê. A menina tentou ver se ele estava chorando, mas não notou a existência de lágrimas, e sim que a carinha do bebê se parecia cada vez mais com a de um leitãozinho.

— Será que você se está transformando num porquinho? Se estiver, azar seu. Veja lá, hein?

Como resposta, a criatura soluçou(ou grunhiu seria impossível distinguir), seguindo-se um silêncio prolongado.

Alice estava imaginando o que poderia fazer com aquela criatura, depois que voltasse para casa, quando ela soltou novo grunhido, e dessa vez tão violento, que a menina ficou alarmada. Fitando-a para tentar adivinhar do que se tratava, não teve mais dúvidas: aquilo não era uma criança, e sim um porco. Era um absurdo continuar carregando a criatura no colo, como se se tratasse de um bebê humano.

Alice depositou o porquinho no chão, sentindo-se aliviada quando o viu marchando tranquilamente para o interior da floresta. "Se continuasse crescendo, essa criatura iria tornar-se um ser humano horroroso; como porquinho, porém, até que é bonitinho", pensou ela, deixando que seu pensamento continuasse trazendo-lhe à memória outras crianças que, se fossem — porquinhos, até que não seriam feias. Pena que ela não sabia como transformá-las.

Estava pensando nisso, quando levou um susto, ao avistar subitamente o gato risonho, encarapitado num galho de árvore a pouca distância. Ao vê-la, o sorriso do gato abriu-se ainda mais. Parecia simpático, pensou ela. Vendo, porém, que ele era dotado de garras afiadas e dentes poderosos, achou que deveria tratá-lo com certo respeito, e disse:

— Gatinho, risonho — começou, receando que ele não gostasse daquele tratamento, mas logo criando coragem, ao vê-lo manter o sorriso; — pode dizer-me como farei para sair daqui?

— Depende de saber para onde você deseja ir? — respondeu o gato.

— Isso não me preocupa. — disse Alice.

— Então, não importa que caminho você irá tomar — concluiu o gato.

— O que eu quero é chegar a algum lugar, seja qual for — tentou explicar a menina.

— É o que acontecerá forçosamente — disse o Gato, — qualquer que seja a direção que você tome. Basta que caminhe bastante.

Alice viu que o Gato estava coberto de razão, e tentou mudar de assunto, perguntando:

— Que tipo de pessoas moram por aqui?

— Naquela direção — disse o Gato, estendendo a pata direita — mora o Chapeleiro; nessa outra — e estendeu a outra pata — mora a Lebre-de-março. Tanto faz visitar ele ou ela: ambos são doidos.

— Não quero lidar com gente doida. — replicou Alice

— Quanto a isso, não há como evitar. Aqui, todos somos doidos. Eu sou, tu és, eles são.

— Quem lhe disse que eu sou doida? — protestou Alice.

— Se não fosse, não estaria aqui.

A explicação não convenceu Alice de todo, e ela prosseguiu:

— E quem disse que você é doido?

— Para início de conversa — respondeu o gato, — um cachorro não é doido, concorda?

— Concordo.

— Muito bem. E o que faz um cachorro? Rosna quando está zangado e agita a cauda quando está satisfeito. Quanto a mim, rosno quando estou satisfeito e agito a causa quando estou zangado. Portanto, sou doido.

— O que você faz não é rosnar. Eu chamo de ronronar.

— Chame do que quiser. Você vai jogar croqué com a Rainha hoje à tarde?

— Bem que gostaria, mas não fui convidada.

— Você vai encontrar-me lá — disse o Gato, desaparecendo em seguida.

Alice não ficou surpresa com aquilo. Já estava ficando acostumada com aquela sucessão de ocorrências esquisitas. Ficou olhando para o lugar onde vira o gato pela última vez, quando ele subitamente reapareceu.

— A propósito — disse ele, — onde está o bebê? Quase me esqueci de perguntar.

— Transformou-se num porco — respondeu Alice com toda a naturalidade, como se o reaparecimento do Gato fosse uma ocorrência absolutamente normal.

— Foi o que imaginei — comentou ele, desaparecendo de novo.

Alice ainda esperou por algum tempo, imaginando um possível retorno do bichano. Como este não retornou depois de uns dois minutos, ela resolveu seguir na direção em que deveria ser a casa da Lebre-de-março. "Já vi chapeleiros antes", pensou. "Uma lebre-de-março deve ser bem mais interessante. E como já estamos em maio, ela não deve estar doida varrida, como certamente estaria se estivéssemos em seu mês."

Nesse momento, olhou para o alto e viu novamente o Gato, sentado num galho de árvore.

— Você disse "porco" ou "corpo"? — perguntou ele.

— Eu disse "porco", e gostaria de que você não ficasse aparecendo e reaparecendo de tempos em tempos. Isso deixa a gente tonta.

— Está bem — concordou o Gato, desaparecendo dessa vez pouco a pouco: primeiro, a causa, depois o corpo e a cara, e por fim o sorriso, que ainda permaneceu visível durante algum tempo, depois que todo o resto havia desaparecido.

— Eu, hein? — murmurou Alice. — Já vi muitos gatos sem um sorriso, mas esta é a primeira vez que vejo um sorriso sem um gato! É a coisa mais curiosa que jamais vi até hoje!

Pouco tempo depois, ela avistou a casa da Lebre-de-março. Seria aquela, sem dúvida, pois tinha a chaminé em formato de orelhas, e o chão forrado de pele. Era uma casa bem grande; por isso, Alice não quis aproximar-se dela antes de mordiscar um pedaço do cogumelo da mão esquerda, ficando dois pés mais altas (61 cm). Só então prosseguiu, pensando: "E se ela estiver doidinha de todo? Não teria sido melhor ir visitar o Chapeleiro?"

CAPÍTULO 7

Um Chá Muito Doido

Havia uma mesa posta sob uma árvore, à frente da casa. A Lebre-de-março e o Chapeleiro lá estavam tomando chá. Um Ratinho, sentado entre os dois, dormia profundamente. Eles usavam-no como almofada, apoiando nele seus cotovelos e conversando por cima de sua cabeça. "Muito desconfortável para ele", pensou Alice. "Porém, como está dormindo, talvez nem se dê conta do que está acontecendo".

Embora a mesa fosse bem grande, os três estavam amontoados num de seus cantos. Ao verem que Alice aproximava, gritaram:

— Não há lugar! Não há mais lugar!

— Como não há! Está sobrando lugar! — retrucou ela com indignação, indo sentar-se numa poltrona colocada numa das cabeceiras.

— Tome um vinho — disse a Lebre-de-março, em tom convidativo.

Alice correu os olhos pela mesa, mas nada viu de beber senão chá.

— Não vejo o vinho!

— Claro! — disse a Lebre-de-março. — Não temos vinho...

— Então é muita falta de educação oferecê-lo! — protestou a menina.

— E não é falta de educação sentar-se a uma mesa sem ser convidada? — tornou a Lebre-de-março.

— Eu não sabia que esta mesa era sua — disse ela. — Parece ter sido postar muito mais de três pessoas.

— Você está precisando de cortar o cabelo — observou o Chapeleiro, que até então estivera mirando Alice com grande curiosidade.

— Você devia aprender a não fazer observações pessoais — repreendeu Alice. — Não é educado agir assim.

O chapeleiro arregalou os olhos ao escutar isso, mas tudo o que disse em seguida foi:

— Que semelhança existe entre um corvo e uma escrivaninha?

"Enfim, vamos começar a nos divertir", pensou Alice, acrescentando em voz alta:

— Que bom que vocês gostam de charadas. Acho que posso matar essa.

— Você quer dizer que pode encontrar a resposta — corrigiu a Lebre-de-março.

— Isso mesmo.

— Então, por que não disse aquilo que quis dizer? — perguntou a Lebre-de-março.

— Eu disse — retrucou Alice, — só que com outras palavras. No final, dá tudo na mesma.

— Dá na mesma, não, senhora! — contestou o Chapeleiro. — Uma coisa é dizer “Tudo que eu como, eu vejo”, e outra muito diferente é dizer: “Tudo que eu vejo, eu como”!

— Da na mesma que “Eu gosto de tudo o que tenho” não é o mesmo que “Eu tenho tudo de que gosto”.

— Tanto faz, como tanto fez — intrometeu-se o Ratinho, que parecia estar falando enquanto dormia, — dizer “Eu respiro enquanto durmo”, ou “Eu durmo enquanto respiro”.

— No seu caso — disse o Chapeleiro, — realmente é a mesma coisa.

Depois disso, o assunto morreu e todos silenciaram durante um minuto, enquanto Alice dava tratos à bola para descobrir as possíveis semelhanças entre um corvo e uma escrivaninha, as quais não deviam ser muitas.

O primeiro a quebrar o silêncio foi o Chapeleiro, que perguntou:

— Que dia do mês é hoje?

Nesse meio tempo, tirando um relógio do bolso, ficou a observá-lo apreensivamente, sacudindo-o de vez em quando e levando-o ao ouvido para escutar se estaria funcionando.

Alice pensou um pouco e respondeu:

— Dia quatro.

— Dois dias de atraso! — lamentou-se o Chapeleiro, olhando de cenho franzido para a Lebre-de-março. — Eu lhe disse que a manteiga iria estragar.

— Era manteiga de primeira qualidade — desculpou-se a Lebre-de-março.

— Mas nem por isso você devia passá-la com a faca de pão. Acaba caindo farelo dentro da mantegueira.

A Lebre-de-março tomou o relógio e olhou-o com desalento; depois, mergulhou-o na xícara de chá e consultou-o de novo. Todavia, tudo o que fez em seguida foi repetir o que havia dito pouco antes:

— Era manteiga de primeira!

Olhando por cima do seu ombro, cheia de curiosidade, Alice disse:

— Mas que relógio engraçado! Dá o dia do mês, mas não marca as horas!

— E por que deveria? — perguntou o Chapeleiro. — Por acaso o seu relógio indica em que ano estamos?

— Não, mas isso se entende — respondeu Alice prontamente. — A gente permanece no mesmo ano durante um longo tempo.

— Meu relógio também não indica o ano. Igual ao seu... — arrematou o Chapeleiro.

Alice sentia-se cada vez mais intrigada. O que o Chapeleiro dizia parecia não ter sentido, e ao mesmo tempo parecia que tinha. Sem querer ofendê-lo, ela comentou:

— Não entendendo coisa alguma que você diz.

— O Ratinho já dormiu de novo — disse o Chapeleiro, mudando inteiramente de assunto e derramando um pouco de chá quente no focinho do infeliz.

O Ratinho sacudiu a cabeça irritado, e disse, sem abrir os olhos:

— Sim, sim, era isso mesmo o que eu já ia dizer.

— E então — voltou-se o Chapeleiro para Alice, — já encontrou a resposta?

— Não. Desisto. Qual é?

— Não faço a mínima ideia — respondeu o Chapeleiro.

— Nem eu — acrescentou a Lebre-de-março.

Alice deu um suspiro fundo, dizendo:

— Acho que eu devia aproveitar meu tempo, ao invés de gastá-lo tentando encontrar respostas inexistentes de charadas ridículas.

— Se você conhecesse o Tempo tão bem como eu o conheço — disse o Chapeleiro, — não o trataria com essa familiaridade. Diria "Senhor Tempo".

— Não entendo o que você está dizendo.

— Nem pode entender, — concordou o Chapeleiro, meneando a cabeça com ar desdenhoso. — Sou capaz de jurar que você jamais conversou com o Tempo.

— Talvez — respondeu Alice, com alguma prudência, — mas eu sei que tenho que marcar o tempo quando estou escutando música.

— Ahá, eu sabia! E o Tempo não gosta de modo algum dessas marcações, viu? Se você usar de cortesia sempre que tratar com ele, só terá a lucrar, pois ele fará com o relógio o que você quiser. Suponha, por exemplo, que são nove da manhã —

hora de começar as aulas. Basta que você sussurre um pedido ao Tempo, e ele fará o relógio girar velozmente, até marcar uma e meia: hora de almoçar!

("Bem que eu gostaria de almoçar", pensou a Lebre-de-março, suspirando).

— Isso seria bem interessante — comentou Alice, — mas há um problema: a hora do almoço chegaria antes que eu tivesse fome...

— Logo, logo, talvez você estivesse sem fome, mas aquele horário de uma e meia poderia permanecer fixo, tanto quanto você achasse que ele deveria durar.

— E é assim que você faz?

O Chapeleiro sacudiu a cabeça tristemente, dizendo:

— Oh, não... Nós tivemos uma discussão feia, em março passado, logo que essa daí — e apontou a Lebre-de-março com a colher de chá — ficou doida... Foi por ocasião daquele grande concerto promovido pela Rainha de Copas, quando eu tive de cantar aquela canção que diz assim:

Pisca, pisca, meu morcego,
e sai do seu aconchego.

Você conhece, não é?

— Conheço uma parecida — respondeu Alice.

— Não é a mesma coisa? Ouça como ela continua:

Voa, voa, ao deus-dará,
como xícara de chá.
Pisca, pisca, pisca.

Nesse instante, o Ratinho começou a marcar o ritmo com a cabeça e, sem acordar, começou a cantar, repetindo sempre a mesma palavra:

— *Pisca, pisca, pisca, pisca (...)*

Foi preciso dar-lhe um beliscão para que ele parasse.

— Pois bem — prosseguiu o Chapeleiro, — mal tinha eu terminado a primeira estrofe, quando a Rainha berrou: "Ele está assassinando o tempo! Cortem-lhe a cabeça!"

— Que selvageria! — exclamou Alice.

— Desse dia em diante — continuou o Chapeleiro, em tom choroso, — o Tempo deixou de fazer o que lhe peço, e parou o horário para mim às seis da tarde.

— Ahn, entendo — concluiu Alice. — É por essa razão que a mesa de chá está sempre posta, não é?

— Isso mesmo — concordou o Chapeleiro. — Está sempre na hora do chá, e sequer tenho tempo de lavar vasilhas e talheres no intervalo.

— Vocês apenas trocam de lugar?

— Exatamente. Deixamos sujo aquilo que usamos, e mudamos de lugar, passando a usar o que ainda está limpo.

— E quando tudo estiver sujo, como farão?

— Esse assunto já está cansativo — interrompeu a Lebre-de-março, bocejando. — Sugiro que a senhoria nos conte uma história.

— Receio não conhecer uma sequer... — desculpou-se Alice, sem vontade de fazer o que lhe pediam.

— Então, o Ratinho irá contar uma! — exclamaram os dois ao mesmo tempo. — Vamos, o Ratinho, acorde!

E cada um aplicou-lhe um beliscão, fazendo-o abrir os olhos e dizer:

— Não precisam beliscar, que eu não estava dormindo...

Com voz rouca e fraca ele continuou:

— Ouvi cada palavra que vocês disseram...

— Conte-nos uma história — ordenou a Lebre-de-março.

— Sim, por favor — pediu Alice.

— E bem depressa — completou o Chapeleiro, — antes que acabe dormindo de novo.

— Era uma vez três irmãs, de nomes Elza, Lúcia e Tília — começou o Ratinho, falando depressa. — As três moravam no fundo do poço.

— E viviam de quê? — indagou Alice, sempre preocupada com questões de comidas e bebidas.

— Viviam de comer melado — respondeu o Ratinho, depois de raciocinar durante um ou dois minutos.

— Não dá para viver assim, você bem sabe — discordou Alice, tentando não ofendê-lo. — Elas acabariam ficando doentes.

— E ficaram mesmo — disse o Ratinho. — Muito doentes!

Alice tentou imaginar como seria a vida das três infelizes, mas acabou desistindo, e voltou a perguntar:

— Mas por que elas eram obrigadas a morar no fundo de um poço?

— Tome mais uma xícara de chá — disse a Lebre-de-março, tentando mostrar-se gentil.

— Como "mais uma" — estranhou Alice, — se ainda não tomei a primeira?

— Sempre se pode tomar "mais uma" — interveio o Chapeleiro. — O que não pode é tomar "menos uma".

— E quem pediu sua opinião? — disse Alice, aborrecida.

— Quem é que está fazendo observações pessoais agora? — indagou o Chapeleiro, com ar triunfante.

Dessa vez, Alice não soube o que responder; assim, preferiu servir-se de chá e de pão com manteiga:

— Por que eram elas obrigadas a morar no fundo de um poço?

— Porque aquele era um poço de melado

— Ora, isso não existe! — protestou ela, zangada, enquanto a Lebre-de-março e o Chapeleiro pediam silêncio com gestos.

O Ratinho ficou emburrado e desfechou:

— Se não quer escutar a história com bons modos, é melhor que a conte.

— Oh, não, desculpe-me — disse Alice, com ar arrependido. — Por favor, prossiga. Mas não bastava que fosse apenas uma irmã?

— Que uma o quê! — explodiu o Ratinho, com indignação, continuando logo em seguida: — Portanto, essas três irmãs estavam aprendendo a tirar o que havia no poço.

— Como assim? Tirar o quê? — perguntou Alice, esquecendo-se de sua promessa.

— Tirar melado, ora. — respondeu o Ratinho, dessa vez seem se aborrecer.

— Quero uma xícara limpa — interrompeu o Chapeleiro. — Vamos mudar de lugar.

No mesmo instante, mudou-se para o assento a sua esquerda, trazendo o Ratinho para perto de si, enquanto a Lebre-de-março ocupava o lugar do Ratinho, e Alice, mesmo sem querer, ocupava o lugar da Lebre-de-março. O Chapeleiro foi o único a tirar proveito da mudança. Alice ficou bem prejudicada, porque a Lebre-de-março, ao mudar de lugar, acabou derrubando a leiteira e derramando o leite na toalha e no pires que agora era da menina.

Receando aborrecer o Ratinho, mas não conseguindo conter sua curiosidade, ela perguntou, em tom gentil:

— Não entendi uma coisa: de onde elas tiravam o melado?

— Você é mesmo burrinha...Não se tira água do poço que tem água? Do poço que tem melado, tira-se melado, ora...

— Tira-se, quando se está fora. Acontece que elas moravam dentro dele — argumentou Alice, sem se importar com as consequências dessa observação.

— É claro que elas moravam no poço — concordou o Ratinho. — Dentro dele. No fundo do poço.

Dessa vez Alice ficou realmente sem entender coisa alguma. O Ratinho continuou a contar sua história, agora sem ser interrompido:

— As três irmãs estavam aprendendo a tirar do poço o que havia lá dentro, e lá dentro não havia somente melado — nesse instante, ele bocejou longamente e esfregou os olhos, morto de sono, — mas muitas outras coisas começadas pela letra M.

— Por que logo com M? — perguntou Alice, não se contendo.

— E por que não? contestou a Lebre-de-março.

Alice preferiu não replicar. O Ratinho, aproveitando a interrupção, tinha fechado os olhos e tirava uma soneca. Logo o Chapeleiro deu-lhe um beliscão e prosseguiu:

— Começadas pela letra M, tais como mosqueteiros, máscaras, memória, miscelânea (como você sabe, uma mistura de coisas variadas constitui uma miscelânea). Já imaginou em que consiste extrair miscelânea de um poço?

— Está aí uma coisa que nem consigo imaginar como seria...

— Então, cale-se! — ordenou o Chapeleiro.

Dessa vez a grosseria foi demasiada. Sentindo-se ofendida, Alice levantou-se da mesa e foi-se embora dali. No mesmo instante, o Ratinho adormeceu. Os outros dois sequer notaram sua saída, ainda que ela tenha olhado para trás duas ou três vezes, na esperança de que a chamassem de volta. Da última vez em que se voltou, ela viu que o Chapeleiro e a Lebre-de-março estavam se esforçando para enfiar o pobre Ratinho dentro da chaleira.

— Nunca mais voltarei àquele lugar — disse ela, furiosa, enquanto caminhava através da floresta. — Foi o chá mais estúpido que tomei em toda a minha vida!

Logo depois de dizer isso, ela notou que uma das árvores da floresta tinha uma portinha que dava acesso ao seu interior. "Que coisa mais curiosa!", pensou ela. "Hoje é o dia das ocorrências espantosas. Acho que vou entrar aí dentro." E entrou.

Novamente, deparou com um amplo salão, no meio do qual se via uma mesa de vidro. "Dessa vez, já sei como devo agir", pensou ela, apanhando a chave de ouro que estava sobre o tampo da mesa e abrindo a portinha que dava para o jardim. Só em seguida mordiscou o cogumelo (tinha um pedaço guardado dentro do bolso), até que sua altura reduziu a um pé (30 cm). Aí, sim, ela entrou pelo corredor e chegou, finalmente, àquele jardim encantador, repleto de canteiros de flores multicores e de fontes de água límpida e fresca.

CAPÍTULO 8

O Jogo de Croqué da Rainha

Logo junto à entrada do jardim havia uma enorme roseira de rosas brancas. Três jardineiros trabalhavam com afinco na planta, pintando todas as rosas de vermelho. Alice achou aquilo muito curioso, chegando-se para perto, a fim de observar o trabalho. Ao se aproximar, ouviu a conversa dos jardineiros, que estavam dizendo o seguinte:

— Veja lá, Cinco! Pare de respingar tinta em mim, ouviu?

— Não foi culpa minha. Foi o Sete que esbarrou em meu cotovelo.

— Lá vem você outra vez, Cinco! — protestou o Sete. — Está sempre jogando a culpa nos outros!

— Veja lá quem está falando! — replicou o Cinco. — Ontem mesmo a Rainha já disse que você deveria ser decapitado...

— E por qual motivo? — perguntou o que havia falado primeiro.

— Não é de sua conta, Dois — respondeu Sete com maus modos.

— É da conta dele, sim! — contestou o Cinco. — Vou contar-lhe o que foi que aconteceu. Era para ele levar cebola para a cozinha, e ele acabou levando raiz de tulipa.

Furioso, Sete atirou o pincel no chão, e já se preparava para externar seu protesto veemente contra aquela calúnia, quando deu com Alice, parada ali perto a observá-los. Calou-se imediatamente e fez uma reverência, no que logo, em seguida foi imitado pelos outros dois jardineiros-pintores.

— Poderiam explicar-me — perguntou Alice um tanto timidamente — por que estão pintando essas rosas?

Cinco e Sete nada disseram, limitando-se a olhar para Dois, que começou a explicar, em voz sumida.

— Bem, Senhorita, de fato, o que houve é que aqui neste lugar deveria ter sido plantada uma roseira de rosas vermelhas. Por engano, plantamos uma roseira de rosas brancas. Se a Rainha descobrir isso, mandará cortar nossas cabeças, como a senhorita bem pode imaginar. Por isso, estamos fazendo o possível para corrigir o erro, antes que ela venha a notá-lo.

Nesse instante, Cinco, que estivera vigiando atentamente durante todo o tempo, empalideceu e gritou:

— A Rainha! A Rainha!

Imediatamente, os três atiraram-se de bruços ao chão. Ouviu-se o som de passos que se aproximavam, e Alice olhou para o lado de onde provinha o barulho, ansiosa por ver como seria a tal rainha.

Primeiro, vinham dez soldados, as dez cartas de baralho numeradas, do naipe de paus. Tinham o mesmo aspecto e formato dos jardineiros, ou seja: eram retangulares e chatos, com pernas e braços saindo de suas quatro extremidades. Em seguida, vinham dez cortesãos, enfeitados com losangos vermelhos: eram as cartas do naipe de ouros, marchando aos pares, como soldados. Logo após, dez crianças, saltando alegremente, de duas em duas, todas de mãos dadas. Eram as cartas de naipe de copas. Encerrando o séquito, os hóspedes reais, que eram as figuras do baralho, entre as quais realçavam os reis e as damas. No meio deles vinha o Coelho Branco, que Alice logo reconheceu. Vinha conversando de maneira apressada e nervosa, sorrindo a qualquer coisa que lhe dissessem. Passou por ela sem notar a sua presença. Fechando o cortejo, as três figuras de copas: o Valete, trazendo nas mãos a coroa real, sobre uma almofada de veludo encarnado, e, por último, o Rei e a Dama de Copas: o Casal Real.

Alice ficou em dúvida: deveria ou não cair de cara no chão, como os jardineiros? Todavia, como jamais ouvira falar da existência de tal norma durante os cortejos reais, preferiu ficar olhando de pé, sem se mexer. "Afinal de contas", pensou, "se todos ficarem com o rosto voltado para o chão durante um cortejo, quem poderá assistir a ele?"

Quando o séquito estava passando diante de Alice, todos pararam e ficaram olhando para ela. A Rainha logo perguntou, com voz desconfiada:

— Quem é essa daí?

O Valete de Copas, a quem a pergunta fora dirigida, limitou-se a se voltar para Alice, inclinando-se sorridentemente num cumprimento.

— Seu idiota! — exclamou a Rainha, meneando a cabeça com impaciência, enquanto pensava: "Ora, não passam de cartas de baralho! Por que eu deveria ter medo delas?"

— E esses três aí, quem são? — perguntou a Rainha, apontando para os três jardineiros deitados ao redor da roseira.

Como eles estavam de bruços, ela não podia ver seus naipes, nem distinguir se seriam jardineiros, soldados, cortesãos, crianças ou figuras.

— Eu é que teria de saber? — perguntou Alice, surpresa com sua própria ousadia. — Nada tenho a ver com eles.

A Rainha ficou rubra de raiva com a resposta. Depois de encarar a menina com semblante de fera selvagem, explodiu:

— Cortem-lhe a cabeça! Cortem...

— Deixe de estupidez! — interrompeu Alice, em voz tão alta e decidida, que a Rainha até emudeceu.

O Rei segurou-lhe o braço e pediu timidamente;

— Deixe para lá, querida; ela não passa de uma criança...

A Rainha soltou-se com um safanão e ordenou ao Valete:

— Vire esses três de barriga para cima!

O Valete obedeceu, virando-os cuidadosamente com o pé.

— Fiquem de pé! — ordenou a Rainha em voz estridente.

Os três ergueram-se imediatamente, fazendo reverências para o Rei, a Rainha, os cortesãos e todos os componentes do cortejo.

— Parem com isso! — berrou a Rainha. — Vocês me deixam tonta!

Em seguida, enquanto examinavam a roseira, indagou:

— Que é que vocês três estavam fazendo ai?

— Queira desculpar-nos, Majestade — tartamudeou Dois — mas estávamos tentando...

— Já vi! — exclamou ela, olhando atentamente uma rosa. — Cortem-lhe as cabeças!

O cortejo prosseguiu seu caminho, deixando ali três soldados, com a incumbência de executar os três infelizes jardineiros, os quais, apavorados, procuraram refugiar-se junto a Alice, em busca de proteção.

— Não se preocupem. Vocês não serão decapitados — acalmou-os Alice, colocando-os dentro de um enorme vaso que estava ali perto.

Os três soldados, que não tinham presenciado a cena, rodaram por ali durante dois ou três minutos, à procura dos condenados, até que desistiram, seguindo com Alice atrás do cortejo. Ao vê-los, a Rainha perguntou:

— Então, cumpriram minha ordem?

— Os três perderam a cabeça, Majestade.

— Excelente! E você, menina, sabe jogar croqué?

— Sei — respondeu Alice em voz alta.

— Então, acompanhe-nos — ordenou a Rainha.

Alice seguiu atrás do cortejo, imaginando o que poderia acontecer em seguida.

— Lindo...lindo dia, não? — perguntou alguém a seu lado, em voz tímida.

Era o Coelho Branco, que a encarava com ar aflito.

— Sim, um lindo dia. — respondeu Alice. — Onde está a duquesa?

— Psiu! — fez o Coelho Branco assustado, olhando para os lados, receando ser ouvido por alguém?

Em seguida, pondo-se na ponta dos pés, segredou ao ouvido da menina:

— Está presa, aguardando execução.

— Qual o crime dela? — perguntou Alice.

— Você disse "Coitadinha dela"?

— Claro que não! Perguntei qual foi o crime que ela cometeu.

— A Duquesa deu um tabefe na orelha da Rainha — sussurrou o Coelho, enquanto Alice caía na risada. — Não, não; não ria! Disfarce, que ela pode escutar! A Duquesa chegou tarde para o jogo e, quando a Rainha a repreendeu...

— Tomem seus lugares! — ordenou a Rainha, em altos brados.

Todos correram como baratas tontas, chocando-se uns contra os outros; em pouco, porém, cada qual ocupava se lugar, e o jogo teve início.

Alice jamais havia visto um campo de croqué tão esquisito como aquele. O gramado era cheio de altos e baixos; as bolas de croqué eram ouriços vivos, e os tacos eram flamingos. Quanto aos arcos sob os quais as "Bolas" teriam de passar, eram formados pelos soldados, que, para tanto, se curvavam, apoiando-se sobre as mãos e os pés.

Para Alice, o mais difícil foi empunhar seu taco-flamingo. Conseguiu enfiá-lo sob o braço, deixando as pernas da ave pendentes; porém, quando quis desferir uma "tacada", ele torceu o pescoço e ficou olhando para ela com uma expressão tão intrigada, que a menina não pôde conter uma boa gargalhada. Com jeito, conseguiu virá-lo de cabeça para baixo; entretanto, no momento de tentar acertar a "bola" espinhenta, o ouriço se esticou e saiu andando, subindo e descendo por entre as irregularidades do chão. Acrescente-se a tudo isso que os arcos não eram fixos, já que os soldados costumavam levantar-se, indo ocupar outras posições, quando se cansavam da que até então ocupavam. De fato, era bem difícil marcar os pontos naquele jogo...

Os jogadores não aguardavam sua vez, mas jogavam todos simultaneamente, discutindo sem parar. A disputa para acertar os poucos ouriços era feroz. A mais irritada era a Rainha, que já não conseguia conter-se, disparando ordens de cortar a cabeça para todos os lados e de minuto em minuto.

Alice começava a sentir-se um tanto desassossegada. Ainda não tivera qualquer contratempo com a Rainha, mas a qualquer momento poderia acontecer algum problema. "E aí", pensava, "que acontecerá comigo?" O fato é que, se todas as sentenças de morte da Rainha fossem levadas a cabo, em breve não haveria um só participante do jogo que ainda conservasse sua cabeça.

A menina tentava encontrar um modo de escapar dali sem ser vista, quando notou alguma coisa que tremeluzia no ar. Sem compreender do que se tratava, ficou por um ou dois minutos a fitar a aparição, até entender que aquilo era um sorriso. "É o Gato sorridente", disse para si própria. "Que bom! Agora terei com quem conversar".

— Como que está se saindo? — perguntou o Gato, logo que teve boca suficiente para falar.

Alice esperou que os olhos do bichano aparecessem, e então cumprimentou-o com a cabeça. "Não vou dizer coisa alguma até que suas orelhas apareçam", pensou. "É preciso haver pelo menos uma, para que ele escute."

Passado um minuto, apareceu a cabeça do Gato inteira. Só então Alice depositou seu flamingo no chão e começou a contar para o animal como é que se estava desenrolando o jogo, satisfeita de ter alguém que a escutasse. Quanto ao Gato, achando que sua cabeça era suficiente para manter uma conversação, preferiu deixar escondido o corpo.

— Não acho que eles estejam jogando de acordo com as regras — comentou Alice, em tom queixoso. — Discutem o tempo todo, passam por cima do regulamento, aprontam a maior confusão. E o pior é que tudo aqui está vivo e se movimenta. Veja, por exemplo, o arco que deveria estar aqui perto, para

que eu atirasse a bola debaixo dele: saiu andando, e agora está do outro lado do gramado! Pouco tempo atrás, quando eu ia dar uma tacada na minha bola, a da Rainha passou correndo, e eu acabei batendo nela.

— E que tal a Rainha? Gostou dela? — perguntou o Gato, abaixando a voz.

— Nem um pouco! — exclamou Alice. — Ela é tão...

Nesse instante, notando que a Rainha estava bem atrás dela, escutando sua resposta, mudou o rumo das palavras e prosseguiu:

— ... tão boa jogadora, que a gente fica até triste ao pensar que o jogo irá terminar!

A Rainha sorriu ante o elogio e seguiu seu caminho.

— Com quem você está conversando? — perguntou o Rei, que acabara de chegar ali, olhando com grande curiosidade para a cabeça do Gato.

— Com um amigo meu, um gato da raça *cheshire* — respondeu Alice. — Permita-me apresentá-lo a Vossa Majestade.

— Não gosto nada de seu aspecto — comentou o Rei, — entretanto, se ele quiser beijar minha mão, tem minha permissão.

— Não, não quero — disse o Gato.

— Não seja impertinente! — repreendeu o Rei, recuando e escondendo-se atrás de Alice. — E não olhe para mim desse jeito!

— Um gato tem todo o direito de olhar para um rei — observou Alice. — li isso num livro, mas não me lembro qual...

— Pois eu acho que ele deve ser extraditado — desfechou o Rei, com ar bravo.

E, dirigindo-se à Rainha, que passava ali perto, pediu-lhe:

— Por favor, querida! Quero que você mande extraditar esse gato.

A Rainha só conhecia um modo de solucionar qualquer dificuldade, grande ou pequena que fosse. Assim, sem sequer olhar para saber do que se tratava, ordenou:

— Cortem-lhe a cabeça!

— Eu mesmo vou buscar o carrasco — disse o Rei exultante, saindo dali às pressas.

Alice achou que era hora de voltar ao campo de croqué para ver como ia o jogo. À distância, escutou a voz da Rainha, gritando desesperadamente. Enquanto caminhava em sua direção, escutou-a condenando três jogadores que tinham deixado passar sua vez. Quanto à partida, era disputada de maneira tão confusa, que ninguém poderia saber de quem seria a vez de jogar. Alice saiu então à procura de seu ouriço.

Encontrou-o engalfinhando com outro ouriço, o que lhe proporcionava excelente oportunidade de acertar duas bolas numa tacada só. A única dificuldade era que seu flamingo estava do outro lado do gramado, onde tentava inutilmente voar até alcançar os galhos de uma árvore frondosa.

Alice correu até ele, enfiou-o sob o braço e trouxe-o consigo até onde tinha visto seu ouriço pela última vez. Nessa altura, porém, o jogo já havia acabado,

e ambos os ouriços haviam desaparecido. "Isso agora não me importa", pensou ela, "já que os arcos também desapareceram". Por via das dúvidas, manteve o flamingo preso e voltou para onde tinha deixado o Gato sorridente, a fim de retomar a conversação com seu amigo.

Quando chegou, avistou com surpresa uma multidão que rodeava o Gato. Tratava-se um bate-boca entre o Rei, a Rainha, o Carrasco, enquando os demais presentes mantinham-se calados, assistindo a tudo aquilo com ar inquieto.

Tão logo apareceu, Alice foi convocada pelos três para solucionar a pendência. Para tanto, todos queriam falar ao mesmo tempo, embaralhando seus argumentos e não lhe permitindo compreender direito em que consistia a disputa. Aos poucos, porém, foi entendendo o que cada um deles queria expor.

Alegava o Carrasco que não se pode cortar uma cabeça, desde que não haja um corpo ao qual ela se prenda. Aquilo era um ocorrência inédita, e ele não queria experimentar uma novidade nessa altura de sua vida.

Já o Rei argumentava que, desde que houvesse uma cabeça seria possível cortá-la — isso era mais do que lógico.

Quanto à Rainha, dizia ela que, se alguma providência não fosse tomada imediatamente, fosse qual fosse, todos os presentes seriam decapitados. (Essa ameaça era a responsável pelos semblantes sérios e aflitos que se viam por ali).

Chamada a dar seu parecer, Alice não soube dizer senão o seguinte:

— Já que o Gato pertence à Duquesa, o melhor que têm a fazer é consultá-la a respeito do assunto.

— A Duquesa está na prisão. Traga-a já até aqui — ordenou a Rainha ao Carrasco, que tratou imediatamente de cumprir a ordem.

Nesse momento, a cabeça do Gato começou a desvanecer vagarosamente, até desaparecer do todo. Quando a Duquesa chegou, ele já não podia ser visto. O Rei e o Carrasco procuraram-se, ele já não podia ser visto. O Rei e o Carrasco procuraram-no por todos os lados, em vão, enquanto o resto do pessoal retornou ao gramado, para dar prosseguimento ao jogo.

CAPÍTULO 9

A História da Tartaruga Falsa

Você não pode imaginar a alegria que sinto em reencontrá-la, minha queridinha! — exclamou a Duquesa, tomando do braço de Alice e pondo-se a caminhar a seu lado.

Alice estranhou aquela cortesia inesperada, imaginando sua braveza anterior teria sido provocada pela pimenta que impregnava o ambiente da cozinha, quando a encontrou pela primeira vez. "Quando eu me tornar uma duquesa", pensou ela, embora sem muita certeza de que isso um dia pudesse acontecer, "não deixarei que usem qualquer tipo de pimenta na cozinha de meu palácio. O sabor da sopa nada perderá com isso. É possível que o mau humor das pessoas seja devido ao uso da pimenta". Essa conclusão original alegrou-a, e ela continuou dando asas ao seu pensamento: "A pimenta torna as pessoas ardentes; o vinagre torna-as ácidas, a camomila deixa-as amargas, e... e o açúcar e todas as demais substâncias fazem com quem as crianças sejam dóceis. Pena que os adultos não saibam disso, pois, se soubessem, não seriam tão sovinas na hora de comprar essas coisas para nós..."

Nessa altura dos acontecimentos, ela já praticamente se esquecera da presença próxima da Duquesa; assim, teve um pequeno sobressalto ao escutar sua voz, segredando em seu ouvido:

— Você está tão mergulhada em seus pensamentos, querida, que até está se esquecendo de conversar. Não sei qual seria a moral disso, mas deixe estar que logo saberei.

— Talvez não haja nenhuma moral nisso. — arriscou Alice.

— Ahn, ahn, criança! — protestou a Duqusa. — Tudo tem sua moral. A questão é encontrá-la.

À medida que falava, chegava mais perto da menina, que não estava gostando nada daquela proximidade exagerada; primeiro, porque a Duquesa era horrorosa; segundo, porque ela possuía um queixo pontudo que ficava o tempo todo dando fincadas em seu ombro. Aquilo era de fato desconfortável; entretanto, Alice não queria ser rude, procurando conservar uma certa distância, mas sem dar muito na vista.

— A partida de croqué deve estar bem animada neste instante — observou a menina, na tentativa de manter a conversa.

— É verdade — concordou a Duquesa, — e a moral disso é que o amor faz a Terra girar.

— Ouvi alguém dizer, há pouco — retrucou Alice — que o mundo giraria mais depressa se cada qual cuidasse de seus próprios assuntos...

— Também não deixa de ser verdade — concordou a Duquesa, enfiando o queixo pontudo no ombro de sua interlocutora. — E a moral disso é que devemos cuidar dos fatos, já que os boatos cuidam de si próprios.

"Como ela gosta de ficar encontrando a moral de tudo o que se diz!", pensou Alice.

— Garanto que você deve estar estranhando o fato de eu ainda não ter passado o braço em torno de sua cintura — disse a Duquesa. — A razão é a seguinte: estou em dúvida de seu flamingo é manso ou bravo. Que me diz quanto a isso?

— Ele costuma bicar — disse Alice prontamente, esperando com isso que a outra desistisse de enlaçar sua cintura.

— Isso é verdade — concordou a Duquesa. — Flamingos e mostardas bicam a valer. E a moral é a seguinte: "Aves de pena voam em bandos".

— Mas há um detalhe — observou Alice: — mostarda não é ave.

— Correto, como sempre — concordou a Duquesa. — Você sabe expor o que sabe com grande clareza!

— Acho que é um mineral — arriscou Alice.

— Claro que é — concordou novamente a Duquesa, que parecia disposta a aceitar como certo tudo o que Alice dizia. — Perto daqui existe uma rica mina de mostarda. E a moral é a seguinte: "A água não mina em qualquer mina".

— Oh, não! — exclamou Alice, sem se dar conta das últimas considerações da Duquesa. — Mostarda é vegetal, ainda que não pareça.

— Concordo inteiramente, e a moral é a seguinte: "Seja aquilo que você parece ser". Ou, em outras palavras, para facilitar o entendimento: "Nunca imagine ser senão aquilo que parece ser, ainda de que fato não seja, ao invés de parecer que é aquilo que de fato não é e nem parecer ser" — entendeu?

— Eu teria entendido melhor se visse isso aí escrito. Ouvindo, apenas, não deu para entender direito.

— Pois fique sabendo que eu resumi. Se quisesse poderia exprimir essa ideia de maneira ainda mais longa.

— Não é preciso! — disse Alice. — Não se preocupe em ser mais extensa do que já foi.

— Preocupar-me, eu? — disse Alice. — Nem pensar! Tanto é assim, que lhe dou de presente todas as frases que eu disse.

"Belo presente!", pensou Alice, sem querer expor essa observação em voz alta. "Ainda bem que as pessoas não dão esse tipo de presente nos aniversários..."

— Novamente mergulhada em seus pensamentos? — brincando a Duquesa, dando-lhe nova cutucada de queixo no ombro.

— Tenho o direito de pensar, não é? — retrucou Alice com rispidez, pois já começava a ficar aborrecida com a conversa da Duquesa.

— Claro que tem esse direito, do mesmo modo que os porcos têm o direito de voar. E a moral...

Nesse instante, para surpresa de Alice, a voz da Duquesa sumiu inteiramente, logo depois que ela pronunciou sua palavra favorita, enquanto o braço que ela lhe dava começou a tremer. Alice logo entendeu do que se tratava: a sua frente, de braços cruzados, carrancuda como uma tormenta, estava a Rainha!

— Que belo dia, não, Majestade? — balbuciou a Duquesa, recuperando parcialmente sua voz!

— Quero preveni-la! — explodiu a Rainha, batendo os pés no chão enquanto falava. — Dentro de um piscar de olhos, quero que desapareça daqui, ou você, ou sua cabeça! Escolha!

A Duquesa não demorou a escolher, saindo dali a toda pressa.

— Vamos prosseguir o jogo — ordenou a Rainha a Alice, que preferiu nada responder, seguindo-a em silêncio rumo ao campo.

Aproveitando a ausência da Rainha, os outros jogadores, estavam deitados à sombra, descansando. Logo que a viram, porém, retomaram apressadamente seus tacos, voltando a empenhar-se na partida, enquanto a Rainha esgoelava, ameaçando decapitar todo aquele que errasse ou que perdesse a vez. "Cortem-lhe a cabeça!" era a frase que mais se ouvia durante a partida. Os que eram sentenciados ficava sob a vigilância de dois soldados, que, naturalmente, tinham de abandonar sua função de arcos vivos, para assumir a de sentinelas. Ao fim de meia hora, não havia mais um arco em funcionamento, e todos os jogadores estavam sentenciados à morte, exceto Alice, o Rei e, evidentemente, a Rainha.

Nesse momento, ela deu o jogo por encerrado e, quase sem fôlego, perguntou a Alice:

— Você já viu a Tartaruga Falsa?

— Não! E nem faço ideia do que seja uma Tartaruga Falsa!

— Como não? — estranhou a Rainha — Será que nunca lhe serviram uma "sopa de tartaruga falsa"?

— Essa sopa eu conheço, mas não a tartaruga falsa da qual ela é feita.

— Então vamos vê-la — ordenou a Rainha. — Vou mandar que ela lhe conte sua história.

Enquanto caminhavam, Alice escutou o Rei dizendo em voz baixa para todos os sentenciados à morte:

— Estão todos perdoados.

"Dessa eu gostei!", pensou ela, até então preocupada com o fim que seria dado a tantos condenados à morte.

Pouco à frente, encontraram um Grifo, dormindo a sono solto, em pleno sol. (Se você não sabe o que é um Grifo, olhe a figura que o representa).

— Acorde, preguiçoso! — ordenou a Rainha. — Leve essa jovem até a Tartaruga Falsa, para que ela ouça sua história. Quanto a mim, tenho de regressar, para supervisionar as decapitações que ordenei.

E foi o que ela fez, deixando Alice sozinha com o Grifo. Em princípio, Alice não gostou do aspecto daquela criatura, mas logo raciocinou que, com o Grifo, estaria mais segura do que em companhia da Rainha. Assim, esperou para ver o que iria acontecer.

Primeiro, o Grifo sentou-se espreguiçou e esfregou os olhos; depois, ficou olhando a Rainha, até que ela desapareceu ao longe. Então, deu uma risadinha e comentou para si próprio, mas de modo que Alice também escutasse:

— Ela é uma piada!

— Quem?

— A Rainha, ora! É tudo fantasia! Ela jamais executa sequer um daqueles sentenciados. Vamos, siga-me.

"Todos aqui gostam de dar ordens", pensou Alice, enquanto seguia o Grifo vagarosamente. "Nunca fui tão mandada em toda minha vida!"

Não tinham andado muito, quando avistaram a Tartaruga Falsa, sentada ao longe, sobre um rochedo, imersa em profunda melancolia. À medida que se aproximavam, Alice ia escutando cada vez mais nitidamente seus suspiros, fundos de cortar o coração. A menina foi tomada de enorme compaixão.

— Por que ela está tão triste? — perguntou ao Grifo.

A resposta do Grifo foi parecida com a frase dita pouco antes:

— É tudo fantasia. Ela não tem qualquer motivo para ficar triste. Vamos, siga-me.

Os dois chegaram perto da Tartaruga Falsa, que os fitos com os olhos rasos d'água, sem nada dizer.

— Esta senhorita — disse o Grifo — veio até aqui especialmente para escutar sua história.

— Então, vou contá-la — respondeu a Tartaruga Falsa, em voz lamentosa e sumida. — Sentem-se e escutem. Não me interrompam antes que eu termine.

Depois que todos se sentaram, seguiram-se alguns minutos de completo silêncio. "Não sei como é que ela vai terminar sua história, se não a começa nunca....", pensou Alice. Mesmo assim, permaneceu calada, à espera do que iria acontecer.

— Antigamente — começou a Tartaruga Falsa, depois de um suspiro — eu era uma tartaruga de verdade.

A essas palavras, seguiu-se novo silêncio, quebrado eventualmente por um soluço da Tartaruga Falsa — ou um grunhido ("Hjckrrh!)" — do Grifo. Alice já se preparava para levantar-se, agradecer pela interessantíssima história que havia escutado e dar o fora, quando viu que a Tartaruga Falsa ia retomar a narrativa. Assim, permaneceu sentada e escutou:

— Quando nós éramos crianças — prosseguiu ela com mais fluência, embora ainda entrecortando sua fala de suspiros e soluços ocasionais — frequentamos a escola do mar. A professora era uma tartaruga verdadeira, que nós costumávamos chamar de Dona Cascuda.

— Por que lhe deram esse apelido? — perguntou Alice.

— Porque ela costumava dar-nos cascudos, quando ficava brava. Você deveria ter adivinhado isso, sem que eu tivesse que dizer.

— Se raciocinasse de vez em quando — reforçou o Grifo, — não faria perguntas como essa, que só podem envergonhá-la.

Alice sentiu vontade de enfiar a cara no chão, depois dessa admoestação. Pouco depois, o Grifo voltou a falar, dirigindo-se dessa vez à Tartaruga Falsa:

— E então, companheira? Vamos em frente, que não temos o dia inteiro para escutá-la.

— Oh, sim, sim. Como eu disse, nós frequentávamos a escola do mar, ainda que você não acredite.

— Eu nunca disse que não acreditava nisso! — protestou Alice.

— Deu a entender. — retrucou a Tartaruga Falsa.

— E controle sua língua — acrescentou o Grifo, antes que ela replicasse.

A Tartaruga Falsa continuou:

— Tivemos uma educação primorosa. Íamos às aulas diariamente.

— Eu também vou à escola diariamente — protestou Alice. — Não há mérito algum nisso.

— E assiste a aulas de disciplinas opcionais? — perguntou a Tartaruga Falsa, demonstrando uma certa ansiedade.

— Claro que sim. Francês e Música, por exemplo.

— E ciência de lavar roupa?

— Isso não!

— Ah! — exclamou exultante a Tartaruga Falsa. — Então você não está numa escola de primeira ordem! Pois essa disciplina constava na relação de matérias opcionais: Francês, Música e Ciência de Lavar Roupa.

— Não deve ser uma disciplina das mais úteis, lá no fundo do mar... — comentou Alice com ironia.

— Mesmo assim, tínhamos de estudá-la, sem falar das matérias obrigatórias.

— E quais eram elas?

— As básicas, evidentemente, eram Enrolação e Torcedura, além dos diferentes ramos da Aritmética: Ambição, Distração, Enfeiamento e Escárnio.

— Nunca ouvi falar de "Enfeiamento". De que se trata?

O Grifo ergueu as patas, demonstrando espanto:

— Quê? Nunca ouviu falar de Enfeiamento? Suponho que saiba o significa "embelezamento", não é?

— Sim — respondeu Alice, embora sem muita certeza. — Embelezar é... fazer uma coisa ficar... mais bonita.

— Então? Enfeiar é o contrário de embelezar — concluiu o Grifo. — Quem não souber isso é pateta...

Com essa, Alice resolveu mudar de assunto e, voltando-se para a Tartaruga Falsa, perguntou:

— Que mais você estudou?

— Tivemos ainda aulas de Mistério — prosseguiu ela, indicando as unhas das mãos, como se estivesse contando, — tanto Antigo como Moderno; de Geaguafria, de Conversa Mole... O Professor dessa matéria era uma enguia, que vinha à escola uma vez por semana. Para outras sérias, ela ensinava ainda Espichamento e Desfalecimento Espiralado.

— Em que consiste esse último?

— Não posso mostrar-lhe, porque perdi o estilo e ando muito enferrujada. O Grifo também não pode, porque não frequentou as aulas dessa disciplina.

— Não tive tempo — desculpou-se o Grifo. — Tive de frequentar as aulas do professor de disciplinas clássicas, um caranguejo velho e muito rabugento.

— Nunca estudei com ele — comentou a Tartaruga Falsa, soluçando alto. — Soube que ele dava boas aulas de Riso e Pesar; era o comentário geral.

— É verdade, sim, senhora... — comentou dessa vez o Grifo, suspirando com ar pensativo e também escondendo o rosto entre as mãos.

— Quantas horas por dia duravam as aulas? — indagou Alice, tentando mudar de assunto.

— No primeiro dia, dez horas; no segundo, nove, e assim por diante.

— Que esquema curioso! — exclamou Alice.

— Foi essa a maneira prática que encontraram de nos ensinar a escala decrescente — explicou o Grifo.

Aquela ideia era nova para Alice, que ficou pensativa durante algum tempo, antes de observar:

— Seguindo esse esquema decrescente, o décimo primeiro dia passa a ser um feriado.

— Isso mesmo — confirmou a Tartaruga Falsa.

— E o que se faz no décimo segundo?

— Não acha que esse assunto já está aborrecido? — interrompeu o Grifo, em tom decidido. — Vamos falar agora sobre diversões.

CAPÍTULO 10

A Quadrilha das Lagostas

A Tartaruga Falsa suspirou profundamente e esfregou os olhos com uma das patinhas. Olhou para Alice e tentou falar, mas, durante um ou dois minutos, soluços embargaram sua voz.

— É como se ela estivesse com um osso na garganta — explicou o Grifo, ao mesmo tempo em que a sacudia violentamente e lhe aplicava um forte soco nas costas.

Por fim, ela recobrou a fala e, ainda com lágrimas escorrendo pelas faces, prosseguiu:

— Pode ser que você não tenha muito costume de viver sob o mar...

— ... e talvez nunca tenha sido apresentada a uma lagosta...

— Certa vez provei... — começou Alice, contendo-se subitamente e corrigindo em seguida: — Não, nunca.

— ... de maneira que você nem pode imaginar a delícia que seja dançar uma Quadrilha das Lagostas.

— De fato, nem posso imaginar. Como é essa dança?

— Ah! — exclamou o Grifo, intrometendo-se na conversa — Primeiro, os dançarinos formam uma fila ao longo da linha da praia...

— Duas filas! — corrigiu a Tartaruga Falsa — Nelas se alinham focas, tartarugas, salmões, etc, depois que as areias foram limpas, e que já retiraram delas todas as águas-vivas que ali havia.

— Essa tarefa costuma levar algum tempo — aparteou o Grifo.

— Em seguida, você avança dois passos...

— Cada dançarino com sua parceira, que é uma lagosta — explicou o Grifo.

— Isso mesmo. Avança dois passos, deixa a parceira, troca de par...

— ... e recua para seu lugar — completou o Grifo.

— Então, você pega a parceira, gira-a no ar...

— ... e atira bem longe... — gritou o Grifo, dando um salto.

— ... e bem no meio do mar, o mais longe que conseguir...

— ... e sai nadando atrás dela...

— ... mergulha, dá uma cambalhota dentro da água... — e a Tartaruga Falsa gesticulava e esperneava para explicar melhor.

— ... troca de par mais uma vez — berrou o Grifo, no auge da excitação.

— ... e volta para a terra! — exclamou a Tartaruga Falsa, que prosseguiu, agora em voz comedida: — Nesse ponto termina a primeira parte da dança.

As duas criaturas, que durante a descrição da dança tinham pulado e esperneado selvagemente, aquietaram-se e voltaram a sentar-se, mirando Alice com um semblante tristonho.

— É... — disse ela. — Parece ser uma bela dança...

— Gostaria que eu dançasse um pouquinho para você ver? — perguntou a Tartaruga Falsa.

— Sim, gostaria muito!

— Venha, ajude-me a mostrar-lhe — disse a Tartaruga Falsa, dirigindo-se ao Grifo. — É bem verdade que faltam as lagostas, mas isso não importa. Você canta a música.

— Ah, nem pensar! — protestou o Grifo — Cante você. Esqueci a letra.

Os dois começaram a dançar de maneira solene ao redor de Alice, erguendo-se na ponta dos pés quando passava, rende a ela, e batendo as patas para marcar o compasso. Nisso, a Tartaruga Falsa começou a entoar uma cantiga lenta e tristonho, cuja letra dizia o seguinte:

"Quero que andes mais depressa", diz a Pescada ao Caracol; neste passo, chegaremos só depois do pôr do sol! Lagostas e tartarugas já se encontram no lugar: se lá não chegarmos e logo, não vamos participar! Você quer ou não dançar? Pois trate de apressar!

Você vai ver que delícia ser atirado para o alto e cair em meio às ondas, depois de um enorme salto!" O caramujo replica: "Cair no meio da mar? E se for longe da praia? Tenho medo de afogar" "Você quer ou não dançar?
Pois trate de apressar!"

Por mais longe que o atirem, já que essa é a regra da dança, sempre haverá praia próxima, na Inglaterra ou na França.
Por isso, amigo, acelere, tenho pressa de chegar
à praia das tartarugas, que a dança vai começar.
Você quer ou não dançar?
Pois trate de se apressar!"

— Obrigado — disse Alice, aliviada ao ver que a dança havia acabado. — É de fato uma dança muito interessante! Gostei também dessa letra que fala sobre a pescada.

— Ah, sim, a pescada — disse a Tartaruga Falsa. — Conhece pescada, não é?

— Costumo vê-las no almo... — disse Alice, interrompendo subitamente a frase, antes de completar a palavra "almoço".

— Não sei onde é que fica esse tal de Almo — disse a Tartaruga Falsa, — mas, se você as vê ali com tanta frequência, deve conhecê-las bem.

— Se conheço — confirmou a menina, — Elas têm um formato enrolado, a cauda encostando na boca, e são recobertas por farinha de rosca.

— Você está errada quanto a este último detalhe — discordou a Tartaruga Falsa. — A farinha iria dissolver-se no mar. Mas está certa quanto à cauda que encosta na boca. Sabe qual a razão disso?

Nesse ponto, porém, antes que a menina respondesse, ela bocejou e fechou os olhos. Com voz sonolenta e arrastada ordenou ao Grifo:

— Vamos, diga para ela qual é a razão.

O Grifo não se fez de rogado:

— É porque um dia elas entraram na dança, substituindo as lagostas, e acabaram sendo lançadas ao meio do mar. Na queda, suas caudas enfiaram com força dentro das bocas, não houve como tirá-las depois. Foi isso o que aconteceu.

— Agradecida pela explicação — disse Alice. — Foi muito interessante, especialmente para mim, que sei tão pouco a respeito das pescadas.

— Posso ensinar-lhe muitas coisas mais, se você quiser — ofereceu o Grifo. — Por exemplo: sabe porque essa nossa amiga é chamada de "pescada?"

— Não faço a mínima ideia.

— É porque, se ela ainda não foi, logo será.

— Será o quê?

— Pescada, ora...

A resposta deixou Alice bem intrigada. Vendo isso, o Grifo perguntou:

— Não acha que ela tem um nome bastante razoável?

— Acho sim, mas...e os outros peixes? Também não serão pescados mais tarde?

— Pode ser que sim pode ser que não. Ora, até mesmo os camarões sabem disso!

Alice fingiu não notar o tom impertinente da observação e prosseguiu, lembrando-se da letra da canção que há pouco tinha escutado:

— Não posso entender como é que um peixe, que nada depressa, e um caracol, animal terrestre de extrema lentidão, possam seguir juntos e, ainda por cima, conversando!

— Há muitas coisas aqui, à beira-mar, que você jamais entenderá, mesmo que se esforce para tanto. — replicou a Tartaruga Falsa, que então já havia espantado o sono. — Por isso, deixe para lá e trate de contar-nos as suas aventuras. Queremos escutá-las.

— Posso contar-lhe, mas só a partir do que aconteceu hoje de manhã — disse Alice, um tanto envergonhada. — Nada posso dizer a respeito de ontem, pois então eu era uma pessoa diferente.

— Explique-se — disse a Tartaruga Falsa.

— Não, não — protestou o Grifo. — Primeiro, as aventuras. Explicações tomam um tempo danado!

Assim, Alice começou a contar suas aventuras, desde o momento em que tinha avistado o Coelho Branco. Sentia-se um pouco nervosa, pois as duas criaturas sentaram-se muito aberta. Aos poucos, porém, ela foi adquirindo coragem e continuou sua história. Os ouvintes mantiveram-se em absoluto silêncio, até o momento em que ela relatou o episódio da Lagarta, declamando novamente a estranha versão do '*Você está velho, Pai Guilherme*' que lhe ocorria à mente. Após escutá-la, a Tartaruga Falsa respirou fundo e comentou:

— Mas isso é muito curioso!

— Curioso a mais não poder — assentiu o Grifo.

— Tão parecido, e ao mesmo tempo tão diferente... — prosseguiu a Tartaruga Falsa, com ar intrigado. — Gostaria de ouvir como é que você declamaria uma outra pessoa. Mande-a recitar uma, companheiro.

Disse essas últimas palavras olhando para o Grifo, como se ele possuísse alguma autoridade sobre a menina. E ele também parecia acreditar nisso, pois voltou-se para Alice e ordenou:

— Levante-se e recite "*Vai falar a garota*"

"Como as criaturas daqui gostam de mandar na gente", pensou Alice com revolta. "E que mania de querer que recitemos! Até parece que estou na escola!"

Apesar da revolta, levantou-se e começou a recitar a poesia. Como ainda sentia a influência da letra da música que pouco antes ouvira acabou alterando os versos, sem notar, e o que recitou foi o seguinte:

Vai falar a Lagosta. Escute o que ela diz:
— Fui cozida demais; não queimei por um triz!
Na travessa ela é posta e levada prá mesa.
Tão bonita ela está, que até causa surpresa.
Se ela pudesse ver-se, sei que sentiria
um misto de vaidade, de orgulho e alegria.
Mas que sina! Na areia, cai nas garras do homem:
se fosse para o mar, os tubarões a comem...

— Um pouco diferente da maneira como eu recitava quando era criança — comentou o Grifo.

— Essa poesia eu nunca escutei — disse a Tartaruga Falsa — mas ela me pareceu um tanto absurda.

Alice nada disse, apenas sentou-se com o rosto escondido nas mãos, imaginando se as coisas um dia voltariam a ser naturais como antes.

— Eu gostaria de que você me desse umas explicações — pediu a Tartaruga Falsa.

— Nada há que explicar — protestou o Grifo. — Deixe-a declamar a estrofe seguinte.

— Eu só queria saber como foi que a Lagosta pôde falar depois que estava cozida — insistiu a Tartaruga Falsa.

— Deve ter sido o som do seu último pensamento — arriscou Alice, sem muita convicção.

— Vamos para o próximo verso — ordenou o Grifo, — aquele que começa assim: "Passei por seu jardim".

Mesmo sabendo que iria recitar errado, Alice não se atreveu a desobedecer, e começou, com voz um pouco trêmula:

Passei por seu jardim e dei uma espiada:
a Coruja e a Pantera comiam empada.
Foi feita a divisão, obedecendo um trato:
coube à Pantera a empada; à Coruja, só o prato.
Além disso, ela pôde, finda a refeição,
ficar com a colher, como compensação,
mas somente a colher, pois, quanto ao garfo e à faca,
a Pantera guardou, sem...

— De que vale recitar tanta asneira — interrompeu a Tartaruga Falsa, — se você não sabe explicar o significado? É a poesia mais confusa que ouvi até hoje!

— Concordo, e acho que o melhor a fazer é parar por aqui — disse o Grifo, para alegria de Alice. — Quer que eu dance a segunda parte da Quadrilha das Lagostas? Ou prefere que a Tartaruga Falsa cante outra canção para você?

— Prefiro uma canção, se a Tartaruga Falsa puder fazer esse favor.

O Grifo parece ter ficado um tanto desapontado com aquela escolha, pois resmungou, com ar ressentido:

— Então, está certo. Gosto, não se discute! Vamos, companheira, cante para ela a "Sopa da Tartaruga".

Depois de um longo suspiro, a Tartaruga cantou, com voz entrecortada de soluços:

Bela sopa, verde e cremosa,
bem quentinha, deliciosa,
dá água na boca só de olhar!
Basta esta sopa no jantar!

Basta esta sopa no jantar!
Ve-e-enha tomar!
Ve-e-enha tomar
uma sopinha no jantar!
Com esta sopa eu me contento:
dispenso qualquer complemento.

Tanto o filhinho quanto o avô paterno,
quando virem a sopa,
exclamarão: "Opa! Que sopa!"
Va-a-mos tomar!
Va-a-mos tomar
uma sopinha no jantar.
Quem quer provar esse manjar?

— Repita o estribilho! — ordenou o Grifo.

A Tartaruga Falsa já se preparava para cumprir a ordem, quando se ouviu à distância um grito:

— Vai começar o julgamento!

— Vamos! — disse o Grifo, tomando Alice pela mão e saindo depressa, sem esperar pelo fim da canção.

— Mas que julgamento é esse? — perguntou Alice esbaforida.

O Grifo nada disse, acelerando o passo e levando-se consigo, enquanto o som da voz da Tartaruga Falsa ia ficando para trás, desvanecendo pouco a pouco. Uma lufada de brisa trouxe-lhes pela derradeira vez um pedacinho da canção tristonha, aquele que dizia:

Ve-e-enha tomar
uma sopinha no jantar.

CAPÍTULO 11

Quem Roubou as Tortas?

O Rei e a Rainha de Copas estavam sentados no trono, quando Alice e o Grifo chegaram. Havia ali uma grande multidão, composta de todo tipo de bichos, tanto de grande multidão, composta de todo tipo de bichos, tanto de pelo como de penas, assim como cartas de baralho de todos os naipes. Diante deles via-se o Valete, de pé, ladeado por dois soldados. Ao lado do Rei estava o Coelho Branco, trazendo numa das mãos uma corneta, e na outra um rolo de pergaminho. À frente do Rei e da Rainha via-se uma enorme mesa, no meio da qual havia uma bandeja contendo pratinhos de torta. Seu aspecto era tão apetitoso, que Alice até sentiu água na boca. "Tomara que esse julgamento acabe logo" pensou ela, "para que sirvam o lanche daqui a pouco". Parecia, contudo, que a coisa não iria ser como ela esperava, de maneira que o tempo foi ficar observando tudo, para ajudar a passar o tempo.

Alice nunca tinha assistido a um julgamento antes, mas já havia lido bastante sobre o assunto, de maneira a saber o nome de tudo e de todos que ali estavam, e isso a deixava bastante satisfeita. "Aquele é o juiz", disse ela para si própria. "Conheço-o por causa da cabeleira postiça".

O juiz, aliás, era o Rei. Como estava usando a coroa real sobre a cabeleira postiça (se quer saber como é que ele ficava, veja a gravura do início do livro), ele não parecia nada confortável, e certamente não estava se sentindo à vontade.

"Aquela é a banca dos jurados", continuou Alice fazendo seu reconhecimento, "e aquelas doze criaturas" (foi obrigada a dizer "criaturas", porque o júri era composto de aves e outros bichos) "devem ser os membros do júri". Ficou tão satisfeita com essa expressão — membros do júri — que a ficou repetindo duas ou três vezes para si própria, na certeza de que pouquíssimas meninas de sua idade a conheceriam. Ela poderia também ter dito "jurados", que significa a mesma coisa.

Os doze membros do júri estavam ocupados, escrevendo alguma coisa nas lousas que traziam nas mãos.

— Que será que eles estão escrevendo? — sussurrou Alice ao Grifo. — Como podem estar fazendo anotações antes de começar o julgamento?

— Eles estão escrevendo seus nomes — respondeu o Grifo, também sussurrando, — com receio de esquecê-los antes do término do julgamento.

— Que bando de idiotas! — exclamou Alice indignada, sem controlar seu tom de voz, fazendo com que o Coelho Branco avisasse em voz alta:

— Silêncio na Corte!

Ao mesmo tempo, o Rei pôs seus óculos e olhou atentamente para a assistência, tentando encontrar quem havia falado.

Espiando por cima dos ombros dos jurados, Alice viu que todos estavam escrevendo em suas lousas "Que bando de idiotas". Notou mesmo que um deles pedia ajuda ao jurado mais próximo, perguntando-lhe como é que se escrevia aquela palavra "quibando".

— Imagino a confusão que irão aprontar escrevendo nessas lousas, enquanto durar o julgamento — segredou ela no ouvido do Grifo.

O giz de um dos jurados rangia, quando ele escrevia na lousa. Isso, naturalmente, produzia enorme gastura em Alice que, rodeando a banca do júri, postou-se por trás do tal jurado e, na primeira oportunidade que teve, surripiou-lhe o giz, sem que ele visse. O pobre jurado (que era o Bill, o Lagarto), sem saber o que poderia ter acontecido, ficou olhando desconsolado para um lado e para o outro, até que desistiu de encontrar o giz e resolveu escrever na lousa com o dedo — evidentemente, sem qualquer resultado prático:

— Oficial de Justiça! — gritou o Rei — Leia a acusação!

Imediatamente o Coelho Branco o soprou a corneta três vezes e, em seguida, desenrolou o pergaminho, lendo em voz alta e solene:

A Rainha de Copas preparou umas tortas,
num belo dia de verão;
o valete de Copas surripiou as tortas,
sem dar qualquer satisfação!

— Apresentem seu veredito! — ordenou o Rei aos jurados.

— Ainda não! Ainda não! — interrompeu o Coelho Branco — Há muita coisa antes disso!

— Oh, sim — concordou o Rei. — Que venha a primeira testemunha.

Depois de soprar três vezes na corneta, o Coelho Branco anunciou:

— A primeira testemunha!

Apresentou-se o Chapeleiro, com uma xícara de chá numa das mãos e uma fatia de pão com manteiga na outra.

— Desculpe-me, Majestade, por me apresentar assim, mas é que eu ainda não tinha terminado meu chá, quando me intimaram a comparecer aqui.

— Podia ter terminado — disse o Rei. — Quando foi que começou a tomar chá?

O chapeleiro consultou com os olhos a Lebre-de-Março, que viera com ele e com o Ratinho até o tribunal, e respondeu:

— Acho que foi no dia quatorze de março.

— Quinze — corrigiu a Lebre-de-março.

— Dezesseis — arrematou o Ratinho.

— Anotem — ordenou o Rei aos jurados, que prontamente escreveram as três datas em suas lousas, somando-as em seguida e escrevendo o resultado como se fosse a resposta de um problema.

— Tire esse seu chapéu — ordenou o Rei ao chapeleiro.

— Este chapéu não é meu — respondeu o chapeleiro.

— Ah, foi roubado! — exclamou o Rei, fazendo um sinal para os jurados, que prontamente anotaram aquela observação.

— Não, não foi. Ele está em exposição. É para ser vendido. Eu mesmo, não possuo chapéu, apenas vendo. Sou um chapeleiro.

Nesse momento, a Rainha pôs os óculos e fitou atentamente o Chapeleiro, que empalideceu e começou a dar mostras de inquietação.

— Faça seu depoimento — ordenou o Rei, — e não fique nervoso, pois do contrário será executado imediatamente.

A ameaça não pareceu encorajar a testemunha, que continuou equilibrando-se ora num, ora noutro pé, sempre olhando aflitamente para a Rainha. Seu nervosismo era tal, que ele, num certo momento, ao invés de morder o pão deu uma dentada na xícara de chá.

Nesse instante, Alice começou a sentir-se estranha, sem saber o que estaria acontecendo, até que constatou estar crescendo novamente. No início, achou que deveria levantar-se e abandonar o recinto; logo depois, porém, preferiu permanecer por ali, pelo menos até enquanto fosse possível.

— Poderia ter a bondade de não me apertar tanto? — pediu o Ratinho, sentado a seu lado. — Quase não consigo respirar!

— Nada posso fazer — desculpou-se Alice. — Estou crescendo...

— É proibido crescer aqui dentro — avisou o Ratinho.

— Ora, não diga asneiras — replicou Alice. — Você também está crescendo, e sabe disso.

— Estou, sim, é verdade, mas num ritmo razoável, e não dessa maneira tão... ridícula.

E, demonstrando seu aborrecimento, levantou-se, atravessou o salão e foi instalar-se no lado oposto ao de Alice.

Durante todo esse tempo, a Rainha não havia parado de fitar o Chapeleiro. No momento em que o Ratinho mudava de lugar, ela ordenou a um dos oficiais de justiça:

— Traga-me a lista dos cantores que se apresentaram na última audição.

Ouvindo isso, o Chapeleiro começou a tremer tanto, que seus pés até saíram dos sapatos.

— Vamos, apresente o seu depoimento — insistiu o Rei, com ar zangado, — ou terei de mandar executá-lo. E deixe de nervosismo!

In this Style 10/6

— Sou um pobre sujeito, Majestade — começou o Chapeleiro, com voz trêmula — e nem bem comecei a tomar chá...faz mais ou menos uma semana... nem pude comer essa fatia fininha de pão com manteiga... escutando o chacoalhar do chá...

— Quê? — estranhou o Rei — O chá ficou coalhado?

— Não. Eu disse que o chá começou a chacoalhar.

— É claro que chacoalhar começa com chá — replicou o Rei asperamente. — Acha que sou analfabeto? Vamos, continue.

— Sou um pobre sujeito, e a maior parte das coisas começou a chacoalhar... então, a Lebre-de-março falou que...

— Eu não falei isso! — protestou a Lebre-de-março.

— Falou, sim! — confirmou o Chapeleiro.

— Eu nego! — exclamou a Lebre-de-março.

— Ela nega — disse o Rei; — portanto, prossiga daí em diante.

— Se não foi a Lebre-de-março, foi o Ratinho quem falou... — e o chapeleiro olhou com desalento para o lugar onde estava o Ratinho, receando que ele também negasse ter falado o que quer que fosse, mas isso não aconteceu, porque o Ratinho já estava dormindo a sono solto.

— Depois disso — prosseguiu o Chapeleiro, — eu cortei outra fatia de pão...

— Mas você não disse o que foi que o Ratinho falou! — protestou um dos jurados.

— Esqueci...

— Pois trate de lembrar — ordenou o Rei, — ou mandarei que o executem.

O infeliz até deixou cair a xícara e a fatia de pão, prostando-se de joelhos e choramingando.

— Oh, Majestade, eu sou um pobre sujeito...

— Além de ser um péssimo orador! — concluiu o Rei.

Nesse instante, um porquinho-da-índia prorrompeu em aplausos, que foram prontamente abafados pelos oficiais de justiça.

(Como "os aplausos foram abafados" é uma expressão um tanto forte, vou explicar-lhes em que consistiu esse abafamento. Um soldado pegou um saco, enfiou dentro dele o porquinho-da-índia, amarrou a boca do seco e sentou-se em cima, abafando-o completamente).

"Quantas vezes li nos jornais que, ao final de um julgamento, uma tentativa de aplauso foi imediatamente abafada pelos meirinhos", pensou Alice. "Ainda bem que vi como isso é feito, pois até hoje eu não entendia direito como é que se podia abafar um aplauso."

— Se isso é tudo o que sabe — concluiu o Rei, — está bem. Pode descer.

— Como descer, Majestade, se já estou no chão?— perguntou o Chapeleiro.

— Está certo. Então, pode sentar.

Outro porquinho-da-índia tentou aplaudir, e logo foi abafado. "Daqui a pouco, não vai sobrar um só porquinho-da-índia neste tribunal, pensou Alice. "Agora, parece que o julgamento vai ficar mais interessante"

"O melhor que faço é ir terminar meu chá", pensou o Chapeleiro, olhando de esguelha para a Rainha, que estava lendo a lista dos cantores.

— Você está dispensado — disse-lhe o Rei.

Mais que depressa, o Chapeleiro saiu do tribunal, sem sequer se preocupar em calçar os sapatos.

— Antes que ele saia — ordenou a Rainha um dos meirinhos, — cortelhe a cabeça.

Mas a ordem não pôde ser cumprida, pois ele já se achava bem longe dali.

— Que se apresente a próxima testemunha! — ordenou o Rei.

A testemunha seguinte era a cozinheira da Duquesa que chegou trazendo nas mãos o vidro de pimenta. Antes que a visse, Alice adivinhou de quem se tratava, pelos espirros que escutou, vindos da direção da porta de entrada.

— Faça-lhe perguntas, Majestade.

— Já que é necessário... — disse o Rei suspirando, — vamos lá.

Cruzando os braços e franzindo o cenho a ponto de quase encobrir inteiramente os olhos, o Rei perguntou, em voz cavernosa:

— De que são feitas as tortas?

— De pimenta.

— De melado... — corrigiu uma voz sonolenta.

— Foi o Ratinho! — exclamou a Rainha — Prendam-no. Degolem-no! Expulsem-no daqui! Abafem-no! Deem-lhe uns bons beliscões! Arranquem seus bigodes!

Durante alguns minutos, estabeleceu-se uma confusão entre os assistentes, até que o Ratinho foi expulso do recinto. A cozinheira, nesse meio tempo, tratou de desaparecer.

— Deixem para lá — disse o Rei, dando de ombros, depois que tomou conhecimento da fuga de sua testemunha. — Chamem o próximo a depor.

E voltando-se para a Rainha, segredou-lhe:

— Esses interrogatórios estão me deixando com dor de cabeça. Encarregue-se você do próximo.

Alice observava atentamente o Coelho Branco, aguardando com curiosidade o nome da próxima testemunha. Qual não foi sua surpresa quando ele, levantando os olhos da lista que até então estava lendo, gritou com voz estridente:

— Alice!

CAPÍTULO 12

O Depoimento de Alice

Presente! — gritou Alice, esquecendo-se temporariamente do quanto havia crescido, nos últimos minutos, e levantando-se tão estabanadamente, que até derrubou a banca do júri, com uma rabanada de sua saia.

Os jurados foram atirados da cabeça para baixo sobre o colo dos assistentes, ali ficando estatelados, sem entender direito o que havia acontecido. A cena fez lembrar a Alice um fato ocorrido poucos dias antes em sua casa, quando ela havia esbarrado acidentalmente no aquário do peixe-dourado, fazendo-o cair de borco no chão.

— Oh, desculpem-me — disse ela em tom consternado catando um por um dos jurados e recolocando-os em seus lugares, "antes que morressem", pensou, confundindo aquela cena com a do peixinho que tinha caído fora da água.

— O julgamento não terá sequência — anunciou o Rei, com voz grave, — até que todos os membros do júri retornem aos seus lugares primitivos. Eu disse todos!

Terminou a frase olhando severamente para Alice, que examinou a banca do júri, só então notando que havia colocado o pobre Lagarto Bill de cabeça para baixo. O infeliz ali estava, agitando a cauda desesperadamente, sem saber como corrigir sua posição. Ao recolocá-lo de cabeça para cima, ela pensou: "Ah, também, tanto faz como tanto fez. Esse bobinho não faz qualquer falta para o julgamento."

Depois de estarem todos recuperados do choque, e de terem retomado suas lousas e gizes, puseram-se os jurados a relatar por escrito aquele contratempo. O único que não estava escrevendo era o Lagarto, que preferiu ficar de boca aberta, olhando com cara de bobo para o teto.

— Que sabe a senhorita a respeito desse assunto? — perguntou o Rei.

— Nada — respondeu ela.

— Nada de nada? — tornou o Rei.

— Nadinha — confirmou Alice.

— Isso é muito relevante — disse o Rei, voltando-se para os jurados, que trataram de fazer suas anotações na lousa.

Mas o Coelho Branco interrompeu-o dizendo:

— Vossa Majestade quis dizer *irrelevante*, não é?

Disse isso de cenho franzido e cara de poucos amigos.

— É claro que eu quis dizer *irrelevante* — concordou o Rei prontamente, continuando a dizer em voz baixa, só para si: — Relevante, irrelevante; relevante, irrelevante...

Provavelmente, ainda não se decidira sobre qual das duas palavras soava melhor. E o fato é que alguns dos jurados anotaram "relevante", enquanto outros escreveram "irrelevante", conforme Alice notou, olhando por cima de seus ombros. "Ah", pensou ela, com um muxoxo, "tanto faz..."

Nesse momento, o Rei, que estivera fazendo anotações em sua agenda, pediu silêncio e começou a ler em voz alta o que acabara de escrever:

— Artigo 42: Todas as pessoas com mais de uma milha de altura são obrigadas a sair do tribunal.

Todos olharam para Alice, que replicou:

— Eu não tenho uma milha de altura.

— Tem, sim — disse o Rei.

— Mesmo que eu tivesse, eu não sairia — teimou Alice. Além do mais, esse artigo não vale, pois acaba de ser inventado.

— É o artigo mais antigo do nosso código — protestou o Rei.

— Se fosse, o número dele seria Um, e não Quarenta e Dois — desfechou a Alice.

O Rei empalideceu e fechou prontamente a agenda, voltando-se para os jurados e ordenando, com voz trêmula e baixa:

— Vamos ao veredito!

— Calma, ó Majestade — interrompeu o Coelho Branco, saltando a sua frente, — que ainda temos outros depoimentos! Esta carta acabou de ser encontrada.

— Que diz ela? — perguntou a Rainha.

— Ainda não abri o envelope — respondeu o Coelho Branco — mas parece ser uma carta escrita pelo prisioneiro e endereçada a alguém.

— É — concordou o Rei — deve ser isso mesmo, a não ser que tenha sido endereçada a ninguém, o que, convenhamos, não é muito usual.

— Quem é o destinatário? — perguntou um dos jurados.

— A carta não tem destinatário — respondeu o Coelho Branco. — A parte externa do envelope está em branco, como os senhores jurados podem ver.

Depois de exibir o envelope, abriu-o, tirou de dentro uma folha escrita, passou os olhos no conteúdo e disse:

— Não é uma carta. É um poema.

— A letra é do prisioneiro? — indagou um jurado.

— Por estranho que possa parecer — respondeu o Coelho Branco, — não!

Todos os membros do júri ficaram de cenho franzido, com ar intrigado.

— Ele deve ter imitado a letra de uma outra pessoa — disse o Rei, fazendo com que os jurados voltassem a sorrir, com ar de sabidos.

— Saiba Vossa Majestade — disse o Valete — que não sou o autor dessa poesia. Ninguém poderia provar minha autoria, já que não há qualquer assinatura ao final dela.

— Se você não quis assinar — disse o Rei, — isso piora as coisas, pois releva sua má intenção. Do contrário, você não hesitaria em assinar, agindo como uma pessoa honesta.

Seguiu-se uma vibrante salva de palmas, saudando a primeira frase realmente inteligente que o Rei havia proferido nesse dia.

— Sendo assim — intrometeu-se a Rainha, — está mais do que provada a culpa do prisioneiro. Cortem...

— Provada a culpa coisa nenhuma! — protestou Alice. — Ora, vocês nem sabem de que é que ele está sendo acusado!

— Então, leia a poesia — ordenou o Rei.

O Coelho Branco ajeitou os óculos e perguntou:

— Por onde devo começar, Majestade?

— Hmm... vejamos... comece do começo — disse o Rei, pesando cada palavra que dizia, — prossiga a leitura até o fim, e então pare de ler.

Fez-se um silêncio de morte no tribunal, enquanto o Coelho Branco lia em voz alta estes versos:

Eu soube que certa pessoa
falou-lhe um dia a meu respeito:
disse que eu era gente boa,
mas que tinha um grave defeito.

Era o seguinte o tal defeito:
eu não aprendi a nadar!
Se alguém falasse a meu respeito,
teria muito o que falar...

Um eu lhe dei; além desse um,
Outros dois você recebeu.
Veja: quem não tinha nenhum,
tem três agora, e um era meu...

Nessa embrulhada eu não entrei,
e ela também não entraria;
se nela entrássemos, eu sei
que você nos libertaria.

Um obstáculo surgiu
e se interpôs entre nós dois.
Todo o grupo se dividiu,
e não se reuniu depois.

Ela sentia por alguém
um grande amor, sem raiva ou medo.
Não conte isso pra ninguém!
Será nosso grande segredo.

— Das provas contra o prisioneiro, essa foi a mais importante que escutei — disse o Rei, esfregando as mãos. — Assim, deixemos que o júri...

— Se é que algum dos jurados possa explicar essa poesia — interrompeu Alice, que havia crescido ainda mais nos últimos minutos, perdendo de vez qualquer receio que ainda tivesse de intrometer-se no julgamento.

— Dou um doce para quem conseguir interpretá-la. A meu ver, ela não tem o mínimo sentido.

Todos os jurados escreveram em suas lousas: "A testemunha disse que a poesia não tem o mínimo sentido", e nenhum deles se arriscou a explicar o que acabara de ouvir.

— Se ela não tem o mínimo sentido — disse o Rei, — isso evitará uma porção de problemas, pois não teremos de ficar procurando o tal de "sentido oculto" de que tantos falam. Entretanto... — e abriu a folha de papel sobre o joelho, examinando-a com o rabo de olho — penso ter encontrado algum sentido, aqui e ali... Por exemplo, o verso "eu não aprendi a nadar": você não sabe nadar, não é, Valete?

Com ar triste, o Valete fez que não com a cabeça, o que não era de estranhar, já que, sendo carta de baralho, ele era feito de papelão.

— Muito bem... muito bem... — prosseguiu o Rei, que continuou lendo os versos em voz baixa, acrescentando comentários: — "Todo o grupo se dividiu, e não se reuniu depois"... isso deve referir-se ao júri; "nessa embrulhada... ela também não entraria"... isso aí tem a ver com a Rainha; "se alguém falasse a seu respeito, teria muito o que falar" ...e como teria! "Um eu lhe dei... outros dois você recebeu" ... eis aí o destino dado às tortas roubadas.

— Como, roubadas? — protestou Alice. — Está lá, claramente: Alguém recebeu um, depois recebeu mais dois! Todos os três foram dados. Além disso, o grande segredo nada tem a ver com roubo de tortas, e sim com um grande amor, sem raiva ou medo. Portanto, pergunto: em que verso alguém vê menção a "roubo"? Onde é que alguém enxerga "tortas"?

— Onde? Ali! — exclamou o Rei, triunfantemente, apontando para a mesa que estava diante dele. — E por falar nisso, querida — voltou-se para a Rainha e continuou, com voz melosa, — que me diz desse verso: "*Ela sentia por alguém um grande amor*"? Será que se refere a você e a mim?

— Nem pensar! — exclamou a Rainha, furiosa, apanhando um tinteiro que estava perto e atirando-o com força para frente.

O tinteiro acertou a cabeça do pobre Bill, e a tinta começou a escorrer-lhe pela cara. Apesar da pancada, ele ficou satisfeito, porque agora poderia escrever visivelmente na lousa, passando o dedo na tinta.

— Você levou tinta! — gritou o Rei, com um sorriso nos lábios, circulando o olhar pela assistência.

Ninguém riu, nem comentou o que quer fosse.

— Foi um jogo de palavras, gente! — protestou o Rei, com voz zangada. — Uma piada!

Ouvindo isso, o auditório explodiu em risadas. O Rei então ordenou:

— O júri pode proferir seu veredito.

— Não, não! — contestou a Rainha. — Primeiro, a sentença; depois, o veredito.

— Que ideia mais absurda e sem lógica! — exclamou Alice. — Onde já se viu a sentença preceder o veredito?

— Cuidado com a língua, mocinha! — ameaçou a Rainha, rubra de raiva.

— Tome cuidado você — retrucou Alice.

— Cortem-lhe a cabeça! — exclamou a Rainha, berrando o mais alto que pôde. Ninguém se mexeu.

— Quem liga para você? — perguntou Alice, que a essa altura dos acontecimentos já havia recuperado sua altura normal. — Você não passa de uma carta de baralho!

Foi então que um baralho completo se ergueu subitamente no ar, vindo as cartas a descer uma a uma sobre a menina. Ela deu um grito, causado metade pelo susto, metade pela raiva, enquanto tentava afastar as cartas à custa de tapas. Nesse momento, despertou, sentada no banco do jardim, com a cabeça apoiada no regaço da irmã, que gentilmente tirava de seu rosto as folhas secas que lhe haviam caído sobre o rosto.

— Acorde, Alicinha! — murmurou a irmã. — Que sono pesado você tem!

— Oh, e tive um sonho muito curioso.

E contou para a irmã, tanto quanto podia recordar, as estranhas aventuras sobre as quais acabou de ler. Quando terminou sua narrativa, a irmã beijou-a e comentou:

— De fato, foi um sonho muito curioso, querida. Mas agora trate de ir para dentro, pois está na hora de lanchar.

Alice levantou-se e foi correndo para casa, enquanto desfilava em sua mente o maravilhoso sonho que acabara de ter.

Enquanto isso, sua irmã ficava na mesma posição em que ela estivera, antes de adormecer: a cabeça apoiada entre as mãos e o olhar fixo no horizonte, contemplando o pôr do sol.

E assim,permaneceu, pensando em Alice e nas maravilhosas aventuras que ela havia relatado, quando também adormeceu e teve um estranho sonho.

No início, ela sonhou com Alice, e era como se estivesse vendo nitidamente a irmãzinha, mãos apoiadas nos joelhos, fitando-a com seus olhos brilhantes e impacientes. Ouvia claramente o som de sua voz e notou que ela não perdia a mania de sacudir a cabeça de tempos em tempos, para tirar a mecha de cabelos que teimava em cair-lhe sobre os olhos. Pareceu-lhe então escutar o som de tudo o que havia a seu redor, pois as coisas tinham adquirido vida, e ela começava a conviver com as estranhas criaturas do sonho da irmãzinha.

Sentiu a relva farfalhar junto a seus pés, enquanto o Coelho Branco passava velozmente por ali. O Camundongo assustado espadanada água na lagoa próxima, enquanto as xícaras tilintavam na casa onde a Lebre-de-março e seus convidados tomavam chá interminável. Ao longo, podia-se escutar a voz irada da Rainha, condenando seus infelizes cortesãos à execução sumária; o bebê-leitão a se esgoelar no regaço da Duquesa, entre pratos e tigelas que passavam voando rente aos dois, espatifando-se nas paredes e no chão; além do guincho do Grifo, do rangido do giz usado pelo Lagarto Bill, do som abafado da voz dos porquinhos-da-índia, tudo isso misturando-se aos soluços distantes da infeliz Tartaruga Falsa.

Ela sentou-se, conservando os olhos fechados e se perguntando se estaria ou não naquela terra dos sonhos, embora soubesse que, se os abrisse, logo cairia na dura realidade: a grama apenas estaria farfalhando devido ao sopro do vento, o marulho das águas da lagoa devia-se tão somente à agitação dos juncos, o tilintar das xícaras não passaria do som dos cincerros presos ao pescoço das ovelhas, os berros irados da Rainha nada mais eram que os gritos dos pastores atrás dos animais extraviados, e que todos os demais sons, os espirros do bebê-leitão, os guinchos do Grifo, etc..., sabia ela, logo iriam reduzir-se aos barulhos normais de uma fazenda em atividade. Os soluços da Tartaruga Falsa, por exemplo, nada mais eram que os mugidos distantes dos bois andando pelos pastos.

Por fim, do mesmo modo que sua irmãzinha, ela se imaginou no futuro, quando se tornasse uma mulher adulta, planejando como faria para conservar, durante toda a sua vida, aquele coração simples e carinhoso da infância, e como fazer com que os próprios filhos, que viesse a ter, ficassem de olhos arregalados e brilhantes, ao escutarem uma história estranha, talvez até mesmo a descrição do País das Maravilhas, sonhado tanto tempo atrás, e como ela poderia enfrentar suas pequenas tristezas, encontrando prazer nas alegrias singelas, recordando sua própria infância e os dias felizes e quentes de verão.

II

Do Lado de Dentro do Espelho
e o que Alice ali encontrou

Criança de semblante puro
e de olhar espantado:
você representa o futuro,
enquanto eu sou o passado;
nossas almas ficam ligadas
por um conto de fadas.

Pode ser que eu desapareça
de vez da sua vida,
e que logo você me esqueça;
porém, eu sei, querida,
que sempre serão relembradas
as histórias de fadas.

Se a vida contasse somente
de amor e de alegria,
o interior de nossa mente
apenas guardaria
as lembranças tão adoradas
das histórias de fadas.

Infelizmente, isso não passa
de um sonho, nada mais...
Antes que a triste vida faça
de nós os seus jograis,
vamos divertir, dar risadas
e ouvir contos de fadas.

Vamos deixar lá fora o frio
desse vento cortante;
dentro de casa é sempre estio:
quentinho, aconchegante!
Aqui ouvimos não as rajadas,
mas sim conto de fadas!

E embora um suspiro eventual
perpasse pela história,
quando esta chega ao seu final
é do Bem a vitória!
Isso é o que torna tão amadas
as histórias de fadas...

Capítulo 1

A Casa do Espelho

Uma coisa era certa: a gatinha branca nada tinha a ver com aquilo. A culpa era toda da gatinha preta. Acontece que, nos últimos quinze minutos, Mamãe Gata estivera lavando a carinha da gata branca (e com muito capricho, é bom que se diga); assim, logo se vê que ela não poderia ter participado de modo algum daquele malfeito.

A maneira que Diná usava para lavar a carinha dos filhotes era a seguinte: primeiro, segurava a criaturinha pela orelha com uma das patas, empregando a outra para esfregar-lhe a cara de dentro para fora, isso é, começando pela ponta do focinho. Neste exato momento, como acabei de dizer, ela estava terminando de esfregar a gatinha branca, que já se preparava para ronronar de satisfação, na certeza do bem que aquele banho lhe fazia.

Nesse meio tempo, a gatinha preta já havia terminado seu banho e, aproveitando-se do fato de que Alice estava enroscada no canto do sofá, falando sozinha e semiadormecida, a danadinha divertia-se a valer, jogando bola com o novelo de lã que a menina ficava enrolando durante longo tempo. Empurrando-o para lá e para cá sobre o tapete da lareira, a gatinha logo desfez todo o trabalho de Alice, deixando o fio completamente embolado. Quando a menina deu por si, a peralta corria em círculos, perseguindo a própria cauda.

— Ah, sua levada! — exclamou Alice, suspendendo a gatinha e dando-lhe um beijinho para que ela entendesse a gravidade do seu malfeito. — Sua mãe Diná devia ter-lhe ensinado a se comportar!

Voltando-se para Diná, prosseguiu, no tom mais zangado que sabia imprimir à voz, quando estava fingindo:

— É isso mesmo que você devia ter feito, Diná!

Então, sentando-se corretamente no sofá, pôs a gatinha sobre os joelhos e começou a enrolar o novelo de lã, mas não muito depressa, pois falava o tempo todo; ora com ela, ora consigo própria. Por sua vez, Kitty ficou ali quietinha, como se fosse muito bem comportada, observando o progresso do trabalho e de vez em quando estendendo uma das patinhas em direção ao novelo, fingindo que estava querendo ajudar.

— Sabe o que teremos amanhã, Kitty? Se você tivesse ficado comigo na janela, poderia adivinhar, mas isso foi na hora de seu banho. Eu estava espiando os meninos que recolhiam gravetos lá fora. Até que havia bastante graveto por lá, mas estava tão frio, nevava tanto que eles acabaram desistindo de concluir a tarefa. Mesmo assim,Kitty, vamos ter amanhã uma bela fogueira!

Nesse momento, Alice deu três laçadas com o fio de lã em torno do pescoço da gatinha, só para ver o efeito. Ela pulou para o chão, fazendo o novelo cair e desmanchando boa parte do serviço já feito. Depois de recolocar a lã e a gatinha sobre os joelhos, Alice continuou:

— Fiquei tão zangada com você, Kitty, ao ver suas travessuras, que estive a ponto de abrir a janela e atirá-la no meio da neve! E você bem que merecia isso! Tem alguma desculpa para apresentar? Então não me interrompa!

Erguendo um dedo, prosseguiu:

— Vou enumerar tudo o que você fez de errado. Primeiro: você chiou duas vezes, enquanto Diná esfregava seu focinho, hoje de manhã. Não me venha negar: eu ouvi! Que tem a dizer? Hein? Que foi que disse? Que a pata da Diná encostou em seu olho? Bem feito! Quem mandou ficar de olho aberto? Se ficasse de olhos bem fechados, isso não teria acontecido. E chega de desculpas. Tem mais. Segundo: você puxou o rabo da Bolinha de Neve na hora em que eu tinha posto leite no pires. Ah, é porque você estava doida para tomar leite, não é? Sabe lá se ela também não estava? E agora o terceiro: você desenrolou e embaraçou o novelo de lã, enquanto eu não estava prestando atenção...

... Foram três faltas graves, Kitty, e você não recebeu punição alguma até agora! Fique sabendo que estou juntando seus castigos, para aplicá-los de uma só vez, quarta-feira que vem. E quanto a mim — continuou, falando agora para si própria, — posso até imaginar o que me aconteceria se os castigos que mereço fossem juntados para aplicação posterior! No fim do ano, acho que eu acabaria sendo mandada para a cadeia! Ou então, vejamos... vamos supor que cada castigo representasse a perda da refeição. Quando chegasse o dia de recebê-los, eu teria de ficar em jejum durante os cinquenta dias seguintes! Se fosse só ficar sem jantar, até que eu aguentaria. O que não suportaria era ter de comer cinquenta jantares de uma só vez!

... Está ouvindo a neve batendo nas vidraças, Kitty? Faz um ruído bonito e macio! É como se alguém estivesse dando um beijo na janela, lá do lado de fora. Será porque ama as árvores e os campos, que a neve os beija tão delicadamente? Em seguida, recobre-os confortavelmente com um acolchoado branco, como se estivesse dizendo: "Durmam, meus queridos, até que volte o verão". E quando eles despertam no verão, Kitty, vestem-se de verde e se põem a dançar, sempre que o vento sopra... Oh, é lindo demais!

Nesse ponto, Alice largou o novelo de lã e se pôs a bater palmas de alegrias, dizendo:

— Oh, que bom se fosse de fato assim como eu disse! Tenho certeza de que os bosques parecem sonolentos no outono, quando as folhas vão ficando pardacentas.

... Kitty, você sabe jogar xadrez? Não ria, sua bobinha, que a pergunta é seria. Agora mesmo, nós duas estávamos jogando, e você parecia entender tudo o que acontecia. Quando eu disse "Xeque!", você ronronou. Foi um belo xeque, reconheça-o, e eu estava pronta para ganhar, se não fosse aquele cavalo sem educação, que se intrometeu entre as minhas peças! Kitty, querida, vamos fazer de conta...

Antes de prosseguir, eu gostaria de contar para vocês pelo menos a metade das coisas que Alice costumava dizer, sempre começando por essa frase, que era sua favorita: "Vamos fazer de conta". Na véspera, ela tinha travado uma discussão com sua irmã, justamente por ter dito: "Vamos fazer de conta somos os reis e as damas do baralho". Sua irmã, que gostava de ser muito exata, contestou a possibilidade daquela "faz de conta", já que elas não passavam de duas, mas o máximo que conseguiu foi que Alice dissesse: "Está bem; você escolhe uma das cartas, e eu serei todas as outras."

De outra vez, ela havia pregado um grande susto na sua velha ama, ao sussurrar em seu ouvido: "Vamos fazer de conta que eu sou uma hiena faminta, e que você é um osso!"

Mas estamos nos afastando da conversa que Alice estava tendo com sua gatinha. Voltemos às duas:

— Vamos fazer de conta que você é Rainha Preta, Kitty. E, de fato, se você ficar sentadinha de braços cruzados, vai ficar parecidíssima com ela. Vamos tentar, queridinha?

E, apanhando a peça no tabuleiro de xadrez, colocou-a diante da gatinha, como se fosse um modelo. Não deu certo, porque, como Alice reconheceu, Kitty não sabia cruzar os braços muito bem. Por isso, a título de castigo, a menina levantou-a diante do espelho, para que ela visse como estava procedendo mal.

— Se não cruzar os braços direitinho, atiro-a lá no lado de dentro do espelho, ouviu? Você gostaria disso? Agora, se você ficar quieta, sem me interromper a cada minuto, vou lhe contar o que sei a respeito da Casa do Espelho. É igualzinha à nossa, só que com tudo invertido. Posso enxergar toda a sala, quando fico de pé com tudo invertido. Posso enxergar toda a sala, quando fico de pé na poltrona. Só não vejo o pedacinho onde fica a boca da lareira. Ah, como eu gostaria de vê-lo! Queria saber se eles acendem a lareira no inverno. A única coisa que se vê é a fumaça, quando a nossa aparece, porque aí a deles aparece também. Mas isso pode ser uma armação, apenas para parecer que o fogo da lareira de lá também está aceso. Outra coisa são os livros: os deles são parecidíssimos com os nossos, apenas com as palavras escritas ao contrário. Sei disso, porque pus um livro diante do espelho, e eles logo puseram um outro lá do outro lado também.

... E então, Kitty, será que você gostaria de morar lá? E se o pessoal não lhe der leite? E se o leite de lá não for bom? Topa entrar lá, Kitty? Sabe onde é a entrada? A gente enxerga uma fresta dessa entrada, quando deixa a porta da sala escancarada. Olhe lá, está vendo? É muito parecida com a entrada da nossa porta, só que a do outro lado é muito, muito diferente. Ah, Kitty, seria maravilhoso se pudéssemos visitar a casa que fica do lado de lá do espelho. Tenho certeza de que lá é uma beleza, é um lugar cheio de coisas maravilhosas. Vamos fazer de conta que há um modo de entrar lá, que o espelho deixou de ser duro, e se tornou fofo como uma gaze, de modo que a gente consegue atravessá-lo. Veja, Kitty, ele está se transformando numa espécie de nuvem! Desse modo, dá para entrar nele!

Quando deu por si, Alice se viu de pé sobre a cornija da lareira, sem saber como explicar como tinha subido ali. E, realmente, o espelho estava começando a se derreter e a se transformar numa espécie de neblina brilhante e prateada.

Logo em seguida, ela já se encontrava do outro lado do espelho, e descia da cornija da lareira, indo mais que depressa olhar a parte que jamais tinha sido vista, a fim de verificar se o fogo estaria aceso. Constatou que sim, o que a deixou bastante satisfeita. O fogo era quente e brilhante como o que ardia do lado que agora era oposto. "Vou ficar tão quentinha aqui, como eu ficava na sala antiga", pensou. "Talvez até mais quente, porque ninguém vai chegar para me mandar ficar longe do fogo. Ah, que divertido será quando me virem deste lado e não me puderem pegar!"

Pôs-se a olhar ao redor e notou que tudo o que sempre pôde ver da sala antiga era banal e desinteressante, mas que as outras coisas, as que só agora ela podia ver, eram bem diferentes das que havia do outro lado. Por exemplo, os quadros

pendurados na parede da frente da lareira: pareciam vivos! E aquele relógio grande, que do lado antigo só se avistava o fundo: de frente, ele tinha a cara de um velhinho, que sorria para ela.

"Essa sala não é tão bem arrumada como a outra", pensou ela, ao ver diversas peças de xadrez misturadas com as cinzas da lareira. Logo em seguida, porém, com um "Oh!" de surpresa, ela se ajoelhou no chão, a fim de observá-las. Não é que as peças caminhavam, andando aos pares? Sussurrando para não lhes causar susto, ela disse:

— Olhe ali o casal de rei pretos! E lá no fundo, sentados sobre o atiçador, o Rei Branco e sua Rainha! E aquelas duas torres, caminhando de braços dados! Ué! Acho que eles não me escutam!

Para certificar-se, continuou a falar, aproximando o rosto das peças:

— E também não podem me ver! Devo estar invisível!

Nesse instante, alguma coisa começou a guinchar sobre a mesa que estava atrás de Alice, fazendo-a voltar a cabeça para olhar o que seria. O que viu foi um Peão Branco levantar-se e começar a aplicar pontapés em algo que ela não podia enxergar.

— É a voz da minha filhinha! — exclamou a Rainha Branca, saindo em disparada para acudi-la, tão desesperadamente que esbarrou no Rei Branco com força, atirando-a entre as cinzas. — Minha preciosa Lili! Minha gatinha imperial!

Enquanto dizia isso, a pobre Rainha Branca tentava desesperadamente escalar o guarda-fogo.

— Minha desgracinha imperial! — rosnou o Rei, esfregando o nariz, que se tinha machucado em decorrência da queda.

Ele tinha direito de ficar aborrecido com a Rainha, pois estava coberto de cinzas da cabeça aos pés.

Ansiosa por ser útil, e escutando a gritaria que a pobre da Lili estava aprontando, Alice segurou a Rainha e a colocou em cima da mesa, ao lado de sua filhinha barulhenta.

A Rainha sentou-se, ofegante: a viagem veloz através do ares tinha tirado seu fôlego. Por um minuto ou dois, ela nada mais fez senão abraçar a pequena Lili em silêncio. Assim que começou a recobrar a fala, ela gritou para o Rei Branco, que continuava sentado entre as cinzas, de cara emburrada.

— Cuidado com o vulcão.

— Que vulcão? — perguntou o Rei, olhando assustado para as brasas, o lugar mais indicado para encontrar algo parecido com um vulcão.

— O que... me atirou... para cima — respondeu a Rainha com dificuldade, já que ainda não havia recuperado inteiramente o fôlego. — Ache um modo de subir... pelo caminho normal... sem ser atirado pelos ares!

Alice ficou olhando o Rei Branco, que subia vagarosamente de ressalto em ressalto, até que não aguentou e disse:

— Ih, você vai levar horas para chegar ao tampo da mesa, subindo nessa moleza! O jeito é ajudá-lo, não é?

Mas o Rei não tomou conhecimento da pergunta, já que não podia vê-la, nem ouvi-la. Assim, Alice ergueu-o com delicadeza e o depositou próximo da Rainha, transportando-o de maneira mais suave e lenta do que a que havia empregado com ela. Fez isso para que ele não perdesse o fôlego. Enquanto o suspendeu, porém, soprou nele para tirar as cinzas que o recobriam.

Mais tarde, disse ela que jamais em toda sua vida tinha visto uma cara como a que o Rei fizera, quando se viu suspenso no ar, seguro por uma mão invisível, e ainda por cima sendo soprado. Ficou assustado demais para gritar, mas seus olhos e a boca foram ficando cada vez mais abertos e redondos, fazendo a menina prorromper numa risada, quase deixando-o escapar de entre seus dedos.

— Oh, por favor, não faça essas caretas! — exclamou a Alice, esquecendo-se de que ele não podia escutá-la. — Você, com isso, está fazendo com que eu ria tanto, que mal estou conseguindo segurá-lo! E não fique com essa boca assim, tão aberta! Cuidado, que as cinzas vão entrar dentro dela! Pronto, aí está você, limpo e penteado!

Dizendo isso, alisou-lhe os cabelos e o depositou sobre a mesa, ao lado da Rainha. Ele imediatamente caiu de costas e ficou imóvel como uma estátua. Alice ficou preocupada com seu estado, dando uma volta pela sala, à procura de água para fazê-lo recobrar a consciência. Nada encontrou, senão um vidro de tinta, e já se preparava para utilizá-la no lugar da água, quando viu que o Rei já estava recuperado, e conversa com a Rainha. Ambos falavam em voz tão baixa e sussurrante, que ela mal compreendia o que estavam dizendo. Aproximando o ouvido, pôde escutar:

— Asseguro, querida, que fiquei enregelado dos pés à cabeça! Até a ponta do meu bigode congelou!

— Mas seu bigode não tem ponta! — replicou a Rainha.

— Nunca, nunca me esquecerei do pavor que acabo de sentir! — prosseguiu o Rei.

— Se não tomar nota disso, acabará esquecendo — retrucou a Rainha.

Com grande interesse, Alice notou que o Rei tirou do bolso uma caderneta de anotações, começando a escrever nela.

Ocorreu-lhe então uma ideia súbita, e ela, passando a mão por cima do ombro do Rei, segurou o lápis e se pôs a comandar a escrita. Aturdido e infeliz, o Rei tentou sem sucesso dominar o movimento do lápis, mas em vão. Por fim, desabafou:

— Querida! Preciso de um lápis mais obedientes! Este aqui, não consigo dominar! Ele está escrevendo sozinho uma porção de coisas que eu não tinha a intenção de escrever!

— Como assim? — perguntou a Rainha, olhando para a caderneta e lendo nela o que Alice acabava de escrever: *"O Cavalo Branco está escorregando no cabo do atiçador de fogo, mas não está se equilibrando bem"*). — Hmm, é mesma! Essa anotação não é sua!

Sobre a mesa, ali perto, havia um livro. Enquanto Alice vigiava o Rei Branco (pois ela continuava preocupada com seu estado, pronta para borrifar-lhe tinta, se ele desfalecesse de novo), ficou virando as folhas, em busca de alguma coisa que pudesse ler, "embora tudo aqui esteja escrito numa língua que não entendo", conforme ela mesma admitiu. Ali havia coisas como, por exemplo:

BESTIALÓGICO

Brilhava o dia, e uma fumaça
No céu girava sem parar;
Palhaços sérios espiavam
Loucos risonhos a cantar.

Aquilo deixou-a desnorteada durante algum tempo, até que uma ideia luminosa lhe ocorreu: "Ora, ora, isso deve ser um livro espelhado! Se eu o segurar diante de um espelho, as palavras vão se organizar e formar sentido". Satisfeita com essa ideia, ela continuou a ler o poema, e ele era assim:

BESTIALÓGICO

Brilhava o dia, e uma fumaça
No céu girava sem parar;
Palhaços sérios espiavam
Loucos risonhos a cantar.

Cuidado como Bestialógico!
Se ele te pega, é perdição!
Cuidado com a Ave Jujuba
E o terrível Bicho-Papão!

Ele tomou de sua espada
E foi atrás de uma inimiga;
À sombra da Árvore Tuntum,
Descansou, coçando a barriga.

E ali ficou o Bestialógico,
Olhos selvagens, chamejantes,
Resfolegando na floresta
Com mil ideias borbulhantes.

Um, dois! Um, dois! Veio marchando.
Ao vê-la, ergueu a espada e — zop!
Deixou-a morta e sem cabeça,
Voltando em seguida a galope.

Mas quem morreu? O Bestialógico?
Pois então vem até os meus braços!
Que lindo dia! Tu mereces
Milhões de beijos e de abraços!

Brilhava o dia, e uma fumaça
No céu girava sem parar;
Palhaços sérios espiavam
Loucos risonhos a cantar.

— Parece muito bonito — comentou Alice, ao terminar a leitura, — mas é um pouquinho difícil de compreender...

(Como se vê, ela não queria confessar, nem a si própria, que não havia compreendido coisa alguma daquilo tudo.)

— Não sei como, essa poesia encheu minha cabeça de ideias, só que não as entendo bem... O fato é que *alguém* matou *alguma coisa*, disto não resta a menor dúvida...

De repente, num salto, ela pensou: "Oh! Se não correr terei de voltar para o lado de fora do espelho antes de ter conhecido o resto da casa! Primeiro, vamos dar uma olhada no jardim."

Deixando a sala, ela desceu as escadas — não da maneira normal, é bom que se diga, mas de um modo novo e diferente de descer, mais fácil e rápido. Ela apenas tocava com os dedos da mão no corrimão, e desceu flutuando, sem que seus pés encostassem nos degraus. Chegando, embaixo, continuou fluindo através do corredor da entrada, e teria escapado porta afora, se não houvesse segurando com força a maçaneta, e foi com um sentimento de satisfação que ela notou já estar podendo caminhar de novo com os pés no chão, no modo costumeiro.

CAPÍTULO 2

O Jardim Das Flores Vivas

"Teria uma visão melhor deste jardim", pensou Alice, "se fosse para longe, lá para o alto daquele morro. Vejo um caminho que leva direto para lá."

"Não, este caminho não vai para o morro", corrigiu ela, depois de seguir por ele durante algum tempo, dobrando curvas e mais curvas. "Ou talvez até vá... Que caminho estranho! Quantas voltas! Parece antes um saca-rolhas! Bem, agora ele deve seguir direto até o morro, creio eu...não! Não vai para lá! Leva de volta para a casa! O jeito é tentar seguir por outro caminho..."

E lá se foi Alice, subindo e descendo, dobrando curvas e experimentando atalhos, mas sempre voltando para a casa. Numas das curvas, quando resolveu andar mais rápido que de costume, não conseguiu parar e acabou chocando-se contra a parede da casa.

— Não adianta vir com essas insinuações — falou Alice, como se estivesse conversando com a casa. — Não vou entrar aí agora. Se eu entrar, acabarei passando de novo pelo espelho e voltando à velha sala de minha casa, e isso seria o fim de minhas aventuras!

E assim, dando as costas para a casa, retomou o caminho, determinada a seguir linha reta até alcançar o topo do morro.

Durante alguns minutos, tudo correu bem, e ela já começava a pensar que teria sucesso, quando o caminho dobrou subitamente, formando uma curva tão brusca "que até sacudia", conforme Alice depois descreveu, e no instante seguinte lá estava ela novamente diante da porta...

— Oh, que coisa mais aborrecida! — exclamou. — Nunca vi uma casa assim tão intrometida! Nunca, mesmo!

Entretanto, lá estava o morro, bem a sua frente, de modo que nada havia a fazer senão tentar mais uma vez alcançá-lo. Voltando a caminhar, em pouco ela passava ao lado de um canteiro orlado de margaridas, tendo no meio um belo salgueiro-chorão.

— Ei, Flor-Tigre — disse Alice, dirigindo-se a uma delas que se agitava ao vento graciosamente. — Como seria bom se você soubesse falar!

— Nós sabemos falar — respondeu a flor, — e o fazemos sempre que existe alguém com quem valha a pena conversa.

Espantada, Alice ficou sem dizer coisa alguma durante um minuto, como se tivesse perdido o fôlego. Por fim, vendo que a Flor-Tigre tinha recomeçado a oscilar para lá e para cá, ela disse, em voz tímida:

— Todas as flores podem falar? — balbuciou, num quase sussurro.

— Tão bem como você — respondeu a Flor-Tigre, — ou mesmo melhor, pois falamos mais alto.

— Mas não temos o costume de iniciar a conversa — disse uma Rosa. — Quando você falou, confesso ter ficado espantada. Cheguei a comentar comigo mesma: "O semblante revela que ela tem bom senso, embora não deva ser das mais inteligentes." Além do mais, sua cor revela saúde, e isso já é um bom começo.

— Cor é coisa que não me preocupa — observou a Flor-Tigre. — Mas se suas pétalas fossem um pouco mais recurvas, creio que sua aparência seria bem melhor.

Como não gostava de estar na berlinda, Alice resolveu formular perguntas, de modo a evitar novas críticas:

— Não costumam sentir medo pelo fato de ficarem aqui fora, ao deus-dará, sem alguém que cuide de vocês?

— Temos uma árvore ali no meio — respondeu a Rosa. — Que mais seria necessário?

— Mas o que ela poderia fazer — tornou Alice, — Se sobrevier algum perigo?

— Ela pode chorar bem alto — respondeu a Rosa.

— Quando ela chora, ela esgoela de verdade — gritou uma Margarida. — É por isso que seu nome é "salgueiro-chorão".

— Você não sabia disso? — gritou outra Margarida.

No momento seguinte, todas as margaridas começaram a aprontar um palavrório, enchendo o ar de vozes estridentes. Aborrecida com aquilo, a Flor-Tigre começou a agitar-se sem parar, tremendo de excitação, e ordenou:

— Silêncio, aí, vocês todas!

Em seguida, voltando para Alice sua cabeça ainda trêmula, continuou em voz baixa:

— Elas sabem que não posso alcançá-las com um bote. Se eu pudesse fazer isso, queria ver se teriam tal atrevimento!

— Deixe para lá — respondeu Alice, tentando confortá-la.

Vendo então que as margaridas ameaçavam recomeçar o falatório, ameaçou -as em voz sussurrada:

— Se não calarem a boca agorinha mesmo, colho vocês!

Estabeleceu-se imediatamente o silêncio, e algumas margaridas de pétalas cor-de-rosa chegaram a embranquecer de susto.

— Muito bem! — aplaudiu a Flor-Tigre. — As margaridas são as piores de todas. Basta uma começar a falar para que todas comecem a falar juntas, deixando a gente até murcha, devido à zoeira que aprontam.

— Mas como é que todas vocês sabem falar assim tão lindamente? — perguntou Alice, esperando reanimar a flor com aquele elogio. — Já visitei diversos jardins, e jamais conheci um no qual as flores soubessem falar.

— Encoste a mão no chão para senti-lo — disse a Flor-Tigre. — Fazendo isso, você vai entender por que sabemos falar.

Alice fez conforme a flor sugeriu, comentando depois:

— É um solo muito duro. Não vejo o que isso teria a ver com o fato de vocês saberem falar.

— Na maioria dos jardins — explicou a Flor-Tigre — eles afofam o solo, deixando-o tão macio, que as flores passam todo o tempo adormecidas.

A explicação soou razoável, e Alice ficou satisfeita de ouvi-la, comentando:

— Nunca pensei que fosse por causa disso!

— Na minha opinião — intrometeu-se a Rosa, com azedume — você nunca pensou em alguma coisa.

— Nunca vi alguém que parecesse mais estúpido do que essa daí — disse uma Violeta, assustando Alice, já que até então ela nada havia dito.

— Cale a boca! — rugiu a Flor-Tigre. — Como se você já tivesse visto alguém antes! Fica aí, sempre com a cabeça enfiada sob as folhas, cochilando sem parar, não sabendo de coisa alguma que acontece ao redor, tão ignorante como um broto, e acha que pode dar palpite sobre algum assunto?

— Existem outras pessoas além de mim, aqui neste jardim? — perguntou Alice, fingindo não ter escutado toda a discussão.

— Existe uma outra flor que pode mover-se por aí, como você — respondeu a Rosa. — Confesso ficar espantada, sem saber como você duas fazem isso.

— Você não para de confessar que fica espantada — comentou a Flor-Tigre, sem que a Rosa se importasse, já que continuou falando:

— Mas ela é bem mais cheia de folhas que você.

— É parecida comigo? — perguntou Alice cheia de curiosidade , já que um pensamento borbulhava em sua mente. — Será que existe outra garotinha aqui neste jardim?

— Bem, ela tem essa mesma aparência esquisita que você tem — respondeu a Rosa, — mas tem uma cor escura, e suas pétalas, pelo que me lembro, são mais curtas.

— São mais compactas, como as da dália — explicou a Flor-Tigre, — e não desarrumadas e soltas, como as suas.

— Não é culpa dela — comentou a Rosa, gentilmente. — Como se vê, ela está começando a murchar, e não há como evitar que as pétalas fiquem com esse aspecto de desalinho...

Alice não apreciou de modo algum aquela observação, preferindo mudar de assunto:

— Essa pessoa costuma aparecer por aqui?

— Acredito que você não deverá custar a encontrá-la — disse a Rosa. — Ela é da espécie que usa a tiara de nove pontas.

— E como usa essa tiara? — indagou Alice, com curiosidade.

— Como? Na cabeça, é claro! — respondeu a Rosa. — Confesso estar espantada por não ver você usando uma dessas tiaras. Pensei que fosse um costume geral.

— Lá vem ela! — gritou uma Esporinha. — Estou escutando seus passos sobre as pedrinhas do caminho: trec, trec, trec!

Alice voltou-se rapidamente para o lado de onde provinha o som e deparou com a Rainha Preta.

— Como ela cresceu! — foi seu único comentário.

E, de fato, ela havia crescido. Quando a menina a colhera entre as cinzas, a rainha não passava de uma peça de xadrez medindo cerca de três polegadas (8cm), e agora ali estava ela, meia cabeça mais alta que a própria Alice!

— É o ar puro que faz isso — explicou a Rosa, — o ar puríssimo que temos por aqui.

— Acho melhor ir encontrá-la — disse Alice, que, embora achasse as flores muito interessantes, considerava mais horroroso conversar pessoalmente com uma Augusta Rainha.

— Você não deve seguir por aí! — alertou a Rosa. — Aconselho-a a ir pelo outro caminho.

Alice não viu sentido algum nesse conselho, preferindo ignorá-lo e seguir em direção à Rainha Preta. Para sua surpresa, logo perdeu a Rainha de vista e, quando deu por si, estava de novo diante da porta da frente da casa.

Cada vez mais aborrecida com aquilo, deu meia-volta, retornou o caminho e, depois de olhar para todos os lados, até divisar a Rainha, bem ao longe, resolveu experimentar o que aconteceria se seguisse na direção oposta.

Deu certo! Nem bem havia caminhando durante um minuto, quando se viu cara a cara com a Rainha Preta, junto ao sopé do morro que ela antes tanto quisera alcançar.

— De onde você vem? — perguntou a Rainha. — E para onde vai? Olhe para mim, fale sem gaguejar e pare de ficar virando os dedos sem parar.

Alice fez tudo conforme ela havia ordenado, explicando, o melhor que pôde, que tinha perdido o caminho.

— Você acaba de dizer "perdi *meu* caminho", coisa que não consigo entender, já que nenhum caminho é seu, mas todos pertencem a mim. Mas o que foi o que trouxe você até aqui? Enquanto pensa o que vai responder, faça uma reverência, e assim estará poupando tempo.

Essa observação deixou Alice um tanto perturbada, mas o temor respeitoso que sentia pela Rainha impeliu-a a não desobedecer. "Realmente, preciso poupar tempo", pensou ela, "pois estou um pouco atrasada para o janta. Da próxima vez, talvez eu tente ver o que acontece se não obedecer suas ordens."

— Já é hora de responder — disse a Rainha, consultando o relógio. — Quando falar, abra mais a boca, e sempre se dirija a mim chamando-me de "Majestade".

— Eu só queria ver como era o jardim, Majestade.

— Está bem — disse a Rainha, dando-lhe tapinhas na cabeça, o que a deixou bastante aborrecida, — embora isso aqui não mereça ser chamado de jardim. Jardins de verdade vi eu, e, comparando com eles, este daqui não passa de um mato.

Alice preferiu não discutir, prosseguindo:

— Quis também procurar um caminho que me levasse ao alto daquele morro.

— Morro, aquilo ali? — disse a Rainha, com ar de desprezo. — Eu poderia mostrar-lhe morros de verdade, em comparação com os quais aquele seria chamado... vale!

— Ah, isso não! — replicou Alice, surpresa por finalmente ter tido a coragem de contradizê-la. — Um morro, mesmo baixo, jamais poderá ser chamado de vale. Isso não faz sentido!

A Rainha Preta acenou a cabeça, dizendo:

— Não faz sentido, diz você...Ora, já escutei coisas tão sem sentindo, que, comparada com elas, essa daí faz mais sentido que um dicionário!

Alice fez outra reverência, já que o tom de voz da Rainha dava a entender que ela estava ligeiramente ofendida. As suas caminharam daí em diante em silêncio, até que alcançaram o alto do morro, que não passava de uma colina.

Por alguns minutos, a menina ficou calada, olhando dali de cima para todos os lados. Que região curiosa! Havia um sem-número de paralelos, atravessando em linha reta a paisagem, passando por entre campos cultivados que formavam pequenos quadrados, separados por cercas-vivas que ligavam a margem esquerda de um regato à direita de outro.

— É como se fosse um gigantesco tabuleiro de xadrez! — exclamou ela por fim. — Devia haver pessoas movendo-se de uma quadrado para outro... sim, lá estão elas!

Aquela visão deixou-a tomada de júbilo, e seu coração começou a bater mais rápido, enquanto ela dizia:

— Está sendo jogada uma fantástica partida de xadrez! Uma partida que envolve todo mundo, ou, ao menos, este mundo onde estou. Como deve ser divertido participar disso! Eu gostaria de estar nesse jogo, se gostaria! Não me importaria de ser um Peão, embora preferisse, naturalmente, ser uma Rainha.

Ao dizer isso, relanceou o olhar pela Rainha, com receio de sua reação, mas ela apenas sorriu amavelmente, dizendo-lhe:

— Isso é fácil de se arranjar. Você pode ser o Peão da Rainha Branca, se quiser, já que Lili é jovem demais para jogar. Você começa na segunda casa. Quando chegar à oitava, será promovida a Rainha.

Antes de ouvir a resposta, as duas começaram a correr.

Alice nunca conseguiu compreender bem, mesmo quando relembrava tempos depois suas aventuras, como foi que tudo começou. Só conseguia recordar que ambas estavam correndo de mãos dadas, e que a Rainha seguia tão depressa, que ela mal conseguia manter-se a seu lado. A outra parecia não cansar, sempre incentivando:

— Mais depressa! Mais depressa!

E ela sentia que não era capaz de ir mais depressa do que estava indo, pois nem mesmo tinha fôlego para replicar.

O mais curioso de tudo era que as árvores e outras coisas que havia ao redor delas não mudavam de lugar. Por mais rápido que seguissem, pareciam não conseguir ultrapassar o que quer que fosse. Vendo isso, Alice pensou: "Será que as coisas estão se movendo junto conosco?" Parecendo adivinhar seus pensamentos, a Rainha exclamou:

— Mais depressa! Não tente falar!

Nem lhe passava pela cabeça fazer tal tentativa. Na verdade, Alice chegou a pensar que nunca mais conseguiria falar, tamanha a dificuldade de respirar que estava sentindo. E lá ia a Rainha, gritando sempre "Mais depressa!", enquanto a arrastava atrás de si. Por fim, a menina conseguiu balbuciar:

— Estamos chegando?

— Chegando? — repetiu a Rainha. — Já passamos faz uns dez minutos. Mais rápido, vamos!

E as duas prosseguiram correndo em silêncio, enquanto o vento associava nos seus ouvidos e quase lhe arrancava os cabelos, segundo ela imaginava.

— Agora! Agora! — gritou a Rainha. — Mais depressa! Mais depressa!

E as duas seguiam tão rápido, que até pareciam estar voando, mal tocando os pés no chão. Súbito, quando Alice estava quase desmaiando de tão exausta, as duas estacaram, e ela se viu sentada no chão, sem fôlego e atordoada. A rainha colocou-a encostada numa árvore e lhe disse, com ar gentil:

— Agora, você pode descansar um pouco.

Alice olhou em redor, espantada:

— Quê? Chego a acreditar que estivemos debaixo desta árvore durante todo este tempo! Tudo continua igual estava antes!

— Claro que continua! — replicou a Rainha. — Não era para continuar?

— Bem, em nossa terra — explicou ela, ainda respirando com dificuldade, a pessoa geralmente atinge outro lugar, quando corre depressa e durante longo tempo, como acabamos de fazer.

— Que terra mais devagar! — disse a Rainha. — Pois aqui, como você viu, a gente corre, corre, para ficar no mesmo lugar. Se quiser ir para outro local, terá de correr duas vezes mais depressa!

— Acho melhor nem tentar! — exclamou Alice. — Estou satisfeita de estar aqui, embora esteja sentindo sede e calor.

— Sei bem o que você quer — disse a Rainha, com ar bondoso, tirando do bolso uma caixinha. — Aceita um biscoito?

Alice achou que não seria de bom tom recusar, embora não estivesse com a mínima vontade de comer biscoito. Assim, pegou um e fez o que pôde para comê-lo, mas não conseguiu, porque era muito seco, fazendo-a sentir-se ainda mais engasgada do que antes.

— Enquanto você se refresca — disse a Rainha, — vou fazendo as medições.

E, tirando do bolso uma fita métrica, começou a medir o chão, espetando piquetes aqui e ali.

E, tirando do bolso uma fita métrica, começou a medir o chão, espetando piquetes aqui e ali.

— Quando completar duas jardas (1,83m) — disse ela, fincando mais um piquete no chão — darei suas instruções. Mais um biscoito?

— Não, obrigada — respondeu Alice. — Um é bastante.

— Espero que também já tenha matado a sede — disse a Rainha.

Alice não sabia como replicar, mas por sorte a Rainha não esperou que ela dissesse alguma coisa, e continuou a falar:

— Quando completar três jardas (2,77m), repetirei as instruções, pelo receio que tenho de que você as esqueça. E quando completar quatro (3,66m), direi adeus. Irei embora quando completar cinco (4,57m).

Nessa altura, ela já havia cravado todos os piquetes. Alice acompanhou-a com o olhar interessadamente, vendo-a retornar para a árvore e caminhar vagarosamente ao longo da fileira de quadrados. Chegando à marca das duas jardas, ela olhou em volta e disse:

— Como você sabe, um Peão pode avançar duas casas no seu primeiro movimento. Assim, você deverá atravessar rapidamente a Terceira Casa — se possível, de trem de ferro — e alcançar a Quarta, sem tardança. Bem essa casa pertence aos gêmeos Cara de Um e Focinho de Outro. Quanto à Quinta Casa, é cheia de água. E a sexta pertence a Osvaldo Oval. Mas você não faz comentário algum?

— Não... não sabia que devia fazer comentários... — gaguejou Alice.

— Pois devia, sim — retrucou a Rainha, em tom de reprovação. — Seria um gesto delicado de sua parte. Mas vamos fazer de conta que você comentou qualquer coisa. A Sétima Casa é revestida por uma densa floresta. Nela, um cavaleiro irá mostrar-lhe o caminho. Chegando à Oitava Casa, seremos Rainhas, nós duas juntas, o que será motivo de júbilo e festa para ambas.

Alice levantou-se e fez uma reverência, voltando a sentar-se em seguida.

Depois de cravar mais um piquete, a Rainha voltou-se e disse:

— Fale em francês quando esquecer o nome inglês de alguma coisa. Estique os dedos dos pés quando caminhar. E lembre-se de quem você é!

Dessa vez, não quis esperar pela reverência de Alice, caminhando diretamente para o lugar onde iria cravar o próximo piquete. Então, voltando-se, disse "Adeus" e seguiu rapidamente para cravar o último.

Como aconteceu, Alice não soube, mas o fato é que, ao chegar ao último ponto, a Rainha desapareceu. Se ela teria evaporado, ou se teria entrado correndo no bosque("e correr é coisa que ela sabe fazer muito bem!", pensou Alice), ninguém poderia saber; contudo, que ela sumiu, sumiu, e foi então que Alice começou a lembrar-se de que era um Peão, que logo que seria sua vez de mover-se.

CAPÍTULO 3

Insetos do Espelho

A primeira coisa a fazer, naturalmente, era examinar por alto a região que ela teria de atravessar. "É como se eu estivesse estudando Geografia", pensou Alice, pondo-se nas pontas dos pés, na esperança de assim enxergar mais longe. "Rios principais: não há rio algum. Montanhas principais: estou na única existente, mas não creio que ela tenha um nome. Cidades principais: epa! Quem serão aquelas criaturas ali embaixo, fazendo mel? Abelhas, não podem ser, porque ninguém enxerga abelhas a uma milha de distância (1 609m), como todos sabem..."

E, durante algum tempo, ela quedou-se em silêncio, contemplando atentamente uma daquelas criaturas, que seguia de flor em flor, enfiando em cada uma delas uma espécie de tromba, "como se fosse uma abelha normal", pensou a menina.

Não, aquilo não podia ser uma abelha normal. Na realidade, era um elefante, como Alice logo veio a descobrir, embora aquela ideia quase chegasse a lhe tirar o fôlego. "E que flores enormes não devem ser aquelas!", exclamou em pensamento. "Parecem cabanas sem teto, cheias de umas espécies de hastes no interior... E que quantidade de mel devem produzir! Acho que vou até lá... mas não agora", consertou, embora começasse a descer o morro, ao mesmo tempo em que tentava encontrar uma desculpa para aquela súbita timidez. "Não devo chegar lá sem ter em mãos um bom galho de árvore, para espantá-los. Vai ser engraçado quando me perguntarem se gostei do passeio, e eu responder que sim, que gostei bastante" (e ela sacudiu a cabeça, num de seus gestos favoritos), apesar da poeira, do calor e daqueles elefantes enjoados..."

— Acho que vou descer pelo outro lado — murmurou, depois de pequena pausa, — deixando para visitar os elefantes mais tarde. Além do mais, estou morta de vontade de entrar na Terceira Casa!

Assim, com essa desculpa, Alice desceu o morro e saltou o primeiro dos seis riachinhos que corriam na planície.

— Bilhetes, por favor! — disse o Guarda, enfiando a cabeça na janela.

No mesmo instante, todos exibiram seus bilhetes, que eram do tamanho de uma pessoa, enchendo todo o interior do vagão.

— E você, menina? Mostre seu bilhete! — disse o guarda para Alice, com voz zangada.

Numa só voz ("como se fosse um coral", pensou Alice), todos ordenaram:

— Não faça o Guarda esperar, menina! O tempo dele é precioso. Vale mil libras por minuto!

— Receio não ter bilhete — desculpou-se Alice, em tom assustado. — De onde vim, não havia bilheteria...

O coral voltou a se fazer ouvir:

— Não há lugar para quem quer que seja, lá de onde ela veio. A terra, lá, custa muito caro! Uma polegada (2,5 cm) custa mil libras!

— Não me venha com desculpas. — tornou o Guarda. — Você devia ter comprado um bilhete com o maquinista.

E o coral, mais uma vez:

— O piloto da locomotiva. Cada baforada de fumaça custa mil libras.

"Não vale a pena falar", pensou Alice. Dessa vez, o coral nada disse, já que ela não havia falado. Para sua grande surpresa, porém, todos os que ali estavam pensaram em coro (espero que você entenda o que significa isso de "pensar em coro", porque, quanto a mim, confesso que não entendo como possa ser). E o que eles pensaram em coro foi: "Você faz muito tempo bem de nada dizer. Falar é caro: cada palavra custa mil libras!"

"Esta noite, vou sonhar com uma porção de notas de mil libras, tenho certeza!", pensou Alice.

Durante todo esse tempo, o Guarda ficou a examiná-la: primeiro, com um telescópio; depois, com um microscópio, por fim, com um pequeno binóculo. Terminado o exame, ele disse:

— Você está viajando para o lugar errado.

Em seguida, fechou a janela e foi-se embora.

— Pobre criancinha! — disse um senhor, vestido de papel branco, sentado à frente de Alice. — A gente deve saber para onde está viajando, mesmo que não saiba o próprio nome!

Um Bode, sentado ao lado dele, baixou os olhos e disse em voz bem alta:

— É mais importante saber onde fica a bilheteria do que conhecer o alfabeto.

Um Besouro, sentado ao lado do Bode (era um tanto estranha a variedade de passageiros que lotava aquela cabine), e que esperava chegar a sua vez de falar — já que parecia ser essa a regra — finalmente disse:

— Ela terá de viajar no porta-malas.

Alice não podia ver quem estava sentado atrás do Besouro, mas escutou uma voz rouba, dizendo:

— Troque a máquina...

Nesse ponto, quem estava falando engasgou, interrompendo o que pretendia dizer. “Pela voz, parece um cavalo”, pensou Alice. Nesse instante, junto dela, uma vozinha de nada falou:

— Você pode fazer um trocadilho com isso, mais ou menos assim: “um cavalo eu ouço” e “vou cavar um osso”. Que tal?

À distância, ouviu-se uma voz extremamente delicada, que dizia:

— É preciso pôr um rótulo nessa bagagem, escrito assim: “Garota frágil. Transporte com cuidado”.

Em seguida, várias vozes foram sendo ouvidas, uma após a outra (“Quanta gente nesse vagão!”, pensou Alice), dizendo:

— Ela devia seguir pelo correio. Pondo um alho em sua cabeça, já teria um cabeçalho.

— Ela deveria ser transmitida pelo telégrafo, como se fosse um telegrama.

— Ela devia seguir à frente da locomotiva, para ajudar a puxá-la.

Enquanto frases desse tipo eram proferidas, o cavalheiro vestido de papel branco inclinou-se para a frente e segredou em seu ouvido:

— Não ligue para o que estão dizendo, querida. Basta arranjar um bilhete de volta em cada parada que o trem fizer.

— Nada disso! — exclamou Alice com impaciência — Nada tenho a ver com essa viagem de trem! Agorinha mesmo eu estava num bosque! Quero voltar para lá!

— Você pode fazer um trocadilho com isso — voltou a dizer a vozinha, — mais ou menos assim: “vou seguir de volta” e “vou sentir revolta”.

— Não me aborreça! — zangou-se Alice, olhando ao redor para ver de quem aquela vozinha. — Se está tão ansioso por ouvir um trocadilho, por que não o diz você mesmo?

A vozinha suspirou profundamente. Era evidente que estava muito infeliz, e Alice teria dito algo para confortá-la, “se ela ao menos suspirasse como uma pessoa normal", pensou. Mas não: seu suspiro era tão espantosamente baixo, que seria inaudível, não estivesse o dono da vozinha tão junto de seu ouvido. Por causa disso, ela sentiu no fundo da orelha uma cócega fininha, que varreu inteiramente de seus pensamentos a infelicidade da pobre criaturinha.

— *Sei que você é uma amiga, uma amiga muito querida, uma velha amizade. Por isso, sei que não quer me ferir, embora eu seja um inseto.*

— Que tipo de inseto? — perguntou a menina, algo procurada, interessada em saber se ele teria ferrão ou não, mas achando que não devia fazer essa pergunta, por uma questão de educação.

— *Ora, então você não...*

A vozinha interrompeu no meio o que estava dizendo, devido a um apito estridente da locomotiva. No vagão, todos pularam assustados, inclusive Alice.

O Cavalo, depois de pôr a cabeça para fora da janela, recolheu-a sossegadamente e explicou aos companheiros:

— Não é nada. Vamos ter de saltar um riachinho.

Todos ficaram satisfeitos com a explicação, exceto Alice, que se sentiu nervosa ao imaginar trens de ferro saltando riachos. "Seja como for, vamos chegar já já à Quarta Casa, o que é muito bem!", pensou. Logo em seguida, sentiu que o vagão se erguia no ar. Assustada, agarrou a primeira coisa que encontrou, e aconteceu de ser a barba do Bode.

A barba pareceu derreter quando ela a segurou, e Alice se viu sentada confortavelmente debaixo de uma árvore, enquanto o Mosquito (que era o inseto com quem ela há pouco tinha conversado) equilibrava-se num ramo logo acima de sua cabeça, abanando-a com as asas. De fato, era um inseto bem grande, "mais ou menos do tamanho de uma galinha", pensou Alice. O tamanho da criatura não a deixou nervosa, já que eles tinham conversado tão amistosamente.

— Quer dizer que você não aprecia todos os insetos? — perguntou o Mosquito, na maior tranquilidade, como se nada houvesse acontecido.

— Gosto dos insetos que sabem falar — respondeu ela. — No lugar de onde venho, nenhum inseto sabe falar.

— E aí nesse lugar, quais são os insetos que você aprecia?

— Não aprecio inseto algum. O que sinto por eles é medo, especialmente dos grandes. Mas, se quiser, posso dizer-lhe os nomes de alguns.

— E eles atendem, quando são chamados por esses nomes?

— Que eu saiba, não.

— Então, de que servem esses nomes, se os donos deles não atendem quando são chamados?

— Podem não servir para eles — explicou Alice, — mas são úteis para as pessoas, ora. Se não fosse assim, por que cada coisa teria seu nome particular?

— Não se dizer porque. O fato é que, lá embaixo, no bosque, nada tem nome. Mas vamos, diga sua lista de insetos, pois estamos perdendo tempo.

— Bem — começou Alice, contando nos dedos, — temos o Mosquito-Cavalo...

— Está bem — interrompeu o Mosquito. — Ali na frente você pode ver um Mosquito-Cavalo-de-Pau, todo de madeira, que fica balançando para lá e para cá nos galhos dos arbustos.

— De quê vive ele? — perguntou Alice, curiosa.

— De seiva e serragem. Prossiga.

Alice olhou com grande interesse para o inseto que se balançava para a frente e para trás, notando que ele tinha sido envernizado pouco tempo atrás, pois estava brilhante e não inteiramente seco. Em seguida, prosseguiu a lista:

— E temos a Libélula.

— Olhe para aquele galho ali em cima, e verá umas Libélulas-de-Natal. Seu corpo é de pudim, suas asas de folhas secas, e sua cabeça é uma passa, regada com conhaque e pegando fogo.

— De que vive esse bicho?

— De frutas cristalizadas e avelãs — respondeu o Mosquito. — Faz seu ninho nas cestas de Natal.

— E temos a Borboleta — continuou Alice, depois de contemplar longamente a Libébula-de-Natal, imaginando que o fogo em sua cabeça fosse consequência da mania que os insetos têm de ficar voando próximo das chamas das velas.

— Rastejando aí embaixo, junto de seus pés — disse o Mosquito, fazendo Alice recuar assustada — temos uma Borbolanche. Suas asas são de torradas fininhas, seu corpo de bolacha, sua cabeça de torrão de açúcar.

— De que se alimenta?

— De chá e manteiga.

Uma dúvida surgiu na cabeça de Alice.

— E se ela não encontrar esses alimentos?

— Morre de fome, evidentemente.

— Mas essa circunstância deve ocorrer com frequência. — comentou Alice, pensativa.

— É verdade — concordou o Mosquito.

Depois disso, Alice manteve-se em silêncio durante um ou dois minutos, mergulhada em seus pensamentos, enquanto o Mosquito se divertia, zumbindo ao redor de sua cabeça. Ao fim de algum tempo, ele pousou de novo e disse:

— Creio que você não quer perder seu nome, não é mesmo?

— Claro que não — respondeu Alice, assustada com a pergunta.

— Fico imaginando como seria conveniente — prosseguiu o Mosquito, em tom despreocupado — se você voltasse casa sem atender mais por um nome... Digamos que a governanta quisesse chamá-la para fazer os exercícios de casa. Ela iria começar: "Vem cá" — e aí teria de interromper, não sabendo como prosseguir sem dizer seu nome. Com isso, você não precisaria atender, não é?

— Isso jamais iria acontecer — discordou a menina. — A governanta não iria deter-se por causa de um detalhezinho desses. Se você não se lembrasse de meu nome, poderia chamar-me de "jovem", de "senhorita", ou de outro nome qualquer, como é costume das empregadas.

— Ora — retrucou o Mosquito, — se ela dissesse: "Vem cá, jovem", não era você quem teria de ir, e sim alguma garota chamada Jó. O que ela disse mesmo foi: "Vem cá, Jó, vem!" Entendeu? É um trocadilho. Gostaria de que você o tivesse feito.

— Por que eu? — replicou Alice. — É um trocadilho infame!

Ouvindo isso, o Mosquito suspirou fundo e deixou que duas lágrimas lhe rolassem pelas faces.

— Você devia parar de fazer trocadilhos — aconselhou Alice. — Eles o deixam muito infeliz.

Seguiu-se uma sucessão de suspirinhos melancólicos, que pareceram consumir o pobre Mosquito, porque, ao olhar para onde ele tinha estado, Alice nada mais viu. Como ela já começava a sentir dormência nas pernas, de tanto que estava sentada, resolveu levantar-se e caminhar em frente.

Pouco depois, chegou a um campo aberto, que terminava num bosque ainda mais escuro que o anterior. Alice ficou receosa de ir até lá, mas acabou mudando de ideia, já que não queria andar para trás, e aquela seria a única maneira de alcançar a Oitava Casa.

— Deve ser esse aí o bosque cheio de coisas sem nome — murmurou ela, falando consigo própria. — Se eu entrar lá, que acontecerá com o *meu* nome? Eu não gostaria de perdê-lo, porque, nesse caso, teriam de arranjar-me outro, e é quase certo que não seria um nome dos mais bonitos... Mas até que seria divertido procurar a pessoa que tivesse ficado com meu nome antigo! Seria como aquela caso das pessoas que publicam aqueles anúncios de cães perdidos: "Perdeu-se um cão que atende pelo nome de Rex, e que tem no pescoço uma coleira com chapa de cobre". Imagine alguém chamando tudo o que encontra de "Alice", até que alguém ou alguma coisa responda. E se esse alguém for sabido, fica caladinho, sem responder...

Deixando à solta seus pensamentos, ela por fim alcançou o bosque, que lhe pareceu escuro e frio. "Bem", pensou, "não deixa de ser uma boa coisa sair do calor e entrar aqui neste... neste... como é mesmo o nome disso?" Caminhando à sombra das árvores, ela não entendia por que era incapaz de encontrar a palavra. "É bem agradável andar aqui embaixo dessas... dessas... coisas..."

Sem saber como designar as "coisas", encostou o dedo no tronco de uma árvore. "Como é mesmo o nome disto aqui? Acho que não tem nome algum... É, não tem, mesmo, não."

Parada por algum tempo, ela tentou concatenar sues pensamentos; por fim, prosseguiu: "Aconteceu aquilo que ia acontecer. E agora, quem sou? Gostaria de me lembrar. Quero lembrar. Vou lembrar!" Mas de nada adiantou sua intenção, pois a única coisa de que se lembrou, após longos minutos de concentração, foi de uma letra: "*L*! Sim, lembrei-me! Meu nome começa com *L*!"

Nesse momento, passou ali por perto um Veadinho, que fitou Alice com seus grandes olhos gentis, sem demonstrar receio algum.

— Como é que você se chama? — perguntou ele, com uma voz suave e amável.

— Vem cá! Vem cá! — disse ela, estendendo a mão para segurá-lo, mas ele não deixou, recuando alguns passos e continuando a mirá-la

"Como eu gostaria de saber!", pensou Alice, respondendo com voz tristonha:

— Acho que eu não me chamo...

— Tente lembrar-se — insistiu ele. — Faça um esforço.

Alice pensou, pensou, mas nada lhe veio à mente.

— Por favor — disse ela timidamente, — poderia dizer-me que nome você dá a si próprio? Se me dissesse, talvez ajudasse um pouco.

— Posso dizer-lhe, mas temos de ir até ali à frente. Aqui, não consigo lembrar-me.

Passando o braço em torno do pescoço macio do Veadinho, Alice seguiu com ele pelo bosque, até que alcançaram o campo aberto. Nesse instante, o animal deu subitamente um salto no ar, libertando-se do abraço de Alice, e gritou:

— Sou um Veado! E você, coisa horrível, é uma criança do gênero humano!

Uma chispa de receio faiscou em seus belos olhos castanhos, e, no mesmo instante, ele disparou a correr.

Alice ficou olhando, vendo-o afastar-se, quase chorando de mágoa, triste pela fuga repentina do seu pequeno companheiro de viagem. "Sobra-se o consolo de agora, saber meu nome", pensou. "É Alice. Não me esquecerei jamais: Alice. E agora, qual dessas placas devo seguir?"

Não era um problema de difícil solução, pois havia apenas um caminho através do bosque, e duas tabuletas, ambas indicando a mesma direção. "Vou seguir em frente", decidiu Alice, "até deparar com alguma bifurcação. Aí, veremos por onde irei seguir."

Mas isso não parecia que iria acontecer. Ela seguiu em frente por longo tempo e, sempre que a estrada se bifurcava, as placas indicavam invariavelmente uma única direção, embora trazendo informações diferentes. Uma dizia: "PARA A CASA DE CARA-DE-UM"; a outra, "PARA A CASA DE FOCINHO-DE--OUTRO."

— Tenho a impressão de que esses dois aí moram na mesma casa! Por que não pensei nisso antes? Vou apenas passar por lá, sem me demorar. Baterei na porta, perguntarei "Tudo bem?" e pedirei para me informarem como devo fazer para sair do bosque. Seria bem bom se eu pudesse alcançar a Oitava Casa antes de escurecer.

E lá se foi ela, conversando sozinha, até que, numa curva fechada, deparou com dois sujeitos gorduchinhos, tão repentinamente, que nem teve tempo de recuar, mas logo já havia recobrado a calma, certa de que estava a frente com os tais de...

Capítulo 4

Cara-de-um e Focinho-de-outro

Os dois estavam de pé sob uma árvore, cada qual com um braço apoiado no ombro do outro. Alice logo soube quem eram quem, pois um deles trazia, bordadas na gola, as palavras "DE UM", enquanto que o outro trazia as palavras "DE OUTRO". "Posso imaginar", pensou ela, "que, no lado de trás do colarinho, estejam escritas as palavras CARA e FOCINHO.

Tão parados estavam, que nem pareciam ter vida. Quando ela tentou ir atrás deles para verificar o que estaria escrito em seus colarinhos, assustou-se ao escutar a voz do "DE UM", a dizer:

— Se você está pensando que somos bonecos do museu de cera, terá de pagar para nos ver. Não se pode olhar para aquelas estátuas sem pagar — isso, nem pensar!

— Por outro lado — disse o "DE OUTRO" se estiver pensando que somos pessoas de carne e osso, trate de conversar conosco.

— Oh! — exclamou Alice. — Peço mil desculpas.

E foi tudo o que conseguiu dizer, pois as palavras de uma velha cantiga começaram a soar em sua mente, como se fosse o tique-taque de um relógio. Foi a custo que ela conseguiu conter-se, sem cantá-la em voz alta. E a cantiga era assim:

Cara-de-Um ameaçava:
"Eu te pego e te escangalho,
Porque tu, Focinho-de-Outro,
Estragaste o meu chocalho."

Eis que um corvo horripilante,
mais preto do que um tição,
passa perto, e num instante
encerrou-se a discussão.

— Sei em que você está pensando — disse Cara-de-Um — mas garanto-lhe que se engana redondamente.

— Por outro lado — retrucou Focinho-de-Outro, — se assim for, assim será, se assim não for, então não será; portanto, tanto pode ser, como pode não ser. Isso é lógico.

— O que eu estava pensando — disse Alice com toda a polidez possível — era na melhor maneira que haveria de sair deste bosque. Está ficando tão escuro! Será que vocês poderiam me ajudar?

Os dois gorduchinhos apenas se entreolharam e trocaram um sorriso. De tal modo lembravam uma dupla de estudantes, que Alice não resistiu e, apontando com o dedo para Cara-de-Um, ordenou:

— Vou arguir você em primeiro lugar!

— Eu, não! — gritou Cara-de-Um, assustado, tapando a boca com a mão espalmada.

— Então responda você! — ordenou, olhando dessa vez para Focinho-de-Outro, e na certeza de que ele começaria sua resposta com as palavras "Por outro lado".

De fato, ele ia começar dizendo aquilo, mas mudou de ideia e falou:

— Você começou tudo errado! A primeira coisa que o visitante tem de fazer é cumprimentar, perguntando "Como é que vai?" e apertando as mãos do visitado.

E, passando da teoria à prática, os dois irmãos se deram tapinhas nas costas e trocaram um aperto de mãos, estendendo-as depois para Alice, que preferiu não cumprimentá-los separadamente, para não magoar esse ou aquele, preferindo apertar ao mesmo tempo a mão de ambos, a melhor saída que encontrou para sair daquele aperto. Foi o bastante para que eles começassem a dançar, como se estivessem brincando de roda.

Aquilo lhe pareceu inteiramente natural (conforme recordou mais tarde), do mesmo modo que não lhe causou qualquer surpresa escutar uma música que tocava no mesmo ritmo de seus passos. O som parecia provir da árvore sob a qual estavam os três, e era produzida (pelo menos, assim lhe pareceu) pelo esfregar dos galhos finos contra os galhos mais grossos, como se fossem arcos e violinos.

— E o mais engraçado — disse Alice mais tarde, ao contar essa aventura para sua irmã — foi que, quando dei por mim, estava cantando *"Vamos brincar de roda em torno da amoreira"*. Não sei em que momento eu teria começado a cantiga, mas a impressão que me deu foi a de que já a estava cantando há longo tempo!

Os dois gorduchos logo ficaram sem fôlego, e Cara-de-Um então disse, em tom de desculpa:

— Quatro rodadas é o bastante para uma dança.

E, do mesmo modo súbito como haviam começado a dançar, interromperam a dança, ao mesmo tempo em que a música parava de tocar. Largando a mão de Alice, ficaram ambos a fitá-la durante um minuto. A pausa foi um tanto constrangedora, pois Alice não sabia como entabular uma conversação com duas pessoas com as quais acabara de dançar. "Não seria o caso de perguntar a eles como estão passando", pensou. "Já superamos essa fase, creio eu". Finalmente, ocorreu-lhe algo a dizer, e ela o fez:

— E então, ficaram muito cansados?

— Imagine! E muito, muito obrigado por ter perguntado — respondeu Cara-de-Um.

— Muitíssimo obrigado! — confirmou Focinho-de-Outro. — Gosta de poesias?

— Hmmm... sim — respondeu Alice, depois de alguma hesitação, completando em seguida: — Gosto de algumas poesias. Poderiam fazer o obséquio de me informar qual estrada devo tomar para sair deste bosque?

— Que devo recitar para ela, mano? — perguntou Focinho-de-Outro a Cara-de-Um, com ar solene, sem prestar atenção à pergunta que a menina acabava de fazer.

— Recite "A Morsa e o Carpinteiro", que é a mais comprida — respondeu Cara-de-Um, abraçando ternamente o irmão.

No mesmo instante, Focinho-de-Outro começou:

Brilhava o sol sobre o mar...

Mas Alice atreveu-se a interrompê-lo, dizendo, o mais educadamente que pôde:

— Se a poesia for comprida demais, seria possível dar-me antes a informação que pedi?

Focinho-de-Outro apenas sorriu, recomeçando logo em seguida:

Brilhava o sol sobre o mar,
Como se estivessem aflito;
as ondas lançavam chispas
tudo era muito bonito;
mas isso ocorria à noite,
o que era bem esquisito.

A lua nem quis sair:
ficou discreta num lado,
não entendendo o porquê
desse dia prolongado.
"Que houve com o pôr do sol?
Será que foi adiado?"

A areia estava sequinha
e o mar soltava vapor;
não se via uma só nuvem,
e nada de o sol se pôr;
até as aves sumiram
para escapar do calor.

O Carpinteiro e a Morsa
de mãos dadas caminhavam,
Nas areias escaldantes,
os pés deles se afundavam.
Nada podendo fazer,
os dois só se lamentavam:

"Se sete moças dispostas,
durante um ano seguido
viessem varrer aqui",
disse a Morsa, "eu não duvido
de que a areia acabaria!"
"Que ideia mais sem sentido!:"

De repente, os dois avistam
Várias ostras numa ostreira,
Surge na mente da Morsa
uma ideia bem matreira:
"Ei, amigas, que tal darmos
uma voltinha ligeira?"

Voltou-se a outra mais velha
e espiou-a com atenção,
procurando adivinhar
a verdadeira intenção
do inesperado convite.
Sua resposta foi: "Não!"

Mas quatro ostrinhas ingênuas
acharam interessante
o tal convite da Morsa,
e então, nesse mesmo instante,
à dupla se apresentaram
com aspecto radiante.

Antes que tivesse início
o passeio à beira-mar,
outras ostras resolveram
aquelas quatro imitar.
Em pouco, mais de vinte ostras
preparavam-se para andar.

Começou a caminhada,
todos juntos a cantar.
Uma milha mais adiante,
resolveram descansar,
assentados num rochedo
que havia à beira do mar.

"Chegou a hora", disse a Morsa,
"de explicar vários assuntos;
por que os navios flutuam,
por que os mortos são defuntos,
por que o mar às vezes ferve,
por que os porcos dão presuntos."

"Não fale ainda", pediram
as ostras, esbaforidas.
"A caminhada cansou-nos!"
"Nós esperaremos, queridas!"
Curvando a cabeça, as ostras
Sorriram agradecidas.

"Ainda bem que trouxemos
um bom pedaço de pão;
também pimenta e vinagre
aqui não nos faltarão;
assim sendo, já podemos
dar início à refeição."

Gritam as ostras em pânico:
"E o que pretendem comer?
Se for a nós, isso é coisa
que não se deve fazer!"
"Gostei da lição! Garanto
que nunca a irei esquecer."

E a Morsa continuou:
"É muita delicadeza
virem aqui de tão longe
para encherem nossa mesa!"
Enquanto isso, o Carpinteiro
cortava o pão com destreza.

"Minhas amigas, a vida,
infelizmente, é assim:
enquanto dura, é bonita,
mas um dia chega ao fim..."
O Carpinteiro só disse:
"Passe a manteiga para mim?"

Soluçando, disse a Morsa:
"Eu sinto um pesar imenso
por comê-las, mas nem mesmo
as pequenas eu dispenso..."
As lágrimas lhe escorreram,
e ela as secou com um lenço.

"Quem não gostou do passeio?
Quem foi que se arrependeu?"
Perguntou o Carpinteiro,
depois que as ostras comeu.
A pergunta foi gentil:
mas ninguém lhe respondeu.

— Gostei mais da Morsa — comentou Alice, — porque ela sentiu um pouquinho de pena das infelizes ostras.

— É, mas ela comeu mais do que o Carpinteiro — disse Focinho-de-Outro. — Aquela história de usar o lenço foi para que ele não pudesse contar quantas ostras ela estava comendo. Entendeu o outro lado?

— Então foi essa a sua intenção! — exclamou Alice indignada. — Sendo assim, gostei mais do Carpinteiro, já que ele comeu menos ostras que a Morsa.

— Ora, ele comeu o tanto que pôde — replicou Cara-de-Um.

Alice sentiu-se desnorteada. Depois de uma pausa, disse:

— Pensando bem, era cada um pior que o outro...

Súbito, ela escutou um ruído assustador, ficando sem saber se seria o resfolegar de uma locomotiva ou o ronco de alguma fera.

— Aqui por perto há tigres ou leões? — perguntou, com ar assustado.

— O Rei Preto deve estar cochilando aqui por perto — explicou Focinho-de-Outro.

— Venha vê-lo — disseram os dois ao mesmo tempo, tomando-a pela mão e levando-a até junto de uma árvore. — Não é uma visão encantadora?

Alice não podia dizer que sim, sob o risco de passar por mentirosa. O rei usava uma touca de dormir comprida, com uma borla na ponta, e estava espojado no chão, em posição deselegante, sem falar nos roncos altos que deixava escapar.

— Até parece que a cabeça dele vai sair voando! — comentou Cara-de-Um.

— Deitado assim, nessa grama úmida, corre o risco de ficar resfriado — disse Alice, que era uma menininha muito sensata.

— Neste momento, ele está sonhando — disse Focinho-de-Outro. — Sabe com quem?

— Isso é uma coisa que ninguém pode adivinhar — respondeu a menina.

— Pois ele está sonhando com você! — exclamou Focinho-de-Outro triunfante, batendo palmas. — Se não fosse assim, onde você supõe que estaria?

— Estaria aqui mesmo, ora! — respondeu Alice.

— Aqui? Não! — contestou Focinho-de-Outro, com ar de desdém. — Não estaria em lugar algum, já que você não passa de uma personagem do sonho dele.

— Se o Rei acordasse agora — confirmou Cara-de-Um, — você simplesmente sumiria — flip! — como a chama de uma vela!

— Isso é que não! — protestou Alice. — E tem mais: se não passo de personagem do sonho dele, e vocês, que são?

— Eu? Idem! — respondeu Cara-de-Um.

— E eu, idem, ibidem! — confirmou Focinho-de-Outro.

Os dois gritaram tão alto, que Alice não pôde deixar de repreender, dizendo:

— Psit! Vão acordá-lo, se continuarem falando alto assim!

— É inútil vir você falar em acordá-lo — disse Cara-de-Um, — sendo apenas personagem de seu sonho. Você está cansada de saber que não é real.

— Sou real, sim! — protestou Alice, rompendo a chorar.

— Você não vai tornar-se nem um pouco mais real pelo fato de estar chorando — observou Focinho-de-Outro. — Aliás, não há motivo algum para chorar.

— Se eu não fosse real — retrucou Alice, começando a achar graça no ridículo de toda aquela cena, — eu não seria capaz de derramar lágrimas.

— Espero que você não esteja achando essas lágrimas são reais... — replicou Cara-de-Um, com ar de enorme desprezo.

"Sei que estão dizendo um absurdo", pensou Alice, "e que é tolice chorar por causa disso" — e tratou de enxugar as lágrimas, continuando a caminhar. "Seja como for, o melhor que faço é sair do bosque, pois está escurecendo para valer!"

— Acham que vai chover? — perguntou aos dois irmãos.

Cara-de-Um abriu um guarda-chuva, abrigando-se embaixo dele juntamente com Focinho-de-Outro. Em seguida, olhou para cima e disse:

— Não, não acho que vá chover... ao menos, aqui embaixo deste guarda-chuva. Aqui, não.

— E fora daí?

— Fora daqui, pode, é claro. — respondeu Focinho-de-Outro. — De nossa parte, não fazemos qualquer objeção. Ao contrário!

"Dupla de egoístas!", pensou Alice, e já se preparava para despedir-se, quando Cara-de-Um saiu de sob o guarda-chuva e segurou-a pelo pulso.

— Está vendo aquilo ali? — perguntou, com voz trêmula e assustada, de olhos arregalados, enquanto apontava para uma coisinha branca embaixo da árvore.

— É um guizo de brinquedo, nada mais que isso — respondeu a menina, depois de examinar o objeto. — Não precisa ter medo, não é um guizo de cascavel. É apenas um chocalho, e velho, ainda por cima. Velho e quebrado.

— Eu sabia! — exclamou Cara-de-Um, tomado de fúria, sapateando e arrancando os cabelos. — Está estragado, já sei!

No mesmo instante, olhou para Focinho-de-Outro, que imediatamente se sentou no chão, tentando esconder-se sob o guarda-chuva. Alice segurou-lhe o braço e lhe disse, procurando confortá-lo:

— Não precisa ficar tão zangado por causa de um chocalho velho!

— Mas ele não é velho! — explodiu Cara-de-Um, mais furioso ainda. — Ele é novo, pode crer! Comprei-o ontem! Ah, meu chocalho! Meu chocalho NOVO!

Ao dizer a última palavra, berrou o mais alto que pôde.

Nesse meio tempo, Focinho-de-Outro fazia o possível para fechar o guarda-chuva sem sair de dentro dele. Aquilo era tão esquisito, que atraiu a atenção de Alice, fazendo-a esquecer um pouco a fúria do outro. Por fim, ele não conseguiu realizar a contento o que tinha planejado, ficando enrolado no pano do guarda-chuva, com a cabeça de fora, calado e de olhos fechados, "igualzinho um peixe", como Alice mais tarde descreveu.

— Naturalmente você concorda em lutar? — perguntou Cara-de-Um, em tom mais calmo.

— Creio que sim — respondeu o outro, emburrado, tentando sair de dentro do guarda-chuva. — E é ela quem deve ajudar-nos a vestir, certo?

Os dois irmãos entraram no bosque de mãos dadas, regressando um minuto depois com os braços cheios de coisas: travesseiros, cobertores, capachos, toalhas de mesa, panos de prato e baldes de carvão.

— Espero que você saiba prender alfinetes e dar nós — disse Cara-de-Um. — Todas essas coisas aqui têm de ficar presas entre si, seja como for.

Mais tarde, Alice relatou que jamais havia visto tanta confusão a troco de nada, em toda a sua vida: a maneira como os dois estavam alvoroçados, a quantidade de coisas que trouxeram, além do trabalho que deram de amarrar barbantes, dar nós e prender botões. "Esses dois vão ficar parecidos com trouxas de roupas velhas, quando estiverem prontos!", disse ela consigo própria, enquanto amarrava um travesseiro ao redor do pescoço de Focinho-de-Outro. "E tudo isso, apenas para evitar que sejam decapitados..."

— Você está certo — dizia ela, enquanto terminava de dar um laço, — a pior coisa que pode acontecer a um combatente é perder a cabeça...

Antes de terminar a frase, veio-lhe uma irrefreável vontade de rir, que ela conseguiu disfarçar, fingindo que tinha sido tomada de um ataque de tosse, a fim de não ferir os sentimentos dos dois irmãos.

— Estou muito pálido? — perguntou Cara-de-Um, abaixando a cabeça para que ela lhe pusesse o capacete (que, na realidade, parecia antes uma caçarola velha).

— Está...mas só um pouquinho — respondeu Alice gentilmente.

— Em geral, sou bastante corajoso — prosseguiu ele em voz alta. — Mas acontece que, logo hoje, estou com dor de cabeça...

— E eu com dor de dente! — retrucou Focinho-de-Outro, que tudo havia escutado. — Minha situação é pior que a sua.

— Então é melhor que não lutem por hoje — disse Alice, aproveitando a oportunidade para tentar promover a paz entre os dois.

— Temos de lutar, nem que seja um pouquinho — disse Cara-de-Um. — Não precisa demorar muito. Que horas são?

Focinho-de-Outro examinou o relógio e respondeu:

— Quatro e meia.

— Vamos lutar até dar seis horas, e depois jantaremos — propôs Cara-de-Um.

— Está certo — concordou o outro, com cara triste. — E ela pode ficar assistindo à luta, mas sem chegar muito perto. Costumo acertar tudo o que vejo, quando me enfureço.

— E eu acerto qualquer coisa que esteja dentro do meu alcance — retrucou Cara-de-Um, — mesmo que não veja em que estou batendo.

Alice comentou, dando risada:

— Imagino que vocês estejam constantemente espancando as árvores...

Cara-de-Um olhou ao redor, sorrindo satisfeito:

— Não creio que fique uma árvore de pé, num raio bem amplo, ao término de nossa luta.

— E pensar que tudo isso é por causa de um chocalho! — comentou Alice, ainda como esperança de deixá-los envergonhados ao recordarem o porque de toda aquela briga.

— Eu não teria ficado tão zangado — disse Cara-de-Um, — se ele não fosse novinho em folha...

"Gostaria de que aquele corvo monstruoso aparecesse por aqui", pensou a menina.

— Só temos uma espada, como você sabe — disse Cara-de-Um ao irmão, mas você pode lutar usando o guarda-chuva, que também é pontudo. E vamos tratar de começar logo, porque está ficando cada vez mais escuro.

— Está mesmo muito escuro — concordou Focinho-de-Outro.

De fato, estava escurecendo tão depressa, que Alice imaginou estar-se aproximando uma tempestade.

— Vejam aquela nuvem negra que está vindo em nossa direção — disse ela. — E como vem depressa! Até parece que tem asas!

— É o corvo! — gritou Cara-de-Um, com voz esganiçada.

Os dois irmãos trataram de fugir a toda pressa, desaparecendo de vista em poucos segundos. Alice também correu, procurando esconder-se no bosque. Por fim, parou debaixo de uma árvore copada, enquanto pensava: "Ele é grande demais para enfiar-se debaixo das árvores. Mas eu preferia que não batesse as asas com tanta força, pois isso está provocando um verdadeiro pé-de-vento aqui no bosque! A propósito, estou vendo o xale de alguém flutuando no meio da ventania!"

CAPÍTULO 5

Lã e Água

Num salto, ela agarrou o xale e olhou em redor, procurando quem seria a dona dele. Não demorou e avistou a Rainha Branca que vinha correndo velozmente pelo bosque, com os braços estendidos para a frente, como se estivesse voando. Delicadamente, Alice adiantou-se, exibindo o xale que acabava de agarrar:

— Estou alegre pelo fato de estar no caminho, e ter podido apanhar seu xale — disse ela, ajudando a Rainha a recolocá-lo.

A Rainha Branca mal olhou para ela, com ar aflito, enquanto sussurrava sem parar uma frase que soava como se ela estivesse dizendo "Pão com manteiga! Pão com manteiga!"

Alice imaginou que, para entabular uma conversação, teria ela de tomar a iniciativa. E então começou, com alguma timidez:

— Porventura estou-me dirigindo à Rainha Branca?

— Creio que sim, embora não a veja dirigindo coisa alguma — respondeu a Rainha. — O que você está fazendo não combina com o sentido que essa palavra tem para mim.

Sem querer começar a conversa com uma discussão, Alice limitou-se a sorrir, dizendo em seguida:

— Se Vossa Majestade fizer o obséquio de dizer-me como devo fazer para dirigir-me a uma rainha, tentarei obedecê-la da melhor maneira que puder.

— Não quero que você dirija seja lá o que for! — gemeu a pobre Rainha Branca. — É só isso que tenho feito durante as últimas horas!

Alice não entendeu bem o que ela queria dizer com "dirigir", já que as rainhas costumam ter quem dirija para elas e as ajude a fazer tudo, inclusive a se vestirem. Mas parecia não ser o caso da Rainha Branca, que estava bastante desarrumada, "toda amarfanhada, com tudo fora do lugar", pensou Alice, "e, ainda por cima, preso com alfinetes!"

— Posso arrumar o seu xale? — perguntou.

— Não sei o que está acontecendo com ele! — queixou-se a Rainha, em tom melancólico. — Parece estar decidido a me aborrecer. Preguei-o com alfinetes aqui e ali, e nada de conseguir que ele fique arrumado!

— Ele não pode ficar arrumando, se a senhora puser todos os alfinetes só de um lado! — explicou Alice, ajeitando o xale, — E esse seu cabelo, querida? Que fez com ele?

— A escova ficou embaraçada dele — lamentou a Rainha, com um suspiro, — e tive de perder o pente, logo ontem!

Alice encontrou a escova e a retirou cuidadosamente, fazendo o possível para arrumar-lhe o cabelo. Feito isso, recolocou os alfinetes da melhor maneira que pôde, e por fim disse à Rainha:

— Agora, a senhora está com melhor aparência. Venha ver. Uma camareira está lhe fazendo muita falta!

— O lugar é seu, se quiser — ofereceu a Rainha. — Duas moedas por semana, e sobremesa, dia sim, dia não.

Alice não pôde conter o riso ante a proposta, respondendo:

— Não estou precisando de emprego no momento. Além disso, não costumo comer sobremesa.

— É porque não provou da nossa geleia! É ótima!

— Acredito, mas é que não quero comer geleia hoje.

— Mesmo que quisesse, não seria possível comer geleia hoje — disse a Rainha. — Nossa regra é esta: geleia ontem, geleia amanhã; hoje, nunca.

— Mas deve haver algum dia de "geleia hoje", ora!

— Não, não. A geleia é sempre no outro dia. Hoje é hoje, não é "outro dia".

— Não consigo entender tamanha confusão!

— Isso é resultado do fato de viver "lá atrás" — explicou a Rainha. — No princípio, a pessoa fica assim, meio atordoada...

— Viver lá atrás! — repetiu Alice, tomada de espanto. — Nunca ouvi falar em tal coisa.

— ... mas há uma grande vantagem nisso: a memória da pessoa trabalha em duas direções.

— No que se refere à minha memória — retrucou Alice. — garanto que ela só trabalha numa direção. Não posso recordar-me de algo que ainda não aconteceu!

— Fraca memória essa, que só sabe recuar no tempo... — comentou a Rainha.

— Que tipo de coisas a senhora recorda melhor? — aventurou-se Alice a perguntar.

— Oh, as coisas que aconteceram na semana depois da semana que vem — respondeu a Rainha em tom descuidado. — Agora, por exemplo! — prosseguiu, esmagando entre os dedos um pedaço de gesso, — o que está acontecendo com o Mensageiro do Rei? Está na prisão, sendo punido, e o julgamento não deverá ter início senão na próxima quarta-feira. Só depois disso, naturalmente, é que ele irá cometer um crime.

— Suponhamos que ele jamais chegue a cometer esse crime?

— Isso, seria excelente, não é mesmo? — disse a Rainha, prendendo o gesso no dedão com a ajuda de uma fita.

Alice concordou que não havia como negar aquilo, mas quis prosseguir:

— Que seria excelente, seria, mesmo achando que não está. Alguma vez já sofreu punição?

— Pequenos castigos, já.

— E não achou que foram excelentes para vocês? — retrucou a Rainha, com ar triunfante.

— Não posso reclamar, pois cometi as faltas pelas quais acabei sendo castigada. Eis a diferença.

— Mesmo que não as houvesse cometido — replicou a Rainha, — ainda assim teriam sido excelentes, muito excelentes, excelentíssimas!

À medida que falava, a voz da Rainha ficava cada vez mais esganiçada. Alice já havia começado a retrucar, quando a voz da outra se transformou num verdadeiro guincho, e ela começou a berrar:

— Oh, oh, oh! Meu dedo está sangrando! Oh, oh, oh!

Os gritos lembravam tanto os apitos de uma locomotiva, que Alice teve de tapar os ouvidos com os dedos. Numa pausa que a Rainha fez, ela conseguiu falar:

— Qual é o problema? Cortou o dedo?

— Ainda não, mas vai acontecer daqui a pouco. Oh, oh, oh!

— E quando será isso? — perguntou Alice, segurando o riso.

— Quando eu quiser prender um broche sobre o xale — respondeu ela com um gemido. — Ele vai abrir-se e... oh, oh, oh!

Dito e feito: o broche abriu-se sozinho, e ela tentou fechá-lo, segurando-o desajeitadamente.

— Cuidado! — alertou Alice. — A senhora está segurando o broche pelo lado errado!

Estendeu a mão para ajudá-la, mas já era tarde: a Rainha tinha espetado o dedo alfinete do broche.

— Foi por isso que estava saindo sangue — disse ela para Alice, sorrindo. — Vê? É assim que acontecem as coisas por aqui.

— Mas por que a senhora parou de gemer e de gritar? — perguntou Alice, pronta para tapar os ouvidos novamente.

— Ora, já gemi e gritei o suficiente. Para que começar tudo, de novo?

Nesse momento, começava a clarear. "Acho que o corvo voou para longe", pensou Alice. "Isso é bom. Pensei que estava anoitecendo."

— Gostaria de conseguir ficar alegre — comentou a Rainha, — mas nunca me lembro como é que se faz isso. Você deve ser muito feliz por viver neste bosque e ficar alegre sempre que deseja!

— Só que aqui é muito solitário... — replicou Alice com voz triste, enquanto duas lágrimas lhe escorriam pelo rosto.

— Oh, não faça isso! — gritou a rainha, torcendo as mãos e com ar de desespero. — Lembre-se de que você é uma ótima menina, lembre-se do quanto já caminhou hoje, lembre-se de quantas horas são, lembre-se de qualquer coisa, exceto de chorar!

Alice não pôde conter o riso, mesmo antes de secar suas lágrimas.

— A senhora consegue parar de chorar apenas lembrando uma porção de coisas?

— É assim que se deve fazer — disse a Rainha, demonstrando absoluta certeza do que estava dizendo. — Ninguém consegue fazer duas coisas ao mesmo tempo, conforme você bem sabe. Tente lembrar-se de algo, para começar...vejamos...quantos anos você tem?

— Sete anos e meio, exatamente.

— Não precisa dizer "exatamente" — observou a Rainha — Mesmo que não o diga, acredito em você. Agora vou dizer algo para você acreditar: eu tenho centro e um anos, cinco meses e um dia.

— Não posso acreditar nisso! — protestou Alice.

— Não pode? — perguntou a Rainha, em tom de compaixão. — Faça um esforço: prenda a respiração, feche os olhos e veja se consegue.

— Para que tudo isso? — perguntou Alice, rindo. — Não se pode acreditar em coisas impossíveis!

— Garanto que você não tem muita prática nisso. Quando eu tinha a sua idade, costumava treinar todo dia, durante meia hora. Às vezes conseguia acreditar em mais de seis coisas impossíveis, antes mesmo do café da manhã. Ih, lá se vai o meu xale de outra vez!

Enquanto ela falava, o broche se abrira novamente, e uma súbita rajada de vento levou o xale para a margem oposta do regato. A Rainha estendeu os braços e saiu voando atrás dele, conseguindo dessa vez apanhá-lo sozinha.

— Peguei! — gritou, com ar radiante. — Agora eu mesma vou prendê-lo, você vai ver!

— Quer dizer que seu dedo agora está melhor? — perguntou Alice educadamente, saltando o regato para ir ao encontro da Rainha.

— Ah, muito melhor! — exclamou a Rainha, que continuou a repetir a frase, enquanto sua voz se transformava pouco a pouco num guincho: — Muito melhooor! Me-e-e-lhor! Meeé!

No último grito, sua voz lembrava o balido de uma ovelha. Alice ficou surpresa, olhando para a Rainha, e começou a enxergá-la toda revestida de lã. Estremecendo, esfregou os olhos e olhou de novo, sem poder entender o que estaria acontecendo. Parecia-lhe agora estar dentro de uma loja — seria verdade? E era realmente um carneiro que a fitava, sentado do outro lado do balcão? Esfregou os olhos de novo, porém, por mais que fizesse, nada conseguia, senão enxergar cada vez mais nítido aquela inesperada cena: ela estava numa espécie de mercearia mal iluminada, cotovelos apoiados no balcão, defronte a uma velha Ovelha, sentada numa cadeira de braços. A Ovelha fazia tricô e, de vez em quando interrompia o trabalho para espiá-la por detrás de um enorme par de óculos.

— Que deseja comprar? — perguntou finalmente a Ovelha.

— Ainda não me decidi — respondeu a menina com gentileza. — Se for possível, gostaria de dar uma olhada aí em volta.

— Com uma única olhada, você só pode ver o que há numa única direção. Não pode dar "uma olhada aí em volta", a não ser que tenha olhos na nuca.

E como Alice não os tinha, o jeito foi contentar-se em dar várias olhadas, examinando atentamente as prateleiras da loja.

Ali parecia haver tudo quanto era tipo de coisas curiosas, mas o que parecia mais estranho era que bastava olhar atentamente estava exposto, para que ela se mostrasse vazia! Enquanto isso, as outras prateleiras continuavam abarrotadas de objetos.

— Aqui, as coisas somem de repente! — lamentou-se, depois de perder mais de um minuto procurando algo brilhante que tinha conseguido entrever, sempre na prateleira acima da que ela estava examinando, e que ora parecia ser uma boneca, ora uma caixinha de costura. "Essa brincadeira está muito aborrecida", pensou, "mas não desistirei enquanto não descobrir o que é que tanto brilha na prateleira superior, nem que eu tenha de ir subindo pela estante até chegar ao teto da loja! Dali, creio que ela não vai conseguir passar!"

Mas sua certeza não se confirmou, porque a "coisa" atravessou o teto tranquilamente, como se aquilo fosse a coisa mais natural do mundo.

— Afinal de contas, o que você é: menina ou piorra? — perguntou a Ovelha, retomando as agulhas de tricô. — Você vai me deixar tonta, se continuar girando desse jeito!

Ela estava então trabalhando com quatorze pares de agulhas ao mesmo tempo, e Alice não podia deixar de ficar olhando para aquilo espantadíssima. "Como pode tricotar assim, pegando um novo par de agulhas de tempos em tempos?", pensou Alice, assombrada. "Até parece que ela está segurando um porco-espinho!"

— Você sabe remar? — perguntou a Ovelha, estendendo-lhe um par de agulhas de madeira.

— Sim, um pouco... mas não em terra... e jamais com agulhas — começou Alice a dizer, quando subitamente as agulhas que segurava se transformaram em remos, e ela se viu dentro de uma canoinha, deslizando numa lagoa, não lhe restando outra alternativa senão a de remar o melhor que podia.

— Pena! — gritou a Ovelha, enquanto pegava outro par de agulhas.

Não sabendo como responder, Alice manteve-se calada, continuando a remar.

Havia algo esquisito com aquela água, pensou ela, pois de vez em quando os remos pareciam ficar presos, sendo difícil erguê-los do fundo.

— Pena! Pena! — gritou de novo a Ovelha, pegando novas agulhas — Você está prestes a pegar um caranguejo.

"Eu bem que gostaria de ter aqui comigo um belo caranguejinho", pensou Alice.

— Não me escutou dizer "pena"? — repreendeu a Ovelha com aspereza, apanhando um punhado de agulhas de uma só vez.

— Claro que escutei. A senhora repetiu essa palavra muitas vezes, e em voz bem alta. Por favor: onde estão os caranguejos?

— Só podiam estar na água! — respondeu a Ovelha, enfiando algumas agulhas na sua lã, já que as mãos estavam cheias. — Pena, estou dizendo!

— E por que fica aí dizendo "pena", se eu não sou ave?

— É sim! Você é uma gansa! Uma gansinha!

Alice sentiu-se um pouco ofendida, ficando sem conversar durante uns dois minutos, enquanto a canoa deslizava suavemente, ora atravessando tufos de ervas(que dificultavam tremendamente suas remadas), ora seguindo à sombra das copas de árvores enormes, mas sempre ladeadas por margens escarpadas, cujo topo ela não conseguia enxergar.

— Oh, por favor — gritou Alice, subitamente tomada de satisfação, — que vejo? Juncos aromáticos! São tão difíceis de encontrar! Que beleza!

— E por que disse "por favor"? — perguntou a Ovelha, sem tirar os olhos de seu trabalho. — Não fui eu quem o pôs ali, e não pretendo arrancá-los.

— O que eu quis foi pedir por favor para pararmos, a fim de que eu possa acolher alguns. Espero que isso não a incomode.

— Como eu poderei eu parar esta canoa? Se você não remar, ela acabará parando sozinha.

Foi o que Alice fez, e a canoa deslizou vagarosamente na correnteza, até que penetrou entre os tufos de juncos ondulantes. Depois de arregaçar as mangas do vestido, enfiou os bracinhos na água até à altura dos cotovelos, para arrancar os juncos, ao invés de quebrá-los. Por algum tempo, esqueceu-se inteiramente da Ovelha e de seu tricô, inclinada sobre a água, deixando molhar as pontas dos cabelos, enquanto apanhava punhados de juncos, uns após os outros, com os olhos brilhando de impaciência.

— Só espero que esta canoa não vá virar — murmurou para si própria. — Hum! Que beleza, aquele ali! Pena que não consigo alcançá-lo.

De fato, aquilo já começava a tornar-se exasperador ("até parecia de propósito", pensou): apesar de ter apanhado tantos e tão lindos juncos, sempre havia algum mais bonito ainda, mas que ela não conseguia alcançar.

— Os mais belos sempre estão fora do meu alcance! — exclamou finalmente, com um suspiro, desistindo de prosseguir com sua colheita.

Com as bochechas coradas, e os cabelos e mão úmidos, voltou a sentar-se em seu lugar e começou a arranjar seus novos tesouros.

Nesse momento, porém, os juncos começaram a murchar e a perder seu perfume e beleza. Por quê? Bem, se eles fossem de verdade, como se sabe, não iriam durar muito; os que Alice colheu, que não passavam de juncos de sonho, deveriam durar ainda menos, derretendo-se como flocos de neve e caindo inteiramente murchos a seus pés. Mas ela nem notou isso, tantas eram as coisas curiosas a atrair seus pensamentos.

Não tinham avançado muito além, quando a pá de um dos remos ficou presa na água, não querendo mais subir (pelo menos, foi essa a explicação que ela deu) e, em consequência disso, o cabo acertou-lhe uma pancada no queixo, não se importando com a série de gritinhos que ela deu ("Ui! Ui! Ui!) e derrubando-a no fundo da canoa, junto aos feixes de juncos.

Apesar de tudo, ela nada sofreu, e logo já estava de novo assentada em seu lugar, enquanto a Ovelha continuava a tricotar como se nada houvesse acontecido.

— Que belo caranguejo você pegou! — disse ela para Alice, que franziu o cenho curioso, olhando atentamente para as águas escuras.

— É mesmo? Nem vi! É pena que ele tenha ido embora, pois eu gostaria muito de levar comigo para casa um caranguejinho...

A Ovelha deu uma risada irônica e prosseguiu com seu tricô.

— Por aqui há muito caranguejos? — perguntou Alice.

— Caranguejos e todo tipo de coisas — respondeu a Ovelha, — à sua escolha, tudo à sua disposição. E então, que quer comprar?

— Comprar?! — exclamou Alice, num misto de susto e surpresa, pois remos, canoa e lagoa acabavam de desaparecer, e ela se achava de novo na lojinha escura.

— Gostaria de comprar um ovo, se for possível. Aqui tem?

— Um custa cinco moedas; dois, três moedas.

— Como? Dois, ovos custam menos que um? — perguntou Alice espantada, tomando de sua bolsa.

— Sim, mas tem uma coisa: quem comprar dois, tem de comer os dois.

— Então me dê só, um por favor — disse ela, pondo as moedas sobre o balcão, enquanto pensava: "Talvez não sejam dos melhores..."

A Ovelha guardou o dinheiro numa caixa e disse:

— Não espere que eu os entregue a você, pois jamais faço isso. Pegue-os você mesma.

Em seguida, foi para a outra extremidade da loja e depositou o ovo numa prateleira. "Por que será que ela não gosta de entregá-los pessoalmente?", pensou Alice, enquanto caminhava com dificuldade por entre as mesas e cadeiras, naquela parte que era a mais escura da loja. "Quanto mais caminho em sua direção, mais esse ovo parece ficar distante! Que é isto aqui? Uma cadeira? Poderia jurar que ela tem galhos! Seria muito esquisito encontrar uma árvore aqui dentro! E não é que isto aqui é um regato? Que loja! É a mais esquisita que já vi!"

E lá se foi ela, espantando-se a cada novo passo que dava, vendo transformar-se em árvore todo objeto do qual se aproximava. Só faltava que aquilo acontecesse com o ovo...

CAPÍTULO 6

Osvaldo Oval

Nesse meio tempo, o ovo começou a crescer, tornando-se cada vez maior e cada vez mais humano. Quando Alice chegou a uns poucos passos de distância, viu que ele tinha olhos, nariz e boca! Chegando ainda mais perto, reconheceu que se tratava do famoso OSVALDO OVAL em pessoa. "Não pode ser outro", pensou, "Tenho tanta certeza disso, que é como se o nome dele estivesse escrito na sua cara!"

E de fato era possível escrever facilmente aquele nome umas cem vezes, naquele cara enorme. Osvaldo Oval estava sentado de pernas cruzadas, como se um fosse um turco, em cima de muro tão estreito, que era de se espantar como conseguia manter-se equilibrado sem cair. E como seus olhos estavam fixos na direção oposta à de Alice, ele sequer notou a sua presença, fazendo-a pensar a princípio que se achava diante de uma criatura empalhada.

— Tem exatamente o aspecto de um ovo! — exclamou Alice em voz alta, estendendo as mãos para ampará-lo, caso ele caísse de onde estava.

— Que coisa mais desagradável — disse Osvaldo Oval depois de um longo silêncio, sempre evitando olhar para Alice — ser chamado de ovo! Muito desagradável!

— Eu disse apenas que o senhor tinha aspecto de ovo — desculpou-se Alice. — Alguns ovos, como o senhor bem sabe, são muito bonitos!

Com esse comentário, esperava que ele tomasse suas palavras como uma espécie de cumprimento.

— Há pessoas — continuou Osvaldo Oval, olhando para longe, como de costume — que têm tanto juízo quanto uma criança...

Alice não sabia como responder, já que aquilo não era uma conversação: ele não estava se dirigindo a ela, afinal de contas. Sua última frase fora dirigida, sem dúvida alguma, a uma árvore das imediações. Assim sendo, ela nem notou que estava declamando em voz baixa uma conhecida poesia, que era assim:

Osvaldo Oval, sentado no muro,
levou uma queda e caiu duro;
os soldados do Rei vieram ajudar,
mas não conseguiram repô-lo em seu lugar.

— Esse último verso é um tanto comprido, não cabe na poesia — comentou ela, em voz um pouco mais alta, esquecendo-se que Osvaldo Oval poderia escutá-la.

— Pare de falar sozinha — disse ele, fitando-a pela primeira vez. — Fale comigo. Diga-me seu nome e profissão.

— Meu nome é Alice, e...

— Que nome bobo! — interrompeu Osvaldo Oval, demonstrando impaciência. — Que significa?

— Todo nome tem de ter um significado? — perguntou ela com ar de dúvida.

— Claro que tem! — respondeu ele, dando uma risadinha. — Veja o meu, por exemplo: define meu formato. Aliás, um belo formato. Já o seu nome não dá a menor indicação de qual seja o seu formato.

— Por que está sentada aí sozinho? — disse ela mudando de assunto, para evitar discussão.

— Ora, porque não há outra pessoa aqui do meu lado! Achou que eu não saberia responder? Tente outra pergunta.

— Não acha que estaria mais seguro aqui embaixo? — perguntou ela, sem a mínima intenção de propor uma charada, mas movida por um efetivo interesse em ajudar aquela estranha criatura. — Esse muro é estreito demais!

— Cada pergunta fácil que você faz! Claro que não me sinto inseguro aqui. Se for azar eu caísse, coisa que não há a mínima possibilidade de ocorrer, mas se for por cúmulo do azar eu viesse a cair — e nesse ponto ele franziu os lábios e fez uma cara tão solene e cheia de si, que Alice a custo conseguiu conter o riso, — estou certo de que o Rei, conforme a promessa que me fez...ah, essa fez você empalidecer, não foi? Não esperava por essa, certo? Pois é: a promessa que o Rei me fez, dirigindo-se a mim pessoalmente, de que... de que...

— ... de que iria mandar seus soldados para ajudá-lo — completou Alice, antecipando o que ele iria dizer.

— Isso aí não foi nada bom! — exclamou Osvaldo Oval, tomado de súbita irritação. — Você estava escutando atrás das portas! Escondida atrás das árvores! Dentro das chaminés! Somente agindo assim teria condição de conhecer o teor da promessa do Rei!

— Nada disso eu fiz — contestou Alice, em voz calma e educada. — Li isso num livro.

— Ah, está bem... Num livro, sim, é possível encontrar esse tipo de informação. É parte daquilo que se costuma chamar de *História Geral.* Agora, olhe detidamente para mim: sou um dos poucos que alguma vez já conversou pessoalmente com um rei. É possível que você jamais tenha encontrado outro do mesmo gênero, até hoje. Mas para mostrar que não sou orgulhoso, permito que me aperte a mão.

Dizendo isso, sorriu de uma orelha a outra e se inclinou para a frente (quase caindo do muro por causa disso), estendendo a mão para Alice, que o cumprimentou com receio, enquanto pensava: "Se ele abrir mais a boca, os cantos dela vão se encontrar na nuca! Nesse caso, não sei o que iria acontecer com sua cabeça. Pode até separar-se em duas partes..."

— Sim, todos os seus soldados, infantes e cavaleiros — prosseguiu Osvaldo Oval. — Eles me levantariam num minuto e logo eu estaria de novo reposto em meu lugar. Mas nossa conversa está caminhando depressa demais. Vamos voltar ao assunto de que nos ocupávamos antes.

— Receio não me lembrar do que estávamos falando — replicou Alice, sempre educadamente.

— Nesse caso, vamos recomeçar a conversa, e é minha vez de escolher o assunto.

"Ele encara isso como se fosse um jogo", pensou Alice.

— Lá vai uma pergunta para você: quantos anos disse que tinha?

Alice fez um cálculo rápido e respondeu:

— Sete anos e seis meses.

— Errado! — exclamou Osvaldo Oval triunfantemente. — *Você não me disse* quantos anos tinha!

— Entendi que você estava querendo saber qual era a minha idade.

— Se eu quisesse saber, teria perguntado isso.

Sem querer começar outra discussão, ela preferiu não replicar, enquanto Osvaldo Oval dizia, com ar pensativo:

— Sete anos e seis meses, hein? Uma idade bem desconfortável... Se você me tivesse pedido um conselho, eu lhe teria dito: "pare nos sete anos". Agora é tarde.

— Eu jamais teria pedido um conselho sobre minha idade!

— Excesso de orgulho?

— Ora! — retrucou Alice, indignada. — A pessoa não pode paralisar o passar dos anos!

— A *pessoa*, não, porque é uma só. Mas *duas pessoas* podem. Com a ajuda do outro, você bem poderia ter parado nos sete anos.

— Que belo cinto você tem! — disse ela, mudando de assunto, cansada de falar sobre idade, e achando que era sua vez de escolher o tema. — Bem, não um cinto, mas uma gravata, perdoe-me pelo engano. Sim, uma bela gravata-borboleta!

As últimas palavras foram pronunciadas em voz mais baixa, pois Osvaldo Oval parecia ter ficado ofendido com a observação, levando-a a se arrepender de ter dito aquele. "Se ao menos eu soubesse onde termina o pescoço e começa a cintura..."

Era evidente a raiva de Osvaldo Oval, embora ele se mantivesse calado por um ou dois minutos. Quando voltou a dizer alguma coisa, rosnou:

— É muito desagradável ver alguém que não sabe distinguir uma gravata de um cinto!

— Desculpe-me pela ignorância — disse ela em tom tão humilde que Osvaldo Oval voltou a se acalmar.

— É uma gravata, menina, e muito bonita, como você falou. Ganhei de presente do Rei Branco e da Rainha Branca. Que tal?

— É mesmo? — disse ela, satisfeita de ter finalmente encontrado um assunto agradável.

— É, sim! — confirmou Osvaldo Oval, cruzando as pernas e enlaçando os joelhos com as mãos. — Foi presente de desaniversário.

— Perdão?

— Não há o que perdoar.

— Estou querendo é que você me explique o que significa "presente de aniversário".

— Um presente que se ganha quando não se faz aniversário, é lógico!

— Prefiro os presentes de aniversário — comentou Alice, depois de pensar durante algum tempo.

— Você não sabe o que está dizendo! — protestou Osvaldo Oval. — Quantos dias tem o ano?

— Trezentos e sessenta e cinco.

— E, desses, quantos são os dias de seu aniversário?

— Um.

— Subtraindo um de trezentos e sessenta e cinco, quanto dá?

— Trezentos e sessenta e quatro, é claro.

— Osvaldo Oval fez cara de dúvida e disse:

— Prefiro ver isso sob a forma de uma conta.

Alice não pôde deixar de sorrir. Pegando sua agenda de bolso, abriu numa página em branco e escreveu:

$$\begin{array}{r} 365 \\ \hline -1 \\ \\ \hline 364 \end{array}$$

Osvaldo Oval examinou a conta atentamente, e por fim disse:

— Parece estar correto...

— Você está segurando a agenda de cabeça para baixo!

— E não é que estou mesmo? — disse ele alegremente, enquanto Alice corrigia a posição do papel. — Bem que me pareceu um tanto esquisita essa conta... Bem, como eu estava dizendo, o resultado parece estar correto, embora eu não disponha de tempo suficiente para uma conferência minuciosa. Por aqui se vê que você tem trezentos e sessenta e quatro dias por ano para ganhar presente de desaniversário...

— Com certeza...

— ... e apenas um para ganhar os presentes de aniversário. Como pode ver, é a glória!

— Não entendo o que você quer dizer com essa palavra "glória".

— Claro que não entende — concordo Osvaldo Oval, sorrindo com ar superior. — Vou explicar o que significa: quer dizer "é um argumento irrespondível."

— Mas "glória" não significa "argumento irrespondível" — objetou Alice.

— Quando uso uma palavra — replicou Osvaldo Oval, em tom de desdém, — o significado dela é aquele que quero que ela tenha — e não admito discussão.

— Isso é questão de saber se você pode atribuir o significado que quiser a uma palavra.

— Isso é uma questão de saber quem é que manda. E basta!

Aquilo deixou Alice tão desnorteada, que ela nada replicou. Depois de um minuto, Osvaldo Oval recomeçou a falar:

— As palavras são temperamentais; bem, pelo menos algumas delas; em particular, os verbos. Esses são os mais orgulhosos. Com os adjetivos, você pode fazer o que quiser, mas não com os verbos. Eu, porém, sei como lidar com eles. Impenetrabilidade: esse é o segredo.

— Poderia explicar-me, por obséquio que significa isso?

— Agora você está falando como uma criança sensata — comentou Osvaldo Oval, aparentando satisfação. — O significado de "impenetrabilidade", é o seguinte: nós já tratamos demais desse assunto; portanto, já está na hora de mencionar o que você pretende fazer a seguir, pois suponho não ser sua intenção de permanecer aqui pelo rosto de sua vida.

— É muito significado para uma palavra só — disse Alice em tom pensativo.

— Quando uma palavra tem de trabalhar tanto assim, sempre recebe hora extra.

— Oh! — disse Alice, confusa demais para dizer qualquer outra coisa.

— Ih, você precisa ver como as palavras ficam me rodeando sábado à noite — prosseguiu Osvaldo Oval, balançando a cabeça gravemente, — à espera do pagamento de seus salários...

(Alice não se atreveu a perguntar quanto eles lhes pagava: por isso, eu também não posso revelar essa quantia para vocês.)

— Você parece entender um bocado do significado das palavras, meu caro. Seria possível explicar para mim como se deve interpretar a poesia intitulada "Bestialógico"?

— Vamos ouvi-la. Posso explicar todos os poemas que já foram compostos até hoje, além de muitos que ainda não o foram.

Essas palavras soaram como uma promessa, de maneira que Alice recitou para ele a primeira quadra:

Brilhava o dia, e uma fumaça
No céu girava sem parar;
Palhaços sérios espiavam
Loucos risonhos a cantar.

— Já temos o bastante para começar — interrompeu Osvaldo Oval. — São muitas expressões em sentido figurado, carecendo de explicação. "*Brilhava o dia*", por exemplo: significa que eram quatro da tarde, mais ou menos, horário em que se começa a cozinhar as coisas para o jantar.

— Está bem. Mas, se o brilhava, como poderia haver *"fumaça no céu"*?

— É que essa *fumaça* aí está em sentido figurado. Trata-se na realidade, de uma ave de penas cinzentas, da cor da fumaça.

— Agora estou entendendo por que ela *girava* no céu, coisa que a fumaça verdadeira não costumar fazer — observou Alice, com ar pensativo. — Além de cinzenta, como é essa ave chamada fumaça?

— Seu aspecto é um misto de texugo, de lagarto, de lagarto e de saca-rolhas.

— Que ave mais esquisita!

— Se é! Ela costuma fazer seus ninhos sob os relógios de sol... ou dentro daqueles queijos de casca dura.

— E por que ela girava, ao invés de voar?

— Essa é a sua natureza: trata-se de uma ave giratória. Esse movimento permite-lhe fazer buracos, como se fosse uma pua.

— E quanto aos palhaços, será que entraram na poesia apenas para alegrá-la? — perguntou Alice, surpresa com sua própria ingenuidade.

— E quem disse que são *palhaços* propriamente ditos? Se fossem, não seriam sérios. Temos aqui um vocábulos híbrido, que começa com "*palha*" e acaba com "*aço*". A poesia, agora está se referindo a um outro tipo de ave, um pássaro que lembra a aparência das "palhas de aço".

— Então, *vocábulo híbrido* é isso: uma palavra com duas naturezas, como uma sereia!

— Ou como os centauros. E há outro do mesmo gênero, pouco adiante: "*espiavam*", que é a mistura de "*esperavam*" e "*piavam*". Os tais pássaros estavam fazendo essas duas coisas simultaneamente.

— Esperando e piando... Hmm, sim, muito interessante. E os *loucos*?

— Loucos apenas aparentemente; de fato, pessoas normais, porém rindo a mais não poder, gargalhando loucamente.

— Rindo de quê?

— Do aspecto dos "palhaços", aves de penas espetadas e mal dispostas no corpo, antes parecendo esfregões vivos.

— E o que essas pessoas não-loucas estariam "*a cantar*"?

— Canções, evidentemente, entremeadas aqui e ali de assovios. Diga-me, menina, onde foi que você aprendeu essa poesia de interpretação tão complicada?

— Li num livro. Não faz nem uma hora, escutei outra poesia, só que bem mais simples e de fácil interpretação. Quem a recitou para mim foi o... você conhece o Focinho-de-Outro?

— No que se refere a recitar poesias — comentou Osvaldo Oval, como se não tivesse escutado a pergunta, — posso fazê-la tão bem como qualquer outro, ainda mais quando a necessidade o exige.

— Não é o caso, no momento — aparteou Alice, esperando impedi-lo de começar.

Mas sua tentativa foi vã, pois ele prosseguiu, sem fazer caso das palavras da menina.

— O poema que vou declamar foi escrito exclusivamente para seu deleite.

Vendo que não lhe sobrava outro recurso senão escutá-lo, Alice balbuciou um "muito obrigada" quase melancólico, sentando-se no chão para escutar.

E Osvaldo Oval recitou:

No inverno, quando a neve cai,
Esta cantiga me distrai.

— É cantiga, mas eu não canto, só recito — acrescentou ele, como uma explicação.

— Estou vendo.

— Se você pode ver que não estou cantando, enxerga melhor que a maior parte das pessoas — comentou ele acidamente.

Alice preferiu não replicar.

Na primavera, o verde vem
Para alegrar você também.

— Fico muito agradecida.

No verão, são longos os dias,
E mesmo as manhãs não são frias.

No outono, folhas pelo chão,
E nada mais vocês verão.

— O último verso é confuso. Trata-se do *outono*, mas acaba falando em *verão*.
— Você devia parar com essas observações, que nada têm a ver com o assunto, e que, além do mais, me fazem perder o fio da meada.

Mandei aos peixes um recado:
"Quero comer um peixe assado".

O mensageiro foi ao mar
E não tardou a regressar.

Um peixe ousado respondeu
Dizendo: "Isso é problema seu!"

— Essa história está ficando meio esquisita! — comentou Alice.
— É só no início. Depois simplifica. Ouça:

Outro recado eu enviei:
"Problema meu? Será? Não sei..."

E eles disseram sem temor:
"Para quê tanto mau humor?

Eu retruquei: "Disse e repito:
Comerei peixe, assado ou frito!

Peguei um grande caldeirão
Adequado àquela função.

Sem arrependimento ou mágoa,
O caldeirão eu enchi de água.

Fiquei sabendo que os peixinhos
Estavam dormindo quietinhos.

Chamei então meu mensageiro
E lhe disse: "Ande bem ligeiro!"

Falei em voz bem alta: "Vá!
Quero que acorde os peixes já!"

Nesse instante, erguendo a voz ao máximo, Osvaldo Oval pôs-se a bradar repetidamente a ordem do último verso, enquanto Alice pensava, sobressaltada: "Por nada deste mundo eu queria ser esse mensageiro!"

A poesia prosseguiu:

Mas ele disse: "Meu amigo
Por favor, não grite comigo!"

Era orgulhoso de dar dó!
Foi-se embora e deixou-me só...

Eu mesmo fui — não tinha escolha!
Levei comigo um saca-rolha.

Chegando vi a porta trancada.
Empurrei, bati, dei pancada...

Tudo o que tentei foi em vão.
Girei a maçaneta, então...

Seguiu-se uma longa pausa.
— É tudo? — perguntou Alice timidamente.

— É — respondeu Osvaldo Oval. — Até logo.

Terminou de repente, pensou Alice; porém, depois daquele verdadeiro convite para que ela se retirasse, achou que não seria educado permanecer ali por mais tempo. Assim, levantou-se, estendeu a mão e despediu-se, o mais afavelmente que pôde:

— Até a vista.

— Se a vir novamente — respondeu Osvaldo Oval com voz aborrecida, estendendo apenas a ponta dos dedos para a despedida. — duvido que a reconheça. Você é tão parecida com todo mundo...

— Geralmente, o que marca a pessoa é seu semblante — respondeu Alice, em tom pensativo.

— É disso mesmo que me queixo — disse Osvaldo Oval. — Todo mundo tem semblante idêntico; dois olhos assim — e espetou o dedo no ar duas vezes, indicando o lugar dos olhos, — um nariz logo abaixo, e a boca ainda mais abaixo, horizontal. Agora, se você tivesse, por exemplo, os dois olhos ao lado do nariz, um embaixo do outro, ou a boca em cima de tudo, aí, sim, já facilitaria o reconhecimento.

— Não ia ficar muito bonito — protestou Alice.

Osvaldo Oval apenas cerrou os olhos e comentou:

— Tente primeiro, para ver...

Alice ainda esperou durante um minuto, para ver se ele dizia mais alguma coisa, mas como Osvaldo Oval nem mesmo abriu os olhos, não lhe dando a menor atenção, ela repetiu seu "Até a vista" e, sem obter a resposta, começou a caminhar calmamente. Contudo, não pôde evitar de resmungar baixinho, dizendo para si própria:

— De todas as pessoas intratáveis...

Apreciou aquela palavra e voltou a repeti-la em voz bem alta, satisfeita por saber usar um termo tão bonito:

— De todas as pessoas *intratáveis* com as quais já deparei até hoje...

Não terminou a sentença, pois nesse exato instante, um estrondo pareceu abalar a floresta de ponta a ponta.

CAPÍTULO 7

O Leão e o Unicórnio

No momento seguinte, soldados chegaram em disparada, depois de atravessar a floresta; primeiro, em duplas e trincas; depois, em grupos de dez e de vinte; por fim, em verdadeiros bandos, parecendo que enchiam todo o espaço entre as árvores. Alice escondeu-se atrás de uma delas, com medo de ser pisoteada, e ficou espiando aquela estranha tropa passar.

Em toda a sua vida, jamais havia visto soldados tão desequilibrados: não paravam de tropeçar e cambalear, caindo de vez em quando e, nesse caso levando de cambulhada muitos que vinham atrás, deixando o chão coberto de pequenas pilhas de homens.

Em seguida, vieram os cavalos. Como eram quadrúpedes equilibravam-se melhor que os bípedes humanos. Mesmo eles, porém, tropeçavam aqui e ali, sacudindo o cavaleiro que, como se fosse regra geral, vinha ao chão instantaneamente. A confusão aumentava os olhos vistos, e Alice ficou satisfeita ao conseguir escapar do bosque e ganhar uma clareira, onde encontrou o Rei Branco sentado no chão, escrevendo diligentemente numa caderneta de anotações.

— Despachei-os todos! — exclamou ele em tom satisfeito, logo que avistou a menina. — Por acaso encontrou soldados, enquanto vinha através da floresta?

— Sim, Majestade, e creio que milhares.

— Para ser exato, são quatro mil duzentos e sete — disse o Rei, conferindo sua caderneta. — Os cavalos não puderam vir todos, porque, como você sabe dois deles têm de prestar serviço no tabuleiro. Por isso, deixei também dois mensageiros para trás. Na realidade, ordenei que fossem até a cidade. Examine a estrada e diga-me se pode avistar algum deles.

Pondo a mão em pala sobre a testa, Alice falou:

— Estou vendo... ninguém.

— Como eu gostaria de ter esses olhos! — comentou o Rei, demonstrando aborrecimento. — Olhos que são capazes de enxergar Ninguém! É demais! E, além disso, à distância! Mais dificuldade tenho eu de enxergar Alguém, juro por esta luz que me alumina!

Mas nada disso foi escutado por Alice, que continuava olhando atentamente para a estrada, sempre com a mão em pala sobre a testa. Por fim, ela exclamou:

— Agora, sim, estou vendo alguém! Mas caminha muito lentamente, gesticulando de maneira um tanto estranha!

De fato, lá vinha um mensageiro saltitando e se contorcendo como uma enguia, com as mãos espalmadas para a frente, abanando-as como se fossem leques.

— Seus gestos nada têm de estranho — retrucou o Rei. — Ele é um Mensageiro Anglo-saxão; por isso, gesticula e se contorce à maneira anglo-saxônica. Só age assim quando está feliz. Seu nome é Fred-O.

(Pronunciou o nome de modo a rimar com "médio")

Ouvindo aquilo, Alice começou a recitar as palavras daquela brincadeira infantil de repetir as iniciais, dizendo:

— Amo *Fred-O* porque tem *F. Fred-O* é *Feliz*. Só não gosto dele porque é *Feioso*.Quando sente *Fome*, dou-lhe duas *Fatias* de pão, e ponho dentro *Fiambre* e *Folhinhas* de...de *Feno*. Seu nome é *Fred-O* e ele mora...

— Mora na *Floresta* — completou o Rei, sem entender que estava dando prosseguimento à brincadeira. — Já o outro Mensageiro chama-se Fred-E. É preciso ter os dois, não é? Um para ir, outro para voltar.

— Perdão?

— Não tenho coisa alguma a perdoar.

— Oh, não, não é isso! Quis apenas dizer que não compreendi a necessidade de ter dois mensageiros. Por que um para ir e outra para voltar?

— Não vê como é óbvio? — replicou o Rei com impaciência. — Claro que preciso de dois: um leva, outro traz.

Nesse instante acabou de chegar o Mensageiro. Estava quase sem fôlego, e por isso não conseguia articular as palavras, limitando-se gesticular e fazer caretas para o Rei, tentando transmitir-lhe alguma mensagem terrível.

— Essa jovem aqui ama você com “F” — disse-lhe o Rei, apresentando Alice, na esperança de tranquilizar o infeliz.

De nada valeu a intenção do Rei. Os gestos e trejeitos anglo-saxônicos ainda mais aumentaram, enquanto os olhos do Mensageiro começaram a mexer-se de um lado para o outro, com extrema rapidez.

— Você está me deixando assustado! — reclamou o Rei. — Estou ficando tonto! Deve ser fome. Dê-me sanduíche de fiambre.

Ouvindo essa ordem, Fred-O, para satisfação de Alice, abriu o bornal que trazia pendurado ao pescoço, tirando de dentro dele um sanduíche e entregando-o ao Rei, que prontamente o devorou.

— Quero outro! — ordenou o Rei.

— Acabaram-se os sanduíches — disse o Mensageiro, olhando o interior do bornal. — Agora, só há feno.

— Então, que venha o feno — sussurrou o Rei, recebendo um punhado de feno e levando-o à boca imediatamente.

Para satisfação de Alice, aquele estranho alimento pareceu reanimá-lo.

— Nada como um bocado de feno, quando a gente está prestes a desmaiar — disse ele para Alice, enquanto mastigava as folhas secas.

— Eu achava que atirar um balde de água fria na cara de quem está desmaiando faria mais efeito — comentou Alice. — Ou então dar-lhe sais para cheirar.

— Eu não disse que feno era a melhor coisa que havia — replicou o Rei, — mas sim que não havia nada *como* o feno.

Era verdade, e Alice preferiu não retrucar.

— Você cruzou com alguém na estrada? — perguntou o Rei, estendendo as mãos para que o Mensageiro lhe desse mais um bocado de feno.

— Com ninguém — respondeu o Fred-O.

— Acredito. Esta senhorita aqui o avistou, antes de que você aparecesse na estrada. Vê-se que Ninguém caminha mais depressa do que eu.

— Isso não pode ser verdade — contestou o Rei, — pois, se o fosse, ele teria chegado primeiro. E já que você recuperou o fôlego, é hora de contar-nos o que aconteceu na cidade.

— Vou contar em segredo — disse o Mensageiro, juntando as mãos em forma de corneta e inclinando-se para murmurar alguma coisa ao ouvido do Rei.

Aquilo aborreceu Alice, que gostaria de tomar conhecimento das novidades. Todavia, ao invés de sussurrar, o que ele fez foi gritar, o mais alto que pôde, dizendo:

— Eles dois, estão lá de novo!

— É isso que você chama de "contar em segredo"? — explodiu o Rei, dando um pulo e pondo-se a tremer. — Se repetir essa brincadeira de mau gosto, acabo com a sua raça! Seu grito atravessou minha cabeça, como se fosse um terremoto!

"Teria de ser um terremoto bem fraquinho", pensou Alice, perguntando em seguida:

— Quem são esses dois que estão lá de novo?

— Ora, o Leão e o Unicórnio, é lógico — respondeu o Rei.

— Disputando o poder! — completou Alice, lembrando-se da letra da cantiga infantil.

— Isso mesmo — concordou o Rei, — e o melhor da história é que eles disputam o poder que pertence a mim! Sim, os dois querem a minha coroa, brigando por causa dela o tempo todo! Vamos vê-los, depressa!

E os dois partiram correndo, enquanto Alice cantava para si própria a velha canção, que dizia:

O Leão e o Unicórnio disputavam o poder.
O Leão era mais forte e não tardou a vencer.
Pão branco e pão de centeio vieram lhe fornecer;
Deram-lhe bolo de ameixas e os puseram pra correr.

— Quem... vencer... a briga... fica... com o poder? — perguntou Alice com dificuldade, pois a corrida a estava deixando sem fôlego.

— Claro que não, querida! — respondeu o Rei — Mas que ideia!

— Vossa Majestade... poderia... ser bonzinho... e parar... apenas um minuto... para que eu... recobre o fôlego?

— Bonzinho eu sou — respondeu o Rei, — mas não sou forte o bastante para "parar um minuto". É demais para mim! Como conseguiria fazer um minuto parar? Peça uma coisa mais fácil, como parar uma mula sem cabeça, mesmo que ela esteja em louca disparada.

Alice não conseguia mais falar, de modo que continuou correndo em silêncio, até que ambos avistaram uma grande multidão, cercando o Leão e o Unicórnio, que tratavam terrível luta. A nuvem de poeira que levantavam era tão densa, que a princípio Alice não entendeu nada do que aconteceu ali dentro, até que distuinguiu o Unicórnio, pelo chifre.

Engalfinhados, os brigões rolaram até perto de onde estava Fred-E, o outro mensageiro, que assistia à luta com uma xícara de chá numa das mãos e uma fatia de pão com manteiga na outra.

— Ele acaba de sair da prisão — segredou Fred-O para Alice — e não tinha terminado de tomar seu chá, quando foi preso. Na cadeia, só lhe deram conchas para comer. Por isso é que ele está sedento e esfomeado como o que!

Caminhando até ele, Fred-O pôs o braço afetuosamente em torno do pescoço de Fred-E e lhe falou:

— Como vai, amigão?

Fred-E apenas fez um cumprimento com a cabeça, continuando a comer seu pão com manteiga.

— Gostou da temporada que passou na cadeia, amigão? — insistiu Fred-O.

O outro olhou para os lados e continuou sem nada dizer, mas dessa vez duas lágrimas lhe escorreram pelas faces.

— Fale, criatura! — gritou Fred-O com impaciência.

Mas Fred-E apenas sorveu um gole de chá e mastigou um pedaço de pão, sem nada dizer.

— Fale, praga! — ordenou o Rei, aos gritos. — Como está transcorrendo essa luta?

Fred-E fez um esforço desesperado para engolir um pedaço de pão que acabava de enfiar na boca, e por fim falou:

— Os dois estão se saindo muito bem. Cada um já foi atirado ao chão cerca de oitenta e sete vezes.

Sua voz saiu trêmula e engasgada.

— Então — intrometeu-se Alice — é de supor que logo lhes tragam pão branco e pão de centeio, não é?

— Os pães já estão a caminho. Este pedaço que estou comendo foi cortado de um deles.

Nesse momento, os dois lutadores resolveram fazer um intervalo, sentando-se arfantes, enquanto o Rei avisava em voz alta:

— Dez minutos para descansar!

Imediatamente. Fred-O e Fred-E puseram-se a trabalhar ativamente, servindo bandejas cheias de fatias de pão branco e pão de centeio. Alice aceitou uma fatia, mas desistiu de comê-la, pois estava muito seca.

— Não creio que eles queiram prosseguir com a luta hoje — disse o Rei a Fred-E. — Assim, vá até lá e ordene aos tambores que rufem.

Fred-E saiu pulando como um gafanhoto. Por um ou dois minutos, Alice ficou parada, observando o que iria acontecer. Subitamente, seu rosto tornou-se radiante, e ela exclamou:

— Vejam! Vejam! Lá vem a Rainha Branca, correndo através do campo! Ela veio voando de lá da floresta distante. Céus! Como correm essas rainhas!

— Sem dúvida, ela deve estar sendo perseguida por algum inimigo — comentou o Rei, sem querer se virar para ver o que estava ocorrendo. — Inimigo é o que não falta nessa floresta...

— E Vossa Majestade não pretende ir até lá a fim de ajudá-la? — perguntou Alice, estranhando a passividade do monarca.

— Seria absolutamente desnecessário — respondeu o Rei. — Ela corre depressa como um raio. Seria mais fácil alcançar a Mula sem cabeça, mesmo que ela estivesse em louca disparada. Mas já que você quer, vou anotar seu pedido, pois ela é uma boa criatura. Hm... diga-me menina... — disse ele, abrindo seu caderneta de anotações, — o certo é "criatura" com *i*, ou "creatura", com *e*?

Nesse instante, passou por eles o Unicórnio, aparentando completa despreocupação, assoviando e de mãos nos bolsos. Ao passar pelo Rei, perguntou-lhe:

— E então, gostou da minha atuação nestes últimos minutos?

— É... sim... — respondeu o Rei, demonstrando algum nervosismo. — Mas acho que você não devia tê-lo atravessado com este seu chifre.

— Não o machuquei — replicou o Unicórnio, voltando a caminhar despreocupadamente, até que seus olhos deram com Alice. No mesmo instante, ele deu meia volta e ficou por algum tempo a contemplar a menina, aparentando o mais profundo desdém. Por fim, apontando-a, perguntou:

— Que é... isso aí?

— É uma garota — respondeu prontamente o Fred-O, pondo-se à frente de Alice para apresentá-la, e estendendo em sua direção as palmas das mãos, num gesto muito anglo-saxônico. — Só hoje foi que a encontramos. Seu tamanho é normal, e sua naturalidade duplamente normal.

— Sempre achei que garotas eram monstros fabulosos! — comentou o Unicórnio. — Ela está viva?

— E sabe falar! — afirmou Fred-O categoricamente.

O Unicórnio fitou Alice com ar de espanto e ordenou:

— Fale, garota.

Alice não pôde conter um sorriso, enquanto dizia:

— Pois é, meu caro, sempre pensei que os unicórnios não passassem de criaturas fantásticas, "monstros fabulosos", como você prefere dizer. Nunca tinha visto um antes, sabia?

— Bem, agora estamos quites: vi você e você me viu; se você acreditar em mim, também acreditarei em você. Topa?

— Como você quiser — respondeu Alice.

— Então vamos, meu velho — disse o Unicórnio, voltando-se para o Rei, — e trate de servir esse bolo de ameixas, que já estou farto de seu pão de centeio.

— Certo, certo — concordou o Rei, acenando para Fred-O e ordenando: — Abra o bornal! Vamos, rápido, mas não me vá abrir aquele que está cheio de feno, ouviu?

Fred-O tirou do bornal um bolo enorme, entregando-a Alice, e novamente enfiou a mão no bornal, tirando de dentro um pratinho e uma faca. Como podia tudo aquilo caber num bornal era coisa que a menina não podia entender. Era como se fosse um ato de mágica, foi o que ela pensou.

— Nesse ínterim, o Leão já se juntara ao grupo. Estava com aparência de cansado e sonolento. Seus olhos semicerrados acabaram enxergando Alice. Numa voz profunda, que lembrava as badaladas de um enorme sino, ele perguntou, depois de piscar lentamente:

— Que é isso aí?

— Tente adivinhar, vamos — desafiou o Unicórnio. — Duvido que consiga. Eu não consegui!

Com ar cansado, o Leão encarou Alice e perguntou:

— Você é animal (bocejo), vegetal (bocejo) ou mineral (bocejo longo)?

Antes que ela respondesse, o Unicórnio intrometeu-se:

— Ela é um monstro fabuloso!

— Então trate de servir esse bolo de ameixas, senhor Monstro — disse o Leão, deitando-se e apoiando a cabeçorra entre as patas. — E quanto a vocês dois — disse, dirigindo-se desses vez ao Unicórnio e ao Rei, — tratem de sentar-se. Vamos manter a esportiva, enquanto o bolo é servido.

O Rei sentia-se visivelmente desconfortável, por ter de sentar-se entre aquelas criaturas enormes, mas não tinha como evitar de fazê-lo.

— Que luta poderíamos estar travando agora, disputando o poder — disse o Unicórnio, olhando de esguelha para a coroa que o pobre Rei quase deixava cair da cabeça, de tanto que tremia.

— E eu estaria vencendo tranquilamente — disse o Leão.

— Não estou muito certo disso... — contestou o Unicórnio.

— Ora — retrucou o Leão, — posso pô-lo novamente a correr através de toda a cidade, seu medroso!

Dizendo isso, o Leão ameaçou levantar-se, mas o Rei ficou de pé primeiro, decidido a impedir a retomada do combate. Estava nervoso, e sua voz saiu trêmula, dizendo:

— Através de toda a cidade? É um longo percurso, se é! Você prefere seguir pelo caminho da ponte velha, ou pelo do mercado? Pela ponte velha, a vista é muito bonita.

— Não reparei nisso — grunhiu o Leão, deitando-se novamente. — Havia poeira demais, para que eu pudesse enxergar qualquer coisa. Mas que tempo leva esse Monstro para cortar um bolo!

Alice estava sentada à margem de um regato, com a travessa de bolo na mão, pelejando para cortar o bolo com a faca.

— Que coisa mais irritante! — exclamou, como que respondendo ao Leão, e já começando a se acostumar com o fato de ser tratada por Monstro. — Eu não paro de partir as fatias, mas elas acabam se juntando de novo!

— Você não sabe como proceder com bolos de lado de cá do espelho — observou o Unicórnio. — Sirva-nos primeiro, corte depois.

Aquilo não tinha a menor lógica, mas a menina obedeceu, levantando-se sozinha e oferecendo a travessa. Imediatamente, o bolo dividiu-se sozinho em três fatias.

— Agora corte-o — disse o Leão, enquanto ela voltava a sentar-se em seu lugar, com a travessa vazia nas mãos.

— Isso não está certo! Não, mesmo! — disse o Unicórnio, enquanto Alice contemplava a faca, sem saber como agir. — O pedaço que o Monstro deu ao Leão é duas vezes maior que o meu!

— Por outro lado — comentou o Leão, — ela não guardou nem um pedaço para si própria. Ei, Monstro, não quer provar do bolo?

Antes que ela respondesse, os tambores começaram a rufar. De que lugar provinha aquele som? Alice não conseguia localizar onde se achariam aqueles tambores, mas o fato é que o ar parecia todo tomado pelo barulho, e aquele rufar começou a penetrar em sua cabeça, deixando-a tonta e meio surda. Apavorada, ela se levantou e saltou o regato, caindo de joelhos na margem oposta. De lá, viu o Leão e o Unicórnio levantando-se com ar zangado, irritadíssimos por terem sido interrompidos antes de poderem devorar suas fatias de bolo. Sem saber como agir para fugir àquela terrível barulhada, Alice tapou os ouvidos, mas foi em vão.

— "E os puseram para correr" — murmurou ela, repetindo as últimas palavras de cantiga. — Se esses tambores não os fizerem fugir em disparada, nada o fará!

CAPÍTULO 8

Fui Eu Que Inventei

Depois de algum tempo, o som começou a diminuir, diminuir, até desaparecer inteiramente, sendo sucedido por um profundo silêncio. Alice ergueu a cabeça, receando que ele recomeçasse. Ninguém estava à vista, e seu primeiro pensamento foi o de que tudo aquilo não devia ter passado de um sonho. O Leão, o Unicórnio e aqueles dois esquisitíssimos mensageiros seriam apenas frutos de sua imaginação. Junto a seus pés, porém, estava a travessa, na qual alguns farelos de bolo não deixavam dúvidas quanto à realidade do que acabara de acontecer. "É", pensou ela, "isso quer dizer que eu não estava sonhando, a não ser... a não ser que todos nós estivéssemos participando do mesmo sonho. Se assim for, espero que o sonho seja meu, e não do Rei Preto. Não gosto da ideia de pertencer ao sonho de outra pessoa.

Logo, em seguida, ela murmurou para si própria, em tom lamentoso:

— Acho que vou acordá-lo, só para ver o que acontece.

Nesse instante, seus pensamentos foram interrompidos pelos gritos desferidos por um cavalheiro que vinha galopando em sua direção, vestindo uma armadura avermelhada e trazendo na mão uma pesada clava.

— Hei! Hei! Xeque! — gritava ele.

Tão logo chegou perto de Alice, seu cavalo estacou, fazendo-o desabar no chão. Dali mesmo, de pernas para o ar, ele vociferou:

— Não fuja! Você é minha prisioneira!

Espantada ante toda aquela cena desajeitada, Alice estava mais preocupada com a sorte do cavaleiro do que com a sua própria, e ficou a observá-lo de cenho franzido, enquanto ele voltava a montar no cavalo. De novo sentado confortavelmente na sela, o cavaleiro já havia começado a repetir "Você é minha pri...", quando se ouviu outra voz, igualmente gritando:

— Hei! Hei! Xeque!

Com alguma surpresa, Alice olhou para o novo inimigo. Dessa vez era um cavaleiro montado num Cavalo Branco, que também seguiu em direção a Alice, caindo ao chão tão logo animal estacou, do mesmo modo que há pouco havia acontecido ao cavaleiro do Cavalo Preto. Depois que ambos se recobraram, os dois cavaleiros sentaram-se defronte um do outro, encarando-se firmemente, sem nada dizer. Atordoada, Alice olhava ora para um, ora para outro, esperando para ver o que iria acontecer.

— Ela é *minha* prisioneira, fique sabendo! — declarou o cavaleiro do Cavalo Preto.

— Não é — retrucou o outro; — era! Quando cheguei aqui, libertei-a de seu poder.

— Então, teremos de disputá-la em combate — disse o do Cavalo Preto, colocando o elmo (que até então pendia da sela, tendo o formato de uma cabeça de cavalo).

— Você, naturalmente, obedecerá as Regras do Combate, não é? — perguntou o do Cavalo Branco, enquanto punha seu elmo.

— Obedeço-as sempre — respondeu o cavaleiro do Cavalo Preto.

Logo em seguida, os dois começaram a trocar golpes de clava com tal fúria, que Alice preferiu esconder-se atrás de uma árvore antes que sobrasse para ela.

"Que Regras do Combate serão essas?", pensou ela, enquanto contemplava os dois combatentes, protegida pelo tronco da árvore. "Uma delas parece ser a de que, quando um cavaleiro acerta o outro, este terá de forçosamente cair do cavalo; já quando erra o golpe, ele é quem cai ao chão. Outra regra parece ser a de que ambos só se preocupem em bater, e não em se defender. Que barulho fazem ao cair do cavalo. Até parece o som de um conjunto de atiçadores de fogo caindo dentro da lareira! E como os cavalos são tranquilos! Deixam-se levar para aqui e para ali, como se fossem mesinhas de festa!"

Outra regra, e essa Alice parece não ter notado, era a de que eles só podiam cair de ponta-cabeça no chão. O combate terminou quando ambos acertaram simultaneamente seus golpes, caindo lado a lado e ao mesmo tempo. Logo em seguida, levantaram-se, apertaram-se as mãos, e o cavaleiro do Cavalo Preto montou e foi-se embora a galope.

— Gloriosa vitória, não foi? — perguntou o do Cavalo Branco, com voz arquejante.

— Não sei — respondeu Alice, ainda sem entender as regras do estranho combate. — Só sei que não quero ser prisioneira de quem que for; quero ser é rainha!

— Você será rainha, sim, tão logo cruze o próximo regato — disse o cavaleiro. — Vou levar você sã e salva até a extremidade do bosque. Ali chegando, regressarei, pois terei encerrado meu movimento.

— Agradeço-lhe muitíssimo por essa sua cortesia. Posso ajudá-lo com esse elmo?

Ele concordou com um meneio de cabeça, e não poderia ser outra sua atitude, pois seria trabalho perdido tentar tirar o elmo sem auxílio de alguém.

— Agora posso respirar melhor — disse ele, depois que Alice sacudira o elmo até retirá-lo de sua cabeça.

Ajeitando o cabelo revolto com os dedos, ele voltou para a menina um rosto gentil, encarando-a com seus olhos suaves. Até então, ela jamais tinha visto um soldado de aparência tão estranha como a daquele cavaleiro. Sua armadura de latão parecia cair-lhe muito mal, e, além do mais, ele trazia um caixote pendendo dos ombros, virado de borco e sem tampa, que logo atraiu a curiosidade de Alice.

— Vejo que você está admirando meu caixotinho — comentou o cavaleiro em tom amistoso. — Fui eu que inventei essa maneira de guardar minhas roupas e meus sanduíches. Trago-o de cabeça para baixo, para que não caia chuva dentro dele.

— Em compensação, seus pertences já caíram todos por aí. Não viu que a tampa estava aberta?

— Não, não vi — respondeu ele, um tanto avexado — Ai, ai, ai onde será que caíram? Sem meus pertences dentro, o caixote não tem a menor serventia...

Dizendo isso, soltou o caixote das correias que o prendiam, e já se preparava para jogá-lo fora, entre os arbustos, quando lhe ocorreu uma súbita ideia, e ele preferiu pendurá-lo cuidadosamente nos galhos de uma árvore, enquanto perguntava:

— Pode imaginar por que estou fazendo isto?

Alice fez que não com a cabeça.

— Espero que algumas abelhas queiram usá-lo como colmeia. Desse modo, poderei recolher mel.

— Mas você já tem uma colmeia, ou coisa parecida, pendurada em sua sela — redarguiu Alice.

— É verdade. Uma ótima colmeia — concordou ele, embora em tom desapontado. — Uma colmeia de primeira. Acontece que nem um única abelinha, umazinha só que fosse, entrou nela até agora. Outra coisa que trago é uma ratoeira. Acho que os ratos afugentam as abelhas, ou são elas que afugentam os ratos... não sei bem como é que é...

— Não vejo qual pode ser a utilidade de uma ratoeira presa numa sela. Não me parece razoável que um rato fique passeando sobre o dorso de um cavalo.

— Talvez não seja de fato razoável, mas, se acontecer de aparecer um ratinho, eu não gostaria de vê-lo passeando por ai à vontade.

Depois de uma pausa, o cavaleiro prosseguiu:

— Como você pode ver, é bom estar prevenido para qualquer coisa que aconteça. É por isso que o protejo meu cavalo com tantas tornozeleiras.

— É verdade. Eu já havia notado. E para que servem?

— Para proteger o animal contra as mordidas de tubarões. Fui eu que inventei. Agora, trate de me ajudar, que vou acompanhá-lo até a extremidade do bosque. E essa travessa aí, para que serve?

— Para pôr um bolo de ameixa em cima dela.

— Então, é bom levá-lo conosco. Se encontrarmos um bolo de ameixa pelo caminho, já temos onde pô-lo. Ajude-me a enfiá-la neste saco.

Embora Alice mantivesse bem aberta a boca do saco, foi com grande dificuldade que o cavaleiro conseguiu guardar a travessa ali dentro, de tão desajeitado que ele era. Nas duas primeiras tentativas, ele é que acabou se enfiando dentro do saco, deixando a travessa do lado de fora. Finalmente, conseguiu enfiá-lo, comentando:

— Viu? Foi a conta! É que o saco está cheio de castiçais.

Em seguida, pendurou o saco na sela, que já estava cheia de molhos de cenoura, atiçadores de fogo e mais uma porção de coisas.

— Você pretende manter seus cabelos bem penteados? — perguntou ele.

— Como de costume — respondeu Alice, sorrindo ante a estranha pergunta.

— Vai encontrar dificuldade — disse ele, aparentando nervosismo. — O vento aqui é muito forte. Mais forte que café forte.

— Garanto que você inventou um modo de manter o cabelo penteado.

— Ainda não. Por enquanto, só inventei um modo de impedi-lo de cair.

— Deve ser interessante! Como é?

— Primeiro, — disse ele, com ar grave — pegue uma vareta bem reta. Depois, enrole nela seu cabelo, como se ele fosse uma trepadeira. Por que cai o cabelo? Porque ele fica pendendo para baixo. Se ficar voltado para cima, não poderá cair, correto? Nada cai para cima. Fui eu que inventei. Se gostou, faça bom proveito.

Não parecia muito confortável, pensou Alice, continuando a andar sem dizer palavra, enquanto ruminava aquela ideia. De tempos em tempos, via-se obrigada a parar, a fim de ajudar o desastrado cavaleiro a voltar à sela.

Com efeito, cada vez que o cavalo estacava (coisa que ele parecia ter um prazer especial em fazer), o cavaleiro caía para a frente, e cada vez que ele recomeçava a trotar (coisa que ele sempre fazia repentinamente), o cavaleiro caía para trás. Fora essas duas circunstâncias, ele até que cavalgava bem, a não ser nos momentos em que caía para os lados — e, invariavelmente, para o lado onde se achava Alice, que logo viu não ser prudente caminhar muito próximo do cavalo.

— Parece que você não tem muita prática de cavalgar — comentou ela, ajudando-o a se levantar de seu quinto tombo.

O cavaleiro ficou surpreso ante aquele comentário, assumindo um ar ofendido.

— Por que você está dizendo isso? — disse ele, já sentado na sela, segurando o cabelo de Alice para não cair do lado oposto.

— Porque as pessoas que têm prática de cavalgar não caem tanto quanto você cai.

— Pois saiba que tenho muita prática! Muita, mesmo!

Não ocorreu outro comentário a Alice senão "É mesmo?", que ela tentou dizer sem demonstrar ironia.

Prosseguiram para a frente em silêncio; ele, de olhos cerrados, resmungando baixinho; ela, atenta ao momento em que teria de mais uma vez ajudá-lo a se levantar.

— A nobre arte do hipismo — disse ele subitamente, em voz alta, dedo em riste, — consiste em manter...

A sentença foi interrompida tão subitamente como tinha sido iniciada, pois o cavaleiro acabava de cair de ponta-cabeça bem ao lado de Alice. Dessa vez, a queda parecia ter sido séria, e a menina voltou-se para ele com ansiedade, perguntando:

— Será que quebrou algum osso?

— Nenhum que mereça menção — respondeu ele tranquilamente, como se pouco lhe importasse quebrar apenas um ou dois ossinhos. — Mas, como eu estava dizendo, a nobre arte do hipismo consiste em manter o equilíbrio, e bem mantido! Observe como é que faço.

E, para exibir sua destreza, soltou as rédeas e ergueu as mãos, deslizando logo em seguida pelas ancas do cavalo e vindo ao chão de ponta-cabeça. Enquanto Alice tentava ajudá-lo a se levantar, ele continuava a falar:

— Tenho muita prática! Muita, mesmo!

— Pare de falar asneira! — gritou Alice, perdendo de vez a paciência. — Você devia cavalgar era naqueles cavalos de pau com rodinhas nos pés!

— Não conheço! Será que trotam sem socar? — perguntou o cavaleiro, demonstrando extrema curiosidade, e abraçando-se ao pescoço do cavalo, para evitar mais uma queda.

— Cavalgam mais suavemente que qualquer outro cavalo que você conheça — disse Alice, dessa vez sem conter uma risadinha.

— Vou comprar um! Ou, quem sabe, dois ou mais...

Depois de nova pausa, voltou o cavaleiro a dizer:

— Sou danado para inventar coisas. Creio que você deve ter observado, da última vez que me ajudou a levantar, como eu estava com um ar meio pensativo.

— De fato, você estava com cara séria.

— É que, naquele exato instante, eu estava arquitetando um novo modo de transpor um portão. Quer saber como é?

— E como quero!

— Então vou contar-lhe o que me veio à mente. Pensei nesse assunto e disse para mim mesmo: a única dificuldade é passar os pés, porque a cabeça é alta o suficiente. Então imaginei o seguinte: a gente bota a cabeça acima do portão; em seguida, planta uma bananeira, e aí os pés ficam mais altos que a cabeça, e portanto mais altos que o portão; resta apenas transpor o portão, e então estamos do lado de dentro, sem problemas.

— Realmente, parece que dá certo, mas deve ser um pouquinho difícil, não?

— Hmm... ainda não experimentei — disse o cavaleiro, com ar pensativo, — de maneira que não posso garantir que dê certo, mas acredito que exija algum trabalho...

A possibilidade de que seu plano não funcionasse deixou-o tão desapontado, que Alice preferiu mudar de assunto:

— Esse seu elmo é muito interessante! Foi você mesmo que o inventou?

O cavaleiro contemplou orgulhosamente o elmo que pendia da sela e disse:

— Sim, fui eu, mas já inventei um outro ainda melhor do que este aqui. Tem o formato de um cone comprido. Das vezes em que o usei, sempre que caí, cheguei ao chão mais rápido que com este elmo. É que a distância até o chão diminui, como você bem pode imaginar. O único problema era que eu podia cair dentro dele — isso aconteceu uma vez — e, antes que eu conseguisse sair, chegou o cavaleiro do Cavalo Branco, e o pôs na cabeça! Ele achou que aquele elmo era o dele...

O infeliz dizia aquilo com tanta seriedade, que Alice não se atreveu a rir. Apenas comentou, embora com voz entrecortada pela vontade de soltar uma risada:

— Será que ele não se machucou, quando sua cabeça se chocou com a dele?

— Eu não estava de cabeça para baixo. O que fiz foi aplicar-lhe um bom pontapé. Ele logo tirou o elmo, sem entender o que estava acontecendo. E eu saí de lá de dentro, mas levei algumas horas, mesmo sendo rápido como um relâmpago, conforme você já teve a oportunidade de ver.

— Sua rapidez é de uma espécie diferente das demais — comentou Alice.

— Ah, sim, eu tenho várias espécies de rapidez — concordou o cavaleiro, balançando a cabeça para a frente e para trás. — Isso eu posso garantir!

Ao erguer a mão para gesticular, perdeu o equilíbrio e veio ao chão, afundando de ponta-cabeça dentro de um buraco.

Alice acorreu para ajudá-lo, preocupada com seu estado, pois dessa vez a queda fora um pouco mais violenta que as outras. Todavia, embora ela apenas avistasse a sola de suas botas, logo notou que ele não tinha sofrido ferimentos sérios, pois escutou sua voz, saindo do fundo do buraco, dizendo:

— Sim, menina, várias espécies de rapidez! Infelizmente, ele acabou pondo na cabeça um elmo que tinha dentro dele um cavaleiro — eu. Foi um enorme descuido de sua parte.

— Como é que você pode continuar falando, como se nada houvesse acontecido, enfiado de ponta-cabeça aí nesse buraco? — perguntou Alice, esforçando-se para puxá-lo pelos pés.

Por fim, conseguiu tirá-lo dali, colocando-o sentado em cima de um montículo de terra. O cavaleiro olhou para ela, aparentando um resto de surpresa pela pergunta que ela acabara de lhe formular.

— Que me importa se estou de cabeça para baixo ou não, enfiado num buraco ou não? Minha mente continua funcionando do mesmo jeito. Na realidade, quanto mais de cabeça para baixo estou, mais coisas eu invento!

Depois de pequena pausa, ele prosseguiu:

— Minha invenção mais inteligente foi a receita de um novo tipo de pudim. Ela me ocorreu durante um almoço.

— Deu tempo de prepará-lo para o jantar? Daria, se fosse uma receita rápida.

— Para o jantar? Não, não daria tempo. Não para o próximo jantar.

— Então, quem sabe daria para fazer no dia seguinte? Se fosse gostoso, você poderia comer pudim depois do almoço e depois do jantar.

— Para o dia seguinte? Não, não daria tempo...

Sua voz foi ficando mais e mais baixa, e Alice quase não conseguiu compreender suas palavras seguintes:

— Na verdade, não acredito que esse pudim já tenha sido feito alguma vez, até hoje...Provavelmente, *jamais* será feito...Mas que seria um pudim excelente, ah, isso seria!

— Seria um pudim de quê? — perguntou Alice, tentando fazer com que o cavaleiro saísse de seu abatimento.

— De papel mata-borrão, para começar — respondeu ele, com um gemido.

— Receio que o sabor não fosse lá dos melhores...

— Não seria, se o pudim fosse apenas de papel mata-borrão. — interrompeu o cavaleiro. — Mas você não faz ideia de como essa substância fica saborosa, desde que misturada a outros ingredientes como pólvora e lacre! Mas basta, porque é hora de nos separarmos.

Tinham chegado à extremidade do bosque. Alice parecia não se ter dado conta desse fato, tão aturdida ficara com a receita do pudim.

— Você está tristonha — disse o cavaleiro, em tom ansioso. — Vou cantar-lhe uma canção, para reconfortá-la.

— É muito comprida? — perguntou a menina, já farta de tanto escutar poesias durante aquele dia.

— Comprida, é — respondeu ele, — mas é muito, muito bonita. Todos que já me escutaram cantá-la, ou ficam com lágrimas nos olhos, ou...

— Ou, o quê? — perguntou Alice, já que ele não havia completado a frase:

— ... ou não ficam! O nome da canção é "*Olhinhos de bacalhau.*"

— Oh, sim? Que interessante! — comentou Alice, tentando demonstrar curiosidade.

— Não, você não entendeu — retrucou o cavaleiro, revelando ligeira irritação. — É por esse nome que a conhecem, mas o nome verdadeiro é outro: é "*O velho muito velho.*"

Ah, entendi agora. A canção tem um título, mas todos a conhecem por um apelido.

— Não foi isso que eu disse. Apelido é outra coisa. O apelido dessa canção é "*Meios e modos*".

— Está bem, está bem. Vamos à canção, então, qualquer que seja o seu nome.

— Já que serve qualquer um, podemos chamá-la de "*Sentado junto ao portão*". A letra e a música são de minha autoria.

Dizendo isso, parou o cavalo, soltou o arreio e começou a marcar o compasso com uma das mãos, enquanto um sorriso discreto aflorava em seus lábios, demonstrando a satisfação que lhe ocorria quando tinha a oportunidade de mostrar sua canção para alguém.

De todas as estranhas coisas que Alice presenciou em sua jornada do lado de dentro do espelho, foi esta que ela recordou mais nitidamente, mesmo muitos anos depois. Bastava pensar nela, e toda a cena reapareceria em sua mente, como se aquilo houvesse acontecido na véspera: o cavaleiro de olhos azuis claros, sorrindo gentilmente, enquanto o sol rebrilhava através de seus cabelos, refletindo-se em chispas no latão da armadura e quase cegando a menina, quando lhe dardejava nos olhos; o cavalo pastando tranquilamente, rédeas pendentes do pescoço, tendo atrás de si as sombras do bosque — tudo isso ela arquivou em sua mente, como se fosse um quadro. Naquele momento, Alice apoiou-se no tronco de uma árvore, pondo sobre os olhos e mão em pala, para poder melhor observar a estranha dupla, e escutar, como num meio sonho, a canção lenta e melancólica. Logo às primeiros notas, ela estranhou alguma coisa, mas preferiu nada dizer, limitando-se a pensar: "Desde quando essa música é de autoria dele? Conheço-a muito bem: é *Dei-lhe tudo o que eu podia dar...*"

Mesmo assim, prestou atenção à letra, sem que lágrima alguma lhe aflorasse aos olhos:

Vou contar-lhes o que sei.
Será curta a narração.
Um velhinho eu encontrei
Sentado junto a um portão.
"Quem és tu?", eu perguntei,
"E vives de que maneira?"
Sua resposta eu guardei
Como água em uma peneira.

Eis o que ele respondeu:
"Borboletas eu procuro,
Com um jeito todo meu,
Por entre o trigal maduro.
Com elas, faço uma torta
E as divido em dez quadrados,
Que vendo de porta em porta
Para ganhar uns trocados.

Perguntei se ele queria
Acaso experimentar
Uma tinta que tingia
As barbas de verde mar;
Se não gostasse do tom,
Ele poderia usar
Um leque: seria bom
Para as barbas ocultar.

Ele recusou, sorrindo,
Já que barbas não possuía.
"Uso bigode, e ele é lindo,
Pois rebrilha à luz do dia;
Se acaso eu quiser tingi-lo,
De verde mar não será;
Talvez seja verde grilo,
Pois cor mais bela não há."

"Deixa de papo furado!",
Eu lhe disse, sem rodeios;
"Tu és bem alimentado?
Como fazer? Quais os meios?
Não há de ser procurando
Borboletas nos trigais!
Anda, velho, vai contando,
Ou não falarás jamais!"

Respondeu: "Eu também caço
Olhinhos de bacalhau,
Porque com eles faço
Botões e lentes de grau.
Depois de prontos, eu vendo
A quem os queira comprar;
Cobro barato, sabendo
Que bem pouco irei lucrar."

"Às vezes, cavo bolinhos,
Ou vou colher caranguejos;
Limpo os galhos de seus ninhos,
Vendo sonhos e desejos...
Foram os modos que achei"
(Piscou) "de ganhar meu pão.
Muito alegre eu beberei
Ao teu nobre coração".

Enquanto ele revelava
Tão importantes segredos,
Um plano eu imaginava
De eliminar os seus medos:
Bastava secar as fontes,
Apagar a luz do dia
E limpar todas as pontes
Da ferrugem que as cobria.

E se porventura eu sento
Em cima do cola tudo,
E um cão feroz eu enfrento,
Sem ter espada ou escudo,
Eu choro por me lembrar
Do velho que fui achar
Em tão distante lugar,
Com suavidade no olhar,
Jeito manso de falar,
Cara de lobo do mar
Cheio de mágoas e pesar.
Seus olhos, como um tição,
Rebrilhando de emoção,
Provocavam sensação
De uma cálida paixão.
Como vou esquecer a visão,
Numa noite de verão,
Quando avistei o ancião
Sentado junto a um portão?

Depois de cantar as últimas palavras da balada, ele recolheu as rédeas e puxou a cabeça do animal, dirigindo-o para a estrada, em sentido contrário ao que até então tinha seguido.

— Basta seguir em frente — disse, — descer a colina, atravessar o regato, e então você será uma Rainha. Mas, antes disso, se não for incômodo, poderia ficar até me ver desaparecer ao longe?

Apontou para o lugar onde seria visto pela última vez. Alice olhou para lá, imaginando o quanto ainda teria de esperar. Ele então prosseguiu, dizendo:

— Não vai demorar. Fique aqui esperando, e acene seu lenço quando eu alcançar aquela curva. Isso haverá de me dar coragem!

— Claro que farei isso que você me pede. Agradeço-lhe muito pela companhia e pela cantiga. Gostei demais!

— Pode ser que tenha gostado... Só que não chorou, como achei que iria fazer...

Depois de um aperto de mãos, o cavaleiro iniciou vagarosamente seu caminho de volta. "Não demora a levar um tombo!", pensou Alice. Não demorou, e pimba! "Olha lá...não falei? E de ponta-cabeça, como de hábito! Ah, mas desta vez ele se levantou bem depressa! Também com tanta coisa pendurada na sela, deu para segurar numa e noutra e erguer o corpo..."

E ali ficou ela, conversando conversando consigo prória e observando o cavalo, que trotava orgulhoso pela estrada afora, parando apenas nos momentos em que o cavaleiro levava um de seus seguidos tombos. Depois de cair quatro ou cinco vezes, ele finalmente alcançou a curva da estrada. Conforme o combinado, Alice ficou acenando com seu lenço, até que ele desapareceu.

"Espero tê-lo encorajado", pensou ela, voltando-se para descer a colina. "Agora, vamos lá. Basta saltar um regato, e por fim serei uma Rainha! Isso até soa com pompa!"

Uns poucos passos à frente, e ei-la diante do regato.

— Enfim, a Oitava Casa! — exclamou Alice, saltando o regato...

... e caindo deitada na relva da margem oposta, que era suave como um musgo. Aqui e ali, tufos de flores matizavam o verde de lindas cores. "Oh, como estou feliz por ter chegado aqui! Mas... que é isso em minha cabeça?", assustou-se a menina, apalpando algo sólido e pesado que lhe apertava as têmporas. "Como pode isso ter aparecido em cima de minha cabeça, sem que eu sequer notasse?", pensou, arrancando o objeto e colocando-o em seu regaço, a fim de ver do que se tratava.

Era uma coroa de ouro.

CAPÍTULO 9

A Rainha Alice

— Mas isso é fantástico! — exclamou Alice. — Nunca imaginei tornar-me uma Rainha tão cedo!

Como gostava de passar sabão em si própria, mudou de voz, fazendo-a soar mais solene, e continuou:

— Vou falar-lhe, Majestade, sobre as inconveniências de ser Rainha. Uma delas é que não fica bem espojar-se na grama, assim como Vossa Majestade está fazendo agora. Rainhas têm de ser muito recatadas, fique sabendo.

Dito isso, levantou-se e passou a caminhar toda empertigada, com receio de que a coroa caísse. Confortava-a pensar que ninguém a estava vendo. "Se eu for de fato uma Rainha", pensou, sentando-se novamente no chão, "aprenderei rapidamente a equilibrar esta coroa."

Tudo estava acontecendo de maneira tão estranha, que ela não sentiu a menor surpresa ao encontrar a Rainha Preta e a Rainha Branca sentadas junto dela, uma de cada lado. Bem que ela quis perguntar-lhe como tinham feito para chegar até ali, mas receou que não seria de bom tom fazer aquilo. Todavia, pensou, não deveria haver ofensa em apenas perguntar se a partida já havia terminado. Assim, com voz tímida, voltou-se para a Rainha Preta e disse:

— Eu queria pedir o obséquio de...

— Fale apenas quando lhe dirigirem a palavra! — interrompeu a Rainha abruptamente.

— Se essa regra for obedecida por todos — replicou Alice, sempre disposta a travar uma pequena discussão, — ninguém poderá falar, pois a pessoa sempre estará à espera de que outra lhe dirija a palavra primeiro.

— Ridículo! — gritou a Rainha. — Ora, menina, então você não vê...

Sem mais nem menos, a Rainha Preta parou de falar, ficou pensativa durante um minuto, e subitamente mudou de assunto, dizendo:

— Quando você pensou em voz alta: "Se eu for de fato uma Rainha", que quis dizer com isso? Que direito tem de se proclamar Rainha? Para ter direito a esse título, como você sabe, é preciso passar por um exame. Vamos a ele, pois, quanto mais rapidamente começarmos, mais depressa terminaremos.

— Mas eu apenas disse "Se eu for", e não "Eu já sou" — protestou Alice, em tom queixoso.

As duas Rainhas se entreolharem, e então a Rainha Preta, aparentando um ligeiro sobressalto, observou:

— Ela disse que ela apenas disse que se ela fosse!

— Mas ela não disse apenas isso — retrucou a Rainha Branca, torcendo as mãos. — Ela disse muito mais do que apenas isso.

— Isso que ela disse é verdade — observou a Rainha Preta, voltando-se para Alice. — Diga sempre a verdade; por isso, pense antes de falar, e depois anote o que falou.

— Estou certa de que eu não quis dizer o que dizem que eu disse...

Antes de terminar a frase, a Rainha Preta interrompeu-a impacientemente:

— É disso mesmo que estou reclamando! Você devia ter querido dizer o que disse! De que serve uma menina que diz o que não quer dizer? Se for assim, ficará sempre o dito pelo não dito, como se fosse uma piada qualquer, que acabe com um dito que bem poderia não ser dito. E uma menina, creio eu, é mais importante que uma piada. Isso você não poderá negar, mesmo que o tente com ambas as mãos.

— Mas eu não nego com as mãos — protestou Alice.

— Eu não disse que você faz isso — replicou a Rainha Preta. — Eu disse que você não poderia fazer isso, mesmo tentando.

— Ela está naquele estado de espírito negativo — disse a Rainha Branca, — das pessoas que têm necessidade de negar, mesmo sem saber o que estão negando!

— Tem uma índole viciosa e detestável — arrematou a Rainha Preta.

Seguiu-se um silêncio constrangedor, que durou um ou dois minutos, em seguida quebrado pela Rainha Branca, que se dirigiu à Rainha Preta, dizendo:

— Convido-a para o banquete que será realizado hoje à tarde, em homenagem a Alice.

A Rainha Branca sorriu discretamente e disse:

— E eu faço-lhe o mesmo convite.

— Não sabia que seria realizada uma festa para mim — comentou Alice. — Já que será assim, acho que quem deveria fazer os convites seria eu, não é?

— Você terá essa oportunidade — disse a Rainha Preta, — mas tenho a impressão de que ainda não recebeu muitas aulas de boas maneiras.

— Boas maneias não são aprendidas em aulas — replicou Alice. — Nas aulas, aprendemos a fazer contas, e outras coisas semelhantes.

— Sabe somar? — perguntou a Rainha Branca. — Então diga-me; qual é o resultado de um-mais-um-mais-um-mais-um-mais-um-mais-um-mais-um-mais -um-mais-um?

— Ah, não sei... perdi a conta!

— Ela não sabe a Adição — disse a Rainha Preta. — Vejamos Subtração: Quem de oito tira nove, quanto fica?

— Tirar nove de oito não dá — respondeu Alice — mas se a pessoa disser...

— Também não sabe Subtração — disse a Rainha Branca. — Sabe Divisão? Quanto dá um pão divido por uma faca?

— Bem, eu imagino que...

— Dá uma fatia, naturalmente — intrometeu-se a Rainha preta, — e, provavelmente, com manteiga no resultado final. Vou dar um outra oportunidade de fazer uma subtração: tirando um osso da boca de um cão, o que sobra?

— Bem — disse Alice, tentando raciocinar, — o que sobra, pelo menos para mim, já que fui eu quem tirou o osso, deve ser uma boa mordida...

— Só isso que sobra? — perguntou a Rainha Preta.

— Acho que uma mordida é o bastante...

— Resposta errada, como sempre — disse a Rainha Preta. — Sobra a sua burrice.

— Como assim? — perguntou Alice, ofendida.

— Quem tira o osso da boca de um cachorro tem burrice de sobra — é ou não é?

— Acontece que eu não tirei osso algum da boca de um cachorro! Nossa conversa não passa de um absurdo!

— Ela não sabe fazer contas! — exclamaram as duas Rainhas ao mesmo tempo, em tom triunfante.

— E você sabe? — voltou-se Alice para a Rainha Branca, começando a ficar aborrecida com as críticas que não parava de receber.

A Rainha bocejou, olhou para cima e disse com displicência:

— Sei somar, desde que você me dê tempo de fazer a conta. Mas subtrair, não. Não subtraio em hipótese alguma!

— Naturalmente você conhece o alfabeto — disse a Rainha Preta, dirigindo-se a Alice.

— Não tenha dúvida — respondeu a menina.

— Eu também sei! — exclamou a Rainha Branca. — Qualquer dia destes, vamos recitá-lo em conjunto, queridinha. A propósito, vou contar-lhe um segredo: eu sei ler palavras compostas de uma letra só! Não é fantástico? Não precisa sentir-se humilhada; com o tempo, você também aprenderá!

Voltou à carga a Rainha Preta, perguntando:

— Vamos ver se você entende de Economia Doméstica: como se faz pão?

— Isso eu sei! — exclamou a Rainha Branca. — Toma-se farinha de trigo...

— Toma-se de quem? — interrompeu a Rainha.

— É modo de dizer. Pega-se a farinha de trigo...

— Onde fica o trigal? — perguntou a Rainha Branca.

— Não! Não se colhe o trigo! Você já compra a farinha pronta!

— Eu não compro! Não sou eu quem vai fazer o pão! Compre você, ora... — protestou a Rainha Branca.

— Coitada, está com a cabeça quente de tanto pensar! — disse a Rainha Preta. — Vamos abaná-la com um leque.

Na falta de um leque, as duas Rainhas abanaram a Alice com ramos de folhas, fazendo tanto vento, que seu penteado até desmanchou.

— Ela está voltando a si — disse a Rainha Preta. — Voltou. Sabe Línguas? Então diga-me: como se diz em francês "firinfinfim"?

— "Firinfinfim" é um som, não é uma palavra! — replicou Alice.

— Não foi isso que eu perguntei — retrucou a Rainha Preta.

— Se me disser qual é a palavra de nossa língua que corresponde a "firinfinfim", direi como é que se diz isso em francês — rebateu Alice, triunfante.

Mas a Rainha Preta, erguendo-se empertigada, desfechou:

— Que negócio é esse de "se me disser"? Rainhas não gostam de imposições!

"Mas gostam de fazer perguntas cretinas", pensou Alice.

— Nada de discussões! — ponderou a Rainha Branca. — Os relâmpagos são produzidos por quê?

— Os relâmpagos são produzidos pelos trovões — respondeu Alice prontamente, arrependendo-se em seguida do que dissera e tentando corrigir-se: — Oh, não! Enganei-me! É o contrário disso!

— Tarde demais para corrigir-se — disse a Rainha Preta. — Palavra de rei não volta atrás; de rainha, então, aí é que não volta mesmo! Falou, está falado: aguente as consequências.

— Isso me faz lembrar de uma coisa — disse a Rainha Branca nervosamente, torcendo as mãos sem parar: — que tempestade tivemos recentemente, não foi? Caiu naquela semana de terças-feiras.

— Como? — estranhou Alice. — Que semana é essa? Em minha terra, cada semana só tem uma terça-feira!

— Isso é que é pobreza! — comentou a Rainha Preta. — Aqui não é assim. Os dias repetem-se duas ou três vezes por semana, e não temos essa monotonia de dia e noite, dia e noite: às vezes seguem-se dois ou três dias, duas ou três noites. No inverno, costuma acontecer de se sucederem cinco noites seguidinhas! É para esquentar o tempo.

— Se uma noite já não esquenta — replicou Alice, — cinco é que não poderão esquentar!

— Cinco noites seguidas são cinco vezes mais quentes que uma noite só! — retrucou a Rainha Preta.

— Por que não cinco vezes mais frias?

— É isso aí! — exclamou a Rainha Preta. — Cinco vezes mais frias e cinco vezes mais quentes, assim como eu sou cinco vezes mais rica do que você, ao mesmo tempo em que sou cinco vezes mais inteligente.

Alice suspirou e desistiu de prosseguir com aquela discussão sem sentido. "Exatamente como uma charada que não tem resposta", pensou.

— Osvaldo Oval também viu — murmurou a Rainha Branca, como se estivesse falando sozinha. — Ele foi até a porta, levando um saca-rolhas na mão, e...

— Que é que ele queria? — perguntou a Rainha Preta.

— Disse que queria entrar, e que estava procurando um hipopótamo. Naquela manhã, porém, não havia sequer um deles na casa...

— E costuma haver? — perguntou Alice, espantadíssima.

— Apenas às quintas-feiras.

— Sei por que razão Osvaldo Oval foi até lá. Ele queria castigar os peixes, porque...

— Foi um tempestade tão forte — disse a Rainha Branca, mudando de assunto bruscamente, — que você nem pode imaginar!

— Ela não pode imaginar nem mesmo como seria uma tempestade fraquinha — comentou a Rainha Preta.

— Parte do teto desabou, deixando entrar na casa uma porção de trovões, que começaram a rolar pelo chão, embolando-se uns nos outros, trombando em mesas e móveis, uma coisa horrorosa! Fiquei tão assustada, que não pude me lembrar de qual era meu próprio nome!

"Eu jamais tentaria lembrar meu nome numa hora dessas!", pensou Alice. "Para quê?" — mas preferiu nada dizer, pois não queria ferir os sentimentos da pobre Rainha.

— Queria sua Majestade desculpá-la — disse a Rainha Preta a Alice, enquanto segurava e afagava uma das mãos da Rainha Branca. — Ela até que regula bem, mas não consegue refrear a vontade de dizer umas asneiras de vez em quando.

A Rainha Branca olhou timidamente para Alice, que se sentiu na obrigação de dizer alguma coisa naquele momento, mas como, se nada lhe ocorreu?

— De fato, ela não chegou a receber uma educação refinada — prosseguiu a Rainha Preta, — mas possui um temperamento espantosamente afável e gentil. Dê-lhe uns tapinhas na cabeça, e verá como ela fica satisfeita!

Alice não se atreveu a fazer o que a outra lhe sugeria.

— Trate-a com um pouco de cortesia, enrole papelotes em seu cabelo, e conseguirá maravilhas como ela.

Nesse momento, a Rainha Branca suspirou fundo e apoiou a cabeça no ombro de Alice, dizendo num gemido:

— Oh, como estou com sono!

— Coitadinha dela! Está cansadíssima! — disse a Rainha Preta. — Faça-lhe um carinho na cabeça, empreste-lhe sua touca e cante-lhe uma canção de ninar bem repousante, vamos!

— Não estou com minha touca — disse Alice, alisando a cabeça da Rainha Branca, — e não sei cantar canções de ninar.

— O jeito é cantar eu mesma — suspirou a Rainha Preta, começando logo em seguida:

Dorme, Rainha, no colo de Alice;
Seria muito bom se ela dormisse;
Na hora em que o banquete for servido,
Só poderá comer quem tiver dormindo.

— E agora que você já sabe a letra da canção — acrescentou a Rainha, apoiando a cabeça no ombro de Alice, — cante-a para mim. Também estou morrendo de sono.

Não demorou, e ambas as Rainhas dormiam a sono solto, emitindo altos roncos.

— E eu, como é que fico? — perguntou-se Alice, olhando para os lados com perplexidade, enquanto as duas cabeças reais, uma de cada vez, rolavam sobre seus ombros, caindo pesadamente em seu regaço. — Não creio que jamais tenha acontecido algo igual: alguém ter de cuidar de duas rainhas sonolentas, ao mesmo tempo! Pelo menos, não aqui na Inglaterra, já que só pode existir uma rainha de cada vez. Nossa História jamais registrou a existência de duas simultâneas. Vamos lá, suas pesadonas, tratem de acordar!

Não houve resposta, a não ser os roncos das duas Rainhas, soando como uma música a duas vozes. Por fim, Alice começou a divertir-se, inventando uma letra para aquela música, e tão distraída ficou com esse passatempo, que nem notou quando as duas cabeças desapareceram, como se tivesse evaporado. Súbito, a menina viu-se diante de um portal em arco, encimado pelas palavras "RAINHA ALICE" em letras garrafais. De cada lado do portal havia uma campainha e uma tabuleta. Numa estava escrito "*Campainha dos Visitantes*"; na outra, "*Campainha dos Empregados*".

"Vou tocar a campainha", pensou Alice, mas logo foi assaltada por uma dúvida; "Qual delas devo tocar? Visitante, não sou; empregada, também não... Deveria haver uma campainha exclusiva para as rainhas..."

Neste momento, o portal se entreabriu. Uma criatura dotada de bico comprido pôs a cabeça para fora e disse:

— Proibida a entrada até a semana seguinte à próxima.

Sem mais, bateu o portão, sem dar tempo a Alice de perguntar qualquer coisa. A menina bateu na porta e tocou as campainhas, mas em vão. Por fim, uma velha Rã, que a tudo assistia sentada à sombra de uma árvore, levantou-se e veio mancando em sua direção. Calçava botas enormes e estava vestida com uma roupa amarela brilhante.

— Que é que você deseja? — perguntou a Rã, numa voz rouca e sussurrante.

— Onde está a empregada encarregada de atender à porta? — perguntou ela de cenho franzido.

— Que porta? — perguntou a Rã, com uma voz arrastada que mais aumentou a irritação de Alice.

— Ora... esta aqui, é claro!

A Rã ficou olhando para a porta durante um minuto, com olhos esbugalhados e ar idiota. Por fim, aproximando-se mais, passou o dedo na porta, como se estivesse querendo ver se a tinta sairia ou não. Então, voltando-se para Alice, perguntou:

— Que história é essa de atender a porta? Por acaso esta porta pediu alguma coisa?

— Não estou entendendo essa sua dúvida.

— Não entendeu as palavras, ou é surda? Quero saber o que foi que a porta lhe pediu!

— Não me pediu coisa alguma, ora! Estou batendo nela, isso sim.

— Pois não devia fazer isso...Não, não devia. Pode machucar a pobrezinha. Doerá menos se lhe der um chute — e a Rã aplicou um pontapé na porta. — Viu? É assim que se faz. Deixe-a em paz, que ela também haverá de deixá-la em paz.

Dito isso, voltou mancando para debaixo da árvore. Nesse momento, o portal escancarou-se, e de dentro se ouviu uma voz estridente, cantando:

Aos de dentro do espelho dirigiu-se Alice,
Mostrou-lhes a coroa, o cetro, e depois disse:
— Nós, a três rainhas que juntas aqui estamos,
Para um banquete, a todos vocês convidamos

Um coro de centenas de vozes então prosseguiu:

Vamos beber e comer! Abaixo a tristeza!
Esvaziem seus copos e limpem a mesa!
Encham de gatos e ratos os caldeirões
E ergam à Rainha trinta e três saudações!

Seguiu-se uma zoeira muito confusa, enquanto Alice dizia para si própria: "Trinta e três saudações...é muita coisa. Será que alguém irá contar uma por uma?" Nesse meio tempo, fez-se silêncio de novo, e a mesma voz estridente foi ouvida, cantando:

Criaturas do espelho, acerquem-se de mim!
Enxergar-me de perto é um deleite sem mim!
Que dizer de almoçar conosco e tomar chá?
Privilégio maior, certamente não há!

E o coro voltava a cantar:

Portanto, encham seus copos com melado e tinta,
E não bebam um só, mas quinze, vinte, trinta!
Misturem substâncias saudáveis e nocivas,
E ergam à Rainha Alice oitocentos vivas!

"Oitocentos vivas! Que exagero!", pensou Alice. "Não vai acabar nunca! Acho melhor ir até lá."

E lá se foi ela, provocando um silêncio de morte na hora em que apareceu diante dos convidados. Enquanto atravessava o salão, Alice examinou nervosamente a mesa e calculou em mais ou menos cinquenta o número de convidados. Eram de todo tipo: havia animais quadrúpedes, aves e até mesmo algumas flores. "Ainda bem que não tive de providenciar os convites", pensou ela, "pois não teria a menor ideia de quem deveria chamar".

Havia três cadeiras diante da cabeceira da mesa. Duas delas já estavam ocupadas, com a Rainha Branca e a Rainha Preta, mas a cadeira do meio estava vazia. Foi nela que Alice se sentou, um tanto constrangida com o silêncio e ansiosa para que alguém tomasse a palavra. Quem o fez foi a Rainha Preta, que lhe disse em voz baixa:

— Você perdeu a sopa e o peixe.

Em seguida, voltando-se para trás, ordenou:

— Tragam o pernil

Um dos garçons trouxe um enorme pernil e o colocou diante da Alice, que se sentiu embaraçada, sem saber como faria para trinchá-lo. De novo foi a Rainha Preta quem falou:

— Você me parece pouco à vontade, mas deixe estar: vou apresentar-lhe esse pernil. Alice, este aqui é o Pernil; Pernil, esta aqui é Alice.

O pernil levantou-se e se inclinou, num cumprimento. Alice retribuiu, sem saber se era o caso de ficar assustada ou achar graça. Então, tomando de um garfo e de uma faca, voltou-se para a Rainha Preta e disse:

— Aceita um pedaço de pernil?

— Claro que não — exclamou a outra. — Não é de bom tom cortar um pernil ao qual você foi apresentada! Garçom; leve embora esse prato!

Os garçons acorreram pressurosos, levando para dentro o pernil e deixando em seu lugar um enorme pudim de ameixas.

— Faça o favor de não me apresentar a esse pudim! — disse Alice prontamente. — Não quero ficar sem comer alguma coisa. Aceita um pedaço?

Mas a Rainha Preta fez que não ouviu, dizendo com voz irritada:

— Esta aqui é Alice, este aqui é o Pudim. Garçom: leve embora!

Dessa vez tudo aconteceu tão rapidamente, que Alice nem teve tempo de retribuir o cumprimento que o pudim lhe dirigiu. Mas por que seria permitido à Rainha Preta dar ordens, como se a festa fosse dela? Para experimentar o que iria acontecer, dessa vez foi ela quem ergueu a voz, ordenando:

— Garçom! Traga de volta o pudim!

Sem ver como, o pudim apareceu a sua frente, como num passe de mágica. Era tão grande, que a menina chegou a se assustar com seu tamanho, mas logo recobrou o controle e cortou uma fatia, oferecendo-a à Rainha Preta.

— Mas que impertinência! — protestou o Pudim. — Como é que você iria sentir-se, se eu cortasse uma fatia sua e a oferecesse a alguém?

Sua voz era fofa e melosa, e Alice ficou sem saber como replicar, achando melhor sentar-se e ficar olhando para o pudim, boquiaberta.

— Responda alguma coisa! — ordenou a Rainha Preta. — É ridículo deixar que um mero pudim fique com a última palavra.

— Sabe de uma coisa? — disse ela para a Rainha Preta, enquanto todos os convidados se calavam e ficavam olhando para ela, causando-lhe grande constrangimento. — Hoje, ouvi um nunca acabar de poesias, e notei uma coisa curiosa; todas elas tinham alguma coisa a ver com peixes. Por que será que as criaturas daqui gostam tanto de peixes?

— Já que tocou nesse assunto — respondeu a Rainha Preta, segredando em seu ouvido, — fique sabendo que a Rainha Branca conhece uma charada interessantíssima a propósito de peixes. É toda em versos. Quer escutá-la?

— Sua Majestade Preta foi muito gentil em mencionar esse fato — disse a Rainha Branca, segredando no outro ouvido de Alice, numa voz que lembrava arrulho de pomba. — Terei o maior prazer em lhe mostrar a charada. Quer ouvir?

— O prazer será meu.

A Rainha Branca abriu um sorriso largo e satisfeito, beliscou carinhosamente a bochecha de Alice e então recitou:

Primeiro, pesque-se o peixe.
Isso é fácil, um bebê pode fazer.
Depois, na vitrine o deixe:
É desse modo que o poderão vender.

Após, ao forno, e depressa.
Isso é fácil, pois ele já está aquecido.
Ponha-o depois na travessa:
É desse modo que ele será servido.

Pois sirva-se o peixe, então.
Isso é fácil, é só levá-lo até a mesa.
Destampe esse peixe, irmão!
Isso é difícil, não tenho tal destreza!

A tampa não quer abrir!
Puseram grude nela, e ela está colada!
Então, o que descobrir:
A travessa, ou a resposta da charada?

— Fique aí pensando durante um minuto, até achar a resposta — disse a Rainha Preta. — Nesse ínterim, beberemos à sua saúde. À saúde da Rainha Alice!

Todos os convidados ergueram suas taças e começaram a beber, alguns de maneira bem estranha: pondo a taça de borco sobre a cabeça, como se fossem abafadores de vela, tentando colher com a língua o líquido que lhes escorria pelas faces; outros, deitando a garrafa sobre a mesa, e esperando que a bebida

escorresse pelas bordas, aparando-a com a boca aberta; três deles, parecendo cangurus, enfiaram as caras nas travessa de carne de carneiro e começaram a lamber avidamente o molho, como se fossem porcos fuçando um cocho.

— E então — disse-lhe a Rainha Preta, — não vai agradecer? — Vamos lá, faça um discurso caprichado.

— Estamos prontas a ajudá-la no que for preciso — incentivou a Rainha Branca, enquanto Alice se levantava para agradecer a homenagem, sentindo-se um tanto intimidada.

— Obrigada pelo apoio — disse ela em voz baixa para a Rainha Branca, — mas não preciso de ajuda.

— Nada disso! — protestou a Rainha Preta. — Nem pense em dispensar nossa ajuda. Todo o mundo precisa de um empurrãozinho.

("E você precisava de ver os empurrõezinhos que as duas me deram", disse ela mais tarde, ao relatar sua história para a irmã. "Até parecia que queriam deixar-me achatada!")

De fato, era difícil para ela conservar-se em seu lugar enquanto discursava, porque as duas Rainhas a empurravam sem parar, cada uma de um lado, chegando quase a erguê-la no ar.

— Quero erguer um brinde a todos vocês — dizia ela, erguendo não um brinde, mas ela própria, empurrada pelas duas Rainhas, obrigando-a segurar a borda da mesa para manter-se numa altura conveniente.

— Cuidado! — gritou de repente a Rainha Branca, segurando os cabelos de Alice com ambas as mãos. — Alguma coisa estranha está para acontecer!

E aconteceu mesmo, conforme contou Alice mais tarde. De repente, coisas estranhíssimas começaram a se suceder: as velas espicharam, chegando até o teto, deixando a sala com o aspecto de um estranho canavial, com a parte de cima em chamas. Já quanto às garrafas, cada qual prendeu um par de bandejas em si mesma, como se fossem asas, e um par de garfos, como se fossem de pernas e, depois de dar uma corridinha, pôs-se a voar entre as velas enormes, lembrando uma revoada de pássaros de vidro, conforme Alice teve tempo de pensar, em meio à tremenda confusão reinante.

Nesse instante, ela escutou um riso rouco, vindo do lado onde estava a Rainha Branca. Olhou para ver por que ela estaria rindo daquele modo estranho, mas, em vez de vê-la, avistou foi um pernil de carneiro sentado na cadeira.

— Estou aqui! — gritou uma voz, vinda da terrina de sopa.

Alice olhou, a tempo de ver desaparecer dentro da sopa o rosto sorridente da Rainha Branca.

Não havia um momento a perder. Diversos hóspedes já tinham sido engolidos pelas terrinas e travessas, enquanto uma enorme concha passava de cadeira em cadeira, aproximando-se da que Alice ocupava e fazendo-lhe sinais impacientes para que saísse dali o mais rápido que pudesse.

— Chega! — gritou Alice. — Não aguento mais!

E, para dar um basta à confusão, segurou a toalha com ambas as mãos, deu um puxão e, no instante seguinte, pratos, bandejas, travessas, talheres, convidados e castiçais caíam no chão, espatifando-se de modo barulhento.

— E quanto a você... — disse ela ameaçadoramente para a Rainha Preta, a quem considerava a causa de toda aquela confusão — mas...onde está você?

A Rainha Preta não estava mais a seu lado. Tinha sido reduzida ao tamanho de uma bonequinha, e agora corria alegremente em cima da mesa, perseguindo seu xale, que rastejava velozmente, sem se deixar agarrar. Fosse outra ocasião, e Alice ficaria boquiaberta ante aquela casa inusitada. Naquele momento, porém, achou tudo aquilo muito natural, voltando a repetir ameaçadoramente:

— Quanto a você — e agarrou-a no exato momento em que ela saltava sobre uma garrafa que estava deitada sobre a mesa, — vou sacudi-la, até que se transforme numa gatinha!

CAPÍTULO 10

Sacudindo

Agarrando a Rainha com ambas as mãos, começou a sacudi-la com força, para a frente e para trás. A Rainha não opôs resistência alguma, mas seu rosto foi diminuindo e seus olhos crescendo e ficando verdes. À medida que Alice não parava de sacudi-la, começou a ficar cada vez mais peludinha, reconchuda, fofa e gostosa de pegar, até que...

CAPÍTULO 11

Despertando

... se viu que ela era mesmo uma gatinha!

CAPÍTULO 12

De Quem Foi o Sonho?

Sua Majestade Preta não deveria ronronar tão alto — disse Alice, esfregando os olhos e dirigindo-se a Kitty, em tom respeitoso, mas severo. — Seu ronrom despertou-me de um lindo sonho, e você chegou a fazer parte dele, minha queridinha. Imagine onde estivemos: do lado de lá do espelho, sabia?

Conforme Alice já havia notado há tempos, todo gatinho tem o hábito inconveniente de ronronar sempre que alguém está falando com ele, qualquer que seja o outro. "Se eles tivessem um tipo de ronrom para dizer sim, e outro para dizer não", costumava dizer, "daria para estabelecer algum tipo de conversação. Mas como é possível dialogar com alguém que só sabe dar a mesma resposta, sempre e sempre?"

No momento em que se passa esta história, Kitty apenas ronronou, sendo impossível adivinhar se aquilo significaria "sim" ou "não".

Remexendo entre as peças de xadrez espalhadas pela mesa, a menina encontrou a Rainha Preta. Então, ajoelhando-se no tapete, pôs o lado a peça e a gatinha, examinando-as detidamente, até que, abrindo um sorriso, bateu palmas e falou:

— Confesse,Kitty, confesse que você se transformou nela durante o meu sonho!

("Ela não quis, de modo algum, encarar a "Rainha Preta", disse ela mais tarde para sua irmã. "Virava a cabeça para o lado, fingindo que não estava vendo, mas eu pude notar que ela estava meio envergonhada. Por isso, não tenho dúvida alguma de que ela era, de fato, a Rainha.")

— Sente-se mais ereta, queridinha — ordenou Alice, rindo alegremente, — e faça uma curvatura de cabeça, enquanto pensa no que vai me dizer, ou melhor, no que me vai ronronar. Com isso, você ganha tempo.

Em seguida, erguendo a gatinha, beijou-lhe o focinho e disse:

— Este beijinho foi em homenagem ao tempo em que você esteve representando o papel de rainha!

Logo depois, olhando para o lado onde até pouco atrás Diná estava dando um banho na outra gatinha, falou:

— Ah, Bolinha de Neve, gracinha! Será que Diná já terminou seu banho? Parece que não, pois você... você, não, Vossa Majestade Branca está toda amarfanhada. Ei, Diná, sabe que você está lambendo uma rainha? Sim, uma Rainha Branca! Não acha isso uma tremenda falta de respeito?

Depois de encontrar uma posição mais confortável, apoiando o cotovelo no tapete e o queixo na mão, virou-se para Diná e perguntou:

— E você, Diná, que papel representou no meu sonho? Quem sabe você era o Osvaldo Oval? É, acho que era você... Mas como não tenho certeza, é melhor não comentar isso com seus amigos, ouviu?

... A propósito, Kitty, se você de fato esteve comigo nesse sonho, deve ter gostado muito de uma coisa: todas as poesias que escutei, e não foram poucas, tinham a ver com peixes! Por isso, vou-lhe proporcionar amanhã uma refeição maravilhosa: enquanto você estiver comendo, recitarei "A Morsa e o Carpinteiro", e você poderá imaginar que estará comendo ostras, queridinha!

... Mas ainda não chegamos a uma conclusão sobre quem foi que sonhou, não é, Kitty? Trata-se de uma questão muito séria! Isso não é hora de ficar lambendo as patas, como se Diná não lhe tivesse dado um bom banho hoje pela manhã! Raciocine comigo: ou fui eu que sonhei, ou foi o Rei Preto. Ele fez parte do meu sonho, é bem verdade, mas eu também fiz parte do sonho dele! E então, Kitty, quem foi que sonhou? Lembre-se de quem você era casada com ele no sonho; por isso, deve saber a verdade. Vamos, Kitty, ajude-me a chegar a uma conclusão. Estou certa de que sua pata pode esperar.

Ao invés de responder, a displicente gatinha pôs-se a lamber a outra pata, fingindo que nada tinha a ver com o problema.

E você: que tem a dizer a respeito desse assunto?

(As iniciais dos versos formam o nome de
ALICE PLEASANCE LIDDEL)

A Canoa prosseguia
Lenta, enquanto o sol ardia
Inclemente nesse dia.

Crianças no banco estavam.
Eram três, nada falavam,
Pois uma história esperavam.

Longe estão essas lembranças:
Essa canoa, as crianças,
As águas, em ondas mansas...

Seguindo ignoradas trilhas,
Alice percorre milhas
No País das Maravilhas.

Conto de fadas nos fazem
Esquecer mágoas, e trazem
Lembranças que nos comprazem.

Inverno vem: lá se vão
Dias quentes de verão;
Depois, porém, voltarão.

Esqueça o viver tristonho.
Lamentar-se é algo enfadonho.
Leve a vida como um sonho!

III

SÍLVIA E BRUNO

Nossa vida o que é? Um sonho, apenas,
uma sequência de brilhantes cenas
que se perdem no tempo, quais falenas.

Ora tristonhos, cheios de pesar,
ora exultantes, rindo sem parar,
a esmo flutuamos, no meio de um mar.

A vida é curta, e passa num repente,
mas ninguém pensa nisso, e nem pressente
o silencioso fim, ali na frente...

PREFÁCIO

Nas últimas páginas deste livro, as descrições de um domingo, atribuídas a crianças, são reproduções textuais de uma conversa que tive certa vez com um amiguinho, e de uma carta que recebi de uma gentil senhorita.

Os capítulos intitulados "A fadinha Sílvia" e "A vingança de Bruno" constituem a reimpressão, com pequenas alterações, de um conto infantil que escrevi em 1867 para a "Revista de Tia Judy", a pedido da saudosa Mrs. Gatty, que então editava aquele periódico.

Foi em 1874, creio, que me ocorreu a ideia de transformar aquele conto no núcleo de uma história mais longa. À medida que o tempo passava, eu ia anotando, nos momentos de folga, todo tipo de ideia que me ocorria e que pudesse ter alguma ligação com o tema, bem como os fragmentos de diálogos que me vinham à mente — sabe-se lá como — em instantes inesperados, não me deixando senão duas alternativas: anotálos para uso futuro, ou esquecê-los para sempre. Às vezes, era até possível remontar à fonte desses fortuitos lampejos de ideias, que podiam ter sido sugeridos pela leitura de um livro, ou produzidos, como uma fagulha, pelo atrito do aço — uma observação escutada casualmente, por exemplo — com a pederneira que existe no interior da mente. Mas eles também podiam — o que era mais comum — ter surgido ao acaso, sem qualquer razão aparente, espécimes isolados desse fenômeno ilógico que se pode chamar de "efeito sem causa". É o caso, por exemplo, da última linha de "A caçada da serpente", que me veio à cabeça (já relatei isso na revista "The Theatre", em abril de 1887) repentinamente, durante uma caminhada solitária. Deu-se o mesmo com certas passagens que me ocorreram em sonhos, e que não consigo relacionar com qualquer causa antecedente. Posso citar, neste livro, pelo menos dois exemplos de ideias surgidas em sonhos: uma, a observação feita por "Senhora Dona" no capítulo 7 ("Isso acontece nas melhores famílias. É assim como a paixão por doces"); outra, o gracejo feito por Eric Lindon acerca de ter executado trabalhos domésticos, no capítulo 22.

Desse modo, passado algum tempo, vi-me na possa de uma vasta e desordenada massa de literatura — desculpe-me o leitor pela expressão — que apenas necessitava ser arrumada, ensartando um a um esses itens soltos numa linha de sequência, a fim de compor a história que eu pretendia escrever. Só isso, e nada mais!

A tarefa, inicialmente, pareceu-me absolutamente impossível de ser realizada, fornecendo-me uma ideia bem clara, a melhor que até então eu havia tido, do significado da palavra "caos". Penso que transcorreram uns bons dez anos, senão mais, até que eu fosse bem sucedido no trabalho de organizar e classificar aquela mixórdia, podendo enfim entrever o tipo de narrativa que ali jazia latente, já que a história emerge a partir dos incidentes, e não o contrário, como sói ocorrer.

Estou relatando tudo isso não por excesso de vaidade egocêntrica, mas por acreditar efetivamente que alguns de meus leitores estejam interessados nesses pormenores relativos à "gênese" de um livro, aparentemente tão simples e direta, depois de terminada a obra, a ponto de sugerir que aquela história tenha sido redigida numa sequência linear, página por página, como acontece quando se escreve uma carta, começando pelo princípio e terminado pelo fim.

Não há dúvida de que é possível escrever uma história dessa maneira, e, sem querer me gabar, acredito que eu mesmo pudesse fazê-lo, se estivesse na infeliz circunstância (que efetivamente considero uma tremenda falta de sorte) de ser obrigado a produzir um determinado volume de ficção, num determinado tempo, a fim de "cumprir uma determinada tarefa", e ir superpondo meus "tijolinhos" até compor um conto, assim como outros escravos já tiveram de fazer. De uma coisa tenho absoluta certeza: a história assim redigida conteria um amontoado de lugares comuns, sem qualquer ideia nova, não passando de uma xaropada amarga e indigesta.

Essa espécie de literatura costuma ser colocada, com muita propriedade na categoria "recheada de vento", podendo bem ser considerada como aquela "que qualquer um pode escrever, mas que ninguém consegue ler". Que o presente volume não contenhatal tipo de recheio é coisa que não me atrevo a asseverar, porque eventualmente, a fim de permitir que uma gravura ocupasse um determinado espaço na página, fui obrigado a introduzir duas ou três linhas extras. Posso assegurar, contudo, que jamais acrescentei senão o estritamente necessário ao preenchimento dessas lacunas — honestamente!

Talvez meus leitores se divirtam com a tentativa de detectar essas eventuais amostras de "recheios eólios", desde que saibam em que trechos do livro elas localizam. Numa dessas " acomodações de camadas" para encher uma página, verifiquei que, logo depois da metade do capítulo 3, havia necessidade de acrescentar três linhas ao texto original. Em lugar de entremear palavras aqui e ali, até completar três linhas, preferi escrevê-las todas de uma só vez, em sequência. Será que os leitores saberiam adivinhar quais seriam essas frases "recheadas de vento"?

Um quebra-cabeças mais difícil — caso alguém se interesse em resolvê-lo — seria determinar, na poesia intitulada "Canção do Jardineiro", em quais casos as estrofes teriam sido adaptado às estrofes — se é que ocorreram ambos os casos.

O mais difícil na literatura, provavelmente — e há uma coisa que descobri: é impossível consegui-lo voluntariamente; há que se ficar esperto para agarrá-lo quando estiver passando — é conseguir escrever algo que seja original. E o mais fácil, no meu entender, é, uma vez produzida uma linha original, continuar mantendo a originalidade nas linhas seguintes, permitindo que fluam as ideias que ocorrerem à mente, sem deixá-las desviar. Não sei se "Alice no País das Maravilhas" foi uma história original — ao menos, garanto não ter cometido conscientemente qualquer tipo de plágio ou imitação. Sei, , todavia, que após a publicação daquele livro, cerca de uma dúzia de outros, escritos no mesmo estilo, logo apareceram no mercado o caminho que explorei timidamente, acreditando ter sido "o primeiro nauta que se arrojou naquele mar silente", é hoje uma estrada de tráfego permanente, e as flores que vicejavam em seu acostamento acham-se atualmente esmagadas, de tanto que já foram pisadas. Tentar retornar àquele estilo seria para mim um virtual desastre.

Nesta história que agora lhes apresento, "Silvia e Bruno", esforcei-me ao máximo — não sei se com bom ou mau sucesso — para enveredar por uma trilha diferente. Posso assegurar que fiz o melhor que pude. Não a escrevi com vistas a alcançar lucro ou fama, mas tão somente na esperança de presentear as crianças que tanto amo com algumas ideias que lhes propiciem momentos agradáveis, dentro daquela alegria inocente que constitui a verdadeira essência da infância, e também com o objetivo de sugerir, seja às crianças, seja aos adultos, alguns pensamentos que possam provar que essa alegria não deixa de combinar harmoniosamente com as cadências mais lentas e graves da Vida — tenho esta vã pretensão.

Se ainda não esgotei a paciência de meus leitores, gostaria de aproveitar este ensejo — talvez a última oportunidades que tenho de me dirigir a tantos amigos de uma só vez — de deixar registradas alguma ideias que me têm ocorrido, tais como quais seriam os livros que eu desejaria ver publicados algum dia, mas que talvez nem tente editá-los, quer por falta de tempo, quer por estarem acima de minha capacidade de escritor. Se não for eu seu autor,todavia, — e os anos estão escoando numa velocidade tal que me levam a crer nisso firmemente — que caiba a outras mãos a tarefa de produzi-los,. Vejamos quais seriam esses livros.

Primeiro, uma "Bíblia para Crianças", composta essencialmente de passagens escolhidas com critério e paciência para a leitura infantil, num volume fartamente ilustrado. Um principio de seleção que eu adotaria seria apresentar a Religião como a sublimação do Amor — nada de amedrontar e confundir as mentes infantis com histórias de crime e punição . (Dentro desse princípio, por exemplo, dever-se-ia omitir o episódio do Dilúvio.) Quanto às ilustrações não haveria grande dificuldade para consegui-las, já que não há exigências de preparar novos desenhos: existem centenas de excelentes gravuras cujos direitos autorais expiraram há tempos. Bastaria usar um processo simples de foto zincografia, ou similar, para reproduzi-las com perfeição. O volume seria de fácil manuseio e transporte, com uma capa bem atraente, escrito em letras bem grandes e bem legíveis, e, o mais importante: com muitas, muitas ilustrações!

Em segundo lugar, um volume contendo textos selecionados da Bíblia — não pensamentos soltos, mas passagens compostas de 10 a 20 versículos cada uma — destinados a ser aprendidos de cor. Tais passagens teriam como principal utilidade ser repetidas e meditadas nas diversas ocasiões em que a leitura é difícil, senão impossível, como por exemplo durante uma noite de insônia, uma viagem de trem, uma caminhada solitária, na idade provecta, quando a capacidade visual fica enfraquecida ou mesmo nula, e, principalmente, quando a doença nos incapacita de ler, condenando-nos ao leito solitário durante longas e longas horas. Nessas circunstâncias pode a pessoa efetivamente entender o enlevo que tomou conta de Davi, quando ele bandou: "*Quão doces são Vossas palavras em minha garganta; são deveras mais doces que o mel em minha boca.*"

Preferi chamar de "passagens", ao invés de textos isolados, porque não temos como trazer à memória trechos desprovidos de elos de ligação. De fato,a pessoa pode ter armazenada na mente uma centena de textos, não sendo capaz de lembrar, caso deseje, senão cerca de meia dúzia, e mesmo assim, ao acaso. Por outro lado, desde que ela sabia de cor boa parcela de um capítulo, terá como relembrá-lo inteiramente, já que a recordação se torna parte de um todo.

Em terceiro lugar, uma coleção de passagens, em prosa e verso, de livros profanos. Talvez não haja sobra de matéria útil e edificante no contexto do que se costuma chamar de "literatura não-inspirada" (nome mal aplicado, segundo meu modo de ver, porquanto, se Shakespeare não for inspirado, é de se duvidar de que haja alguém mais que o seja),mas existe o suficiente para fornecer um bom arsenal de trechos dignos de ser decorados, para posterior reflexão.

Esses dois últimos dois livros de passagens — o sacro e o profano — poderão servir a outros bons propósitos que não apenas de ocupar as horas do ócio. Eles ajudarão a banir para longe os pensamentos aflitos, as ideias angustiadas, desprovidas de caridade |e de piedade. Prefiro dizer isso com palavras melhores que as minhas, extraídas do interessantíssimo volume de Robertson intitulado "Leituras das Epístolas aos Coríntios". Transcrevo um trecho da Leitura nº XLIX: *"Se uma pessoa se acha assediada por desejos maldosos e visões profanas, que lhe costumam ocorrer à mente de tempos, fará bem em decorar passagens das Santas Escrituras, ou trechos extraídos dos melhores pensadores e poetas. Armazenando na mente tais textos, poderá usá-los como salvaguardas, repetindo-os nas noites de insônia, durante seus momentos de desespero, ou quando pensamentos lúgubres ou suicidas o assaltem. Sejam tais textos para ele como a espada que defende a entrada do Jardim da Vida da intromissão indevida dos pensamentos ímpios"*.

Em quarto lugar, um " Shakespeare para moças ", isso é , uma seleção de textos do Bardo adequada à leitura de jovens de 10 a 17 anos, escoimada de toda passagem que não seja adequada a tal tipo de leitoras. Para as meninas de menos de 10 anos, não creio que esse livro seja recomendável, já que elas não seriam capazes de compreender ou tirar proveito da leitura do maior de todos os poetas. Já as de idades superiores, nada impede que leiam tranquilamente Shakespeare em suas versões originais, ou mesmo "expurgadas", se assim preferirem. Dá pena, porém, ver as jovens dessa idade intermediária alijadas da possibilidade de desfrutar desse enorme prazer, donde a necessidade de se suplicar um volume adequado a elas. Conheço as tentativas nesse sentido, da autoria de Bowdler, Chambers, Brandram ou Culndell, que procuraram passar Shakespeare "a limpo", mas que dentro do meu modo de ver, não conseguiram alcançar o resultado pretendido. O livro de Bowdler, por exemplo , é o mais mal sucedido de todos: uma rápida passada de olhos por ele deixou-me a impressão de que o autor expurgou justamente o que deveria ser deixado, transcrevendo o que jamais deveria ter conservado! Acredito que além eliminar implacavelmente tudo o que se pode classificar de irreverente ou pouco decente, também deveria evitar-se a transcrição de tudo o que apresente dificuldades para compreensão das jovens leitoras. O volume, desse modo, poderia resultar uma obra ligeiramente fragmentária , mas iria constituir um verdadeiro tesouro para jovens britânicas que demonstrarem gosto ou pendor para a poesia.

Se for necessário pedir desculpas a alguém pelo estilo que adotei para a apresentação desta história — colocando, ao lado dos episódios que espero constituam absurdos plenamente aceitáveis pelas crianças, alguns dos pensamentos mais profundos acerca da existência — essas desculpas seriam dirigidas àqueles que aprenderam a arte de manter tais pensamentos à distância, durante os momentos do ócio alegre e despreocupado. Para tais pessoas,a mistura que aqui exponho deverá sem dúvida ser considerada imprudente e repulsiva. E que tal arte de fato exista, é assunto que sequer discuto: com juventude , saúde e dinheiro suficiente, parece perfeitamente possível levar, durante anos a fio, uma vida de alegria plena e constante , exceção feita, unicamente , à lembrança daquele momento solene, com o qual podemos nos defrontar a qualquer hora, mesmo enquanto assistimos à exibição de uma excelente peça teatral, ou durante em entretenimento animadíssimo. Uma pessoa pode estabelecer seus próprios momentos de admitir pensamentos sérios, frequentado cultos e cerimônias religiosas. Assim, tais pensamentos somente irão ocorrer-lhe à mente em "ocasiões apropriadas". Mas não lhe será possível programar com antecedência o instante em que ele irá receber a terrível mensagem, que pode mesmo ser transmitida antes que se acabe de ler esta página, de que "*esta noite tu terás de entregar sua alma*".

A sensação constante dessa implacável possibilidade tem constituído, em todos os tempos, um dos mais terríveis pesadelos, dos quais todo homem sempre procura livrar-se. Para um estudante de História, poucos assuntos de pesquisa seriam mais interessante do que levantar os diversos recursos empregados pelo ser humano para espantar esse inimigo soturno e sombrio. O mais terrível de tudo deve ser o pensamento daqueles que acreditam na existência de uma vida além-túmulo mais terrível do que a própria aniquilação — uma existência enevoada, impalpável, destinada apenas a espectros invisíveis, que perambulam sem rumo ou destino, durante anos sem fim, num mundo de sombras, sem objetivo algum, sem qualquer esperança, sem quem quer que seja para amar! Dentre os versos alegres do "*bon vivant*" Horácio, encontra-se aquele trecho melancólico e bem conhecido cuja medonha tristeza nos toca pungentemente do fundo do coração, especialmente quando ele define como sendo um "eterno exílio"a vidas que nos sobrevém após a morte:

Omnes e odem cogimur, omnium
versatur urna serius ocius
Sor existura et in aeternum
Exilium impositura cymbae.

Com efeito, para ele, esta nossa vida, a despeito de todo aborrecimento e toda tristeza passíveis de empanar seu brilho, era a única digna de ser vivida . Todo o resto não passaria de um "exílio"! Parece até incrível que uma pessoa dotada de tal crença ainda seja capaz de sorrir!

Receio que muitos de nossos conterrâneos, mesmo acreditando numa existência além-túmulo menos terrível que a imaginada por Horácio, ainda a considerem um tipo de "exílio", no qual a pessoa renunciaria a todos os prazeres da vida, e por isso adotem a teoria horaciana, preparando a ideia de que se deve "comer e beber com sofreguidão, já que amanhã vamos morrer".

Quando procuramos nos divertir, indo ao teatro, por exemplo — e digo "procuramos" porque também costumo frequentar o teatro, mesmo sabendo que dificilmente irei assistir uma peça que se preste — fazemos o possível para repelir o pensamento de que é possível não retornar vivos para casa. Como poderia você saber, meu prezado amigo — cuja paciência lhe deu forças para enfrentar este prefácio tão prolixo — que sua sina seria justamente a de sentir, no próprio momento em que esteja desfrutando das alegria mais intensa e desenfreada, uma pontada lancinante no peito, ou um desfalecimento mortal, prenúncios certos da crise terminal, enxergando logo em seguida seus amigos curvados sobre você, todos apresentando profunda ansiedade e escutando seus sussurros apreensivos, quando você balbucia, com lábios trêmulos, terrível pergunta: "É grave?", para em abraçada a resposta terrível: "Sim. Seu fim está próximo..." (e — oh! — como a Vida irá parecer diferente para você, a partir do momento em que essas palavras forem pronunciadas!) — como poderia você saber, repito,que tudo isso talvez não venha a ocorrer hoje mesmo, à noite?

E, sabendo disso, você ainda seria capaz de dizer para a si próprio: "Talvez esta peça seja de fato imoral; talvez as situações apresentadas sejam um pouco digamos, perigosas; os diálogos, algo pesados; as cenas, um tanto ou quanto sugestivas. Não que minha consciência seja complacente, mas acontece que trata de uma peça tão inteligente, que devo continuar assistindo a ela até o fim. A partir de amanhã... sempre amanhã...

Quem peca contra a esperança,
e mesmo assim que alcança,
perdão sem se arrepender,
nada mais faz que ofender
de Deus, o Espirito Santo,
e assim, acuado num canto,
qual inseto chamuscado,
sucumbe ante seu pecado.

Faço aqui um momento de pausa para dizer que acredito ser esse pensamento da possibilidade constante da proximidade da morte — se analisando com calma e enfrentado com firmeza — um dos melhores testes ao qual podemos nos submeter para decidir se nosso comparecimento a esse ou àquele espetáculo seria certo ou errado. Se a consciência dessa possibilidade provocarem você um horror especial, imaginando que sua morte súbita venha a ocorrer dentro de um teatro, esteja certo de que esse tipo de espetáculo é altamente prejudicial para você, ainda que não o seja para outros, e que você de fato incorre num perigo mortal pelo simples fato de assistir a peças teatrais. Siga sempre esta regra simples: evite frequentar locais e viver situações em que iria sentir-se constrangido de ali ou nelas *morrer*.

Tenha em mente, portanto, que o verdadeiro objetivo da vida não é o prazer, ou a aquisição de conhecimentos, ou a obtenção da fama — "a derradeira enfermidade das almas nobres" — mas sim o desenvolvimento do caráter, a busca de um padrão existencial mais elevado, mais nobre, mais puro, a edificação de um Ser Humano perfeito. Alcançada essa consciência, não em lampejos esporádicos da mente, mas de maneira convicta e permanente, a morte não mais irá provocar-nos terror; não mais representará um futuro sombrio, mas um porvir iluminado; não um fim, mas um princípio!

Há um outro assunto que talvez seja passível de existir pedido de desculpas de minha parte: a maneira pouco simpática com que costumo tratar a paixão britânica pela caça esportiva , que, sem dúvida, constituiu no passado, e de certa forma ainda constitui presentemente, uma excelente escola de formação de caráter, transmitindo a seus praticantes intrepidez e serenidade nos momentos de perigo. Acontece que não sou inteiramente desprovido de simpatia pela caça genuinamente esportiva. Digo mesmo que admiro com entusiasmo a coragem daquele que, à custa de árduo empenho e com risco da própria vida, abate algum tigre devorador de gente. Não deixo de sentir simpatia e afeto por esse esportista, quando ele exulta, repleto de gloriosa excitação, ao conseguir acuar a fera após penosa perseguição e passa a enfrentá-la cara a cara. Por outro lado, não posso considerar senão com antipatia e tristeza aquele caçador que, cômoda e seguramente, encontra algum prazer em infundir a uma pobre criatura indefesa um terror selvagem e uma agonia mortal. E minha repulsa em relação a essa atitude ainda aumenta se chego a saber que o tal caçador está comprometido com a pregação da Religião do amor universal entre os homens. Em que dizer quando as criaturas perseguidas são seres ternos e delicados, cujos nomes até servem como símbolos do Amor — "*dedicaste a mim o mais profundo amor, maior até que o de uma mulher*" — enquanto se perseguidor teria por missão levar ajuda e conforto àqueles que se acham mergulhados na dor ou na tristeza!

"A vós, que foste convidado
para as Bodas, eu vos saúdo,
pois sei que bem tendes orado,
dando amor a todos e a tudo.

Ama bem quem o amor derrama
sobre os seres, sem distinção,
pois o bom Deus, que a todos ama,
é o pai de toda a criação."

Harry Furniss

CAPÍTULO 1

Menos Pão! Mais Impostos

Então todas as pessoas voltaram a gritar, e um sujeito, mais excitado do que todos, atirou o chapéu para cima e berrou as palavras que entendi serem as seguintes:

— Que vamos exigir do Sub-regente?

Todos gritaram, exigindo alguma coisa, mas não ficou bem claro se era para si ou para o Sub-regente, pois uns reclamavam "Pão!", enquanto outros bradavam: "Impostos!", sem parecer que tinham certeza quanto ao que deveriam exigir.

Tudo isso pude ver através da janela aberta do salão de refeições do Regente, olhando por cima do ombro do Primeiro Ministro, que se tinha levantado subitamente tão logo escutara o vozerio do povo, como se já estivesse esperando por aquilo, correndo imediatamente para a janela que permitia a melhor visão da praça principal.

— Que significa tudo isso? — ficou ele ali, repetindo para si próprio, com as mãos cruzadas nas costas.

Em seguida, pôs-se a caminhar pelo salão, a passos rápidos deixando a toga esvoaçar,enquanto comentava:

— Nunca ouvi antes uma tal gritaria! E muito menos pela manhã! E com tal unanimidade! Não acha que tudo isso uma coisa de fato notável?

Contestei, modestamente, que a meus ouvidos não parecia haver unanimidade, já que as pessoas gritavam palavras diferentes, mas o Ministro não concordou com minhas ponderações, retrucando:

— Estão todos gritando a mesma coisa, garanto-lhe!

Logo depois, voltando à janela, inclinou-se sobre o peitoril e sussurrou para um sujeito que estava encostado à parede, do lado de fora:

— Controle essas pessoas, ouviu? O Regente deverá estar aqui logo, logo. Faça-lhes um sinal, pois é hora de marchar contra palácio.

Tais palavras não foram endereçadas a mim, é evidente, mas seria quase impossível não escutá-las, já que meu queixo estava praticamente apoiado sobre o ombro do Ministro.

A "marcha contra o palácio" era bastante curiosa, não passando de uma procissão desorganizada, formada por pessoas que caminhavam duas a duas, vindo da extremidade oposta da praça e caminhando em ziguezague em direção

ao palácio, seguindo ora para um lado, ora para outro, mudando bruscamente de direção, à semelhança de um navio que enfrenta ventos desfavoráveis. Os primeiros da fila, de tempos em tempos, recuavam, deixando os de trás assumirem a dianteira, para depois retornarem sua posição, embora um ou dois passos atrás da posição que antes haviam ocupado.

Era evidente, entretanto, que tudo aquilo obedecia a um comando, pois não me passou desapercebido que todos mantinham os olhos voltados na direção do tal sujeito encostado à parede junto à janela, e ao qual Ministro continuava a se dirigir, sempre em tom confidencial. O tal sujeito segurava numa das mãos o chapéu, e na outra uma bandeirola verde. Sempre que agitava a bandeirola , a procissão avançava; quando abaixava , todos recuavam alguns passos; e quando erguia o chapéu, de todas as gargantas saiam urros ritmados , acompanhando o compasso do balanço que ele imprimia ao chapéu. E o que bradavam, pelo que pude entender, era o seguinte:

— Uh-ah! Vivá! Consti! Tuição! Menos! Pã-uh! Mai-zim! Postos!

— Isso mesmo! É isso aí! — sussurrou o Ministro, — Mande-os parar para descansar, até que chegue a hora de berrar. Eu lhe farei um sinal. Ele ainda não chegou aqui.

Nesse momento, a enorme porta do salão abriu-se de par em par, e o Ministro voltou-se sobressaltado, esperando deparar com o semblante indignado de Sua Augusta Excelência. Mas era apenas Bruno que ali havia entrado, e ele logo suspirou aliviado.

— Dia! — saudou o garoto, dirigindo-se de maneira genérica a todos os que estavam no salão. — Viram a Sílvia por aí? Estou "caçando ela".

— Que eu saiba, ela está com o Regente, "Celência" — respondeu o Ministro, fazendo uma mesura.

Sem dúvida era um tanto absurdo tratar por esse título (pois, conforme o leitor já deve ter adivinhado sem que eu precisasse explicar, aquele "Celência" — que na realidade, era pronunciado numa só sílaba: "S'lens" — nada mais era que a redução extrema de "Sua Excelência") uma criança cujo pai era apenas o Regente de Estrangeirônia, embora seja necessário dar-lhe um desconto pelo fato de ter passado muitos anos na Corte de Duêndia, onde havia adquirido a quase impossível arte de pronunciar seis ou sete sílabas como se fosse uma só.

Mas a mesura respeitosa não foi notada por Bruno, que tinha saído do salão justamente no momento em que estava sendo executada a proeza do Monossílabo Impronunciável.

Nesse instante, uma voz à distância pediu:

— Discurso, Ministro!

— Certamente, meus amigos! — respondeu o Ministro com extraordinária prontidão. — Vocês terão seu discurso!

Nesse instante, um dos criados, que estivera empenhado durante alguns minutos no preparo de uma batida de conhaque com ovos (cujo aspecto não era lá dos mais tentadores), trouxe a bebida, estendendo-lhe uma enorme bandeja de prata. O Ministro segurou a taça altivamente, bebeu o conteúdo com ar pensativo, agradecendo ao criado com um sorriso benevolente, devolveu o copo vazio e começou seu discurso, que tentarei aqui reproduzir, confiando em minha memória. Eis o que ele disse:

"Uhum! Uhum! Uhum! Camaradas sofredores, ou melhor, companheiros de padecimento!" ("*Não ofenda os pobres coitados!*"; murmurou o sujeito postado sob a janela. "*Eu falei padecimento, e não pá de cimento*", explicou o Ministro em voz baixa). "Podeis estar certos de que sorri..." ("Muito bem! Apoiado!", gritou a turba, tão alto que até abafou a voz de taquara rachada do orador). "Como eu dizia, sorri..." ("Pare de sorrir, ora!", repreendeu o sujeito sob a janela. "Quem sorri demais fica parecendo um idiota!" Enquanto isso, a multidão não cessava de gritar: "Apoiado! Muito bem!", e o som desses gritos reboava pela praça, como o ribombo de um trovão.) "Portanto, amigos, só rigorosas medidas poderão pôr cobro a tantos abusos! (Dessa vez, ao encaminhar as palavras para rumos inesperados, a assistência por fim fez silêncio)." Quem é verdadeiramente vosso amigo? É o Sub-regente — esse sim! É ele quem, dia e noite, zela pelos vossos esquerdos — oh, perdão: pelo vosso direitos! Sim, amigos, pelos vossos esquer... digo, pelos vossos direitos!" ("Acabe logo com esse discurso!", ordenou o que estava junto à janela.. "Você está apontando uma confusão dos diabos!").

Nesse momento, o Sub-regente entrou no salão. Era um homem magro, de semblante astuto e cruel, tez amarelo-esverdeada. Em passos lentos , atravessou o salão, olhando com desconfiança para todos, como se imaginasse haver um cão bravo escondido num canto. Ao chegar junto do Ministro, deu-lhe um tapinha nas costas e disse:

— Bravo, homem! Belo discurso, hein? Você é mesmo um orador nato!

— Ora, qual o quê! — contestou o Ministro modestamente, mantendo os olhos baixos enquanto falava. — Qualquer um poderia fazer um discurso como aquele. Basta abrir a boca e falar.

O Sub-regente olhou para ele com ar pensativo, coçou o queixo e concordou:

— De fato... se não abrir a boca, fica difícil... Nunca antes considerei a questão sob esse ponto de vista. Sábias palavras, as suas. Chegue mais, que preciso dizer algo muito confidencial. Vosselência.

O resto da conversa reduziu-se a sussurros que não consegui escutar. Desse modo, achei melhor sair dali e procurar Bruno. Fui encontrá-lo daí a pouco no corredor. À sua frente, um criado de libré inclinava-se num cumprimento tão respeitosa, que chegava a formar um ângulo agudo com o corpo. Com as mãos pendentes com se fossem as barbatanas de um peixe, o criado balbuciava:

— Sua Augusta Excelência está no escritório, Alteza. V'sselência quer que o acompanhe até lá?

(Ele não conseguia repetir a façanha do Ministro, de dizer "Vossa Excelência" com uma única sílaba.)

Sem dar caso ao oferecimento, Bruno seguiu pelo corredor adentro, e tratei de acompanhá-lo.

O Regente era um homem alto de aspecto nobre, cuja semblante, embora sério, não deixava de se mostrar amável. Estava sentado diante de uma escrivaninha repleta de papéis , tendo sobre os joelhos a menina mais meiga e encantadora que eu jamais tivera a oportunidade de contemplar até então. Ela parecia ser quatro ou cinco anos mais velha do que Bruno, ostentando a mesma face rosada, os mesmos olhos brilhantes, os mesmos cabelos castanhos bastos e encaracolados. Sorrindo com o ar de quem aguarda o desfecho de uma história, ela fitava o pai, que lhe devolvia o olhar, com evidente satisfação. Era agradável contemplar aqueles dois que se entreolhavam — ela, na primavera da vida; ele, já no final do outono. No momento, era ele quem falava:

— Não Silvinha, você nunca o viu. E como poderia, se ele estava muito longe daqui, viajando por terras distantes, em busca de saúde? Antes de que você nascesse, ele já havia saído...

Bruno tratou de ocupar o joelho vago, seguindo-se entre os dois uma confusa troca de beijos afetuosos.

— Ele regressou ontem à noite — prosseguiu o Regente, depois de que Bruno se aquietou. — Fez o que pôde para chegar ontem, antes de seu aniversário. Embora tenha chegado tarde da noite, acredito que já se tenha levantado, pois sempre foi madrugador. Agora, deve estar na Biblioteca. Vamos encontrá-lo lá. Ele gosta muito de crianças, e tenho certeza de que você também irá gostar dele.

— O outro professor também está lá? — perguntou Bruno, com voz assustada.

— Creio que sim. Eles chegaram juntos. O Outro Professor (receio que você não vá apreciá-lo muito) é um tipo diferente, um tanto ou quanto sonhador...

— Por isso, não — replicou Bruno. — Sílvia também é sonhadora, embora não goste de que eu sonhe.

— Que é que você está dizendo? — perguntou Sílvia intrigada.

— Não só me proíbe sonhar, como até mesmo pensar — prosseguiu Bruno, dirigindo-se apenas ao pai. — Quando eu proponho que paremos de estudar nossas lições, ela diz: "Nem sonhe com isso! Parar as lições? Nem pensar!"

— Ele está sempre querendo terminar cedo as lições — explicou Sílvia. — Já quer parar cinco minutos depois de começar!

— Só cinco minutos de lições por dia? — perguntou o Regente. — Que se pode aprender em tempo tão curto, rapazinho?

— Ih, está falando igualzinho a Sílvia. — retrucou Bruno. — Ela teima em dizer que não quero aprender a lição, quando, na verdade, o que acontece é que eu não consigo aprender.

— Depois falaremos sobre isso — interrompeu o Regente.

— Vamos agora encontrar o professor.

Os dois desceram de seus joelhos, deram-lhe a mão e seguiram para Biblioteca, seguidos por mim. Nessa altura dos acontecimentos, eu já estava consciente de que ninguém era capaz de me enxergar, exceto o Primeiro Ministro, e mesmo assim durante breves instantes.

— Qual é o problema com ele? — perguntou Sílvia, caminhando lenta e pausadamente, em contraste proposital com andar de Bruno, que mais parecia o de um cabrito saltitante.

— Qual era o problema, espero — corrigiu o Regente. — Ele sofria de lumbago e reumatismo, esse tipo de doenças. Agora está curando a si próprio, pois tornou-se um médico muito competente e sábio: já inventou três doenças novas, além de ter descoberto um novo método de quebrar a própria clavícula!

— E esse método funciona mesmo? — perguntou Bruno.

— Hmm... creio que não — respondeu o Regente, entrando na Biblioteca. — Pronto. Chegamos. Eis aqui o nosso professor. Bom dia Professor! Espero que já tenha descansado de sua viagem.

Um homenzinho gorducho e jovial, vestido num roupão estampado de flores, com um livro grosso embaixo de cada braço, veio até eles em passo rápido e curtinho, sem sequer notar a presença das crianças, e perguntou:

— Viram o volume três? Estou atrás dele!

— E como pode encontrar um livro, se sequer viu meus filhos? — perguntou o Regente, segurando-o pelos ombros e virando-o de modo a ficar de frente para as crianças.

O Professor explodiu numa gargalhada e ficou a contemplar as duas crianças através das lentes grossas de seus óculos, sem dizer coisa alguma durante um ou dois minutos. Por fim, dirigiu-se a Bruno:

— Espero que tenha tido uma boa noite, meu rapaz.

Bruno escutou intrigado, e depois respondeu:

— Tive a mesma noite que o senhor teve. De ontem para hoje só houve uma noite!

Desta vez, foi o Professor quem ficou intrigado. Tirou os óculos, esfregou-os com um lenço, em seguida voltou-se para o Regente e perguntou:

— Por acaso eles estão com prisão de ventre?

— Não, não estamos — respondeu Bruno, que julgava suficientemente capacitado a responder aquela pergunta.

— Nem mesmo um prisãozinha? — insistiu o Professor, meneando a cabeça tristemente.

— Não Professor — confirmou Bruno, — não estamos condenadozinhos à prisãozinha.

Mas o professor já parecia nem se lembrar do assunto que estavam tratando, voltando-se de novo para o Regente e dizendo.

— O senhor vai ficar contente de saber que o barômetro começou a mover-se.

— Para cima ou para baixo? — perguntou o Regente, prosseguindo em voz baixa apenas para os filhos escutarem:

— (Não que eu esteja preocupado com isso, mas é que ele parece pensar que é a subida ou descida do barômetro que afeta o tempo. Trata-se de um homem maravilhosamente inteligente. Às vezes, diz coisas que só mesmo o Outro Professor consegue entender. E outras vezes diz coisas que nem mesmo o Outro Professor entende!) E então, Professor, moveu-se para cima e para baixo?

— Nem para cima, nem para baixo — respondeu o Professor, esfregando as mãos. — Está para os lados, se é que me faço entender.

— E que tipo de tempo decorre desse movimento? — perguntou o Regente. — Escutem, crianças! Agora vocês vão ouvir algo digno de ser sabido!

— Tempo horizontal — respondeu o Professor, seguindo apressadamente em direção à porta, e só não atropelando Bruno, porque o menino teve presença de espírito suficiente para saltar fora de seu caminho.

— Então: não é um sábio? — perguntou o Regente, olhando para o velho com admiração. — Ele, positivamente, está bem acima do conhecimento comum.

— Se não fico esperto, ele estaria agora bem "acima " de mim — comentou Bruno.

Minutos depois, o Professor voltou, dessa vez com outra vestimenta. Trajava agora uma sobrecasaca, e estava calçando um par de botas estranhíssimas, cujos canos se abriam em cima como se fossem guarda-chuvas.

— Achei que gostariam de ver minhas botas — explicou, — Elas foram feitas especialmente para nos proteger do tempo horizontal!

— Mas qual a utilidade de usar guarda-chuvas em redor dos joelhos?

— Tenho de admitir que, para as chuvas normais, elas não criam grande utilidade. Porém, se chover horizontalmente, vocês haverão de concordar que elas serão de extrema valia! Sim, terão um valor incalculável!

— Levem o Professor para o salão de refeições, crianças — ordenou o Regente. — E digam para não me esperarem, pois tomei o café da manhã bem cedo, já que tinha negócio a resolver.

As crianças tomaram o professor pelas mãos, como se o conhecessem há muitos anos, e seguiram com ele a passos rápidos. Quanto a mim, segui atrás deles respeitosamente.

CAPÍTULO 2

A Amiga Desconhecida

Assim que entramos no salão de refeições, o Professor apressou-se a dizer:
— Ele disse que já tomou o café, hoje de manhãzinha, e que não era preciso que o esperassem. Por aqui, minha senhora, por aqui!

E então, com o que me pareceu ser um excesso de polidez, escancarou a porta da cabine onde eu já me achava instalado e anunciou em voz estentórea:

— Uma dama jovem e encantadora!

De minha parte, resmunguei para mim mesmo, um tanto acidamente: "Esta deve ser a cena de abertura do Volume Um. Ela é a Heroína, enquanto eu não passo de um Figurante que apenas entra em cena para auxiliar o desenvolvimento da trama, que termina com a aparição dela na escadaria de fora da igreja, aguardando as aclamações da multidão que saúda o Feliz Casal!"

— Sim, senhora — foram as palavras que escutei em seguida (oh,que agente ferroviário mais gentil!) — a próxima baldeação é em Fayfield, a segunda estação em que vamos parar.

A porta fechou-se e a dama jovem e encantadora assentou-se no canto do banco, enquanto o monótono resfolegar da locomotiva (fazendo-nos imaginar que se tratava de algum monstro, cujas pulsações até podíamos sentir) indicavam que tínhamos retomado a viagem. "A passageira deve ter um nariz de conformação perfeita", pilhei-me dizendo a mim próprio, "belos olhos castanhos, lábios..." — refleti então que era melhor olhar para ela, a fim de conhecer sua real aparência, ao invés de ficar imaginando como é que ela deveria ser.

Olhei ao redor dissimuladamente, mas minha expectativa se frustrou. O véu que cobria seu rosto não era dos mais finos, permitindo-me apenas entrever o faiscar de seus olhos e a silhueta indistinta do que poderia ser uma encantadora face de formado ovalado — mas que também poderia ser uma caratonha sem encanto algum.. Fechei os olhos novamente, dizendo para mim próprio: "isso é que é oportunidade boa para uma experiência de telepatia! Tentarei visualizar como é o rosto dela, e depois acharei um modo de comparar a imagem que concebi com a verdadeira".

A princípio, nenhum resultado positivo coroou meus esforços, embora eu tivesse "dividido minha mente ligeira", ora aqui, ora ali, de modo tal que teria deixado verde de inveja o próprio Eneias. Independente disso, o entrevisto oval do rosto permanecia tão provocativamente liso como antes — mera elipse de um gráfico matemático, sem possuir sequer os focos passíveis de representar nariz e boca. Gradualmente, contudo, cheguei à convicção de que eu poderia, à custa de profunda concentração, arrancar o véu, nem que fosse pelo tempo de um piscar de olhos, suficiente contudo para entrever um relance da misteriosa face. Se o conseguisse, teria condição de responder a duas questões ("será bonita?" e "será feia?") que ainda borbulhavam em minha mente, ambas com idênticas probabilidades de ser respondidas sim ou não.

O sucesso foi parcial — e intermitente — mas ocorreu. De quando em quando, o véu parecia desvanecer, durante uma fração de segundo; porém, antes que eu pudesse focalizar meus olhos no rosto, enxergando-o nitidamente, o véu reaparecia, impedindo a concretização de meu desejo. A cada novo relance, o rosto parecia tornar-se mais infantil e inocente. Finalmente, quando consegui arrancar mentalmente aquele véu de maneira definitiva, enxerguei, sem qualquer sombra de dúvida, o doce semblante de Sílvia!

"Isso significa", pensei com meus botões, "que sonhei com Sílvia, e tudo isto é real, ou que de fato estive com Sílvia, e isto não passa de um sonho. Quem sabe — pergunto — a Vida nada mais é que um simples sonho?"

Para passar o tempo, abri a carta que me fizera deixar meu lar em Londres e embarcar neste trem, rumo a uma estranha e desconhecida vila de pescadores da costa setentrional, e pus-me a lê-la mais uma vez:

"Caro Amigo:

Estou certo de que terei grande prazer, e espero que o sentimento seja recíproco, de encontrá-lo de novo, após tantos anos. Naturalmente, estarei pronto a lhe prestar a modesta assistência de meus parcos conhecimentos médicos, sem com isso, é óbvio, violar a ética profissional. Sei que, você já se encontra em tratamento com um médico londrino da melhor qualidade, com o qual seria tola presunção de minha parte tentar competir. Não duvido de modo algum do que ele diz sobre a provável origem cardíaca de seu mal: todos os sintomas levam a essa conclusão. Uma coisa, de qualquer maneira, posso prometer-lhe, como demonstração de minha capacidade médica: reservei para você um quarto no andar térreo, de modo que não lhe será necessário subir sequer um lance de escada para chegar até ele.

— Espero-o sexta-feira que vem, no último trem do dia, de acordo com o pedido constante de sua carta. Até lá, ficarei repetindo as palavras da antiga canção que diz: Ó noite de sexta-feira/não demores a chegar!

Seu velho amigo

Arthur Forester

P.S: Você acredita em destino?"

Aquele pós-escrito deixou-me profundamente intrigado. "Trata-se de uma pessoa sensível demais", pensei, "para ter-se tornado fatalista. Não obstante, que estará querendo dizer com essas derradeiras palavras?"

Sem saber como responder, dobrei de novo a carta e guardei-a no bolso, enquanto repetia em voz alta, sem me dar conta disso, aquelas palavras: "Você acredita no Destino?"

"A fada incógnita", ao escutar essa pergunta, voltou a cabeça rapidamente e respondeu com um sorriso:

— Eu? Não! E você?

— Eh... eu... disse em voz alta sem querer... — balbuciei, um tanto envergonhado por ter iniciado uma conversa daquela maneira tão pouco convencional.

O sorriso dela tornou-se uma risada franca, não de mofa, mas cristalina como o riso de uma criança inteiramente à vontade.

— Falou sem querer? Será que se trata de um daqueles casos que os médicos classificam como sendo de "mentalização inconsciente"?

— Que posso dizer? — retruquei — Não sou médico... Ou será que pareço médico? Que a faz pensar assim?

Ela apontou para a capa do livro que eu tinha estado a ler, na qual se podia ler claramente o título: "*Doenças do coração*".

— Não é necessário ser médico — contestei — para se interessar por livros de Medicina. Essas obras também são procuradas por leigos, e muitas vezes até mais interessados do que...

— Por acaso refere-se aos... pacientes? — interrompeu ela, agora com um olhar terno e piedoso que acrescentava maior suavidade ao seu semblante. — Com efeito, nem é necessário ser um paciente, para interessar-se por um livro de Ciência, não é? Diga-me, então: onde está armazenado o maior volume de Ciência, nos livros ou nos cérebros?

Via-se que ela tentava encaminhar a conversa para assuntos que não me deixassem aborrecido ou melindrado. Tive de reconhecer que aquela pergunta era inesperadamente profunda para ser formulada por uma mulher, um ser algo superficial, conforme nós, os homens, costumamos considerar. Pensei um minuto antes de responder:

— Se a senhora se estiver referindo aos cérebros de pessoas vivas, não creio ser possível responder a essa questão. Existe muita Ciência escrita que nenhuma pessoa viva jamais leu. Por outro lado, há muita Ciência imaginada que ainda não foi passada para o papel. Entretanto, se os cérebros aos quais sua pergunta se refere correspondem a todos os da raça humana, vivos e mortos, então não resta dúvida de que são eles que contêm o maior volume de Ciência, já que tudo o que foi publicado nos livros, e até mesmo o que ainda não foi, algum dia esteve borbulhando dentro de um cérebro, é evidente.

— Isso não teria a ver com as regras de Álgebra? — perguntou a dama velada. ("Entende de Álgebra também", disse para mim mesmo, ainda mais embasbacado que antes) — Acompanhe meu raciocínio: se considerarmos os pensamentos como fatores, não poderíamos dizer que o mínimo múltiplo comum de todos os cérebros contêm o que está contido em todos os livros, mas que a recíproca não é verdadeira?

— Claro que poderíamos — concordei, entusiasmado com a comparação. — E que maravilha não seria — prossegui, antes falando em voz alta para mim mesmo do que me dirigindo a ela — se pudéssemos aplicar essa regra aos livros! Ao encontrarmos esse mínimo múltiplo comum, poderíamos cancelar tudo o mais que não passa de repetição, deixando escrito pensamento supérfluo, desnecessário, incompleto seria inteiramente apagado, restando apenas o essencial, aquele que foi formulado mais completamente até o dia de hoje.

A jovem dama voltou a rir alegremente, e comentou:

— Se assim fosse, alguns livros acabariam reduzidos a um volume de folhas em branco!

— Com certeza! As bibliotecas teriam uma tremenda redução de seus acertos! Por um outro lado,como aumentariam em qualidade!

— E quando será que isso vai acontecer? — perguntou ela, revelando alguma ansiedade. — Se houver alguma chance de que ocorra em minha época, acho que vou parar de ler e esperar que chegue esse tempo!

— Bem, talvez ocorra dentro de uns mil anos...

— Ah, então não vale a pena esperar... — disse ela, com um muxoxo. — O melhor que fazemos é sentar. Venha, Uggug queridinho, sente-se aqui perto de mim.

— Pode sentar em qualquer lugar — grunhiu o Sub-regente, — desde que não seja perto de mim. Esse infeliz sempre consegue derramar o café!

Logo supus (assim como o leitor deve ter suposto, se, como eu, for uma pessoa inteligente e arguta) que a dama era a esposa, do Sub-regente, e que Uggug (um gorduchinho horroroso, mais ou menos da mesma idade de Sílvia, e cuja cara lembrava um leitãozinho premiado em exposição) era seu filho. Além deles, Sílvia, Bruno e o Primeiro Ministro completavam o grupo de sete pessoas que ali havia.

— E o senhor de fato toma um banho de imersão toda manhã, Professor? — perguntou o Sub-regente, como se retomando uma conversa há pouco interrompida. — Mesmo nas pequenas hospedarias de beira de estrada?

— Oh, sim, certamente, certamente! — afirmou o Professor com um sorriso no rosto jovial. — Deixe-me explicar. Trata-se, efetivamente, de um problema bem simples de Hidrodinâmica. (Essa palavra refere-se a uma combinação de Água e de Força.) Se tivermos uma banheira e um sujeito dotado de enorme força (como eu, por exemplo), teremos um perfeito exemplo dessa ciência. Sou obrigado a admitir, contudo — e o Professor passou a falar baixo, de olhos semicerrados, — que é necessário um sujeito dotado de uma força efetivamente enorme. Ele deve ser capaz de saltar, sem tomar impulso, uma altura que seja o dobro da sua própria, dando um salto mortal e caindo de pé.

— Eu, hein? O senhor está falando de uma pulga, e não de um homem! — exclamou o Sub-regente.

— Desculpe-me por discordar — contestou o Professor, — mas esse tipo particular de banho não é adaptado às pulgas. Vamos supor — prosseguiu, dobrando seu guardanapo de modo tal a dar-lhe o aspecto de uma grinalda — que isso represente o que talvez constitua a principal exigência desta nossa Idade: O Banho Portátil do Turista Ativo — O BPTA, se assim preferir chamá-lo de maneira abreviada, senhor Ministro.

Desapontado ao notar que todos olhavam para ele, o Ministro apenas murmurou timidamente:

— Pois não, Professor.

— Uma grande vantagem desse banho de imersão — continuou o Professor — é que ele só necessita meio galão (1,85L) de água...

— Eu não chamaria "de imersão" — interrompeu Sua Subexcelência — um banho em que a pessoa não ficasse debaixo de água...

— Mas meu Turista Ativo vai ficar bem debaixo da água — retrucou o velho com delicadeza. — Veja: em primeiro lugar, O T. A. pendura o banho de imersão portátil, ou seja, o B. I. P., num prego, como estou fazendo. Em seguida, despeja dentro dele o jarro de água, coloca o jarro vazio embaixo da bolsa agora cheia, salta para cima, enfia a cabeça dentro da bolsa, a água transborda e pronto! Eis aí: o T. A. está mais molhado do que se tivesse mergulhado no Atlântico, numa profundidade de uma ou duas milhas!

— Pelo menos no que se refere à cabeça, é verdadc. Mas há um probleminha: em no máximo quatro minutos, nosso T.A. estará sem fôlego, podendo-se dizer que afogou...

— De modo algum! — contestou o Professor, com um sorriso orgulhoso nos lábios. — Passado um minuto, ele dará um tapinha no fundo da bolsa, isto é, do B. I. P., e toda a água escorrerá pela borda, caindo no jarro logo abaixo, e basta descer ao chão, para que ele esteja inteiro e banhado.

— Mas como poderia escapar da bolsa?

— Aí está, no meu entender, a parte mais bonita de toda esta invenção. A bolsa isto é, a banheira portátil, possui em seu interior uma sequência vertical de alças, com um diâmetro tal que nelas caiba o dedo polegar do banhista. De certa forma, trata-se de uma escada ascendente, apenas um pouco menos confortável que as escadas convencionais, tenho de convir. Assim, ao retirar a cabeça da bolsa, não haverá outra saída senão despencar de lá de cima, caindo ao chão, conforme a garantia que nos dá a Lei da Gravidade. Desse modo, ei-lo de novo sobre o chão!

— Com algumas escoriações, talvez?

— Bem um machucadinho aqui, um roxinho ali... mas, o que é importante, de banho tomado, concorda?

— Maravilhoso! De fato, é inacreditável! — exclamou o Sub-regente.

O professor tomou aquilo como um elogio, curvando-se com um sorriso triunfante nos lábios.

— Mais do que inacreditável! — confirmou Senhora Dona, tentando ser ainda mais genial, mas dessa vez o Professor não sorriu, embora tenha repetido a curvatura reverente.

— Posso assegurar — disse ele, com ar grave, — que, após inventado esse tipo de banho, nunca mais deixei de me banhar. Cheguei mesmo a prescrevê-lo a um paciente, mas não sei se ele seguiu à risca minha prescrição. É difícil lembrar o que aconteceu com esse paciente, pois isso aconteceu há muitos, muitos anos...

Nesse momento, a porta começou a abrir-se, vagarosamente, e seu rangido atraiu todos os olhares. Passos aproximavam-se e seu som bem conhecido fez com que Sílvia e Bruno, num salto, disparassem em sua direção.

CAPÍTULO 3

Presentes De Aniversário

Em meu irmão! — sussurrou o Sub-regente, em tom de alerta. — Vamos, trate de falar alto a respeito daquele assunto! Depressa, vamos!

As palavras dirigiam-se evidentemente ao Primeiro Ministro que logo obedeceu, recitando com voz estridente, como um menino repetindo a tabuada:

— Eu estava observando, Subexcelência, esse pavoroso movimento popular...

— Começou cedo demais! Espere um pouco! — exclamou o outro, sussurrando tão alto, devido à excitação, que quase podia ser escutado do lado de fora. — Deixe que ele chegue mais perto, para poder escutá-lo. Hmm... agora!

— Eu-estava-observando-esse-tumulto-lá-fora-que-já-começa-a-assumir-as -proporções-de-uma-revolução...

— E quais são as proporções de uma revolução? — perguntou o recém -chegado, com um vozeirão alegre.

Todos olharam para a porta, por onde entrava o dono do vozeirão, um velho alto de aspecto digno e jovial, trazendo Sílvia pela mão e Bruno encarapitado sobre os ombros. Sua aparência nobre e gentil teria alarmado alguém que se sentisse menos culpado que o Ministro, que logo empalideceu e começou a gaguejar, balbuciando:

— Como...como disse. Excelência? As pro...as proporções, como... como são? Não entendo... não... o que quer dizer com... com isso...

— Ora, não entende... As proporções! As dimensões! O tamanho, ora! — retrucou o outro, sorrindo com ar brincalhão.

Com grande esforço de concentração, o Ministro acabou recobrando a presença de espírito, e apontou para a janela aberta, dizendo:

— Se Vossa Excelência dignar-se de escutar por um momento os brados do poviléu exasperado — ("do poviléu exasperado!", repetiu o Sub-regente em voz alta, dando apoio moral e sonoro ao Ministro, que voltava a sentir-se apavorado ante a presença do cavalheiro alto, reduzindo sua voz a um mero murmúrio) — entenderá por certo o motivo de minha apreensão!

Nesse momento, como se de encomenda, ouviram-se os gritos altos confusos da multidão, exigindo o que parecia ser "Menos pão! Mais impostos!"

O homem alto explodiu numa gargalhada.

— Afinal de contas, que será que eles...

Não terminou, pois o Ministro, sem dar lhe ouvidos, correu para a janela, murmurando: "Tinham de errar logo agora!". Depois de alguns segundos, voltou de lá com cara de alívio, e disse:

— Agora, sim, escutem!

Dessa vez, as palavras foram ouvidas nitidamente, ritmadas como o som de um relógio:

— Mais-pão-mênoassim-postos!

— Mais pão!? — estranhou o Regente. Como assim? Ordenei que a Padaria Oficial passasse a vender pão pelo preço de custo, durante a presente escassez! Que mais querem que eu faça?

— A Padaria Oficial não está abrindo, Excelência! — retrucou o Ministro, dessa vez em voz alta e clara.

Sua segurança advinha do fato de que, agora, ele tinha algo palpável para comprovar suas palavras. Apanhando na mesa alguns recortes de jornais, que ali se achavam como que de propósito para ser mostrados, passou-os às mãos do Regente, que apenas passou os olhos de relance por eles, comentando em voz baixa:

— Sim, sim, estou vendo...As ordens foram revogadas pelo meu irmão, porém em meu nome, como se fosse eu o responsável por tudo... Um ardil muito astucioso... Mas tudo bem... ele desfaz a ordem, mas o papel tem minha assinatura... Explique-me agora por que o povo exige "menos impostos". Menos, como? Ordenei a suspensão integral de todos os impostos!... Fiz isso no mês passado, ora!

— Mas eles foram todos restabelecidos, S'lêns'... E por ordem de Voss'lens!

E estendeu-lhe outros recortes de jornal, que ele examinou por alto, olhando de vez em quando de relance para o Sub-Regente. Este, por sua vez, sentado diante de um livro-caixa aberto, estava — ou parecia estar — inteiramente absorvido na tarefa de somar as colunas do "deve" e do "haver". Ao Regente nada mais coube senão repetir, com ar resignado:

— Tudo bem, tudo bem. Assumo também essa responsabilidade...

— E dizem ainda — prosseguiu o Ministro, com ar encabulado, antes parecendo um ladrão pilhado em flagrante delito do que um alto funcionário do primeiro escalão — que se faz necessário uma boa mudança no governo. Querem extinguir o Sub-regente... oh! que estou dizendo? Não: querem que seja extinto o cargo de Sub-regente, conferindo ao seu atual titular o posto de Vice-regente, com a prerrogativa de agir e decidir como um Regente, sempre que este se encontrar ausente. Quero crer que essa medida teria o condão de apaziguar o descontentamento que grassa entre o povo.

E, passando os olhos rapidamente pelo papel que trazia nas mãos, arrematou:

— De arrefecer o efervescente descontentamento cujo rumor estamos escutando!

— Durante quinze anos seguidos — intrometeu-se uma voz áspera e estridente — meu marido tem exercido a função de Sub-regente. É muito tempo! Tempo demais!

Quem disse isso era Senhora Dona, criatura vasta, especialmente quando franzia o cenho e cruzava os braços: então, parecia mais gigantesca do que nunca, assumindo a aparência que deveria ter uma meda de feno, se adquirisse vida e ficasse enfurecida.

— Ele poderia ser um Vice tão bom, que nem iria parecer que era apenas um Vice — prosseguiu Senhora Dona, sem perceber, como de hábito, que suas palavras tinham duplo sentido. — Por aqui, há muito anos que não temos um Vice como este, já que nunca tivemos um Vice antes!

— Qual é então a sua sugestão, irmã? — perguntou o Regente, suavizando a voz.

Batendo os pés no chão, numa demonstração de imaturidade, e resfolegando, numa de deselegância, Senhora Dona respondeu, aos berros:

— Isto não é hora de fazer gracinha!

— Sendo assim, vou consultar meu irmão. Irmão!

— ... vezes sete, vai dar... cento e noventa e quanto, o que equivale a... dezesseis moedas de ouro e uns trocados — dizia o Sub-regente, aparentemente alheio ao que se passava ao seu redor. — Anote dois e transporte dezesseis.

O Ministro pôs as mãos em pala sobre os olhos e murmurou, com ar de admiração;

— Isso que é um verdadeiro homem de negócios!

— Irmão — disse o Regente, em voz alta, — quero ter uma palavrinha com você no meu escritório.

O Sub-regente levantou-se, arrastando a cadeira estrepitosamente, e os dois saíram do salão.

Senhora Dona voltou-se para o Professor, que tinha tirado a tampa da chaleira e media a temperatura do chá, com seu termômetro de bolso.

— Professor! — disse ela, tão alto e subitamente, que até Uggug, dormitando na cadeira, parou de roncar e abriu um olho para espiar o que estava acontecendo.

O Professor guardou seu termômetro, juntou as mãos, trançou os dedos e inclinou a cabeça para o lado, com um sorriso humilde.

— Creio que o senhor ministrou uma aula para meu pimpolho antes do café, não foi? — perguntou ela, traindo algum orgulho na voz. — Deu para notar o talento que ele tem?

— Se deu, Senhora Dona! — respondeu o Professor imediatamente, ficando as orelhas vermelhas ao recordar o que então acontecera. — Fiquei muito impressionado com Sua Magnificência, posso assegurar-lhe!

— É um garoto encantador! — exclamou Senhora Dona. — Até mesmo seus roncos são musicais que os dos outros meninos!

Se assim fosse, pensou o Professor, os roncos dos outros meninos deveriam ser terrivelmente medonhos; porém, como homem cauteloso que era, preferiu não expor em voz alta esse comentário.

— Além disso — prosseguiu ela, — como é inteligente! Ninguém saberá tirar maior proveito da conferência que o senhor irá proferir do que ele. Por falar nisso, já marcou a data? Até o dia de hoje, o senhor jamais proferiu uma conferência, embora tenha prometido fazê-lo há muitos e muitos anos. Foi antes mesmo que...

— Sim, sim, Senhora Dona, eu sei. Talvez na próxima terça-feira... ou na terça-feira da semana vem...

— Ótimo, Professor — concordou Senhora Dona graciosamente. — Naturalmente o senhor irá permitir que o Outro Professor faça o mesmo, não é?

— Creio que não, Senhora Dona. — disse o Professor, depois de alguma hesitação. — Como a senhora sabe, ele tem o mau hábito de sempre dar as costas para assistência. Para recitar, até que ele é bom, mas para proferir uma conferência...

— O senhor tem toda a razão — concordou Senhora Dona. — Ademais, agora estou achando que não haveria tempo suficiente para duas conferências, mas tão somente para uma. E, para que tudo corra às mil maravilhas, acho que ela deveria ser precedida de um belo banquete, e de um animado baile à fantasia...

— Apoiado! — gritou o Professor, com entusiasmo.

— Minha fantasia será de gafanhoto. Como o senhor irá?

— Eu vou chegar ao baile — respondeu o Professor, sorrindo acanhado — o mais cedo que eu puder...

— Mas não chegue antes que as portas se abram, Professor.

— Oh, não; chegarei depois... Queira desculpar-me, Senhora Dona, mas como hoje é aniversário da Senhorita Sílvia, eu gostaria de... — e saiu ali em passo apressado.

Ouvindo isso, Bruno apalpou os bolsos com ar tristonho; depois, encostou o polegar aos lábios e ficou cismando por algum tempo; por fim, saiu do recinto discretamente.

Mal o garoto tinha saído, regressou o Professor, quase sem fôlego.

— Que esta data se repita por muitos anos, querida menina! — conseguiu dizer, olhando sorridente para Sílvia, que correu em sua direção. — Permita-me dar-lhe um presente de aniversário. É uma almofada de alfinetes de segunda mão, que me custou apenas quatro tostões e meio!

— Oh, Professor, obrigada! É uma beleza! — exclamou Sílvia, completando seu agradecimento com um beijo carinhoso.

— E os alfinetes vieram de brinde, inteiramente grátis! — prosseguiu o Professor, demonstrando intensa satisfação. — Quinze alfinetes, todos em bom estado, exceto um, que veio meio morto.

— Vou utilizá-los como anzol! — disse Sílvia, com ar brincalhão, — para pescar Bruno, quando ele quiser escapulir das lições.

— Será que você adivinha qual é o meu presente? — perguntou Uggug, escondendo atrás de si a manteigueira, enquanto sorria maldosamente, olhando Sílvia de esguelha.

— Não faço ideia — respondeu Sílvia, sem olhar para ele, pois ainda estava examinando atentamente o presente que o Professor acabava de lhe dar.

— Pois veja então! — gritou ele exultante, enquanto despejava sobre a cabeça da menina e o conteúdo da manteigueira.

Feito isso, Uggug olhou em redor esperando que todos os presentes aplaudissem sua brincadeira inteligente. Sílvia enrubesceu de raiva enquanto procurava limpar o vestido, todo sujo de manteiga. Todavia, nada disse. Mantendo os lábios apertados, caminhou para a janela, e ali ficou a olhar a paisagem, enquanto esperava recobrar a serenidade.

Durou pouco o triunfo de Uggug: o Sub-regente entrou de novo no salão o tempo de testemunhar a brincadeira estúpida do garoto. No mesmo instante, o estalar de um tapa bem aplicado na orelha do brincalhão transformou seu riso de prazer num ganido de dor.

— Não faça isso com meu tesouro! — gritou Senhora Dona, envolvendo seu pimpolho num abraço protetor. — Coitadinho! Nada fez que merecesse apanhar!

— Acha que eu iria bater nele a troco de nada? — grunhiu o pai, com voz irada. — Esqueceu-se, mulher, de quem paga as contas que excedem os gastos previstos no orçamento? Toda essa manteiga desperdiçava, quem paga sou eu, lembre-se! Sai aqui, do meu bolso, ouviu bem, Madame?

— Refreie sua língua, cavalheiro! — disse Senhora Dona suavemente, quase num sussurro.

Apenas das palavras brandas, havia algo em seu olhar que fez o marido silenciar imediatamente. E ela prosseguiu, no mesmo tom:

— Será que o senhor não viu que tudo não passava de uma brincadeirinha? Sim, de uma brincadeira inocente? Foi um modo inteligente que ele encontrou de dizer para aquela bobinha que ele a amava mais do que a qualquer outra pessoa. E que fez ela? Em lugar de agradecer, foi-se refugiar junto à janela, com cara de zangada!

Em matéria de mudar de assunto, o Sub-regente era mestre. Assim, chegando também junto à janela, olhou para baixo e disse:

— Venha ver, querida! Aquilo ali não é um porco que está fuçando entre suas flores?

— Um porco! E logo no meu canteiro de flores! — gritou Senhora Dona, com voz estridente, correndo para a janela e empurrando o marido, ansiosa por ver o desaforado suíno. — Que porco será esse? De onde terá vindo? Como teria entrado no jardim? E o jardineiro, onde é que estará? Aquele irresponsável...

Nesse momento, Bruno reentrou no salão e passou por Uggug sem lhe dar atenção, embora ele estivesse esgoelando o mais alto que era capaz, sem que ninguém parecesse importar com seus gritos, tão habituados estavam a assistir àquela cena. Seguindo até onde estava Sílvia, abraçou a irmã e disse com ar tristonho:

— Fui ao meu armário ver se encontrava alguma bugiganga que pudesse lhe dar de presente, mas nada encontrei. Só havia coisas quebradas! E como também não tenho dinheiro algum, não poderei comprar um presente para você. A única coisa que lhe posso dar é isso — e lhe deu um abraço apertado e um beijo estalado.

— Oh, irmãozinho, muito obrigado! Adorei esse seu presente!

(Mas, já que era assim, por que teria devolvido tão rapidamente o beijo e se desvencilhado tão depressa do abraço?)

Sua Subexcelência deu-lhes um tapinha carinhoso na cabeça, com suas mãos de dedos longos e descarnados, e os despachou dali, dizendo:

— Agora, vão brincar lá fora, crianças. Temos negócios a tratar.

Sílvia e Bruno saíram do salão, de mãos dadas. Ao chegar à porta, a menina deu meia-volta, aproximou-se de Uggug timidamente e disse:

— Não estou aborrecida por causa da manteiga, mas sim por que ele machucou você.

Em seguida, estendeu-lhe a mão, mas Uggug apenas aumentou o volume do berreiro que estava aprontando, recusando-se a estender-lhe. Com um soluço, ela saiu dali. O Sub-regente, assistindo à cena, dardejou um olhar colérico sobre o filho chorão e vociferou:

— Vá embora daqui, seu manteiga derretida!

A esposa, nesse meio tempo, continuava olhando pela janela, repetindo sem parar:

— Não consigo ver o tal porco! Onde estará ele?

— Está ali, naquele canto, à direita — disse o Sub-regente. — Olha lá! Saiu! Agora foi para o canto à esquerda!

Dizia isso sem sequer se aproximar da janela, de costas para ela, enquanto apontava para Uggug e fazia sinais para o Ministro, mostrando-lhe a porta e ordenando-lhe que levasse dali o monstrinho.

O Ministro não tardou a captar a mensagem. Atravessando o salão, tomou o choramingas pela orelha e saiu com ele pelo corredor a dentro, batendo a porta após sua saída. Só não conseguiu evitar que antes, de fechar a porta, o garotão desfechasse um grito estridente, que atravessou o salão em toda a sua extensão, chegando até os ouvidos da extremosa mãe junto à janela.

— Que uivo horripilante foi esse? — indagou ela, olhando ameaçadoramente para o marido.

— Deve ser uma hiena, ou algum bicho parecido — respondeu o Sub-regente, olhando vagamente para o teto, como se costumasse haver alguma fera lá em cima. — Agora, vamos tratar de negócios, querida. Dê-nos licença, que o Regente já está para chegar.

Dizendo isso, apanhou do chão um pedaço de papel amarrotado, abrindo-o e lendo esse retalho de anotação: "(...) *depois devidamente assegurada a eleição, os mencionados Sibimet e sua esposa Tabikat poderão, a seu bel-prazer, assumir a coroa imperial*(...)". Depois de ler, baixando os olhos, voltou a amarrotar o pedaço de papel, atirando-o ao longe, traindo um forte sentimento de culpa no olhar.

CAPÍTULO 4

Uma Conspiração Astuciosa

Nesse instante, entrou o Regente, tendo logo atrás de si o Ministro, de faces afogueadas e respiração arfante. Chegou ajeitando a cabeleira postiça, que estava um tanto torta sobre sua cabeça.

— Ué! — exclamou Senhora Dona. — Onde está meu tesouro?

Enquanto os quatro tomavam assento junto a uma mesa pequena, repleta de livros e documentos diversos, o Sub-regente respondeu:

— Ele saiu daqui faz um tempo. Foi atrás do Ministro.

— Ah, entendo! — disse Senhora Dona dirigindo ao Ministro um sorriso agradecido. — Sua Senhoria tem muito jeito para lidar com crianças. Meu pequeno Uggug, basta eu dar as costas, sempre sai atrás do Senhor Ministro, é infalível! Aliás, o pobrezinho deve estar de orelhas vermelhas, de tanto que estamos a falar dele...

Para uma mulher tão tola, não deixava de ser curioso como suas observações eram repletas de sentido, embora ela mesma fosse inteiramente inconsciente disso.

O Ministro fez uma curvatura, sem contudo perder a inquietação que o assaltava.

— Creio que o Senhor Regente deseja falar — disse ele, evidentemente ansioso para tirar as atenções de cima de si.

Mas Senhora Dona não se deu por achada, e continuou a falar entusiasmadamente sobre seu assunto predileto:

— Ele é um menino muito inteligente, se é! São pessoas como o Senhor Ministro que conseguem despertar seu interesse para a busca de novos horizontes!

O Ministro mordeu os lábios, mantendo-se em silêncio, um tanto receoso de que, apesar de tola, ela de repente chegasse à conclusão de que os "novos horizontes" que o Ministro oferecia a Uggug eram os de seu próprio quarto, trancado a chave por fora. Inútil preocupação à sua, porquanto ela jamais conseguiria chegar sozinha àquela conclusão, e nem haveria quem tivesse qualquer interesse em abrir-lhe os olhos.

Portanto, já decidimos tudo — disse o Regente, sem perder tempo com Prólogos. — A Sub-regência está abolida, e meu irmão fica nomeado Vice-regente, podendo agir em meu nome durante minhas eventuais ausências.

Sempre que eu tiver de viajar, ele passará a ocupar a Regência imediatamente, com plenos poderes de decisão.

— Quer dizer que ele vai ser um Vice de verdade? — perguntou Senhora Dona.

— Claro que sim! — respondeu o Regente, com ar sorridente.

Senhora Dona ficou jubilosa, batendo palmas de contentamento, mas sem produzir qualquer ruído, como se fossem duas almofadas chocando-se uma contra a outra.

— Meu esposo será um Vice como nunca houve outro igual! Vai valer por cem vices!

— Falou, querida, falou... — arrematou o Sub-regente.

— Você até parece achar estranho que eu esteja aqui dizendo essas verdades — falou ela, franzindo o cenho.

— Estranho? De modo algum! Nada que você diz soa estranho aos ouvidos de quem quer que seja, meu bem!

Senhora Dona sorriu ante o que considerou um elogio e continuou:

— Quer dizer que eu agora serei chamada de Vice-regentíssima?

— Se preferir que a chamem assim, assim a chamarão. De minha parte — disse o Regente — acho que "Sua Excelência" será mais adequado, tanto para você como para o futuro Vice. É o que está prescrito no Acordo que acabo de redigir, e cuja cláusula mais importante, segundo meu entendimento, é aquela que diz — e desenrolou um rolo de pergaminho, passando a ler em voz alta: — *"Parágrafo único: Constitui nossa obrigação tratar os pobres com gentileza e generosidade"*. Fiz questão de conferir esse trecho com o Senhor Ministro, e volto a perguntar: está de acordo com as normas legais?

— Sem a menor sombra de dúvida! — respondeu o Ministro da melhor maneira que pôde, já que se achava com uma caneta entre os dentes, enquanto enrolava e desenrolava nervosamente diversos pergaminhos, enfiando entre eles o que o Regente acabava de ler. — Estes aqui são apenas rascunhos. Logo que eu fizer a revisão final (coisa pequena: uma virgulazinha aqui, um ponto-e-vírgula ali) e aproveitou para sapecar uma das tais virgulazinhas, cobrindo-a imediatamente com um mata-borrão — o documento estará pronto para ser assinado.

— Depois de ser lido de cima em baixo, não é? — perguntou Senhora Dona.

— Mas não há a menor necessidade disso — protestou o Sub-regente, com um sorriso gentil. — Tudo já foi lido e relido.

— Sim, não haverá necessidade disso — concordou o Regente, com um sorriso gentil. — Seu marido e eu estamos de acordo com todas as cláusulas do Acordo. Ele estabelece que o Vice-regente poderá ocupar sem restrições a Regência, e terá a seu dispor a verba do orçamento anual destinada ao cargo, até meu regresso, ou, caso isso não ocorra, até que Bruno alcance idade suficiente para ocupar o posto num caso ou noutro, terá ele de prestar contas, tão logo entregue o cargo, das reservas do Tesouro Nacional, que terão de ser mantidas intactas durante o tempo em que ele exercer o cargo de Regente.

Durante todo esse tempo, o Sub-regente estivera atarefado, juntamente com o Ministro, trocando os papéis de lugar, e apontando a linha em que o Regente deveria apor sua assinatura no documento. Ele por fim assinou, tendo o Ministro e Senhora Dona rubricado como testemunhas.

— Quanto mais curta a despedida, melhor — disse então o Regente. — Tudo está pronto para minha viagem. Meus filhos aguardam lá embaixo para me dar adeus.

Assim, depois de beijar a Senhora Dona e apertar as mãos do irmão e do Ministro, o Regente foi-se embora.

Os três aguardaram em silêncio, até que o ruído de rodas anunciou que o Regente não mais podia mais escutá-los. Foi então que, para minha surpresa, todos eles explodiram em gargalhadas incontroláveis.

— Que golpe! Sim, que golpe de mestre! — gritou o Ministro, dando as mãos ao Vice-regente e dançando com ele pelo salão, fazendo tremendo escarcéu.

Senhora Dona era distinta demais para entrar naquela dança selvagem, mas prorrompeu a rir de maneira relinchante, enquanto agitava o lenço, num adeus simbólico. Estava claro, para sua limitada compreensão, que alguma tramoia acabava de ser concluída, mas não fazia a menor ideia do que poderia ser.

— Você falou que me poria a par de tudo, depois que o Regente partisse — disse ela em tom queixoso, tão logo notou que podia ser ouvida.

— E é o que vou fazer, Tabby querida — concordou o marido gentilmente, enquanto retirava de cima do documento o mata-borrão que o cobria, exibindo dois pergaminhos aparentemente iguais.

— Este aqui é o documento que ele leu, mas que não assinou. E este outro é o que ele assinou, mas que não leu! O mata-borrão impediu que ele notasse o expediente.

— Ahá, entendi! — exclamou Senhora Dona, tomando os dois pergaminhos e comparando-os. — Este aqui diz "Parágrafo único: Na ausência do Regente, o Vice-regente exercerá a autoridade de Regente". Já este outro diz que, na ausência do Regente, o "Viceregente tornar-se-á o dirigente absoluto da Nação, pelo restaurante de sua vida, podendo usar o título de Imperador, desde que eleito pelo povo para ocupar o trono imperial"! Quê?! Então você é Imperador, meu bem?

— Ainda não, querida — respondeu o Vice-regente. — Por enquanto, esse documento terá de permanecer secreto. Vamos divulgar seu conteúdo no devido tempo.

Senhora Dona concordou com a cabeça e prosseguiu com a leitura:

— "Constitui nossa obrigação tratar os pobres com gentileza e generosidade" essa cláusula foi retirada do segundo documento!

— Claro que foi! — retrucou o marido. — E acaso temos tempo para ficar preocupados com esse bando de miseráveis?

— Agiram bem! — concordou Senhora Dona, balançando a cabeça com satisfação. — Vejamos esse outro parágrafo: "As reservas do Tesouro Nacional terão de ser mantidas intactas", etc. Segundo a nossa versão, essas reservas "estarão à absoluta disposição do Vice-regente". Muito bem, Sibby, que golpe fantástico! Agora temos à nossa disposição todas, todas as joias do Tesouro! Será que já posso ir lá escolher algumas para usar ainda hoje?

— Não, não, benzinho! Ainda não! — disse o marido, inquieto. — O povo ainda não está preparado para aceitar isso... por enquanto. Neste momento, teremos de agir com muito tato. Uma coisa ou outra já estará ao nosso dispor: a carruagem de luxo, por exemplo. Quanto ao título de Imperador, é apenas questão de esperar o momento propício para realizar uma eleição. Não vai demorar. O problema são as joias... Dificilmente o povo irá aceitar que as usemos, enquanto o Regente estiver vivo. Por isso, será necessário espalhar um boato sobre sua morte. Vamos fazer uma pequena conspiração.

— Um conspiração! Iuhu! — gritou ela exultante, batendo palmas. — É uma das coisas que mais gosto de fazer! Como é interessante!

Depois de trocar uma ou duas piscadelas com o Vice-regente, o astuto Primeiro Ministro sussurrou-lhe ao ouvido:

— Ela pode conspirar "à la vontê", não vai causar dano algum! — E quando é que vamos começar essa conspiração? — disse ela — Eu acho...

— Pssit! — fez o marido, interrompendo-a, ao ver que Sílvia e Bruno voltavam ao salão.

Os dois jovens entraram abraçados, demonstrando profunda desolação. Bruno soluçava convulsivamente, escondendo o rosto no ombro da irmã, enquanto Sílvia, mais recatada e sóbria, apenas revelava sua tristeza pelas lágrimas que lhe escorriam dos olhos.

— Que choradeira é essa? — perguntou o Vice-regente, com voz zangada, mas sen causar qualquer efeito sobre os dois.

— Já sei: bolo! — murmurou Senhora Dona para si própria, caminhando em seguida através do salão até um armário, de onde pouco depois voltava, trazendo em cada mão uma fatia de bolo. — Tomem, crianças. Comam e parem de chorar.

Ante a ordem seca, os dois sentaram-se lado a lado e pararam de chorar, embora não parecessem estar com disposição para comer.

Pela segunda vez, a porta foi aberta, ou melhor, foi escancarada com força, e Uggug irrompeu dentro do salão, a gritar:

— O velho mendigo voltou!

— Diga que não temos sobra de comida para dar... — começou o Vice-regente, logo interrompido pelo Ministro, que o acalmou, dizendo em voz baixa:

— Não precisa incomodar-se. Os criados já receberam ordens a este respeito.

— Ele está aqui, bem debaixo da janela — disse Uggug, olhando para fora.

— Onde, queridinho? — perguntou a mãe extremosa, abraçando o monstrinho por trás.

— Todos nós (exceto Sílvia e Bruno, que não davam conta do que estava acontecendo) também seguimos até a janela que dava para o pátio. O velho mendigo fitou-nos, com olhos esfomeados.

— Só quero algumas migalhas de pão, Altezas!

Era um velho de traços finos, com aspecto doente e cansado. Não ouvindo resposta, insistiu:

— Um pedaço de pão e um gole de água, nada mais!

— Quer água, é? — perguntou Uggug, erguendo um jarro de água de modo que o mendigo visse. — Então beba esta!

E despejou o conteúdo do jarro sobre o pobre velho.

— Muito bem, meu garoto! — aplaudiu o Vice-regente. — É assim que esse pessoal aprende!

— Menino esperto! — exclamou a Vice-regente, num guincho. — Ele tem ou não tem senso de humor?

Enquanto o infeliz tentava tirar a água que empapava suas vestes esfarrapadas, olhando para a janela com ar surpreso e decepcionado, o Vice-regente rosnou:

— Que mais quer? Umas boas varadas? Espere aí, que já vai recebê-las.

— Ele merece uma surra com o atiçador da lareira, que está em brasa! — rematou Senhora Dona, com voz esganiçada.

O atiçador ficou onde estava, mas diversas varas de marmelo surgiram no pátio, brandidas por criados de feições carrancudas e ameaçadoras. Antes que alcançassem o pobre velho, ele se retirou dali com ar digno, dizendo:

— Poupem suas varas. Não é necessário quebrarem meus velhos ossos. Adeus. E nem mesmo uma migalha!...

— Coitado do velho! — exclamou uma vozinha a meu lado, entrecortada de soluços.

Era Bruno que chegara à janela, curioso, e que agora tentava arremessar sua fatia de bolo para o mendigo, no que foi impedido por Sílvia.

— Mas eu quero dar meu bolo para ele! — disse o garoto enfurecido, desvencilhando-se dos braços da irmã.

E os dois saíram do salão sem que os presentes o percebessem tão entretidos estavam com a cena que se desenrolava no pátio.

Depois disso, os conspiradores voltaram a sentar-se e continuaram a conversar em voz baixa, para não ser escutados por Uggug, que ainda não tinha deixado a janela.

— A propósito — era a Senhora Dona quem falava, — lembro-me de que havia algo no documento a respeito de ser como é que ficou definida a sucessão?

O Ministro deu um risinho que mais parecia um cacarejo, e depois falou:

— Mantivemos o texto original, palavra por palavra. Só mudamos uma coisinha: em lugar da palavra "Bruno", preferimos escrever... "Uggug".

— Quê?! Uggug?! — exclamei indignado, sem conseguir conter-me.

Deixar escapar essas duas palavrinhas custou-me bastante esforço; todavia, depois de proferidas, sobreveio um alívio imediato, e uma súbita lufada de vento varreu toda a cena, trazendo-me de volta ao meu assento, diante da jovem que agora já se achava sem o véu, e que me fitava com uma expressão de divertida surpresa.

CAPÍTULO 5

O Palácio do Mendigo

Que eu dissera algo antes de acordar, era coisa de que eu tinha certeza, pois o eco das palavras ainda reboava em meus ouvidos. Eu teria sabido disso, mesmo que o olhar espantado de minha companheira de viagem não estivesse ali para servir de irrefutável evidência do fato. Já que era assim, que poderia eu dizer, à guisa de desculpa?

— Espero não tê-la assustado — foi o que por fim consegui balbuciar. — Sei que falei alguma coisa, mas não faço ideia do que tenha sido. Eu estava sonhando...

— Você disse: "Quê?! O Guegue?!" — respondeu a jovem, cerrando os lábios com força, para que eles não se abrissem num sorriso, mas sem conseguir disfarçar que estava achando graça no acontecido. — A bem da verdade, você não disse essas palavras: *gritou-as*!

— Oh, desculpe-me! — foi tudo o que pude dizer, arrependido e embaraçado.

"Ela tem os olhos de Sílvia!", pensei, enquanto me beliscava para ver se de fato já estava acordado. "E esse aspecto de espanto inocente também lembra Sílvia. Por outro lado, não são de Sílvia essa boca que revela calma e resolução, e esse aspecto distante de melancolia sonhadora, como se fosse de alguém que, tempos atrás, sofreu terrível decepção..."

O tropel de pensamentos que me assaltava quase me impediu de escutar o que a jovem dama disse a seguir:

— Se você estivesse com um desses livrinhos baratos de terror nas mãos, tratando de assuntos como assombrações, explosões de dinamite ou assassinatos na calada da noite, aí eu entenderia o porquê do grito. Esses livros não valem os tostões que custam, a não ser que provoquem um belo pesadelo. Mas não é o que devia ocorrer com quem está lendo um tratado de Medicina... — e ela lançou um olhar sobre a capa do livro que eu tinha nas mãos, arrematando-a com um gracioso dar de ombros.

Suas maneiras afáveis e francas desconcertaram-me no primeiro momento, mas logo notei que nela não havia qualquer traço de petulância ou atrevimento, mas tão somente sinceridade e inocência próprias da infância. Sim, porque ali estava eu diante de uma criança, ou quase, pois a jovem mal deveria ter passado dos vinte anos. A ideia que me dava era a de que se tratava de uma visitante angélica, inexperiente no tocante às formalidades e convencionalismos — ou, se você preferir, aos barbarismos — da sociedade terrestre. "Talvez Sílvia acabe por tornar-se assim", pensei, "dentro de dez anos".

— Quer dizer que você só se interessa por fantasmas — aventurei-me a levar avante a conversa — se eles forem de fato aterradores, certo?

— Isso mesmo. Os fantasmas ferroviários — isso é, os que frequentam as páginas dos livrinhos que se leem nos trens — não passam de uns pobres diabos, cochos e desenxabidos. Sinto-me inclinada a dizer deles, plagiando Alexander Selkirk: "Sua mansidão causa-me espanto!" Além do mais, eles jamais cometem assassinatos na calada da noite. Mesmo que fosse para salvar suas vidas, eles jamais se atreveriam a "chafurdar no sangue"!

— "Chafurdar no sangue", hein? Uma expressão bem forte! Não seria possível chafurdar numa matéria mais líquida?

— Creio que não — respondeu a jovem com decisão, como se já houvesse cogitado a esse respeito durante muitos anos. — Tem de ser num fluido espesso. Poderia ser, por exemplo, em molho de tomate. Em se tratando de um fantasma, talvez o molho branco fosse mais adequado, no caso de ele querer chafurdar...

— E aí nesse seu livro — perguntei com ar malicioso, — será que temos um fantasma dos bons, daqueles bem terríveis?

— Como foi que o senhor adivinhou? — perguntou ela, fingindo surpresa e me estendendo o livro, coberto por uma capa que não permitia ler seu título.

— Abri-o impacientemente, com um tremor desagradável (semelhante ao que nos sobrevém quando lemos histórias de terror), pelo fato de ter adivinhado — "sinistra" coincidência — o gênero de leitura que ela tinha nas mãos. Foi com surpresa que constatei que mostrava o capítulo que ela há pouco estava lendo: "Molhos".

Devolvi o volume para sua dona, que deu uma boa risada ante a cara de surpresa que eu devo ter feito. Para tirar-me do embaraço, ela comentou.

— Posso assegurar-lhe que este livro é mais excitante do que muitos desses que narram histórias de terror! No mês passado, passei os olhos por aquela revista chamada "Sobrenatural", e deparei com um fantasma absolutamente incolor, inodoro e insípido! Aquele lá não assustaria nem um camundongo! Se me aparecesse de noite, em minha casa, eu lhe ofereceria uma cadeira para sentar...

"Seis décadas de idade, calvície avançada e óculos de grau têm suas vantagens", pensei comigo mesmo. "Fosse eu um jovem tímido, recém-saído da adolescência, e mal trocaria com essa donzela meia dúvida de palavras monossilábicas, separadas entre si por longos intervalos. Mas como se trata de um velho e uma menina, nada impede que conversemos inteiramente à vontade, e como se fôssemos velhos conhecidos..."

— Acha então — prossegui, dessa vez em voz alta — que não há mal em oferecer uma cadeira a um fantasma, ao menos que de vez em quando? Que autoridade teríamos para fazer esse convite? Vejamos o que diz Shakespeare a esse respeito, já que não existe carência de fantasmas em sua obra. Será que, em alguma de suas peças, se encontra, na descrição do cenário, "deixar uma cadeira reservada para o fantasma"?

A jovem dama quedou-se intrigada e pensativa por algum tempo, mas de repente sorriu e quase chegou a bater palmas, enquanto dizia:

— Sim, sim, temos alguma coisa a esse respeito! Ele põe na boca de Hamlet as seguintes palavras: "Descansai, descansai, Espírito perturbado!"

— E acaso você imagina que esse descanso seria numa espreguiçadeira?

Nesse momento a porta foi escancarada por uma guarda que anunciou:

— Entroncamento Fayfield, senhora, baldeação para Elveston!

Descemos do comboio e logo nos vimos na plataforma de embarque, rodeados por nossa bagagem.

A acomodação destinada aos passageiros que teriam de esperar a chegada da outra composição naquele entroncamento era efetivamente inadequada, resumindo-se tão somente a um banco de madeira, onde caberiam quando muito três pessoas. Um dos lugares, aliás, já estava ocupado por um velho camponês de ombros curvados e cabeça inclinada, testa apoiada sobre as mãos, as quais, por sua vez, se apoiavam numa bengala, formando uma espécie de almofada dura. Era sobre os bengala, formando uma espécie de almofada dura. Era sobre os dedos descarnados que o velho descansava a face enrugada, tentando recompor-se das fadigas que seu semblante evidenciava.

— Vamos, saia daqui! — ordenou-lhe asperamente o chefe da estação. — Caia fora e ceda o lugar para seus superiores! Por aqui, senhora, faça o favor — disse, em voz inteiramente diferente. — É bom esperar sentada, porque o trem ainda deve demorar alguns minutos.

O servilismo de suas maneiras era devido, sem dúvida, à etiqueta pregada sobre a mala que estava por cima da pilha das bagagens, na qual se lia que sua proprietária era "*Lady Muriel Orme; destino: Elveston, via Fayfield*".

Enquanto eu contemplava o pobre velho afastar-se coxeando sobre a plataforma, vieram-me à mente aqueles antigos versos:

Da enxerga pobre ergue-se o monge:
como é difícil levantar!
A juventude ficou longe,
e a morte não vai demorar.

A jovem dama mal prestou atenção ao incidente. Depois de passar os olhos rapidamente pelo velho "desbancado", que estava parado não longe de nós, apoiando-se tremulamente em sua bengala, ela voltou-se para mim e comentou:

— Isto aqui não é uma cadeira de balanço, de modo algum! Não obstante, serve bem — e nesse momento ela repuxou a saia, de modo a deixar um espaço para que eu também pudesse sentar-me — serve bem para que eu diga, tal qual Hamlet, "Descansai, descansai..."

FAYFIELD JUNCTION
CHANGE FOR ELVESTON

Não terminou a frase, tomada de um acesso de riso. Completei para ela:

— "... Espírito perturbado!" Sim, isso descreve com exatidão um passageiro de trem! E aqui temos um bom exemplo disso — acrescentei, enquanto o trenzinho de percurso local chegava resfolegando à plataforma, sendo logo ladeado por dois alvoroçados carregadores, que foram abrindo as portas dos vagões. Um deles ajudou o pobre velho a subir os degraus do vagão de terceira classe, enquanto o outro conduziu-nos obsequiosamente para o vagão de primeira.

A jovem fez uma pausa antes de segui-lo, para acompanhar com os olhos o caminhar trôpego do outro passageiro.

— Pobre velhinho! — comentou. — Como parece fraco e doente! Foi uma vergonha expulsá-lo daquele jeito grosseiro. Fiquei bastante aborrecida com aquilo.

Compreendi que essas palavras não tinham sido ditas para mim, mas eram apenas a exteriorização de seu pensamento. Recuei uns poucos passos e deixei que ela entrasse primeiro no vagão, para segui-lo logo após. Já instalados, retomei a conversa:

— Shakespeare deve ter viajado de trem, nem que fosse em sonhos. "Espírito perturbado" é de fato uma expressão feliz.

— "Perturbado" é uma palavra que se acomoda, perfeitamente aos livrinhos de leitura ferroviária — concordou ela. — Se o deus Vapor nada mais tivesse feito, pelo menos teria a seu crédito o surgimento de toda uma nova espécie de Literatura Inglesa!

— Concordo inteiramente. São de origem efetivamente ferroviária todos os nossos livros de Medicina e de Culinária...

— Oh, não! — contestou a jovem, sorrindo. — Não me refiro à "nossa" literatura! Nós dois somos passageiros incomuns. Refiro-me, sim, aos livretos sensacionalistas, às novelas de suspense, onde o Homicídio entra em cena já na página 15, enquanto o Matrimônio só dá as caras lá pela página 40. Tais obras não devem ser imputadas à responsabilidade do Vapor?

— E quando o deus Vapor for substituído pela deusa Eletricidade, se me permite levar avante sua teoria, teremos meros folhetos, em lugar de livrinhos, nos quais o Homicídio e Matrimônio só dá as caras lá pela página 40. Tais obras não devem ser imputadas à responsabilidade do Vapor?

— Uma evolução digna de Darwin! — exclamou a jovem com entusiasmo. — Só que senhor o senhor inverteu a teoria dele. Ao invés de fazer o rato evoluir para o elefante, fez o elefante transformar-se num rato!

Nesse momento, entramos num túnel, e aproveitei para reclinar na poltrona e cerrar os olhos, tentando relembrar alguns dos incidentes de meu sonho recente.

— Pensei ter visto... — murmurei, sonolento.

Aquela frase, então, insistiu em conjugar-se sozinha, modificando-se em "pensaste ter visto", depois em "pensou ter visto", subitamente transformando-se numa canção ritmada, cuja letra era assim:

Pensou em ter visto um elefante
tocando flauta-doce;
olhou de novo e não mais quis
acreditar que fosse
um elefante musical,
mas era, e ele assustou-se!

E quem a cantava era uma criatura de aspecto feroz e selvagem. Pareceu-me ser um jardineiro — e doido, por certo, pela maneira imprudente com que brandia seu ancinho; doido varrido, visto que se punha de vez em quando a dançar de modo frenético doido de jogar pedra, pelos gritos estridentes com que costumava acentuar a última palavra de cada verso!

Como descrever a criatura? Difícil: pelos pés, lembrava um elefante, mas o resto do corpo era pele e ossos, e os pedacinhos de palha que o recobriam davam a impressão de que ele deveria ser algum espécime empalhado de jardineiro, há pouco estripado de seu recheio.

Sílvia e Bruno esperaram pacientemente, até que ele terminasse de cantar a última estrofe. Então, Sílvia avançou sozinha (Bruno foi tomado de um súbito ataque de timidez) e educadamente se apresentou, dizendo:

— Permite, senhor? Sou Sílvia.

— E essa outra coisa, que é? — perguntou o jardineiro.

— Outra coisa? — estranhou Sílvia, olhando ao redor. — Ah, esse ali? É Bruno. Ele é meu irmão.

— E ontem, ele já era seu irmão?

— Claro que sim! — respondeu Bruno, que a essa altura se havia aproximado dos dois e não via a hora de se intrometer na conversa.

— Está bem... — disse o jardineiro, com uma espécie de gemido. — As coisas mudam tanto, por aqui... Sempre que olho de novo, é certo que verei alguma coisa diferente. Mesmo assim, cumpro meu dever! Quando está perto das cinco da manhã, já começo a me contorcer na cama, para levantar...

— Se eu fosse você — disse Bruno, — não me contorceria antes de me levantar. Isso me faria sentir como se fosse um verme (esse comentário final foi dito em voz baixa, para ser ouvido apenas por Sílvia).

— Nem se contorceria, e nem se levantaria, seu preguiçoso! — replicou a Sílvia. — Mas lembre-se: é o pássaro madrugador que acha a minhoca...

— Pode ficar com ela — retrucou Bruno. — De minha parte, nada a reclamar. Prefiro ficar na cama até que todos os pássaros madrugadores tenham achado e comido todas as minhocas do mundo...

— Que é esse menino? — estranhou o jardineiro. — Como pode ter cara para dizer essas asneiras?

— Não é preciso ter cara para dizer asneiras — retrucou Bruno, sorrindo. — Basta ter boca!

Para mudar de assunto, Sílvia perguntou:

— Foi o senhor quem plantou todas essas flores? Seu jardim é um encanto! Bem que eu gostaria de ficaorando aqui para sempre...

— Mas não nas noites de inverno... — começou a dizer o jardineiro, quando Sílvia o interrompeu, com ar alarmado:

— Oh! Quase me esqueci da razão de termos vindo até aqui! Será que o senhor poderia deixar-nos atravessar o jardim para alcançarmos a estrada? Um velho mendigo esfomeado acabou de passar por aqui, e Bruno quer dar-lhe seu pedaço de bolo.

— É para isso que eu sou pago... — resmungou o jardineiro, tirando uma chave do bolso e abrindo o portão do jardim.

— E quanto lhe pagam? — perguntou Bruno inocentemente.

— Isso é segredo — respondeu o jardineiro, com um sorriso. — Vamos logo, passem, e não demorem a voltar!

Os meninos passaram pela porta, que se fechou atrás deles, mas não antes que eu também passasse e seguisse em seu encalço.

Corremos os três para a estrada, e logo avistamos o velho mendigo, que seguia a cerca de um quarto de milha a nossa frente (400m). Na ânsia de alcançá-los, as crianças aumentaram a velocidade. Não sei como consegui acompanhá-las, correndo tanto quanto elas, mas não me preocupei em encontrar explicações, já que havia tantas outras coisas para tentar entender.

O velho devia ser surdo como uma porta, pois não fez qualquer menção de virar-se, apesar dos gritos desferidos por Bruno, na tentativa de fazê-lo parar. Prosseguiu manquitolando sem parar, até aqui, por fim, o garoto conseguiu ultrapassá-lo e lhe estendeu o pedaço do bolo. Quase sem fôlego, a única palavra que conseguiu pronunciar foi "Bolo!", mas não com o tom de voz agressivo que Sua Vice-excelência tinha usado ainda há pouco, e sim com uma doce timidez infantil, enquanto fitava de baixo para cima o velho alto, com olhos que amavam "tanto as coisas grandes, como as pequenas".

O mendigo arrebatou-lhe o pedaço de bolo e pôs-se a devorá-lo sofregamente, como se fosse uma fera, sem que sequer uma palavra de agradecimento lhe aflorasse aos lábios. Apenas rosnou "Mais! Mais", mirando com os olhos selvagens as duas crianças semi-apavoradas.

— Acabou! — disse Sílvia, com lágrimas nos olhos. — Eu comi o meu... Foi uma vergonha expulsá-lo daquele jeito grosseiro. Fiquei bastante aborrecida com aquilo...

Não prestei atenção no restante da frase, porque minha mente retornou subitamente a Lady Muriel Orme, que, para minha surpresa, acabara de dizer exatamente aquelas mesmas palavras, com a voz de Sílvia e com seus mesmos olhos suplicantes!

— Sigam-me — foram as palavras seguintes que escutei, ditas pelo velho mendigo, com uma autoridade e distinção que contrastavam com suas roupas esfarrapadas.

O velho estava junto a um arbusto à beira da estrada, o qual, repentinamente, começou a afundar na terra. Em outra ocasião eu poderia duvidar do que meus olhos estavam vendo, ou pelo menos ficar tomado pelo espanto. Nesse instante, porém, todo o meu ser ardia de curiosidade para saber o desfecho daquela estranha cena.

Quando o arbusto parou de afundar, deixou à mostra uma escadaria de mármore que levava para o subsolo, desaparecendo na escuridão. O velho iniciou a descida, e nós três tratamos de acompanhá-lo.

A escada era tão escura nos primeiros degraus, que eu mal entrevia a silhueta da criança. Ambas, de mãos dadas, desciam cuidadosamente, seguindo atrás de seu guia. Aos poucos, porém, uma estranha luz prateada foi tomando conta da cena, parecendo provir do próprio ar, já que não havia lâmpadas visíveis. Por fim, quando atingimos o final da escada, vimo-nos num salão quase tão claro como a luz do dia.

O recinto era de oitos lados, tendo em cada quina uma pilastra delgada, em torno da qual se enroscava uma cortina. Trepadeiras cresciam ao longo das paredes, atingindo uma altura de seis ou sete pés (2m). De seus galhos pendiam frutos maduros e flores brilhantes em profusão, quase impedindo a visão das folhas. Fosse outra a circunstância, e eu talvez estranhasse a existência conjunta, na mesma planta, de flores e frutos. No momento, porém, o que me deixava intrigado era que tais frutos e flores diferentes de todos que eu já havia visto até então.

Mais acima, cada parede possuía uma janela circular, toda de vitrais coloridos. Por fim, o teto era arqueado, parecendo cravejados de joias, como se fosse um céu recamado de estrelas.

Com não menos espanto, dei tratos à bola, tentando entender como teríamos entrado ali, já que não havia porta no salão, e todas as paredes eram recobertas pelos galhos das curiosas e belas trepadeiras.

— Pronto, meus queridos! Aqui estamos a salvo! — exclamou o velho, pondo a mão no ombro de Sílvia e inclinando-se para dar-lhe um beijo.

A menina recuou, assustada, assumindo um ar de indignação, logo transformado em alegre surpresa. Então, com um grito exultante de "Veja! É o Papai!", ela atirou-se em seus braços.

— Papai! Papai! — repetiu Bruno, correndo para abraçar o velho.

Enquanto os três trocavam beijos e abraços, no auge da felicidade, pus-me a esfregar os olhos, enquanto perguntava para mim próprio: "E as roupas esfarrapadas, que é delas?". Com efeito, o velho trajava agora um manto real com bordaduras douradas, ostentando joias caríssimas e rebrilhantes, e trazendo na cabeça um diadema de ouro.

CAPÍTULO 6

O Medalhão Mágico

Onde estamos, Papai? — perguntou Sílvia, abraçada ao pescoço do homem e com o rosto rosado carinhosamente colado ao dele.

— Em Élfia, querida, uma das províncias da Duêndia.

— Eu pensava que Élfia era longe, muito longe de Estrangeirônia, mas chegamos aqui quase num piscar de olhos!

— É que você veio pelo Atalho Real, meu bem. Só pessoas de sangue azul podem usar esse atalho. Você tornou-se uma dessas pessoas, desde o instante em que fui coroado Rei de Élfia, o que aconteceu há cerca de um mês. Eles mandaram-me dois embaixadores, para se assegurarem de que o convite que me faziam para tornar-me seu rei não deixaria de chegar as minhas mãos. Um desses emissários era príncipe; por isso, pôde seguir pelo Atalho Real, ficando invisível para todo o mundo, exceto para mim. O outro era um barão, que por isso foi obrigado a seguir pela estrada de uso geral. Receio que ele até hoje não tenha chegado a seu destino.

— Então, é como se nós tivéssemos percorrido qual distância? — perguntou Sílvia.

— É como se tivessem percorrido mil milhas, do portão do jardim até aqui.

— Mil milhas! — exclamou Bruno. — Posso comer uma?

— Que história é essa de comer uma milha, seu maroto?

— Não é isso, Pai. Estou perguntando se posso comer uma dessas frutas.

— Pode, sim, filho. Coma uma delas para descobrir como é o sabor do Prazer — aquele que buscamos com tanto ardor, mas desfrutamos com tanto pesar!

Bruno correu para a parede mais próxima e colheu um fruto que tinha aspecto de banana e cor de morango, começando a comê-lo com ar radiante. Pouco a pouco foi ficando triste e, ao terminar, estava imerso na mais profunda melancolia.

— Isso não tem sabor algum! — queixou-se. — Não deixou nem um travinho na boca! Não passa de um... como é mesmo a palavra, Sílvia?

— De um Flizz.. — completou a irmã. — São todos desse tipo, Papai?

— São desse tipo para vocês dois, querida, que não pertencem à Élfia. Para mim, porém, são reais.

Bruno parecia duvidar daquilo. Saltando do joelho do Rei, falou:

— Vou provar frutas de outro tipo. Vi umas ali, todas raiadas, como um arco-íris.

Depois disso, pai e filha começaram a conversar em voz baixa. Como não conseguiu entender o que diziam, deixei-os e fui atrás de Bruno, que já estava provando diversas frutas, na vã esperança de encontrar uma que estivesse sabor. Também tentei colher uma, mas era como se eu estivesse sabor. Também tentei colher uma, mas era como se eu estivesse agarrando punhados de vento, e logo desisti, retornando até onde estava Sílvia.

— Examine-o bem, querida — dizia o Rei, — e diga-me se gosta dele.

— É encantador, Papai! Bruno, venha cá ver uma coisa — e estendeu-lhe um medalhão em formato de coração.

A luz atravessava aquela linda joia, aparentemente lapidada numa única pedra de cor azul bem forte, presa a uma correntinha de ouro.

— É...bonito... — comentou Bruno sobriamente, passando a soletrar o que estava escrito na joia: — "Todos-vão-amar-Sílvia"... E é verdade! — exclamou, abraçando a irmã. — Todo o mundo ama Sílvia.

— Mas nós dois amamos Sílvia mais ternamente, não é, filho? — disse o Rei, retomando o medalhão e mostrando a Sílvia a outra mão, onde se via um medalhão idêntico, só que de coloração vermelha. — Agora examine este aqui.

— Lindo! Maravilhoso! — exclamou a menina, batendo palmas extasiadamente. — Veja, Bruno!

— Este tem outras palavras escritas no fundo — disse o garoto. — Vejamos o que dizem: "*Sílvia-vai-amar-todos*".

— Os dois são parecidos — disse o pai, — mas têm cor diferente e contêm inscrições diferentes. De qual dos dois gosta mais? Escolha um, e será seu.

Sílvia leu e releu as duas inscrições, sussurrando as palavras com um sorriso pensativo, e por fim tomou sua decisão:

— Ser amada é uma coisa ótima, mas amar os outros é melhor ainda! Posso ficar com o vermelho, Papai?

O rei nada respondeu, mas pude notar as lágrimas que lhe toldaram os olhos, enquanto ele se inclinava para beijar amorosamente a testa da filha. Em seguida, prendeu a joia ao pescoço da menina, escondendo-a sob a gola do vestido e dizendo-lhe:

— É para você *usar*, ouviu? Não é para que os outros o vejam. Nunca se esqueça disso.

— Não vou esquecer.

— E agora, queridos, é hora de voltar, antes que deem pela sua falta e acabem criando problemas para o jardineiro.

Outra vez pus-me a cismar quanto à maneira de sair daquele recinto sem portas, mas tal preocupação parecia não afetar as crianças, que beijaram o pai em despedida, sendo em seguida envoltos — e eu também — por uma escuridão fechada, como a de uma noite sem lua. Os sons distantes de uma canção foram aumentando, aumentando, até que por fim pudemos escutar distintamente uma voz esganiçada que dizia:

Pensou ter visto um búfalo
ingênuo e sem malícias,
Usando as roupas e o sapato
da sobrinha Patrícia.
"Saia da minha casa, e já,
ou eu chamo a Polícia!"

— Quem disse isso fui eu! — disse o jardineiro (era ele o cantor), olhando-nos detrás do portão entreaberto do jardim. — E eu teria mesmo chamado a Polícia, tão certo como o fato de batata não ser rabanete, se o animal não tivesse ficado com medo e caído fora. Mesmo assim, aprecio meus "aparentes" mais do que tudo no mundo.

— E quem são seus "aparentes" — perguntou Bruno.

— Aquele que de vez em quando "aparecem" em minha casa para uma visita, ora! — respondeu o jardineiro. — Pode vir agora, se quiser.

Escancarou o portão e nós entramos no jardim, um tanto espantados, senão mesmo assustados (pelo menos no que concernia a mim) pela súbita passagem da semi-escuridão reinante na cabine do trem para a plataforma inundada de luz da estação ferroviária de Elveston.

Um lacaio, vestido em elegante libré, avançou e tocou respeitosamente a abado chapéu, num cumprimento, enquanto dizia:

— Sua carruagem está esperando, senhora.

O criado apanhou os agasalhos e a bagagem de mão de Lady Muriel, que, antes de segui-lo, apertou-me a mão e despediu-se de mim com um sorriso encantador.

Um tanto desconcertado por ter ficado repentinamente sozinho, dirige-me ao funcionário que retirava as bagagens e, depois de indicar o endereço para onde minhas malas deveriam ser levadas, segui a pé para a pensão onde Arthur morava. Meu desconcerto logo se dissipou, ao ser acolhido calorosamente pelo velho amigo e entrar na aconchegante e bem iluminada saleta de estar.

— A casa é pequena, como pode ver — disse-me ele, — mas tem espaço bastante para nós dois. Vamos, meu velho amigo, tome assento na espreguiçadeira e deixe-me examiná-lo. Hmmm... você me parece estar meio derrubado... — prosseguiu, agora num tom de voz solene e profissional. — Prescrevo-lhe ozônio, *quantus satis*, e dissipação social, em doses cavalares, pelo menos três vezes ao dia, com o máximo deleite.

— Como, doutor? — estranhei. — A alta sociedade não dá três recepções por dia.

— Ora, recepções! Há mais do que isso no gênero "dissipação" — replicou alegremente o jovem médico. — Em casa, às três da tarde, tênis; ainda em casa, por volta das cinco, lanche entre amigos; no mesmo local, às oito da noite, música (em tempo, amigo: aqui em Elveston não costumamos jantar); às dez, visitas e recepções. Eis aí sua agenda.

Soava agradavelmente, fui obrigado a admitir:

— Já conheço alguém que pertence à sociedade local — disse-lhe. — Alguém que veio comigo no trem. Uma dama.

— Ah, sim? E como é ela? Talvez eu possa identificá-la.

— Não é como, e sim quem é ela. Seu nome é Lady Muriel Orme. Mas se quer saber como ela é, já lhe digo: muito, muito bonita. Então, conhece-a?

— Sim... — disse ele, meio embaraçado. — Conheço-a. E concordo com você: é de fato muito bonita.

O doutor pareceu enrubescer ligeiramente ao fazer esse último comentário. Querendo provocá-lo, prossegui maliciosamente:

— Fiquei perdidamente apaixonado por ela. Nós conversamos...

— A sopa está chegando — interrompeu Arthur, com ar de alívio, mostrando a criada que acabava de entrar com uma travessa nas mãos.

Daí em diante, ele resistiu bravamente a todas as minhas tentativas de retomar o assunto da bela jovem, até que a noite estava quase chegando ao seu final. Então, enquanto estávamos sentados diante da lareira, e nossa conversação começou a ser interrompida eventualmente por longas pausas de silêncio, ele repentinamente me fez tocar uma confissão:

— Eu não queria tocar nesse assunto, nem falar sobre ela — disse precipitadamente, sem citar nomes, como se no mundo só existisse "ela", — até que você a conhecesse melhor e formasse um julgamento a seu respeito. De fato, sua declaração deixou-me perplexo, e eu também teria algo a lhe confidenciar, um segredo que até hoje não revelei a quem quer que seja. Confesso-o apenas a você, caro amigo, em razão da confiança, que me inspira. Aquilo que me disse, creio que por galhofa, é absoluta verdade no que se refere a mim.

— Sim, meu caro, pode crer que lhe disse aquilo por galhofa — afirmei com toda a sinceridade. — Nem podia ser diferente, já que devo ter o triplo da idade dela. Fico satisfeita de saber que você a escolheu, pois ela é uma pessoa maravilhosa e...

— ... e doce — completou Arthur, — e pura, e despojada e sincera... — e interrompeu de repente suas palavras, como se não pudesse prosseguir falando com tanta cerimônia de um assunto tão sagrado e precioso.

Seguiu-se o silêncio. Inclinei-me sonolentamente na espreguiçadeira, imaginando um futuro repleto de paz e felicidade — eles bem mereciam. Visualizei-os caminhando juntos aprazível só deles dois, enquanto ao longe estaria a contemplá-los seu jardineiro, terna e sorridentemente, saudando-os ao final de sua breve excursão.

Pareceu-me natural que o tal jardineiro se sentisse radiante ao ver seus patrões, cujo aspecto, em minha imaginação, era estranhamente infantil. Seria até possível tomá-los por Sílvia e Bruno. Mais estranho, porém, foi que o jardineiro tenha subitamente começado a entoar uma cantiga maluca, acompanhando a música por uma dança extravagante e selvagem enquanto cantava:

Pensou em ter visto uma serpente
que silvava em latim!
Onde seria, no animal,
seu início e seu fim?
"Não adianta procurar:
serpentes são assim..."

Menos natural ainda foi o fato de ter a meu lado o Vice-regente e Senhora Dona, examinando uma carta que lhes tinha sido entregue pelo Professor. Este, por sua vez, aguardava ali perto, com ar respeitoso, o que eles iriam dizer depois de lida a carta.

— Se não fosse por esses dois idiotazinhos — ouvi o Vice-regente murmurar, enquanto lançava um olhar feroz na direção de Sílvia e Bruno, que aguardavam delicadamente o final da cantiga do jardineiro, — não haveria qualquer dificuldade!

— Leia de novo a parte mais importante da carta — disse Senhora Dona, com ar pensativo.

— ... *e destarte vimos suplicar-lhe aceite tornar nosso Rei, visto ter sido unanimemente eleito para o trono de Élfia pela Assembleia Nacional, cabendo a seu filho Bruno, com sua devida permissão, e uma vez ter a fama de sua bondade de coração, de seu tirocínio de mente e de sua bela estampa chegado até nós, o título de Príncipe Herdeiro deste Reino..."*

— E qual é o problema? — perguntou Senhora Dona.

— Ora, não está vendo? O Embaixador que trouxe esta carta está esperando lá embaixo. Se, ao invés de lhe mostrar Bruno, nós lhe apresentarmos Uggug, e ele não deparar com alguém dotado de "bondade de coração, tirocínio de mente e bela estampa", que irá pensar?

— E onde você iria encontrar um menino melhor do que Uggug? — replicou Senhora Dona prontamente, com voz indignada.

A tréplica do Vice-regente foi ainda mais pronta:

— Ora, deixe de se iludir inutilmente! Fanfarronices não irão levar-nos a lugar algum. Só teremos alguma chance se conseguirmos manter aqueles dois moleques longe das vistas do homem. Acharei um modo de convencê-lo de que Uggug é um modelo de inteligência, etc. e tal.

— Devemos então chamá-lo de Bruno, doravante? — perguntou ela.

— Ih, nem pensar! — disse o Vice-regente, esfregando o queixo. — Idiota do jeito que ele é, nunca iria atender, se o chamássemos de Bruno!

— Hein? Idiota?! — guinchou Senhora Dona. — Ele não é mais idiota do que eu sou!

— Concordo inteiramente, querida! — disse o Vice-regente tentando apaziguá-la. — Nem mais, nem menos do que você.

Com essas palavras, Senhora Dona acalmou-se, voltando a seu tom normal de voz e dizendo:

— Então, vamos receber o Senhor Embaixador. Onde o deixou, Professor?

— Na Biblioteca, Vice-excelência.

— E qual é o nome dele?

O Professor consultou um cartão de visitas que tinha mas mãos e respondeu:

— Sua Adiposidade, o Barão Alterego.

— Por que ele usa nome tão engraçado? — perguntou ela.

— Não foi possível mudá-lo antes de chegar aqui — respondeu mansamente o Professor. — O nome estava escrito em sua bagagem...

— Vá você recebê-lo — disse ela, olhando para o Vice-regente. — Quanto a mim, vou cuidar das crianças.

CAPÍTULO 7

A Embaixada do Barão

A princípio, fui atrás do Vice-regente; depois, porém, pensei melhor e preferi seguir Senhora Dona, curioso em saber como faria ela para manter longe das vistas os filhos do Regente.

Quando a encontrei, ela estava dando a mão a Sílvia e afagando carinhosamente a cabeça de Bruno, de maneira tão maternal, que as duas crianças estavam perplexas, sem entender o que teria levado sua tia a agir daquele modo.

— Queridinhos da Titia! — disse ela. — Ouçam o que foi que planejei para vocês: um piquenique na floresta! O Professor irá levá-los, e vou mandar providenciar uma cesta de guloseimas para vocês três. Quero que se divirtam lá na beira do rio!

Bruno saltou de alegria e bateu palmas, exclamando:

— Oba! Vai ser bom demais! Não acha, Sílvia?

Ainda com um ar de espanto no semblante, a menina beijou a tia e agradeceu:

— Muito obrigada, Titia!

Senhora Dona voltou-se de lado, para esconder o triunfante sorriso de satisfação que se espalhava por sua cara. Murmurando para si própria "Pobres patetas!", deixou-os no jardim e voltou para casa, sem saber que eu a acompanhava.

— Certamente, Excelência — estava dizendo o Barão, no instante em que entramos na Biblioteca. — Toda a Infantaria estava sob o meu comando.

Ouvindo passos, ele voltou-se e foi devidamente apresentado a Senhora Dona, que lhe perguntou;

— Então estou diante de um herói militar?

O homenzinho sorriu, baixando os olhos, e respondeu:

— Na verdade, está. Meus ancestrais adquiriram renome por seu gênio militar...

Senhora Dona sorriu graciosamente, concordando:

— Isso acontece nas melhores famílias. É assim como a paixão por doces.

O Barão franziu a testa, ligeiramente ofendido, mas Vice-regente discretamente desviou o assunto, dizendo:

— O jantar será servido dentro em breve. Posso ter a honra de conduzir Vossa Adiposidade ao quarto de hóspedes?

— Oh, certamente — assentiu o Barão curvando a cabeça. — Não se deve jamais deixar o jantar esperando!

E seguiu em passos rápidos atrás do Vice-regente.

Logo que voltou à Biblioteca, o Vice-regente mal teve o tempo de repreender Senhora Dona por sua observação relativa à "paixão por doces", classificando-a de "desastrada". Antes que o Barão irrompesse no recinto, apenas teve tempo de comentar:

— Mesmo com os olhos tapados, você deveria ter visto que essa lorota de "gênio militar" é seu grande motivo de orgulho. Quanto a acreditar nela...pff!

— O jantar já está servido? — perguntou o Barão, entrando de repente na Biblioteca.

— Falta só um pouquinho — respondeu o Vice-regente. — Neste meio tempo, vamos dar uma volta pelo jardim. O senhor estava contando — e saiu dali, levando-o consigo — acerca de uma grande batalha na qual agiu no comando da Infantaria...

— Isso mesmo — confirmou o Barão. — o inimigo, como eu estava dizendo, era em número bem superior. Não obstante, avancei com meus homens direito sobre o ... ei! Que é isso?! — assustou-se o Herói Militar, escondendo-se atrás do Vice-regente, ao avistar uma estranha criatura que avançava sobre eles brandindo uma pá.

— Ora, é o jardineiro — explicou o Vice-regente, em tom tranquilizador. — Pessoa inteiramente inofensiva, pode crer. Ouça, ele está cantando! Cantar é sua diversão favorita.

E mais uma vez tive de escutar aquela voz esganiçada, cantando desafinadamente:

Pensou em ter visto um guarda-livros
chegando pra jantar,
mas era um hipopótamo,
como veio a notar.
"Vai comer tudo o que eu servir!
Pra mim não vai sobrar!..."

Arremessando para longe a pá, começou a dançar feito um louco, estalando os dedos e repetindo sem parar:

Pra mim não vai sobrar!
Pra mim não vai sobrar!

Mais uma vez o Barão franziu o cenho ligeiramente ofendido, mas o Vice-regente logo o tranquilizou, dizendo-lhe que a canção não continha qualquer alusão a ele, Barão, e que de fato não tinha qualquer significado. Para comprovar que dizia a verdade, perguntou ao jardineiro:

— O que você cantou teve ou não teve segundas intenções?

Embora tivesse parado de cantar, o jardineiro ainda não interrompera sua coreografia, e então equilibrava-se sobre uma perna, de boca aberta, mas mesmo assim respondeu:

— Nada que eu digo tem segundas intenções. Nem primeiras.

Nesse instante, Uggug apareceu no jardim, e a conversa mudou de rumo.

— Permita-me apresentar-lhe meu filho — disse o Vice-regente, acrescentando em seguida, em tom confidencial: — Um portento de inteligência e capacidade! Vou ver se arranjo um modo de mostrar-lhe parte de seus talentos. Ele sabe tudo o que os outros garotos não sabem, e sua habilidade é fantástica no que concerne ao arco e flecha, à pesca, à pintura, à música...o senhor próprio terá a oportunidade de julgá-lo. Vê aquele alvo ali? Vou pedir-lhe que o acerte com uma flecha. Por favor, meu filho — voltou a falar em voz alta; — Sua Adiposidade gostaria de ver sua pontaria. Tragam um arco e uma aljava para Sua Alteza!

Uggug não ficou nada satisfeito ao lhe entregarem uma aljava cheia de flechas e um arco, mas mesmo assim preparou-se para atirar. No instante em que disparou, o Vice-regente pisou pesadamente na ponta do sapato do Barão, arrancando do homenzinho um grito de dor.

— Mil perdões! Dez mil perdões! — exclamou, em tom constrangido. — Tão excitado fiquei, que até dei um passo para trás! Veja a seta no alvo: bem na mosca!

O Barão arregalou os olhos, espantado, e comentou:

— Ele me pareceu tão desajeitado ao segurar o arco! Custo a crer que tenha atirado tão bem. Bem no centro do alvo! Quem diria...

— Agora vamos ao lago — convidou o Vice-regente. — É logo ali. Tragam equipamento de pesca para sua Alteza!

Logo trouxeram uma vara de pescar, entregando-a a Uggug. Ele segurou-a com relutância e, demonstrando completa falta de jeito, atirou o anzol para dentro da água. Nesse instante, Senhora Dona atirou-se na direção do Barão, gritando:

— Cuidado, Barão! Um besouro pousou no seu braço!

Incontinenti, beliscou-o no braço, com tanta força, que era como se dez lagostas estivessem a cravar-lhes as pinças de uma só vez.

— Ainda bem que o espantei. Essa espécie é venenosíssima!

Pena que o senhor não pôde ver o peixe ao ser fisgado, contorcendo-se e sendo puxado para fora do lago!

Via-se na margem um enorme bacalhau morto,com um anzol na boca. O espanto do Barão chegou ao auge:

— Quê? Um bacalhau?! Sempre imaginei que se tratasse de um peixe de água salgada!

— Não aqui em nossa terra — retrucou o Vice-regente. — Vamos prosseguir? Faça algumas perguntas ao garoto. Podem ser referentes a qualquer assunto.

E o relutante garoto foi empurrado por trás, de modo a ter de caminhar ao lado do homenzinho.

— Poderia Vossa Alteza dizer-me — começou o Barão cautelosamente — quanto são sete vezes nove?

— Vire à esquerda! — exclamou o Vice-regente, virando ele próprio tão rapidamente, que abalroou o Barão, fazendo-o cair de comprido no chão.

— Oh, Barão, aceite nossas desculpas! — disse Senhora Dona, ajudando-o a se levantar. — Com a queda, Vossa Adiposidade não escutou meu filho dizendo "sessenta e três"...

O Barão não fez qualquer comentário. Levantou-se, sacudiu a poeira e seguiu o casal, coxeando ligeiramente e de cenho franzido. Entretanto, depois que entrou no palácio e trocou de roupa, voltou a mostrar-se bem humorado.

O jantar foi servido e, a cada novo prato, parecia aumentar o bom humor do Barão. Todavia, não conseguiram que ele expressasse sua opinião a respeito da inteligência de Uggug. Este, por fim, deixou o salão de refeições e foi para o pátio, de onde podia ser visto pela janela. Ali, pôs-se a andar de um lado para o outro, levando nas mãos uma cestinha cheia de rãs.

— Como gosta de História Natural! — comentou a mãe, cheia de orgulho. — E então, Barão, que achou dele?

— Para ser sincero — respondeu ele com cautela, — gostaria de ter novas evidências de seus talentos. Lembro-me de ter escutado Vossa Excelência referir-se a sua habilidade na execução...

— ... de música? — completou o Vice-regente. — Sim, é verdade. O garoto é um prodígio! Precisa escutá-lo quando toca piano — disse, caminhando em

direção à janela. — Ug... quero dizer, filho! Venha até aqui, por favor, e traga o professor de música, ouviu?

Ante a estranheza do Barão, explicou-lhe:

— É preciso alguém que saiba ler música, para virar as páginas da partitura, enquanto ele toca.

Largando no chão de sua cesta de rãs, Uggug entrou no palácio e pouco depois entrava no salão com um sujeito atarracado e de cabelos desgrenhados, que perguntou, com sotaque carregado:

— Qual a *música* que *Fossa Ec-celência dessecha oufir*?

— Aquela Sonata que Sua Alteza executa tão divinamente — respondeu o Vice-regente.

— Mas *Fossa Ec-celência sape* que sua *Alteça non eczecuta...* — começou a dizer o professor de música, sendo prontamente interrompido pelo Vice-regente, que ordenou:

— Nada de objeções, professor! — Vá para o lado do piano e trate de virar as páginas da partitura, para que Sua Alteza possa trocar toda a Sonata. Por favor, querida — continuou, dirigindo-se à esposa, — oriente o professor, enquanto eu e Sua Adiposidade examinamos uns mapas. Vamos lá, senhor Barão, vamos ver um mapa interessantíssimo, no qual estão representados os territórios da Estrangeirônia e da Duêndia.

Enquanto Senhora Dona explicava ao professor de música como deveria ele agir, um enorme mapa foi pendurado na parede que ficava atrás do piano. O Vice-regente levou o embaixador para lá e começou a apontar desordenadamente para vários pontos do mapa, dizendo em voz alta o nome de lugares que não estavam sendo apontados, o que deixou o homenzinho completamente desnorteados. Para aumentar sua desorientação, Senhora Dona ajuntou-se a eles, pondo-se a ler em voz alta todos os nomes dos lugares que havia no mapa, enquanto apontava para outros. Por fim o próprio Barão começou a apontar lugares e ler seus nomes, até que, com voz sumida, perguntou ao Vice-regente:

— Essa mancha amarela aqui é a Duêndia?

— Sim, é sua terra — respondeu o Vice-regente, voltando-se para Senhora Dona e segredando em seu ouvido: — Sugira-lhe que volte para cima amanhã. Esse danado come feito um tubarão! Não seria de bom tom que eu sugerisse isso, mas nada impede que você o faça.

Senhora Dona que fez que sim com a cabeça, e não perdeu tempo para dar tempo para dar início a suas insinuações, todas extremamente sutis e delicadas:

— Por que não volta amanhã mesmo para Duêndia, senhor Barão? Veja no mapa como é curta a distância a percorrer! Se partir amanhã de manhã, estará lá em menos de uma semana!

— Mas como, minha senhora? — perguntou o Barão, com ar incrédulo. — Eu levei um mês para chegar até aqui!

— A vinda é uma coisa, a volta é outra! Todo mundo sabe que o caminho de volta para Duêndia é muito mais curto que o de vinda!

O Barão olhou aflitamente para o Vice-regente, em busca de ajuda, mas tudo o que ouviu foi:

— De fato, meu caro, dá para voltar cinco vezes, no tempo que você gastou para vir, mas desde que parta amanhã de manhã!

Durante todo esse tempo, a Sonata reboava pelo salão, executada de maneira magnífica, conforme o Barão era obrigado a reconhecer, embora não lhe fosse possível ver, nem que fosse de relance, o jovem pianista, durante a sua execução. Sempre que tentava olhar para o piano, sua visão era impedida pelo Vice-regente ou por Senhora Dona, que insistiam em mostrar-lhe algum lugar representado no mapa, gritando o nome de outro, a ponto de ensurdecê-lo. Finalmente, dando-se por vencido, ele saiu do salão, depois de um "boa noite" apressado, seguindo para seu quarto, enquanto o marido e mulher trocavam olhares de triunfo.

— Habilmente executado! — exclamou pouco depois o Vice-regente. — Astutamente concebido! Ei, escutem! Que significa esse barulho de passos descendo as escadas?

Entreabriu a porta e olhou para fora, continuando a falar em tom de consternação:

— A bagagem do Barão está sendo levada para baixo!

— E que significa esse ruído de rodas? — estranhou senhora Dona, correndo para a janela, a fim de ver o que se passava lá embaixo. — Ih! A carruagem do Barão está pronta para sair!

Nesse instante, abriu-se a porta e uma cara gorducha e furiosa apareceu, enquanto uma voz irada explodia:

— Vou-me embora, já! Meu quarto está repleto de rãs!

A porta foi fechada com estrondo, enquanto a Sonata continuava ecoando no recinto. Quem a executava, porém, era Arthur, e sua magistral interpretação da imortal Sonata Patética fazia minha alma estremecer de emoção. Enquanto o som da última nota não morreu à distância, o viajante, cansado, mas feliz, não balbuciou "boa noite", e só então tratou de procurar o aconchego do travesseiro que o aguardava.

CAPÍTULO 8

Sobre o Lombo de Um Leão

O dia seguinte transcorreu rapidamente e foi bastante agradável, sendo gasto em parte na adaptação ao meu novo alojamento, e em parte nos passeios que empreendi pelos arredores, tendo Arthur como guia e tentando formar uma ideia geral sobre Elveston e seus habitantes. Quando deu cinco horas, meu hospedeiro propôs — então sem qualquer constrangimento — levar-me até o "Solar", a fim de apresentar-me ao Conde de Ainsile, que ali se encontrava em gozo de férias, permitindo-me ademais reencontrar Lady Muriel, que era sua filha.

Minhas primeiras impressões acerca daquele senhor educado, nobre e genial foram inteiramente favoráveis, especialmente quando notei a real satisfação estampada no rosto de sua filha, que me recebeu com as palavras: "Mas que prazer inusitado!". Essa recepção calorosa reconfortou meu espírito, fazendo-me esquecer momentaneamente as decepções e os desapontamentos sofridos, e as dolorosas bofetadas recebidas durante minha longa existência neste mundo cruel. Pude notar, contudo (e com satisfação o fiz!), indícios evidentes de um sentimento mais profundo que a mera delicadeza amistosa, ligando a beldade a meu amigo Arthur, independente do fato de que ambos costumavam encontrar-se, conforme deduzi, todo santo dia. Com efeito, a conversa entre os dois, da qual o Conde e eu participávamos apenas ocasionalmente, tinha uma fluência e uma espontaneidade só encontradas em velhos amigos. Como eu sabia que eles se haviam conhecidos durante o início do verão que naquela oportunidade caminhava para transformar-se em outono, tive a certeza de que o Amor, e tão somente o Amor, seria capaz de explicar tal fenômeno.

— Como seria conveniente — observou Lady Muriel, risonha, a propósito de minha insistência em tomar-lhe das mãos a xícara de chá que ela teimava em levar para seu pai — se as xícaras não tivessem peso algum... Só então as damas teriam a permissão de carregá-las daqui para ali, e mesmo assim eventualmente!

— É fácil imaginar uma situação — disse Arthur — em que as coisas perdessem automaticamente seu peso relativo, ainda que conservassem seu peso absoluto.

— Terrível paradoxo! — exclamou o Conde. — Explique-nos como poderia ser isso, rapaz. De minha parte, não consigo imaginar tal possibilidade.

— Bem, suponhamos que esta casa, assim como ela é, estivesse situada a bilhões de milhas de algum planeta, sem corpo algum em suas proximidades capaz de perturbar seu equilíbrio. Com o tempo, ela não acabaria criando no planeta?

— Certamente — concordou o Conde, — ainda que essa queda levasse séculos para acontecer.

— E a mesa preparada para tomar o chá das cinco cairia junto com ela? — perguntou Lady Muriel.

— Não só a mesa, como tudo o mais — respondeu Arthur. — Os moradores viveriam suas existências normais, cresceriam, morreriam, enquanto a casa não pararia de cair, nunca, jamais! Mas vamos falar no peso relativo das coisas. Nenhum objeto pode ser considerado pesado se não estiver sendo impedido de cair, concordam?

Todos fizeram que sim com a cabeça.

— Então, vejamos: se eu estender os braços e segurar este livro, sentirei seu peso em minhas mãos. Ele quer cair, mas eu não deixo. Se o soltar, é claro que ele vai cair. Todavia, se tudo estiver caindo simultaneamente, nenhum objeto cairá mais depressa ou mais devagar, como se sabe. Assim, se eu soltar o livro, ele fará o mesmo que eu: cairá, e com a mesma velocidade com que eu tudo o mais estamos caindo. Tudo, inclusive o assoalho da casa, sobre o qual ele não conseguirá cair!

— Dá para entender — comentou Lady Muriel, — mas a gente fica tonta só de imaginar tal coisa! Que maldade a sua!

— A coisa ainda pode ficar mais curiosa — atrevi-me a me intrometer — se supusermos haver uma corda amarrada à casa que possa ser puxada por alguém que esteja no planeta. Nesse caso, a casa descerá mais depressa que os objetos existentes em seu interior, sem falar nas pessoas que ali vivem!

— E se essas pessoas formos nós — concluiu o Conde, — fatalmente acabaremos batendo de cabeça no teto, o que poderá provocar-nos uma dolorosa concussão cerebral.

— Para evitar isso — contrapôs Arthur, — teríamos de fixar a mobília ao chão e amarrar-nos às cadeiras. Só assim poderíamos tomar nosso chá em paz!

— Com um pequeno inconveniente — retrucou Lady Muriel, com ar brincalhão: — as xícaras desceriam junto conosco, já que as estaríamos segurando, mas... e quanto ao chá propriamente dito?

— É verdade! Esqueci-me do chá! — concordou Arthur. — Ao invés de verter na xícara, ele subiria para o teto — a não ser que o tomássemos durante a sua subida...

— O que me parece absurdo suficiente para uma rodada de conversação — arrematou o Conde, encerrando o assunto. — Que novidade o cavalheiro nos trouxe da velha Londres?

Convocado a falar, introduzi-me na conversa, que passou a transcorrer num tom mais formal. Pouco depois, Arthur fez-me um sinal para nos despedirmos, e fomos até a praia, aproveitando o frescor do entardecer. Por ali ficamos perambulando num silêncio apenas quebrado pelo marulhar das águas e pelas vozes distantes de um grupo de pescadores, entoando uma velha canção. A sensação era quase agradável quanto o fora a conversa que acabávamos de ter com o Conde e sua encantadora filha.

Sentamo-nos sobre umas rochas que cercavam uma poça de água rica em vida animal, vegetal e zoofítica — ou seja lá o nome que a tenha a categoria intermediária. Pus-me a contemplar o enlevo aquele pequeno mundo, quando Arthur propôs regressarmos para a pensão. Pedi-lhe que fosse sozinho e me deixasse ali por algum tempo, pois queria prosseguir com minhas observações aproveitando a solidão para meditar um pouco.

A canção dos pescadores tornava-se cada vez mais alta e nítida, à medida que seu barco embicava na praia vizinha. Eu teria ido vê-los desembarcar seu carga de peixes, não fosse o microcosmo que fervilhava a meus pés, excitando minha curiosidade.

Fascinara-me particularmente um velho caranguejo que se movia de um canto ao outro da poça. Havia uma espécie de vazio em seu olhar, e uma violência cada vez sem propósito em seu comportamento, fazendo-me lembrar o jardineiro que havia ajudado Sílvia e Bruno. À medida que o contemplava, entreouvia cada vez mais nitidamente a melodia da canção maluca que ele entoava.

O silêncio que se seguiu foi quebrado pela voz suave de Sílvia, pedindo:

— Poderia deixar-nos passar para chegarmos à estrada?

— Outra vez atrás daquele velho mendigo? — bradou o jardineiro, pondo-se a cantar:

Pensou ter visto um canguru
girando um moedor,
mas o pó tinha com azul
e cheiro de alcanfor!
"Se engulo esse café", pensou,
"eu vou morrer de dor!"

— Desta vez não queremos que ele engula nada — explicou Sílvia. — Ele já não está mais com fome. Queremos apenas encontrar com ele. Se puder fazer o obséquio...

— Certamente! — interrompeu o jardineiro. — Sempre faço o obséquio. Jamais faço *desobséquios*. Podem passar.

E escancarou o portão, deixando-nos alcançar a estrada poeirenta. Caminhamos por ela e logo encontramos o arbusto que tão misteriosamente afundava na terra. Então, Sílvia tirou o Medalhão Mágico e ficou a contemplá-los sem saber como agir, até que resolveu apelar para a ajuda de Bruno:

— Como é que a gente faz agora, Bruno? Esqueci completamente!

— Dê um beijo nele — aconselhou Bruno, imaginando ser essa a maneira de agir em todos os casos de dúvida e dificuldade.

Sílvia seguiu o conselho, mas nada aconteceu.

— Esfregue-o na direção errada — foi a sugestão seguinte.

— E qual é essa tal de "direção errada"?

— Tente para a frente, depois para trás.

Esfregando o medalhão, da esquerda para a direita, novamente nada aconteceu. Mas quando o esfregou no sentido oposto, logo foi alertada por Bruno, que gritou:

— Pare, Sílvia! Alguma coisa muito estranha está começando a acontecer!

De fato, as fileiras de árvores situadas no flanco de uma colina próxima começaram a mover-se lentamente, numa procissão solene que seguiu rumo ao cume. Enquanto isso, um regato murmurante, que há pouco corria lentamente a seus pés, avolumou-se de repente, passando a espumar, chiar e borbulhar, de maneira verdadeiramente alarmante.

— Esfregue diferente, Sílvia! Tente para cima e para baixo! Vamos!

Dessa vez, o conselho foi proveitoso. Após esfregar o medalhão na vertical, a paisagem voltou a assumir seu aspecto normal, sem qualquer outra aberração, a não ser uma pequena metamorfose sofrida por um camundongo que seguia pela estrada, um ratinho pardo-amarelado, cuja causa adquiriu o aspecto de um rabo de leão.

— Vamos segui-lo — sugeriu Bruno.

Também esse palpite foi bom. O camundongo seguia em passos ritmados, como num trote, permitindo que o acompanhássemos sem maior dificuldade. A única coisa que me inquietou ligeiramente foi o fato de que ele aumentava de tamanho,enquanto caminhava, tornando-se cada vez mais parecido, com um leão de verdade.

Por fim, completou-se a transformação, e o rei dos animais abaixou-se, indicando que as crianças poderiam montá-lo. Nenhum sentimento de medo pareceu assustá-los; ao contrário, aproximaram-se do leão e começaram a acariciá-los, como se ele não passasse de um poneizinho manso.

— Suspensa-me! — pediu Bruno.

Sílvia no mesmo instante ajudou-o a subir nas costas do leão, assentando-se logo depois da garupa do animal. Bruno segurou-o pela juba e fingiu estar guiando seu "corcel" gritando de vez em quando "Eia! Ooa!. À primeira dessas ordens, o leão partiu num meio galope, entrando conosco pela floresta. Eu disse "conosco" porque certamente também me encontrava montado em seu dorso. (Como montei e como consegui manter-me ali sem cair são fatos para os quais não tenho qualquer explicação. Só sei que eu fazia parte do trio que encontrou o mendigo, sentado no chão cortando gravetos). Aproximando-se dele, o leão se deteve a seus pés, fazendo-lhe uma profunda mesura. No mesmo instante, Sílvia e Bruno apearam e correram para os braços abertos do pai.

— Vai de mal a pior — foi o comentário que ele fez, depois que as crianças lhe fizeram um relato algo confuso da visita do embaixador, provavelmente recolhido dos boatos que haviam escutado, já que não tinham sido testemunhas oculares da ocorrência. — Sim, de mal a pior: esse é o seu destino, e nada posso fazer para alterá-lo. O egoísmo, a dominar as ações de um homem vil e ardiloso, de uma mulher ambiciosa e tonta, e de um pirralho malvado e mal-amado — tudo isso só pode levar ao mesmo resultado de mal a pior. Quanto a vocês meus queridos, terão de conviver com isso por algum tempo — sinto muito. Quando a situação atingir um ponto insuportável, procurem-me. Por ora, pouco posso fazer...

Colhendo uma porção de poeira na mão, atirou-a ao ar, pronunciando lenta e solenemente umas palavras que soaram como fórmula mágica, enquanto as crianças assistiam a tudo aquilo com respeitoso silêncio:

Em breve, a astúcia, o ódio, a ambição
hão de ceder lugar à Razão:
os fracos, fortes se tornarão:
vai brilhar a luz na escuridão,
e os que parecem alegrar-se-ão.

A nuvem de pó espalhou-se pelo ar, como se tivesse vida formando figuras que se transformavam continuamente em outras.

— O pó está formando letras, Sílvia, e as letras estão formando palavras! — exclamou Bruno em voz sussurrante, agarrando-se à irmã, com ar assustado. Só que não entendo o significado delas! Leia-as, Sílvia!

— Vou tentar — disse a menina. — Espere um minuto... se eu pudesse enxergar melhor aquela palavra que se está formando...

Nesse instante, em voz desafinada veio atrapalhar nossa concentração, cantando:

"Se engulo esse café", pensou,
"eu vou morrer de dor!"

CAPÍTULO 9

O Bufão e o Urso

Sim, estávamos outra vez no jardim, e, para escapar daquela horrenda voz dissonante, entramos depressa no palácio, chegando até a Biblioteca. Ali encontramos Uggug em prantos, o Professor com ar aturdido e Senhora Dona com os braços em torno do pescoço do filho, repetindo sem parar:

— Meu queridinho ficou chateado com as lições que teve de fazer? Eram difíceis? Pobrezinho!...

— Toda essa zoeira é a propósito de quê? — perguntou o Vice-regente, entrando abruptamente no recinto. — E quem foi que pôs este chapeleiro aqui? — prosseguiu, jogando o chapéu sobre a cabeça de Bruno, que, apanhando de surpresa com a estranha atitude do tio, nem sequer fez menção de tirá-lo, deixando-o cair de banda até apoiar-se em seu ombro.

Com isso, o garoto ficou parecendo uma vela coberta com um apagador.

Ouvindo a pergunta, o Professor explicou com voz mansa que sua Alteza tivera a bondade de dispensá-los de dar aulas para seu pimpolho aquele dia.

— Pois trate de estudar suas lições agora mesmo, seu asno! — explodiu o Vice-regente. — E quanto a você, Professor, aprenda esta aqui! — e aplicou-lhe um sonoro bofetão no pé do ouvido, fazendo o infeliz mestre sair rodopiando pelo salão, indo refugiar-se, meio tonto, aos pés de Senhora Dona.

— Salve-me, Alteza! — implorou o pobre homem, prostrando-se de joelhos. — Salve-me dessa barbárie!

— Que foi que me pediu? Que lhe faça a barba? Com todo o prazer!

Foi logo prendendo-lhe uma toalha ao pescoço e fazendo-o sentar-se na cadeira, enquanto perguntava:

— Onde será que puseram a navalha?

Nesse meio tempo, o Vice-regente estava segurando Uggug com uma das mãos, enquanto com a outra batia-lhe na cabeça com o guarda-chuva, perguntando:

— Quem foi que deixou esse prego mal-pregado aqui? Isso é um perigo! Martelo nele! Pregos têm de ficar bem pregados.

Uggug contorcia-se, uivando de raiva, mas os golpes somente cessaram quando ele resolver entrar no espírito da brincadeira, deitando-se no chão e ficando quieto. Só então o Vice-regente voltou-se para trás e viu a esposa fingindo que iria barbear o pobre Professor, que, sem saber o que fazer, olhava

assustado para todos os lados, num mudo mas eloquente pedido de clemência. Aquela visão fez o Vice-regente explodir em gargalhadas. Por fim, abrindo os braços, dirigiu-se para o desventurado homenzinho, dizendo:

— Está precisando de ajuda, queridinho? Por que não pediu logo, seu burrinho? Vamos, dê-me um beijinho!

Estreitando o Professor em seus braços, fez menção de beijá-lo, fazendo o infeliz guinchar de pavor. Se ele recebeu ou não o beijo prometido, não posso dizê-lo, pois não vi o resto da cena. Acontece que Bruno, nessa altura dos acontecimentos, tinha jogado para longe o apagador de vela, isso é, o chapéu de Vice-regente, e se tinha precipitado para fora da Biblioteca, seguido por Sílvia e, evidentemente, por mim, que de modo algum queria permanecer naquele recinto povoado por gente ensandecida.

— Temos de ir atrás do Papai! — disse Sílvia, arfando, enquanto seguia com Bruno para o jardim. — As coisas já não estão indo de mal para pior: acabam de atingir o pior! Vamos pedir ao jardineiro que nos deixe sair para a estrada.

— Pena que só possamos ir a pé! — queixou-se Bruno. — Bem que eu gostaria de ter uma carruagem, como a do nosso tio!

Nesse instante, uma voz estridente, desagradável e familiar atravessou o ar, cantando:

Pensou ter visto uma carruagem
por entre a bruma espessa:
olhou de novo e viu que era
um Urso sem Cabeça!
"Coma melhor, que assim, talvez,
você cresça e apareça!"

— Negativo, garotos! Não vou deixar que vocês saiam do palácio pelo portão do jardim! — disse ele, antes que os dois abrissem a boca. — O Vice-regente me disse poucas e boas, por tê-los deixado sair outras vezes. Caiam fora daqui!

E, afastando-se, seguiu até o meio de um canteiro, onde se pôs a cavar freneticamente, enquanto retomava a canção:

"Coma melhor, que assim, talvez,
Você cresça e apareça!"

Dessa vez, porém, sua voz já não parecia tão esganiçada, podendo-se até dizer que estava melodiosa. E afinada!

A voz foi ficando mais grossa, até que pareceu não haver apenas um cantor, e sim vários. Não demorou, e escutei um ruído surdo, indicando que uma canoa não havia embicado na praia. Logo em seguida, um som áspero dava a entender que ela estava sendo puxada para cima, por entre seixos e areia. Acordei de meu sonho e corri para junto dos pescadores, ajudando-os a concluir sua tarefa, e ali permaneci enquanto descarregavam o resultado de sua pesca, que dessa vez tinha sido rica e sortida.

Quando finalmente cheguei à casa de Arthur, estava cansado e sonolento. Foi com prazer e gratidão que me deixei cair na espreguiçadeira, enquanto meu anfitrião tirava do armário uma garrafa de vinho e cortava uma fatia de bolo para me servir. Sem isso, disse ele, eu não poderia ir para a cama — ordens do médico!

A porta do armário guinchou ao ser aberta, mas em seguida o chiado continuou a ser ouvido sem parar. Será que Arthur estaria abrindo e fechando a porta, sem quê nem por quê? Impossível! Prestando atenção ao som, comecei a distinguir palavras, e entendi então que aquilo não era uma porta que guinchava, mas sim um monólogo que aquilo não era uma porta que guinchava, mas sim um monólogo teatral: os queixumes e lamentações de uma rainha de tragédia!

Não era a porta, mas sim uma voz feminina. Olhando para o armário, consegui entrever a figura corpulenta responsável pelo solilóquio. Era uma mulher, sem dúvida, parada bem atrás da porta do armário. Estava usando um manto ou uma túnica, não se distinguia muito bem. Seria acaso a proprietária daquela pensão? A senhoria de Arthur? Nesse instante, a porta da rua se abriu, e um sujeito esquisito entrou. Depois de dar dois ou três passos, parou, olhou para a mulher com ar espantado e murmurou baixinho, sem que ela pudesse escutá-lo:

— Que será que essa burra está aprontando?

A mulher a quem ele se referia com termos tão pouco corteses era sua esposa. Inclinada junto ao armário, ela estava de costas para ele, razão pela qual não havia o visto. Parecia estar escondendo ali dentro alguma coisa embrulhada num papel pardo. Enquanto colocava o embrulho no fundo de uma prateleira baixa, ela murmurava:

— É isso mesmo! Grande ideia! Que plano sensacional!

Seu amável marido aproximou-se pé ante pé e, ao chegar bem perto dela, aplicou-lhe um tapa na cabeça, enquanto gritava em seu ouvido:

— Uááá!!!

Em seguida, acrescentou:

— Desta vez fui eu quem assustou a assombração!

Senhora Dona assustou-se de fato, torcendo as mãos e grunhindo:

— Oh! Fui descoberta!

Mas ao notar que era o marido quem a havia pilhado escondendo o pequeno embrulho, sentiu alívio, dizendo-lhe com olhos súplices:

— Ainda bem que é você! Por favor, não vá contar para ninguém o que acaba de ver, peço-lhe! Ainda não é hora de revelar o segredo!

— De que segredo está falando, criatura? — perguntou o marido com voz irada, tomando de suas mãos o embrulho. — Que é isto aqui? Que é que você está escondendo de mim? Conte tudo, vamos!

Senhora Dona baixou os olhos, envergonhada, e respondeu num fio de voz:

— Não vá debochar de mim, Benjamim! Isto aqui é... é... ora, você teria mesmo de saber: é uma adaga!

— Bolas! E para quê? Não tínhamos combinado que era para fazer as pessoas acreditarem que ele estava morto? Ninguém falou que seria para matá-lo! E que porcaria de adaga: parece feita de lata! — rosnou com desdém, dobrando a lâmina com o polegar. — E falta explicar uma coisa: que negócio é esse de chamar de Benjamim?

— É parte da conspiração, amor! Cada qual tem de ter um pseudônimo, não é? Um nome de guerra...

— Hmm... nome de guerra... ai, ai, ai! E falta explicar a finalidade dessa adaga. Para quê a comprou? Não queira tapear-me, conte toda a verdade!

— Foi... foi... foi para... para... — e a conspiradora começou a gaguejar, enquanto tentava assumir um ar de assassina, para o qual havia treinando horas e horas diante de um espelho. — Foi para...

— Para o quê, criatura?

— Para testar se eu conseguia pechinchar direito! O vendedor acabou deixado que eu a levasse por dezoito níqueis! Ele reduziu o preço, depois que eu disse que era o meu...

— Não me vá dizer que disse que era o seu facão de matar o cunhado! Só faltava isso! E fique sabendo: essa porcaria de adaga não vale nem a metade dos dezoito níqueis que você pagou por ela!

— Não! Eu disse que era o meu aniversário, embora não fosse... — concluiu Senhora Dona, num sussurro. — A gente tem de ter uma adaga, não? É parte importante de uma...

— Já sei: de uma conspiração — interrompeu o marido com impaciência, arremessando a adaga dentro do armário. — Você não sabe mesmo conduzir uma conspiração! Uma galinha não saberia melhor! Pois vou ensinar-lhe como agir. A primeira coisa a fazer é providenciar um disfarce. Veja isto aqui!

E, com desculpável orgulho, vestiu um traje completo de bufão, incluindo carapuça e guizos, e se aproximou dela, fingindo que ia dar-lhe um beijo, mas dando-lhe de fato uma lambida na bochecha.

— Um disfarce, é o que lhe digo, como este daqui, vê?

Os olhos de Senhora Dona faiscaram de entusiasmo conspirativo, enquanto ela exclamava:

— Fantástico! Maravilhoso! Você nem está parecendo: você é, realmente, um perfeito bobo da corte!

O marido sorriu desconfiado, sem saber se aquilo seria elogio ou zombaria. Por via das dúvidas, perguntou:

— Um perfeito bufão, imagino que seja isso o que você quis dizer. Certo, é o que estou tentando parecer. Também arranjei uma fantasia para você. Imagine o que é.

Trouxe para dentro um pacote que tinha deixado do lado de fora e começou a desembrulhá-lo, enquanto a esposa o mirava com enlevo. Quando ela viu o que embrulho continha, exclamou entusiasmada:

— Lindo, lindo! Isso é que é disfarce! Uma fantasia de camponesa esquimó!

— Camponesa esquimó! Só você mesmo! — rosnou o marido. — Vista e veja como fica. Será que não enxergou que isso é uma fantasia de Urso?

Foi só dizer isso, e logo se escutou na sala uma voz estridente, cantando:

Olhou de novo e viu que era
Um Urso sem Cabeça!

Era o jardineiro, postado bem embaixo da janela que dava para a sala de refeições. O Vice-regente, sem fazer ruído, fechou-a, antes de ouvir o resto da cantiga.

— Sim, querida, uma fantasia de Urso, só que *com cabeça*. Você será o Urso, e eu o Domador, segurando a corrente que pendia do pescoço do "animal", enquanto, com a outra mão, fazia zurzir um pequeno chicote. — Trate de treinar uns passos de dança ursina. Isso, Lalau, isso mesmo! Dança, meu Lalau! Dança! Balança!

As últimas palavras foram ditas em tom bem alto, devido à inesperada chegada de Uggug, que olhava espantado para a cena, braços caídos, boca aberta e olhos arregalados, a própria imagem do aturdimento. "Uh q ... quê?!" — foi tudo o que ele conseguiu tartamudear.

Fingindo estar arrumando a corrente no pescoço do Urso, o Domador comentou entre dentes, sem que Uggug pudesse escutar:

— Desculpe! Foi culpa minha! Esqueci de trancar a porta! Se ele descobrir, nosso plano irá por água abaixo! Continue fingindo que é um urso de verdade. Seja bem selvagem!

Então, fazendo de conta que não estava conseguindo segurar a fera, deixou que o Urso avançasse na direção do menino, que continuava mirando a cena tomando espanto. Com admirável presença de espírito, Senhora Dona levou a sério sua representação, desferindo um medonho urro — ou, pelo menos, um urro que ela pretendia ser medonho, embora mal se distinguisse de um miado rouco. Seja como for, aquilo tirou Uggug de sua imobilidade estúpida, fazendo-o disparar para fora da sala, porém tão atabalhoadamente, que tropeçou no capacho da porta e foi-se estatelar ruidosamente no corredor. Em circunstâncias normais, aquele acidente faria sua extremosa mãe acorrer pressurosa para erguê-lo e soprar-lhe os ferimentos; naquele momento, porém, ela nem prestou atenção à queda, de tanto que estava entregue a seu papel de urso.

Rapidamente, o Vice-regente correu até a porta, fechou-a sem trancar e ordenou:

— Depressa, vamos tirar os disfarces! Não há tempo a perder. Não demora e Uggug vai regressar, dessa vez trazendo consigo o Professor! Ai de nosso plano, se ele nos vir com essas fantasias!

Em menos de um minuto os disfarces tinham sido enfiados no armário e o casal estava sentado amorosamente no sofá, inteiramente absorvidos pela leitura de um livro, o primeiro que o Vice-regente tinha apanhado na estante. Sem perceber coisa alguma do que acontecia ao redor, os dois conspiradores comentavam de cenho franzido o que acabavam de ler naquele alentado volume, que, para seu azar, era o catálogo de endereço da capital de Estrangeirônia. Quando a porta se entreabriu silenciosamente, deixando passar a carinha intrigada do Professor, e, atrás e acima de seus ombros, os olhos arregalados de Uggug, o Vice-regente estava fazendo a seguinte observação:

— Que coisa fabulosa, hei, querida? Quando é que eu poderia imaginar que a Rua Larga, no quarteirão entre a Rua Oeste e a Praça Popular, tem quinze casas! É incrível!

— É mesmo? Quinze? — comentou Senhora Dona. — Gente! E eu que poderia jurar que eram quatorze!

Tomados de tamanho espanto e admiração, não era de se espantar ou admirar que nem tivessem notado a chegada dos dois, que vieram pé ante pé até postar-se diante deles. Por fim, Senhora Dona atentou para sua presença, exclamando em tom de declamação.

— Oh! Que surpresa! O Professor por aqui! Folgo em vê-lo, preclaro Mestre! E também aqui está meu amado filho! E então, querido, já terminou de estudar suas lições de hoje?

— Aconteceu uma coisa muito estranha — disse o Professor, num misto de medo e desconfiança. — Sua Exaltada Obesidade — (um dos muitos títulos de Uggug) — disse-me que tinha acabado de ver, aqui neste recinto, um urso dançarino e um bobo da corte domador!

Marido e mulher se entreolharam com divertida surpresa.

— Neste recinto? — estranhou Senhora Dona. — Não pode ser, erudito Mestre!

— Sim, é verdade — concordou o Vice-regente, sacudindo a cabeça muito mais vezes do que seria necessário. — Se fosse nesta sala tê-los-íamos visto! Há mais de uma hora estamos aqui lendo esta interessante obra, a... o... Catálogo de Endereços de Estrangeirópolis.

— Obra interessantíssima! — confirmou Senhora Dona.

— Deixe-me tomar seu pulso, meu rapaz — disse o pai, aparentando preocupação. — Mostre a língua. Hmm... bem que imaginei: está ligeiramente febril. É isso aí, Professor, uma febrícula, todavia alta o suficiente para fazê-lo ter um sonho mau, um pesadelo, que o pobre garoto tomou como sendo a visão de uma cena real. Mera ilusão. Leve-o para a cama e dê-lhe um copo de refresco, por obséquio,

— Que sonho mau o quê! — protestou Sua Exaltada Obesidade. — Eu não dormi! Nem *se* deitei!

Indiferente à reclamação, o Professor tomou-o pela mão e seguiu com ele para o quarto, mas ainda teve tempo de ouvir a admoestação do Vice-regente, que disse:

— Ouviu, Professor, como esse seu aluno não domina bem a gramática? Ele disse "eu nem se deitei", demonstrando não saber usar corretamente o pronome. Trate de corrigi-lo, depois que a febre tiver baixado.

Antes que o Professor desaparecesse, chamou-o de volta:

— Ah, Professor, tenho outra coisa a dizer-lhe.

O homenzinho deixou o pupilo esperando no corredor e regressou humildemente até a soleira da porta.

— Tenho escutado por aí um boato a respeito de um certo clamor popular. Parece que o povo anda querendo eleger... talvez a melhor palavra seja escolher... um novo... bem, o senhor já deve ter escutado rumores..

— Escolher um outro Professor! — perguntou o infeliz, horrorizado ante aquela perspectiva.

— Oh, não, Professor — tranquilizou-o o Vice-regente. — Não é isso! O povo anda querendo, dizem, escolher... eh... apenas um novo... digamos... um novo Imperador...

— Quê?! — exclamou o Professor, aturdido ante o que acabava de escutar. — Um novo Imperador!

O pobre homem segurou a cabeça entre as mãos como se receoso de que ela explodisse, perguntando em seguida:

— Que dirá o Regente a este respeito?

— Ah, você está se referindo ao Regente? Bem... provavelmente será ele o escolhido, é claro!

— Sim — concordou a Senhora Dona, — ele é o mais indicado para o cargo. Onde se poderia encontrar um candidato melhor? Só poderia ser ele, a não ser que se escolha um outro, quem sabe?

E, junto com a pergunta, olhou ternamente na direção do marido.

— É o que me pergunto! — concordou o Professor imediatamente, sem captar a segunda intenção da frase.

O Vice-regente resolveu dar por encerrada a conversa, arrematando:

— O motivo pelo qual chamei-o até aqui, Professor, foi para perguntar-lhe se faria a gentileza de presidir essa eleição. Quero que ela seja absolutamente isenta, respeitável, livre de qualquer suspeita de falta de lisura e honestidade.

— Receio não poder desincumbir-me dessa tarefa, Excelência. Que será que o Regente iria dizer...

— Sim, sim, meu caro, é verdade... Sua posição, seu cargo de preceptor da Corte, tudo isso, admito, pode criar-lhe um certo embaraço, concordo plenamente. Bem, bem... sendo assim, teremos de promover a eleição sem tê-lo dentro da comissão organizadora.

— Se eu ficasse dentro dela, ficaria fora de mim; assim, prefiro ficar fora dela, sem sair de dentro de mim — murmurou o Professor, sem estar bem certo de que sua frase teria algum sentido. — Recapitulando minha tarefa: tenho de pô-lo na cama, e em seguida tenho de lhe ministrar uma bebida refrescante...

Depois de recordar seus deveres, seguiu em direção a Uggug, que o esperava mal-humorado no meio do corredor.

Segui os dois, bem perto do Professor, a ponto de ouvi-lo murmurar para si próprio, sem parar, como uma espécie de lembrete contínuo para ativar sua memória fraca:

— C, C, C: C de Cama — levar o garoto para cama; C de Copo — dar-lhe um copo de refresco; C de Correção: corrigir a Gramática, ensinando-lhe a usar corretamente o pronome, nos verbos reflexivos...

De repente, entrando num corredor lateral, ele deparou com Sílvia e Bruno, esquecendo-se imediatamente de seu obeso pupilo, o qual, mais depressa, tratou de escapulir, aproveitando-se da distração do mestre.

CAPÍTULO 10

O Outro Professor

Estávamos procurando o senhor! — exclamou Sílvia, em tom de grande alívio. — Precisamos demais da sua ajuda!

— De que se trata, meus caros? — perguntou o Professor, olhando para os dois de modo bem diferente do que costumava olhar para Uggug.

— Queremos que o senhor fale uma coisa para o jardineiro — respondeu Sílvia, segurando-lhe uma das mãos, (Bruno segurou-lhe a outra) e levando-o em direção à porta do palácio.

— Ele tem sido muito descortês — queixou-se Bruno tristemente. — Aliás, todos estão muito descorteses conosco, desde que Papai viajou. Somente o Leão é que foi gentil.

— Expliquem-me, por favor — quem é esse tal de Leão e de que jardineiro estão falando: são pessoas ou animais? É muito importante não misturar as coisas, e, nesse caso, pode até acontecer de confundir um com o outro, já que ambos têm bocas...

— Como assim, Fessor? — indagou Bruno. — O senhor costuma confundir dois animais diferentes?

— Para falar a verdade, sim, e frequentemente — confessou candidamente o Professor. — Veja, por exemplo, aquelas duas caixinhas tão parecidas: a casinha de coelho e o compartimento do cuco, nos relógios de parede. Todas duas têm portas, não é? Por causa disso, costumo confundir uma com a outra. Ontem, mesmo abri a porta da casinha do cuco e enfiei lá dentro duas cenouras; depois, fui à casinha do coelho e dei corda nele...

— E o coelho andou depois que o senhor deu corda nele? — perguntou Bruno.

O Professor pôs as mãos na cabeça, com ar desalentado, e respondeu:

— Se andou? Mais do que isso: fugiu! Sumiu! Desapareceu! Fiz o que pude para encontrá-lo. Cheguei até a procurar na Biblioteca uma enciclopédia e li tudo o que havia nela a respeito de coelhos, mas... Quem é? Entre!

— É o alfaiate, senhor. Trouxe a conta para o senhor pagar — respondeu uma voz do outro lado da porta.

— Esperem um minuto, meninos — disse o Professor para os dois irmãos. — É só o tempo de acertar as contas com esse sujeito. Entre, meu prezado. E então, em quanto monta minha dívida?

— De tanto que ela vem dobrando nos últimos anos — respondeu o alfaiate, entrando na sala, — já monta em duas mil libras. Desta vez, Professor, espero que me pague em moeda sonante.

— Ahn, duas mil libras, não é? — disse o Professor despreocupadamente, apalpando os bolsos como se costumasse levar consigo aquela soma. — Vou fazer-lhe uma proposta: que tal deixar para receber no ano que vem? Assim, em vez de duas mil, você receberá quatro mil libras! o dobro! Você vai ficar rico! Vai tornar-se um verdadeiro rei!

— Quanto a tornar-me um rei — disse o alfaiate, com ar pensativo, — isso pouco me importa. Mas quatro mil libras, sim, essa é uma bela soma de dinheiro. É... acho que vou esperar...

— Estou vendo que você é um sujeito muito esperto! — disse o Professor. — Sabe agir com bom senso. Muito bem, meu rapaz. Então, até que o ano que vem. Bom dia!

— Como é que o senhor combina saldar sua dívida pagando juros tão elevados? Vai dar-lhe mesmo as quatro mil libras?

— Nunca, minha cara! Jamais! — respondeu o Professor enfaticamente. — Vou continuar dobrando a quantia, até que ele morra. Vale a pena esperar mais um ano, para receber o dobro, não acha? Ele e eu ficamos satisfeitos com esse arranjo. E agora, crianças, que querem que eu faça? Gostariam de conhecer o Outro Professor? Agora é uma boa hora para conhecer o Outro Professor? Agora é uma boa hora para visitá-lo, pois é quando ele costuma repousar. Seu descanso dura exatamente quatorze minutos e meio.

Bruno correu para o lado de Sílvia, tomou-lhe a mão e segredou:

— Diga-lhe que só iremos se ele ficar conosco. Não quero ficar sozinho com o Outro Professor.

— Ora, Bruno. — comentou o Professor, — se fosse a Sílvia que tivesse medo, eu entenderia. Mas você, um homenzinho, com receio de ficar sozinho com o Outro Professor?

— Quem tem receio é a Sílvia, eu tenho é precaução. Soube que ele é muito bravo!

— Bravo, ele? — perguntou o Professor, dando uma risada. — Que nada, ele é mansinho! Não morde, não. É apenas um pouco... pouco sonhador, só isso.

E, tomando a mão de Bruno, seguiu com as duas crianças através de um corredor comprido que eu nunca havia visto antes. Não que houvesse algo de notável nele, mas o caso é que eu estava constantemente deparando com novos quartos e corredores naquele palácio misterioso, sendo também comum perder os velhos quartos e corredores, que, uma vez desaparecidos, nunca mais voltavam a ser encontrados!

Chegando perto da extremidade oposta do corredor, o Professor parou e disse:

— O quarto dele é aqui — e apontou para a parede, num lugar onde não havia qualquer porta.

— Não podemos atravessar a parede! — exclamou Bruno.

Sílvia nada disse, preferindo examinar atentamente a parede, procurando encontrar alguma porta oculta, até que se convenceu de que não havia nenhuma abertura ali. Então, rindo disse:

— Ah, Professor, o senhor está querendo divertir-se às nossas custas, não é? Não há porta alguma aqui!

— Nem aqui, nem em lugar algum — replicou o Professor. — Para entrar no quarto, a gente tem de saltar a janela.

Assim sendo, seguimos até o jardim e logo encontramos a janela que dava para o quarto do Outro Professor. Era uma janela de andar térreo, e estava convidativamente aberta. O Professor ergueu Sílvia, depois Bruno, e por fim subiu ele próprio ao peitoril, saltando em seguida dentro do quarto. Fiz o mesmo. E lá estava o Outro Professor, sentado à mesa, repousando a cabeça num livro aberto a sua frente. Para melhor apoiar-se, tinha cingido o volume com os braços, e ali ressonava pesadamente.

— Normalmente — comentou o Professor, — ele lê assim, quando se trata de um livro interessante. Nessas horas, é muito difícil tirá-lo de sua concentração.

Parecia que devíamos estar numa dessas tais horas difíceis, porque o Professor ergueu-o pelos braços duas vezes, deixando-o cair pesadamente sobre a cadeira, sem que ele se desinteressasse da leitura de seu livro, mostrando, pela respiração pesada que até lembrava um ressonar, que aquela obra deveria ser deveras absorvente.

— Como ele está mergulhado na leitura! — exclamou o Professor. — Deve ser um capítulo extremamente interessante!

Para chamar sua atenção, despejou-lhe uma tempestade de tapas nos ombros e na cabeça, gritando: "Ei! Ei!" o tempo todo, mas em vão. Por fim, comentou com Bruno:

— Vê como ele está de fato mergulhado na leitura?

— Se o senhor dissesse mergulhado no sono estaria mais certo — retrucou o menino. — Agora compreendo por que dizem que ele é muito "sonhador".

— E que poderíamos fazer para retirá-lo dessa leitura? — perguntou o Professor.

— É simples — respondeu Bruno. — Basta fechar o livro!

— É isso mesmo! — exclamou o Professor, deslumbrado pela sensatez da sugestão. — É o que farei, neste minuto!

E fechou o livro com tanta violência, que até prendeu nele o nariz do Outro Professor, aplicando-lhe um terrível beliscão nasal. Ele imediatamente pôs-se de pé, pegou o volume e levou-o até o canto do quarto, recolocando-o em seu lugar na estante.

— Estive lendo durante dezoito horas e três quartos — disse, — e agora descansarei durante quatorze minutos e meio. E a Conferência, já está pronta?

— Falta pouco — respondeu o Professor com ar modesto. — Gostaria de contar com sua ajuda, para me dar uma ou duas sugestões. Estou lutando contra algumas pequenas dificuldades...

— Têm a ver com aquele banquete do qual você disse alguma coisa?

— Ah, sim, o banquete. Haverá um banquete, realmente, mas será antes da Conferência. As pessoas não captam bem os preceitos da Ciência Abstrata quando estão com fome. E teremos também um baile a fantasia. Ah, haverá muitos entretenimentos!

— E em que momento acontecerá esse baile? — perguntou o Outro Professor.

— Acredito que seja antes do banquete propriamente dito. Um baile é bem adequado para manter as pessoas juntas, não acha?

— Acho, sim. Esta é de fato a ordem certa: primeiro, reunir; depois, comer; por fim, refestelar. Estou seguro de que sua conferência dará motivo de satisfação suficiente para deixar todos bem refestelados — disse o Outro Professor, que estivera o tempo todo de costas para nós, tirando da estante os livros, um a um, a fim de virá-los de cabeça para baixo.

Ao lado dele havia uma lousa sobre um cavalete, onde ele acrescentava a giz um traço, a cada novo livro que tirava e repunha. Sem interrompê-los nessa tarefa, o Professor disse, coçando o queixo.

— Lembro que você me prometeu gentilmente recitar uma poesia intitulada "Lamento Suíno". O ideal seria apresentá-la quase ao final do banquete, pois as pessoas iriam escutá-la mais atentamente.

— Eu poderia cantar, ao invés de recitar? — indagou o Outro Professor, com um sorriso alegre.

— Se assim lhe aprouver... — respondeu o Professor, enfatizando as reticências.

— Ouça como é que iria ficar — disse ele, sentando-se ao piano. — Para evitar delongas, vamos supor que o tom correto seja lá maior — e tocou algumas vezes a nota lá, enquanto afinava a voz: Lá-lá-lá! Está muito baixo. Vou tocar uma oitava acima. Lá-lá-lá... Que acha, garoto? — perguntou a Bruno, que se havia postado ao lado do piano. — Estou afinado?

— Se for para imitar um pato, está.

— Notas soltas são propensas a produzir esse tipo de efeito sonoro — comentou Outro Professor com um suspiro. — Ouçam então toda a canção:

Era uma vez um pobre porco,
Sentado ao lado de uma bomba;
os seus queixumes são tão tristes,
que quem o escuta jamais zomba,
e ele se queixa porque tem
muito focinho e pouca tromba.

Acha que podemos chamá-la de uma ária, Professor? — perguntou, após desferir a última nota.

— Bem — disse o Professor, depois de alguma hesitação. — Temos aí notas iguais e notas diferentes... mesmo assim, não creio que estejamos diante de um ária propriamente dita...

— Para tomar minha própria decisão a esse respeito, vou apenas cantarolar a música — disse o Outro Professor, executando a melodia com um só dedo e cantarolando de boca fechada, com uma sonoridade de mosca zumbidora.

— Que acham, crianças — perguntou o Professor. — Gostam?

— A voz dele não é lá das mais bonitas... — disse Sílvia, um tanto constrangida.

— Claro que não! É horrorosa! — retrucou Bruno, sem qualquer constrangimento.

— Seu comentário não seria um tanto exagerado? — perguntou o Professor. — Todo exagero é ruim. Veja, por exemplo, a Sobriedade: é uma excelente virtude, quando praticada com moderação, mas deixa de ser boa, quando é excessiva. Nesse caso, tem mais desvantagens que vantagens.

Bem que eu gostaria de perguntar que desvantagens seriam essas, mas ninguém me teria escutado. Para minha sorte, Bruno tirou-me as palavras da boca, embora a seu estilo, dizendo:

— "Dez vantagens" são mais do que simples vantagens, a não ser que estas sejam onze ou mais. Mas eu queria saber quais são essas "dez vantagens".

— Vou dizer apenas uma — respondeu o Professor. — Quando um sujeito está embriagado (porque praticou um excesso, conforme todos haverão de concordar), ele enxerga duas coisas onde só existe uma. Todavia, se ele estiver sóbrio em excesso, enxergará uma coisa onde na realidade existem duas! É ai que reside o grande inconveniente!

— Reside? — segredou Bruno para Sílvia. — Então o Grande Inconveniente é uma pessoa? E existe o Grande Conveniente?

Entreouvindo por acaso a pergunta, o Outro Professor intrometeu-se na conversa, dizendo:

— A diferença entre "conveniente" e "inconveniente" fica bem caracterizada por meio de um exemplo: tomemos uma poesia que contenha as duas palavras...

Quando ele pronunciou a palavra "poesia", o Professor levou as mãos aos ouvidos, com ar de desânimo, e comentou em voz baixa:

— Oh, não, não! Se ele começar, não vai parar!

— Já aconteceu de começar a recitar uma poesia e não saber como terminá-la? — perguntou Sílvia.

— Sim... três vezes... — respondeu o Professor.

Bruno ergueu-se na ponta dos dedos para sussurrar no ouvido de Sílvia, sem que ninguém o escutasse:

— Se fosse assim, ele ainda estaria recitando as três poesias até agora...

— Psst! — ralhou Sílvia. — O Outro Professor vai falar!

— Vou recitá-la, então. Será rápido — disse ele, de olhos baixos e com voz melancólica, contrastando estranhamente com o sorriso que mantinha nos lábios e que se tinha esquecido de desfazer.

(Não, não era exatamente um sorriso, como Sílvia depois explicou; aquele era o formato normal de sua boca.)

— Então vá em frente! — incentivou o Professor. — O que tiver de ser, será...

— Lembre-se desse pensamento — segredou Sílvia, para Bruno. — Pense nele sempre que se machucar devido alguma estripulia.

— Pense nele você, quando achar que estou fazendo barulho demais! — retrucou o insolente garoto.

— Ah, é? — perguntou Sílvia, tentando parecer zangada, coisa que nunca soube fazer direito.

— É, sim! — continuou o irmão, — Já me cansei de ouvir a pergunta: "Por que você tem de fazer tanto barulho, Bruno?", mas você parece não ter se cansado de sempre ouvir a mesma resposta "Porque tenho!" Se for verdade que "o que tiver de ser, será", então também é verdade que, quando a gente "tem de", a gente faz, sem perguntar por quê. Espero que aprenda a lição!

— Olha bem quem é que está querendo me passar uma lição! Você, sim, é que está precisando de uma boa lição, seu vagabundo!

Quem acaso escutasse esse diálogo poderia ficar impressionado com a severidade dessa última frase. Todavia, sou de opinião que, se um juiz quiser que o criminoso se compenetre de fato da gravidade com sua culpa, não deve pronunciar a sentença com os lábios roçando as suas faces. Se assim fizer, dificilmente conseguirá evitar que, ao final, acabe aplicando acidentalmente um beijo no rosto de quem não fez por merecê-lo, e isso, convenhamos, reduz terrivelmente o efeito de suas palavras.

CAPÍTULO 11

Pedro e Paulo

Como eu estava dizendo — falou o Outro Professor, — tomemos uma poesia que contenha as duas palavras, como esta aqui, ouçam:

Ao pensar num amigo, eis o que disse
o rico Paulo, de caráter nobre:
"Embora o Pedro jamais me pedisse
qualquer dinheiro, sei como ele é pobre!
Mesmo que ele não tenha um grande préstimo,
eu sinto pena desse triste ser;
dar, eu não dou, mas se for por empréstimo,
cinquenta libras poderei ceder."

Ao ver que a oferta não era ilusória,
Pedro sentiu grande contentamento;
sem reclamar, firmou a promissória,
garantindo o futuro pagamento
daquela dívida. "Vamos marcar",
diz Paulo, "a data em que toda a quantia
a minhas mãos deverá retornar:
será aos quatro de maio, ao meio-dia

"Por que marcar de modo tão medido
o mês, o dia, a hora, assim tão certo?
Seria bom um prazo mais comprido:
melhor ainda, deixar em aberto...
Não faltam mais do que cinco semanas
para vencer o prazo — quanta pressa!"
"Para pouco, eu sei, mas tu te enganas!
Não demora e verás que é tempo à beça!"

"Como eu preciso mesmo da quantia,
darei agora o meu consentimento,
mas acredito que, findando o prazo,
terá de conceder-me um adiamento..."
"De modo algum, meu caro! Prazo é prazo,
e o que marquei é bem suficiente,
Desiste de pagar-me com atraso,
pois isso não me será conveniente".

Foi-se Pedro dali sem conseguir
que Paulo aceitasse a protelação.
Semana após semana, ia pedir
prazo maior para sua quitação,
mas o amigo de modo algum cedia,
dizendo sempre: "Como és insistente!
Não vou mudar o mês, nem hora ou dia,
pois adiar seria inconveniente".

O mês de abril passou acelerado.
Maio chegou: 1, 2, 3, 4 e pronto!
Na data certa, Paulo e um advogado
procuram Pedro ao meio-dia em ponto!
Pobre infeliz! Ao ver os cobradores,
tão pontuais e tão cheios de zelo,
sentou-se ao chão, até perdeu as cores
e se pôs a arrancar o seu cabelo.

O advogado se assusta ao contemplá-lo,
e quase chora de consternação.
"Além de ter cabelo muito ralo,
mesmo o pouco que tem atira ao chão!"
Logo ele espanta o sentimento piegas,
ao lembrar que a Justiça é figurada
por estátuas sérias, sisudas, cegas,
que seguem a Lei, só a Lei e mais nada!

Ao ver a cena, Paulo franze o cenho
e passa em Pedro uma repreensão:
"Posso ficar alegre, se aqui venho
e te encontro de cócoras no chão?
Arrancando os cabelos, tu não vais
arranjar o dinheiro que me deves,
mas irás ficar belo ou ganhar mais,
nem teus fardos irão ficar mais leves!"

Pedro então recompõe-se pouco a pouco,
Volta-se para Paulo e diz: "Amigo,
reconheço que até pareço um louco,
mas, e tu? Por que assim ages comigo?
Como me tratas? Com rigor imenso!
Não me dás uma chance! És inclemente!
Esse teu proceder, seguro penso,
é para mim assaz inconveniente!"

"Como sofro ao ouvir tal desacato!
Dos favores que fiz, agora esqueces!
Um sujeito mesquinho, torpe, ingrato,
um ser sem coração:é o que pareces!"
"Eu sou é um angustiado, um indefeso:
se te pago, perco meu patrimônio!"
"Mas em compensação, não irás preso,
nem perderás o renome de idôneo.

Somente o que é supérfluo perderás:
aquilo que está sobrando em teu lar,
aquilo que nenhuma falta faz;
portanto, nada tens a reclamar.
A Honestidade, sei que hás de convir,
é uma estrada que exige esforço ingente;
mas por esta é que devemos seguir,
muito embora ela seja inconveniente".

"Visto-me bem, não passo fome — é um fato,
e até pequenos luxos eu mantenho;
mas se eu cumprir à risca o nosso trato,
no abismo da falência eu me despenho!
Se deixares que eu pague uma parcela
e adiares o restante para a frente,
oh, que atitude generosa e bela,
e digo mais: bastante conveniente!"

"Não quero, caro Pedro, ouvir mais nada.
Só quero que me pagues o que deves.
Viver seria a coisa mais danada,
se a vida fosse assim: como descreves!
Em vez de olhar só o lado negativo,
por que não vês o quanto te respeito?
Por generosidade, até me privo
dos juros que teria por direito!"

"Independente disso, eu fico insano
só de pensar no quanto representa
a soma que te devo: vale o piano,
o meu leitão, o fogão que me esquenta!
Terei de vendeu tudo, pra pagar-te!"
"Tais coisas acontecem com a gente;
para sair do aperto, é questão de arte;
pois trata de sair: é conveniente..."

Pedro vendeu os poucos bens que tinha.
Saldou a sua dívida e, em seguida,
levou uma existência bem mesquinha,
sem jamais conseguir mudar de vida,
O que lhe pareceu um favor
mostrou-me um ato vil deplorável,
motivo de melancolia e dor,
de um viver sem prazeres, miserável!

Desesperado, Pedro retornou
a Paulo, e lhe pediu alguma ajuda.
"Ah, se eu pudesse, dava, mas estou
num mau momento, num deus-nos-acuda...
oh, como invejo a sorte que tu tens,
teus modos de trajar, tão displicente!
Eu vivo preocupado com meus bens...
Como a minha existência é inconveniente!

Quando em ti penso, fico a imaginar
como teus olhos brilham de alegria,
se escutas a sineta de jantar
tocando, tão logo termina o dia..."
"É estranho que alguém tão sagaz cometa
engano assim ingênuo e tão alvar!
O que parece ser uma sineta
é meu estômago, que está a roncar!

Nem mesmo um espantalho aceitaria
este casaco que trago comigo!
Minha carteira sempre está vazia,
e eu vivo na miséria, igual mendigo!
Depois que te paguei aquela soma,
tornei-me um indigente contumaz...
Se queres, Paulo, que eu beba e que eu coma,
cinco libras sei que me emprestarás!"

"Que choradeira! Por que tu não deixas
de reclamar? Não vês que não procedem
tantas lamentações, tão tristes queixas?
Já que vi que és um daqueles que não medem
suas palavras, sempre se esquecendo
das mil razões de se sentir contente.
Rasgaste a roupa? Pões novo remendo.
E quando comes? Quando é conveniente?

Comendo pouco, nunca te empanturras;
com o guarda-roupa, jamais te preocupas;
ninguém quer arrombar as tuas burras;
chovem-te bênçãos como catadupas!"
"Se meu viver for mesmo uma beleza,
e o teu tão triste, conforme tu dizes,
divide comigo, a tua riqueza,
e sejamos os dois meio-infelizes..."

"Isso eu jamais faria com o amigo,
pois estou certo que, se fosse o inverso,
também agirias assim comigo.
Procederei de modo bem diverso,
para que não fiques pior que estás:
não vou ceder-te nem mesmo um vintém!
Um verdadeiro amigo é assim que se faz,
ainda mais eu, que só te quero bem!"

Foi-se Pedro dali, e então, passado
um mês, Paulo foi vê-lo em seu casebre.
Dessa vez, não levou seu advogado.
Encontrou seu amigo ardendo em febre.
"Porque não me chamaste, já que estás
faminto, miserável e doente?"
"Não quis tirar-te o bom humor e a paz,
pois isso não seria conveniente..."

"Essa declaração me causa mágoa.
Por que guardas de mim raiva e rancor?
Sou teu amigo até debaixo d'água,
e sempre te tratei com todo o amor!
Quando perdeste tudo o que possuías,
foste motivo de deboche e riso;
só eu não ri! Foram terríveis dias
que então passei — não dei nenhum sorriso!

Como bem podes ver, fui solidário,
compartilhei do teu padecimento,
compadeci-me ao ver-te em teu calvário,
como me foi penoso o teu tormento!
Nunca me recusei a te amparar
e jamais te tratei de modo rude,
mas... chega! Nada mais vou comentar:
a modéstia é minha maior virtude.

Não fiz por merecer o teu sarcasmo
e tuas alusões sem fundamento!
Tamanha ingratidão me deixa pasmo,
e me espanta esse teu esquecimento
dos favores que fiz! Rompem as fibras
deste meu coração! Pois, mesmo assim,
hei de emprestar-te outras cinquenta libras,
pra que nunca mais penses mal de mim!"

"Sei que foste pra mim mais que um irmão:
passaste privações, sofreste dores;
mas se agora estou nesta condição,
é o resultado desses teus favores...
Ouvindo a tua oferta, eu me comovo.
Tens mesmo um coração nobre e excelente!
Mas quanto a tomar empréstimo novo,
parece-me um tantinho inconveniente..."

Terminada a poesia, o Outro Professor voltou-se para Bruno, que estava sentado no chão ao lado de Sílvia, e perguntou:

— Creio que agora já devem ter percebido a diferença entre "conveniente" e "inconveniente", não é?

— Com certeza — respondeu o garoto, sem nada mais acrescentar.

Uma resposta tão lacônica não era muito de seu feitio, só se explicando pelo cansaço que ele deveria estar sentindo. Prova disso foi que, logo em seguida, ele sentou-se no regaço da irmã, apoiou a cabeça em seu ombro e sussurrou, para que apenas ela escutasse:

— Mas que poesia comprida!...

CAPÍTULO 12

O Jardineiro Musical

O outro professor olhou para o garoto com uma certa ansiedade e disse, com ar autoritário:

— O animal menor deve ir para a cama agora, de uma só vez!

— Por que de uma só vez? — estranhou o Professor.

— Porque ele não poderia ir de duas vezes — explicou o Outro professor.

O Professor bateu palmas, encantado, e comentou, dirigindo-se a Sílvia:

— Mas não é maravilhoso? Ninguém teria sabido responder assim tão prontamente! É claro que Bruno não poderia ir de duas vezes para a cama, a não ser que fosse dividido em dois pedaços, o que certamente seria muito doloroso.

A observação despertou Bruno, que logo retrucou:

— Dividir-me em dois? Nem pensar!

— Isso é mais fácil de ser entendido por meio de um gráfico — disse o Outro Professor. — Eu poderia mostrar-lhe num minutinho, se meu fiz não estivesse com a ponta rombuda.

— Cuidado! — exclamou Sílvia assustada, ao ver a maneira desajeitada com a qual ele tentava apontar o giz. — O senhor vai acabar cortando o dedo!

— Se seu dedo sair da mão, gostaria de ficar com ele para mim — pediu Bruno, falando sério.

O Outro Professor não escutou, dirigindo-se ao quadro-negro e traçando ali com brutalidade uma linha reta, em cujas extremidades escreveu as letras "A" e "B", e no meio a letra "C".

— Preste atenção: se eu, no ponto "C", dividir "AB"...

— Ela vai cair — completou Bruno.

— Ela, quem? — perguntou o Outro Professor, intrigado.

— Essa abelha que o senhor desenhou. A metade dela é "abê", a outra metade é "lha". Não sei em qual das duas vai ficar esse ferrãozinho — e apontou para a letra "C".

Vendo que o Outro Professor, boquiaberto de espanto, não sabia como prosseguir sua explicação, o Professor comentou:

— Quando eu disse que seria doloroso, eu me referia tão somente à ação dos nervos...

O Outro Professor animou-se no mesmo instante:

— A ação dos nervos é curiosamente lenta em certas pessoas. Tive um amigo, tempos atrás, que, se você encostasse nele um aquecedor em brasas, só iria sentir a queimadura anos e anos mais tarde!

— E se, em vez de encostar um ferro em brasa, eu lhe desse um beliscão? — perguntou Sílvia.

— Naturalmente, ele custaria ainda mais a sentir. Duvido até que sentisse em seu próprio corpo. A dor somente iria manifestar-se no corpo de seus netos...

— Eu não gostaria de ser o neto de um avô beliscado — sussurrou Bruno, voltando-se para mim. — O Senhor Doutor gostaria? E se a dor viesse justamente no momento em que você estivesse querendo ser feliz?

De fato, seria incômodo, pensei, sem estranhar que ele subitamente tivesse tomado consciência de minha presença. Assim, respondi com uma pergunta:

— Mas você não está sempre querendo ser feliz, Bruno?

— Sempre, não. Às vezes, quando estou no auge da felicidade, sinto a vontade de ser um pouquinho infeliz. Nessas horas, converso com Sílvia sobre isso, e ela logo resolve meu problema, me passando uma lição para estudar.

— É uma pena que você não goste de estudar — disse-lhe. — Você devia fazer como a Sílvia: ela sempre cumpre suas tarefas, sem se importa se chove ou se faz sol.

— Eu também! — afirmou Bruno.

— Desde quando, seu mentiroso? — protestou Sílvia.

— Desde sempre — respondeu o peralta. — Quando você está cumprindo as suas tarefas, também não me importo se chove ou se faz sol. Aliás, Senhor Doutor — disse, voltando-se para mim, — gostaria que me explicasse: se não chove, faz sol; e se chove, desfaz sol?

Para uma resposta definitiva, sugeri que ele reparasse a pergunta ao Professor. Foi o que ele fez. O velho parou de limpar os óculos, refletiu e por fim disse, com ar doutoral:

— De fato, se não chove, faz sol; se chove, não faz sol, a não ser nos momentos em que chove e faz sol, ou naqueles em que nem chove e nem faz sol.

Satisfeito com sua resposta, voltou a esfregar os óculos, retomando o trabalho sem fim de limpá-los.

— Não é uma sumidade? Se eu fosse sábia como ele, ficaria o dia inteiro com dor de cabeça!

— Vocês parecem estar conversando com alguém que não está aqui. Quem é?

Bruno olhou para ele espantado:

— Se a pessoa não está aqui, não é educado conversar com ela! Temos de esperar que a pessoa chegue, Professor!

O Professor voltou-se intrigado para minha direção, mas logo vi que não me enxergava, e tive a prova disso, quando ele falou:

— Eu vi vocês dois conversarem com alguém, mas não vi o alguém, pois o único alguém que está aqui dentro é o Outro Professor. Ei, por falar nisso, onde está ele? Ajudem-me a procurá-lo, crianças! — e ele girava sem parar, como um pião. Depressa, pois do contrário ele vai ficar sumido por longo tempo, outra vez!

— Onde devemos procurá-lo? — perguntou Sílvia.

— Em todo canto, em todo lugar, mas sejam rápidos!

E deu o exemplo, percorrendo o quarto em todas as direções, erguendo e sacudindo todas as cadeiras. Vendo isso, Bruno dirigiu-se às estantes de livros, tirou um, sacudiu-o e disse:

— Aqui ele não está.

— E nem poderia estar! — protestou Sílvia.

— Depois que eu sacudi, não. Se estivesse, já teria caído!

— Pelo que entendi, Professor — disse Sílvia, desistindo de continuar a discutir com o irmão, — esta não seria a primeira vez que ele desaparece.

— É, houve uma outra vez em que ele se perdeu numa floresta.

— Se ele se perdeu — retrucou Bruno, — bastava se achar. Quando ele viu que estava perdido, daria um grito; quando escutasse sua voz, diria "Estou achado!", e pronto!

— Acho melhor gritarmos nós — disse o Professor.

— Todos ao mesmo tempo? — perguntou Sílvia.

— Pensando bem corrigiu o professor — melhor faremos não gritando. O Vice-regente pode escutar-nos, e ele anda cada vez mais implicante...

Aquilo fez as crianças relembrarem os problemas que os tinham trazido até seu velho amigo. Bruno sentou-se no chão e começou a chorar.

— Como ele está cruel — disse entre soluços. — Agora, Uggug tem permissão de mexer em meus guardados e tirar os brinquedos que quiser! E que comida nojenta que tem sido servida!

— Que foi servido hoje no almoço? — perguntou o Professor.

— Pedaços de corvo.

— Não — corrigiu Sílvia, — deviam ser de frango, mas estavam mal cozidos.

— Eram de corvo — insistiu Bruno. — Depois, serviram uma torta de maça, mas Uggug comeu tudo. Para mim, sobrou apenas uma lasquinha! Pedi que me dessem uma laranja, e nem isso me deram!

E o pobrezinho escondeu o rosto no colo de Sílvia, que lhe acariciou os cabelos e prosseguiu:

— É tudo verdade, Professor! Estão tratando meu irmãozinho muito mal! Eu também não estou sendo muito bem tratada.

Essa última parte, disse-a em tom mais baixo, como se fosse um detalhe sem maior importância.

O Professor tirou do bolso um grande lenço vermelho, e com ele enxugou os olhos da menina.

— Gostaria de poder ajudá-los, crianças. Mas que posso fazer?

— Sabemos o caminho para Duêndia, onde se acha nosso pai, mas para irmos lá temos de conseguir que o jardineiro nos deixe sair para a estrada.

— Ele não quer abrir o portão para vocês?

— Para nós, não — explicou Sílvia, — mas estamos certos de que ele não se oporá a abrir para o senhor. Por favor, Professor, peça isso a ele!

— Esperem um minutinho, que já irei — disse o Professor.

— Ele não é gentil, Senhor Doutor? — perguntou-me Bruno, erguendo-se e enxugando os olhos.

— Com certeza — respondi, sem que o Professor tomasse conhecimento disso.

Depois de pôr na cabeça um gorro ornado com uma borla, o Professor foi até um bengaleiro situado no fundo do quarto, pondo-se a escolher uma bengala entre as várias que ali havia.

— Quem usa bengala grossa — murmurou para si próprio — é mais respeitado pelas pessoas. Vamos, crianças!

E saíram os três para o jardim.

— Para início de conversa — disse o Professor, — vou fazer umas observações ligeiras a respeito do tempo. Em seguida, indagarei dele se não teria visto por aí o Outro Professor. Isso apresentará uma dupla vantagem: primeiro, servirá para abrir a conversação (sem abrir, não se pode nem mesmo tomar uma garrafa de vinho); segundo, poderá solucionar a questão de descobrirmos o paradeiro do Outro Professor, desde que o jardineiro o tenha visto por aí. Se ele não o viu, não sei quem o poderia ter visto.

Durante nosso percurso, passamos pelo alvo que tinha sido usado para exibir ao Embaixador a pontaria de Uggug. Vendo-o, o Professor exclamou:

— Vejam! Sua Gorducheza Imperial deu apenas um tiro, e ele passou aqui!

— Impossível! — comentou Bruno, examinando atentamente o orifício — Ele é gordo demais para caber nesse buraquinho!

Não tivemos dificuldade em encontrar o jardineiro, embora ele estivesse escondido atrás de uns arbustos. Acontece que sua voz era inconfundível, e ele estava justamente cantando naquela ocasião. Seguindo na direção do som, entendemos as palavras da canção, que eram as seguintes:

Pensou ter visto um Albatroz,
rodeando um lampião,
mas não passava de um desenho
num selo de um tostão
"Quem voa à noite pode até
pegar constipação!"

— Deve ser por causa do frio e da umidade — comentou Bruno.

— Se a noite estiver muito úmida — sugeriu Sílvia, — ele poderia enxugá-la com alguma coisa, não é?

— E essa "alguma coisa" poderia ter vindo pelo correio e ter sido selada com aquele *selo de um tostão* — completou Bruno, entusiasmado pela conversa sem sentido que a irmã tinha iniciado. — Pelo correio, pode-se até remeter uma vaca, embora isso provoque susto nas outras encomendas.

— Tudo o que esse homem canta — explicou o Professor — são coisas que aconteceram com ele. Por isso, acho interessantíssimas suas canções.

— Se for assim, ele deve ter uma vida bem curiosa — comentou Sílvia.

— Pode crer! — assentiu o Professor.

— Claro que ela pode crer! — exclamou Bruno. — É direito dela!

Nessa altura, já estávamos ao lado do jardineiro, que estava de pé apoiado numa única perna, como era de seu feitio, empenhado naquele momento em regar um canteiro de flores. O detalhe era que seu regador estava vazio, e Bruno logo o notou, observando, enquanto lhe puxava a manga da camisa, para chamar sua atenção:

— Não tem água nesse regador!

— É que assim fica mais leve de carregar — explicou o jardineiro. — Quando ele fica cheio de água, meu braço dói.

E prosseguiu com seu trabalho e com a cantoria. Ao terminar a última estrofe ("Pegar constipação!"), o Professor aproveitou a pausa e começou a falar:

— Ao cavucar o chão, coisa que eventualmente o prezado amigo faz, e ao juntar as folhas secas num monte, o que sem dúvida também costuma fazer, e ao pisar por aí, apoiado num calcanhar, coisa que parece fazer com frequência, porventura não aconteceu de deparar com um professor mais ou menos parecido comigo, embora completamente diferente?

— Claro que não! exclamou o jardineiro com tal ênfase que todos nós até recuamos, assustados. — Algo assim não existe!

— Vou passar para um assunto que provoque menos excitação — segredou o Professor aos seus dois acompanhantes visíveis. — Que foi mesmo que queriam dele?

— Queríamos que nos deixasse passar pelo portão — respondeu Sílvia, — mas ele não deixou. Talvez permita que o senhor passe.

O Professor voltou-se para o jardineiro e fez o pedido, de maneira humilde e educada.

— Quanto ao senhor passar pelo portão — respondeu o jardineiro, — nada tenho a opor, mas não posso abri-lo para as crianças. Acha que me atrevo a desobedecer as regras? Nem se me pagassem um xelim e meio!

Discretamente, o Professor mostrou-lhe dois xelins.

— Parece que vamos fazer um acordo! — gritou o jardineiro, atirando para longe o regador e tirando do bolso um molho de chaves pequenas, em meio às quais se destacavam uma chave grande.

— Pense bem, Professor — segredou-lhe Sílvia. — Ele não precisa abrir o portão para nós. Basta abri-lo para o senhor, e aproveitaremos a chance de sair.

— É mesmo, menina! — agradeceu o Professor, repondo as moedas no bolso. — Vou economizar dois xelins.

E, dando a mão aos dois, preparou-se para sair quando o portão fosse aberto. Porém, por mais que o jardineiro tentasse, nenhuma chave parecia poder abrir aquele portão. Por fim, o Professor fez uma sugestão:

— Por que não tenta abri-lo com a chave grande? Já observei que as fechaduras costumam abrir-se apenas quando nelas se coloca a chave certa.

Assim, na tentativa seguinte, o portão foi aberto, e o jardineiro estendeu a mão para receber sua gorjeta. O professor sacudiu a cabeça e disse:

— Desta vez o amigo não teve de desobedecer as regras, pois abriu o portão para mim. E já que o portão está aberto, podemos sair por ele, obedecendo a uma antiga regra denominada "Regra de três".

Pensou ter visto ali um portão
que abria uma só vez;
olhou melhor e descobriu
que era a Regra de Três.
"Se não decifro essa charada,
decifrem-na vocês!"

— Tenho de regressar agora — disse o Professor, depois de andarmos umas poucas jardas. — Aqui onde estamos eu não iria poder ler, pois todos os meus livros estão no palácio.

— Venha conosco, por favor!

— Bem, bem — respondeu o velho, com ar bonachão, — talvez possa ir, algum dia, mas hoje não. Tenho de voltar *agora*. Parei minha leitura numa vírgula, e acho terrivelmente incômodo não saber como é que a frase termina. Além disso, o caminho passa primeiro por Cachorrolândia, e eu fico muito nervoso quando estou na presença de cães. Ficará mais fácil atravessar esse país depois que eu tiver completado uma invenção com a qual estou às voltas: um sistema destinado a carregar-se a si próprio — o autocarregador! Falta pouco para eu terminar essa invenção.

— Não será muito cansativo "carregar-se a si próprio"? — indagou Sílvia.

— Não, minha cara. Pense bem: o que a pessoa se cansa pelo fato de carregar, ela descansa pelo fato de ser carregada. Adeus, crianças! Adeus, meu prezado!

E, para minha surpresa, deu-me um forte aperto de mão.

— Adeus, Professor! — despedi-me igualmente.

Minha voz soou estranha e distante, e as duas crianças parece que não tomaram conhecimento dessa despedida. Era evidente que nem ele e nem ela podiam ver-me ou ouvir-me, naquele instante em que, abraçados carinhosamente, seguiram em frente, sem demonstrar qualquer receio.

CAPÍTULO 13

Uma Visita à Cachorrolândia

Vejo uma casa ali à esquerda — disse Sílvia, depois que havíamos caminhado o que me pareceram ser umas 50 milhas (80km). — Vamos até lá ver se nos oferecem pernoite.

— Parece ser uma casa bem confortável — comentou Bruno, dirigindo para lá seus passos. — Espero que os cães que ali vivem sejam mansos e gentis, pois estou morto de fome e de cansaço.

Diante da porta de entrada caminhava para cá e para lá um mastim, carregando uma espingarda e trazendo ao pescoço uma coleira escarlate. Era a sentinela. Ao ver as crianças, estacou, seguindo depois em sua direção, com a espingarda apontada para Bruno. O menino empalideceu e ficou parado, agarrando com força a mão de Sílvia, enquanto a sentinela o rodeava vagarosamente, examinando-o com toda a atenção.

— Uouou, huh uauauau! — latiu com severidade. — Uouá grau uouou! Uou auau grouau? Uá uau?

É claro que Bruno entendeu perfeitamente o que ele disse. Duendes e fadas compreendem cachorrês sem problema algum. Mas como pode ser que você não esteja familiarizado com essa língua, vamos traduzir o que ele disse. Foi o seguinte: "Humanos, quem diria! Uma dupla de humanos extraviados! A que cão pertencem? Que desejam?

— Não pertencemos a um cão! — protestou Bruno, em cachorrês, segredando em seguida para Sílvia: — Onde já se viu alguém pertencer a um cão?!

Sílvia prontamente fez-lhe um sinal para calar-se, receosa de ferir os sentimentos do cão sentinela. Em seguida, dirigiu-se educadamente a ele em cachorrês, língua que ela sabia falar muito bem, dizendo as palavras que achamos melhor traduzir para facilitar a sua compreensão:

— Por favor, senhor, queremos comer alguma coisa e repousar por esta noite, se porventura houver um quarto disponível nessa casa.

— Casa? É boa! Será que nunca viram um palácio antes? Venham atrás de mim, que vou levá-los até Sua Majestade. O Rei saberá o que se deve fazer.

Seguindo o mastim, atravessamos um longo corredor e chegamos finalmente a um enorme salão, dentro do qual se espremiam, numerosos cães de todo tipo, raça e tamanho. Ao lado do que parecia ser um suporte de coroa, estavam sentados dois esplêndidos sabujos, tendo à frente três buldogues que, pelo aspecto, deviam ser da guarda pessoal do Rei. Todos os cães estavam em silêncio, exceto dois pequineses, que discutiam vivamente acerca de alguma insignificância, sentados num sofá. Junto à porta de entrada, o mastim parou e rosnou para nós uma explicação:

— Esses daí são os Camareiros Reais, as Damas de Honor e diversos cavalheiros da nobreza.

Dito isso, deixou-nos. Entramos. Os cortesãos não notaram minha presença, mas Sílvia e Bruno foram alvos de olhares perscrutadores e de comentários feitos em voz baixa, dos quais só consegui escutar um, de um bassê com cara de sonso para um Fox-terrier:

— Uá uó grrauá huau uouou, uau au? (Aquela humana ali até que é bonitinha, não acha?).

Deixando os recém-chegados no centro do salão, o cão sentinela seguiu até uma porta fechada, na qual estava pintado um aviso escrito em cachorrês, com os seguintes dizeres: "*Canil Real — Arranhe e Ladre*".

Antes de arranhar e ladrar, o mastim voltou-se para todos e ordenou:

— Deem-me seus nomes.

— Meu nome eu não dou e nem empresto! — exclamou Bruno. — Vamos embora daqui, Sílvia! Vamos enquanto ainda temos nome!

— Ora, Bruno! Que falta de bom senso! Por sorte, você não disse essas asneiras em cachorrês.

E, logo em seguida, disse ao sentinela seus nomes, mas dessa vez em língua canina. Imediatamente o mastim arranhou violentamente a porta e ladrou tão alto, que Bruno até arrepiou, da cabeça aos pés. De dentro, uma voz respondeu:

— Grraaaua! (Entrem!)

— É o Rei! — sussurrou o mastim, em tom assustado. — Tirem essas cabeleiras e prostrem-se a suas patas ("a seus pés", teria ele dito, se fosse humano).

Sílvia já se preparava para explicar que as "perucas" eram naturais e não postiças, quando a porta do Canil Real se abriu e um enorme cão terra-nova parou junto à soleira, perguntando:

— Uá uau?

— Quando sua majestade dirigir-lhe a palavra — sussurrou a sentinela para Bruno, — trate de erguer as orelhas!

Bruno olhou intrigado para Sílvia, antes de responder:

— Não posso! Dói!

— Dói coisa nenhuma! — retrucou o mastim, indignado. — Veja como é que se faz! — e ergueu as orelhas como se fossem sinais ferroviários.

Sílvia tentou explicar com palavras gentis:

— Receio que não possamos fazer isso. Nossas orelhas não possuem o... (ela quis dizer o "mecanismo de erguer", mas confundiu a palavra em cachorrês, e acabou dizendo "o elevador").

O mastim repetiu a explicação esdrúxula para o Rei, que exclamou:

— Que criaturas estranhas! Suas orelhas precisam de um elevador para se erguer! Quero examiná-las.

Saindo do Canil Real, Sua Majestade dirigiu-se até onde estavam os dois, em passo solene. Qual não foi o espanto — melhor dizendo, o terror — dos cortesãos, ao verem que Sílvia acariciou a *cabeça do Rei*, enquanto Bruno *agarrou suas orelhas compridas* e fingiu que ia amarrá-las debaixo de seu queixo!

O cão sentinela ganiu alto: uma bela cadela galga, que parecia ser uma das principais damas de honor, teve um desmaio, e todos os demais cortesãos recuaram, dando espaço suficiente para que Sua Majestade pudesse estraçalhar os dois atrevidos sem qualquer estorvo.

"Sua Majestade, o Cão-Rei"

Mas ele não os estraçalhou. Ao contrário, Sua Majestade sorriu — tanto quanto um cão pode sorrir — e (os cortesãos nem podiam acreditar em seus olhos, mas era a verdade; sim, era!) ele até mesmo...abanou a cauda!!!

— Auuuu! Uh uhuhu! (Oh! Não é possível!) — foi a exclamação geral.

Sua Majestade olhou ao redor com ar carrancudo e rosnou baixo, produzindo com isso silêncio imediato.

— Conduzam *meus amigos* para o salão de banquete! — ordenou, frisando de tal maneira o "meus amigos", que vários cachorros se arrastaram pelo chão e foram lamber os pés de Bruno.

Formou-se uma procissão, mas somente me aventurei a acompanhá-la até a porta do salão, tão furioso era o tumulto que faziam os cães logo que ali entravam. Voltando, sentei-me ao lado do Rei, que parecia estar cochilando, e ali fiquei esperando, até que os dois irmãos retornaram para dar-lhe boa noite. Ele então levantou-se, sacudiu o corpo e disse, com um bocejo:

— Hora de ir dormir. Os criados vão mostrar-lhe seus aposentos.

Em seguida, ordenou:

— Tragam velas!

SWAIN Sc

E, com ar solene, estendeu a pata para o beija-mão. Mas acontece que os dois não estavam acostumados a essa cerimônia, inexistente na corte de Estrangeirônia. Sílvia limitou-se a afagar-lhe a pata, enquanto Bruno foi mais além e abraçou-o carinhosamente, para espanto o terror do Mestre de Cerimônias.

Nesse instante, chegaram vários criados em esplêndidas librés, trazendo consigo velas acesas e colocando-as sobre a mesa. Cada vez que eu me adiantava para pegar uma delas, algum cão chegava antes de mim, de maneira que não me sobrou uma vela sequer. Foi então que o Mestre de Cerimônias se aproximou de mim e disse:

— Não posso permitir que você durma aqui. Isso é uma cadeira, e não uma cama.

Com grande esforço, já que o sono me dificultava falar, consegui balbuciar:

— Sei que não é uma cama: é uma espreguiçadeira.

— Pensando bem, não faz mal que me dê um pequeno cochilo.

Disse isso e saiu. Escutei suas palavras como se estivessem vindo de muito longe, e então vi que ele estava longe, na amurada de um navio, a milhas de distância de mim, que acenava para ele no cais. Pouco depois, o navio desaparecia, e eu voltava a me afundar na espreguiçadeira.

O que recordei a seguir foi uma cena matinal. O café da manhã estava servido. Sílvia e Bruno acabavam de tomá-lo. A menina, naquele instante ajudava Bruno a descer de uma cadeira muito alta, e dizia para um *cocker* que os fitava com um sorriso benevolente.

— Muito obrigada. Estava uma delícia, não é, Bruno?

— Tinha muitos ossos... — começou o garoto, mas ela logo fez-lhe um sinal para se calar.

Junto à porta esperava-os o Rosnador-mor, encarregado de conduzi-los ao Rei para a despedida, e depois acompanhá-los até o limite de Cachorrolândia.

Os dois seguiram atrás do Rosnador-mor, que os levou até o Rei. O terra-nova já os esperava, e recebeu os dois visitantes com afabilidade. Entretanto, ao invés de dizer "adeus", conforme era esperado, ele comunicou ao Rosnador-mor que iria pessoalmente escoltar os dois até a fronteira.

— Majestade! — exclamou o cão tomado de espanto (e também de indignação, pois havia vestido seu melhor traje, todo feito de pele de gato, usado apenas em ocasiões especiais. — Tal procedimento seria inteiramente inaudito!

— Já disse: quem vai escoltá-los serei eu — insistiu o Rei, educada, mas firmemente, tirando de cima de si o manto real e a coroa, e substituindo-a por um diadema simples. — Quanto a você, Rosnador-Mor, pode voltar para casa e descansar pelo restante do dia.

— Que bom! — segredou Bruno e Sílvia. — Esse outro cachorro parece ser muito rabugento!

E para extermar sua satisfação não somente acariciou a cabeça do Rei, como lhe deu um forte abraço, fazendo Sua Majestade abanar a real cauda.

— É um alívio sair do palácio de vez em quando — disse aos meninos, quando se viram sós. — É muito maçante a vida de um rei canino. Vocês nem podem imaginar!

Em seguida, abaixando a voz, dirigiu-se particularmente a Sílvia, aparentando um certo embaraço:

— Será que você poderia arremessar um pedaço de pau para eu buscar?

A menina ficou sem saber o que fazer. Parecia-lhe monstruoso tratar um Rei daquele modo. Mas Bruno, que também havia escutado o pedido, não perdeu a oportunidade e, apanhando no chão um graveto, atirou-o atrás de uma moita, gritando:

— Vai, Tiu! Pega!

Bastou isso para que o Monarca de Cachorrolândia se precipitasse para trás da moita, voltando logo em seguida com o graveto na boca e entregando-o ao menino, que ordenou:

— Senta aí! Vamos!

E sua Majestade assentou-se sobre as patas traseiras.

— Dá o pé! — ordenou Sílvia.

E sua Majestade estendeu-lhe a pata, que ela afagou carinhosamente.

O restante do percurso transformou-se numa barulhenta brincadeira entre o cão e as crianças. Foi assim que se desenrolou a solene cerimônia da escolta dos visitantes. Por fim, o Rei voltou a assumir seu ar sério e disse:

— Negócios são negócios, e está na hora de retomar os meus. Eu não poderia ficar com vocês nem mais um minuto — e consultou um relógio canino, preso a uma corrente de ouro que trazia pendurada ao pescoço — mesmo que avistasse um gato por aí!

Depois de se despedirem afetuosamente, os dois irmãos prosseguiram seu caminho, agora com a tristeza estampada no semblante.

— Que cachorro legal! — comentou Bruno. — Ainda teremos de andar muito, Sílvia? Estou "*pregado*"!

— Acho que não, maninho — respondeu a irmã carinhosamente. — Está vendo aquele brilho atrás das árvores? Deve ser o portal de entrada de Duêndia, a terra das fadas e dos duendes. Papai disse que se trata de uma porta enorme, dourada e brilhante... muito... brilhante...

E a menina pareceu cair numa espécie de torpor, deixando Bruno alarmado com seu estado. Enquanto com uma das mãos agarrava-se desesperadamente à irmã, com a outra cobria os olhos, ofuscado pelo brilho que aumentava cada vez mais.

Ela caminhava como sonâmbula, fitando ao longe com os olhos muito abertos e sem piscar, e respirando de maneira arfante e impaciente. Por uma intuição misteriosa, entendi que uma enorme mudança estava ocorrendo com minha querida amiguinha: ela deveria estar deixando sua condição de elfo e adquirindo a de duende, ou seja: Sílvia deveria estar transformando-se numa Fada!

Não demorou, e uma transformação idêntica ocorreu com Bruno, completando-se antes que os dois alcançassem o portal de entrada de Duêndia. Por aquela porta eu não poderia passar; assim, fiquei do lado de fora, olhando para meus dois queridos amiguinhos que seguiam em frente, até que o portal dourado se fechou com um estrondo.

E que estrondo!

— Nunca vi uma porta de armário tão barulhenta! — comentou Arthur. — Parece que a dobradiça está estragada. Mas não importa: trouxe-lhe bolo e vinho. Nada melhor, depois desse prolongado cochilo. É hora de ir para a cama, meu velho! Não há outra coisa que possa fazer. É o que lhe receito. Assinado: Arthur Forester, Doutor em Medicina.

Nesse momento eu já estava acordado.

— Não, doutor, espere um pouquinho! — pedi. — Ainda não estou dormindo! E faltam alguns minutos para a meia-noite!

— De fato, minha receita anterior era outra — disse ele em tom condescendente: mostrando-me o lanche que me aguardava. — Apenas achei que você não daria conta de tomar esses "remédios", devido ao excesso de sono.

Tomamos o lanche quase em silêncio, porque um inesperado nervosismo parecia ter tomado conta de meu velho amigo.

— Que tipo de noite é esta? — perguntou ele, descerrando as cortinas da janela aparentemente para preparar a abordagem de algum assunto.

Levantei-me, fui até a janela, e ali ficamos os dois a contemplar a noite, em silêncio. Por fim, após uma longa e embaraçosa espera, ele disse:

— Quando lhe falei pela primeira vez a respeito... isso é, quando conversamos a respeito dela, pois creio que foi você quem tocou nesse assunto pela primeira vez, minha situação econômica e social não me permitia outra atitude senão a de admirá-la à distância. Eu já me preparava para abandonar este lugar e me estabelecer alhures, onde não houvesse qualquer oportunidade de reencontrá-la. Era a única escolha que me cabia, segundo me pareceu então.

— Teria sido sensato abandonar todas as suas esperanças?

— Que esperanças? — retrucou ele secamente, embora seus olhos reluzissem de repente, como se uma lágrima furtiva teimasse em umidecê-los.

E ele ali ficou, contemplando o céu da meia-noite, no qual apenas uma renitente estrela, a gloriosa Vega, cintilava em caprichoso esplendor, vez que outra eclipsado pela rápida passagem de uma nuvem. Depois de uma pausa, ele prosseguiu:

— Ela era para mim como aquela estrela: brilhante, bela, admirável, mas fora do meu alcance, longínqua, inacessível...

Puxou de novo as cortinas e voltamos a ocupar os nossos lugares junto à lareira.

— O que estou querendo dizer-lhe é o seguinte — falou ele então, sem maiores rodeios: — meu procurador acaba de me revelar uma coisa, sobre a qual não quero entrar em detalhes, mas que, resumindo, significa que meu patrimônio acaba de crescer consideravelmente, e que agora me encontro (ou quase me encontro) em condição de poder pedir em casamento qualquer mulher, seja pobre ou seja rica, seja nobre ou plebeia. No caso da nobre dama de que estamos falando, não creio que sua situação econômica seja das mais folgadas. Que eu saiba, o Conde é pobre. Pouco importa: o que tenho dá para nós dois, mesmo que sobrevenha algum problema de saúde.

— Ah, meu amigo, pois eu lhe desejo toda a felicidade do mundo, em sua futura vida de casado! Quando é que pretende pedir a mão da moça em casamento: amanhã?

— Ainda é cedo para isso. O pai dela é muito cortês e afável, mas não sei se de fato apreciaria ter-me como genro. Quanto a Lady Muriel, não tenho certeza de quais seriam seus sentimentos em relação a mim. Se for amor, ela o esconde bem escondido. Desse modo, o jeito é esperar, antes de dar um passo em falso.

Não quis dar-lhe mais qualquer conselho, pois vi que o julgamento de meu amigo era mais prudente e refletido que o meu. Assim, depois do boa noite, fomos cada qual para sua cama, sem mais tocar naquele assunto que agora monopolizava todos os seus pensamentos, senão mesmo toda a sua vida.

Na manhã seguinte, recebi uma carta. Agora, quem escrevia era o *meu* procurador, convocando-me a Londres para resolver algum assunto importante.

CAPÍTULO 14

A Fadinha Sílvia

Durante um mês inteiro fiquei preso em Londres, às voltas com o tal assunto que teria de ser resolvido. Acabei tendo de deixá-lo apenas meio solucionado, pois uma urgente advertência de meu médico induziu-me a fazer outra viagem até Elveston, para repousar.

Nesse ínterim, tinha recebido uma ou duas cartas de Arthur, mas em nenhuma delas havia qualquer menção a Lady Muriel. Não tirei conclusões pessimistas desse silêncio, atribuindo-o antes à reação natural de um enamorado, que, muito embora seu coração esteja cantando "Ela é minha", receia expor sua felicidade nas frias linhas de uma carta, antes preferindo revelar oralmente o que lhe inunda a alma de alegria. "Sim", pensei, "hei de escutar de seus próprios lábios sua canção de triunfo!"

A noite que cheguei, tivemos muitos assuntos diferentes para conversar. Cansado da viagem, recolhi-me cedo, deixando para outra ocasião a revelação do feliz segredo. No dia seguinte, logo após o café da manhã, arrisquei-me a tocar no tema, sem maiores rodeios, dizendo:

— E então, meu prezado, você ainda não me contou coisa alguma acerca de Lady Muriel. Quando teremos o esperado dia?

— Vamos ter de esperá-lo sentados — respondeu Arthur, assumindo um ar inesperadamente sisudo. — Não posso precisar quando será. Precisamos conhecer-nos — melhor dizendo: ela precisa conhecer-me melhor. De minha parte, conheço de sobra seu natural doce, mas não me atreverei a falar-lhe enquanto não tiver certeza de que meu amor é retribuído.

— Não seja demasiada a sua espera — retruquei maliciosamente. — Um coração timorato jamais haverá de conquistar uma bela dama!

— "Coração timorato"? É...talvez seja... O fato é que ainda não tenho coragem de falar-lhe.

— Neste meio tempo — prossegui, — você está correndo um risco que talvez não tenha imaginado. Já pensou se outro pretendente...

— Não! — disse ele com convicção. — Estou absolutamente seguro de que ela não está comprometida com quem quer que seja. Agora, se acontecer de estar apaixonada por outro, azar meu! Não tenho a menor intenção de estragar sua felicidade. Esse segredo morreria comigo. Quanto a mim, confesso que ela é meu primeiro e único amor!

— Belos sentimentos, lindas intenções — disse-lhe. — Mas nada disso é prático, nem se parece com seu modo de ser.

Quem não se atreve a arriscar
tudo perder ou ganhar,
ou seu destino receia,
ou seu mérito escasseia.

— O fato é que não me atrevo a perguntar-lhe se existe outro! — contestou Arthur com veemência. — Se souber que existe, isso iria partir meu coração!

— E seria uma atitude sábia não perguntar? Sua vida não pode ficar na dependência de um "se"!

— Mas eu não me atrevo...

— Quer que eu tire isso a limpo para você? — perguntei, usando a liberdade que me conferia nossa velha amizade.

— Oh, não! — respondeu ele, com olhar de súplica. — Rogo-lhe que não dê uma palavra sequer a esse respeito. Vamos aguardar.

— Você é quem sabe — dei de ombros, mantendo-me calado daí em diante.

"Não é preciso falar para saber como estão as coisas", pensei. "Às vezes, basta ver. Hoje à noite irei visitar o Conde."

A tarde foi muito quente, quente demais para que eu tivesse disposição de sair a passeio ou fazer qualquer outra coisa. Deve ter sido por isso que aconteceu o que vou contar-lhe. Antes, porém, querida criança que me lê, eu queria saber de você por que as Fadas devem sempre ensinar-nos nossos deveres e corrigir nossos erros, ao invés de serem ensinadas por nós. Ninguém haverá de supor que elas sejam gananciosas, ou egoístas, ou rabugentas, ou mentirosas, porque isso seria um completo absurdo, não é? Entretanto, ninguém haverá de supor que elas mereçam de vez em quando uma pequena reprimenda, ou mesmo uma ligeira punição, não acha?

Realmente, não vejo por que não se possa dar-lhe um castigo de vez em quando, e chego mesmo a crer que, se a gente pudesse apanhar uma fada ou um duende, deixar a criaturinha presa e tratá-la a pão e água durante um dia ou dois, o que alcançaríamos com isso seria aperfeiçoar ainda mais seu caráter, embora nosso conceito talvez acabasse diminuindo consideravelmente.

A pergunta seguinte é esta: qual seria a melhor ocasião para podermos enxergar uma fada? Creio que posso dizer-lhes algo a esse respeito.

A primeira condição é que o dia esteja muito quente, bem quente, mesmo, e que a pessoa esteja um pouco sonolenta (mas não tão sonolenta que não consiga manter os olhos abertos, note bem). E também é necessário que ela esteja... como direi?... esteja "encantada" (sentindo-se daquele modo que os escoceses chamam de "*eerie*", palavra linda quando se compreende seu significado, mas que não tenho tempo de explicar agora em que consiste. Se você porventura avistar uma fada, haverá de entendê-lo perfeitamente).

Outra condição: os grilos têm de estar mudos. Por ora, não tenho tempo de explicar o porquê; trate de aceitar, que depois eu explico.

Portanto, se todas essas condições ocorreram simultaneamente, a pessoa terá uma boa oportunidade de enxergar uma fada (ou um duende). Se não ocorrerem, a chance será bem menor.

A primeira coisa que observei, quando seguia preguiçosamente através de uma clareira, foi um besouro grande que esperneava, deitado de costas. Ajoelhei-me, com intenção de ajudá-lo a retornar sua posição normal, acreditando que isso o faria feliz. No caso dos insetos, é bom lembrar nunca se sabe ao certo o que ele gostaria de que acontecesse. Um exemplo: se fosse uma mariposa, eu não saberia decidir se seria preferível que me mantivesse longe da vela, ou se seria melhor que me deixassem voar direto para a chama, desse modo achando queimada, ou então , caso eu fosse uma aranha, não estou certo de que seria melhor ter minha teia destroçada pela mosca que aprisionei, ou a teia intacta, mas sem qualquer presa enredada nela. Mas caso eu fosse um besouro, aí eu não teria a menor dúvida de que, se eu estivesse de costas, esperneando desesperadamente, acharia bem bom se uma boa alma viesse me ajudar a ficar novamente com as minhas seis patas sobre o chão.

Portanto, como eu estava dizendo, ajoelhei-me para ajudar a pobre criaturinha a de reerguer, quando avistei uma coisa que me fez recuar subitamente e prender a respiração, receoso de fazer algum barulho que a assustasse e a fizesse fugir.

Não que ela parecesse assustadiça: na realidade, seu aspecto era de uma criatura doce e gentil, daquele tipo que ninguém teria coragem de machucar ou causar algum dano. Tinha apenas umas poucas polegadas de altura, e estava vestida de verde, de maneira a ficar meio camuflada na relva. Era tão delicada e graciosa, que até parecia pertencer ao lugar, como uma flor. Posso ainda assegurar que ela não tinha asas (aliás, não acredito em fadas dotadas de asas), que seus bastos cabelos eram castanhos, assim como os olhos, que eram demais brilhantes e curiosos. Creio que , desse modo, devo ter dado a vocês uma boa ideia de como era aquela criaturinha.

Sílvia (esse era o nome dela, conforme fiquei sabendo pouco depois) estava ajoelhada , do mesmo modo que eu fiquei, com a idêntica intenção de ajudar o besouro a se pôr de novo de seis. No meu caso, eu estava procurando um graveto para revirar o inseto, coisa que para ela seria impossível, em razão de seu tamanho diminuto. O que ela fez foi segurá-lo com ambas as mãos, e depois esforçar-se para fazê-lo voltar a sua posição normal. Enquanto isso, conversava com o inserto, num tom de voz que tanto servia para repreender como para reconfortar, como fazem as amas quando se dirigem a uma criancinha que levou um tombo.

— Ora ora! — dizia ela — Não precisa ficar chorando por causa disso! Afinal de contas, você não morreu, não é? Se duvida disso, saiba que quem morre não chora — isso é uma regra geral. E agora me diga: como foi que você revirou desse jeito? Ah, nem preciso perguntar, pois já sei a resposta: você resolveu escalar um monte de areia, andando sempre de queixinho voltado para cima, como de costume! Fez isso e caiu de costas, como seria de se esperar! Por que não olhou para baixo e para frente?

O besourinho murmurou alguma coisa que soava como se fosse. "Mas eu olhei para a frente!", porém Sílvia logo retrucou:

— Olhou coisa nenhuma! Você nunca olha para a frente! Só sabe andar de queixo virado para cima no maior convencimento! Vamos ver quantas perninhas você quebrou desta vez. Ora que bom: não quebrou nenhuma! Todas as seis estão perfeitas! Mas de que vale ter seis pernas, se quando você fica de costas não pode usar nenhuma? Se tudo o que pode fazer é ficar esperneando feito doido? Pernas foram feitas para caminhar, não para ficar agitando sem parar, a troco de nada! Ei, que é isso de estar desdobrando as asas para voar? Ainda tenho alguma coisa a dizer! Tenho um recado, ou melhor, uma incumbência para você: vá até a rã que mora atrás daquele ranúnculo — conhece a flor que tem esse nome, não é? — e transmita-lhe meus cumprimentos. Veja bem, não são "comprimentos", ouviu? São "cumprimentos." De Sílvia, não se esqueça de acrescentar. Repita, para eu ver se você saber pronunciar corretamente: *cumprimentos*.

O besouro tentou, e creio que se saiu bem da sua tentativa.

— Muito bem, é isso aí. Diga-lhe depois que é para ela aplicar em você um pouco daquela pomada que lhe dei ontem. Ela é quem vai esfregá-la em você, e nada de reclamar porque as mãos dela são frias.

Acho que o inseto estremeceu só de pensar nisso, porque Sílvia prosseguiu, num tom mais serio ainda:

— Que negócio é esse de não querer ser esfregado por uma rã? Acha acaso que você é algum personagem muito importante, é? Trate, sim, é de ficar agradecido, ouviu? Suponha que você não tivesse outro bicho para lhe aplicar a pomada senão um sapo: seria melhor, por acaso? Você gostaria disso?

Depois de uma pequena pausa , continuou;

— Agora, pode ir. Seja um bom besourinho e para com essa mania de andar com o queixo virada pra cima. Começou então um daqueles espetáculos cheios de zunidos , roncos, zumbidos e pancadas de asas batendo contra o corpo, aos quais os besouros se entregam quando resolve sair voando, sem saber direito para onde. Por fim, ele escolheu um rumo: direto sobre o meu rosto! Quando me recobrei do choque, a fadinha havia desaparecido.

Olhei em todas as direções, tentando avistar a criaturinha, mas nem sinal dela. Nessa altura dos acontecimentos, meu "encantamento" havia desaparecido, e os grilos tinham voltado a cricrilar alegremente, revelando com isso que Sílvia deveria de fato ter ido embora dali.

Agora é o momento adequado para explicar o assunto referente aos grilos. Esses insetos param de cantar quando uma fada está por perto. Isso é porque as fadas são consideradas por eles como se fossem suas rainhas, ou coisa parecida. Assim, se você notar que de repente os grilos param de cantar, pode estar certo de que eles acabaram de avistar uma fada ou um duende.

Prossegui meu caminho triste e cabisbaixo. Para recobrar o bom humor, pensei: "Até agora, foi uma tarde maravilhosa! Se eu olhar atentamente para todo lado, pode ser que até aviste uma outra fada!"

E foi o que fiz. De tanto olhar atentamente, acabei enxergando uma planta de folhas arredondadas, várias das quais cheias de furinhos redondos. Quem os teria feito? Alguma lagartinha? "Talvez alguma abelha cortadora de folhas", imaginei imediatamente, já que sou bastante versado em História Natural (se duvida, fique sabendo que distingo uma gatinha de uma galinha com uma única olhada, apesar de ser tão pequena a diferença entre ambas: apenas um T e um L). Resolvi naquele momento examinar mais detidamente aquelas folhas, e foi então que um estremecimento de satisfação me perpassou por todo o corpo pois os furinhos formavam letras! Assim, em três folhas que estavam juntas, liam-se as letras B, R e U, e, em duas outras logo abaixo, mais duas: N e O.

Nesse instante, um clarão interno pareceu iluminar um parte de minha vida que havia caído no esquecimento, relacionando com as estranhas visões que haviam ocorrido em Elveston, fazendo-me estremecer de novo e conclui: "essas visões interligam-se diretamente a minha vida *acordada*."

A essa altura dos acontecimentos, eu havia voltado a me sentir "encantado", especialmente ao notar que os grilos novamente tinham parado de cricrilar.

Aquelas letras, formando a palavra "BRUNO" indicavam claramente que alguma criaturinha com esse nome deveria estar ali por perto.

E estava mesmo. Tão perto, que quase pisei nele, o que teria sido terrível (se é que você pode pisar nesses criaturinhas, pois tenho impressão que elas são da mesma natureza do fogo-fátuo, que ninguém consegue pisar).

Imagine um garotinho bonito a mais não poder, de bochechinhas rosadas, olhos grandes e escuros, cabelos castanhos encaracolados; imagine em seguida que ele é tão pequenininho que possa caber numa xícara de café — então, imaginou? Pois era assim a criaturinha que avistei.

— Qual é seu nome, pequeno? — perguntei, com a voz mais suave que pude fazer.

(A propósito, por que não sabemos iniciar uma conversa como uma criança sem perguntar-lhe primeiramente seu nome? Será que isso ajuda a entendê-la melhor? A torná-la maior? Não é desse modo que se inicia uma conversa com algum adulto, não é?)

Seja como for, achei que devia começar perguntando qual era o seu nome, e desse modo repeti a pergunta logo em seguida, agora em voz um pouco mais alta:

— Diga-me, homenzinho, qual é o seu nome?

— Primeiro, diga-me o seu — foi sua resposta, sem erguer os olhos em minha direção.

Disse-lhe meu nome, sem qualquer mágoa, e ele acrescentou nova pergunta imediatamente:

— Duque de alguma coisa?

— Não, não sou duque — respondi, ligeiramente vexado por fazer aquela confissão.

— Você é grande o bastante para ostentar dois títulos de duque: Duque de Alguma Coisa e Duque de Coisa Alguma. Se não é duque, que é? Conde? Marquês? Barão?.

— Não possuo título algum — respondi, cada vez mais envergonhado.

A criaturinha pareceu pensar que, naquele caso, eu realmente não era digno de conversar com ela; assim, sem mais palavras, retomou seu trabalho, cavacando o chão e despedaçando as flores.

Passados alguns minutos, tentei de novo:

— Por favor, diga-me qual é seu nome!

— É Bruno — respondeu imediatamente o duendinho, acrescentando em seguida: Por que não disse "por favor" logo da primeira vez?

Pensei comigo mesmo: "A gente aprende isso desde que está no jardim de infância...", e esse pensamento fez recuarem minha lembranças até aquela época (ou seja, a cerca de quase um século atrás), até meu tempo de criancinha, levando-me a perguntar:

— Por acaso você seria um daqueles duendes que ensinam as crianças a serem boazinhas?

— Temos de fazer isso, de vez em quando — concordou ele, prosseguindo em tom zangado: — e é desagradabilíssimo!

Dominado pela ira, arrancou um amor-perfeito e o desfez em vários pedaços, jogando-os no chão e pisando-os em seguida.

— Por que fez isso, Bruno?

— É porque estou estragando o jardim da Sílvia — respondeu, passando a arrancar e destruir outras flores.

Enquanto fazia isso, murmurava para si próprio:

— Ela sabe como me aborrecer! Não me deixou sair hoje de manhã para ir brincar! Disse que eu teria de, primeiro, terminar minhas lições! Vou mostrar-lhe qual a lição que eu vou terminar: é esta aqui! O título é:"Como deixar Sílvia doida de raiva"!

— Bruno, você não devia estar fazendo isso! — exclamei. — Que coisa feia! Isso é vingança, sabia? E vingança é um coisa má, cruel, perigosa!

— "Viu gansa"? Quem viu? Você? É... tem gansa que é mesmo "má", cruel, perigosa"... dá cada bicada que não há quem aguente!...,

— Eu não disse que "vi gansa", mas sim que você tá fazendo uma "vingança", ouviu?" Vin-gan-ça".

— Ah agora entendi — disse Bruno, fitando-me atentamente, mas sem fazer qualquer esforço para repetir corretamente a palavra.

— Vamos, Bruno — resolvi provocá-lo. — Veja se consegue pronunciar: "vin... gan.. ça..." Tente!

Bruno sacudiu a cabeça, dizendo que não era capaz de pronunciá-la corretamente, porque sua boca não tinha formato apropriado para dizer tais palavras. Pus-me a rir daquela desculpa esfarrapada, o que o deixou bastante emburrado. Tentei apaziguá-lo, dizendo:

— Ora, rapazinho, não fique chateado com isso! Posso ajudá-lo a fazer esse serviço?

— Ajudar-me? Claro! — respondeu ele, agora em tom calmo. — Mas eu gostaria de fazer algo que a deixasse de fato aborrecida, e isso é muito difícil, pode crer!

— Então preste atenção. Vou ensinar-lhe um esplêndido tipo de vingança.

— Alguma coisa capaz de deixá-la possessa? — perguntou ele, com os olhos rebrilhando de expectativa.

— Com certeza! Primeiramente, vamos dar cabo de todas as ervas daninhas de seu jardim. Veja aqui nesta extremidade: elas são tantas, que até escondem flores!

— Tem certeza de que isso irá deixá-la aborrecida?

— Em seguida — prossegui, fingindo não ter escutado sua pergunta, — vamos regar aquele canteiro lá de cima, que está ficando seco e empoeirado.

Bruno olhou para mim inquisitivamente, mas dessa vez nada disse.

— Depois — continuei, — vamos varrer os caminhos. Você também poderia cortar aquela urtiga que cresceu perto do jardim e já ameaça invadir os canteiros.

— Mas que história é essa? — interrompeu Bruno impacientemente. — Nada disso irá aborrecer Sílvia!

— Será que não? — perguntei, bancando o inocente. — E que me diz se, depois disso tudo, separarmos as flores de tipos diferentes, utilizando fileiras de pedras coloridas? Isso deixará o jardim com belo visual!

Dessa vez, Bruno fitou-me demoradamente, até que um estranho brilho cintilou em seus olhos, e ele em seguida falou com tom de voz diferente:

— É, vamos fazer isso, do jeito que você sugeriu. Vamos dispor as pedrinhas em fileiras, aqui as vermelhas, ali azuis e assim por diante.

— Isso mesmo! Diga-me: quais as flores de que Sílvia gosta mais?

Bruno pôs o dedo sobre os lábios, pensou um pouco e respondeu:

— Hmm... violetas.

— Existem belas moitas de violetas ali perto do regato!

— Vamos arrancá-las! — gritou Bruno, dando um salto de alegria. — É por aqui; me dê sua mão que eu o ajudo. A relva é muito alta daquele lado!

Não pude deixar de rir do oferecimento, vendo que ele esquecera completamente estar conversando com alguém bem mais alto. Impedi-o de andar, dizendo-lhe:

— Espere, Bruno! Vamos planejar primeiro qual é a melhor coisa a fazer. Estamos diante de uma tarefa muito pesada!

— Você tem razão — concordou ele, pondo novamente o dedo sobre os lábios e sentando-se em cima de um camundongo morto.

— Por que você deixou esse camundongo morto aí? — perguntei. — Não seria melhor enterrá-lo, ou então atirá-lo ao regato?

— Não senhor! Ele é o nosso medidor! Como seria possível construir um jardim sem um camundongo morto? Cada canteiro mede três camundongos e meio de comprido, por dois de largura.

Detive-o antes que me mostrasse como se mediam os canteiros, pois ele já se preparava para puxar o ratinho pela calda, a fim de demonstrar sua utilidade. Não o fiz por nojo, mas sim pelo receio de perder o "encantamento" antes de poder ver Sílvia de novo.

— Creio que o melhor que temos a fazer é dividir as tarefas. Você arranca as ervas daninhas, enquanto eu separo as pedras coloridas em montes. Que tal?

— Boa ideia! — concordou Bruno. — Enquanto estivermos trabalhando, eu lhe falarei sobre lagartas.

— Pode falar. Estou escutando — disse-lhe, enquanto iniciava minha tarefa.

Bruno começou a falar depressa e num tom baixo, como se estivesse conversando consigo próprio, dizendo:

— Ontem eu vi duas lagartinhas , quando estava sentado à beira do regato, ali na entrada da mata. Elas eram verdes, tinham olhos amarelos e não me podiam ver. Uma delas estava carregando uma asa de mariposa, grande, marrom, seca, toda penugenta. Acho que não era para comer, era antes para fazer capa de frio. Que acha disso?

— Acho que deve ser para isso mesmo — concordei, mesmo sabendo que pouco lhe importava saber o que eu pensava de fato acerca do assunto.

E ele prosseguiu:

— Para que a outra lagarta não visse o que seria aquilo, ela carregou a asa de mariposa com as pernas do lado esquerdo, tentando caminhar apenas com as pernas do lado direito. Não podia dar outra: ela acabou caindo!

— E depois? — perguntei, achando graça na história.

— É isso que você me pergunta? — retrucou ele, sério. — Se estivesse visto uma lagarta cair, saberia que uma queda de lagarta é uma coisa muito grave, e não ficaria aí rindo feito bobo! Sabe de uma coisa? Não vou contar mais coisa alguma para você!

— Desculpe, Bruno, eu estava rindo era de outra coisa. Veja: estou sério de novo.

Mas ele tinha cruzado os braços sobre o peito e apenas disse:

— Você não me engana. Vejo um brilhozinho num de seus olhos. Você é como a Lua.

— Por que diz isso?

— Porque sua cara é redonda como a dela. É bem verdade que você brilha menos; em compensação, é mais limpo.

Não pude deixar de sorrir ao ouvir isso.

— Deve ser porque eu costumo lavar o rosto, Bruno, coisa que a Lua não faz.

— Não faz mesmo! — concordou ele, inclinando-se para a frente e dizendo-me em tom confidencial: — A cara dela vai ficando suja, ficando suja, até que fica tão preta que ela desaparece. Só então é que ela toma vergonha e lava a cara — e ele esfregou as bochechas, como se estivesse lavando o seu próprio rosto.

— Depois disso ela volta a ficar toda limpa?

— Não de uma só vez — disse ele. — Puxa, como você dá trabalho para aprender, hein? Ela vai lavando a cara pouco a pouco, devagarinho, cada noite um pedacinho. E sempre começa pela parte que ficou suja mais cedo.

Durante todo esse tempo ele não tinha saído de cima de seu assento, isso é, do camundongo morto, mantendo sempre os braços cruzados sobre o peito. Resultado: nenhuma erva daninha tinha sido arrancada até então. Fui obrigado a dizer-lhe:

— Primeiro o trabalho, depois a diversão. Nada de conversa até que sua tarefa esteja terminada.

CAPÍTULO 15

A Vingança de Bruno

Depois disso, tivemos alguns minutos de silêncio, durante os quais, enquanto eu separava as pedras, ia-me divertindo em observar o projeto de jardinagem de Bruno. Era um projeto inteiramente novo pra mim: ele sempre media cada canteiro antes de capiná-lo, como se receoso de que o espaço ocupado pelas ervas daninhas fosse encolher. Nas vezes em que sua mediação apresentava resultado diverso do que ele esperava encontrar, punha-se a bater no camundongo, criticando-o com azedume:

— Olha aí! Outra vez, tudo errado! Por que você não aprende a manter esse rabo reto na hora da medida?

Num dado momento, voltando-se para mim, confidenciou baixinho:

— Vou contar-lhe o que farei. Você gosta de fadas, não gosta?

— Gosto, é claro — respondi. — Se não gostasse, não teria vindo até aqui, teria ido a um lugar onde não houvesse fadas ou duendes.

Sorrindo desdenhosamente, ele comentou:

— Quer dizer que, se você não gostasse de vento, procuraria andar apenas onde não houvesse ar?

Era um hipótese difícil de entender; por isso, preferi mudar de assunto:

— Você é a segunda criaturinha dos bosques que eu avisto. Acaso serei a primeira pessoa normal que você algum dia já viu?

— Ih, estou cansado de ver gente, principalmente quando caminho pela estrada.

— Você pode ver as pessoas, mas as pessoas não podem vê-lo. Não tem medo de ser pisado?

— Ora, isso nunca acontece! — replicou Bruno, sorrindo ante minha ignorância. — Suponhamos que você esteja caminhando, e que pise primeiro aqui — (e fez uma pequena marca no chão), — depois aqui — (fez outra) — e suponhamos que um duende, isto é, eu, esteja entre as duas marcas. Você pisa numa, depois noutra, e nada de pisar em mim, que estou no meio. Por isso, ninguém pisa num duende.

Que era uma explicação, era, só que não me convenceu. Insisti no assunto:

— E se eu mudar o passo e pisar onde você está? Pode acontecer?

— Não, e eu não sei o porquê, mas sei que não pode. Ninguém jamais pisou em cima de um de nós. Agora vou dizer-lhe o que estou planejando fazer, já que você aprecia tanto as fadas e os duendes. Vou convidá-lo para um banquete no palácio do Rei das Fadas. Conheço um dos garçons.

Não pude conter uma risada, e perguntei:

— Desde quando os garçons convidam pessoas para um banquete?

— E quem disse que é para sentar-se à mesa? É para servir! Você gostaria disso, não é? Recolher pratos, travessas, bandejas, essas coisas...

— Gostaria, mas acho que comer é melhor do que servir...

— Não resta a menor dúvida! — concordou ele, embora num tom de quem está compadecido da extrema ignorância de seu interlocutor. — Acontece que, para uma pessoa que não tem nem mesmo um título de baronete, não é de se esperar que venha a ser convidado para um banquete real, concorda?

Tive de concordar, humildemente, mas insisti na ideia de que só ficaria realmente satisfeito se eu fosse convidado a participar do banquete como convidado, e não como serviçal. Ele sacudiu a cabeça, ofendido, replicando que conhecia quem não hesitaria em deixar que lhe cortassem as duas orelhas, só para estar naquele banquete como garçom.

— Você já foi convidado alguma vez, Bruno?

— Fui, semana passada — disse ele, em tom solene. — Minha tarefa foi lavar os pratos de sopa...perdão, os pratinhos de sobremesa. Trabalho de muita responsabilidade! E também ajudei a servir a mesa. Que me lembre, apenas cometi um errinho de nada...

— É? E qual foi? — perguntei, curioso, emendado em seguida: — Se preferir guardar segredo, tudo bem...

— Para cortar os bifes, eu trouxe tesouras, em vez de facas — respondeu ele despreocupadamente. — Mas o melhor de tudo foi que eu servi um copo de cidra ao Rei!

— Isso é que é tarefa honrosa! — comentei, fazendo força para não explodir numa gargalhada.

— Não é? — disse ele, sem ocultar o orgulho. — Uma honraria dessas não é para qualquer um...

Perdi a vontade de rir, lembrando-me de que, em nosso mundo, há muitas “honrarias” semelhantes àquela de que Bruno tanto se orgulhava.

Estava imerso em pensamentos desse tipo, quando ele me trouxe de volta à realidade, gritando excitadamente:

— Venha cá, depressa! Ajude-me aqui! Segure o outro chifre desse bicho, que já não estou aguentando mais segurá-lo sozinho!

Ele estava lutando desesperadamente contra um caracol, suando em bicas para arrancá-lo do talo de grama ao qual ele se prendia. Se eu não fizesse alguma coisa, sua tarefa de jardinagem não teria prosseguimento. Assim, apanhei o caracol e o coloquei sobre um monte de terra alto o suficiente para que ele não o alcançasse.

— Mas tarde você poderá caçá-lo, Bruno. Mas...responda-me: qual a utilidade que há em se caçar um caracol?

— Por que me faz essa pergunta? Responda-a você mesmo. Vocês, os grandões, não gostam de caçar uma raposa?

Tentei encontrar uma boa razão para justificar a caça à raposa e não a caça ao caracol, mas nenhuma me veio à cabeça. Assim, acabei respondendo:

— Acho que você tem razão. Este e aquela valem a mesma coisa. Qualquer dia desses, vou tratar de caçar um caracol.

— Não seja bobo de tentar ir sozinho! Como irá se arranjar, sem um companheiro que segure o outro chifre do bicho?

— Mas eu não pretendo ir sozinho — respondi, o mais sério que pude. — Diga-me: não existe caça melhor do que a do caracol? Que me diz de caçar algum bicho sem carapaça?

— Ih, nem pensar! — respondeu ele, estremecendo ante a ideia de caçar um bicho desprovido de casca. — Não vale a pena! Além do mais, se você cair em cima dele, que nojo! Eles são viscosos...

Nessa altura, nosso trabalho estava quase terminado. Eu tinha trazido as violetas, colhidas perto do regato, e Bruno estava ajudando-me a transplantar as últimas, quando subitamente interrompeu sua tarefa, dizendo:

— Estou cansado.

— Então, descanse. Posso continuar sozinho.

Não foi necessário insistir, pois ele imediatamente ajeitou o camundongo morto, sentou-se em cima dele e disse:

— Vou cantar uma musiquinha.

— Que bom! — exclamei. — Gosto muito de música!

— E que canção gostaria de me ouvir cantar? — perguntou, arrastando o camundongo para um lugar de onde me pudesse enxergar melhor. — Creio que "Saudando o Rei" é a mais bonita.

Não havia como dizer não a uma tal sugestão; mesmo assim, apenas para criar alguma expectativa, fingi que estava meditando longamente sobre o assunto, até que finalmente decidi:

— Bem...sabe de uma coisa? Acho que a melhor de todas é aquela que se chama...como é mesmo?...ah: "Saudando o Rei."

— Já vi que você é mesmo um grande entendedor de música! — disse ele, demonstrando satisfação. — Para acompanhar a música, quantas campainhas quer? — e pôs o dedo sobre os lábios, para ajudar-me a matutar sobre o assunto.

Entendendo que ele se referia à flor chamada "campainha", e não a uma campainha propriamente dita, olhei para os lados e avistei apenas uma pequena moita de campainhas ali por perto. Assim, colhi um molho, dizendo que seria o suficiente para acompanhar aquela execução. Como um músico que estivesse afinando o instrumento, ele passou a mão duas ou três vezes sobre o molho de flores, produzindo um delicadíssimo tilintar. Eu nunca havia escutado antes a música das flores — e acho que só se pode escutar essa música quando se está "encantado" — e, por isso, não consigo sequer dar uma ideia a vocês de como é esse som. O máximo que posso fazer é dizer que soava como se fosse um carrilhão que estivesse a milhas de distância dali — isso dá uma pálida ideia daquela sonoridade.

Quando ele por fim achou que as flores estavam devidamente afinadas, sentou-se de novo sobre o camundongo morto (único lugar sobre o qual parecia sentir-se confortavelmente instalado), e, olhando-me com uma estranha cintilação nos olhos, começou a cantar. Para que você saiba exatamente o que foi que cantou, mostro a seguir as notas da melodia. Experimente tocá-la você mesmo:

Quando o Sol de - sa - pa - re - ce Sur - gem elfos a can-tar

Lo-go os pi- os das co- ru- jas a seu som vêm-se so-mar

Ao clamor me jun-ta-rei sau-dan-do o Rei

Quando o sol desaparece,
Surgem elfos a cantar;
Logo os pios das corujas
Ao seu som vêm-se somar;
Ao clamor me juntarei,
Saudando o Rei!

As primeiras quatro estrofes, cantou-as de maneiras vibrante e alegre, bimbalhando as campainhas no ritmo da canção. Já as duas últimas, cantou-as de modo lento e suave, apenas agitando mansamente as flores para lá e para cá. Ao terminar, fez uma pausa e explicou:

— O Rei das Fadas é Oberon, que vive do outro lado do lago. Às vezes, ele o atravessa e vem até aqui de bote. Nessas ocasiões, vamos à margem recebê-lo, e sempre entoamos esta canção.

— É nessas ocasiões que vocês preparam um banquete em sua homenagem? — perguntei, um tanto maliciosamente.

— Mada de conversar! — repreendeu ele. — Desse modo, você interrompe a música!

Baixei a cabeça e afirmei que aquilo não iria repetir-se.

— Eu nunca converso comigo mesmo quando estou cantando — prosseguiu Bruno, com ar sisudo. — Trate de imitar este procedimento.

E, retomando as campainhas, passou a cantar as outras partes da canção:

Vem de perto, vem de longe,
O som de canções no ar;
Duendes, fadas, elfos, gnomos
Tocam sinos sem parar;
Ao clamor me juntarei
Saudando o Rei!

Vagalumes, aos milhares,
Iluminam o lugar
Já cheio de convidados
A rir, brincar e cantar;
Ao clamor me juntarei
Saudando o Rei!

Iguarias deliciosas
Numa fartura sem par
E um coral de lindas fadas...

— Silêncio, Bruno! — interrompi-o, num murmúrio de alerta. — Lá vem ela!

Bruno parou subitamente de cantar e, quando notou pelos passos que Sílvia estava bem próxima, avançou contra ela como um novilho bravo, exclamando:

— Olhe para o outro lado! Olhe para o outro lado!

— E onde é o outro lado? — perguntou Sílvia em tom surpreso e assustado, enquanto olhava em todas as direções, sem ter a ideia do porquê de tudo aquilo.

— Olhe para aquele lado de lá! — disse ele, segurando-lhe o rosto e voltando-o em direção ao bosque. — Agora, caminhe de costas. Cuidado... devagar... não me vá tropeçar!

E o que ela mais fez foi tropeçar, tal o açodamento com que ele a empurrava para trás, levando-a por um caminho repleto de gravetos e pedras. Foi espantoso como, apesar de tudo, ela não veio a se estatelar de costas, depois de um desses tropeções. E ele continuou impelindo-a para trás, enquanto a tranquilidade com palavras.

Sem nada dizer, indiquei a Bruno o melhor lugar para levá-la, um ponto de onde ela teria a melhor visão de todo o jardim. Era uma pequena elevação, da altura de uma batata. Quando ela alcançou o topo, escondi-me na sombra, para que não me visse. Dali, escutei Bruno gritar triunfantemente:

— Pode olhar agora!

Seguiu-se o som de palmas, mas eram dele mesmo. Sílvia apenas olhava para tudo, sem nada dizer, de mãos cruzadas sobre o peito. Cheguei a temer que ela não gostasse do que estava vendo. Bruno aguardava ansiosamente sua reação, fosse qual fosse. Ela então desceu da elevação e começou a caminhar lentamente por entre os canteiros, seguida pelo irmão, que nada dizia, mas que revelava pelo olhar sua ansiosa expectativa. Por fim, depois de suspirar profundamente, ela apenas balbuciou o tão esperado veredito:

— É a coisa mais encantadora e maravilhosa que já vi em toda minha vida!

Era tal a satisfação de Bruno, que até parecia ter sido o veredito pronunciado por todos os juízes e tribunais da Inglaterra, simultaneamente.

— Quem fez isso, Bruno? Você? Sozinho? E em minha homenagem?

— Digamos que tive uma pequena ajuda — disse ele, assumindo uma postura fingidamente displicente. — Trabalhamos nisso durante a tarde... É, achei que você iria gostar...

Não conseguiu prosseguir, pois a voz começava a se mostrar embargada de emoção. Antes que prorrompesse em pranto, correu em direção a Sílvia, abraçou-a carinhosamente e escondeu o rosto em seu ombro.

A voz de Sílvia também revelava uma certa emoção, quando ela sussurrou:

— Ora, meu querido, que é isso?

E tentou erguer-lhe o queixo para lhe dar um beijo. Não conseguiu: ele agarrou-se a ela ainda mais, e começou a dizer, com a voz entrecortada por soluços:

— Eu queria... era estragar... todo o seu jardim... mas então pensei bem... e achei... que... — e sobreveio nova explosão de pranto, sufocando o restante da frase.

Controlando-se mais ou menos, Bruno prosseguiu:

— Então resolvi... plantar as flores para você, Sílvia... e aí comecei a me sentir feliz como nunca me tinha sentido antes!

E ergueu sua face rosada, toda molhada de lágrimas, para o beijo que esperava ter feito por merecer. Nessa altura, Sílvia também estava debulhada em lágrimas, e beijou-o afetuosamente, não conseguindo dizer senão:

— Oh, irmãozinho... Eu também nunca fui tão feliz como agora!

Como é que duas pessoas que nunca tinham estado antes em tal estado de felicidade podiam estar chorando, era um verdadeiro mistério para mim.

Pensando bem, eu também me sentia extremamente feliz. Mas não chorei, claro: gente grande não chora. Isso é para crianças, fadas e duendes. Quem achasse que aquelas duas gotas em minhas faces fossem lágrimas, estaria redondamente enganado. Deve ter sido por causa de uma chuvinha rápida, ou coisa parecida.

Depois disso, os dois examinaram minuciosamente o jardim, canteiro por canteiro, flor por flor. Era como se estivessem soletrando as palavras de uma sentença, muito comprida, com beijos em lugar das vírgulas e, ao terminar, com um abraço bem apertado, em lugar do ponto final.

— Sabe que fiz isso porque "vi gansa", Sílvia? — perguntou Bruno, com ar sério.

Sílvia deu uma boa risada.

— Viu gansa? Que negócio é esse?

E enfiou os dedos em sua cabeleira despenteada, olhando-o alegremente, embora duas lágrimas ainda teimassem em bailar em seus olhos.

Bruno tomou fôlego, cerrou os lábios: como se estivesse para fazer um grande esforço, e por fim disse:

— Vin...vingança: foi isso que eu quis dizer. "Tendeu"?

E olhou para Sílvia com um ar tão feliz e orgulhoso, por ter conseguido pronunciar corretamente a palavra, que quase cheguei a invejá-lo. Embora não tenha "tendido" perfeitamente, Sílvia deu-lhe dois beijos estalados, dando por encerradas as justificativas.

E lá se foram eles, caminhando de novo por entre os canteiros, num amor que dava gosto ver, abraçados, sussurrando e rindo sem parar, sem nem de longe notar minha presença. Minto: uma única vez, antes que o perdesse de vista, Bruno virou ligeiramente a cabeça e me fez um aceno discreto, encostando o queixo no ombro. Aquilo foi todo o agradecimento que recebi por minha participação. Fiquei olhando para eles dois, e ainda tive a ocasião de escutar Sílvia, que lhe dizia carinhosamente:

— Como é mesmo aquela palavra difícil de pronunciar, Bruno? Pode repeti-la para mim? Vamos, repita!

Mas dessa vez ele não quis tentar pronunciar a palavra "vingança".

CAPÍTULO 16

Um Crocodilo Modificado

O Maravilhoso — O Misterioso — tinha saído de minha vida naquela ocasião, e o Lugar-Comum reinava supremo. Tomei a direção da casa do Conde. Era a "hora encantada" das cinco, eu sabia que iria certamente encontrá-los prontos para tomar chá e dispostos para uma conversa sem compromisso.

Lady Muriel e o pai saudaram-me calorosamente, pois não eram daquelas pessoas afetadas que só sabem receber visitas em salas elegantemente decoradas, escondendo seus sentimentos, íntimos atrás de máscaras impenetráveis, plácidas e convencionais. Em sua época, o "Homem da Máscara de Ferro" pode ter sido uma figura rara que chamava a atenção; na Londres de hoje, ninguém voltaria a cabeça para olhá-lo por uma segunda vez!

Não, aqueles dois eram gente de verdade. Quando aparentavam satisfação, estavam de fato satisfeitos. Assim, quando escutei de Lady Muriel as palavras "Que coisa boa encontrá-lo de novo!", eu sabia que eram sinceras e verdadeiras.

Não me aventurei a desobedecer as prescrições do jovem médico enfermo de amor, embora estivesse doido para deixá-las de lado. O máximo que fiz foi aludir a sua existência, e mesmo assim apenas depois que me convidaram para um piquenique, a ser realizado daí a uns dias, e me forneceram todos os detalhes referentes a ele, tendo ela acrescentado, como se fosse um pós-escrito de carta:

— Ah, em tempo: não deixe de trazer o Doutor Forester, ouviu? Estou certa de que um dia ao ar livre haverá de fazer-lhe muito bem. Receio que ele esteja estudando demais...

Tive de conter-me, pois logo me vieram à mente e à ponta da língua as palavras do versinho popular:

Você pensa que ele lê,
e ele só pensa em você!

Guardei o versinho para mim, com uma sensação semelhante do sujeito que se deteve antes de cruzar a rua, a tempo de evitar ser atropelado por um fiacre trafegando velozmente bem próximo à calçada.

— Acho — prosseguiu a jovem — que ele leva uma vida muito solitária — (sua sinceridade não dava lugar a que se suspeitasse de qualquer duplo sentido nessas palavras). Não deixe de levá-lo, por favor! E não se esqueça do dia:

terça-feira da semana que vem. Venham conosco, será um prazer levá-los em nossa carruagem. A viagem de carro é bem mais interessante que a de trem de ferro, e nossa carruagem tem lugar para quatro passageiros.

— Pode deixar, que hei de forçá-lo a ir, queira ou não queira — afirmei peremptoriamente, embora sabendo que teria de usar todos os meus poderes de persuasão, caso desejasse que ele *não fosse* ao tal piquenique.

A excursão estava marcada para daí a dez dias. Embora Arthur tivesse aceito prontamente o convite, nada o convenceu de que deveria antes fazer uma visita ao Conde e a Lady Muriel, fosse sozinho, fosse comigo. De modo algum, disse ele, com receio de "perder as boas graças".

Quando o esperado dia chegou, ele estava tão infantilmente nervoso e inquieto, que achei melhor seguirmos separadamente até a casa do Conde, na intenção de chegar depois, para que ele, nesse meio tempo, pudesse encontrar-se com Lady Muriel a sós.

Tendo assim planejado, dei uma enorme volta para chegar ao Solar (era assim que chamávamos a casa do Conde), enquanto ia pensando: "Vou fazer o possível para me perder por aí".

Pois consegui alcançar esse objetivo, e mais cedo do que esperava. A trilha através do bosque já me era familiar, de tantos passeios solitários que havia feito quando de minha primeira estada em Elveston; por isso, quando me vi inteiramente perdido, não consegui entender como foi que eu teria conseguido extraviar-me, mesmo familiar, embora eu não saiba por quê. Deve ser o local onde avistou aquela fadinha! Espero quc não haja serpentes por aqui!"

Depois de me assentar sobre um tronco caído, comentei em voz audível:

— Detesto serpentes, e creio que Bruno também não deva gostar delas.

— E não gosta mesmo! — confirmou uma vozinha a meu lado. — Não é que ele tenha medo: é antes uma espécie de antipatia. Ele acha que elas se contorcem demais!

Faltam-me palavras para descrever o que vi: uma dupla de criaturinhas encantadoras, reclinadas na relva, bem ao pé do tronco caído onde eu me assentara. Apoiada sobre um cotovelo, Sílvia descansava o rosto rosado na palma da mão, enquanto Bruno estava deitando de comprido, com a cabeça descansando em seu regaço.

— Só porque elas se contorcem? — foi tudo o que me ocorreu perguntar.

— Não que eu seja cheio de exigências — acrescentou Bruno com calma, — mas é que prefiro animais menos agitados.

— É — intrometeu-se Sílvia. — Mas você bem que gosta de um cachorro quando ele agita a cauda, não é?

— Mas a cauda é só um pedaço dele, não é, senhor Doutor? — perguntou Bruno, dirigindo-se a mim. — O senhor não gostaria de ter um cachorro que fosse só a cabeça e cauda, não é mesmo?

Tive de admitir que um cão daqueles não seria dos mais interessantes.

— Ora, Bruno — contra-atacou Sílvia, — um cachorro desses não existe...

— Poderia existir — retrucou ele, — se o Professor o encurtasse para nós.

— Ele construiu um aparelho muito curioso... — começou Sílvia a explicar.

— Curiosíssimo! — interrompeu Bruno, impedindo que a irmã se apossasse de seu assunto. — É assim: se você enfiar nele uma coisa qualquer, numa das pontas, é claro, e rodar a manivela, a coisa vai sair do outro lado, encurtada!

— Encurtadíssima! — concordou Sílvia.

— Teve um dia, lá em Estrangeirônia, antes que nós tivéssemos vindo para a Duêndia, que eu e Sílvia apanhamos um crocodilo e levamos para ele. Era um crocodilão, e ele o encurtou para nós. Ah, como o bicho ficou engraçado! Ficou rodando sem parar, procurando o resto dele, na maior surpresa! Coitado: parecia muito infeliz — via-se pelos seus olhos...

— Não pelos dois olhos! — corrigiu Sílvia.

— É verdade — concordou Bruno. — O olho triste era apenas aquele que olhava e não via o resto dele. Já o olho que não olhava para aquele lado...

Antes que a história ficasse complicada demais, interrompi sua descrição, perguntando:

— E de que tamanho ele ficou?

— Ele ficou muito mais "curtão" do que ele era "compridão" — respondeu Bruno, encolhendo e esticando os braços.

Fiquei sem saber direito quais eram os tamanhos primitivo e reduzido do animal. Se você entendeu, criança que me lê, faça o favor de me explicar, combinado?

— E vocês tiveram a coragem de deixar a criatura encolhida desse jeito?

— Não senhor! Sílvia e eu enfiamos o crocodilo de novo no aparelho, mas dessa vez pelo outro lado, o que encomprida, e ele ficou... como é que eu posso dizer, Sílvia?

— Ficou mais de duas vezes e meia maior do que seu tamanho original — completou Sílvia.

— Não creio que tenha sido melhor do que o tamanho reduzido...

— Pois é engano seu — rebateu Bruno. — Precisava ver como ele ficou orgulhoso de sua cauda nova! Dá até gosto ver um crocodilo, quando ele se enche de orgulho! Ele logo foi para trás, até onde era o começo da cauda, e veio subindo sobre suas costas até chegar à cabeça!

— Até *quase* chegar à cabeça — corrigiu Sílvia. — Seria impossível completar a subida.

— Pois ele completou! Eu vi! — exclamou Bruno triunfantemente. — Foi uma vez só, numa hora em que você não estava olhando. Mas eu estava. Foi numa hora em que ele estava dormindo. Para não se acordar, ele foi caminhando pé ante pé, até que pisou na nuca, pisou na cabeça, conseguiu pisar na testa, fez um esforçozinho e chegou até a pisar no focinho! Só eu que vi!

Dessa vez não consegui sequer imaginar como é que podia ter sido. Por isso, apelo de novo para a ajuda do meu pequeno leitor.

— Não acredito que nenhum crocodilo nunca andou na própria testa! — contestou Sílvia, tão excitada pela discussão, que nem notou a quantidade de palavras negativas usadas numa frase tão curta.

— Isso é porque você não ouviu que eu ouvi! — rebateu Bruno, com um sorriso vitorioso. — Eu escutei ele dizendo baixinho: "Quem disse que eu não consigo pisar na minha testa?" Vai daí, ele tomou a decisão de pisar na testa, e acabou pisando mesmo!

— É isso ai, Bruno — concordei. — Quem decide fazer uma coisa, faz! Se você decidir subir naquela árvore, você sobe, mas acho que não vai conseguir.

— Claro que consigo — protestou Bruno, — mas não agora. Fica difícil conversar "quietinhamente" quando um dos conversadores está trepando numa árvore.

Tenho a impressão de que é mais difícil ainda conversar "quienhitanhamente" quando os dois conversadores estão subindo numa árvore, mas não me atrevi a contestar mais essa teoria de Bruno, preferindo pedir uma descrição da tal máquina que tanto encolhia como esticava as coisas. A exposição devia ser muito complexa, porque Bruno preferiu deixá-la a cargo de Sílvia, que assim descreveu a engenhoca:

— Num lado, é como se fosse um funil: entra grande e sai pequeno. No outro, é como se fosse máquina de estender massa de macarrão: entra normal, sai espichado.

— Sai "espremilificado" — corrigiu Bruno.

— Isso! — concordou Sílvia, sem tentar repetir a palavra, que ela evidentemente jamais havia escutado antes. — Quando mais vezes passar, mais espichado ficará.

— Uma vez — disse Bruno, — eu e Sílvia escrevinhamos...

— Escrevemos! — corrigiu Sílvia.

— Isso! Nós "escrevenhemos" o título de uma canção, e o Professor passou o papel na máquina de espichar, até que apareceu escrito toda a letra da música! Foi aquela assim: "*Era uma vez um homenzinho/ que comprou um revolvinho/ que atirava seis balinhas...*"

— É incrível! — exclamou. — Esse aparelho, além de espichar, completa o que está faltando! Recite para mim toda a letra dessa canção, vá!

— Canção é para ser cantada, e não recitada. — protestou Sílvia. — Quem sabe cantá-la é o Professor. Se pedir com jeito talvez ele a cante para você.

— Bem que eu gostaria de encontrar o Professor. Mas o que eu gostaria mesmo seria de levar vocês três comigo até um lugar aqui perto, a fim de apresentá-los a uns amigos. Seria possível?

— Não acho que o Professor queira ir — respondeu Sílvia. — Ele é muito acanhado. Quanto a nós dois, tudo bem, a não ser por um detalhe: o tamanho. Enquanto estivermos pequeninos, não será possível.

Concordei, pois de fato seria um tanto ou quanto estranho apresentar duas criaturinhas tão diminutas à Sociedade.

— Então, qual é a solução? — perguntei.

— A solução é voltarmos ao nosso tamanho normal de crianças — respondeu Sílvia. — Assim, ninguém vai nos estranhar.

— Boa ideia! — aprovei. — Pode ser hoje? Se vierem comigo, poderão participar de um piquenique.

— Hoje? Hmm... não — respondeu Sílvia. — Ainda temos de acertar algumas coisas. Que tal, digamos, terça-feira que vem? Agora, Bruno, é para valer: venha comigo — seus exercícios de casa estão esperando.

— Não gosto quando você fala “é para valer”! — queixou-se Bruno, fazendo beicinho, o que o tornava ainda mais encantador. — Isso sempre quer dizer que lá vem alguma coisa desagradabilíssima, que na verdade não vale nada! Se você continuar maldosa assim, não beijo você nunca mais.

— E daí? — disse Sílvia, em tom provocador. — Você já me beijou hoje!

— Ah, é? Então vou “desbeijar”!

E, abraçando-a pelo pescoço, encostou os lábios em sua bochecha e soprou, numa operação que não me pareceu das mais dolorosas.

— Esse “desbeijo” é parecidíssimo com um beijo — comentou ela, logo que desvencilhou do abraço.

— Você não entende nada dessas coisas! O “desbeijo” é o contrário do beijo! — replicou Bruno com voz zangada, dando meia-volta e indo embora.

Sílvia voltou-se para mim, com ar sorridente, indagando:

— Fica combinado para a terça-feira que vem?

— Fica. A propósito: onde está o Professor? Veio com vocês para Duêndia?

— Não, somente prometeu que viria visitar-nos algum dia. No momento, está à voltas com a preparação de Sua Conferência. Creio que deve estar em casa.

— Em casa? — perguntei, estranhando o tom de voz de suas últimas palavras.

— Sim, senhor, tanto o Senhor Conde como Lady Muriel. Faça o obséquio de acompanhar-me.

CAPÍTULO 17

Os Três Texugos

Como se mal despertado de um sonho, segui o dono da voz imperiosa até uma sala, onde o Conde, sua filha e Arthur estavam sentados à minha espera.

— Ah, finalmente! — exclamou Lady Muriel, em tom de brincalhona reprovação.

— Desculpem pelo atraso — foi minha balbuciante explicação.

Para minha sorte, ninguém indagou acerca do porquê daquele atraso.

A carruagem estava preparada. A cesta de iguarias, dentro da qual tinha sido posta nossa contribuição ao piquenique, já estava devidamente acondicionada. Nada mais havendo a fazer, tomamos assento e seguimos.

Não tive necessidade de puxar conversa: Lady Muriel e Arthur incumbiram-se de encaminhar os assuntos num fluxo constante e descontraído, sem as preocupações do tipo "esse tema é meio desagradável — esse outro pode ofender — aquele é sério demais." Era a conversa de velhos amigos, na alegria de um reencontro.

— Quem disse que a gente não pode esquecer esse piquenique e sair por aí, em outra direção? — sugeriu ela subitamente. — Quatro pessoas são suficientes para um piquenique, e o que temos na cesta é bastante para matar nossa fome...

— Por que o *"quem disse"*? — retrucou Arthur, com uma risada. — Será que *alguém disse*? Eis uma típica forma feminina de argumentar: lança-se a esmo uma suposição, sem se importar com o *onus probandi* — a obrigatoriedade de comprovação.

— Será que os homens jamais argumentam de forma idêntica? — perguntou ela, com voz mansa mas irônica.

— Que eu me lembre, não, talvez com uma única exceção, a do Dr. Watts, que um dia formulou esta insensata questão:

Por que devo privar meu vizinho
de seus bens, contra a sua vontade?

Imagine só: isso aí é uma argumentação a favor da Honestidade! A conclusão que se pode tirar é uma só: sou honesto porque não encontro prazer em roubar! A premissa do ladrão, por conseguinte, deve ser esta: "privo meu vizinho de seus bens porque prefiro ser eu dono deles, e faço isso contra sua vontade porque ele não é idiota de concordar com meu ponto de vista!"

— Posso acrescentar outra exceção, que escutei hoje cedo, e não da boca de uma mulher: "Quem disse que eu não consigo pisar na minha testa?"

— Curiosíssimo tema para especulação! — comentou Lady Muriel, voltando para mim um olhar brilhante e risonho. — Posso saber quem foi que se autodesafiou assim? E ele conseguiu ou não pisar em sua testa?

— Não consigo lembrar quem foi que disse isso — balbuciei, — nem onde foi que escutei a frase....

— Seja quem for, espero que possamos encontrá-lo no piquenique — disse ela. — A pergunta é bem mais interessante do que as duas que terei de escutar pelo menos dez vezes, hoje à tarde: "Já viu ruínas mais pitorescas que estas?" e "Estes matizes de outono não são encantadores?"

— Eis um dos tormentos da vida social! — disse Arthur. — Por que as pessoas não se contentam em contemplar as belezas da Natureza, sem ter de ficar fazendo perguntas tolas a todo minuto? Por que têm de transformar a Vida num enfadonho Catecismo?

— Ocorre coisa semelhante nas galerias de arte — observou o Conde. — Em maio, fui à exposição da Academia Real, acompanhado de um artista jovem e presunçoso. Ah,como ele me atormentou com seus comentários formulados sob a forma de perguntas! Se ele apenas externasse os comentários, tudo bem; o problema foi que eu tinha de responder a seus questionamentos! O que fiz foi concordar, sempre, já que discutir teria sido bem pior!

— Seus comentários críticos eram demolidores, naturalmente — comentou Arthur.

— Não entendi o "naturalmente".

— Isso é porque jamais deparei com um sujeito pretensioso que se atrevesse a elogiar um quadro. Os presunçosos apenas temem duas coisas: não ser notado e dar a conhecer que não são infalíveis. Com efeito, a infalibilidade de alguém pende por um fio, quando se elogia uma pintura. Suponhamos que se trate do quadro de um pintor figurativo. Chega você e comenta: "Como ele desenha bem!" Aí vem alguém, mede aqui, mede dali e encontra um erro de proporção de um oitavo de polegada. Pronto: lá se vai seu conceito de crítico por água abaixo! Não demora, e os amigos vêm perguntar, com sarcasmo: "Quer dizer que esse daí desenha bem, não é?", enquanto você abaixa a cabeça, desconsolado, e fica vermelho de vergonha. O jeito é nunca elogiar. Se alguém comenta perto de você: "Esse aí desenha bem", dê de ombros, enrugue a testa e diga algo do gênero: "Será?", ou "Hmm... não sei...". É assim que você acabará alcançando a fama de um grande crítico!

E a conversa prosseguiu nesse tom, enquanto percorríamos as poucas milhas de cenário belíssimo que nos separavam do ponto de encontro: um castelo em ruínas, onde os demais participantes do piquenique já nos aguardavam.

Durante umas duas horas, perambulamos por entre as ruínas, até que, cansados, reunimo-nos em grupos formados ao acaso, sentados na encosta de um outeiro, mirante natural que proporcionava uma repousante vista do castelo e dos arredores.

O momentâneo silêncio que se seguiu foi prontamente desfeito — melhor dizendo, destroçado — por uma voz alta e monocórdica, daquelas que impedem qualquer conversação paralela e simultânea, proferida por um desses inevitáveis conferencistas de piquenique, que só mesmo remédios muito drásticos têm o dom de fazer com que se calem.

Nosso conferencista rural era homem de estatura robusta, dotado de uma cara larga e achatada, limitada a norte pro uma franja de cabelos rasos, a leste e oeste por duas franjas de costeletas ralas, e a sul por uma franja de barba rala. O conjunto lembrava um halo fosforescente, rodeado de cerdas espetadas. Suas feições eram inteiramente destituídas de expressão, que não pude deixar de imaginar tratar-se de um esboço, aguardando os retoques finais. A cada frase que proferia, o ponto final era representado visualmente por um sorriso súbito, que produzia ondulações na superfície lisa de sua cara, e que logo em seguida desaparecia, deixando retornar a absoluta inexpressividade solene de antes. Não me contive ante o estranho cacoete, murmurando:

— Esse sorriso será de verdade, ou será postiço?

Enquanto isso, o infeliz prosseguia com sua parolagem, iniciando toda sentença com a interrogação: "Acaso já observaram?"

— Acaso já observaram como aquele arco quebrado, lá no topo da ruína, se destaca contra o céu azul? Suas dimensões são perfeitas para um efeito estético: nem uma polegada a mais, nem uma a menos: o tamanho exato!

— Isso é que é arquiteto talentoso! — comentou Arthur, em voz tão baixa, que apenas Lady Muriel e eu poderíamos escutá-lo. — Conseguiu prever o efeito estético de sua obra quando esta já se achasse em ruínas, centenas de anos depois de sua construção!

— E acaso já observaram, ali onde aquelas árvores se alinham na vertente do morro — e desceu a mão num gesto grandioso, como se ele próprio fosse o decorador da Natureza, — como é que a neblina que se desprende do rio — e fez então o gesto inverso de subida — preenche exatamente aqueles intervalos onde nosso bom gosto exige uma certa imprecisão visual, para se obter um efeito artístico? Aqui, no primeiro plano, a nitidez visual não é inoportuna; porém, um fundo sem névoa... oh, seria simplesmente grotesco! O conceito de beleza não pode prescindir de um certo embaçamento!

Ao pronunciar essas palavras, o orador encarou-me tão incisivamente, que me vi obrigado a dizer alguma coisa, replicando que julgava o tal embaçamento inteiramente dispensável, pois preferia apreciar aquilo que eu de fato podia enxergar.

— O amigo está certo! — contrapôs o orador, cortando-me a palavra. — Mais do que certo, sob seu ponto de vista! Mas para quem, como eu, prioriza a Arte, tal modo de ver as coisas não funciona. A visão do naturalista é inteiramente diferente da visão do artista, pois a Natureza exibe o mundo como ele é, enquanto que a Arte, conforme diz um autor latino, a Arte... é... a citação me escapou...

— "*Arts est celare Naturam*" — completou Arthur, com sorridente obsequiosidade.

— O amigo está certo! — concordou o outro, com ar de alívio. — Obrigado. A arte é... não, a citação não é essa...

E, durante algum tempo, o orador ficou meditando acerca da citação. Não durou muito tempo a pausa tranquilizadora, pois outra voz logo rompeu o silêncio:

— Que ruína mais encantadora, não é? — disse uma jovem de óculos, a própria encarnação da Mulher Intelectual, encarando Lady Muriel com ar de quem se considera um poço de ideias originais. — E o matiz outonal das árvores, não acha admirável? Ah, como aprecio tudo isso!

Olhando-me de esguelha, Lady Muriel respondeu com toda seriedade:

— Concordo inteiramente! Isso mesmo!

— E não acha estranho — prosseguiu a jovem, passando com surpreendente rapidez do Sentimento para a Ciência — que o mero impacto de certos raios coloridos contra nossa retina nos proporcione tão requintada satisfação?

— Vejo que a senhorita estudou Fisiologia — aparteou delicadamente um jovem doutor que estava ali perto.

— Estudei, sim. Não é uma ciência maravilhosa?

— Parece um paradoxo — intrometeu-se Arthur, que até então conversava com seu jovem colega — que a imagem formada na retina seja invertida, não acha?

— De fato, parece — admitiu ela, candidamente. — Não compreendo por que não enxergamos as coisas de cabeça para baixo!

— Não conhece a teoria segundo a qual o cérebro também é invertido?

— Não! Que interessante! Já foi comprovada?

— Ora — respondeu Arthur, com a gravidade concentrada de dez professores ao mesmo tempo, — é simples: o que chamamos de "vértice do cérebro", na realidade constitui sua base, enquanto que a "base" é na realidade o vértice — mera questão de nomenclatura.

Esse último polissílabo encerrou a questão. A aprendiz de cientista não se conteve, exclamando:

— Fantástico! Vou questionar nosso catedrático de Fisiologia: por que não nos falou em aula sobre essa teoria tão elementar?

— Como eu gostaria de estar presente quando ela estivesse "questionando" o mestre — segredou-me Arthur, enquanto nos afastávamos, a um sinal de Lady Muriel, seguindo até onde as cestas de iguarias nos aguardavam, para a parte mais substancial da excursão.

Como se tratava de um piquenique informal, nem se cogitou levar garçons para nos servir. O sistema adotado foi, com o perdão da palavra, o de *self-service*, modernismo que significa "comer insuficientemente aquilo de que não se gosta". Como de praxe, os cavalheiros não se serviram enquanto as damas não estivessem devidamente acomodadas. Foi assim que me vi com um pratinho e um copo nas mãos; aquele, com algo sólido em cima; este, com algo líquido. O próximo passo seria procurar um lugar onde me sentar.

Ao lado de Lady Muriel havia um lugar vago, provavelmente deixado para Arthur, mas este, movido por inesperada timidez, havia buscado assento ao lado da jovem intelectual, que proferia com generosa profusão frases lapidares, do tipo "o ser humano é um repositório de boas qualidades", "o Objetivo só pode ser alcançado através do Subjetivo" e outras que tais. Arthur suportava estoicamente aquele massacre, mas outros participantes exibiam no rosto sinais de alarme. Julguei então oportuno intrometer-me na conversa, abordando assuntos menos metafísicos. Voltando-me para Lady Muriel, disse:

— Quando eu era menino, e as condições do tempo não permitiam que saíssemos para um piquenique, eu e meus irmãos éramos servidos embaixo da mesa, com toalha, pratos e tudo o mais. Ali, sentados desconfortavelmente no chão, fazíamos nossa refeição, e garanto que a apreciávamos bem mais do que se a mesa tivesse sido posta à maneira ortodoxa e convencional.

— Não duvido — concordo Lady Muriel. — O que uma criança *normal* mais deteste é justamente a *normalidade*. Se der na telha de um menino saudável estudar Gramática Grega, ele a estudará com o maior prazer! E, quanto ao seu piquenique doméstico, há nele pelo menos uma grande vantagem, que é a de evitar o que me parece ser o maior inconveniente dos piqueniques convencionais.

— O risco de cair um aguaceiro?

— Não, refiro-me ao risco — ou melhor, à quase certeza — da presença de seres vivos em combinação intrusa com a comida. Meu maior horror são as aranhas! Quem não concorda com este meu receio é meu pai, não é, senhor Conde?

Dirigira-se assim ao pai por ter notado que ele se havia interessado pelo assunto.

— Cada qual carrega seu sofrimento particular — disse o conde, com sua voz naturalmente calma e ligeiramente triste, — e cada um de nós tem sua aversão favorita.

— O senhor jamais conseguirá adivinhar qual a "aversão favorita" do meu pai — desafiou Lady Muriel, com uma risada argentina que era música para meus ouvidos.

Declinei de tentar o impossível

— Ele detesta serpentes! — disse ela, num sussurro que tinha algo de teatral. — Que acha disso? Não é bem pouco razoável? Como é possível não apreciar uma criatura tão simpática, tão... insinuante, tão... afetuosamente viscosa?

— Oh! — exclamei, mais teatralmente ainda. — Não gosta de cobras, senhor Conde? É inacreditável!

— Pois é como lhe disse: não gosta de serpentes — confirmou a "atriz", com fingida seriedade. — Não é que ele tenha medo, é antes uma espécie de antipatia. Ele acha que elas se contorcem demais!

Fiquei estupidificado ao escutar esse inesperado eco das palavras há pouco ditas pela fadinha do bosque, e foi com grande esforço que consegui falar, tentando parecer o mais natural possível:

— Vamos deixar de lado esse assunto desagradável. Quem sabe você cantaria algo para nós, Lady Muriel? Sei que você não precisa de acompanhamento para cantar.

— As únicas canções que sei cantar sem acompanhamento são desesperadamente sentimentais, infelizmente. E como o momento não é apropriado para lágrimas...

— Não apoiado! — gritaram várias vozes.

Para nossa sorte, ela não era daquelas primas-donas que acham de bom tom recusar-se inicialmente a cantar, alegando esquecimento da letra, súbita perda de voz ou outras desculpas esfarrapadas. Tendo em vista a aprovação geral, ela começou:

Sobre uma pedra, três texugos vejo.
Que fazem os três lá? Sei tão somente
que eles parecem ter um só desejo:
Mostrar-se a todos com ar insolente,
sem qualquer sentimento benfazejo
com relação ao pai, velho e doente.

Abaixo abaixo deles, com ar invejoso,
há três arenques que estão a sonhar
com o momento mais do que ditoso
de lá no topo também se instalar.
Enquanto aguardam, num lazer ocioso,
Nada mais fazem que cantarolar.

A Mãe-arenque pelo mar se interna,
buscando em vão os três filhos ausentes,
enquanto o Pai-texugo, na caverna,
aguarda a morte, queixando entre dentes:
"é deprimente a ingratidão moderna!
Que triste ter filhos tão displicentes!"

Retorna a Mãe-arenque e ouve os lamentos
Do infeliz pai, e então vai visitá-lo.
"Também são grandes os meus sofrimentos;
Por isso, estou aqui: vim consolá-lo
Filhos criados, dobrados tormentos
Para seus pais — eis que eu sempre falo."

Nesse instante, Bruno interrompeu a canção, dizendo:

— A "Canção dos Arenques" pede outro tom, Sílvia. E só posso cantar se você me acompanhar.

No mesmo instante, Sílvia sentou-se sobre um cogumelo baixinho, diante de uma margarida, como se a flor fosse um instrumento musical, e começou a

tocar as pétalas, qual se estivesse diante das teclas de um órgão. Que música suave dali se desprendeu! Delicadíssima!

Bruno inclinou a cabeça e assumiu um ar muito sério, como se estivesse aprendendo a melodia, e logo em seguida começou a cantar, com sua vozinha doce e afinada:

Oh, amor de minha vida,
coisa mais linda e querida:
Vamos hoje festejar
e alegremente dançar
quer coisas mais
sensacionais
que comer pudim de Usgrum
e beber licor de Spum?

Ou então, se acontecer
de lhe ser dado escolher,
para comer e beber,
o que à mente lhe ocorrer,
é de bom senso,
segundo penso,
comer um pudim de Usgrum
e beber licor de Spum?

Agora pode parar de tocar, Sílvia. Posso continuar cantando no tom certo, sem precisar de abocanhamento.

— Ele quis dizer "acompanhamento" — segredou Sílvia, ao notar minha estranheza, enquanto fingia travar os registros do "órgão"

E Bruno prosseguiu:

Ao que os desafinados peixes cantam,
Os texugos não prestam atenção
(de fato, não seduzem, nem encantam,
As estrofes mal feitas da canção).
Ao invés de atrair, os três espantam,
E seu mais justo aplauso é um beliscão.

Devo mencionar que ele representou os parentes com um gesto de dedos. Gostei da mímica, e achei-a efetivamente necessária, pois de outro modo eu não saberia que aquelas duas estrofes deveriam ser escritas entre parênteses. Às vezes, a mímica seria útil até mesmo para representar um ponto de interrogação. Suponhamos que você diga a um amigo: "Você hoje está melhor", mas se esqueceu da entonação que indica pergunta. Bastaria desenhar no ar um ponto de interrogação, para que ele entendesse imediatamente que você estava fazendo uma indagação, e não uma afirmação.

O texugo caçula, de repente,
Notou que os três arenques ali estavam,
E logo os criticou acerbamente,
Perguntando se eles não se importavam
De abandonar a mão tão cruelmente,
Sem ver o mau exemplo que assim davam!

Tomados de uma justa indignação,
Resolvem os texugos aplicar
Nos maus filhos uma boa lição,
E cada qual tratou de abocanhar
Um dos arenques, decidindo então
Devolver os três peixes para o mar.

— E assim, eles voltaram para casa sãos e salvos — disse Bruno, depois de esperar um minuto para ver se eu teria algo a dizer, já que lhe parecia necessário arrematar a canção com algum comentário.

Seria interessante se isso se transformasse numa regra geral: ao final e uma canção, o intérprete deveria antecipar o desfecho da história, sem deixar esse trabalho a cargo dos ouvintes. Suponhamos que uma jovem tenha acabado de

interpretar ("com voz incerta e abafada") a primorosa cançoneta de Shelly "Eu resulto de teus sonhos". Ao invés de escutar agradecimentos e elogios gentis, ela mesma arremataria, enquanto ainda ecoam em seus ouvidos palavras apaixonadas do último verso ("Oh, mantém-na bem segura, ou ela vai se quebrar!"):

— Infelizmente, ele não vai conseguir segurá-la, e ela vai acabar quebrando... Que pena!

— Eu sabia que você iria deixá-la quebrar! — comentou Lady Muriel risonha, enquanto eu me assustava com a visão de minha taça quebrada aos meus pés. — O senhor não segurou direito! No último minuto, deixou-a pendendo obliquamente fazendo todo o champanha derramar. Creio que estava cochilando. É pena que minha canção tenha sido um efeito tão narcótico...

CAPÍTULO 18

Rua Esquisita, Número Quarenta

Quem se dirigira a mim fora Lady Muriel. Por ora, esse era o único fato que eu podia entender claramente. Mas como ela havia chegado ali, como eu podia estar naquele lugar, e ainda por cima com uma taça de champanha na mão, tudo isso era coisa que eu preferia ruminar em silêncio, sem me atrever a declarar o que quer que fosse, até poder compreender tudo naquilo de maneira inequívoca.

"Primeiro, acumule um bom volume de Fatos; depois, construa uma Teoria" — nisso reside, creio, a essência do verdadeiro Método Científico. Assim sendo, sentei-me, esfreguei os olhos e me pus a armazenar os Fatos.

A suave encosta de uma colina, encimada por veneráveis ruínas semi-encobertas por hora — no sopé da colina, um regato murmurante, entrevisto através de um dossel de árvores — uma dúzia de pessoas com roupas coloridas e esportivas, assentadas em grupos de três ou quatro — algumas cestas abertas — restos de uma refeição — eram esses os fatos armazenados pelo Pesquisador. Como construir uma Teoria assentada sobre tais alicerces? O Cientista estava atordoado. Alto! Um Fato havia escapado a sua observação! Havia alguém fora dos grupos, isolado, em silêncio.

Era Arthur. Enquanto todos falavam, ele nada dizia; enquanto todos os semblantes irradiavam alegria, o dele revelava desânimo e melancolia. Eis um Fato de suma importância. Agora, sim, a Teoria estava prestes a ser formulada.

Lady Muriel acabava de se levantar e afastar-se do grupo. Seria esta a causa do desânimo de Arthur? Oh, essa Teoria dificilmente iria transformar-se numa Hipótese de Trabalho, a não ser que novos Fatos fossem aduzidos ao conjunto existente!

O Pesquisador observou ao redor, e agora os Fatos já se acumulavam em tão desconcertante profusão, que a Teoria quase afundava sob eles. Pois não é que Lady Muriel tinha ido ao encontro de um cavalheiro desconhecido, apenas entrevisto à distância, e agora regressava com ele, conversando animadamente, como se ambos fossem velhos amigos que acabavam de se reencontrar? Ei-la agora indo de grupo em grupo, apresentando o herói do momento, enquanto ele, jovem, alto, desempenado, movia-se galhardamente a seu lado, porte ereto e passo militar. Com efeito, a Teoria parecia bem desfavorável para Arthur. Nossos olhares cruzaram-se, e ele veio em minha direção.

— Moço simpático, não? — comentei.

— Abominavelmente simpático — murmurou ele, sorrindo amargamente. — Ainda bem que só você me escutou dizendo isso...

— Doutor Forester! — chamou Lady Muriel, chegando até onde nos encontrávamos. — Deixe-me apresentar-lhe meu primo Eric Lindon — ou melhor, o Capitão Lindon.

Arthur desfez-se imediatamente de seu aspecto emburrado, abriu um sorriso e estendeu a mão ao recém-chegado, dizendo:

— Tenho ouvido falar a seu respeito. É um prazer conhecer o primo de Lady Muriel.

— Não passo disso, por enquanto — disse Eric (como em breve todos passamos a chamá-lo) com um sorriso cativante. — E creio ser o suficiente para atestar minha boa conduta. Ou, pelo menos, assim espero.

Disse essas últimas palavras lançando um olhar sorridente para a prima, que retribuiu o sorriso, dizendo:

— Agora, vamos procurar Papai, Eric. Creio que ele deve estar perambulando pelas ruínas.

E o casal afastou-se, enquanto a melancolia retornava ao semblante de Arthur. Para afastar a tristeza — assim me pareceu — ele retomou seu lugar ao lado da jovem metafísica, reiniciando a discussão que tinha sido suspensa.

— Já que estávamos falando Herbert Spencer — foi logo dizendo, — você de fato não encontra qualquer dificuldade que passa da homogeneidade coerente e definida para uma heterogeneidade incoerente e indefinida?

— Não vejo qualquer dificuldade *física* nisso — respondeu ela com convicção, — mas não estudei muita *Lógica*. Seria possível especificar em que consiste essa dificuldade?

— E por que não aceitá-la como axiomática? É óbvio, por exemplo, que "entre os maiores de um conjunto, há maiores entre si" ?

— Ao meu ver — respondeu a moça modestamente — isso parece óbvio. Sinto isso por mera intuição. Mas pode ser que o mesmo não ocorra com pessoas de mentalidade diferente, para as quais seja necessário estabelecer um... como se diz?

— Um argumento lógico completo — disse Arthur, com ar cada vez mais solene, — para o qual, como se sabe, são necessárias duas premissas básicas, ou seja, duas "pré-missas".

— Ah, sim — concordou a moça. — Creio que me lembro desse requisito. E as duas premis... isto é, "pré-missas" vão produzir uma...

— Uma "oclusão" — completou Arthur.

— É mesmo? Essa parte daí eu já desconheço. E o que é que resulta das duas pré-missas?

— Elas são as duas *preposições* de um *Psicologismo*

— Ah, sim, lembro-me agora. Mas não creio que eu precise de um "psicologismo" para comprovar aquele axioma que você mencionou.

— Nem para comprovar que "todos os ângulos são iguais", suponho?

— Claro que não! Uma verdade simples como essa é evidente por si só!

Nesse ponto, aventurei-me a interromper a conversa, oferecendo à jovem um pratinho de morangos com creme. Afligia-me imaginar que ela poderia, de repente, perceber que Arthur estava apenas brincando, e, sem que ela visse, dei um jeito de menear a cabeça desaprovadoramente para o pseudofilósofo. Também sem que ela percebesse, Arthur ergueu ligeiramente os ombros e virou as palmas das mãos para cima, como quem diz: "Foi ela quem puxou o assunto", e saiu dali, deixando-a às voltas com seus morangos e teorias mal assimiladas.

Nesse momento, as carruagens que deveriam levar de volta os excursionistas começaram e reunir-se próximo ao castelo. Tínhamos agora de solucionar um problema: como levar para casa cinco pessoas, dentro de uma carruagem na qual só cabiam quatro? A melhor solução poderia ter sido dada pelo Honorável Eric Lindon, se ele anunciasse sua intenção de voltar para Elveston a pé, mas ele não parecia nada disposto a fazer tal declaração. Assim, resolvi eu mesmo sacrificar-me pelo bem comum, afirmando que gostaria de permanecer por ali durante algum tempo, regressando mais tarde a pé.

— Não se importa de fazer assim? — perguntou o Conde. — De fato, a carruagem não comporta cinco passageiros, e eu ficaria constrangido de separar dois primos que há tanto tempo não se veem.

— Não há problema, senhor Conde. Eu até prefiro seguir depois, já que tinha mesmo a intenção de desenhar uns esboços do castelo e dos arredores.

— Ficarei em sua companhia — disse Arthur, acrescentando em voz baixa, apenas pra mim: — Prefiro assim. Estou sobrando.

— Também vou regressar a pé — disse o Conde. — Portanto, filha, você vai ter de contentar-se com a companhia de Eric.

— É, primo — disse Lady Muriel, voltando-se para o Capitão, — você agora terá que valer por três. Será uma espécie de Cérebro, embora de uma só cabeça. Uma empresa militar digna de seu valor!

— Parece-me antes uma Missão Impossível... — retrucou ele modestamente.

— Que nada! No final, terá feito jus a honrosas condecorações — brincou ela, dando-lhe o braço e subindo na carruagem. — Até mais ver, cavalheiros — ou melhor, desertores!

Depois que a carruagem tinha partido, Arthur perguntou:

— Quanto tempo você levará até completar seus esboços?

— Mais ou menos uma hora. Por que não voltam vocês dois e me deixam aqui? Posso regressar de trem. Sei que partirá um daqui a uma hora, da estação vizinha.

— Creio ser uma boa ideia. A estação é logo ali — disse o Conde.

E lá fiquei, sozinho, tratando logo de arranjar um bom lugar debaixo de uma árvore frondosa, de onde podia desfrutar de uma bela vista das ruínas. "Que dia mais modorrento", murmurei para mim mesmo, enquanto virava sem pressa as folhas do bloco de desenho até encontrar uma página em branco. Eis que meus dois companheiros, sem mais nem menos, retornaram, para minha surpresa.

— Ué! Que fazem por aqui? Imaginei que estariam a uma milha de distância!

— Voltamos para informar-lhe que os trens daqui partem de dez em dez minutos — disse Arthur.

— De onde tirou essa ideia? O trem que passa aqui não é o do ramal metropolitano!

— É sim! — confirmou o Conde. — Esta região pertence ao condado de Kensington.

— Ei! — exclamou Arthur. — Por que está falando de olhos fechados? Abra-os, vamos!

— Acho que o calor está me deixando meio sonolento — expliquei, sem muita convicção. — E agora, estou acordado?

— Creio que não — respondeu o Conde prontamente. — Que me diz, Doutor? Ele está apenas com um olho aberto!

— E roncando alto, ainda por cima! — protestou Bruno. — Acorde, cara!

Ele e Sílvia começaram a rodar aquela cabeça pesada para um lado só, como se ela não tivesse qualquer conexão com os ombros.

Finalmente, o Professor abriu os olhos e sentou-se. Ao ver-nos, pôs-se a piscar de maneira nervosa, como se estivesse inteiramente atordoado.

— O cavalheiro poderia fazer a fineza de me dizer — começou ele, dirigindo-se a mim com sua habitual cortesia fora de moda — que lugar nos encontramos, com quem estou falando e, para início de conversa, quem sou eu?

Preferi iniciar a conversa apresentando as crianças:

— Esta aqui é Sílvia, e este aqui é Bruno, senhor.

— Oh, sim! Esses dois eu conheço bem! O que me preocupa é saber quem sou eu! Ao mesmo tempo, interessa-me saber, se o senhor não se importar em dizer, como foi que cheguei aqui?

— Mais preocupante, segundo penso — disse-lhe — é saber como o senhor fará para voltar, Professor.

— Correto! Correto! — disse o Professor. — Eis aí um Problema, sem dúvida! Encarado como um fato referente à vida alheia, trata-se de um Problema interessantíssimo; todavia, se considerado como parte de sua própria biografia, admito que possa provocar uma tremenda aflição! Mas... parece-me que quando se referiu a mim, o cavalheiro teria mencionado que eu fosse um...

— Um, não — interrompeu Bruno, — mas sim o Professor! esqueceu? O senhor veio de Estrangeirônia, que fica longe, longíssimo daqui!

O Professor pôs-se de pé com a agilidade de um garoto.

— Então não há tempo a perder! — exclamou, parecendo assustado. — Vou perguntar àquele ingênuo campônio, que está carregando dois baldes sobre os ombros, os quais, pelo menos aparentemente, contêm água, se ele faria a gentileza de nos indicar o caminho. Olá, campônio, por obséquio! — disse em voz alta. — poderia indicar-nos o caminho para Estrangeirônia?

O ingênuo campônio voltou-se para ele com um sorriso encabulado, e tudo que disse foi:

— Heeeein?

— O — caminho — para — Estrangeirônia!

O ingênuo campônio depositou seus baldes no chão, olhou de banda para o Professor e respondeu:

— Sei não...

— Devo avisar — disse o Professor, com voz grave — que tudo o que você disser poderá ser usado como evidência em seu desfavor.

O ingênuo campônio retomou seus baldes imediatamente e saiu resmungando, a passos largos:

— Então, não digo nada.

As crianças ficaram olhando tristemente para sua figura, que pouco depois desaparecia ao longe.

— Como ele anda depressa! — comentou o Professor com um suspiro. — Todavia, era assim que eu devia ter-me dirigido a ele. Estou a par das leis vigentes neste país. Tentemos agora com o próximo passante. Ei-lo: nem ingênuo, tampouco campônio, se é que um desses dois fatos tem alguma importância.

Na realidade, quem ali estava era o Honorável Eric Lindon, que aparentemente já tinha deixado Lady Muriel em casa, fazendo agora uma caminhada solitária, a fim de não perturbar quem quer que fosse com o aroma forte de seu charuto.

— Se não for incômodo, cavalheiro, poderia indicar-nos o caminho que deveremos tomar para chegar a Estrangeirônia?

Embora se tratasse de uma figura singular, nada na aparência exterior do Professor poderia indicar que o esquisito personagem não fosse um perfeito cavalheiro. Pelo menos, foi isso o que Eric imaginou que ele fosse, e desse modo, depois de tirar o charuto da boca e bater nele delicadamente para fazer a cinza cair, assim disse:

— Creio que jamais ouvi falar desse lugar. Sinto não poder ser-lhe útil.

— Não fica muito distante de Duêndia — acrescentou o Professor, fazendo com isso que seu interlocutor ficasse de sobrancelhas erguidas, esboçando um ligeiro sorriso, que por cortesia tentou reprimir, franzindo os lábios.

— Meio biruta, o velho patriarca — murmurou para si próprio, — mas parece ser gente boa.

Erguendo então a voz, dirigiu-se às duas crianças:

— E vocês, crianças, será que não podem ajudá-lo?

Disse isso com um tom de voz tão gentil, que imediatamente conquistou o coração de ambos. E prosseguiu:

— Quem sabe se essa velha cantiga poderia ajudar? — e cantou:

Quantas milhas há daqui a Babilônia?
Poucas: dá pra ir sem parar.
Posso ir até lá à luz do lusco-fusco?
Sim, dá pra ir e pra voltar.

Para meu espanto, Bruno correu para ele, como se se tratasse de um velho amigo, tomou sua mão livre e segurou-se nela com ambas as mãos, fazendo com que o distinto oficial ficasse postado no meio da estrada, balançando-o para cá e para lá, enquanto Sílvia o empurrava, com se de fato aquilo fosse uma espécie de gangorra, ali colocada a sua inteira disposição. Mesmo balançando, Bruno conseguia dizer:

— Acontece que não queremos ir para essa tal de Babilônia!

— E não é "à luz do lusco-fusco" — corrigiu Sílvia, — é "à luz clara do dia"! Para arrematar, deu um empurrão tão forte no irmão, que quase fez a gangorra sair do seu lugar.

Nessa altura dos acontecimentos, vi que Eric Lindon não tinha a menor consciência de minha presença, e talvez até mesmo o Professor e as crianças já não mais me vissem. Assim, postei-me no meio deles, qual um fantasma, vendo mas não sendo visto.

— Isocronismo perfeito! — comentou o Professor, verificando no relógio o tempo de duração de cada oscilação de Bruno. — É como se ele fosse um pêndulo!

— Mesmo os pêndulos, contudo — observou o soldado bem-humoradamente, enquanto depositava com cuidado o garoto no chão, — não oscilam permanentemente, sem nunca parar! Vamos, rapazinho, por hoje é o bastante! Da próxima vez, vamos repetir a brincadeira. Por ora, o que você tem a fazer é acompanhar esse senhor até a Rua Esquisita, número...

— Pode deixar que eu encontro! — gritou Bruno, arrastando atrás de si o Professor.

— Somos muito gratos a Vossa Senhoria — disse o Professor por cima do ombro.

— Esqueça! — respondeu o oficial, tirando o chapéu para saudá-los.

— Qual é mesmo o número? — perguntou o Professor, com a voz quase se perdendo à distância.

Pondo as mãos em concha sobre a boca, o militar bradou:

— Quarenta!

E logo em seguida prosseguiu em voz baixa, só pra si:

— Número ideal para quem tem de ficar de quarentena. Este mundo está louco, minha gente! Muito louco!

Acendeu outro charuto e voltou a passos vagarosos para seu hotel.

— Que tarde gostosa, não acha? — disse-lhe eu, enquanto me punha a caminhar a seu lado.

— Acho, sim, mas... de onde saiu você? Caiu das nuvens?

— Estou seguindo para o mesmo lugar que você — respondi, um tanto vagamente.

— Aceita um charuto?

— Não fumo, obrigado.

— Existe algum hospício por aqui?

— Não que eu conheça.

— Pois acho que existe. Acabo de encontrar um sujeito completamente louco. Doido varrido!

E assim, em amistosa palestra, seguimos juntos até o ponto onde nos devíamos separar: a porta de seu hotel. Depois que ambos nos desejamos "boa noite", continuei meu caminho.

De repente, senti de novo que estava ficando "eerie", isto é, "encantado", e avistei o número 40 no beiral de uma casa, diante de cuja porta estavam três figuras que eu conhecia muito bem.

— Acho que esta aqui é a casa errada — dizia Bruno.

— Não, não! — protestava o Professor. — Essa é a casa certa. Errada é a rua! Por isso, o melhor que temos a fazer é...

Desapareceu a sensação, tão depressa como tinha surgido. A rua estava deserta, e o Lugar Comum agora me envolvia inteiramente.

CAPÍTULO 19

Como Fazer Um Flizz

O resto da semana escoou-se sem que voltássemos ao "solar", já que Arthur estava receoso de "perder as boas graças" de seus moradores. Domingo de manhã, porém, quando nos preparávamos para ir à igreja, acolhi com alegria sua proposta de dar uma passadinha por lá e perguntar pelo Conde, pois alguém lhe tinha dito que ele não estava passando muito bem.

Encontramos Eric passeando no jardim, e ele nos contou que o Conde estava mesmo de cama, assistido por Lady Muriel.

— Quer acompanhar-nos até a igreja? — perguntei.

— Não, obrigado. Digamos que religião não faz meu gênero. Reconheço que é uma excelente instituição, mas... para os pobres. Quando estou entre meus subordinados, faço questão de frequentar, a fim de dar o exemplo. Aqui, porém, não sou conhecido; por isso, creio estar dispensado de escutar um sermão. Esses pregadores do interior são duros de aguentar!

Seguimos nosso caminho em silêncio, até que, pilhando-se fora do alcance auditivo de Eric, Arthur murmurou para si próprio, quase inaudivelmente:

— "*Onde dois ou três se reunirem em Meu nome, Eu estarei entre eles*".

— Sim — concordei. — Esse é o princípio que anima os fiéis, sem dúvida.

— E quando ele faz o favor de comparecer — prosseguiu Arthur, sem especificar de quem ou de onde se tratava, e nem seria preciso, pois era tal nossa concordância de pensamento, que às vezes conversávamos de maneira um tanto elíptica, — suponho que não sinta constrangimento em repetir as palavras: *Creio na Comunhão dos Santos...*

Logo em seguida chegamos à igrejinha, para dentro da qual afluía uma pequena multidão de fiéis, composta principalmente de pescadores e de suas famílias.

Pode ser que, para uma analista de peças oratórias, o sermão tivesse parecido tosco e frio, mas para mim, recém-chegado de Londres, e frequentador de uma igreja cujo pároco adota o que se costuma chamar de "estilo católico", foi indescritivelmente refrescante. Durante o culto, não houve qualquer exibição de pequenos e sisudos cantores sacros, sorrisos vaidosos, ante o olhar admirado da congregação. O coro era composto pela própria comunidade, tendo distribuído de maneira estratégica um pequeno número de cantores mais bem dotados, apenas para evitar que se perdessem o tom e o compasso dos hinos. As letras destes, retiradas da Bíblia e da Liturgia, não eram cantadas de modo arrastado e monótono, como se recitadas por bonecos falantes, mas sim com entusiasmo e fé. As preces eram *rezadas*, as meditações eram lidas e, o que mais apreciei, o sermão foi *proferido*. Por isso, quando deixamos a igreja, vi-me de repente repetindo as palavras de Jacó, ao despertar de seu sono: "Certamente o Senhor encontra-se neste lugar! Aqui não pode ser senão a casa de Deus, e esta é a porta do Céu".

— Sim — disse Arthur, aparentemente como se houvesse lido meus pensamentos, — nossas cerimônias religiosas atuais vêm-se transformando em puro formalismo. Cada vez mais, as pessoas passam a considerá-las como espetáculos, frequentando-as não como participantes, mas como meros assistentes. E isso é especialmente nocivo para os pequenos, que se sentiriam menos constrangidos se estivessem representando o papel de duendes numa pantomima. Com todo aquele apuro no vestir, aquelas entradas e saídas teatrais, estando continuamente em evidência, não é de se espantar que os pobres garotos acabem se tornando um poço de vaidade e presunção!

Na volta, quando passamos pelo Solar, encontramos o Conde e Lady Muriel sentados no jardim. Eric tinha saído para dar um passeio. Fizemos uma rápida parada, e a conversação recaiu no sermão que tínhamos acabado de ouvir, abordando o tema "egoísmo".

— Que grande mudança ocorreu em nossos púlpitos — disse Arthur, — desde o tempo em que Paley formulou a definição egoística da virtude: *"fazer o bem ao próximo, em obediência à ordem de Deus, e em prol da perene felicidade"*!

A jovem encarou-o inquisitivamente, parecendo já ter aprendido por intuição aquilo que eu só alcançara após anos de experiência: que a maneira certa de extrair de Arthur seus pensamentos mais profundos não consistia em com ele concordar ou dele discordar, mas simplesmente em escutá-lo.

— Nessa época — prosseguiu, — um verdadeiro maremoto de egoísmo inundava o pensamento humano. O Certo e Errado, de algum modo, tinham-se transformado em Lucros e Perdas, e a Religião não passava de uma espécie de transação comercial. Temos de agradecer aos nossos pregadores atuais a retomada de um enfoque mais nobre da existência.

— Mas não é isso o que a Bíblia sempre e sempre nos ensinou? — aventurei-me a perguntar.

— Sim, mas não *toda a Bíblia* — respondeu Arthur. — No Velho Testamento, sem dúvida, recompensas e punições são constantemente apresentados como justificativas de ações. Esse modo de ensinar funciona para as crianças, e os israelitas parece que tinham efetivamente a idade mental das crianças. É desse modo que orientamos inicialmente nossos filhos; porém, tão logo seja possível, apelamos para seu sentimento inato do Certo e do Errado, até que, superada essa fase, apelamos para a motivação mais elevada de todas: o desejo de sermos semelhantes ao Ser Supremo, vivendo como Ele em íntima união. Assim, creio que concordarão comigo neste ponto: o que a Bíblia, como um todo, nos ensina começa com *"possam vossos dias ser longos na terra"* e *termina com "sede perfeitos, assim como vosso Pai é perfeito no Céu"*.

Ficamos por algum tempo ruminando em silêncio aquelas ideias, quando Arthur voltou a falar, abordando outro ítem:

— Vamos agora às letras dos hinos sacros. Como são repletas de ideias egoístas! Dentre as composições musicais, poucas há tão completamente degradadas quanto alguns de nossos cânticos sacros modernos!

Para ilustrar seu ponto de vista, eu mesmo recitei a letra daquele que diz:

O que quer, Senhor, que Vos seja dado
Voltará para nós centuplicado;
Por isso, damos-Vos tudo o que temos,
E de antemão Vos agradecemos.

— Bem lembrado! — concordou ele, com um sorriso. — Eis um exemplo perfeito do que eu disse. Escutei algo semelhante num sermão em que o pregador analisava a Caridade. Depois de enumerar as razões que devem levar as pessoas a ser caridosas, o pregador arrematou: "Lembrai-vos, irmãos, de que tudo o que entregardes em nome de Deus, para vós retornará duplicado!" Ah, que insensatas não devem parecer essas palavras para aqueles que valorizam o sacrifício voluntário, que sabem apreciar a generosidade e o heroísmo! E há quem não creia no Pecado Original! — prosseguiu num tom ainda mais amargo. — Querem prova maior de Benevolência Original o fato de que, em nossa terra, a Religião tem sido pregada há mais de um século como uma especulação comercial, e mesmo assim não deixamos de acreditar em Deus?

— Não teria sido assim — observou Lady Muriel pensativamente — se a Oposição não tivesse sido praticamente amordaçada. Será que num salão de conferência ou durante a reunião de algum grêmio cultural, esse tipo de ensinamento não correria o risco de ser recebido com apupos?

— Espero que sim — respondeu Arthur, — e, embora eu não queria ver legalizada a manifestação em voz alta nas igrejas, o fato é que nossos pregadores desfrutam de um fantástico privilégio, ao qual não fazem jus, mas do qual sempre abusam: nós o colocamos num púlpito e lhes permitimos ficar ali falando durante meia hora seguida, sem que alguém os interrompa, digam o que disserem! Em troca dessa permissão, que é que recebemos? Uma conversa fiada que, se nos fosse dirigida por alguém durante um jantar, levar-nos ia a pensar: "Será que esse sujeito me toma por idiota?"

A chegada de Eric do passeio arrefeceu a eloquência de Arthur, e a conversa passou a girar em torno de temas mais convencionais. Pouco depois, despedimo-nos, sendo acompanhados por Lady Muriel até o portão. Ao apertar a mão de Arthur, ela disse:

— Suas palavras me darão motivo para longas reflexões. Fiquei muito satisfeita com a sua visita.

Essas palavras trouxeram novo alento ao semblante pálido e cansado do meu bom amigo.

Na terça-feira, como Arthur não demonstrou disposição para caminhar, resolvi sair para um longo passeio, tendo antes combinado que ele não iria ficar o dia todo às voltas com seus livros, mas que iria encontrar-se comigo no Solar, à hora do chá.

No caminho de volta, passei pela estação no exato instante em que o comboio da tarde apontava ao longe, e resolvi descer até a plataforma para ver o desembarque. Embora nada de interessante houvesse para ver, ali fiquei por algum tempo, até lembrar-me de que deveria sair imediatamente, caso quisesse chegar ao Solar por volta das cinco horas.

Caminhando pela plataforma, cheguei à sua extremidade, onde uma escada irregular de madeira levava para a saída, e ali notei dois passageiros, evidentemente recém-chegados, mas que eu não havia visto ao descerem do trem. Isso não deixava de ser estranho, dado o pequeno número de passageiros que tinham chegado. Tratava-se de uma mulher jovem e de uma garotinha. Não pelas roupas, mas sim pelos traços, vi que não estava diante de mãe e filha, mas sim de uma menina com sua ama, ou, no máximo, sua governanta.

O rosto da menina era de traços finos, mas seu semblante revelava amargura e tristeza, a mim parecendo traduzir uma longa história de doença e sofrimento, suportados com doçura e resignação. Ela caminhava apoiada numa muleta. No momento, estava parada diante da escada, olhando para os degraus com ar tristonho, certamente esperando até conseguir reunir coragem suficiente para dar início à trabalhosa ascensão.

Existem coisas que a gente *fala* — e outras que a gente faz — automaticamente, por *ação reflexa*, conforme costumam dizer os fisiologistas (expressão que ficaria mais correta, segundo entendo, se fosse "ação irreflexa").Fechar a pálpebra quando algo nos cai no olho, por exemplo, é uma dessas ações. Dizer à menina "Quer que a carregue até lá em cima?" foi outra. Em nenhum momento cheguei a pensar em fazer aquilo. Disse a frase por mera ação reflexa, só me conscientizando do fato depois de escutar minha própria voz, como se proveniente da boca de outra pessoa. Tanto eu como a ama estranhamos o oferecimento, e ela examinou-me detidamente, antes de voltar-se para a garota e indagar:

— Que me diz, querida?

A resposta não veio sob a forma de palavras, mas sim do inequívoco gesto de estender-me os braços, abrindo ligeiramente um sorriso no rosto triste, enquanto ela dizia tão somente:

— Tenha a bondade!

Ergui-a do chão e carreguei-a com todo o cuidado, enquanto sentia seus bracinhos agarrados confiantemente em meu pescoço.

Ela era tão leve, mas tão leve, que cheguei a concluir insensatamente que era mais fácil subir com ela nos braços do que de mãos vazias. Assim, quando atingimos o patamar superior e alcançamos a estrada calçada de seixos e cheia de sulcos formados pelas rodas das carroças, obstáculos terríveis para uma criança aleijada, vi-me dizendo, antes de formar qualquer vínculo mental entre os percalços do caminho e minha carga leve:

— Creio que é melhor carregá-la ao longo desta estrada pedregosa.

— Não precisa dar-se a esse trabalho, senhor — disse a ama. — Ela pode caminhar muito bem no plano.

Mas os bracinhos que me envolviam o pescoço agarraram-se a mim mais fortemente, levando-me a replicar:

— Ela não pesa nada! Não é trabalho algum carregá-la por mais algum tempo. Além do mais, é meu caminho...

A ama não fez mais qualquer objeção, e a voz que escutei a seguir foi a de um garotinho em andrajos e descalço, que carregava uma vassoura sobre os ombros. Correndo à minha frente, pôs-se a varrer a estrada, como se querendo alisá-la para mim. Abrindo um sorriso largo na cara suja, pediu:

— Me dá um trocado aí?

— Não dê trocado nenhum para ele! — retrucou a garotinha que eu estava carregando (as palavras eram duras, mas o tom de voz não combinava com elas, revelando antes uma espécie de carinho). — Esse menino aí é muito vagabundo!

E deu uma risada argentina que me fez lembrar Sílvia imediatamente. Para meu espanto, o menino também juntou-se a ela na risada, como se já existisse uma simpatia mútua entre eles. Em seguida, ele disparou a correr e se enfiou num buraco da cerca, desaparecendo de nossas vistas. Não demorou, e ei-lo de volta, sem a vassoura, mas dessa vez trazendo um belo e delicado buquê de flores, que não entendo como pôde ter parado em suas mãos.

— Quem "qué compra frô?" Quem "qué compra frô"? É um tostão! — pôs-se a apregoar, com a fala arrastada dos vendedores ambulantes.

— É proibido comprar flores! — disse a garota com voz autoritária, como se estivesse citando algum edito real, enquanto mirava o pobre menino esfarrapado com ar de profundo desdém.

Tive a impressão, contudo, de perceber um brilho de carinho em seu olhar. Fosse por isso, fosse por outra razão, ignorei sua observação radical, rebelando-me contra a ordem taxativa do edito real. As flores eram lindas, e além disso tão diferente das que eu conhecia, que nada me demoveria da ideia de comprá-las, nem mesmo a proibição baixada pela pequena rainha. Assim, comprei o buquê. O garoto, depois de enfiar a moeda na boca, plantou uma bananeira, a fim de certificar se a boca humana é de fato adequada à função de cofre de moedas.

Cada vez mais espantado, examinei as flores cuidadosamente, notando que jamais havia visto nenhuma daquelas variedades até então. Estranhando o fato, perguntei à ama:

— Estas flores são nativas desta região? Nunca vi iguais!

Virei-me para ela, esperando uma resposta, e... surpresa! Ela tinha desaparecido!

— Agora, já pode pôr-me no chão, se quiser — disse Sílvia.

Obedeci em silêncio, pensando: "Será um sonho?" Então, olhando para baixo, vi Sílvia e Bruno caminhando a meu lado, segurando minhas mãos com aquela confiança que só as crianças têm.

— Vocês estão bem maiores do que da última vez que os vi — disse-lhes. — Acho até que devemos ser apresentados de novo! Sim, porque a maior parte de vocês eu ainda não tinha visto até hoje!

— Está certo — concordou Sílvia, sorrindo. — Este aqui é Bruno. Quem disse que ele cresceu? Continua tendo um nome só!

— Ahn, ahn — protestou Bruno, olhando reprovadoramente para a "mestra de cerimônias ". — Não sou mais apenas "Bruno". Sou "Dom Bruno".

— Perdão, senhor, tinha-me esquecido — disse Sílvia. — Apresento-lhe Dom Bruno.

E como fizeram para encontrar-me, crianças?

— Eu não disse que viríamos vê-lo na terça-feira? Pois é — explicou Sílvia, — aqui estamos, e do tamanho de crianças normais, não é?

— Sim — concordei, — iguais a duas crianças — (mas não "normais", acrescentei para mim próprio). — Ei! Que foi feito da ama?

— Ela se desfez — respondeu Bruno.

— Como assim? Ela não era sólida, como você e Sílvia?

— Não. Ela não podia ser tocada. Sua mão passaria através dela!

— Imaginei que o senhor soubesse disso — comentou Sílvia. — Por acidente, Bruno deixou-a chocar-se contra um poste telegráfico, e ela se partiu em dois pedaços. O senhor não viu porque estava olhando para o outro lado.

Vi que eu de fato tinha perdido uma raríssima oportunidade de testemunhar um evento que dificilmente voltaria a ocorrer durante minha existência: a visão de uma ama partindo-se em duas metades!

— Quando foi que o senhor adivinhou que ela era Sílvia? — perguntou Bruno.

— Só adivinhei depois que ela virou Sílvia. E você, como foi que "arranjou" aquela ama? — perguntei a Sílvia.

— Não fui eu, foi Bruno — respondeu ela. — Aquilo é o que se chama um "Flizz".

— E como é que se faz um "Flizz", Bruno?

— Aprendi com o Professor. Primeiro, é preciso pegar um "tantão" de ar...

— Oh, Bruno — interrompeu Sílvia. — O Professor pediu para não revelar o segredo...

Fingi não ter escutado o aparte e insisti:

— Mas como você faz para lhe emprestar uma voz?

— Foi emprestada mesmo, quer ver? "Não precisa dar-se a esse trabalho, senhor! Ela pode caminhar muito bem no plano."

Bruno desatou a rir, enquanto eu instintivamente olhava e olhava para o lado, imaginando que a dona da voz ali estivesse. Mas fora Bruno quem havia imitado a voz feminina, iludindo-me completamente.

— Desta vez, você me pegou, Bruno! Caí como um patinho!

Enquanto ele ria a bom rir, notei que estávamos perto do Solar. Apontei-o e disse:

— É ali que vivem meus amigos. Vamos tomar um chá com eles?

Bruno pulou de alegria enquanto Sílvia dizia:

— Será um prazer, especialmente para Bruno, que não toma uma xícara de chá desde que saímos de Estrangeirônia.

— E os últimos que tomei lá não eram nada bons — queixou-se o garoto. — Eram fracos e mal adoçados!

CAPÍTULO 20

Depressa Vem, Depressa Vai

O sorriso de boas-vindas de Lady Muriel não conseguiu esconder inteiramente seu olhar de surpresa, ao ver meus pequenos companheiros. Apresentei-os de maneira bem simples:

— Esta aqui é Sílvia, Lady Muriel. E este aqui é Bruno.

— Têm sobrenome? — perguntou ela, olhando divertidamente para os dois irmãos.

— Não — respondi com voz séria. — Só mesmo os nomes.

Pensando tratar-se de uma brincadeira, ela riu, inclinando-se para beijar os visitantes. Bruno submeteu-se ao cumprimento com relutância, mas Sílvia retribui-o com um sorriso.

Enquanto ela e Arthur (que chegara antes de mim) serviam os dois chá e bolo, tentei entabular uma conversa com o Conde, que estava um tanto distraído, não me tendo dispensado maior atenção. A certa altura, porém, ele revelou o motivo de sua distração:

— Permite que eu examine essas flores que tem nas mãos?

— Claro! — respondi, estendendo-lhe o buquê.

Eu sabia que Botânica era seu estudo favorito; além do mais, aquelas flores desconhecidas intrigavam-me bastante, e eu realmente gostaria de saber a opinião de um conhecedor.

Ao examinar as flores, sua inquietação pareceu antes aumentar que arrefecer. Por fim, separando-as cuidadosamente, comentou:

— Estas aqui são da Índia Central... mesmo ali, são raras! Nunca vi tais flores fora de seu habitat!... Estas duas aqui são do México... Já esta aqui — e levou a flor para junto da janela, a fim de examiná-la à luz do sol, enquanto sua excitação parecia ainda mais aumentar — eu poderia jurar... acho melhor consultar o livro que tenho sobre a flora indiana — e seguiu até a estante, de onde retirou um grosso volume, abrindo suas páginas, até deparar com uma em particular. — Sim! Como eu pensava! Compare-a com esta gravura: as duas são idênticas, em tudo por tudo! Esta é a flor que dá na árvore chamada upas, que cresce apenas no interior das florestas úmidas. Ela murcha tão depressa, logo após a colhida, que é virtualmente impossível conservar sua forma e sua cor depois que se transpõe a borda da mata. E isso ocorre mesmo no auge de sua floração! Diga-me: onde conseguiu estas flores?

No final, ele mais arquejava que falava, de tanta excitação. Olhei para Sílvia, que discretamente me fez um sinal de silêncio, encostando o indicador nos lábios, e em seguida acenou para Bruno, seguindo com ele até o jardim. Pronto: vi-me na posição de um advogado de defesa cujas duas mais importantes testemunhas acabavam de desaparecer subitamente. Sem outra saída, balbuciei:

— Trouxe-lhe estas flores de presente. O senhor entende bem mais desse assunto do que eu...

— Para mim? — perguntou ele, com olhos brilhantes. — Oh, muito, muito obrigado! Mas o senhor ainda não me disse como...

Suas palavras foram interrompidas, para grande alívio meu, pela chegada de Eric Lindon. O que para mim era um alívio, para Arthur não passava de um enorme contratempo, conforme pude notar. Sua face tornou-se sombria, e ele se afastou ligeiramente do círculo, deixando de participar da conversa, que daí em diante foi mantida inteiramente, durante alguns minutos, por Lady Muriel e seu animado primo. Os dois passaram a dialogar a respeito de uma nova cançoneta que eles acabavam de receber, chegada de Londres.

— Tire-a ao piano, prima! — pediu ele. — A melodia é fácil de cantar, e a letra é bem apropriada para a ocasião.

— Apropriada? Então imagino que seja aquela:

Cinco horas! Já?
Hora do chá!
Quem aqui está
Não sairá:
É hora do chá!

Rindo, Lady Muriel sentou-se ao piano e tocou alguns acordes, finalizando a cantiga.

— Não, não é essa — retrucou o Capitão Lindon, — embora tenha a ver com o pedaço que diz "Quem aqui está não sairá". A cançoneta trata de um casal de infelizes amantes: enquanto ele cruza os mares bravios, ela fica em terra, lamentando sua sorte.

— Extremamente apropriada para a ocasião — comentou ela, ironicamente, enquanto abria a partitura e punha sobre o piano. — Quem vai lamentar sou eu, não é? E por qual motivo, pode dizer?

Ela logo tirou a música ao piano; primeiro, sem se preocupar com o ritmo; depois, mais lentamente, conforme exigia o andamento; por fim, tocou e cantou toda a canção, com o desembaraço de quem já a conhecesse há muito tempo. E era assim:

Lá vem ele, o marinheiro,
Passo ligeiro e viril.
Chega, abraça-a, dá-lhe um beijo
E lhe conta histórias mil.
Ela ri; porém, no fundo,
Não se sente confiante.
"Será que ele pensa em mim
Quando está no mar distante?"

"Veja aqui o que eu lhe trouxe:
Esta pérola preciosa,
Para servir como enfeite
Da donzela mais formosa!":
Vê-se que ela está feliz,
Por seu olhar rebrilhante.
"Já vi que ele pensa em mim,
Mesmo quando está distante!"

Não demora, e seu navio
Tem de sair para o mar.
A dor que ela sente é tanta,
Parece que a vai matar.
Só uma lembrança é que a faz
Sorrir de instante em instante:
"Ele vai pensar em mim,
Mesmo estando bem distante!"

Milhas e milhas separam
Esses dois enamorados.
Seus pensamentos, contudo,
Estão para o outro voltados.
Pensa ele nela, e ela pensa
"Sei que ele só pensa em mim,
Mesmo estando tão distante!"

O olhar de desgosto que até pouco tempo atrás ensombrecia o rosto de Arthur, especialmente quando ouviu o Capitão tratar do tema "amor" de maneira tão despreocupada, foi desaparecendo, à medida que a canção avançava, e ele por fim demonstrava inteira satisfação em escutar a música. Mas seu ar carrancudo reapareceu no momento em que Eric comentou, sem qualquer intenção de fazer graça:

— Não acha que o trecho no qual se canta "no marinheiro falante" ficaria melhor se fosse "no seu militar galante" ? A meu ver, combinaria bem melhor com a música.

— Bela mudança! — respondeu Lady Muriel, rindo.— Marinheiros, militares, funileiros, alfaiates — qualquer um poderia caber na música, e tantos outros mais. Por que não "no marceneiro galante" ? Creio que soaria bem... Que acha?

Para poupar meu amigo de novos desencantos, levantei-me para me retirar, no exato momento em que o Conde retomava seu embaraçoso interrogatório sobre as flores:

— Mas o senhor ainda não...

— Já, sim — retruquei rapidamente. — Já tomamos chá e estamos satisfeitos. Além do mais, temos um compromisso inadiável. Boa noite, Lady Muriel!

Despedimo-nos rapidamente e saímos em seguida, antes que o Conde deixasse de examinar atenta e espantadamente o buquê de flores. Lady Muriel acompanhou-nos até a porta, reiterando seus agradecimentos sinceros:

— O senhor não poderia ter dado um presente melhor para meu pai! Como ele é apaixonado pela Botânica! De minha parte, pouco ou nada sei acerca da teoria, mas sou eu quem mantém seu "jardim de flores secas" em ordem. A propósito, vou tratar de separar umas folhas de papel mata-borrão para secar esse ramalhete, antes que as flores comecem a murchar.

— Sua ideia não foi nada boa! — repreendeu Bruno, que nos esperava no jardim.

— Não tive outra saída — desculpei-me. — Dei-lhe as flores para evitar suas perguntas embaraçosas.

— De fato, não havia outro remédio — concordou Sílvia, — mas eles vão ficar muito tristes quando não encontrarem as flores amanhã...

— Elas vão desaparecer? — perguntei. — Como?

— Como, não sei; mas que vão desaparecer, pode apostar. Aquele buquê é um "flizz". Arranjo do Bruno...

Essas últimas palavras foram sussurradas, para que Arthur não as escutasse. Mas havia pouco risco de que isso acontecesse, pois ele mal parecia notar a presença dos dois, caminhando a nossa frente, ensimesmado e silencioso. Quando as crianças se despediram de nós, na borda da floresta, só então caiu ele em si, como se despertasse de um cochilo.

As flores desapareceram, como Sílvia predisse. Quando, depois de um ou dois dias, eu e Arthur passamos pelo Solar, vimos o Conde, sua filha e a governanta junto à janela da sala de estar, do lado de fora da casa, examinando atentamente o trinco e as dobradiças.

— Estamos procedendo a uma investigação policial — disse a jovem, vindo até onde nos encontrávamos. — Vossa Senhoria está intimado a nos revelar o que sabe acerca do buquê desaparecido, já que se trata de um partícipe do fato.

— O partícipe pede desculpas e se escusa de responder qualquer pergunta — retruquei. — Em minha defesa, digo tão somente que nada tenho a declarar.

— Nesse caso, resta-me intimá-lo a depor sob juramento. As flores desapareceram à noite, e — prosseguiu ela, encarando Arthur — não resta dúvida de que ninguém desta casa tocou nelas. É de se supor, por conseguinte, que alguém tenha entrado pela janela...

— Muito embora não haja qualquer vestígio de arrombamento — intrometeu-se o Conde.

— O ladrão deve ter entrado enquanto a senhorita estava jantando — concluiu a governanta.

— Certamente — concordou o Conde. — Ele deve ter visto o senhor entrado com o buquê e saindo sem ele, ao mesmo tempo em que estimava seu valor, uma vez que aquelas flores simplesmente *não têm preço*!

— Aliás — acrescentou Lady Muriel, — o senhor ainda não nos contou como foi que arranjou o buquê!

— Por ora, estou impedido de dizer-lhe — murmurei. — Logo que puder, dir-lhes-ei. Peço que me desculpem...

O Conde olhou-me desapontado, acrescentando gentilmente:

— Já que é assim, sem mais perguntas.

— Que depoimento mais decepcionante! — brincou Lady Muriel, levando-nos até um caramanchão. — Neste caso, somos obrigados a declarar o réu culpado de cumplicidade omissiva, sentenciando-o ao confinamento sob vigilância, a ser tratado a pão e... manteiga, além de chá, naturalmente. Com ou sem açúcar?

Depois de servir-nos, ela continuou:

— Causa preocupação imaginar que nossa casa tenha sido assaltada por um ladrão, aqui neste fim de mundo. Se aquelas flores ao menos fossem comestíveis, era possível desconfiar de uma ou outra espécie de gatuno...

— Você acaso estaria pensando naquela famosa justificativa universal de todo desaparecimento misterioso: "O gato comeu"? — perguntou Arthur.

— Exatamente — confirmou ela. — Ah, como seria conveniente se todos os ladrões fossem iguais! O fato de serem ora bípedes, ora quadrúpedes, provoca uma enorme confusão...

— Isso já me havia ocorrido — disse Arthur, — como um curioso problema de Teleologia — a Ciência das Causas Finais.

— E o que é uma "causa final"? — indagou ela, franzindo a testa.

— Suponha uma série de eventos interligados, cada qual sendo a causa do outro. O derradeiro da série é a causa final, e todos eles decorrem da existência do número um, que é a *causa primeira*.

— Nesse caso — retrucou ela, — o último evento não é causa de nenhum outro, mas simplesmente um efeito do primeiro...

— De fato — concordou Arthur — as palavras provocam uma certa confusão, sou forçado a admitir. Pronto: satisfeita? Sim, o último evento decorre do primeiro, mas sua *necessidade* foi a causa geradora da necessidade da existência do primeiro, entendeu?

— Claro como água! Então, vamos logo ao problema.

— É simples. Que objeto podemos imaginar que tenha relação com o fato de que, em termos gerais, cada diferente tamanho das criaturas vivas possua seu formato especial? Vou dar um exemplo: a raça humana tem um determinado tamanho. Somos bípedes. Outro conjunto, que se estende do camundongo ao leão, corresponde aos quadrúpedes. Descendo um ou dois degraus, chegaremos ao conjunto dos insetos, com seis patas — hexápodes (belo nome, não?). a beleza do nome, entretanto, não corresponde à da figura desses animais, parecendo diminuir, à medida que descemos na escala de tamanho. Quando menores são as criaturas, mais parecem... bem, não vou dizer que sejam "feias", já que se trata de criaturas de Deus, mas... parecem mais bizarras. E, quando as examinamos através do microscópio, tomando um conjunto de criaturas ainda menores, chegamos aos micróbios, que são bizarríssimos, além de ser dotados de um fabuloso número de perninhas!

— Uma outra alternativa — disse o Conde — seria uma série gradativamente menor de repetições do mesmo tipo físico. Releva a monotonia que iria decorrer dessa repetição examinando a questão sob outros aspectos. Comecemos com o gênero humano e outras criaturas necessárias a sua sobrevivência: equinos, bovinos, e caninos. Creio que podemos dispensar os sapos e as aranhas, não é filha?

Lady Muriel estremeceu perceptivelmente, concordando no mesmo instante com a proposta:

— Já foram devidamente dispensados.

— Vejamos agora um segundo conjunto de homens, desta vez de meia jarda de altura (46cm).

— Os quais — complementou Arthur — desfrutariam de uma vantagem extra com relação aos homens de estatura normal.

— E qual seria essa vantagem? — indagou o Conde.

— A grandiosidade de suas paisagens! De que depende a grandiosidade de uma montanha senão da sua diferença de tamanho em relação a mim? Dobre-se a altura de uma montanha, e duplicar-se-á sua grandiosidade, não é? O mesmo resultado pode ser alcançado se minha estatura for reduzida à metade, concordam?

— Então, viva a raça dos Pequeninos! — exclamou Lady Muriel, prosseguindo ritmadamente, como um grito de guerra: — *"Parece lindo para os Pequenos/ O que pra nós é mais ou menos"!*

— Deixem-me prosseguir — disse o Conde. — Uma terceira categoria seria a dos homens de cinco polegadas (12,5cm), e uma quarta a dos que não passariam de uma polegada (2,5cm).

— Esses últimos aí não poderiam comer nossos bifes de carne de boi ou de carneiro — disse Lady Muriel.

— Sim, filha, é verdade. Mas cada conjunto dispõe de seus próprios rebanhos específicos.

— E também de sua vegetação específica — acrescentei. — Uma vaquinha de uma polegada nada pode fazer com um talo de capim mais alto que sua cabeça!

— Outra verdade. Tem de haver uma pastagem dentro da pastagem, por assim dizer. Para nossos bois de uma polegada, o capim comum haverá de parecer uma floresta de palmeiras imperiais. Assim, ao redor de cada talo de capim comum, deverá estender-se uma camada microscópica de capinzinho — fica bem assim? Creio que, desse modo, nosso esquema funcionará muito bem. O mais interessante seria entrar em contato com essas raças diminuídas. Imaginem que gracinha não deve ser um buldogue de uma polegada apenas! Desses aí, nem mesmo Muriel fugiria assustada...

— Por outro lado — disse a jovem, — por que não imaginar a existência de conjuntos maiores? Que me dizem de seres humanos de cem jardas (91 metros) de altura? Esses aí poderiam usar um elefante como peso de papel e um crocodilo como prendedor de gravata!

— E esses conjuntos de tamanhos diferentes poderiam comunicar-se entre si? — perguntei. — Poderiam, por exemplo, declarar-se guerra, promover acordos, coisas assim?

— De início, creio que devemos excluir as guerras — respondeu o Conde. — O fato de poder esmagar toda uma nação meramente sapateando sobre seu povo torna as forças tão desiguais que jamais justificaria uma declaração de guerra. Isso não impede, contudo, que se travem combates intelectuais nesse nosso mundo ideal, pois, com efeito, os poderes mentais independem do tamanho da criatura. Pode ser até verdade que, quanto menor a raça, maior seja seu desenvolvimento intelectual.

— Será que entendi bem? — perguntou Lady Muriel. — O senhor está dizendo que esse homúnculos de uma polegada teriam a capacidade de discutir comigo?!

— Foi o que eu disse! A força lógica de um argumento não depende do tamanho de quem o profere!

A jovem sacudiu a cabeça, indignada, protestando:

— Recuso-me terminantemente a discutir com quem não tenha ao menos seis polegadas de altura (15cm)! — proclamou ela em alto e bom som. — Quem for menor que isso, porei para trabalhar!

— Trabalhar? — estranhou Arthur, ouvindo todo esse disparate com um sorriso divertido. — Em quê?

— Poderiam fazer trabalhos de bordado, por exemplo. Já pensou que belos bordados não fariam?

— Mas imagine que eles cometam um erro na trama do bordado. Como você faria para repreendê-los, sem discutir com eles?

— Sei lá! Só sei que não iria discutir, para não me rebaixar além de um limite. A gente tem de preservar a dignidade!

— Sou obrigado a concordar, já que também não quero discutir com você — disse Arthur. — Mas veja bem: nada tem a ver com sua estatura. Igualmente eu não gostaria de discutir com um saco de batatas, o que também nada tem a ver com o fato de não querer discutir com você.

— Agora quem não está entendendo sou eu — intrometi-me. — Você não apresentou a razão de uma sequer de suas recusas!

— Só sabemos que cada qual nada tem a ver com a outra — concordou Lady Muriel. — Então, mudemos de expositor. Vejamos, agora — disse ela, voltando-se para mim, o que o senhor tem a dizer: acaso discutiria com um saco de batatas?

A pergunta soou-me estranha, e fiz um esforço para apreender inteiramente seu significado, mas o zumbido persistente das abelhas deixava-me confuso, sem falar na modorra que se espalhava pelo ar, paralisando e adormecendo todo pensamento, antes de que ele conseguisse alcançar minha consciência. Assim, tudo o que pude dizer foi apenas isso:

— Nesse caso... — mas de repente interrompeu o que estava para dizer, prestando atenção a alguma coisa e prosseguindo em outro tom de voz: — Ei, está ouvindo? Ele está chorando! Vamos tratar de encontrá-lo!

"É tudo tão estranho", pensei. "O tempo todo eu imaginei que estava conversando com Lady Muriel, mas agora vejo que era Sílvia quem estava falando!"

Fiz um enorme esforço para dizer algo razoável, mas a única frase que consegui dizer foi essa:

— Isso tem a ver com as batatas?

CAPÍTULO 21

Através da Porta de Marfim

Não sei — respondeu Sílvia. — Silêncio! Deixe-me pensar. Eu poderia encontrá-lo sozinha, sem qualquer dificuldade. Mas gostaria de que você também pudesse ir.

— Claro que posso! — repliquei. — E quero ir. Deixe, por favor! Posso caminhar tão depressa quanto você. Posso, sim!

Silvia desatou a rir.

— Que absurdo! Como, se o senhor não pode sequer por os pés no chão? Não vê que está virado de costas, de pernas para o ar? Será que não tem consciência disso?

— Tenho plena consciência de que posso andar tão bem quanto você! — protestei, pondo-me a mover as pernas para a frente.

Era como se o chão deslizasse para trás, a medida que eu tentava seguir em frente. Por mais que andasse, não conseguia sair do lugar. Tudo o que consegui foi fazer com que ela risse ainda mais.

— Eu não falei? Ah, se o senhor pudesse se enxergar, iria achar engraçadíssimo ver suas pernas caminhando no ar inutilmente! Espere aí: vou perguntar ao Professor como é que se tem de agir nesta situação.

Bateu na porta do escritório, que logo se abriu, deixando passar o Professor.

— Que choro é esse que estou a ouvir? — Perguntou ele. — Será de algum animal humano?

— É de um menino — respondeu Silvia.

— Foi você quem o aborreceu?

— Claro que não! — protestou ela. — Jamais o aborreço!

— Nesse caso, vamos consultar o Outro Professor.

O Professor entrou no escritório e se pôs a falar com alguém. De fora, podíamos escutar fragmentos de suas frases:

— ... um pequeno animal humano... ela afirma que não o teria aborrecido... do tipo conhecido como "menino"...

— Pergunte-lhe a qual menino ela se refere — disse uma outra voz.

A carinha do Professor reapareceu junto à porta, e ele indagou:

— Que menino é esse que você jamais aborrece?

Olhando para mim de esguelha, Silvia pôs-se na ponta dos pés para beijar o Professor, enquanto lhe dizia carinhosamente:

— Ah, velhote querido, você me confunde! Os meninos que eu jamais aborreci são muitos, muitos, muitos!

O Professor inclinou-se com ar sério para receber o beijo, voltando logo depois para o lado do amigo que não se podia ver. Dessa vez, o que a voz disse foi escutado nitidamente:

— Diga-lhe para trazer aqui todos esses meninos que ela jamais aborreceu.

Antes que ele dissesse qualquer coisa, Silvia tratou de responder, tão logo o avistou:

— Não posso nem vou trazê-los aqui. Quem está chorando é o Bruno! Sim, meu irmãozinho Bruno! Vamos procurá-lo nós dois, já que este aqui está dormindo e não pode andar — esta última parte, disse sussurrando, receosa de ferir meus sentimentos. — Teremos de atravessar a Porta de Marfim!

— Vou perguntar a ele — disse o Professor, desaparecendo mais uma vez, para logo em seguida reaparecer, dizendo: — Ele deixou que fôssemos lá. Siga-me na ponta dos pés.

No meu caso, a dificuldade consistia exatamente em não andar na ponta dos pés, pois eu parecia flutuar, enquanto seguia Sílvia através do escritório, esforçando-me para pisar no chão, já que meus teimosos pés preferiam manter-se um pouco mais acima. O Professor ia à frente, a fim de destrancar a Porta de Marfim. De passagem, dei uma olhada no Outro Professor, que estava sentado, lendo, de costas para nós. Logo que passamos pela porta, o Professor fechou-a de novo. Bruno estava ali, de pé, chorando amargamente.

— Que foi que aconteceu, querido? — perguntou Sílvia, passando a mão atrás de seu ombro.

— Machuquei! Machuquei muito mesmo! — soluçou o infeliz.

— Coitadinho! Você se machucou sozinho?

— Claro que sim! Acha que não sou capaz de me machucar sozinho? Acha que preciso de ajuda para isso?

Lá vinha Bruno com sua mania de discutir a troco de nada. Antes que ele prosseguisse, intrometi-me na conversa:

— Conte-nos como foi que você se machucou.

— Deu na telha de meu pé levar um escorregão...

— Que telha? — estranhou Silvia. — Desde quando pé tem telha?

Bruno fingiu que não escutou o aparte e prosseguiu:

— Então, eu caí lá na beira do córrego, e dei com o pé numa pedra, e aí machuquei ele, e por cima de tudo ainda pisei numa abelha, que me deu uma bruta ferroada no dedão!

E o pobre garoto prorrompeu de novo em pranto sentido. O relato completo de suas desventuras fez romper seu dique de lágrimas, e ele prosseguiu entre soluços:

— E a danada sabia que eu não pisei nela por querer!

— Que abelha covarde! Ela devia sentir vergonha do que fez! — disse irmã, abraçando-o e beijando-o até que o choro cessou.

— Achou que meu dedão já está "desferroado" — comentou ele. — Pra quê existem pedras, né? Saberia me dizer, Senhor Doutor?

— Bem — respondi, — elas devem servir para alguma coisa útil, ainda que a gente não saiba para quê. Isso acontece. Veja o dente-de-leão, por exemplo: qual a sua serventia?

— O "dendilhão"? Ah, é uma flor bonitinha! E pedra, que nem bonitinha é, hein? Quer que lhe arranje uns "dendilhões", Senhor Doutor?

— Ora, Bruno — interrompeu-se Sílvia, em tom de reprovação, — já lhe disse para não tratar os outros de "Senhor" e "Doutor" ao mesmo tempo. É um ou outro!

— O que você disse foi para falar *dele* como "Senhor" e usar o "Doutor" para falar *com ele*.

— Então? Não são coisas diferentes?

— Mas que podem ser feitas ao *mesmo tempo*, Dona Sabichona! — exclamou ele triunfante. — Eu queria falar com ele ali sobre uma coisa que era dele ali; por isso, falei Senhor *Doutor*!

— Está certo, Bruno — disse eu, no intuito de encerrar a discussão.

— Certo e mais do que certo! — disse ele. — É a Sílvia que não entende nada de nada!

— E você que é o mais impertinente entre os impertinentes — retrucou ela, franzindo de tal modo o cenho, que seus olhos quase desapareceram sob eles.

— Falou a mais ignorante entre as ignorantes — tornou Bruno — Pare de discutir e venha conosco catar "dendilhão." (Para isso, até que ela serve.)

A última frase somente eu escutei, pois ele a disse sussurrando.

— Por que você pronuncia "dendilhão", Bruno? — perguntei, mudando de assunto. — O correto é "dente-de-leão".

— É porque ele não para de pular e dar pinotes — respondeu Sílvia, rindo.

— É verdade — concordou ele. — Sílvia me ensina as palavras certinhas, mas aí eu começo a pular, e elas chacoalham e misturam lá dentro da minha cabeça, chegando até a espumar!

Preferi aceitar a explicação, mudando novamente de assunto:

— E vocês vão ou não colher os "dendilhões" para mim?

— Claro que vamos! — respondeu Bruno. — Venha comigo, Sílvia!

E lá se foram os dois, correndo e saltando sobre a relva com a leveza e agilidade de dois jovens antílopes.

— E o senhor, Professor — voltei-me para o velho, — acabou não encontrando o caminho de volta para Estrangeirônia?

— Encontrei, sim! — replicou ele. — Não encontrei foi tal de Rua Esquisita, mas descobri um caminho melhor. De lá para cá, estive em Estrangeirônia diversas vezes. Eu tinha mesmo de estar lá por ocasião das Eleições, não é? Afinal de contas, fui eu o autor do novo Estatuto da Moeda. O Imperador teve a gentileza de creditar a mim toda a responsabilidade de sua autoria. Até me lembro de suas palavras, durante o discurso que ele fez. Foi assim: "*Aconteça o que acontecer, mesmo que o Regente esteja vivo (o que é pouco provável), vós todos testemunhareis que o novo Estatuto da Moeda se deve ao Professor, só a ele, e a mais ninguém, nem mesmo a mim*".

Enquanto repetia as palavras do Imperador, lágrimas rolavam pelo seu rosto, dando a impressão de que aquela lembrança não lhe seria das mais agradáveis.

— Quer dizer que o Regente talvez esteja morto?

— Supõe-se que sim, mas, note bem, eu não acredito nisso. A evidência é bem fraquinha: não passa de um diz-que-diz-que. Um bufão itinerante, que perambula por aí com um urso dançarino, esteve no Palácio certa vez e andou contando essa história, dizendo que, quando esteve em Duêndia, ouviu falar sobre a morte do Regente. Pedi ao Vice-regente que o interrogasse, mas, por azar, ele a Senhora Dona sempre estão viajando quando o tal bufão aparece pela capital do reino. Portanto, a verdade é que o Regente está supostamente morto...

E novas lágrimas rolaram pelas faces do bondoso velho.

— E que me diz do tal Estatuto da Moeda?

O Professor pareceu reanimar-se ao responder:

— Quem teve a ideia foi o Imperador. Ele quis dobrar a riqueza de todos os moradores de Estrangeirônia, a fim de adquirir popularidade. Mas as reservas do Tesouro não eram suficientes para isso. Teve ele então a ideia de dobrar o valor das moedas e notas do país. Quer coisa mais simples? Como é que ninguém pensou nisso antes? Pois foi o que se fez, e nunca se viu tanta alegria num dia só! As lojas, agora, ficam cheias, da manhã à noite! Todos estão comprando tudo o que podem!

— E o senhor foi exaltado por isso. Como aconteceu a homenagem?

De novo foi o Professor invadido pelo desalento:

— Tudo aconteceu quando regressei para casa, depois da Eleição. A intenção foi boa, mas bem que eu teria dispensado aquela homenagem. Bandeiras ondulavam em torno de mim, a ponto de não me deixarem ver coisa alguma. Sinos soavam tão alto que quase ensurdeci. Espalharam flores pelas estradas; tantas, que perdi o rumo de casa!

E o infeliz soluçou profundamente.

— Estrangeirônia fica muito longe daqui?

— A uns cinco dias de caminhada. Costumo ir e voltar, de tempos em tempos. Faço isso porque tenho de dar assistência contínua ao Príncipe Uggug. A Imperatriz fica muito zangada quando não estou ao lado dele, mesmo que seja por uma hora!

— Ué! Como assim? Cada vez que o senhor vem aqui, fica fora do país pelo menos durante uns dez dias, não é?

— Dez dias? Mais! Uns quinze! Mas como eu anoto o momento exato em que saí de lá, posso recuar o tempo para aquele instante, quando regresso.

— Desculpe-me, Professor, mas não entendi.

Sem responder, o Professor tirou do bolso um relógio de ouro de forma quadrada, dotado de uns seis ou oito ponteiros, e o estendeu para mim, explicando:

— Isso aí é um relógio estrangeironês...

— Bem que imaginei!

— ... dotado não da propriedade de acompanhar o tempo, mas sim da propriedade de comandar o tempo. Entendeu?

— Hmm... não muito...

— Eu explico. Se você não mexer nele, ele deixa o tempo correr normalmente, nem mais depressa, nem mais devagar.

— Pode-se dizer que todo relógio é assim.

— Veja bem: não é ele que acompanha o tempo, mas sim o tempo é que o acompanha. Por isso, se você altera o movimento dos ponteiros, altera simultaneamente o curso do tempo. Para a frente, não, pois é impossível fazer o tempo avançar, mas para trás, sim, e você pode fazer o tempo recuar até um mês — esse é o limite. Nesse caso, os eventos voltam a ocorrer, alterados de acordo com o seu desejo.

— Que relógio abençoado! — exclamei. — Por meio dele, você pode corrigir seus maus efeitos: uma palavra impensada, uma atitude imprudente... Pode fazer uma demonstraçãozinha?

— Com prazer — concordou o Professor, com um sorriso. — Veja aqui: se eu recuar o ponteiro para esta posição, atrasando-o quinze minutos, faremos a História recuar o mesmo tanto.

Trêmulo de excitação, esperei para ver o que acontecia.

— Machuquei! Machuquei muito mesmo!

Estrídula e subitamente, as palavras choramingadas ecoaram em meus ouvidos, e eu me voltei para quem as havia proferido, demonstrando mais espanto do que gostaria de aparentar. Sim, era Bruno, debulhado em lágrimas, sendo consolado por Sílvia, numa repetição da cena que eu presenciara quinze minutos atrás. Sem paciência para assistir ao desenrolar de todo aquele ato, pedi ao Professor que voltasse o relógio à posição original, e não tardou a vermos Sílvia e Bruno à distância, colhendo "dendilhões".

— Fantástico! — foi tudo o que consegui dizer.

— E ele tem outra propriedade mais maravilhosa ainda — disse o Professor. —Vê esse pininho aqui? É chamado de "Pino de Reversão". Aperte-o, e os acontecimentos da próxima hora ocorrerão de trás para diante. Não experimente agora, deixe-o para uma ocasião mais apropriada. Pretendo emprestar-lhe o relógio por uns dias, para você divertir-se um pouco.

— Oh, Professor, muito obrigado! Vou tomar todo o cuidado, fique tranquilo. Bem, as crianças estão de volta.

— Só achamos seis "dendilhões" — disse Bruno, entregando-me um pequeno ramalhete. — Sílvia achou que era hora de voltar. E aqui está uma amora para o senhor. Só achamos duas.

— Obrigado pelas flores e pela amora. Suponho que você tenha comido a outra, não?

— Não. Os "dendilhões" estão lindos. Gostou, Senhor Doutor?

— Muito! Mas você está mancando! Por quê?

— Meu pé resolveu doer de novo — disse ele em tom magoado, sentando-se no chão para soprar o pé dolorido.

O Professor bateu na cabeça, demonstrando ter esquecido alguma coisa, e disse:

— Isso aí, garoto, sopre o pé durante um minuto. Se não fizer bem, mal não fará. Ah, se eu tivesse comigo meus remédios... Sou o Médico da Corte — completou, voltando-se para mim.

— Quer que lhe traga umas amoras, querido? — perguntou Sílvia, afagando-lhe a cabeça.

— Boa ideia! — exclamou ele, reanimando-se subitamente. — Se eu comer uma amora, acho que a dor vai diminuir! Se comer duas, vai diminuir ainda mais. Se comer umas sete, vai quase desaparecer!

Sílvia levantou-se depressa, dizendo-me baixinho:

— Deixe-me ir, antes que ele ultrapasse a barreira da dezena.

— Irei com você — disse-lhe. — Posso apanhar as que estão nos galhos mais altos.

— Então vamos — concordou ela, dando-me a mão. — Bruno adora amoras, e mesmo assim fez questão de que eu comesse a única que tinha colhido.

— Ah, então foi você quem a comeu? Interessante...perguntei a ele, e não obtive resposta...

— É que Bruno detesta receber elogios. Ele não parece, mas é muito gentil... ei! Que é aquilo ali?

Agarrando minha mão com força ela dirigiu-se, de cenho franzido, até onde se via uma lebre estendida no chão, logo onde começava o bosque.

— É uma lebre, querida, não vê? Vamos deixá-la em paz. Deve estar dormindo.

— Não, não está — retrucou ela, com ar assustado. — Tem os olhinhos abertos! Acho que ela está... está... morta?

— Sim, querida — concordei, depois de examinar o pobre animalzinho. — está morta. Bem que vi ontem alguns caçadores, saindo com seus cães lebréus. Mas ela não foi atingida por um tiro. Deve ter fugido deles e acabou morrendo de pavor e exaustão.

— Coitada! Morreu de medo e de cansaço! Eu imaginava que a caça era uma diversão, uma espécie de jogo. Bruno e eu caçamos caracóis, mas não os machucamos, só brincamos com eles!

— Ah, santa inocência! Como poderei explicar-lhe a motivação dos caçadores? — sussurrei, sem que ela ouvisse. — Ouça, querida: você sabe que os leões e os tigres são ferozes e muito perigosos, não é?

Ela fez sim com a cabeça.

— Pois bem: nos países onde há tigres e leões, os homens às vezes têm de matá-los, para defender suas vidas.

— Se um leão quisesse me atacar, Bruno o mataria, ou pelo menos tentaria matá-lo.

— Assim, esses homens, os caçadores, acabam gostando dessa tarefa, da correria, das emboscadas, da balbúrdia, do risco...

— Entendo — concordou Sílvia. — Bruno adora o perigo!

— É bem verdade que aqui não há tigres ou leões à solta; por isso, o recurso que lhes resta é caçar outros animais — disse eu, na vã esperança de que essa explicação bastasse para encerrar o assunto.

— Sei que aqui caçam raposas — disse ela, com ar pensativo, — que são animais bravos, ferozes. Os homens não gostam delas. Mas... e as lebres. São ferozes?

— Não. A lebre é um bichinho manso, tímido, assustadiço, do mesmo modo que os cordeirinhos.

— Se os homens gostam delas, então por que... por que... — sua voz ficou engasgada e seus olhos encheram-se de lágrimas.

— Receio que os homens não gostem das lebres, querida.

— Mas as crianças adoram as lebres! E as mulheres também!

— Sinto dizer, mas também há caçadoras, embora em menor número...

— Oh, não! — exclamou ela, recuando assustada. — Duvido que as damas gostem de caçar. Lady Muriel, sei que não gosta!

— De fato, ela, não. Mas vamos embora daqui, querida. Vamos para longe desta visão triste.

Mas ela ainda não queria sair dali. De cabeça baixa e mãos cruzadas, perguntou, em tom abafado e solene:

— Será que Deus ama as lebres?

— Claro que sim! Ele ama todos os seres vivos. Ama até os pecadores! Que dizer dos animaizinhos, que nem sabem o que é pecado?

— Eu também não sei o que significa "pecado".

Dessa vez, preferi não tentar dar qualquer explicação.

— Vamos, querida. Dê adeus à lebre e vamos procurar amoras.

— Adeus, minha pobre lebre — disse ela obedientemente, olhando para trás, enquanto saíamos dali.

De repente, porém, perdendo o controle, soltou-se de minha mão, voltou correndo para onde estava o corpo da lebre e, arrojando-se ao chão, desatou a chorar, num acesso de tristeza tal que jamais imaginei ser possível de encontrar numa criança.

— Coitadinha, coitadinha — gemia e soluçava. — Como poderia ter sido linda a vida que Deus destinou a você!

De vez em quando, sem levantar do chão o rosto, estendia a mão e afagava a lebre morta, para de novo chorar como se seu coração estivesse partido.

Embora receando que aquilo lhe fizesse mal, achei, por outro lado, que deveria deixá-la esgotar todo seu reservatório de sentimento e dor. Depois de alguns minutos, os soluços foram cessando, até que ela se pôs de pé e me olhou tranquilamente deixando que as últimas lágrimas lhe rolassem pelas faces. Sem nada dizer, tomei-lhe a mão e comecei a andar para longe dali. Antes de seguir, ela ainda abaixou-se, beijou a lebre reverentemente e só então veio comigo, sem mais olhar para trás.

A tristeza infantil é muito intensa, porém breve. Assim, após um minuto, ela falou, já com sua voz natural:

— Ei, veja! Amoras! Lindas! Ali!

Enchemos as mãos com as frutas e voltamos depressa para o lugar onde Bruno e o Professor nos aguardavam. Antes de os alcançarmos, Sílvia parou e me disse:

— Por favor, não conte a Bruno sobre a lebre.

— Está bem, querida. Mas por quê?

Para que eu não visse as lágrimas que voltaram a encher seus olhos, ela se voltou para o lado, de modo que mal pude escutar sua resposta:

— É que ele gosta demais dos bichinhos mansos, sabe? Ele iria ficar muito triste se soubesse do que aconteceu com a lebre. E eu não gosto de vê-lo triste.

"E quem disse que eu gostei de vê-la naquela agonia, doce e generosa criança?", pensei comigo mesmo.

Sem nada mais dizer chegamos onde estavam os dois. Interessado em conhecer o resultado de nossa colheita, Bruno não notou qualquer coisa de diferente no semblante da irmã. Quanto a mim, dirigi-me ao Professor, perguntando:

— Será que está ficando tarde para o senhor, Professor?.

— Sim, temos de voltar e atravessar a Porta de Marfim novamente. Já ficamos aqui tempo demais.

— Se eu pubesse, ainda ficaria mais! — disse Sílvia.

— Só mais um minuto, Professor — rogou Bruno.

Mas ele fez que não com a cabeça e chamou-nos para o lado da Porta de Marfim. Obedientemente seguimos atrás dele, que abriu a porta e me disse:

— O senhor primeiro.

— Você também vem? — perguntei a Sílvia.

— Sim, mas o senhor não nos verá mais, depois que tiver atravessado.

— Mas suponha que eu prefira esperar por vocês do lado de fora — disse, parando antes de atravessar a porta.

— Nesse caso — disse Sílvia, — penso que a batata teria inteira justificativa de perguntar qual é o seu peso. Posso até imaginar um batatão de todo o tamanho recusando-se a discutir com qualquer um que pesasse menos de seis arrobas!

Com grande esforço, recobrei o fio dos meus pensamentos, comentando em seguida:

— Resvalamos para o absurdo numa rapidez incrível!

CAPÍTULO 22

Cruzando a Linha

Então, resvalvemos de volta para o senso comum das coisas — disse Lady Muriel. — Que me diz de outra xícara de chá?

"E não é que toda essa estranha aventura", pensei, "ocupou apenas o espaço de tempo de uma simples vírgula, na fala de Lady Muriel? Sim, uma virgulazinha de nada, daquelas que os gramáticos dizem representar o tempo que se leva contando um-dois! (Certamente o Professor tinha acertado o tempo para mim, de maneira a fazer-me recuperar a consciência no momento exato em que eu antes havia adormecido.)

Passados alguns minutos, quando já havíamos saído do Solar, a primeira observação de Arthur pareceu-me um tanto estranha:

— Estivemos lá durante vinte minutos, durante os quais nada mais fiz que ficar escutando vocês dois; entretanto, sinto-me exatamente como se eu é quem estivesse conversando com ela, durante pelo menos uma hora!

E era o que deveria ter ocorrido, sem dúvida; apenas, ele não sabia que o tempo tinha sido atrasado para antes dessa conversa, de modo que toda ela estava esquecida em sua mente, já que havia deixado de existir! Essa explicação, porém, preferi guardá-la para mim, pois eu valorizava muito minha reputação de homem sensato para me arriscar a perdê-la somente por dar com a língua nos dentes.

Por alguma razão que no momento não consegui adivinhar, Arthur esteve anormalmente sisudo e calado durante nosso regresso. Não devia ter coisa alguma a ver com Eric Lindon, já que este se encontrava em Londres há alguns dias. Ultimamente, Lady Muriel estava sendo, por assim dizer, "toda sua", pois eu me contentava em ficar escutando os dois, evitando qualquer tipo de aparte. Assim, teoricamente, devia estar especialmente radiante. Teria recebido alguma notícia má? Parecendo que havia lido meu pensamento, Arthur disse:

— Ele deverá chegar aqui no último trem.

Seu tom era o de quem estava há algum tempo mantendo uma conversação, e nunca o de quem acabava de iniciá-la.

— Refere-se ao Capitão Lindon?

— Sim, a ele mesmo. O Conde contou-me que ele deverá estar aqui hoje à noite, embora seja amanhã o dia em que ele tomará conhecimento de sua Comissão. Diz o Conde que ele está ansioso para saber em que consistirá essa

Comissão, mas fico me perguntando se é verdade, já que ele poderia tomar conhecimento dela primeiro, e vir para cá depois...

— Ele deverá ser informado por telegrama — disse eu, — mas de fato é pouco condizente com o feitio militar proceder desse modo, como se estivesse com receio de receber más notícias...

— Trata-se de um bom sujeito — disse Arthur, — mas confesso que eu apreciaria muito se a indicação de sua Comissão e das ordens de se apresentar ao lugar comissionado viessem todas ao mesmo tempo. De minha parte, desejo para ele todas as felicidades do mundo, exceto uma...

Nessa altura da conversa, chegamos à casa.

— Boa noite — despediu-se ele. — Não estou sendo uma boa companhia hoje; por isso, melhor ficar sozinho.

Praticamente nada havia mudado no dia seguinte. Arthur declarou que não estava disposto a sair, obrigando-me a uma caminhada vespertina solitária. Tomei a estrada que levava à estação ferroviária e, no ponto em que ela se entroncava com a rua do Solar, avistei meus amigos à distância. Pareciam estar vindo em minha direção. Esperei-os.

— Vem conosco? — perguntou o Conde, depois dos cumprimentos. — Este rapaz impaciente que aqui esta espera a chegada de um telegrama. Vamos até a estação aguardá-lo.

— Além do rapaz, há também uma moça muito impaciente — acrescentou Lady Muriel.

— Nem precisa dizer isso, filha — retrucou o pai. — Só de ser moça, já se sabe que é impaciente...

— Nada como um pai para apreciar nossas qualidades mais marcantes, não acha, Eric? — perguntou ela, em tom jocoso.

— E os primos, não contam? — disse ele, no mesmo tom.

Daí em diante, a conversa a quatro dividiu-se em dois diálogos, o dos jovens, à frente, e o dos dois velhos, atrás, seguindo em passos mais vagarosos.

— E quando voltaremos a encontrar aqueles seus dois amiguinhos? — perguntou o Conde. — Achei-os singularmente simpáticos.

— Logo que puder, vou trazê-los comigo. Só não sei quando poderá ser.

— Não quero submetê-lo a um interrogatório, mas não vejo problema em mencionar que Lady Muriel está ardendo de curiosidade a respeito dos dois. Conhecemos a maior parte dos moradores, e nunca antes havíamos deparado com aquela dupla. De onde são?

— Algum dia desvendarei o mistério. Por ora, porém...

— Espero que ela saiba suportar essa espera sem perder a paciência, o que não será nada fácil. Mas, por falar nisso, eis ali os dois!

De fato, lá estavam eles, aparentemente esperando por nós, sentados numa escada, onde deviam ter chegado há bem pouco tempo, já que Lady Muriel e seu primo não tinham dado conta de sua presença. Ao ver-nos, Bruno desceu e veio correndo ao nosso encontro, querendo exibir-nos, cheio de orgulho, o cabo de um canivete de lâmina quebrada, que ele havia achado na estrada.

— Para que serve isso, Bruno? — perguntei.

— Sei não — disse ele, despreocupadamente. — Pra alguma coisa ele deve servir.

— A primeira ideia que uma criança tem da vida — comentou o Conde, com seu sorriso doce e melancólico — é que se trata de um tempo durante o qual se deve colecionar o máximo possível de objetos portáteis. Com o passar dos anos, essa ideia vai-se modificando.

Dito isso, estendeu a mão para Sílvia, que olhava um tanto ressabiada para ele. Mas o velho era daquelas pessoas com quem a gente logo se acostuma e simpatiza — e não só a gente como as crianças, os animais e as fadas — e assim, não tardou para que ela trocasse minha companhia pela dele. Apenas Bruno permaneceu fiel ao velho amigo.

Alcançamos o casal de primos logo que chegamos à estação, e tanto Lady Muriel como Eric saudaram as crianças calorosamente, tendo ele dito:

— Quer dizer que você acabou indo a Babilônia à luz de velas?

— Não só fui, como voltei! — respondeu Bruno, sorrindo.

Espantada, Lady Muriel olhou para um e para outro, indagando:

— Ué! Você os conhece? A cada dia aumenta o mistério que cerca essa dupla de crianças!

— Isso significa que devemos estar em pleno terceiro ato — retrucou Eric. — Infelizmente, o mistério só costuma ser esclarecido no quinto...

— Isso é que é peça comprida! — exclamou ela, em tom de fingido aborrecimento. — Para mim, já estaríamos no quinto ato!

— Pois asseguro que estamos no terceiro. Cena: a plataforma de uma estação de trem. Luzes difusas. Entra o Príncipe (disfarçado, evidentemente) e seu fiel Secretário. Eis o Príncipe (e tomou a mão de Bruno) — e eis me aqui, humilde servo de Sua Alteza, a quem pergunto: que desejais?

E curvou-se numa exagerada mesura, enquanto Bruno retrucava:

— Servo coisa nenhuma! Você é "fidalgo"!

— Servo, Alteza, asseguro-vos. Refrescarei vossa memória, relatando meu currículo servil.

— Sou todo ouvidos — disse Bruno, entendendo a brincadeira e resolvendo participar dela. — você começou como engraxate, não foi?

— Antes fosse! Não, foi pior! Cheguei a oferecer-me como escravo, de certa feita! Escravo e confidente, não foi? — e voltou-se para Lady Muriel, que no momento tentava consertar as luvas, parecendo não ter escutado o que ele dissera.

— E sua oferta foi aceita?

— Oh, Alteza, infelizmente não! O jeito que tive foi tornar-me moleque de recados, função que exerço até hoje, — não é, prima?

— Sílvia, ajude-me aqui com essa luva, por favor. Não consigo abotoá-la.

— E no futuro — perguntou Bruno, — que espera ser?

— Quem sabe um cavalariço? Ou então um...

— Ora, Eric, assim, você deixa o menino tonto! — repreendeu Lady Muriel. — Que conversa mais sem sentido!

— Ou então um mordomo! Sim, é isso aí! Quarto ato! — exclamou Eric, mudando de tom subitamente. — Mais luz! Ligar o facho vermelho! Agora o facho verde! Barulho de trem à distância! Aproximando! Chega o trem no fundo da cena!

Nesse momento chegou de fato o trem de passageiros, e uma torrente humana começou a espalhar-se pela plataforma, procedente das bilheterias e da sala de espera.

— Gostei dessa ideia de transformar a vida real numa peça de teatro — disse o Conde. — Vamos nessa, que será divertido. A plataforma será nosso palco, dotado de entradas e saídas laterais. No fundo, a locomotiva resfolegante. Todo esse burburinho, toda essa confusão, tudo é aparente: trata-se de uma cena muito bem ensaiada. Excelentes atores, não? Que naturalidade! Que *performance*! Jamais encaram a assistência! Pode-se dizer que todos encarnam de fato seus papéis, sem errar as falas e sem fugir da marcação!

Tão logo comecei a encarar as coisas sob esse ponto de vista, tudo me pareceu admirável. Mesmo o carregador que passava com seu carrinho cheio de malas estava tão natural, representando tão realisticamente seu papel, que quase me pus a aplaudi-lo em cena aberta! Atrás dele vinha uma truculenta matrona de face rubicunda, arrastando duas crianças que em vão resistiam a seus puxões, enquanto ela se dirigia em altos brados a um tal de John, ordenando-lhe que andasse mais depressa.

Entrou em cena o John. Cabisbaixo, silencioso, sobraçando pacotes. Seguido por uma babá magrinha e de cara assustada, levando nos braços um neném gorducho. Aos prantos. Aliás, todas as três crianças se esgoelavam, num choro sem lágrimas.

— Atenção ao segundo plano! — comandou o Conde. — Observar o semblante aterrorizado da babá. Está simplesmente perfeito!

— É — comentei, — parece que vocês descobriram um novo e rico filão! Para a maior parte de nós, a vida e seus prazeres parece uma mina em fase final de exploração, quase esgotada!

— Quase esgotada? Não! — exclamou o Conde. — Para quem possui vocação teatral, não terminou senão a Abertura! Agora é que vai ter início o verdadeiro divertimento! Se você for a um teatro, pagar dez xelins e sentar-se numa poltrona da primeira fila, que irá ouvir e ver? Talvez um diálogo artificial entre dois falsos camponeses, vestidos ridiculamente, falando com sotaque caricatural, gesticulando com exagero, tentando constrangedoramente parecer engraçados, e tudo sem a menor naturalidade. Em vez disso, compre uma passagem de trem de terceira classe, e terá esse mesmo diálogo — verdadeiro, realista, natural! Você pode até dar-se ao luxo de se sentar defronte aos dois, sem que a cabeça dos músicos da orquestra perturbe sua visão, e pagando bem menos do que custa uma entrada de teatro!

— Isso me fez lembrar uma coisa — disse Eric. — Quem recebe um telegrama, nada tem a pagar. Vamos ver se o meu já chegou?

E lá se foram ele e Lady Muriel para o guichê do telégrafo.

— Será que Shakespeare estaria imaginando algo semelhante quando escreveu que "o mundo todo é um grande palco"? — perguntei.

— Por que não estaria? — replicou o Conde, rindo. — A vida é uma peça de teatro, um drama, só que sem pedidos de bis e sem ofertas de flores aos atores principais. Passamos metade do tempo lastimando as coisas que fizemos durante a outra metade.

Após uma curta pausa, prosseguiu, em tom alegre:

— E o segredo para "curtir" nosso papel é representá-lo com intensidade!

— Mas não no sentido moderno que se está dando a essa palavra. Vi outro dia uma charge no Punch, na qual uma jovem da sociedade perguntava a uma outra se ela era "intensa"...

— Oh, não! Refiro-me à intensidade espiritual, a uma atenção concentrada. Perdemos metade do prazer que a vida nos pode proporcionar por não prestar atenção aos fatos que nos rodeiam! Não importa quão banal seja o prazer: trate de desfrutá-lo intensamente! Suponhamos que Fulano e Beltrano estejam lendo o mesmo romance barato. Fulano não faz o menor esforço para captar as inter-relações entre os personagens, das quais provavelmente depende o interesse da história. Ele pula todas as descrições de paisagens e todas as passagens que desconfia serem desinteressantes. Quanto às outras, presta apenas uma atenção superficial. Por falta de outra opção melhor, vai dando sequência à leitura, até chegar à palavra "FIM", num estado de absoluta depressão e total aborrecimento! Enquanto isso, Beltrano mergulha de corpo e alma no tema, com base no princípio de que, "já que tem de ser feito, que seja bem feito". Destrincha as genealogias e as relações de parentesco, imagina feições e paisagens, interrompe a leitura nos momentos em que se sente cansado ou aborrecido, somente voltando a ela quando se interessa de novo pelo desenrolar da história. Ao ler a palavra "FIM", ele se sentirá como "um gigante retemperado"!

— Mas vamos supor que o romance seja efetivamente uma porcaria. Mesmo assim vale apena lê-lo com atenção?

— Examinemos essa hipótese. Fulano jamais chegaria a essa conclusão. Resmunga daqui, resmunga dali, e acaba lendo o livro todo, na esperança de acabar gostando do desfecho. Já Beltrano, após ler umas doze páginas, conclui que não vale a pena prosseguir. Então, fecha o volume, vai até a biblioteca e troca por outro. Mas tenho outra teoria acerca da melhor maneira de desfrutar os prazeres da existência — isso é, se não tiver esgotado a sua paciência. Receio que esteja achando estar diante de um velho tagarela a mais não poder.

— De modo algum! — protestei sinceramente, já que de não me sentia nem um pouco cansado de escutar aquela conversa amena, dita pela voz algo tristonha e gentil do Conde.

— Então, lá vai. Consiste em procurar desfrutar as alegrias rapidamente, e suportar nossas dores devagar.

— Não entendi. Pensei que seria justamente o contrário!

— Basta inventar dores, de preferência banais, sofrendo-as bem lentamente. Resultado: quando a verdadeira dor sobrevier, por mais pungente que seja, basta deixá-la transcorrer em seu ritmo normal, para que ela se esvaia num momento!

— Muito sensato. Mas e quanto aos prazeres?

— Desfrutando-os rapidamente, poder-se-á multiplicá-los durante a sua existência. Uma ópera, por exemplo: levamos cerca de três horas e meia para assistir a uma que muito apreciamos. Suponhamos que eu possa reduzir esse tempo para meia hora: poderei assistir a sete delas, no tempo que você leva para assistir a uma só!

— O difícil é encontrar uma orquestra capaz de executar sete óperas em três horas e meia...

— Será? — perguntou o velho, sorrindo. Costumo escutar uma ária, e não das mais curtas, bem tocada, com todas as variações, todos os arranjos, em três segundos!

— Quê! Como? — estranhei, começando a acreditar que estivesse dormindo de novo.

— Tudo começou com uma caixinha dc música que eu tenho. De certa feita, dei corda nela, e o mecanismo de regulagem do ritmo se quebrou. A corda disparou e, em três segundos, tocou toda a música, nota por nota, só que numa velocidade incrível.

— E deu para apreciar a música? — indaguei, com a severidade de um delegado de acareação.

— Dá primeira vez, não — confessou ele candidamente. — Mas desde então passei a treinar o ouvido, para acostumá-lo a essa nova forma se execução musical...

— Gostaria muito de experimentar essa novidade... — comecei a dizer, interrompendo-me ao ver Sílvia e Bruno que chegavam correndo, interessados em comentar alguma coisa com o Conde.

Deixei-os a conversar e voltei a passear pela plataforma, prestando atenção nos personagens daquela peça improvisada que ali estava sendo representada exclusivamente para mim. Súbito, voltam as crianças a passar correndo por mim.

— Ei! Já se cansaram do Conde, ou foi ele que se cansou de vocês?

— Nem uma coisa, nem outra — respondeu Sílvia com firmeza. — Ele quer um exemplar do jornal vespertino. Assim, Bruno vai assumir o papel de jornaleiro!

— Levem um que só traga boas notícias! E cobrem caro, porque vale!

Passados uns dois minutos, encontrei Sílvia na plataforma.

— E o jornaleiro, onde está? Foi compor o jornal?

— Ele está do outro lado, onde há uma banca. Lá vem ele voltando — disse ela, apontando para os trilhos. — Ah, Bruno, seu imprudente! Por que preferiu atravessar os trilhos, ao invés de vir pela passarela?

O resfolegar do Expresso já se fazia ouvir, aumentando a apreensão de Sílvia, que de repente se transformou em pavor.

— Oh! Ele tropeçou nos dormentes e caiu nos trilhos!

Como um raio, e antes que eu pudesse impedi-la, ela se arremessou para onde o irmão havia caído. Por sorte, o velho chefe da estação, apesar de ser asmático e não muito ágil, conseguiu segurar-lhe o braço, evitando desse modo o que talvez fosse sua morte certa. Paralisado ante a cena dramática, quase não vi um sujeito de terno cinzento que, rápido como o vento, atravessou a plataforma, saltou sobre os trilhos e, nesse exato momento, passou o Expresso, impedindo que presenciássemos o desfecho da cena. Teria salvo o garoto? Teriam morrido os dois?

Quando a nuvem de poeira levantada pelo comboio veloz baixou, deixando ver de novo os trilhos, constatamos com alívio que Bruno e seu salvador estavam sãos e salvos, do outro lado. Dando a mão ao garoto, Eric atravessou a linha com ele, enquanto dizia:

— Está tudo bem! Ele está mais assustado do que propriamente ferido.

Chegando à plataforma, ergueu o garoto, que logo foi colhido por Lady Muriel, e subiu em seguida, lépido e garboso como se nada houvesse acontecido.

Ajudei a jovem dama a segurar o garoto, receando que ele desmaiasse. Ainda trêmulo de susto, ele balbuciou:

— Quero... quero sentar... Onde está Sílvia?

A irmã abraçou-o, soluçando como se tomada por intensa dor. Eric tentou consolá-la, e ao mesmo tempo repreendê-la pelo gesto impensado:

— Vamos, menina, nada de choro! Você quase perdeu a vida por nada!

— Por nada, não: por ele! — replicou ela, indicando o irmão. — E sei que ele teria feito o mesmo por mim. Não teria, Bruno?

— É claro! — disse o garoto, ainda um tanto desnorteado.

Lady Muriel beijou-o em silêncio, enquanto o depositava no chão. Em seguida chamando Sílvia para junto de si, disse baixinho aos dois irmãos, mostrando o Conde, sentado ao longe num banco:

— Vão até lá tranquilizá-lo e mostrar que está tudo bem.

Depois, voltando-se para o herói do momento, disse-lhe:

— Achei que ele ia morrer! Ainda bem que você o salvou, Deus seja louvado! Você também esteve bem perto da morte!

— Eu vi que dava tempo — retrucou ele em tom de voz calmo. — Um soldado tem de saber calcular em termos de fração de segundo. Como vê, estou bem. Vamos ao telégrafo? O telegrama já deve ter chegado.

Fui até onde estavam o Conde e as crianças, esperar que os dois voltassem. Ali ficamos em silêncio, já que nenhum de nós se sentia inclinado a iniciar uma conversação. Bruno, semiadormecido, recostava a cabeça no regaço de Sílvia. Por fim, Eric e Lady Muriel voltaram. O telegrama não havia chegado.

— Vou dar um passeio com os meninos — disse eu, sentindo que já era hora de nos retirarmos. Logo que for possível, iremos visitá-los.

— Temos de voltar para o bosque — disse Sílvia, ao perceber que ninguém nos escutava. — Não podemos ficar deste tamanho por mais tempo!

— Quer dizer que vocês estarão miudinhos, da próxima vez que nos virmos?

— Sim — concordou Sílvia, — mas em breve poderemos retomar a aparência de crianças. E não vai demorar, porque Bruno está ansioso para ver Lady Muriel novamente.

— Ela é bonita pra burro! — disse ele.

— Será um prazer levá-los de novo à casa dela — disse-lhes. — Acho que eu deveria entregar-lhes o relógio do Professor para que o devolvessem, mas receio que ele seja grande demais para vocês, quando tiverem recuperado seu tamanho de duendes.

Bruno deu uma risada, deixando-me satisfeito de ver que já estava inteiramente refeito do susto terrível por que acabara de passar.

— Não teria problema, Senhor Doutor! Ele também fica pequenininho, igual a gente!

— Mas se o levarmos conosco — contrapôs Sílvia, — o senhor não mais terá a oportunidade de usá-lo. Assim, fique com ele, e use-o logo que puder. Quanto a nós, temos de voltar a ser pequenos quando o sol se põe. Até a vista!

— Tchau! — gritou Bruno, com uma voz sumida, distante.

Quando olhei em volta, não mais os vi. "Faltam apenas umas duas horas para o pôr do sol", pensei, enquanto seguia rumo ao vilarejo. "Tentarei aproveitar meu tempo o melhor que puder."

CAPÍTULO 23

Um Relógio Bem Diferente

Logo que entrei no vilarejo, deparei com duas mulheres de pescadores, despedindo-se à maneira feminina, naquele nunca acabar de "fechos de conversa". Ocorreu-me então experimentar ali mesmo o relógio mágico, deixando que a despedida terminasse, para então "bisá-la".

— Eh, comadre, então, boa noite, né? Não esquece de nos avisar quando a Martinha escrever, viu?

— Esqueço não! Se ela não se der bem por lá, ela volta né? Boa noite, comadre!

— Um observador casual diria, nesse ponto: "Aqui finda o diálogo." Qual o quê!

— Ela vai gostar, garanto pra você. Eles não vão tratar ela mal, mas sabe como é, né? Eles são gente boa! Então, boa noite!

— Ah, são mesmo! Boa noite!

— Boa noite. Esquece não: se ela escrever, conta para a gente.

— Conto sim, pode ficar sem susto. Boa noite!

— Boa noite!

Finalmente, separaram-se. Esperei até que estivessem umas vinte jardas uma da outra, e então atrasei o relógio um minuto. A mudança de cena foi instantânea: as duas logo estavam de novo nos lugares em que as havia visto inicialmente, e uma delas dizia:

— ... não se der bem por lá, ela volta, né? Boa noite, comadre!

E a longa despedida voltou a acontecer. Dessa vez, deixei que elas seguissem em paz seu caminho e entrei na cidadezinha. "A verdadeira utilidade desse maravilhoso invento", pensei, "é permitir que se evite um dano, uma tragédia, um acidente."

Não demorou a acontecer uma boa oportunidade de testar essa propriedade do relógio, pois pouco depois presenciei um acidente. À frente da única chapelaria existente em Elveston achava-se estacionada uma carroça carregada de caixas de chapéus, que o carroceiro levava uma por uma para dentro da loja. Nisso, uma das caixas caiu-lhe das mãos e foi rolando pela rua, chegando ao meio dela no exato momento em que um jovem ciclista dobrava a esquina. Na tentativa de desviar-se da caixa, ele acabou chocando-se contra o meio-fio, caindo e batendo de cabeça no chão. O carroceiro e eu corremos em sua direção, erguemo-lo do chão e o levamos para dentro da loja. Ele tinha um corte na cabeça e sangrava muito; além disso, havia esfolado a perna à altura do joelho. Viu-se logo que o melhor a fazer seria levá-lo até o ambulatório médico. Ajudei a acabar de esvaziar a carroça e a pôr dentro dela o infeliz, e logo em seguida o carroceiro seguiu com ele rumo ao ambulatório. Foi então que me lembrei de usar o poder do relógio mágico para desfazer todo aquele infausto acontecimento.

— Chegou a hora do teste — murmurei, atrasando em alguns minutos o relógio.

Agora sem surpresa, presenciei a cena anterior ao acidente. Ao ver a caixa de chapéus caindo ao chão, corri, apanhei-a e a recoloquei na carroça, dando passagem ao ciclista que acabava de virar a esquina, e que logo desapareceu atrás de uma nuvem de poeira.

"Que maravilha", pensei. "Quanto sofrimento não seria possível aliviar, ou mesmo eliminar!"

Assim, num arrebatamento de satisfação, deixei os minutos passarem, para ver o que acontecia quando chegasse o momento em que eu havia atrasado os ponteiros.

E o resultado foi aquele que, se houvesse considerado as coisas cuidadosamente, bem poderia tê-lo previsto: ao atingir o segundo exato, a carroça, o que nessa altura já se afastava do local, reapareceu em frente da loja e, sem embargo do sonho dourado que me deslumbrou, da fantasia que tanto júbilo me causou, dentro dela estava o jovem acidentado, cabeça reclinada sobre umas almofadas, a face contraída, revelando a dor que sentia e que suportava estoicamente.

"Oh, engenhoca decepcionante!", resmunguei, enquanto saía da cidadezinha e tomava a estrada que me levava até a pensão onde estava hospedado. "Todo o bem que fantasiei dissolveu-se no ar como um sonho! O que atrapalha este nosso incômodo mundo é a sua realidade permanente e inexorável!"

Recordo agora uma experiência muito estranha, porém, antes de apresentar meu relato, acho melhor liberar meu tolerante leitor de qualquer obrigação que porventura sinta de ter de acreditar no que vou dizer agora. Confesso que eu próprio não acreditaria nessa história, não a tivesse presenciado com meus próprios olhos. Assim, por que esperar que nela creia alguém que provavelmente jamais participou de um tal tipo de experiência?

Passava eu diante de uma aprazível casa de campo que ficava algo recuada da estrada, tendo à frente um jardim coberto de flores de colorido variegado. Trepadeiras subiam pelo muros e paredes pendendo festões em torno das claraboias. Na relva, uma espreguiçadeira fazia sombra a um jornal esquecido no chão, enquanto um jovem buldogue vigiava as folhas abertas, resolvido a proteger aquele tesouro mesmo que com o sacrifício da própria vida. Vendo a porta da frente convidativamente semiaberta, pensei comigo: "Eis a oportunidade de testar o mecanismo de ação reversa deste relógio!"

Pressionei o "pino de reversão" e entrei. Em outra casa, a entrada de um estranho deveria causar surpresa, ou mesmo irritação, podendo até acarretar a expulsão violenta do intruso. Ali, contudo, nada iria acontecer, conforme eu já podia prever. O que seria o curso ordinário dos acontecimentos — a chegada inesperada de um desconhecido, precedida pelo rumor de seus passos, seguida de sua aparição e arrematada pela pergunta: "Que quer o senhor?" — teria, agora de ocorrer de trás para diante, começando pela pergunta, seguida do olhar espantado, depois do rumor dos meus passos, para terminar em total alheamento acerca de minha pessoa, por parte dos presentes. Quanto a ser expulso dali violentamente, só se tudo começasse por esse fato. "Portanto", pensei, "se eu entrar na casa, não há qualquer risco de ser expulso dali".

O buldoguinho sentou-se, indicando estar alerta, no momento em que passei por ele; porém, como não fiz menção de surripiar o tesouro que ele estava guardando, deixou-me passar sem sequer um rosnado de advertência. "Se quiser tirar-me a vida", deveria estar ele pensando, "pouco me importa, mas ai dele se quiser tirar de mim este Daily Telegraph!" E por que iria eu desafiar aquela medonha ferinha?

O grupo reunido na sala de estar — eu havia entrado ali sem tocar a campainha ou dar qualquer sinal de minha chegada — era constituído de quatro meninas rosadas e sorridentes, de idades entre dez e quatorze anos, que acabavam de entrar pela porta interna (andando curiosamente de costas), e de sua mãe, sentada junto à lareira, tendo nas mãos uma peça de pano, agulha e linha. No momento em que entrei, ela estava dizendo:

— Muito bem, filhas; agora vocês podem ir distrair-se um pouco.

Para meu espanto — pois ainda não me acostumara ao efeito produzido pelo relógio, — "desvaneceram-se todos os sorrisos", como na poesia de Browning, das quatro faces rosadas, e todas apanharam também seus panos e suas agulhas, tirando-os de dentro das gavetas de uma cômoda. Ninguém notou minha presença, enquanto eu entrava calmamente e me sentava para contemplar a cena.

As meninas sentaram-se, desdobraram as peças de pano e já pareciam prontas para inteiramente começar a costurar, quando a mãe falou:

— Já é suficiente. Podem guardar suas coisas.

Mas elas pareceram nem dar atenção à ordem, pois, ao invés de cumpri-la, puseram-se a trabalhar diligentemente, costurando de um modo que eu jamais havia presenciado antes. Elas enfiavam as agulhas no pano pelo lado rombudo, segurando-as pelas pontas, e ajudadas por uma estranha força que repuxava as linhas, fazendo-as passar através do furinho, trazendo as agulhas atrás de si. Nesse instante, os hábeis dedos das costureirinhas pegavam as agulhas pelo lado correto, mas, ao invés de empurrá-las, puxavam-nas, soltando-as de tempo em tempos. Na verdade, o que elas estavam fazendo era não costurando, mas sim descosturando os panos. As peças iam-se soltando, os pespontos desaparecendo, e desse modo todo o trabalho acabava se perdendo. De vez em quando, uma delas interrompia a tarefa, tirava a linha da agulha enrolava-a no carretel com incrível habilidade, e recomeçava o trabalho, com uma linhazinha de nada na ponta da agulha, a qual aos poucos ia crescendo e aparecendo.

Finalmente, desfeito todo o trabalho, mãe e filhas levantaram-se e, sempre caminhando de costas, seguiram para a sala de refeições. Tão logo transpôs a porta, a mãe disse uma frase que me pareceu desprovida de sentido:

— Não, não, não. Primeiro, a costura!

Logo em seguida, já não me surpreendi ao escutar outra frase ainda mais sem nexo, dita por uma das filhas:

— Oh, Mamãe, está um dia lindo para um passeio!

Na sala de trás, a mesa estava posta, embora com pratos sujos e travessas vazias. Sentadas à mesa, além da mãe e das quatro meninas, havia agora um senhor de aparência simpática. Aliás, todos os seis pareciam estar bastante satisfeitos. Foi então que teve início a refeição.

Vocês já viram alguém comendo uma torta de cerejas, e de vez em quando tirando da boca um carocinho e colocando-o no canto do prato? Algo desse gênero acontecia durante todo o tempo, enquanto transcorreu aquela refeição extravagante (se não mesmo repugnante!). O garfo vazio era erguido e levado à boca, e dela saía cheio, geralmente com um pedaço de carne, que era descido até um bife, no prato, onde, com o auxilio de uma faca, grudava-se a ele, tornando-o cada vez maior. Num dado momento, a senhora levantou-se, apanhou o prato do cavalheiro, no qual havia um bife inteiro e duas batatas cozidas, devolvendo tudo aquilo para a travessa! Não tardou e repetiu a cena consigo própria e com cada uma das filhas!

E a conversa à mesa? Era ainda mais desconcertante que seu modo de comer! Começou com a caçulinha ficando de cara emburrada e dizendo para uma de suas irmãs, sem qualquer provocação anterior:

— Sua mentirosa de uma figa!

Esperei que a outra reagisse zangada, mas em lugar disso, ela trocou com o pai um sorriso maroto e disse, num sussurro destinado a ser escutado por todos:

— O que ela quer é ser a noiva!

O pai ficou sério e resolveu participar daquela conversa de lunáticos, dizendo para a filha mais velha:

— Ah, é? Então, conte para mim em segredo.

De fato, aquelas meninas nunca cumpriam as ordens que lhes eram dadas; assim, em lugar de segredar para o pai, o que ela fez foi olhar para a irmãzinha e dizer em voz alta:

— Claro que não! Todo o mundo sabe o que é que a Dolly quer!

Dolly apenas deu de ombros, fez casinha de birra e disse, séria:

— Para com isso, hein, Pai! O senhor sabe que não vou ser dama de honra de ninguém!

— Dolly vai ser a quarta! — foi a resposta idiotíssima do pai.

Nesse momento, outra filha meteu o bedelho na conversa, dizendo:

— Já marcaram, Mãe! Já, sim! Mary nos contou! Vai ser numa quarta-feira, daqui a quatro semanas. Três priminhas dela vão ser suas damas de honra!

— Garanto que Mary não esquece o nome dele! — disse então a senhora, rindo. — Espero que já tenham marcado a data do casório. Não gosto de noivados longos.

A estranha réplica da outra filha foi a seguinte:

— Sabe, Mãe? Passamos hoje lá no sítio do Cedro, e vimos a Mary Davenant, na porta, despedindo-se daquele moço... ah, esqueci o nome dele. É claro que viramos o rosto, para não ficar olhando...

Nessa altura dos acontecimentos, eu já estava tão desesperadamente confuso, que suspendi a escuta e deixei a sala, entrando na cozinha.

Já que você, ó hipercrítico leitor, não acredita, mesmo, em coisa alguma do que estou dizendo, prefiro não lhe contar que ali vi uns belos nacos de carne enfiados no espeto, lentamente "desassando", enquanto a cozinheiro "vestia" as batatas com suas cascas, entregando-as depois ao jardineiro, que seguia de costas para a horta, a fim de enterrá-las; nem vou contar que o naco de carne, finalmente, acabou ficando cru, à medida que o fogo ia ficando fraquinho, até reduzir-se a mera chama azulada, que a cozinheira, como num passe de mágica, colheu na ponta de um fósforo; muito menos contarei que ela, depois de tirar o naco de carne crua do espeto, enrolou-o num papel pardo, saiu da cozinha com ele (evidentemente, de costas) e o entregou a um açougueiro, que logo também foi andando "de fasto" até sua carroça, estacionada à frente da casa.

Quanto mais pensava sobre essa mirabolante aventura, mais intrincado me parecia o mistério que a envolvia, e foi com efetivo sentimento de alívio que encontrei Arthur na estrada, pedindo-lhe que fosse comigo até o Solar, a fim de tomar conhecimento dos dizeres do tal telegrama. Contei-lhe, enquanto caminhávamos, o que nos havia acontecido na estação ferroviária; quanto ao que me sucedeu depois, preferi não dizer palavra.

Ao chegarmos, encontramos o Conde sentado sozinho na sala.

— Que bom tê-los por aqui! Estou precisando de companhia. Muriel recolheu-se à cama (toda aquela excitação matinal foi demais para ela) e Eric foi para o hotel, a fim de arrumar suas coisas, já que deverá seguir hoje mesmo para Londres.

— Quer dizer que o telegrama chegou? — perguntei.

— Não sabia? Ah, sim, é que ele chegou depois que nos separamos. Está tudo bem: Eric recebeu sua Comissão e, agora que ele e Muriel já acertaram os ponteiros, terá de voltar à capital para fazer seus preparativos.

— Que significa "acertaram os ponteiros"? — perguntei, aflito, imaginando a angústia que deveria estar tomando conta do meu pobre amigo. — Posso entender com isso que eles ficaram noivos?

— De certa maneira, eles estão noivos há dois anos. — respondeu o Conde. — Já consenti no casamento, mas desde que ele tivesse conseguido uma situação estável. Eu não toleraria imaginar minha filha casada com alguém que não tivesse um objetivo na vida, algo por que lutar, ou mesmo por que morrer.

— Espero que eles sejam felizes — disse uma voz estranha e inesperada, que nos fez olhar em torno surpresos, sem saber de quem poderia ser.

Era Arthur que havia falado, com uma voz inteiramente diferente da sua habitual. Seu semblante estava abatido, e seus olhos pareciam embaçados e sem luz.

— O senhor também está de parabéns, meu caro Conde — acrescentou, no mesmo tom surdo de antes.

— Muito obrigado — agradeceu o Conde, com um sorriso.

Seguiu-se o silêncio, e eu me levantei, na certeza de que Arthur gostaria de sair dali e ficar um bom tempo a sós. Murmurei "boa noite" para meu gentil anfitrião, enquanto Arthur apenas apertou-lhe a mão, sem nada dizer.

Seguimos para casa, calados e cabisbaixos. Apenas quando apanhamos as velas para seguir cada qual para seu quarto, foi que Arthur quebrou o silêncio, falando antes para si próprio que para mim:

— "*É o coração que conhece sua própria amargura*". Eu nunca havia entendido antes essas palavras, como entendo agora...

Os dias seguintes foram tremendamente enfadonhos. Não senti vontade alguma de visitar o Solar; menos ainda de propor a Arthur ir até lá comigo. Pareceu-me melhor esperar que o Tempo, esse manhoso curandeiro de nossas mais tristonhas dores, o ajudasse a se recuperar do chocante desapontamento que arruinara sua vida.

Assuntos de negócio logo exigiram minha presença na Capital, e fui avisar Arthur de que deveria deixá-lo por uns dias.

— Mas espero poder regressar dentro de no máximo um mês. Se pudesse, permaneceria com você, pois não creio que lhe faça bem ficar aqui sozinho.

— De fato — concordou ele, — não pretendo enfrentar a solidão por muito tempo, aqui neste lugar. Tenho tentado acostumar-me à ideia de aceitar um posto que me foi oferecido na Índia. Ali, tão longe, suponho poder encontrar algum objetivo na vida, já que atualmente nada me motiva a viver. "*Resguardo minha vida da injúria e do erro, por ser ela um dom de Deus, mas pouco me importo se vier a perdê-la.*"

— Belas palavras essas, ditas por seu xará — disse eu. — Foi pesadíssimo o golpe que ele sofreu, mas mesmo assim conseguiu sobreviver!

— Concordo: o golpe que ele sofreu foi mais duro que o meu — disse Arthur. — A mulher que ele tanto amava revelou-se uma falsa. Nada semelhante a isso empana em minha mente a imagem de... de... — calou-se, sem dizer o nome dela, mudando logo de assunto: — Quer dizer, então, que você voltará.

— Sim, espero poder vir aqui, em breve.

— Ótimo — disse ele. — Nesse meio tempo, escreva-me e conte as novidades suas e de seus amigos. Quando eu estiver estabelecido, tratarei logo de lhe informar meu novo endereço.

CAPÍTULO 24

A Festa Anual das Rãs

E aconteceu que, exatamente uma semana depois de meus amiguinhos terem aparecido pela primeira vez sob a forma de crianças, estava eu dando um passeio através do bosque, na esperança de encontrá-los mais uma vez. Para tanto, bastaria espichar-me na relva macia, já que me encontrava naquele momento dominado pelo sentimento de "eerie".

— Ponha sua orelha aqui bem baixinho — disse Bruno, — e vou contar para você um segredo! Hoje é dia de aniversário da Rã, e nós acabamos de perder o bebê!

— Que bebê? — perguntei, intrigado com as estranhas notícias que acabava de receber.

— O filhinho da Rainha, ora! O bebê de Titânia! Tamos tristes de verdade! Sílvia, então, nem te conto!

— Ah, conta!... — supliquei.

— Já que você pediu... — disse ele, fechando os olhos para que eu não visse que estava sorrindo. — Ela está mais triste do que eu. Três palmos mais triste.

— E que providências estão vocês tomando para encontrar Bebê?

— Bem, os soldados estão investigando por aí tudo!

— Soldados? — estranhei.

— Claro! Quando eles não estão guerreando, fazem uns trabalhinhos extras.

Divertiu-me imaginar que a procura de um bebê perdido fosse um "trabalhinho extra" de militares; enfim...

— Como foi que o perderam? — perguntei.

— Pusemos o bebezinho numa flor — explicou Sílvia que acabava de chegar, enquanto enxugava os olhos. — Mas acontece que não conseguimos lembrar qual foi a flor...

— Ela tá dizendo que a gente pusemos ele numa flor — intrometeu-se Bruno na conversa — só para não me castigarem, mas quem pôs ele na flor fui eu. Naquele momento, Sílvia estava colhendo "dendilhão".

— Você não deve dizer "a gente pusemos", Bruno — repreendeu Sílvia.

— Tá bem, tá bem: a gente ponhamos. O que importa é que a gente não lembramos em que flor ele está.

— Vou ajudá-los a procurar — disse, encerrando a discussão e saindo com Sílvia pela mão, numa "viagem de descobrimento" que acabou dando em nada.

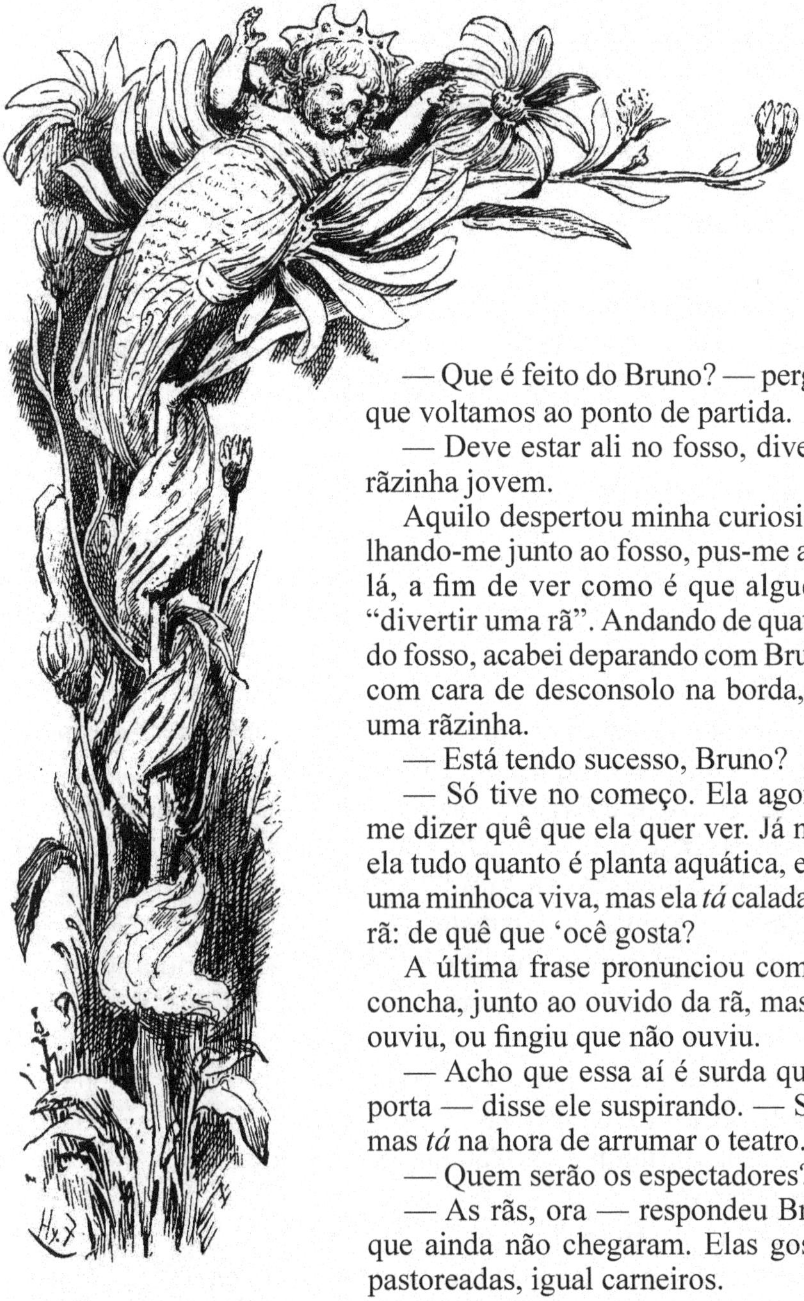

— Que é feito do Bruno? — perguntei, logo que voltamos ao ponto de partida.

— Deve estar ali no fosso, divertindo uma rãzinha jovem.

Aquilo despertou minha curiosidade. Ajoelhando-me junto ao fosso, pus-me a olhar para lá, a fim de ver como é que alguém poderia "divertir uma rã". Andando de quatro ao longo do fosso, acabei deparando com Bruno, sentado com cara de desconsolo na borda, ao lado de uma rãzinha.

— Está tendo sucesso, Bruno?

— Só tive no começo. Ela agora não quer me dizer quê que ela quer ver. Já mostrei para ela tudo quanto é planta aquática, e até mesmo uma minhoca viva, mas ela *tá* calada. Olha aqui, rã: de quê que 'ocê gosta?

A última frase pronunciou com a mão em concha, junto ao ouvido da rã, mas ela ou não ouviu, ou fingiu que não ouviu.

— Acho que essa aí é surda que nem uma porta — disse ele suspirando. — Sinto muito, mas *tá* na hora de arrumar o teatro.

— Quem serão os espectadores?

— As rãs, ora — respondeu Bruno. — Só que ainda não chegaram. Elas gostam de ser pastoreadas, igual carneiros.

— Para economizar tempo — sugeri, — vá arrumando o teatro, enquanto Sílvia e eu arrebanhamos as rãs e as conduzimos para lá.

— Boa ideia! Boíssima! Mas... "quedê" a Sílvia?

— Aqui! — disse ela, surgindo na borda do fosso. — Estava assistindo a uma corrida travada entre duas rãs.

— E qual delas ganhou? — perguntou Bruno.

— Não sei — respondeu ela, prosseguindo baixinho, só para mim: — Ele me faz cada pergunta difícil de responder!

— E qual vai ser a programação de hoje? — perguntei.

— Primeiro, vamos comemorar o aniversário — respondeu ela. — Depois, Bruno vai representar alguns "trechos selecionados de Shakespeare". Por fim, ele vai contar para elas uma história.

— Creio que elas apreciarão mais a primeira parte, a da festa. Teremos docinhos, não é?

— Sim, teremos, mas as rãs quase não os comem. Elas ficam de boca fechada, assim, veja — e ela cerrou os lábios com força; — acho que é porque não apreciam as receitas do Bruno, já que é ele quem faz os doces. Pronto. Elas já estão nos lugares. Pode me ajudar a voltar a cabeça delas para o lado certo?

Isso foi feito rapidamente, mas elas pareceram não gostar muito, pois coaxaram o tempo todo.

— Estão reclamando de alguma coisa — comentei. — Que dizem?

— Estão dizendo "garfo, garfo; garfo, garfo". Que tolice! Ei, vocês! Não vão comer de garfo, não, ouviram? Quem quiser um doce, abra a boca, que Bruno põe um lá dentro!

Nesse momento, Bruno apareceu, vestindo um avental branco, para indicar que era o cozinheiro, e trazendo consigo um tacho cheio de uma espécie de mingau de aspecto um tanto esquisito. Examinei-o caminhando por entre as rãs, mas não vi uma única que abrisse a boca para ganhar sua colherada. Minto: uma delas abriu a boca, creio que acidentalmente, com a mera intenção de bocejar, mas foi o suficiente para receber uma colherada bem cheia do tal mingau, tendo logo em seguida um terrível acesso de tosse.

O que sobrou (praticamente tudo) devia ser dividido entre nós dois. De minha parte, só me arrisquei a provar uma colherada daquilo que Bruno chamava de "mingau frio de verão" e confesso que ele não poderia de fato ser chamado de saboroso. Digo mesmo que entendi o porquê de nenhuma rã querer abrir a boca para prová-lo. Minha opinião parecia ser compartilhada por Sílvia, que se esforçava para engolir um bocado daquilo, sem fazer cara feia. Logo depois, ela perguntou:

— É mingau de quê, Bruno?

A resposta que ele deu não nos animou a prosseguir com a degustação:

— De um punhado de coisas!

A próxima parte constaria da representação de "trechos selecionados de Shakespeare", pelo grande ator Bruno, o papel de Sílvia seria apenas o de manter as cabeças das rãs voltadas para o palco. E a última parte, como se disse, seria a da narração de uma história, novamente a cargo de Bruno, mas dessa vez sem qualquer traje especial.

Enquanto Bruno vestia-se para representar o primeiro trecho, perguntei a Sílvia:

— A história que ele conta acaba com uma moral?

— A famosa "moral da história"? Nem sempre ela vem ao final da história; às vezes vem no meio, ou até mesmo no princípio!

— E quanto aos "trechos selecionados", como são? Ele lê, ou declama de cor?

— Não, ele só representa. Só faz a mímica. Bruno não sabe de cor as palavras. A gente tem de adivinhar qual é o personagem, pela roupa que ele está usando. Logo que eu adivinho, conto para as rãs. Elas também gostam de tentar adivinhar. Se o senhor prestar atenção, verá que elas ficam perguntando, o tempo todo: "Quem é? Quem é?"

Fiz o que ela sugeriu, e de fato escutei-as a perguntar "Quem é? Quem é?", embora também me parecesse, uma vez ou outra, que elas estavam dizendo mesmo era "Crooc! Crooc!"

Achei algo estranho que elas perguntassem "quem é" antes de ver os trajes de Bruno e indaguei Silvia a esse respeito.

— Não sei por que elas agem assim. Deve ser porque são afobadas. Às vezes elas começam a perguntar "Quem é?" semanas antes da festa!

(Da próxima vez que escutarem as rãs fazendo essa pergunta, já sabem o que é que elas estão querendo adivinhar. Não é legal?)

O coro das adivinhadoras foi logo silenciado por Bruno, que surgiu subitamente no palco, saltando acrobaticamente no meio das rãs, para "pôr ordem na casa". Acontece que uma rãzona velha e gorda, que até aquele momento não tinha conseguido cnxcrgar o palco, e por isso nem fazia ideia do que acontecia por lá, começou a ficar impaciente, pondo-se a virar as demais rãs, ou de cabeça para baixo, ou de cabeça para trás. "Ora, disse Bruno, de que vale representar um trecho de Shakespeare, quando ninguém está olhando para você?" (Ninguém é modo de dizer, pois eu estava olhando para o palco.) Assim, com auxílio de uma vara, ele foi desvirando as rãs uma por uma, até que todas estivessem pelo menos com um dos olhos voltados para o palco.

— Senta no meio delas, Sílvia! — implorou ele. — Me ajuda a manter as caras viradas pro palco! Tem duas ali que estão querendo brigar! Separa!

Enquanto Sílvia assumia seu papel, Bruno desaparecia atrás da cortina, para terminar de se vestir. De repente, ei-lo que reaparece, revelando em alto e bom som o nome de seu personagem:

— Hamlet!

O coaxar cessou, e eu voltei os olhos para o palco, curioso de saber a ideia que tinha Bruno de como seriam os gestos e trejeitos daquele personagem que só grandes atores se atrevem a representar.

De acordo com esse eminente intérprete da grandiosa tragédia shakespeareana, Hamlet vestia uma capinha preta, usando a gola para esconder a bochecha, como se estivesse padecendo de terrível dor de dentes. Quando caminhava, pisava com os pés bem abertos. De repente, sorrindo animadamente, gritou:

Harry Furniss

— Ser eu não ser!!!

E, logo em seguida, pôs-se a dar cabriolas pelo palco, deixando a capa cair durante essa inesperada sessão de malabarismo.

Fiquei um tantinho desapontado. A concepção que Bruno fazia daquele personagem pareceu-me carecer um pouco de dignidade. Voltando-me para Sílvia, sussurrei:

— Ele não vai dizer outras falas?

— Acho que não. Quando ele começa a dar saltos mortais, é porque não sabe mais o que deveria dizer.

Para encerrar qualquer dúvida a esse respeito, Bruno desapareceu atrás do palco, enquanto as rãs recomeçavam a perguntar quem seria o próximo personagem a ser representado.

— Calma! — ordenou Sílvia. — Vocês logo haverão de saber!

Ao ensejo, virou de cabeça para cima três rãzinhas que haviam revirado. E foi ela quem adivinhou o nome do personagem seguinte, ao ver de novo o grande ator que reaparecia:

— Macbeth!

Um pano enrolado no peito, passando sobre um ombro e sob o outro braço, devia representar, acredito, uma capa escocesa. Numa das mãos, Macbeth trazia um espeto, segurando-o bem distante do corpo, como se receoso de se fincar. Voltando-se para a assistência, perguntou, com ar maroto:

— Isto aqui é uma adaga?

Do meio das rãs ergueu-se um coro de "Né não! Né não!", logo abafado pela voz de Sílvia, que declarou peremptoriamente:

— É adaga sim! Calem a boca!

Shakespeare não nos revelou, a propósito de Macbeth, que ele tinha o hábito de dar saltos mortais quando a sós, mas Bruno parecia considerar essa excentricidade do personagem parte essencial de seu caráter, deixando o palco novamente de maneira bastante acrobática.

Em questão de segundos, reapareceu, dessa vez com um tufo de lã pregado no queixo, barbaça magnífica, que lhe descia até os pés e que certamente lhe havia sido "emprestada" alguma ovelha desgarrada que perambulava por ali.

— É Shylock! — gritou Sílvia, corrigindo-se logo em seguida: — Não, não! É o Rei Lear! Eu não tinha notado a coroa!

De fato, Bruno havia cortado o miolo de um dente-de-leão, deixando a coroa de pétalas que se encaixava perfeita em sua cabeça.

Depois de cruzar os braços (creio que para não deixar a barba cair), o Rei Lear declarou, em voz alta e clara:

— Eu sou o Rei, de cabo a rabo!

Em seguida, calou-se, certamente imaginando como é que aquilo poderia ser comprovado, sem deixar margem a qualquer dúvida. E neste ponto, embora reconhecendo as qualidades de Bruno como ator, devo dizer, como entendedor da obra de Shakespeare, que desconheço ter o Bardo colocado em três de seus grandes heróis trágicos um costume tão estranhamente idêntico de dar saltos mortais, nem creio que a habilidade em plantar bananeira constitua prova efetiva de que a pessoa seja possuidora de sangue azul. Entretanto, ao que parece, o Rei Lear, após profunda meditação, nenhum outro argumento encontrou para comprovar sua ascendência real do que sair cabriolando pelo palco. E desse modo encerrou-se a segunda parte da comemoração, já que Bruno nunca representava mais do que três "trechos selecionados de Shakespeare", conforme Sílvia me explicou.

Depois de brindar a assistência com uma bela série de saltos mortais, Bruno finalmente se retirou, deixando as rãs extasiadas, todas gritando "Mais outro!", que suponho ser sua maneira de pedir bis. Mas Bruno não reapareceu no palco, onde somente voltaria a pôr os pés (e talvez também as mãos) para a terceira parte do show: na hora de contar uma história.

Quando ele reapareceu, dessa vez sem qualquer disfarce, observei uma verdadeira reviravolta em seu comportamento. Nada de saltos mortais! Aquilo era um hábito que se encaixava bem na personalidade trêfega de Hamlet ou do Rei Lear, mas nunca na de Bruno! Este jamais deixaria que sua dignidade fosse rebaixada, expondo-se à vista de todos como se não passasse de algum saltimbanco vulgar! Mas via-se também que ele não se sentia inteiramente à vontade, sozinho naquele palco, sem qualquer disfarce para encobrir seu constrangimento.

Devia ser por isso que ele começou a contar sua história um sem-número de vezes ("Era uma vez um Ratinho..."), parando em seguida, olhando pra cima e pra baixo, depois para os lados, em busca de um lugar mais confortável para ali ficar. É que um dos lados do palco havia uma dedaleira que fazia uma boa sombra, e que o vento fazia oscilar de vez em quando, dando a impressão de que aquele canto devia estar mais confortável que o centro do palco. Melhor ainda seria subir naquela árvore, deve ter pensado Bruno, que em dois segundos trepou até onde não havia risco de cair, sentando-se escarranchado sobre um galho, de onde tinha uma excelente visão dos assistentes. Aquela posição superior acabou de uma vez por todas com sua timidez, e ele logo reiniciou a história, dessa vez de maneira sequente.

— Era uma vez um Ratinho, e um Crocodilo, e um Homem, e um Bode, e um Leão.

Eu nunca havia escutado uma História iniciada com tão extensa relação de personagens, e exposta com uma tal velocidade, que quase me deixou sem fôlego. Mesmo Sílvia ficou tão espantada, que nem impediu três rãs de fugirem da plateia, saltando para o fosso, certamente devido a não serem aficionadas às exibições de Arte.

— Aí, o Ratinho viu um sapato e achou que era uma ratoeira. Por isso entrou dentro dele e ali ficou para sempre.

— Por que não quis mais sair de dentro do sapato? — perguntou Sílvia, cuja função parecia ser a do Coro, no teatro grego clássico: encorajar o orador e, por meio de perguntas inteligentes, fazê-lo destravar a língua.

— Achou que não era possível. Ele era um ratinho inteligente, sabia que os ratos não conseguem sair de uma ratoeira.

— E por que entrou nela? — voltou a perguntar Sílvia.

— Então, ele ficou ali dentro pulando, pulando — prosseguiu Bruno, fingindo não ter escutado a outra pergunta, — até que, num desses pulos, caiu fora do sapato. Aí, ele olhou na sola do sapato e viu que ali estava escrito o nome do homem que era dono dele. Foi assim que ele ficou sabendo que o sapato não era dele.

— Ué! — estranhou Sílvia. — E por que seria? Rato tem sapato?

— Não falei que ele achou que era uma ratoeira? — retrucou o contador de histórias, demonstrando aborrecimento. — Por favor, Senhor Doutor, faça essa menina ficar calada e prestar atenção.

Sílvia enrubesceu e se calou. Ela e eu éramos agora os únicos assistentes atentos, pois a maior parte das rãs tinha ido embora, e as poucas remanescentes pareciam ter perdido todo o interesse na história.

— Aí, o Ratinho levou o sapato para o Homem, e o Homem ficou contente pra burro, porque ele só estava com um pé de sapato e não sabia onde é que o outro estava.

— Ele tinha perdido o pé direito ou o pé esquerdo? — aventurei-me a perguntar.

— Tanto faz, como tanto fez. Aí, o Homem tirou o Bode de dentro do saco...

— Mas que saco é esse? — estranhei. — Ninguém escutou falar de saco até agora!

— Pois de agora em diante, você vai escutar o tempo todo! Aí, ele disse para o Bode: "Olha, Bode, trate de ficar andando por aqui até eu voltar, ouviu?" Aí, ele saiu e caiu num buracão fundo. E o Bode ficou andando por ali, em redor de uma árvore. Aí, ele abanou o rabo e olhou para a árvore, e então cantou uma música muito triste; vocês nunca ouviram uma música tão triste assim...

— Pode cantá-la para nós, Bruno? — pedi.

— Poder, posso, só não vou cantar, senão a Sílvia acaba chorando.

— Que chorando o quê! — protestou a irmã. — E não acredito nessa história, porque bode não sabe cantar.

— Aquele bode sabia, e muito bem! Cantava que era uma beleza. Eu vi ele cantando com sua barba comprida...

— Ele não poderia cantar com a barba — interrompi-o na intenção de perturbar seu raciocínio. — Barba não é voz.

— Ah, é? Então o senhor não pode andar por aí com a Sílvia! Sílvia não é pé! — exclamou triunfante.

Achei melhor imitar a menina e ficar calado. Bruno era esperto demais para nós dois.

— Então, depois que ele cantou a música toda, ele foi embora atrás do Homem. E o Crocodilo foi atrás dele, porque crocodilo gosta de carne de bode. E o Ratinho foi atrás do Crocodilo.

— Mas o Crocodilo não estava correndo atrás do Bode? — perguntou Sílvia, voltando-se para mim e sussurrando: — Crocodilo corre?

— Rasteja — sussurrei em resposta.

— O Crocodilo da história não estava correndo — retrucou Bruno, acrescentando especialmente para mim: — E nem rastejando. Ele andava sacolejando, como uma bolsa de couro de crocodilo. E sempre de queixinho empinado para o ar.

— Ué! — estranhou Sílvia. — Por quê?

— Porque não estava com dor de dente, ora! Só então é que ele abaixa o queixo. Bolas, Sílvia, vou ter de explicar tudo, de minuto em minuto? Se ele estivesse com dor de dente, além de ficar de cabeça baixa, ele estaria todo enrolado no cobertor.

— Se ele tivesse um cobertor... — contrapôs a irmã.

— E não ia ter? Claro que tinha! E ele encontrou o Bode, e franziu a sobrancelha, e o Bode ficou assustando quando viu aquilo.

— Onde já se viu ficar com medo de uma sobrancelha franzida! — criticou Sílvia.

— Queria ver se você não ia morrer de medo, se visse aquela sobrancelha franzida, com um crocodilão atrás dela! Aí, o Homem começou a pular, e pulou tanto, que acabou saindo do buracão fundo.

Sílvia nada replicou, preferindo engolir em seco. Aquela sucessão imprevista de acontecimentos também estava deixando-a sem fôlego.

— Ele então saiu em disparada, querendo encontrar o Bode, e aí escutou um grunhido e viu que era de um Leão.

— Leões não sabem grunhir! — protestou Sílvia.

— Esse sabia. E sua boca era do tamanho de um armário aberto. Ali dentro tinha espaço pra burro! Então, o Leão saiu correndo atrás do Homem, porque estava com fome, e o ratinho foi atrás dele.

— Mas como, se ele estava perseguindo o Crocodilo? — perguntei. — Ele não podia ir atrás dos dois ao mesmo tempo.

— Podia, sim! — retrucou Bruno, suspirando ante a ignorância de seus ouvintes. — Os dois estavam indo pelo mesmo caminho. Ele conseguiu alcançar o Crocodilo, mas não o Leão. E quando ele alcançou o Crocodilo, que acha que ele fez? Dou uma dica: ele tinha um alicate no bolso.

— Não faço a mínima ideia — respondeu Sílvia.

— Ninguém faz! — exclamou Bruno, jubiloso. — Então, eu digo: ele arrancou uns dentes do Crocodilo!

— Uns dentes? — perguntei. — Quais?

Bruno não se apertou para responder:

— Os que ele ia usar para morder o Bode.

— E como ele poderia saber que dentes seriam esses? — insisti. — Tudo o que poderia fazer seria arrancar todos...

Depois de dar uma gargalhada de deboche, Bruno respondeu, meio cantando e meio dançando:

— Ele arranco-ou/ to-o-dos os dentes!

— E o Crocodilo deixou? — perguntou Sílvia.

— Deixou — respondeu ele candidamente.

Atrevi-me a fazer mais uma pergunta:

— E que foi feito do Homem que tinha dito: "Fica andando por aqui até eu voltar"?

— O que ele disse mesmo foi: "Trate de ficar andando", etc. Mais ou menos do jeito que a Sílvia fala comigo: "Trate de fazer as suas lições até o meio-dia, ouviu?" Bem que eu gostaria que ela falasse diferente, assim: "Se der pra fazer suas lições até meio-dia, faça; se não der..."

Antes que a conversa chegasse em discussão, a própria Sílvia tratou de fazê-lo voltar à história, perguntando:

— Mas o que foi feito do Homem?

— O Leão deu um bote em cima dele, mas tão devagar, que levou três semanas para descer.

— E o Homem ficou ali parado, esperando esse tempo todo? — perguntei.

— Claro que não! — respondeu ele, descendo do galho da dedaleira, numa indicação de que a história estava praticamente no fim. — Nesse meio tempo, ele vendeu a casa, arrumou as coisas, saiu dali e mudou de cidade, enquanto o Leão não acabava de dar o bote. Quando desceu, caiu em cima de um homem, mas que era outro. O Leão comeu o homem errado.

Pronto. Essa devia ser a moral da história. Tanto assim, que Sílvia voltou-se para as rãs e proclamou:

— Acabou a história!

Depois sussurrou, apenas para mim:

— Não sei que lição poderemos tirar dela!

Eu também não sabia; por isso, nem arrisquei uma sugestão. As rãs remanescentes, porém, pareciam contentes e inteiramente despreocupadas com o fato de ter ou não ter moral aquela história. Juntando suas vozes roufenhas num coro de "Acabou! Acabou!", foram-se embora dali, aos pulos.

CAPÍTULO 25

Para o Oriente!

Está completando uma semana — disse eu a Arthur, três dias mais tarde — que ficamos sabendo do noivado de Lady Muriel. Acho que eu deveria fazer-lhe uma visita e, seja como for, apresentar-lhe minhas congratulações. Quer vir comigo?

Uma expressão dolorida tomou conta de seu semblante.

— Quando é que você irá embora? — perguntou.

— Segunda-feira que vem, no trem da manhã.

— Está certo. Iremos juntos visitá-la. Se eu não for, vai ficar parecendo estranho e grosseiro. Mas não quero ir hoje, sexta-feira. Vamos adiar para domingo, à tarde. Até lá, conseguirei reunir forças para enfrentar esse desafio.

Cobrindo os olhos com uma das mãos, como se envergonhado pelas lágrimas que ameaçavam desprender-se deles, estendeu-me a outra, que segurei, notando que tremia.

Tentei balbuciar algumas palavras simpáticas, mas elas me pareceram frias e pobres, e preferi omiti-las, limitando-me a dar-lhe boa noite.

— Boa noite, meu bom amigo — respondeu-me.

Sua voz firme convenceu-me de que ele já estava conseguindo superar a tremenda tristeza que quase arruinara sua vida. Por muito abalado que ainda estivesse, via-se que já começava a dar volta por cima, podendo em breve arriscar-se a novos voos.

Alegrava-me pensar que não haveria risco de encontrar Eric no Solar, desde que lá fôssemos no domingo à tarde. Ele regressara a Londres no dia seguinte ao recebimento do telegrama. Sua presença poderia perturbar a calma — se bem que uma calma artificial — com a qual Arthur encontrou a mulher que havia destroçado seu coração, permitindo-lhe murmurar algumas palavras gentis de simpatia, conforme a ocasião exigia.

Lady Muriel era a própria expressão de uma radiante felicidade. Não podia existir tristeza na luz daquele sorriso. Até mesmo Arthur animou-se ao vê-la, e, quando ela disse, ao receber-nos, "Sei que hoje é o dia do Sabbath, mas mesmo assim estou regando as flores", sua resposta veio proferida com a antiga sonoridade alegre tão caracteristicamente dele:

— Mesmo no dia do Sabbath eram permitidas as obras de caridade. Mas hoje não é o Sabbath... aliás, nem existe mais o Sabbath!

— Sei muito bem que hoje não é sábado, é domingo — retrucou Lady Muriel. — Mas não é costume chamar o domingo de "o Sabbath cristão?"

— De fato, mas creio que dizem assim em reconhecimento ao espírito da instituição judaica, de se dedicar ao descanso um dos sete dias da semana. Mas creio que nós, os cristãos, estamos liberados de cumprir literalmente o Quarto Mandamento.

— E onde estaria nossa autorização para guardar o domingo?

— Primeiro, temos o fato de que o sétimo dia foi por assim dizer, santificado, quando Deus descansou do trabalho da Criação. Temos de fazer o mesmo, já que somos *teístas*. Segundo, temos o fato de que o "*Dia do Senhor*", isso é, o *domingo*, é uma instituição *cristã*, donde termos de guardá-lo, por sermos seguidores de Cristo.

— E o que decorre disso tudo, em termos práticos?

— Como teístas, temos de considerar o domingo como um dia santo, transformando-o, tanto quanto possível, num dia de descanso; já como cristãos, temos de comparecer ao culto dominical.

— E como ficam as diversões?

— No meu modo de ver, tanto elas, como qualquer tipo de trabalho, desde que sejam considerados inocentes nos dias úteis, também assim serão considerados no domingo, contanto que não impeçam o cumprimento dos deveres próprios desse dia.

— Então é permitido às crianças brincar aos domingos?

— Claro! Por que tornar esse dia enfadonho para a natureza agitada e alegre dos pequenos?

— Tenho guardada comigo uma carta — comentou Lady Muriel — de uma velha amiga, descrevendo a maneira como se guardava o domingo em seus dias de infância. Vou buscá-la para você ler.

— Lembro-me de uma descrição similar, que foi feita de viva voz, anos atrás — comentou Arthur, enquanto ela saía em busca da tal carta. — Era de uma garotinha. Fiquei realmente tocado quando a escutei dizer, em tom melancólico: "Quando chega o domingo, eu não posso brincar com minha boneca! Não posso correr na areia! Não posso cuidar das flores no jardim!" Oh, pobre criança: tinha motivo de sobra pra odiar os domingos!

— Aqui está a carta — anunciou Lady Muriel, ao regressar. — Vou ler um trecho dela:

"Na minha infância, quando eu abria os olhos aos domingos pela manhã, chegava ao auge o sentimento de melancólica expectativa que começara a crescer dentro de mim desde a noite de sexta-feira. Eu sabia muito bem o que me aguardava, e meu desejo, que eu até chegava a formular em voz baixa, era o de pedir a Deus que a noite chegasse depressa. Domingo não era dia de descanso, mas sim de decorar textos, de aprender catecismo (no livrinho de Watts), de fazer leituras sobre blasfemadores que se converteram, sobre mulheres

tão pobres e simples como piedosas, sobre as edificantes mortes de pecadores arrependidos, e por aí...

Ao invés das travessuras habituais, tínhamos de ficar decorando hinos e trechos das Escrituras até as oito horas, quando a família se reunia para rezar. Logo depois, vinha o café da manhã, sempre frugal, e que nem dava para apreciar, fosse porque o estômago já se acostumara com o jejum forçado, fosse pela nefanda perspectiva que me aguardava nas próximas horas.

Às nove, começava a escola dominical. Deixava-me indignada o fato de ser colocada na mesma sala das meninas da aldeia, mas o pior seria ficar na sala mais atrasada, como punição por algum erro cometido.

O ofício religioso era um período de angústia e pavor. Eu procurava sobreviver a ele, assentando o tabernáculo de meus pensamentos no banco da igreja, entre a excitação dos irmãozinhos menores e a sisudez dos pais, na certeza de que, logo na segunda-feira, eu teria de relembrar e escrever uma síntese do que fora dito no sermão, muitas vezes improvisado e desconexo. Mas ai de mim se meu texto não fosse coerente e lógico!

Seguia-se o almoço frio à uma da tarde (os empregados eram dispensados nesse dia). Das duas às quatro, nova rodada de escola dominical. Às seis, o culto vespertino. Os intervalos eram preenchidos com meus ingentes esforços para não cair em tentação, ocupando a mente com a leitura de livros e artigos religiosos, tão desprovidos de vivacidade e alegria como o Mar Morto. Só muito ao longe despontava um clarão róseo e risonho, tornando suportável aquele longo dia: a certeza de que tudo acabaria na hora de ir para a cama — mas como essa hora demorava a chegar!

— Sem dúvida, tudo isso era feito com boa intenção — comentou Arthur, — mas deve ter levado muitas pessoas à revolta e a desertar da prática religiosa para o resto de suas vidas...

— Creio que, hoje, tenha sido eu a desertora — disse ela. — Mas eu tinha de escrever para o Eric. Sabe o que me disse ele a respeito de rezar? Ele encara esse assunto sob um enfoque que nunca me havia ocorrido anteriormente.

— E que enfoque é esse? — perguntou Arthur.

— Trata-se do seguinte: a Natureza obedece a leis fixas e regulares, conforme a Ciência já provou. Assim sendo, o ato de rogar a Deus que nos conceda alguma coisa (com exceção feita ao pedido de bênçãos espirituais) indica a expectativa de um milagre, coisa que não temos o direito de pedir. É mais ou menos isso. Eu não soube explicar tão bem como ele o fez, mas o fato é que essa ideia me deixou bastante confusa. Como seria possível contestar esse ponto de vista?

— Não tenho a menor intenção de contestar as ideias do Capitão Lindon, especialmente porque ele não está presente. Todavia, já que se trata de um questionamento seu — (e nesse ponto sua voz adquiriu inconscientemente um tom mais meigo), — vou expor a minha opinião.

— De fato, o assunto me interessa particularmente — disse ela, demonstrando uma certa preocupação.

— Começo perguntando: por que executar as bênçãos espirituais? O espírito não constitui uma parte da Natureza?

— Sim, mas aí entra em cena o Livre-Arbítrio. Posso optar por isso ou por aquilo, e Deus pode influenciar minha escolha.

— Quer dizer que você não é uma fatalista?

— Claro que não! — exclamou ela.

— Graças a Deus — murmurou Arthur para si próprio, tão baixo que apenas eu escutei. — Então você admite que eu posso, por minha única e exclusiva vontade, trocar de lugar esta xícara, escolhendo onde eu quero que ela fique?

— Admito.

— Vejamos então qual é o papel das leis fixas nesse caso. A xícara se move porque certas forças mecânicas atuam sobre ela, em decorrência da ação da minha mão. Esta, por sua vez, move-se devido à ações elétricas, magnéticas, ou sejam quais forem, produzidas por meu cérebro. Essas forças mentais, armazenadas no cérebro, provavelmente ainda serão atribuídas, quando a Ciência estiver mais evoluída, as forças químicas fornecidas ao cérebro pelo sangue, e em última análise derivadas dos alimentos que ingeri do ar que respirei.

— Mas isso não seria antes uma espécie de fatalismo? Onde é que entra o Livre-Arbítrio?

— Na escolha dos nervos através dos quais irá fluir a força mental. Precisamos de algo mais que uma lei natural fixa para estabelecer que nervo deverá ser o transmissor dessa força. Esse "algo mais" é o Livre-Arbítrio.

Um súbito lampejo passou pelos olhos da jovem, que exclamou:

— Entendi! O Livre-Arbítrio do Homem é uma exceção ao sistema da Lei Natural fixa! Eric disse alguma coisa a esse respeito. Pelo que me lembro, ele salientou que Deus somente pode influenciar a Natureza se influenciar nossos desejos e aspirações. Daí podermos pedir que Ele nos dê o "*pão nosso de cada dia*", sem fugir à lógica, uma vez que a produção dos pães está sob controle do homem. Já pedir que caia chuva, ou que faça bom tempo, seria algo desarrazoado, assim como... — e Lady Muriel parou de falar repentinamente, como se receosa de dizer alguma coisa irreverente.

Num tom abafado, com a voz tremida pela emoção e solenidade de quem se acha em presença da morte, Arthur então falou:

— *"Pode alguém que desafia o Todo-Poderoso ensinar-lhe algo?" Podemos nós, "o enxame gerado à luz do meio-dia"*, ao conscientizar-nos do nosso poder de dirigir, num ou noutro sentido, as forças da Natureza (da qual somos uma parcela insignificante), podemos nós, em nossa ilimitada arrogância, em nossa ridícula presunção, negar tal poder ao Ser Supremo? Como poderíamos dizer ao nosso Criador: "Até aqui podeis ir, e não além daqui. O que um dia criastes, hoje não podeis dominar"?

Rosto escondido nas mãos, Lady Muriel não ergueu os olhos, limitando-se a repetir seguidamente "Obrigada! Muito obrigada!"

Levantamo-nos para as despedidas. Fazendo um evidente esforço, Arthur ainda disse:

— Uma palavrinha a mais. Conhecendo o poder da oração, não deixe de usá-lo. Lembre-se: "Pedi, e dar-se vos-á". De minha parte, recorro frequentemente à oração, na certeza de que Deus atende nossos pedidos!

Voltamos para casa em completo silêncio. Ao entrarmos, Arthur murmurou, como se fosse um eco de meus próprios pensamentos:

— *"Que sabes, mulher, para que possas salvar teu esposo?"*

Não mais tocamos naquele assunto. Sentados, ficamos a conversar por horas a fio, sem notar o tempo passar, naquela que era a nossa derradeira noite juntos. Ele tinha muitas coisas a me contar a cerca da Índia, da nova vida que pretendia levar, do trabalho que esperava poder realizar. E sua grande e generosa alma parecia tão repleta de nobre ambição que não havia deixado espaço para lamentos vãos ou queixar egoístas.

— Hora de dormir! Está quase amanhecendo! — disse ele por fim, encaminhando-se para a escada. — O sol não demora a aparecer, e, embora eu o tenha privado da possibilidade de descansar nesta que foi sua última noite aqui, tenho certeza de que você haverá de me perdoar por isso, pois de fato não consegui dar-lhe boa noite mais cedo. Deus sabe se você ainda me verá algum dia, ou se mesmo ainda ouvirá falar de mim!

— Claro que ouvirei! — respondi cordialmente, e citando a seguir o fecho do estranho poema "*Atalaia*";

Oh, nunca uma estrela
Sumiu aqui: ao longe podes vê-la!
Olha ao leste: há milhares a piscar!
Em honra de Vishnu, ou de um Avatar?

— Eia! Para o Oriente! Rumo ao leste! — completou Arthur com ênfase, detendo-se junto à claraboia, de onde se tinha uma excelente vista para o mar e para o horizonte oriental. — O Ocidente é o túmulo mais indicado para enterrar todas as tristezas, todos os suspiros, todos os erros e loucuras do Passado. Jazem ali todas as esperanças desfeitas, todos os amores fracassados! Do Oriente provêm novas forças, novas ambições, uma nova esperança, uma nova vida, um novo amor! Para o Oriente, eia! Rumo ao leste, vamos!

Suas últimas palavras ainda soavam em meus ouvidos quando entrei no quarto e abri as cortinas, no momento exato em que o sol irrompia glorioso de sua prisão oceânica, banhando o mundo na luz de um novo dia.

"Que assim possa ser para ele, para mim, para todos nós!" pus-me a meditar. "Tudo o que lembre o Mal, a Morte, a Desesperança, que desapareça juntamente

com a escuridão da Noite! E tudo o que pertence ao Bem, à Vida, à Esperança, que ressurja com a luz da Aurora!"

"Que se desvaneçam com a Noite o nevoeiro frio, as emanações pestíferas, as sombras ameaçadoras, os ventos uivantes, os pios aziagos das corujas, surgindo, com o Dia, os feixes brilhantes de luz, a brisa fresca da manhã, o calor de um ser recém-nascido, o canto alegre da cotovia! Para o Oriente! Eia, rumo ao leste!"

"Que se evolem, com a Noite, as nuvens da ignorância, a praga mortal do pecado, as lágrimas silenciosas da dor, erguendo-se mais e mais, com o Dia, a aurora radiante do conhecimento, o sopro suave da pureza e um palpitante enlevo que invada as almas de todo o mundo! Para o leste, eia! Rumo ao Oriente!"

"Que se desfaçam, com a Noite, a lembrança de um amor que se foi, as folhas emurchecidas de uma esperança que se desfez, os tristes remorsos e doentias queixas que entorpecem a energia da alma, e que se derramem sobre nós, como uma lava viva a se espalhar pelo mundo, a força da decisão, o destemor das nobres aspirações, um sentimento de fé inabalável, representado pelos olhares voltados para o céu — *a substância das coisas pelas quais ansiamos, a evidência das coisas que não podemos ver!*

"Eia, para o Oriente! Rumo ao leste, eia!"

IV

Conclusão de Sílvia e Bruno

Só nos sonhos fugimos das leis do Criador.
Quer cena mais terrível que de uma Mãe morta?
Suas mãos não podem mais aplacar a dor,
Fazer uma carícia, um gesto que conforta...
Eu bem gostaria de encerrar esta história
Com uma cena assim — seria a minha glória!
Antes, porém, prefiro retornar à Fada
Cuja missão é ser atenta e guardiã
De um Duende que a deixa muito atordoada:
O rei da galhofa, Bruno, que traz a irmã
De canto chorado; no entanto, como a adora!
E quem não ama Sílvia? É, pena que, agora,
É hora de dizer a eles dois: "Até amanhã!"

PREFÁCIO

Quero aqui expressar a minha sincera gratidão aos vários críticos que publicaram comentários favoráveis e desfavoráveis com respeito ao volume anterior. Quanto aos desfavoráveis creio ter feito por merecê-los, o mesmo não podendo dizer acerca dos outros. Tanto esses como aqueles sem dúvida concorreram para tornar o livro conhecido, ajudando o público leitor a formar sua opinião. Quero ainda assegurar-lhes, sem que nisso vá nenhum desrespeito a sua capacidade crítica, que me abstive completamente de ler qualquer um desses comentários. Sou de opinião que um autor jamais deve ler as críticas feitas a seus livros, pois as desfavoráveis certamente haverão de aborrecê-lo, enquanto as favoráveis irão deixá-lo convencido, e nenhum desses resultados é desejável.

De fontes isoladas, porém, algumas críticas acabaram chegando até meu conhecimento, e algumas delas pretendo contestar ou dar explicações.

Houve gente que se queixou das censuras feitas por Arthur aos sermões e aos cantores de coro, achando-as um tanto severas. Quero dizer, como réplica, que não me considero responsável pelas opiniões expressas por esse ou aquele personagem do meu livro. Trata-se meramente de modos de pensar que, evidentemente, só podem pertencer à pessoa que as enunciou, nem sempre coincidindo com o meu próprio.

Outros críticos torceram o nariz a certas inovações linguísticas, tais como "né", "tamos", e outras, nem sempre ornadas por apóstrofos. Em minha defesa, posso apenas alegar a firme convicção que tenho de que o linguajar popular, ainda que incorreto, deve ser respeitado, especialmente no caso das pessoas que falam de maneira pitoresca, como as de condição mais simples e crianças em geral. E no tocante aos apóstrofos, somente os coloquei quando achei que de fato seriam necessários.

No Prefácio do primeiro volume, fiz referência a dois desafios que talvez interessassem ao leitor, para exercitar seu engenho. Um deles era descobrir quais três linhas nas quais fui obrigado a "encher linguiça", no capítulo 3. Elas estão no diálogo travado entre Sílvia e o Professor, no momento em que a menina se refere ao alfinete como se fosse um anzol. O outro desafio era determinar qual das oito sextilhas da *Canção do Jardineiro* tinham sido adaptadas ao contexto, e qual obrigara o contexto a se adaptar a ela. Somente a última delas foi adaptada ao contexto. É aquela que se refere a "um portão que abria uma só vez". Originalmente, eu tinha imaginado um verso referindo-se a uma ave, creio que um pelicano, "*com sotaque francês*". Nas sextilhas do búfalo, do canguru e do albatroz, o contexto é que foi adaptado a elas. Já no caso da sextilha do hipopótamo, nem ela, nem o contexto foram alterados: a conexão entre ambos foi um golpe de pura sorte.

Logo no início daquele prefácio, expliquei como foi montada a história de "Sílvia e Bruno". Vou acrescentar alguns pormenores à explicação, imaginando que possam interessar a esse ou àquele leitor.

Tenho quase a certeza de ter sido em 1873 que me ocorreu a ideia de que um conto curto meu, publicado seis anos antes, na "Revista de Tia Judy", sob o título de "*A vingança de Bruno*", poderia constituir o núcleo de uma história mais comprida. Cheguei a essa conclusão depois que encontrei o rascunho do último parágrafo dessa história, datado exatamente em 1873. Portanto, como se pode ver, esse parágrafo esteve esperando durante vinte anos pela oportunidade de ser dado a público — mais do dobro do período recomendado pelo prudente Horácio para "reprimir" os arroubos literários de um candidato a escritor.

Em fevereiro de 1885 entrei em contato com o Sr. Harry Furniss, encomendando-lhe proceder à ilustração do tal livro. A maior parte da "substância" dos dois volumes apenas existia sob forma de manuscrito, e minha intenção original era a de publicar toda a história num único volume. Em setembro daquele ano recebi do Sr. Furniss o primeiro conjunto de desenho: as quatro gravuras que ilustram o capítulo "Pedro e Paulo". O segundo conjunto chegou-me às mãos em novembro de 1886, constando das três gravuras que ilustram a canção do Professor sobre o "*homenzinho que usava um revolvinho*". Em janeiro de 1887 recebi o terceiro conjunto: as quatro ilustrações do "*Conto Porcino*".

E assim fomos nós, ilustrando um pedacinho aqui, outro ali, sem qualquer ideia de sequência. Não foi senão em março de 1889 que, depois de calcular o número de páginas que a história teria, decidi dividi-la em duas partes, publicando-as em épocas diferentes. Para tanto, tive de inventar uma espécie de final para o primeiro volume. A maioria dos meus leitores, segundo imagino, considerou-o como sendo a conclusão verdadeira, quando aquele volume foi publicado, em dezembro de 1889. Não obstante, dentre todas as cartas que recebi comentando esse assunto, uma delas, e apenas essa, expressava alguma suspeita de que aquela conclusão não representasse o final da história. Quem a enviou foi uma menina, que assim escreveu: "*Ficamos alegres ao chegar ao final do livro e descobrir que ali não era o fim verdadeiro, revelando que o senhor pretende ainda escrever uma sequência da história*"

Pode ser que interesse a alguns de meus leitores conhecer a teoria sobre a qual foi estruturada essa história. Trata-se da tentativa de mostrar o que poderia acontecer, supondo-se a existência real das fadas, bem com a eventualidade de serem elas visíveis para nós, e nós outros visíveis para elas, que teriam ademais a capacidade de assumir a forma humana. Envolve ainda a suposição de que os seres humanos possam por vezes ter consciência do que ocorre no mundo dessas criaturinhas encantadas, pela transferência efetiva de sua essência imaterial, tal como nos é ensinado pelo Budismo Esotérico.

Nela eu supus que os seres humanos fossem capazes de assumir diversos estados físicos, dotados de graus variáveis de consciência, tais como:

(a) O estado normal, no qual o humano não possui qualquer consciência da presença das fadas e duendes;

(b) O estado encantado (ou *eerie*), no qual a pessoa, ainda que consciente do mundo real que a circunda, possui igualmente consciência da presença das criaturinhas;

(c) Uma espécie de transe, no qual, embora consciente do mundo real e aparentemente adormecido, a pessoa (ou melhor, sua essência imaterial) migra para outras paragens, seja no próprio mundo material, seja na Duêndia, mantendo-se consciente da presença das fadas e demais criaturinhas.

Supus ainda que uma fada fosse capaz de mudar de sua terra para o mundo real, assumindo, a seu bel-prazer, uma forma humana, e sendo ainda capaz de experimentar diversos estados físicos, a saber:

(a) O estado normal, sem consciência da presença dos seres humanos;

(b) Uma espécie de estado "eerie", no qual tem consciência, quando se acha no mundo real, da presença dos seres humanos; quando em sua terra, da presença das essências imateriais dos seres humanos.

Relacionarei a seguir as passagens nas quais ocorrem estados anormais, tanto do primeiro como do segundo volume:

Capítulos	Cenário de Ocorrência	Estado	Personagens
Vol.1			
1	No trem.	c	— Primeiro Ministro, no início
3 e 4	idem;	c	
5 e 6	idem.	c	
6 e 7	Na pensão.	c	
8 e 9	Na praia.	c	
9 — 13	Na pensão.	c	— S. e B. (b) no início do cap.12; o Prof. (b) no início do cap. 13.
14 — 15	No bosque	b	— Bruno (b), no final do cap. 14 e em todo o cap. 15.
16	No bosque, caminhando em estado	c	-S. e B. (b)
17	adormecido.	c	— Idem
18	Entre as ruínas;	a	
18	idem, dormindo;	c	— S., B. e o Prof. sob a forma humana.
19	idem, dormindo e caminhando.	b	
19 — 20	Na rua	b	— S. e B. (b)
21	Na estação, etc.	c	— S., B. e o Prof. (b)
22	No jardim,	a	— S. e B. sob a forma humana.
23	Na estrada, etc.	a	
24	Na rua, etc.	b	S. e B. (b)
	No bosque		

Capítulos	Cenário de Ocorrência	Estado	Personagens
Vol.2			
1	No jardim	b	— S. e B. (b)
3	Na estrada;	b	— Idem (b)
4 — 5	idem.	b	— Idem, sob a forma humana;
6	idem.	b	— Idem, (b)
10 — 13	Na sala de estar.	a	— Idem, sob a forma humana;
14 — 15	Idem.	c	— Idem, (b)
17	No salão de fumar.	c	— Idem, (b)
19	No bosque	b	— Idem (a); Lady Muriel (b).
20 — 21	Na pensão;	c	
22 — 24	idem.	c	
25	idem.	b	

No Prefácio do volume I, nas páginas iniciais, expliquei a gênese de algumas das ideias constantes no livro. Talvez o leitor se interesse por conhecer alguns detalhes adicionais.

No final do capítulo 14, a curiosa utilização de um camundongo morto foi baseada em um fato presenciado por mim tempos atrás. Dois garotinhos, num jardim, estavam disputando uma partida de uma versão microscópica de croqué. O bastão era mais ou menos do tamanho de uma colher de sopa, e a distância máxima alcançada pela bola era de umas 4 ou 5 jardas (4m), nas batidas mais fortes. Desse modo, a exatidão das medidas era de suma importância para a contagem dos pontos, sendo procedida com todo o cuidado por meio de um estranho mensurador: um ratinho morto, que ora o rebatedor, ora o arremessador, se alternavam em utilizar!

No início do capítulo 18, os dois axiomas poucos axiomáticos citados por Arthur ("Entre os maiores de um conjunto há os maiores entre si" e "todos os ângulos são iguais") foram efetivamente enunciados, com toda a seriedade, por estudantes de uma certa Universidade situada a menos de 100 milhas de Ely...

A observação de Bruno citada no meio do capítulo I (de agora em diante, os capítulos mencionados referem-se ao volume II) — "O difícil é querer..." — foi realmente feita por um garoto.

Duas páginas à frente, outras duas observações de Bruno ("Depende do modo de olhar" e "Rodei os olhos"), escutei-as dos lábios de uma garotinha, logo depois que ela matou uma charada que lhe propus.

Mais ou menos na metade do capítulo 4, o solilóquio de Bruno ("*o cavalo é o pai, etc*") foi realmente proferido por uma menininha, enquanto olhava a paisagem através da janela de um vagão de trem.

Na metade do capítulo 10, a observação de um convidado, ao pedir que lhe fossem servidas as frutas que se amontoavam numa bandeja ("*Estou aguardando por elas há algum tempo*"), escutei-a do grande Poeta Laureado, cuja perda o mundo tanto chorou recentemente.

No início do capítulo 11, o discurso de Bruno com respeito à idade de "Mein Herr" é mera reprodução da resposta dada por uma garotinha à pergunta: "Sua vó é ou não é velha?" Com prudência e cautela, ela então respondeu: "Ela tem oitenta e três..."

Na metade do capítulo 13, a dissertação a respeito do tema "obstrução" não é fruto de minha imaginação. Foi copiada *ipsis litteris* das colunas do *Standard*, e proferida por Sir William Harcourt, que na época era membro da Oposição, no *National Liberal Club*, em 16 de Julho de 1890.

Bem no início do capítulo 21, a observação do Professor a respeito da cauda de um cão ("*Desse lado, ele não morde*") foi efetivamente dita por uma criança, quando alertada sobre o risco que corria ao puxar a cauda de um cachorro.

No capítulo 23, caminhando para o final, o diálogo entre Sílvia e Bruno é a reprodução fiel, apenas trocando "bolo" por "*tostão*", de um diálogo que testemunhei, travado entre dois meninos.

Uma história narrada neste livro, "*o piquenique de Bruno*", garanto ser excelente para ser contada às crianças, pois já pude testá-la vezes sem conta, e, tanto quando a contei para uma dúzia de pequenas alunas de uma escola rural, como para trinta ou quarenta reunidas na sala de estar de uma casas de família, ou para um centena de estudantes ginasianos, sempre consegui mantê-los na mais profunda atenção, no maior interesse, em virtude de se tratar de uma história divertida e curiosa.

Aproveitando o ensejo, não poderia deixar de me gabar da feliz escolha do nome de um personagem, mencionado no capítulo 3 do volume I. Trata-se do nome "Sibimet": ele assenta ou não como uma luva no seu dono, o Sub-Regente? Esse nome lembra um instrumento de sopro que jamais foi soprado — poderá haver algo mais inútil numa casa?

Os leitores do volume I que porventura se tenham divertido tentando resolver os dois desafios que lhes propus no Prefácio talvez se interessem em descobrir quais (se houve) dos paralelismos apontados abaixo foram intencionas, e quais (se houve) foram acidentais:

"Passarinhos"	Eventos e personagens
Estrofe 1ª	Banquete
Estrofe 2ª	Primeiro Ministro
Estrofe 3ª	Imperatriz e Espinafre (final do capítulo 20)
Estrofe 4ª	O Regresso do Regente
Estrofe 5ª	A conferência do Professor (início do cap. 21)
Estrofe 6ª	A canção do Outro Professor (final do cap. 10, vol I)
Estrofe 7ª	O mau humor de Uggug
Estrofe 8ª	Barão Alterego
Estrofe 9ª	O domador de urso (cap. 9, vol. I). Raposinhas
Estrofe 10ª	A sineta de Bruno. Raposinhas.

Publicarei a resposta no prefácio de um livrinho que ora estou preparando, e que será em breve publicado, sob o título: "Charadas e Brincadeiras".

Reservei para o final um ou dois tópicos um pouco mais sérios.

Era minha intenção discutir, já neste Prefácio, a moralidade da caça esportiva, assunto do qual já me ocupei no primeiro volume desta obra, e ao mesmo tempo analisar e responder as várias cartas que recebi, escritas por aficionados desse esporte. Nelas, os remetentes chamam a minha atenção para as grandes e numerosas vantagens que os homens podem tirar dessa prática, tentando provar-me que o possível sofrimento eventualmente infligido aos animais é insignificante demais para ser levado em conta.

Quando anotei e coloquei lado a lado os argumentos pró e contra, a fim de ponderá-los, achei que o tema era um tanto extenso para ser exposto neste livro, preferindo deixá-lo para exame posterior. Espero poder um dia publicar um ensaio acerca do assunto. Por ora, contento-me em asseverar que não me afastei das conclusões às quais já havia chegado anteriormente.

E não me custa expô-las rapidamente. Acredito que Deus tenha concedido ao homem o pleno direito de tirar a vida dos animais, desde que haja uma causa razoável para justificá-lo, tal como obter alimento para si e para os seus. Não creio, porém, que Ele tenha concedido ao homem direito algum de infligir dor a ser algum, exceto em caso de efetiva necessidade. O mero prazer, ou o lazer, ou o espírito de competição não constituem o que considero ser uma *necessidade*; assim sendo, a dor infligida simplesmente "por esporte" é cruel, e por conseguinte errada.

Tenho de convir, contudo, que se trata de questão mais complexa do que me pareceu à primeira vista, e que os argumentos dos aficionados da caça esportiva não são tão frágeis como cheguei a imaginar inicialmente. Por isso, prefiro nada mais comentar a esse respeito, ao menos por ora.

Recebi muitas críticas quanto à reprovação de Arthur aos sermões e aos cantores sacros (Volume I, capítulo 19). Já disse anteriormente e repito agora: as opiniões dos personagens de meus livros nem sempre são endossadas por mim. No caso das reprovações de Arthur, porém, confesso simpatizar com elas. Sou de opinião que muitos de nossos ministros proferem sermões longos e sem substância, muitos dos quais não fazem por merecer que os escutemos. Por causa desses, é frequente ficarmos com má vontade contra os outros, que talvez valesse a pena escutar. Responda-me, leitor: você porventura escutou um sermão no domingo passado? Pode dizer-me, então, qual foi o tema tratado, e qual a opinião expressa pelo pregador?

Quanto aos cantores sacros e tudo o mais que tem a ver com eles — as letras dos hinos, as vestes, as procissões, etc, próprias dos cultos hodiernos — sei que essas inovações foram introduzidas no ritual eclesiástico com o intuito de renovar e aperfeiçoar a cerimônia, antes que ela se tornasse fria e distante demais, acabando por afastar os fiéis da prática religiosa. Acredito, entretanto, que, à semelhança do que costuma acontecer com outras tentativas similares, as novas medidas tenham avançado demasiadamente na direção oposta à que se pretendia alcançar, acarretando o *surgimento* de muitos novos e inesperados perigos.

Um deles é levar a Congregação a pensar que as cerimônias são feitas para seus membros, bastando sua presença corporal para que cumpram toda a sua obrigação e finalidade. Envolve ainda o perigo de que tanto o clero como a Congregação considerem as cerimônias como fins por si próprias, esquecendo—se de que elas não passam de meios, passíveis de servir como objeto de chacota geral, a não ser que tragam frutos positivos para nossas vidas.

No que tange aos cantores sacros, estes correm o risco de se tornar presunçosos, conforme afirmei no início do capítulo 19 (N. B.: quando defini suas entradas como "teatrais", talvez tenha cometido um pequeno exagero); o perigo de que considerem aquelas partes da cerimônia, nas quais não se exige sua participação, como dispensadas de exigir sua atenção; o perigo de considerar a própria cerimônia em si como mera representação — uma sequência de posturas e gestos estudados, uma recitação de palavras e execução de músicas, enquanto os pensamentos estão muito longe dali — e o perigo de que a *familiaridade* com relação às coisas sacras acabe resultando em desrespeito.

Quero ilustrar estas duas últimas formas de perigo com exemplos tirados de minha própria experiência. Não faz muito tempo, assisti a uma cerimônia na Catedral de Londres, postando-me logo atrás de um grupo de cantores sacros, e não pude deixar de observar que eles consideravam as Leituras como algo que não merecia a menor atenção de sua parte, aproveitando aquele momento para organizar suas partituras, etc. Também já presenciei cantores sacros do coral infantil que, após a procissão, caíam de joelhos como se estivessem orando contritamente, mas levantando-se antes de completar um minuto e olhando ao redor em busca de aprovação, numa evidência de que tudo aquilo não passava de mera representação. Não haveria nisso um sério risco de acostumar essas crianças a fingir que estão rezando?

E, como exemplo do tratamento irreverente das coisas sagradas, menciono um costume que certamente diversos leitores já observaram nas igrejas onde os ministros e o coro caminham juntos na procissão de entrada. Antes de saírem da sacristia e entrarem na nave do templo, enquanto ainda estão fazendo suas orações particulares, as quais, é óbvio, não podem ser escutadas à distância pelos membros da Congregação, eles proferem em voz bem alta o Amém, como se fosse um aviso para que todos se levantem, a fim de aguardar a procissão. Não há dúvida alguma de que é essa a sua intenção, ao pronunciarem tão alto a palavra Amém. Usam-na como se fosse uma sineta de advertência, esquecendo-se de que ela é dirigida a Alguém, e não aos assistentes da cerimônia. Não é para considerar isso uma evidente demonstração de irreverência para com as coisas sagradas? No meu modo de ver, teria a mesma gravidade que o fato de usar uma Bíblia para apoiar os pés...

Como exemplo dos perigos que a introdução desse novo movimento representa para o Clero, gostaria de mencionar um hábito que tenho observado entre os ministros "modernos", todos muitos hábeis na arte de contar anedotas baseadas em fatos e personagens bíblicos. Trata-se do costume que têm de relatar interpretações e comentários atribuídos a crianças, cuja inocência retira deles qualquer laivo de maldade ou irreverência, aos olhos de Deus. Quanto a elas, concordo, mas não quanto a quem repete tais comentários com o exclusivo e profano objetivo de gracejar.

Admito, porém, e com toda a sinceridade, que essa irreverência seja, em muitos casos, inconsciente: o ambiente, como tentarei explicar no capítulo 8 próximo, estabelece as diferenças entre as pessoas, e alegra-me pensar que muitas dessas anedotas profanas, que aqui prefiro não repetir, sob pena de cometer o que considero ser um pecado, não lhe cause qualquer problema de consciência, qualquer sentimento de culpa. Desse modo, podem eles rezar, talvez até com mais sinceridade do que eu próprio, "*santificado seja o Vosso nome*" e "*da dureza de coração e da recusa de aceitar Vossa Palavra e Vosso Mandamento, livrai-nos, Senhor*". Em nome deles e no meu próprio, gostaria ainda de acrescentar a bela oração de Keble: "*Ajudai-nos hoje e sempre, Senhor, a vivermos o mais próximo daquilo que pedimos em nossas orações*". Na realidade do fato, é devido as consequências — pelos graves perigos, tanto para quem fala como para quem escuta, que isso envolve — antes que por si só, que repreendo esse hábito profano do Clero, mesmo em conversas sociais. Para o ouvinte crente, isso traz o perigo da perda de reverência pelas coisas sagradas, pelo mero ato de escutar e apreciar tais galhofas, sem falar na tentação de repeti-las para diversão de outras pessoas. Para o não crente, traz a bem-vinda confirmação de sua teoria de que a religião não passaria de uma fábula, comprovada pelo fato de que seus próprios defensores não hesitam em trair seus princípios, ostentando sua irreverência. E, para quem fala, isso pode seguramente acarretar o perigo da perda de fé. Com efeito, se tais anedotas são contadas sem consciência do dano que podem produzir, também necessariamente não haverá a consciência, por parte de quem as conta, da realidade da existência de Deus, o Onisciente, que escuta tudo aquilo que dizemos. Quem cria o hábito de abusar dos textos sacros, citando-os sem o devido respeito, indiferente ao seu significado real, tende a considerar Deus um mito, e o Céu uma fantasia poética. Ou seja, tende a apagar dentro de si a luz da vida, pouco a pouco, tornando-se no íntimo um ateu, perdido "*na escuridão que até pode ser sentida*".

Receio que haja atualmente uma tendência crescente ao tratamento irreverente do nome de Deus e dos assuntos ligados à religião. Alguns de nossos teatros têm prestado importante contribuição a esse movimento decadente, ao apresentarem caricaturas grosseiras de clérigos em suas comédias. E também alguns de nossos clérigos igualmente prestam sua própria contribuição, deixando de lado seu espírito de reverência, do mesmo modo que já o fizeram com suas batinas, e tratando com deboche, quando fora das igrejas, temas e personagens aos quais dedicam uma quase supersticiosa veneração, quando estão lá dentro. O Exército da Salvação, receio, muito tem feito para aumentar essa desmoralização, ainda que com as melhores intenções, devido à familiaridade com que tratam as coisas sagradas. Certamente, cada um que deseje viver no espírito da sagrada frase: "*Santificado seja o Vosso nome*" deve fazer o que puder, por mínimo que seja, para evitar agir desse modo.

Aproveitei essa rara oportunidade que se me oferecia, embora possa a muitos parecer pouco adequado tratar de tais assuntos no prefácio de um livro dessa natureza, para expressar algumas ideias que há tempos me estão acabrunhando. Quando escrevi o prefácio do volume I, não imaginei que tantas pessoas iriam lê-lo, conforme concluí pelas evidências posteriores; assim, espero que este também encontre alguns que simpatizem com as ideias que acabei de expor, ajudando-me, com suas orações e seu exemplo, a restaurar aquele espírito de reverência que anda ultimamente um tanto esquecido em nossa Sociedade.

SWAIN SC

CAPÍTULO 1

Lições de Bruno

Durante quase dois meses que se seguiram, minha vida solitária na cidade grande, paradoxalmente, transcorreu maçante e tediosa. Eu sentia falta dos divertidos amigos que tinha deixado em Elveston — o genial intercâmbio de ideias — da simpatia que conferia a cada nova tese uma realidade vívida e diferente, mas, acima de tudo, o que mais me fazia falta era a companhia das duas criaturinhas de sonho, provenientes do Reino das Fadas (eu ainda não havia resolvido a questão de quem ou o que seriam elas), cuja doce jovialidade tinha conferido a minha vida uma radiação verdadeiramente mágica.

Nas horas de trabalho — que suponho reduzam a maior parte das pessoas à condição mental de uma máquina de moer café ou de uma de cortar macarrão — o tempo corria como é costume. Era nas pausas da vida, nas horas desoladas em que os livros e jornais já haviam satisfeito de sobra meu apetite intelectual, e quando, refletido sobre minhas próprias contemplações melancólicas, eu me esforçava — em vão, diga-se de passagem— para preencher o vácuo em torno de mim com as imagens dos semblantes amados de meus amigos distantes, que o verdadeiro amargor da solidão doía mais fundo.

Certa tarde, sentindo minha vida um pouco mais insípida que o habitual, resolvi dar uma passada no meu clube, não tanto pela esperança de ali encontrar algum amigo, já que Londres se tornara pra mim uma "cidade sem alma", mas antes pela sensação de que ali eu poderia, ao menos, escutar "*as doces palavras da fala humana*" e entrar em contato com os pensamentos dos meus semelhantes.

Pois não é que, apesar de tudo, um dos primeiros rostos que ali deparei foi justamente o de uma pessoa amiga: o de Eric Lindon? Ali estava ele, vagueando os olhos por um jornal, com uma expressão de um profundo tédio. Após efusivas saudações de parte a parte, pusemos-nos a conversar com uma satisfação evidente, que nenhum de nós dois tentou ocultar.

Passando algum tempo, arrisquei-me a tocar no nome de uma pessoa que teimava em se colocar à frente de todos os meus pensamentos:

— E quanto ao nosso Doutor — (tratamento que usávamos como que por uma tácita combinação, intermediário entre a formalidade de "Doutor Forester" e a familiaridade de "Arthur", à qual não me parecia que Eric fizesse jus) — penso que já deve ter zarpado para terras longínquas, não é? Será que você me poderia fornecer seu endereço atual?

— Que eu saiba, ele ainda não saiu de Elveston — respondeu Eric. — Acontece que não voltei lá desde aquela última vez em que nos vimos.

Eu não sabia qual das partes daquela informação me havia causado maior surpresa.

— E posso perguntar, se não for excesso de liberdade, quando iremos escutar o bimbalhar dos sinos anunciando um casamento, se é que eles ainda não bimbalharam até agora?

— Os sinos não irão bimbalhar — respondeu Eric com voz firme, mas que traía uma ligeira emoção, — pois aquele casamento não vai acontecer. Retomei minha condição de solteirão convicto.

Depois disso, os pensamentos começaram a atropelar-se dentro de mim, deixando-me radiante com as possibilidades que se reabriram para Arthur alcançar sua felicidade, e impedindo o prosseguimento de nossa conversação. Assim, ante a primeira oportunidade decente de me despedir que se me deparou, aproveitei-a e me retirei dali sem nada mais dizer.

No dia seguinte, escrevi a Arthur, repreendendo-o pelo seu longo silêncio com palavras veementes, e pedindo-lhe para mandar notícias. Passaram-se três ou quatro dias, senão mais, até que eu recebesse a resposta, e nunca antes o tempo me pareceu arrastar-se de maneira mais tediosa. No intuito de espairecer, resolvi um dia fazer um passeio até os Jardins de Kensington. Ali, passeando sem rumo pelos caminhos que eu tanto conhecia, vi-me de repente dentro de um que eu jamais trilhara até então. Nessa ocasião, as experiências de encantamento pareciam ter sido inteiramente banidas de minha vida, e nada mais distantes de mim que a ideia de reencontrar meus amiguinhos. Pois foi então que notei subitamente a presença de uma criaturinha movendo-se por entre os talos da relva que orlava aquele caminho. Não parecia tratar-se de um inseto, uma rãzinha ou qualquer outro animalzinho "normal". Ajoelhei-me cuidadosamente e, fazendo com as mãos em concha uma espécie de gaiola, capturei o bichinho, estremecendo de surpresa e prazer ao descobrir que a pequena presa não era senão Bruno, em carne e osso!

Ele encarou tudo aquilo serenamente; tanto assim que, tão logo o depositei no chão, numa distância que me permitisse escutá-lo, ele começou a falar como se estivesse dando sequência a uma conversa interrompida casualmente por um ou dois minutos.

— O senhor sabe qual é a Lei *praquele* que peg'um duende no chão, sem saber que era um duende que *tava* ali? — (como se vê, suas noções de Gramática e pronunciação não tinham melhorado muito desde a última vez em que nos encontramos).

— Não — respondi. — Não sabia que havia uma Lei a esse respeito.

— Tem sim, e o senhor agora tem direito de me devorar — disse ele, tentando ocultar um sorriso zombadeiro. — Bem, acho que é isso, mas num *tô* muito seguro não. É melhor perguntar antes de querer me mastigar.

Era bem razoável não dar um passo tão irrevogável, antes de fazer a devida consulta.

— Está certo, Bruno, vou perguntar a quem sabe mais a respeito do assunto. Mas tenho receio de que você não seja um quitute dos mais saborosos...

— Engano seu! Tenho certeza de que sou! — replicou ele num tom convicto e satisfeito, como se um bom sabor desse motivo de sobra para alguém sentir orgulho disso.

— Que faz por aqui, Bruno?

— Não me chamo Bruno! Não sabe que mudei de nome? — perguntou, com ar velhaco. — Meu nome agora é "Oh Bruno"! É assim que Sílvia me chama, depois que ela me toma as lições.

— Sendo assim, que está fazendo por aqui, oh, Bruno?

— Estudando minhas lições, é claro! — respondeu, mantendo o olhar maroto de quem sabe que está dizendo meias verdades.

— Ah, sei. Bela maneira de estudar! Dá pra aprender suas lições?

— Eu sempre aprendo bem as minhas lições. O que não consigo aprender são as lições da Sílvia! Elas são dificílimas! — e franziu a testa, como se atormentado por terríveis pensamentos, ao mesmo tempo em que batia na cabeça com os nós dos dedos. — Meu "célebro" é pouco para entender elas! Precisava de ter dois!

— Por falar nela, onde está Sílvia?

— É o que eu queria saber — disse ele, desconsolado. — Quê que adianta passar lições *preu* estudar, se ela num *tá* aqui pra me explicar os pedaços difíceis?

— Vou encontrá-la para você — disse, levantando-me e rodeando a árvore junto à qual eu me havia ajoelhado.

Não passou um minuto, e avistei outro "bichinho" caminhando por entre os talos de relva. Ajoelhando-me, logo deparei com o rosto inocente de Sílvia, que iluminou alegremente ao me ver, dirigindo-se a mim com aquela vozinha suave que eu tão bem conhecia. Só entendi o que ela me dizia quando a sentença já estava pela metade:

— ... nessa altura, ele já deve ter terminado. Estou procurando por ele. Acho que deve estar do outro lado desta árvore. Quer ir até lá comigo?

Para mim, era questão de dois ou três passos, mas para ela era uma razoável caminhada. Assim, caminhei com todo o cuidado e na maior lentidão, a fim de não perdê-la de vista.

Foi mais fácil achar as lições que seu autor: elas estavam escritas caprichadamente em grandes folhas lisas de hera, amontoadas desordenamente numa pequena clareira. Mas... e o estudante? Olhamos para todo lado, em vão, até que os olhos argutos de Sílvia o descobriram, balançando-se num ramo de hera. Sem perda de tempo, ela ordenou ao irmão que descesse dali e viesse para a terra firme prestar conta de suas tarefas.

"Primeiro o prazer, depois o dever" parecia ser o lema daqueles dois, tantos abraços e beijos tiveram de ser trocados antes de reassumirem seus papéis na vida.

— Eu não lhe disse, Bruno — disse ela com ar de reprovação — que era para você fazer suas lições até escutar que podia parar?

— Mas eu escutei que podia parar! — replicou o peralta, com um brilho malicioso no olhar.

— Escutou, como? Quem disse para parar?

— Não sei, mas escutei. Era um zumbido, uma espécie de chiado, dizendo: "pó, pará!". O senhor não escutou, Senhor Doutor?

— Mesmo que tivesse ouvido — disse Sílvia, vendo-o enroscar-se na maior das folhas da lição, dobrando uma outra para fazê-la servir como travesseiro, — isso não é razão para querer dormir sobre suas lições, seu grande preguiçoso!

— Quem falou que eu quero dormir? — retrucou Bruno, em tom ofendido. — Quando fecho os olhos, isso é pra mostrar que eu tô acordado!

— Está bem. Aprendeu muito hoje?

— Hoje eu só aprendi um tiquinho — respondeu ele modestamente, com evidente receio de exagerar. — *Num* consegui aprender mais..

— Oh, Bruno! Você sabe que você pode, se quiser.

— Mas o difícil mesmo é querer...

Sílvia conhecia um modo (que eu, aliás, não achava nada admirável) de escapar das perplexidades lógicas de Bruno enveredando de repente por uma linha inteiramente nova de raciocínio, e foi esse estratagema que ela então adotou:

— Ouça, vou dizer-lhe uma coisa...

— Sabe, Senhor Doutor, que Sílvia num sabe contar? Sabe não! Sempre que ela diz: "*Vou te dizer uma coisa*", não tem jeito, ela diz duas. Por que será?

— Deve ser porque duas cabeças pensam melhor que uma — respondi, sem ter certeza alguma da lógica dessa resposta.

— É... — considerou Bruno, em voz baixa, — eu *num* importava de ser duas cabeças: uma para comer, outra para discutir com Sílvia. Será que o senhor ia ficar mais bonito se tivesse duas cabeças, Senhor Doutor?

— Sem sombra de dúvida, Bruno — assegurei.

— Sabe qual é a causa da rabugice de Sílvia? — perguntou ele, com ar um tanto compungido.

A menina arregalou os olhos, espantada com essa súbita mudança de assunto, e esboçou um sorriso bem-humorado, sem nada dizer. Quem falou fui eu:

— Não acha melhor contar-me o porquê depois de terminar suas lições?

— Tá bem — respondeu ele, resignado; — só que ela aí já não deve estar rabugenta...

— Hoje só vou tomar três lições: de Ortografia, de Geografia e de Canto.

— Por que não de Aritmética? — perguntei.

— Porque ele não tem cabeça para tanto...

— *Num* tenho mesmo não! A cabeça que eu tenho é para guardar cabelo. Pra esse negócio aí precisava de outra!

— Ele não consegue decorar a tabuada.

— Só consigo decorar História, que cada hora a gente muda e conta de outro jeito. Essa tal de "abotoada" tem que ser só de um jeito!

— Mas você também tem de repetir as lições de História!

— Precisa não! O Professor disse que quem tem de repetir a História é ela mesma! Ele vive falando: "A História se repete"!

Nesse meio tempo, Sílvia escrevia numa lousa as letras *A, M, O* e *R*.

— Diga, Bruno, o que é que estas quatro letras formam?

Depois de um solene silêncio de um minuto, ele ponderou:

— Depende do modo de olhar.

— Não depende de coisa alguma. Que palavra elas formam?

— Formam a palavra ROMA, se você olhar de trás pra diante.

E não é que ele estava certo?

— Como foi que você enxergou isso? — perguntou Sílvia.

— Rodei os olhos e li pra trás. Cansei de ler pra frente. Já posso cantar a canção do Rei Gavião?

— Ainda não. Vamos agora à lição de Geografia. Não se lembra das Regras?

— Não sei pra que é que tem tanta regra. Acho que...

— As regras existem para ser obedecidas, seu desobediente! Não quero saber o que é que você acha. Trate, sim, de calar essa sua boca.

E como "essa sua boca" ameaçava continuar retrucando, ela tapou-a com as duas mãos, selando-a com um beijo, como se estivesse fechando uma carta.

— Agora que tranquei o falador dele — disse ela, voltando-se para mim, — vou mostrar-lhe o mapa que ele usa para estudar Geografia.

Era um enorme mapa-múndi estendido no chão, tão grande que Bruno podia engatinhar sobre ele, enquanto mostrava os lugares que ia mencionando, durante o que ele chamou de "*lição que joga água fria na Geografia*":

— O Gavião era freguês da Joaninha. Quando ela foi servir, eles conversaram assim: — "Que quer comer?" — "Quero *já pão*." — se for de *Angola*" — "E pra beber, quer leite?" — "Não, leite *Itália*." — "Então, que vai tomar?" — "Um cálice de *porto* e uma taça de *genebra*." — "E para a sobremesa, frutas?" — "Uma *lima* e um *damasco*." — "Para finalizar, um café?" — "Tá bem, mas tem de ser passado no *equador* de pano." — "Só isso senhor?" — "Só. Vá depressa, que meu *estônia* está roncando. Mexa-se! *Andes*!" — "Calma, senhor! Eu trabalho aqui, mas não sou sua *sérvia*!" E acabou a lição!

— Foi perfeita! Agora, sim, você pode cantar a Canção do Rei Gavião.

— O senhor faz o coro? — perguntou ele para mim.

Eu já estava começando a dizer que não sabia a letra, quando Sílvia virou o mapa de costas, mostrando que as palavras estavam escritas no verso. Era uma canção um tanto esquisita: o coro não vinha no final de cada parte da canção, mas sim pouco depois do início. E como a melodia era muito simples, logo consegui aprendê-la, e até que me desincumbi bem da tarefa, considerando-se aquele estranho coro de uma só voz. Bem que pedi Sílvia que me ajudasse, fazendo a segunda voz, mas ela apenas meneava a cabeça, negando-se a cantar, enquanto sorria satisfeita. Eis a letra da *Canção do Rei Gavião*:

O Gavião quis namorar a Joaninha.
(Cantam abelhas, andorinhas, água-vivas!)
"Tu queres ser, princesa, a namorada minha?
Razões eu tenho três, bem significativas:
A ***cabeça*** *de rei, as* ***barbas*** *de juiz*
E os ***olhos*** *argutos de quem sabe o que diz!*

*"****Cabeça****", diz ela, "o alfinete também tem,"*
(cantam bonecas, borboletas, beija-flores!)
"e os alfinetes, ademais, pensando bem,
Se tu és um rei, eles serão imperadores,
Pois onde a gente os crava, ali mantêm-se quietos;
Diferentes de ti, sabem ser bem discretos..."

*"Porque tens **barba**, és juiz? Isso causa riso!"*
(Cantam Cigarras, Caramujos, Carrapatos!)
"Se pelas barbaças se medisse o juízo,
Os bodes seriam prudentes e sensatos,
E mesmo não sendo a prudência o seu padrão,
Mais prudentes que tu, garanto que eles são!"

*"Gabas-te de ter **olhos**, mas quem não os tem?*
(Cantam Doninhas, Dálias, Dentes-de-Leão!)
"Se eles fossem argutos, tu verias bem
Que não sinto por ti senão grande aversão!
*Para terminar, dou-te um conselho: abre o **olho**,*
Esfria a cabeça e põe as barbas de molho!"

Quando a última nota da canção morreu no ar, Bruno acrescentou, como uma espécie de pós-escrito:

— O jeito que ele teve foi ir embora. Foi namorar ni outro lugar.

— Oh, Bruno, Bruno! — exclamou Sílvia tapando as orelhas com as mãos. — Pare de dizer "*ni*"! Diga "*em*"!

— Eu só digo "hein"? quando fala tão baixo que eu nem escuto!

Antes que a discussão prosseguisse, intervim:

— E onde ele foi procurar outra namorada?

— Ih, longe! Ele nunca andou uma distância mais grande em toda a sua vida!

— Não diga "*mais grande*", Bruno! — corrigiu Sílvia, — O correto é "maior".

— Ah, é? Quer dizer que não é "bem grande", é "*benhor*"?E "milho grande" é "*milhor*"?

Dessa vez Sílvia escapou da discussão, virando-se de costas e pondo-se a enrolar o mapa-múndi, enquanto proclamava em voz suave:

— Acabou a lição!

— Será que Bruno não irá achar ruim? — indaguei com malícia. — Os garotinhos costumam até chorar quando acaba a lição!

— Eu nunca choro por volta do meio-dia — replicou Bruno. — É que tá chegando a hora do almoço...

— Ele costuma chorar é pela manhã — disse Sílvia, — nos dias em que vou tomar a lição de Geografia, ou quando ele me desobedece...

— Você é mesmo uma grande faladeira! — protestou ele. — Acha que este mundo foi feito só para você ficar falando?

— Se eu não falar neste mundo, onde é que poderei falar? — retrucou ela, evidentemente preparada para meter-se numa boa discussão.

Mas Bruno cortou essa possibilidade, dizendo resolutamente:

— Não vou discutir, não, porque tá ficando tarde e num vou ter tempo. Mas que você é uma grande faladeira, ah, isso é! — e esfregou os olhos com as costas das mãos para que não víssemos as lágrimas que ameaçavam cair.

Também os olhos de Sílvia se encheram de lágrimas, e ela disse, arrependida:

— Oh, queridinho, chega de discussões!

E o restante da conversa perdeu-se "entre os cabelos emaranhados de Neera", enquanto os dois litigantes trocavam beijos e abraços.

De repente, o clarão de um relâmpago, seguido do ribombo de um trovão, fez cessar aquelas manifestações de carinho. Uma súbita chuvarada foi trazida pelo vento que salivava entre as árvores. Abrigamo-nos embaixo das folhagens, vendo as gotas que passavam voando como se fossem criaturas vivas. Em tom de brincadeira, comentei:

— Está chovendo canivete!

— Mas para nossa sorte, Senhor Doutor, só canivete fechado. Ah, se chovesse canivete aberto...

Tão subitamente quanto havia começado, a chuvarada cessou. Saí de meu abrigo, olhei para os lados e nada de ver meus pequenos companheiros. Tinham desaparecido, juntamente com a tempestade, e nada me restava senão regressar para casa.

Ao chegar, encontrei sobre a mesa um envelope que, pela cor, mostrava tratar-se de um telegrama. Na memória de muita gente, quantas vezes esse encontro antecedeu uma enorme tristeza, capaz de lançar uma sombra, jamais desfeita de todo, sobre o esplendor da vida. Mas também podia ser, como tantas vezes foi para muitos, o prenúncio de notícias maravilhosas, embora isso já não seja tão frequente. Com efeito, a vida humana parece ser constituída mais de tristezas que de alegrias. Não obstante, o mundo continua rodando — quem sabe o porquê?

Dessa vez, porém, não houve tristeza a enfrentar. As poucas palavras da mensagem ("*Não pude escrever. Venha logo. Sempre bem-vindo. Segue carta. Arthur.*") lembravam tanto a maneira de falar de meu bom amigo, que até senti um arrepio de prazer, tratando imediatamente de tomar as providências necessárias para a viagem.

CAPÍTULO 2

O Amor Sob o Toque de Recolher

Entroncamento Fayfield! Baldeação para Elveston!

Que sutis lembranças poderiam estar relacionadas com essas palavras tão banais, capazes de provocar a enxurrada de pensamentos felizes que inundou minha mente? Desci do vagão num estado de jubilosa excitação que, num primeiro instante, não fui capaz de explicar. Era verdade que, seis meses antes, eu fizera essa mesma viagem, e ali descera nesta mesma hora do dia, mas desde então muita água havia passado por debaixo da ponte; ademais, a memória de um velho possui escasso domínio sobre os acontecimentos recentes; desse modo, fiquei a matutar, buscando em vão encontrar o "elo perdido". De repente, meus olhos pousaram sobre um banco comprido, o único existente na plataforma prosaica. Nela estava sentada uma dama. Foi então que o lampejo de uma cena esquecida surgiu à minha frente, tão nitidamente como se estivesse acontecendo de novo.

"Sim", pensei, "essa plataforma quase deserta me traz à lembrança a imagem daquela minha querida amiga! Ela estava sentada ali mesmo naquele banco, e me convidou para sentar-me ao lado dela, citando não sei que frase de Shakespeare... Vou lançar mão daquela invenção do Conde, a de transformar a vida real em cena de teatro, e imaginar que a senhora ali sentada seja Lady Muriel. Enquanto conseguir manter a ilusão, não ficarei desapontado..."

E assim, naquele "fa-de-conta" (como dizem as crianças), fui caminhando pela plataforma, olhando de soslaio a pretensa "Lady Muriel", cuja figura guardava tão nitidamente em minha memória. Como a mulher ali sentada estava de costas para mim, isso facilitou-me manter por mais tempo a brincadeira. Ao passar perto dela, evitei encará-la, para não desfazer o encanto; no caminho de volta, porém, seria impossível fazer isso, pois enxergaria seu rosto mesmo que o olhasse de esguelha. Assim, não tendo mais como não encarar a estranha, deixei que meus olhos pousassem sobre ela: pois não é que era mesmo Lady Muriel, em pessoa?

A antiga cena agora surgiu nítida em minha memória, mormente quando notei que ela estava sentada ao lado do mesmo velho que, seis meses atrás, tinha sido expulso dali de modo grosseiro pelo chefe da estação, a fim de dar lugar à passageira distinta. Ali estava ele, não mais manquitolando e se afastando, como cão escorraçado, mas ao lado da jovem dama, com a qual conversava animadamente!

— Guarde aí na bolsa — dizia ela, — e lembre-se que esse dinheiro é para ser gasto com a Minnie, viu? Compre algo que ela ache bonito, e que lhe seja de fato útil. E diga que eu gosto muito dela!

Tão entretida estava ela com aquela conversa, que mal notou minha presença na plataforma, apesar do rumor dos meus passos.

Tirei o chapéu ao passar junto dela, e só então seu semblante irradiou-se, revelando uma genuína alegria ao me reconhecer. Ao vê-la de frente, não pude deixar de notar sua enorme semelhança com a meiga Sílvia que eu vira poucos dias antes nos Jardins de Kensington. Essa contestação deixou-me verdadeiramente aturdido.

Para não criar problemas ao pobre velho que estava sentado ao seu lado, ela levantou-se e se pôs a caminhar comigo na plataforma. Durante um ou dois minutos, conversamos sobre banalidades, usando os mesmos lugares comuns de uma conversa travada por dois estranhos numa sala de estar londrina. Cada um de nós parecia estar relutante em tocar no assunto que efetivamente nos interessava a ambos.

Enquanto conversávamos, chegou o trem que devia seguir para Elveston, e parou na estação. Em obediência à obsequiosa sugestão do chefe da estação ("Por aqui, Senhora! Já vai partir!"), seguimos em direção à parte de trás da composição, já que o último vagão era o único de primeira classe. Quando passamos diante do banco vazio, ela notou que o velho tinha esquecido sua bolsa ali ao lado, e já se preparava para embarcar num vagão de classes mais simples.

— Pobre velho! — cxclamou a jovem. — Vai embora, deixando aqui o pouco que tem!

— Passe-me a bolsa — disse eu, — que levarei para ele. Posso ir mais depressa que você!

Sem me dar atenção, ela mesma saiu correndo (ou melhor, *deslizando*, palavra mais adequada aos movimentos de seus pezinhos de fada), bem mais depressa do que eu poderia fazê-lo, ainda que o quisesse. Bem que eu tentei alcançá-la, mas tudo o que consegui foi encontrá-la já de volta, seguindo a seu lado em direção ao último vagão. Quando subíamos, paguei o preço de minha atrevida gabolice, tendo de ouvi-la dizer:

— Quer dizer que o senhor poderia levar a bolsa para o velho mais depressa do que eu, não é?

Assumindo um ar exageradamente compungido, retruquei:

— O réu se declara culpado de exagero flagrante, entregando-se por inteiro à mercê da egrégia Corte!

— A egrégia Corte decide fazer vistas grossas, mas só por esta vez!

Sua falsa seriedade era denunciada pelo sorriso, mas este logo desapareceu quando ela comentou em seguida:

— Noto que o senhor não está com boa aparência. Parece mais doente do que quando foi embora da última vez. Tenho a impressão de que Londres não lhe fez muito bem...

— Pode ser o ar da cidade — respondi, — ou o trabalho cansativo, ou mesmo, quem sabe, minha vida solitária. De fato, não ando me sentindo muito bem, ultimamente. Mas sei que vou recuperar-me em breve, lá em Elveston. Meu médico particular, que, como você sabe, é o Arthur, prescreveu-me por carta um tratamento bem radical: "abundância de ozônio, leite fresco e vida social intensa e divertida"!

— Esse último remédio vai ser difícil providenciar — disse ela fingindo estar preocupada. — Temos tão poucos vizinhos! Mas, quanto ao leite fresco, pode-se arranjar. Basta procurar meu velho amigo Mr. Hunter, que mora na subida do morro. É de primeira qualidade o leite que ele fornece. A filhinha dele, Bessie, tem de passar diante de sua pensão todo dia, quando segue para a escola. Assim, você terá seu leite entregue em domicílio!

— Obrigado pela informação. Amanhã mesmo tomarei as providências. Pedirei ao Arthur que me leve até a casa dele.

— Será uma caminhada agradável, de menos de três milhas.

— Agora que esse assunto já está resolvido, voltemos ao antigo. Vou devolver seu comentário, pois você também não está com boa aparência.

— De fato, não devo estar — concordou ela, em voz baixa, enquanto uma súbita sombra parecia encobrir seu rosto. — Tenho enfrentado alguns problemas de ordem pessoal. Para dizer a verdade, eu até gostaria de ter consultado o senhor a respeito, mas fiquei sem saber se devia ou não escrever-lhe. Por isso, estou muito alegre de tê-lo encontrado pessoalmente.

Depois de uma pequena pausa, ela continuou, demonstrando um certo embaraço fora de seu normal:

— O senhor acha que uma palavra empenhada de maneira solene e deliberada, ou seja, uma promessa, acarreta o compromisso do cumprimento *obrigatório*, a não ser que seu cumprimento configure pecado?

— Creio ser esta a única exceção, pelo menos uma análise superficial. Esse ramo da Casuística é tratado, segundo penso, como uma questão de Falso ou Verdadeiro.

— Mas será esse o princípio contido na essência da questão? Sempre achei que o ensinamento bíblico referente a ela estivesse contido em frases do tipo: "*não mentirás a teu próximo*".

— Tenho pensado sobre esse assunto — ponderei, — e quero crer que a essência da mentira é a intenção de *lograr* o próximo. Se você faz uma promessa com a intenção de cumpri-la, está certamente agindo de maneira *veraz*. Se mais tarde vier a quebrá-la, sem que isso envolva logro, trapaça, má intenção, não creio que sua atitude possa ser qualificada como *inverídica*, infiel ou *mentirosa*.

Seguiu-se novo silêncio. Era difícil interpretar a reação de Lady Muriel. Seu semblante denotava satisfação e, ao mesmo tempo, inquietação. Fiquei curioso de saber se tudo aquilo teria ou não a ver com o rompimento de seu noivado com o Capitão Lindon, que a essa altura dos acontecimentos, já fora promovido a Major.

— O senhor aliviou-me de um grande peso — disse ela, — mas, seja como for, sempre existe um erro nesses casos. Para provar isso, que textos o senhor poderia citar?

— Qualquer texto que trate do pagamento de *dívidas*. Se A promete pagar algo a B, este passa a ter algum direito sobre aquele. Se A não paga, seu pecado tem mais a ver com *roubar* do que com *mentir*.

— É um modo novo de encarar as coisas, pelo menos par mim. — disse ela. — E parece-me verdadeiro. Ora, o que estou fazendo? Por que ocupar-me de generalidades com um velho amigo como o senhor? Creio que podemos considerar-nos velhos amigos, não? Aliás, penso que nos tornamos velhos amigos tão logo nos conhecemos! — exclamou, com um rosto radiante que contrastava com as lágrimas que ainda brilhavam em seus olhos.

— Agradeço-lhe muito por essas palavras. Gosto de pensar em você como se fosse uma velha amiga — ("embora você nada tenha de velha", teria sido o complemento natural, caso se tratasse de outra pessoa, já que no nosso caso particular tínhamos superado inteiramente esse tipo de rasgação de seda).

Nesse instante, o trem parou numa estação, e dois ou três passageiros vieram sentar-se em nossa cabine. Assim, nada mais dissemos até o final da viagem.

Ao chegarmos a Elveston, ela aceitou meu convite de seguirmos a pé até nossos destinos. Desse modo, depois de despacharmos nossas bagagens, entregando a dela a um criado e a minha a um carregador, seguimos pelas alamedas familiares, agora associadas em minha memória a tantos episódios prazerosos. Lady Muriel imediatamente retomou a conversa no ponto em que ela foi interrompida:

— O senhor sabia de meu noivado com o primo Eric. Por acaso ouviu falar...

— Sim — interrompi-a, desejoso de evitar o constrangimento dos pormenores. — Fiquei sabendo que vocês terminaram.

— Gostaria de contar-lhe como foi que aconteceu, pois interessa-me ouvir os conselhos que me queira dar. De longa data eu havia concluído que existia uma grande controvérsia entre as nossas crenças religiosas. Seus conceitos acerca do Cristianismo eram um tanto nebulosos, e mesmo no que toca à existência de Deus, ele parece viver numa espécie de terra dos sonhos. Isso, entretanto, não afetou sua vida. Eu hoje estou certa de que o ateu mais absoluto pode levar uma vida pura e nobre, apesar da venda que traz sobre os olhos. Se o senhor tivesse conhecimento da metade das boas ações... — e nesse momento ela virou a cabeça para trás, interrompendo suas palavras.

— Concordo inteiramente com você — disse-lhe. — Não temos a promessa do nosso Salvador de que uma vida assim acabará levando a pessoa no rumo certo da luz?

— Sim, temos — balbuciou ela, sem desvirar a cabeça. — Eu disse isso a ele, e tive por resposta que ele iria esforçar-se em acreditar nisso, por amor a mim! Veja bem: mudaria de opinião, adotaria meu ponto de vista, por amor! Isso está errado! — Ela agora falava com veemência. — Deus não pode aprovar uma fé assentada em fundamentos tão frágeis! Apesar de tudo, não fui eu quem rompeu o noivado. Eu sabia que ele me amava; quem se havia comprometido era eu; no entanto...

— Quer dizer que partiu dele o rompimento?

— Ele renunciou a mim incondicionalmente — disse ela com serenidade, voltando a encarar-me.

— Então, de onde vem a permanência de suas questões de consciência?

— Do fato de eu não acreditar que ele tenha agido em consonância com seu próprio livre-arbítrio. Suponhamos que ele tenha tomado essa atitude contra a vontade, meramente para satisfazer meus escrúpulos. Nesse caso, seus direitos sobre mim não permaneceriam tão fortes como antes? E eu não teria a obrigação de cumprir a minha promessa? Meu pai diz que não, mas receio que o faça levado tão somente pelo amor que me tem. Não perguntei a opinião de qualquer outra pessoa. Tenho muitos amigos, mas são amizades para os dias claros e ensolarados, e não para os nublados e tormentosos que afligem nossa existência. Ou seja: não são velhos amigos, como o senhor!

Antes de responder, pedi um tempo, e assim continuamos caminhando em silêncio durante alguns minutos. Afligia-me o coração ver a amarga provação enfrentada por aquela alma tão pura e gentil, e em vão eu lutava para encontrar um modo de enxergar a saída através daquele confuso emaranhado de motivos conflitantes.

"Se ela o ama de verdade", pensei finalmente, acreditando ter descoberto o cerne da questão, "não seriam seus receios o eco da voz de Deus? Por que não estaria ela sendo enviada a ele como Ananias o foi a Saulo, quando este estava cego, a fim de devolver-lhe a visão?" voltaram-me à cabeça imediatamente as palavras que Arthur havia murmurado: "*Que sabes, ó esposa, para que possas salvar teu esposo*?" Só então resolvi retomar a palavra, dizendo:

— Se você ainda o ama de verdade...

— Não! — interrompeu-me ela prontamente. — Ao menos, não o amo como amava antes. Acredito que o amava quando assumi meu compromisso, mas eu era muito jovem, e talvez aquilo não fosse amor. Fosse que sentimento fosse, acabou. O motivo dele, sim, é o Amor; o meu, não: é o Dever!

Seguiu-se outra longa pausa silenciosa. A trama dos pensamentos estava mais emaranhada do que antes. Dessa vez foi ela quem quebrou o silêncio:

— Não me entenda mal. Quando eu digo que meu coração não pertence a ele, isso não quer dizer que pertença a outro. Considero-me ainda ligada a ele, e, até que entenda estar absolutamente livre, aos olhos de Deus, para amar outra pessoa, não pensarei em quem quer seja, pelo menos em termos de amor. A agir assim, prefiro morrer!

Jamais havia imaginado que aquela criatura tão gentil fosse capaz de pronunciar declarações tão apaixonadas!

Evitei fazer qualquer outro comentário até que estivéssemos chegando perto do portão do Solar. Todavia, quanto mais eu refletia, mais chegava à conclusão de que jamais o chamado do Dever poderia exigir o sacrifício que ela estava disposta a fazer, e que talvez lhe acarretasse a perda da própria felicidade. Tentei mostrar-lhe isso, alertando-a quanto aos perigos que seguramente adviriam de uma união em que falta a mutualidade do amor.

— O único argumento digno de ser levado em consideração — concluí — parece ser sua suposta relutância em se libertar de seu compromisso. Tentei considerar esse argumento dentro de suas decidas dimensões, e concluí que ele de fato não afeta seus direitos nesse caso, e tampouco invalida a liberdade de ação que você já obteve. Em suma, acredito que você efetivamente esteja livre para agir como melhor lhe parecer.

— Sou-lhe muito grata pelo aconselhamento — disse ela demonstrando sinceridade. — Pode crer, eu não saberia chegar a essas conclusões por minha própria conta.

Por combinação tácita, o assunto foi deixado de lado, e só bem mais tarde fiquei sabendo que minhas palavras haviam efetivamente servido para virtualmente dar cabo das dúvidas que há tanto tempo a estavam apoquentando.

Despedi-me e voltei para casa, onde encontrei Arthur ansioso pela minha chegada. Durante o resto daquele dia pude escutar com detalhes sua história; os adiamentos que fez de sua partida para a Índia, na certeza de que não lhe seria possível sair dali antes que seu destino estivesse irrevogavelmente selado com a realização do casamento; como haviam sido os preparativos para as bodas; a excitação dos moradores, cessando subitamente; seu encontro com o Major Lindon, que viera vê-lo a fim de se despedir, revelando-lhe o rompimento do noivado por mútuo consentimento do casal; o abandono de seus planos de emigração, dada a sua decisão de permanecer em Elveston por um ou dois anos, até verificar se seriam de fato reais ou falsas suas esperanças renascidas; por fim, como, desde aquele memorável dia, tinha ele evitado encontrar-se com Lady Muriel, receoso de deixar transparecer seus sentimentos antes de possuir suficiente evidência dos sentimentos dela.

— Já faz umas seis semanas que isso tudo aconteceu — disse ele. — e creio que agora podemos nos encontrar por aí casualmente, sem necessidade de explicações constrangedoras. Eu devia ter-lhe escrito há tempos, relatando tudo isso, mas sempre adiava para o dia seguinte, esperando acumular novidades para lhe contar.

— Novidades, como, seu tolo — repreendi-o afetuosamente, — se você não a procurou? Acaso espera que parta dela a proposta de um reencontro?

— Não — respondeu ele, com um sorriso desapontado, — é claro que não. Mas acontece que não passo de um reles covarde, sem a menor sombra de dúvida...

— E quais os motivos do rompimento do noivado, segundo lhe teriam chegado aos ouvidos?

— São várias as versões — respondeu, fingindo estar contando nos dedos. — Disseram, primeiro, que ela estava muito doente, à beira da morte, e que por isso *ele* rompera o noivado. Depois, quem passou a estar com um pé na cova era ele, e que por isso *ela* rompera o noivado. Mais tarde, descobriu-se que o Major era viciado em jogo, e que o *Conde* o obrigara a romper. A última versão foi a de que o Conde fizera uma grave ofensa ao Major, deixando-o indignado e de noivado rompido. Como se vê, esse rompimento deu pano para mangas!

— Essas versões chegaram até seus ouvidos provenientes de fontes fidedignas, eu suponho.

— Oh, fidedigníssima! E foram-me segredadas como estritamente confidenciais! Quaisquer que sejam os defeitos da sociedade de Elveston, falta de informação certamente não faz parte do rol!

— E reserva também, ao que parece. Mas, falando sério, qual o motivo verdadeiro?

— Não sei. A esse respeito, estou no escuro.

Não me pareceu que seria direito iluminar o túnel de sua ignorância; por isso, mudei de assunto, passando a outro bem menos apaixonante: o de como obter leite fresco. Combinamos que ele me acompanharia no dia seguinte até perto da fazenda de Mr. Hunter, mas não até lá: seria obrigado a deixar-me mais cedo, já que tinha um negócio importante para resolver.

CAPÍTULO 3

Luzes da Alvorada

O dia seguinte despontou quente e ensolarado. Levantamo-nos cedo, para desfrutar o prazer de uma boa conversa antes que tivéssemos de nos separar.

— Essa comunidade tem mais do que a proporção normal de pessoas muito pobres — comentei, ao passarmos diante de um conjunto de casebres arruinados demais para receberem o nome de "choupanas".

— Porém — retrucou Arthur — os poucos indivíduos ricos do lugar são mais generosos do que seria de se esperar da proporção normal de caridade. Isso restaura o equilíbrio.

— Suponho que o Conde seja um desses indivíduos generosos.

— Liberalmente generoso, embora lhe faltem condições para maiores feitos. Sem qualquer alarde, Lady Muriel presta valiosa colaboração comunitária, visitando as famílias e contribuindo com os estudantes carentes.

— Quer dizer que ela não é uma dessas "bocas ociosas" tão encontradiças entre os membros das classes superiores. Acho que essas pessoas encontrariam grande dificuldade se tivessem de explicar sua razão de ser, a fim de justificar sua permanência entre os vivos...

— Trata-se sem dúvida de um assunto complicado — ponderou Arthur, — esse das tais "bocas ociosas", que presumo tratar-se das pessoas que absorvem a riqueza material de uma comunidade, sob a forma de alimentos, roupas, etc., sem contribuir com um trabalho equivalente ao seu consumo. Tenho tentado encontrar uma solução para o problema, e quero crer que um modo simples seria o de viver numa sociedade onde não existisse o dinheiro, mas tão somente aquilo que se chama *escambo*, ou seja, a troca de produtos. É uma solução teórica, que envolve aceitar como verdadeiro o fato de que os alimentos sejam imperecíveis.

— Então vamos supor que seja assim, para que eu possa entender seu modo de solucionar o problema.

— O tipo mais comum de "bocas ociosas" — prosseguiu Arthur — é o representado pelos herdeiros de fortunas. Imaginemos um homem excepcionalmente inteligente, forte e industrioso, que tenha prestado trabalho à comunidade, equivalente a, digamos, cinco vezes o necessário a seu próprio consumo, no que se refere a roupas e coisas que tais. Não podemos de modo algum recusar-lhe o direito de agir como melhor lhe parecer com relação ao seu supérfluo. Desse modo, se ele tem quatro filhos, estes não precisarão trabalhar, já que o pai fez o suficiente para justificar sua existência. Não vejo como poderia a sociedade sentir-se chocada se esses quatro filhos preferirem nada mais fazer senão "comer, dormir e ser felizes". Não há como dizer-lhes: "quem não trabalha, não come", pois eles poderiam retrucar, cobertos de razão: "O trabalho já foi feito. Vocês já desfrutaram dele. Nossa quota de alimentos já foi paga. Onde então a justiça de exigirem *duas* quotas de trabalho para apenas *uma* de alimento?"

— Entretanto — redargui, — existe alguma coisa de errado nesse raciocínio, uma vez que tais indivíduos sejam capazes de realizar algum trabalho necessário à comunidade, e mesmo assim prefiram viver na indolência, não acha?

— De fato, existe — concordou Arthur, — mas parece-me decorrer antes da Lei de Deus, que exige nosso empenho em ajudar o próximo, e não de algum pretenso direito, já que se trata de bens obtidos por meio da devida prestação de serviços.

— Acredito que o problema seja ainda mais complexo, quando as "bocas ociosas" possuem não bens, mas dinheiro vivo, certo?

— Certo. E é mais fácil de entender o caso quando se trata de papel-moeda. O outro é uma efetiva riqueza material, enquanto que a nota é um mera promessa de entrega do valor ali indicado, caso isso seja exigido por seu possuidor. Aquele pai das quatro "bocas ociosas" realizou, digamos, o correspondente ao pagamento de cinco mil libras, sob a forma de trabalho útil à comunidade. Como retribuição, a comunidade promete entregar-lhe comidas e roupas nesse mesmo valor. Então, se ele apenas usa o que vale mil libras, deixando o restante para seus filhos, estes certamente terão o direito de usar esse montante, exigindo da sociedade o equivalente àquilo que ela já recebeu. Acho que esse exemplo bem merecia ser apresentado e esfregado no nariz desses tais de "socialistas", que andam por aí instruindo nossa população carente com ideias tais como: "Olhem para esses aristocratas cheios de si! Nada fazem de útil, vivendo às custas do suor de nossos rostos!" Gostaria de forçá-los a ver que o dinheiro que esses "aristocratas" estão gastando representa o trabalho efetivo já realizado em prol da comunidade, que por isso é devedora de sua riqueza material.

— Mas e se os socialistas responderem que boa parte dessa riqueza não corresponde a trabalho honesto? Se fosse possível remontar à origem, seguindo-a depois de herdeiro em herdeiro, mesmo que o início correspondesse a atos legítimos, tais como pagamentos, doações ou legados, não demoraria para encontrarmos um proprietário que não possuísse direito moral sobre ela, tendo-a obtido por meio de fraude ou algum outro procedimento criminoso. Nesse caso, também seus sucessores não teriam maior direito sobre ela do que aquele dono.

— Sem dúvida, sem dúvida! — concordou Arthur. — Mas certamente isso não envolveria a falácia lógica do exagero da comprovação? Se começarmos a retroceder à origem de todas as propriedades existentes, a fim de verificar se alguma vez elas teriam sido adquiridas fraudulentamente, poderíamos garantir que alguma delas pudesse ser considerada legítima?

Raciocinei durante alguns segundos e tive de concordar com ele.

— Minha conclusão geral — prosseguiu Arthur, — examinando o assunto apenas do ponto de vista dos direitos humanos, do homem contra o homem, é a seguinte: se alguma das opulentas "bocas ociosas" que tenha conseguido obter seu cabedal por meios legais, ainda que nenhuma parcela do trabalho que justifique tal posse tenha sido realizada por ela própria, decidir gastar o que de direito lhe pertence, sem contribuir com qualquer tipo de trabalho para a comunidade da qual adquire seus alimentos e roupas, essa comunidade não tem direito algum de contestar esse modo de proceder. Mas tudo isso muda de figura no momento em que consideramos tal atitude pela ótica das leis divinas. Dentro desse enfoque, tal pessoa estará agindo indubitavelmente de maneira errada, uma vez que se recusa a contribuir com os talentos que Deus lhe deu para beneficiar os necessitados. Sua capacidade, suas habilidades não pertencem de fato à comunidade, de modo a ter de ser revertidas para ela como se fossem o pagamento de uma dívida, mas também não pertencem a quem as possui, desse modo não podendo ser utilizadas unicamente para seu deleite. Não, elas pertencem a Deus, devendo ser utilizadas de acordo com o Seu desejo, e nós conhecemos muito bem em que consiste esse desejo: *dê e empreste a quem tem necessidade, sem esperar retribuição.*

— Seja como for — intervim, — é comum que as "bocas ociosas" distribuam parte do que possuem em obras de caridade.

— Caridade entre aspas — corrigiu Arthur. — Desculpe-me se falo de maneira pouco caridosa, mas não estou me referindo especificamente a quem quer que seja. Falo apenas genericamente. Uma pessoa que realiza todos os sonhos que lhe ocorrem, nada negando a si própria, e dê aos pobres uma parte, ou mesmo a totalidade, de sua riqueza supérflua não pode chamar essa atitude de "caridade". Se o fizer, estará mentindo para si própria.

— Mas não acha que, se ela der pelo menos parte do seu supérfluo, não estaria privando-se do prazer avarento de entesourar riquezas?

— É, tenho de concordar com você. No caso de que a pessoa possua esse prazer mórbido, refreá-lo não deixa de ser uma boa ação.

— E mesmo gastando apenas consigo próprio — insisti, — nosso ricaço típico não deixa de fazer o bem, já que dá trabalho a quem, não fosse isso, estaria desempregado. Isso é melhor do que reduzi-lo à miséria e à mendicância, dando-lhe o dinheiro em troca de nada.

— Gostei desse argumento, porque me permite complementar minha exposição apresentando as duas falácias contidas nesse conceito de caridade. Ambas têm sido aceitas tacitamente há tanto tempo, que a Sociedade já chega a considerá-las um axioma!

— Duas falácias? — estranhei. — Não consigo enxergar nem mesmo uma!

— Então veja. Uma é a falácia da *ambiguidade*: a presunção de que *fazer o bem*, ou seja, beneficiar alguém, é necessariamente uma coisa boa, correta. Outra é a presunção de que, se um ato for *melhor* que outro, então ele será automaticamente bom. Gostaria de denominar isso de "falácia da comparação". Trata-se da presunção de que o *comparativamente* bom sempre será *positivamente* bom.

— Então, o que é que você considera agir, bem?

— É fazer o melhor que pudermos — respondeu ele sem titubear. — E, mesmo assim, continuaremos sendo os "servos inúteis do Senhor". Mas deixe-me ilustrar as duas falácias. E nada ilustra melhor uma falácia do que um caso extremo, uma decorrência evidentíssima. Suponha que eu veja duas crianças a se afogar num lago. Atiro-me às águas, nado até elas e salvo apenas uma, deixando a outra morrer. Eu poderia salvá-la, mas não o fiz. Contudo, salvei a primeira. Agi bem, não foi? Vamos a outra. Suponhamos que eu cruze na rua com um forasteiro inofensivo, que lhe dê um murro, derrube-o no chão e me vá embora dali. Isso pode ser considerado melhor do que se eu, além de derrubá-lo, pisoteasse em cima dele até quebrar-lhe as costelas? Vamos a outra.

— Atrás de cada "vamos a outra" vem um argumento incontestável — interrompi. — Mas prefiro um exemplo tirado da vida real.

— Tudo bem. Vamos tomar como exemplo um modismo abominável da sociedade moderna, ao qual dão o nome de "bazar de caridade". Veja se consegue responder-me: do dinheiro arrecadado que atinge o objetivo visado pelo bazar, quanto constitui *genuína* caridade? E mesmo essa quota de caridade, teria ela sido empregada da melhor maneira? Esse assunto necessita ser classificado e analisado previamente, a fim de ficar mais compreensível.

— Gostaria de que você o analisasse para mim, pois confesso que esse assunto às vezes me deixa intrigado.

— Espero não estar aborrecendo você. Suponhamos um bazar de caridade organizado com o objetivo de arrecadar fundos para um hospital. Fulano, Beltrano e Sicrano oferecem seus serviços, doando artigos para vender, buscando doações e trabalhando nas barracas, enquanto Fulaninho, Beltraninho e Sicraninho adquirem os artigos. O dinheiro pago com as compras vai para o hospital.

"Há duas espécies distintas de tais bazares: uma, aquela na qual o pagamento cobrado corresponde exatamente ao valor de mercado dos bens oferecidos à venda; ou seja, os artigos têm preços idêntico ao das lojas que os comercializam; outra, aquela na qual os preços são aumentados artificialmente. Vamos analisá-las separadamente.

"Primeiro, o caso do valor de mercado. Aqui, Fulano, Beltrano e Sicrano estão exatamente na mesma posição de comerciantes comuns, salvo pelo fato de cederem seu pagamento para o hospital. Na prática, estão doando seu serviço, o que me parece caridade das mais genuínas. Por sua vez, Fulaninho, Beltraninho e Sicraninho estão na mesma situação de consumidores normais. Chamar de caridade sua participação no negócio é um completo contrassenso, mas é assim que eles classificam seu ato, provavelmente.

"Segundo, o caso dos preços aumentados. Aqui, parece-me que o mais ajuizado é dividir o pagamento em duas partes: valor de mercado e valor excedente. A primeira parte está na mesma situação do caso analisado anteriormente; portanto, só temos a considerar aqui o excedente. Como Fulano e os outros dois não o embolsam, temos de colocá-los fora de questão. Esse excedente constitui a doação de Fulaninho e outros dois ao hospital. Ocorre aqui, portanto, um caso de categoria mista: meia caridade, meia autossatisfação. Como se diz, o rastro da serpente é visível em toda essa transação. E é por causa disso que prefiro abominar todas essas espúrias *obras de caridade*!

A última frase foi proferida em tom veemente, e complementada com um golpe de bengala que decepou a ponta de um cardo que crescia junto à estrada, atrás do qual tive a surpresa de ver Sílvia e Bruno. Bem que tentei evitar o golpe, segurando-o pelo braço, mas tarde demais. Receei que a bengala os atingisse, pois o golpe foi desferido em sua direção. Talvez até os tenha acertado, isso eu não sei, mas o fato é que ambos pareceram nem se dar conta daquilo, pois sorriram alegremente e fizeram um aceno de cabeça em minha direção. Em vista disso, concluí que o estado eerie havia afetado a mim, apenas, e não a Arthur, que estranhou meu procedimento, perguntando:

— Por que tentou impedir-me de acertar a cabeça da Senhora Promotora do Bazar de Caridade?

— O senhor viu? — perguntou Bruno, pegando minha mão direita, enquanto Sílvia pegava a esquerda. — Quas'que ele me acertou! Sorte é que eu não sou um cardo!

— Creio que enfim esgotamos o assunto — prosseguiu Arthur. — Receio ter esgotado também sua paciência e minha resistência. Está chegando a hora de regressar, porque minha corda está perto de acabar...

Sem atentar no que dizia, respondi-lhe em versos:

— Recebe a paga em triplo, canoeiro,
Pois não viste que eu trouxe companhia:
Uma fadinha e um duende matreiro
Me acompanharam nesta travessia.

— Para citações inadequadas e irrelevantes — comentou Arthur entre risos, — você é "igualado por poucos, excedido por ninguém"!

E prosseguimos nossa caminhada.

Ao cruzarmos a estradinha que descia até a praia, notei que uma pessoa seguia por ela. Embora estivesse distante, e ainda por cima de costas para nós, deu para perceber que se tratava de Lady Muriel. Arthur não a viu, pois naquele momento estava distraído, contemplando as nuvens de chuva que se formavam ao longe. Preferi nada dizer, imaginando um ardil para fazê-lo seguir por aquele caminho. E não custou a surgir a oportunidade, quando ele mesmo comentou:

— Estou ficando cansado. Acho mais prudente regressar.

Voltei com ele alguns passos, até alcançarmos novamente o entroncamento. Ao chegarmos ali, comentei como quem nada quer:

— Não volte pela estrada principal. Está muito poeirenta, e o tempo está quente. Tome por este outro caminho e siga ao longo da praia, para poder aspirar a brisa marinha.

— É, boa ideia — começou Arthur a comentar, mas nesse instante reparou que Lady Muriel seguia por ali, e então tentou voltar atrás. — Pensando bem, não; é muita volta. Ou melhor, talvez seja mais fresco...

Parou hesitante, olhando ora para mim, ora para outro lado, a melancólica representação da completa falta de firmeza e da indecisão.

Por quanto tempo essa humilhante cena iria perdurar, caso fosse eu a única influência externa, é impossível dizer. Foi então que Sílvia, tomando uma decisão firme digna do próprio Napoleão, assumiu o controle da questão, ordenando a Bruno:

— Vá até onde *ela* está e faça-a vir aqui para cima, enquanto eu o farei descer.

Depois de dizer isso, segurou a bengala de Arthur e virou-a de modo que ficasse apontando para a direção do caminho.

Arthur estava inteiramente inconsciente do fato de que algo mais além de sua própria vontade atuava sobre a bengala, imaginando que sua posição horizontal fora causada por sua própria mão, com o objetivo de indicar alguma coisa que ele havia visto.

— Ali atrás da cerca, que vejo? Orquídeas? Então, já me decidi. Vou seguir por aqui e colhê-las de passagem.

Nesse meio tempo, Bruno tinha corrido até onde Lady Muriel estava e, por meio de pulos e gritos (que apenas eu e Sílvia escutávamos), à semelhança do que faria se estivesse tangendo ovelhas, conseguiu fazê-la dar meia volta e subir pela estradinha, vindo em nossa direção, de olhos recatadamente voltados para o chão.

Vitória! Sendo evidente que o jovem casal deveria encontrar-se daí a um minuto ou pouco mais, tratei de voltar e pôr-me a caminho, esperando que Sílvia e Bruno imitassem meu exemplo, já que, quanto menos espectadores houvesse, melhor seria para Arthur e sua amada.

"Que gênero de encontro será?", fiquei a imaginar, enquanto prosseguia meu caminho, sonhadoramente.

CAPÍTULO 4

O Rei dos Cães

Eles apertaram as mãos — disse Bruno, que caminhava rápido a meu lado, em resposta a uma pergunta não formulada.

— E pareciam tão satisfeitos! — completou Sílvia do outro lado.

— Então, vamos apressar o passo — ordenei. — Se eu soubesse qual é o melhor caminho para chegar à fazenda de Hunter!

— Eles devem saber informar naquele sítio ali — disse Sílvia.

— Suponho que sim. Bruno, quer fazer o favor de ir lá e perguntar?

Ele já ia disparar, quando Sílvia o conteve, rindo.

— Espere aí! Primeiro, tenho de torná-lo visível!

— E audível também, não é? — perguntei, vendo-a segurar o medalhão que pendia de seu pescoço, movendo-o acima da cabeça.

— Claro que sim! — disse ela. — Certa vez, tornei-o audível, mas esqueci de torná-lo visível, e lá se foi ele até uma confeitaria, a fim de comprar doces! Precisava ver como o vendedor ficou apavorado! Uma voz saída do ar dirigiu-se a ele, dizendo: "Faz favor de me dar um pacotinho de balas de cevada?", e logo em seguida uma moeda rodopiou sobre o balcão. O sujeito balbuciou: "Não consigo ver você!", e Bruno replicou: "E daí? O que interessa é que você está vendo a moeda!", mas ele recusou a vender as balas a alguém que ele não podia ver. O jeito foi ele voltar e me pedir para... Pronto, Bruno, pode ir!

E ele seguiu em direção ao sítio, visível e audivelmente. Enquanto aguardávamos seu retorno, Sílvia aproveitou para tornar-se visível também, explicando:

— É um tanto embaraçoso encontrar pessoas que podem ver apenas um de nós dois.

Não demorou e Bruno estava de volta, com ar desconsolado.

— O cara tava com uns amigos e parecia muito emburrado! Perguntou quem eu era. Eu disse: "Sou Bruno. E esses daí, quem são?", e ele disse: "Aquele é meu meio-irmão, aquela é minha meia-irmã, e bastam os dois. Não quero mais gente por aqui! Dê o fora!" Então eu respondi: "*Dar o fora*, como, se o *fora* não é meu? Não posso nem emprestar o fora, quanto mais dar! E tem mais: sua sala é bem grande, cabe muito mais gente!", mas ele me mandou calar a boca, me empurrou pra *fora* e ainda bateu a porta depois!

— Mas você perguntou ou não onde era a fazenda do Hunter?

— Não, porque reparei melhor e vi que a sala dele estava mesmo cheia. Não cabia mais nem uma pergunta.

— Ora, Bruno — retrucou a irmã. — Como é que pode uma sala ficar cheia com apenas três pessoas?

— Mas ela ficou! E sabe por quê? Por causa do cara que me respondeu. Ele era grosso, grosso demais! Tão grosso que nem o Senhor Doutor poderia derrubar ele!

— Ora, Bruno — agora foi minha vez de retrucar. — Não tenho intenção de derrubá-lo, mas que ele poderia ser derrubado, isso *poderia*! O fato de ser grosso nada tem a ver com isso.

— Tem sim! — contestou Bruno. — Ele é *grosso* de verdade! É mais largo que alto! Assim, se ele cair, vai ficar mais alto do que quando está de pé! Quem diz que isso é ficar derrubado?

— Ali temos outro sítio — atalhei, evitando mais discussões. — Desta vez, eu irei.

Não houve necessidade de ir até lá, pois uma mulher, com uma criança nos braços, conversava com um senhor de boa aparência, que parecia estar ali apenas de passagem. No momento, era ele quem estava falando:

— ... e depois de beber, o pior de todos é justamente o seu Willie, ao que me disseram. Parece que ele fica bem transtornado!

— Já falei com eles, já xinguei, tem mais de um ano que eu tô falan'o — respondeu a mulher, com ar compungido. — Não sei mais quê que eu posso fazer...

Nesse instante, ao ver-nos, ela recuou e entrou em casa, fechando a porta atrás de si.

— O senhor poderia informar-me onde fica a fazenda do Hunter? — perguntei ao sujeito, logo que ele passou por nós, vindo da casa.

— Posso sim, seu moço — respondeu ele com um sorriso. — O Hunter sou eu, John Hunter, às suas ordens. A casa é aquela ali, *ói* a meia milha daqui, se tanto. Lá perto daquela curva da estrada, viu? Minha *muié tá* lá, se for negócio com ela. Se for comigo, *tô* aqui.

— Bem, eu não sei. Quero encomendar leite. Com quem devo tratar?

— Negócio de leite é com ela. Pode ir lá, seu moço. Bom dia pro senhor e *pressa* belezura de gente!

— Ele devia ter dito "pra essa belezura de menina", senão fica parecendo que ele falou pra nós dois. — sussurrou Bruno.

— É claro que ele se referiu a nós dois — protestou Sílvia.

— Nós dois, coisa nenhuma — objetou Bruno. — E eu lá sou "belezura"? Belezura é *ocê*!

— Ele não olhou só para mim — insistiu Sílvia. — Olhou para nós dois.

— Então ele deve enxergar mal pra burro! Eu não sou feiúra, mas belezura é demais! Que acha, Senhor Doutor?

Não precisei responder, porque ele já havia disparado a correr, chegando logo à curva da estrada. Quando o alcançamos, estava encarapitado sobre uma porteira, contemplando o campo, onde um cavalo, uma vaca e um cabrito pastavam juntos amistosamente. Chegamos a tempo de ouvi-lo murmurar:

— O cavalo é o pai, a vaca é a mãe, e o cabrito é o filhinho dos dois. Que família bonita!

"Ah, o mundo de Bruno", pensei comigo mesmo. "Suponho que toda criança tenha seu próprio mundo, e talvez todo adulto também. Seria essa a razão de tanta incompreensão nesta vida?"

— Aquela ali deve ser a fazenda que o senhor está procurando — disse Sílvia, mostrando uma casa no topo de um morro.

— Creio que sim. Faça o favor de descer abrir a porteira para nós, Bruno.

— Sorte sua estar com a gente, né, Senhor Doutor? — disse Bruno, logo que tomamos a estradinha que levava até a casa. — Se estivesse sozinho, aquele cachorrão mordia o senhor! Precisa ter medo não! Ele é manso.

— Só parece bravo — confirmou Sílvia, enquanto um enorme terra-nova vinha correndo ao nosso encontro.

Logo que nos alcançou, o cão pôs-se a corcovear e a saltar com graça e agilidade, saudando-nos com latidos alegres.

— Bravo nada! — continuou Sílvia, afagando o animal. — Manso como um cordeirinho! Não o reconheceu, Bruno?

— É ele! — exclamou o garoto, abraçando o pescoço do cão. — É você, não é, seu malandro? Como é que veio parar aqui? Pergunte para ele, Sílvia, eu esqueci como é que fala em cachorrês.

E começou entre eles um diálogo que não pude entender, apenas adivinhar, especialmente quando o cão murmurou algo no ouvido da menina, olhando de esguelha *para mim*. Intrigado, perguntei a ela o que ambos haviam dito. Ela riu e respondeu:

— Ele perguntou quem é o senhor, e eu disse que era um amigo nosso. Ele quis saber seu nome e eu disse que era "Senhor Doutor". Aí ele disse: "Bah!"

— Como é "bah!" em cachorrês? — indaguei.

— É "bah!" mesmo, como se fosse metade tosse e metade latido. Quer ouvir? Nero, diz aí "bah!".

O cão parou de saltar e fez o que ela mandou, diversas vezes. O som era exatamente do jeito que ela descreveu.

— Que será que está atrás deste muro comprido? — perguntei, enquanto caminhávamos.

Depois de consultar Nero, Sílvia respondeu:

— É o pomar. Ei, veja lá ao longe: um menino acabou de sair do pomar, saltando o muro. Lá vai ele, correndo. Deve ter roubado maçãs!

Bruno chispou atrás dele, mas pouco depois regressava, ao ver que não teria qualquer chance de alcançar o patife.

SWAIN SC

— Num posso pegar ele, está muito longe. Mas deu pra ver que o bolso dele tá cheinho de maçãs!

O Rei-Cão olhou para Sílvia e disse algo em sua língua.

— Claro que pode! — respondeu Sílvia. — Como fomos tolos em não pensar nisso! Nero vai pegá-lo, Bruno. Mas acho melhor torná-lo invisível, antes.

E, tomando do medalhão mágico, passou o acima da cabeça e das costas do cão.

— Pronto, tá bão! — exclamou Bruno. — Isca! Pega ele!

— Oh, Bruno — repreendeu Sílvia. — Você não devia atiçar tão depressa! Eu ainda não havia tornado a cauda invisível!

Nesse meio tempo, Nero já estava correndo como um galgo pelo campo; ao menos, era o que concluíamos, ao ver o único pedaço visível dele: a longa cauda peluda, que flutuava como um meteoro no ar. Poucos segundos depois, ele já havia abocanhado o ladrãozinho.

— Ele já imobilizou um dos pés dele! — gritou Sílvia, que acompanhava atentamente a caçada. — Podemos ir lá sem pressa.

Caminhamos tranquilamente através da campina, até o local onde nos aguardava o rapazola, com ar assustado. Foi uma das mais curiosas vistas com que deparei em todas as minhas experiências em estado *eerie*. Todo o corpo do rapazinho estava agitado, exceção feita ao pé esquerdo, que parecia estar colado ao chão, sem qualquer coisa visível a segurá-lo ali. Enquanto isso, a uma pequena distância, uma longa cauda peluda agitava-se de um lado para outro, mostrando que Nero considerava todo aquele episódio como uma brincadeira divertida e magnífica.

— Qual é o problema? — perguntei, assumindo um ar bem sério.

— Tô com cãibra no tornozelo — rosnou o ladrão — e dormência no pé.

E desatou a chorar.

— *Óia* aqui, *sô* — ordenou Bruno, postando-se a sua frente com ar autoritário. — Pode ir largando essas maçãs, ouviu?

O rapazola olhou pra mim e logo demonstrou nada recear de minha interferência; depois para Sílvia, que lhe pareceu ainda menos merecedora de respeito; então, tomando coragem, retrucou em tom de desafio:

— *Num* tô ven'o nenhum homem aí para me fazer largar as maçãs!

Sílvia curvou-se e deu um tapinha onde devia ser a cabeça de Nero, sussurrando:

— Um pouquinho mais forte.

Um grito agudo de dor revelou o pronto atendimento à ordem.

— Que aconteceu? — perguntei. — O tornozelo está doendo mais?

— E vai ficar ainda *mais pior* — ameaçou Bruno, — até seu bolso ficar vazio de maçã.

Dessa vez o ladrãozinho ficou convencido, pois começou a esvaziar os bolsos, guinchando de dor de vez em quando, para deleite de Bruno.

— Acabou — disse ele.

SWAIN SC

— Acabou coisa nenhuma — protestou Bruno. — Tem mais naquele bolso de trás.

Outro sussurro de Sílvia, outro grito agudo de dor do culpado de furto, agora também acusado de mentiroso, e mais três maçãs vieram juntar-se à pilha das devolvidas.

— Pode soltar, Nero — disse Sílvia.

Logo em seguida, o rapazola saiu mancando apressadamente, parando de vez em quando para massagear o tornozelo, receoso de um novo ataque de cãibra. Quanto a Bruno, apanhou os despojos e arremessou as maçãs uma a uma sobre o muro do pomar, comentando ao final:

— Fiz o possível para jogar as maçãs nas árvores certas, mas muitas vão cair embaixo das árvores erradas.

— Árvores são árvores, não são erradas nem certas — disse Sílvia, apenas para provocá-lo.

— Certas árvores são certas, e certas árvores não são — foi a resposta enigmática de Bruno, fazendo Sílvia desistir de continuar com a provocação.

— Antes de prosseguirmos — disse ela para mim, — vou fazer o Nero ficar visível de novo.

— Por favor, não! — pediu Bruno, que estava cavalgando o cão e flutuava aparentemente no ar. — Vai ser divertido deixar o Nero assim por enquanto!

— Está engraçado, realmente — concordou ela, deixando o cão como antes.

Seguimos em direção à fazenda, onde a proprietária nos aguardava, um tanto perplexa ante a bizarra procissão que se aproximava. Quando a alcançamos, ela tirou os óculos e os esfregou numa ponta do avental, enquanto murmurava:

— Tem alguma coisa errada com esse óculos, ah, tem!

Quando ela recolocou os óculos sobre o nariz, Sílvia já havia reposto tudo em seus devidos lugares: Bruno estava no chão e Sua Majestade, o Cão-Rei, estava inteiramente visível. Mesmo assim, a fazendeira ainda parecia um tanto inquieta, e comentou:

— Tô fican'o co'a vista ruim... Mas agora tô ven'o 'ocês! Me dá um beijinho?

Bruno escondeu-se atrás de mim, enquanto Sílvia oferecia o rosto, deixando-se beijar em nome de ambos. Em seguida, entramos todos.

CAPÍTULO 5

Matilda Jane

Vem cá, rapazinho — disse a senhora, pondo Bruno no colo, — e me conte alguma coisa.

— Pra eu contar tem que ser *muitas* coisas — respondeu Bruno. — "Alguma coisa" já *tá* contada.

A boa mulher ficou algo intrigada com a resposta e perguntou a Sílvia:

— Ele *tá* com cara de quem *tava* andan'o a cavalo.

— Estava mesmo — respondeu Sílvia, — só que não era a cavalo, era "a cachorro".

— Ah, tava montado em cima do Nero, né? Nero é um bom cachorro. Cê já montou em cima de um cavalo alguma vez, moço?

— Sempre em cima — respondeu ele com segurança, — nunca embaixo! E a senhora?

Achei melhor intrometer-me na conversa, antes que ela desandasse, e revelei a razão de minha vinda, aliviando-a durante alguns minutos das perguntas e respostas embaraçosas de Bruno.

— Mas os menininhos vão querer um pedaço de bolo, isso eu *agaranto*! — disse ela, depois que nosso negócio estava devidamente acertado. — Toma aqui, ói. E nada de desperdiçar a casca, rapazinho! Sabe o quê que o livrinho de poesia fala sobre isso?

— Sei não — respondeu Bruno. — Conta prá gente.

— Diga 'ocê, Bessie — ordenou ela, olhando carinhosamente para uma garotinha rosada que acabava de chegar à sala e de se encostar em seus joelhos. — Quê que o livrinho diz sobre o desperdício?

A garotinha recitou, num sussurro quase inaudível:

— O desperdício
Traz o pesar,
E pode mesmo
Um dia chegar
Em que a pessoa
Lamenta e chora:

"Que enorme falta
Eu sinto agora
Daquela casca
Que joguei fora!"

— Agora vamos ver você, amiguinho. Vamo'lá: O *desperdício...*

— "O desperdício" ... etc. e tal... *num* lembro o resto...

— Então diga para a gente a conclusão que você tirou — insistiu a senhora. Bruno levou outro pedaço de bolo à boca, mastigou e ficou a matutar, mas a moral da história não lhe veio à cabeça.

— Nunca se deve... — acudiu Sílvia, tentando iniciar uma frase.

— Nunca se deve... — repetiu Bruno, hesitante, até que, num súbito lampejo, encontrou o desfecho: — ... esquecer onde foi que jogou!

— Que jogou o quê, rapazinho?

— Onde foi que jogou a casca, ué! Aí, no dia em que o cara sentir falta "daquela casca que jogou fora", ele volta lá e pega!

Essa nova interpretação acabou de deixar a boa senhora desnorteada, fazendo-a voltar imediatamente ao assunto "Bessie".

— Querem ver a boneca da Bessie? Vem cá, Bessie: leve a mocinha e o mocinho pra ver a Matilda Jane!

A timidez de Bessie desapareceu no mesmo instante.

— Ela acabou de acordar — segredou para Sílvia. — Você me ajuda a pôr a roupa nela? Tem uns cordões difíceis de amarrar!

— Ajudo, claro — respondeu Sílvia com gentileza, seguindo com a garotinha para os fundos da casa, enquanto Bruno se fazia de desentendido, indo para a janela, com ar de um cavalheiro elegante: garotinhas e bonecas não faziam parte da lista de seus interesses.

Em seguida, a mãe extremosa começou a relatar (e qual mãe não faz assim?) as virtudes de Bessie (e vícios, também), além das terríveis doenças que quase a tinham varrido da face da terra, não obstante as bochechas coradas e a silhueta roliça teimarem em desmentir a boa senhora.

Quando a torrente de memórias adoráveis estava quase chegando ao fim, perguntei-lhe acerca dos homens que estavam trabalhando numa obra ali nas vizinhanças, especialmente um tal de "Willie", de quem acabávamos de ouvir falar.

— Era um bom sujeito — disse ela, — mas a bebida arruinou com ele! Não que eu seja contra a bebida, ela até que faz bem para muitos deles, mas há pessoas que não têm resistência. Para esses, a construção do *Leão Dourado*, logo ali adiante, foi um desastre!

— *Leão Dourado*?

— É o nome do botequim que abriram pouco tempo atrás, justo no caminho de volta dos operários lá da olaria. Veja hoje, por exemplo: é dia de pagamento.

Parte do dinheiro fica lá no *Leão Dourado*, boa parte... E alguns deles chegam em casa embriagados.

— Se ao menos bebessem apenas quando estivessem em casa — pensei em voz alta, sem notar.

— É isso aí! — concordou a senhora, mostrando que aquela ideia já lhe havia passado pela cabeça. — Se cada um tivesse em casa seu próprio barril de cerveja, dificilmente a gente ia encontrar um bêbado em toda a face da Terra!

Contei-lhe então uma velha história de certo sujeito que comprou um barril de cerveja e nomeou sua mulher a dona de seu próprio botequim doméstico. Toda vez que ele queria tomar um trago, pedia a ela e pagava. Além de nunca vender fiado, ela jamais o deixava passar da conta. Cada vez que o barril tinha de ser enchido, ali estava o dinheiro, e ainda sobrava algum para os alfinetes. Assim, o sujeito não só manteve sua saúde em perfeito estado, como sempre conservou sua boa disposição de espírito, tendo no semblante aquele ar indefinível mas evidente distingue o sóbrio do que "bebe um tiquinho a mais", e tudo isso sem ter que dispender um vintém extra; ao contrário, até fazendo alguma economia!

— Oh se todos procedessem desse jeito! — comentou ela, secando os olhos que a simpatia pelos sem resistência à bebida havia umedecido. — A bebida não precisava de ser a praga que é para alguns...

— Só é uma praga — corrigi — quando usada incorretamente. Muitas dádivas de Deus podem degenerar, se não forem usadas com sabedoria. Bem, temos de voltar para casa. Poderia fazer o favor de chamar as meninas? Matilda Jane já teve companhia suficiente para um dia, tenho certeza!

— Acho elas num minuto — disse ela, levantando-se. — Quem sabe o rapazinho viu as duas por aí?

— Sabe onde elas estão, Bruno? — complementei.

— Aí no terreiro elas não tão — respondeu ele evasivamente, — porque aí só tem porco, e a Sílvia não é nada porca. Agora façam o favor de não me interromper, porque estou contando uma história pr'essa mosca aqui, e ela não gosta de ficar esperando.

— Elas *deve* de tá lá no pomar, *agaranto* pro senhor — disse a mulher.

Assim, deixamos Bruno terminando sua história e seguimos para o pomar, onde não tardamos a ver as duas, caminhando lentamente por entre as macieiras. Sílvia carregava a boneca, enquanto Bessie segurava uma folha de couve para deixar a carinha de Matilda Jane na sombra.

Logo que nos avistou, Bessie largou a folha e veio correndo ao nosso encontro. Sílvia seguiu-a mais lentamente, já que sua carga necessitava de maior carinho e atenção.

— Eu sou a mãe, e Sílvia é a babá — explicou Bessie. — Sílvia me ensinou uma cantiga bonita para cantar para a Matilda Jane!

— Então cante-a para nós, Sílvia — pedi, contente pela oportunidade de finalmente poder escutá-la a cantar.

Mas Sílvia enrubesceu, tomada de súbito acanhamento, e respondeu:

— Oh, não, por favor. Deixe que Bessie cante. Ela sabe a canção.

— Isso mesmo! Bessie é quem vai cantar! — concordou a mãe "coruja", continuando apenas para mim: — Ela tem uma voz muito bonita, aqui para nós!

Sem se fazer de rogada, a "mamãe" gorduchinha sentou-se no chão, com sua filhinha feiosa reclinada rigidamente em seu regaço (era daquelas bonecas mais toscas, que não sabem sentar), e, radiante de emoção, começou a entoar a cantiga de ninar, num tom de voz mais para acordar e espantar que para adormecer. A babá ajoelhou-se respeitosamente atrás dela, com as mãos nos ombros da patroinha, pronta para atuar como "ponto", se necessário fosse, "soprando" as palavras esquecidas e, como diz o poeta, "*preenchendo cada vazio de nossa inconstante memória*" — no caso, da memória de Bessie.

A gritaria inicial não passou de uma falha momentânea. Após algumas palavras, o tom de voz suavizou e Bessie passou a cantar com um fio de voz doce e agradável. No começo, seus grandes olhos negros estavam fixos em sua mãe, mas logo em seguida voltaram-se para cima, vagueando seu olhar por entre as maçãs, e ela parecia ter-se esquecido de que alguém mais a escutava, além da filha e da babá, que uma ou duas vezes, quase inaudivelmente, corrigiu uma nota mal cantada ou uma palavrinha mal pronunciada.

Matilda Jane, o que deu em você?
Tenho a impressão, tomara que me engane,
Que tudo o que eu mostro, você não vê!
Deve ser cega, essa Matilda Jane...

Você jamais diz se gosta ou não gosta,
Não agradece, nem diz: "Que se dane!"
Pergunto, e você nunca dá resposta!
Deve ser muda, essa Matilda Jane...

Matilda Jane, você não escuta
Se o gato mia, se o cachorro gane,
Ou se ele se engalfinham numa luta!
Deve ser surda, essa Matilda Jane...

Ainda que você não fale ou veja,
Não ouça, não dê adeus e nem se abane,
Existe alguém que só seu bem deseja,
E sou eu esse alguém, Matilda Jane!

As três primeiras quadras foram cantadas num estilo quase displicente, mas a última evidentemente deixou-a mais enlevada, pois sua voz aumentou, tornando-se mais nítida, e seu rosto resplandeceu, como se invadido por uma súbita inspiração, especialmente ao chegar às últimas palavras, durante as quais ela estreitou contra o coração a aparentemente insensível Matilda Jane.

— Beije-a, agora! — soprou a babá, logo obedecida pela cantora, que cobriu o rosto impassível do bebê com uma porção de beijos ardentes.

— Que *musguinha* mais bonita! — exclamou a avó da boneca. — De quem que é a letra, querida?

— Acho... acho que vou procurar o Bruno — disse Sílvia, escapulindo depressa, sempre com vergonha de ser elogiada, ou mesmo notada.

— Foi a Sílvia que inventou as palavras — disse Bessie, orgulhosa de poder prestar aquela informação. — Bruno é que fez a música, e eu é que cantei!

A última informação era inteiramente desnecessária...

Fomos atrás de Sílvia e entramos de novo na sala de visitas. Bruno ainda ali se achava, junto à janela, cotovelos apoiados no peitoril. Aparentemente, já terminara sua história, e no momento estava entretido com outra coisa.

— Não me interrompam! — disse, ao notar que havíamos chegado. — Estou contando quantos porcos tem lá fora.

— E quantos são? — perguntei.

— Uns mil e quatro.

— Basta dizer "uns mil" — corrigiu Sílvia. — Dos quatro você não tem certeza.

— Engano seu, como sempre! — retrucou Bruno, com ar triunfante. — É justamente dos quatro que eu tenho certeza, porque tô vendo eles aqui, fuçando bem embaixo da janela. É dos mil que eu não tenho certeza!

— E quanto aos que estão dentro do chiqueiro? — perguntou Sílvia, olhando por cima de seu ombro.

— Esses aí fazem parte da turma dos mil.

— Está na hora de irmos, crianças — interrompi. — Despeçam-se da Bessie.

Sílvia deu-lhe um forte abraço e um beijo carinhoso, mas Bruno ficou meio de lado, tomado de súbita timidez ("Só beijo a Sílvia", explicou-me mais tarde). A senhora levou-nos até a porta, e dali retomamos nosso caminho para Elveston.

— Aquele ali deve ser o tal botequim, não é? — comentei, ao ver junto à estrada uma casinha térrea, com uma tabuleta em cima da porta, na qual estava escrito: "OLEÃODOURADO".

— É ele mesmo — confirmou Sílvia. — Será que o tal Willie estará aí dentro? Vá ver, Bruno!

Segurei-o pelo braço, já que Bruno, de certo modo, estava sob meus cuidados.

— Isso não é lugar para uma criança ir.

De fato, lá de dentro vinham ruídos e gritos, uma zoeira dissonante de cantos, exclamações e risadas deseducadas que saía pelas janelas abertas.

— Mas eles não vão ver o Bruno! — explicou Sílvia, tomando o medalhão nas mãos e murmurando algumas palavras que não consegui entender. No mesmo instante, uma estranha modificação ocorreu conosco. Meus pés pareciam não mais tocar o chão, e fui tomado por uma espécie de sonolência, juntamente com o poder de flutuar. Eu conseguia a custo enxergar os dois irmãos, que se tinham transformado em figuras enevoadas e indistintas. Suas vozes soavam como se vindas de outro lugar e outro tempo; em suma, eles estavam... irreais. Fosse como fosse, não me pareceu necessário opor-me à ida de Bruno no botequim de beira de estrada. Pouco depois, ele voltava, dizendo:

— Willie ainda não chegou, mas tão falan'o dele lá dentro, contan'o com'é que ele ficou bêbado semana passada.

Nesse instante, um dos frequentadores saiu pela porta, segurando numa das mãos um cachimbo e na outra uma caneca de cerveja, e se pôs a olhar a estrada, bem perto de onde estávamos. Duas ou três caras vermelhas e de olhos empapuçados chegaram-se à janela e perguntaram:

— *Tá* ven'o ele?

— *Tô* não — disse o homem, caminhando em minha direção. Antes que ele me abalroasse, Sílvia puxou-me.

— Obrigado — disse-lhe. — Esqueci-me de que estava invisível. Que teria acontecido se eu não saísse da frente dele?

— Sinceramente, não sei. Conosco, nada aconteceria, mas com o senhor pode ser diferente.

Ela disse isso em voz normal, mas o sujeito nada escutou, apesar de estar praticamente ao nosso lado.

— Lá vem ele! — exclamou Bruno, apontando para a estrada.

— *Envém* ele! — ecoou o homem, estendendo o braço bem em cima da cabeça de Bruno, e apontando com o cachimbo.

— *Oia* o coro, gente! — gritou um dos que estavam à janela.

Logo em seguida ergue-se uma dúzia de vozes estridentes, cantando uma melodia dissonante, cujo refrão era este:

Onde vamos
Nós deixamos
Nossa marca!
Sempre fomos
E ainda somos
Da fuzarca!
Sempre fomos da fuzarca!
Todos somos da fuzarca!

O sujeito do cachimbo reentrou no botequim, juntando-se vigorosamente ao coral. Assim, quando Willie chegou à porta, apenas eu e as crianças ali estávamos para recebê-lo.

CAPÍTULO 6

A Mulher do Willie

Willie dirigiu-se para a porta do botequim, mas as crianças não deixaram: Sílvia agarrou-o pela manga do paletó, enquanto Bruno o empurrava por trás, com toda a sua força, gritando:

— Ora! Ora! Pra frente, mula!

(Era assim que ele escutava os carroceiros dirigindo suas carroças.)

Willie, propriamente, não notou que eles ali estavam. Sabia apenas que "alguma coisa" o fizera parar. Sem saber como explicar aquilo, acabou imaginando que se tratava de um ato de sua própria vontade e decisão.

— Vou lá dentro não — declarou para si próprio. — Hoje, não.

— Uma caneca não vai fazer mal! — gritaram os amigos em coro. — Melhor que uma, só duas! Melhor que duas, só dez!

— Hoje não, turma! Tô in'o pra casa!

— Quê? Tá doido, homem? Sem um traguinho?

Mas Willie não quis discutir, e seguiu seu caminho, ladeado pelas crianças, que desse modo evitavam qualquer mudança súbita em sua resolução.

Por algum tempo, ele caminhou com passos firmes, mãos nos bolsos, assoviando uma canção, no mesmo ritmo das passadas. Se desejava aparentar um ar inteiramente à vontade, seu sucesso era quase completo, mas um observador cuidadoso teria notado que ele não conseguia lembrar-se da segunda parte da música, repetindo-a sempre e sempre, ao terminar a primeira parte, donde se concluir que ele devia estar nervoso demais para assoviar outra canção, e por demais inquieto para cessar o assovio.

Não era o velho medo que o assaltava, aquele antigo receio que se tornara sua enfadonha companhia dos sábados à noite, ao regressar cambaleante para casa, apoiando-se contra cercas e portões, para depois escutar a voz estridente da esposa, repreendendo-o sem parar, a ponto de aturdi-lo inteiramente, como um eco penetrante, que despertava em seu íntimo gemido intolerável de um remorso sem esperança. Agora era um medo novo que o invadia, desde que sua existência havia ganhado um novo colorido, uma nova e fascinante irradiação, com a vinda de sua filhinha, ele, desnorteado, não sabia como encaixar suas novas responsabilidades com a vida que estava levando. A própria novidade representava, para sua mente simples, um motivo de perplexidade, produzindo-lhe um irresistível terror.

A música morreu em seus lábios trêmulos, ao virar uma esquina e avistar sua casa. Lá estava a esposa, apoiada no portão de madeira, fitando a estrada com semblante pálido, no qual não reluzia um mínimo brilho que fosse de esperança, mas tão somente a nuvem sombria de um profundo desespero.

— Oh, ele chegou cedo! Olha só! — (as palavras bem podiam ser de boas vindas, não fosse a amargura com que foram pronunciadas). — Que fez você abandonar a companhia alegre de seus bons amigos? Deixar de lado a farra e a vadiagem? Bolso vazio, não é? Ou quem sabe achou mais interessante vir assistir à morte de sua filhinha? Ela está lá dentro chorando, e eu não tenho uma migalha se quer para matar sua fome. Mas certamente você nem se importa com isso...

E, escancarando o portão, ficou contemplando o marido a caminhar para casa, com os olhos chispando de fúria.

Willie nada disse. Devagar, de olhos baixos, entrou em casa. Seu estranho silêncio sobressaltou-a, e ela o acompanhou, sem mais palavras dizer. Só recuperou fala quando o viu desabar na cadeira e afundar a cabeça entre os braços.

Pareceu-nos inteiramente natural acompanhá-los até dentro da casa, sem pedir licença. O fato de estarmos invisíveis dava-nos aquela liberdade, própria dos espíritos desencarnados.

SWAIN Sc

A criança que estava no berço levantou-se e soltou um grito lamentoso, fazendo com que Sílvia e Bruno dela se acercassem. Bruno ficou balançando o bercinho, enquanto a irmã afagava a cabeça da menina, fazendo-a deitar-se novamente. A mãe não reparou no grito, nem mesmo no arrulho satisfeito da pobrezinha, ao se sentir afagada. Ela apenas fitava o marido com olhos esgazeados (creio que imaginou ter ele enlouquecido), prosseguindo com sua estridente e repetida ladainha de repreensões.

— Já vi tudo: gastou todo o salário da semana, posso até jurar! É onde? Naquele antro do diabo, onde você se embebeda até cair, como sempre! Deve ter gasto até o último vintém!

— Gastei não! — rosnou o marido, numa voz quase inaudível, esvaziando sobre a mesa o conteúdo dos bolsos. — Tá aí o salário, mulher, todinho, sem faltar um níquel.

Ela engoliu em seco e pôs a mão no peito, como se sob o impacto de um enorme choque.

— Cumé que te deixaram beber sem pagar?

— Num bebi nada! — replicou Willie, em tom antes amargurado que propriamente aborrecido. — Nem mesmo uma gota! — exclamou, agora em voz alta, socando a mesa com o punho cerrado e olhando para ela com olhos tomados de um brilho estranho. — E deste santo dia em diante, nunca mais vou tocar nesse raio de bebida! Prefiro morrer! Que o Senhor me ajude a não quebrar esta jura...

Sua voz, que se havia transformado num grito roufenho, abaixou de repente na última frase, proferida num quase sussurro, e ele de novo afundou a cara nos braços.

A mulher, caída de joelhos ao lado do berço, não mais parecia vê-lo ou ouvi-lo. Apertando a cabeça entre as mãos, sacudia todo o corpo para a frente e para trás, de maneira brusca e convulsiva, repetindo sem parar:

— Oh, meu Deus! Oh, meu Deus!

Sílvia e Bruno seguraram gentilmente suas mãos, fazendo com que ela as pusesse em seus ombros, sem que o notasse.

Com os olhos inundados de lágrimas e voltados para cima, ela movia os lábios, num agradecimento contínuo e silencioso. Sem tirar a cabeça de entre os braços, o marido nada dizia, mas qualquer um poderia ver que fundos soluços o assaltavam, fazendo sacudir todo o seu corpo, da cabeça aos pés.

Depois de algum tempo, ele ergueu a cabeça, tendo o rosto molhado de lágrimas.

— Oh, Polly — murmurou ternamente, completando em voz mais alta: — Querida Polly!

Ela então pôs-se de pé e caminhou para ele, com olhar aturdido, como se fosse uma sonâmbula.

— Quem costumava chamar-me de "Polly querida"? — perguntou, com um acento brincalhão na voz.

Seus olhos luziram nesse instante, e um brilho róseo de juventude animou seu rosto pálido, fazendo-a parecer antes uma garota alegre de dezessete anos, que uma mulher gasta e sisuda de quarenta. No mesmo tom, ela prosseguiu:

— Era assim que me chamava aquele rapaz, o Willie, paradão junto aos degraus da entrada!

Também o rosto dele estava iluminado pela mesma luz mágica, trazendo à tona o rapaz acanhado dos velhos tempos. Rapaz e moça eram eles, quando Willie passou-lhe a mão pela cintura e a trouxe para junto de si, enquanto com a outra mão afastava para longe as notas e moedas, como se fossem coisa nojenta e abominável.

— Peg' isso aí, mocinha, e arranja alguma coisa de comer. Mas antes compra leite pro neném.

— Oh, pobrezinha! — murmurou ela, enquanto apanhava o dinheiro. — Minha filhinha querida!

Ela seguiu para a porta, e já ganhava a rua, quando um súbito pensamento a deteve, fazendo-a retornar; primeiro, para ajoelhar-se junto à criancinha adormecida e beijá-la; depois, para atirar-se ela própria nos braços do marido, apertando-o fortemente contra o coração. Só então correu para a rua, levando uma jarra que tirou de um gancho junto à porta. Seguimo-la nós três.

Não tínhamos andado muito quando avistamos uma tabuleta móvel, indicando que ali era uma leiteria. Saudados por um cão de pelo branco e crespo, transpusemos o portão e entramos na venda. Curioso: o animal não estava sob influência eerie, mas mesmo assim nos viu e agitou a cauda efusivamente para os dois irmãos.

O leiteiro estava contando o dinheiro que a mulher lhe entregara, perguntando em seguida, enquanto enchia a jarra:

— É pra senhora este leite, dona?

— Não, esse aí é todo pro neném!

— Tá certo, dona. Ele precisa mais do que a gente. Vou caprichar na dose.

E, ficando de costas para que ela não visse, tirou de um dos latões uma boa colherada de nata e despejou-a na jarra, enquanto murmurava para si próprio:

— O pobrezinho tá precisan'o deste reforço.

Sem tomar conhecimento do gesto generoso, ela pegou a jarra, despediu-se e voltou para casa. Bruno, porém, tinha visto tudo, e comentou:

— Esse leiteiro aí é gente boa. Gosto dele. Quando eu for rico, vou dar para ele cem libras, além de uma boa fatia de bolo. Aquele cachorrinho não sabe atender a freguesia!

A última frase referia-se ao cãozinho do leiteiro, que, esquecendo-se da recepção calorosa, agora rosnava ameaçador, pronto para vir em nosso encalço, se não nos apressássemos a sair. Parecia estar "despachando os clientes".

— Que quer que ele faça? — perguntou Sílvia, rindo. — Quer que diga "Obrigado e volte sempre"?

— Quero que você fique bem caladinha, e que ele aprenda para quem deve latir, porque... olh' ali, Sílvia: um montão de *dendilhão*!

E os dois correram para um canteiro de dentes-de-leão. Fiquei a observá-los, quando de repente fui tomado por uma espécie de sonolência e me vi não na relva, onde estava, e sim numa plataforma de trem. Aquela que colhia flores não era Sílvia, e sim Lady Muriel. Quanto a Bruno, se havia sofrido alguma transformação, não deu para notar, pois a sensação desapareceu tão rapidamente quanto havia surgido.

Quando entrei de novo na saleta de estar da pensão, ali encontrei Arthur, que se achava de costas para a entrada, olhando através da janela. Evidentemente não me escutara chegar. Viam-se na mesa uma xícara de chá, aparentemente apenas provada e logo depois esquecida e uma carta ainda não terminada, com a pena ao lado. Um livro aberto jazia sobre o sofá. Na espreguiçadeira, um jornal aberto, e, sobre a mesinha de canto, um charuto apagado e uma caixa de fósforos. O conjunto desses detalhes revelava que o Doutor Forrester, em geral tão metódico e organizado, estivera tentando dedicar-se a um sem-número de ocupações, não conseguindo fixar-se sequer em uma!

— Isso não parece ser de seu feitio, Doutor! — comecei a dizer, em tom de alegre reprimenda, mas interrompi as palavras, ao notar, embasbacado, a fantástica mudança que se havia operado em sua aparência.

Eu jamais havia contemplado em seu semblante a radiante felicidade que ele agora ostentava, nem notara o brilho intenso que provinha de seus olhos. "Assim devia ser a aparência", pensei, "do anjo do Senhor que trouxe aos pastores da noite a doce mensagem da paz na terra aos homens de boa vontade!"

— Sim, meu amigo! — respondendo à pergunta que enxergou em meu rosto. — É verdade! É verdade!

Nem seria necessário indagar sobre a que assunto estaria ele se referindo.

— Que Deus o abençoe! — exclamei, sentindo que lágrimas de alegria enchiam meus olhos. — Vocês dois foram feitos um para o outro!

— Sim — concordou Arthur, com simplicidade, — creio que fomos. E como mudou minha vida! O mundo já não é o mesmo! O céu que agora vejo não é o mesmo que ontem vi! Aquelas nuvens: jamais vi outras iguais em toda a minha vida! Parecem legiões de anjos a flutuar no céu!

Para mim, pareciam nuvens normalíssimas, mas acontece que eu não havia "saboreado o mel das flores e bebido do leite do Paraíso"...

— Ela gostaria de vê-lo, logo, logo — prosseguiu, voltando a pisar no chão. — Disse que só falta essa gota para encher sua taça de felicidade!

— Então, estou indo vê-la agora mesmo — disse, seguindo em direção à porta. — Vem comigo?

— Não, não — respondeu ele, depois de hesitar um pouco, até finalmente reassumir seu ar profissional. — Nada disso, meu amigo. Nunca ouviu dizer que "dois é bom, três..." etc?

— Sim, já ouvi, mas tenho a ligeira e dolorosa impressão de que o número três... sou eu! Enfim, quando é que vamos nos encontrar os três novamente?

— Só depois que o "rolo" estiver armado — respondeu Arthur com uma gargalhada feliz que há mais de um ano eu não o ouvia soltar.

CAPÍTULO 7

Mein Herr

Assim, segui sozinho meu caminho e, ao chegar ao Solar, encontrei Lady Muriel junto ao portão do jardim, esperando por mim.

— Que devo fazer? — perguntei. — Dar-lhe os parabéns ou desejar-lhe felicidades?

— Nem um, nem outro — ela respondeu, com um riso alegre de criança. — A gente dá o que os outros não têm, e deseja o que ainda não foi alcançado. Quanto a mim, já tenho e já alcancei o que queria. Está tudo aqui! — Então, mudando o tom de voz, prosseguiu: — Oh, meu caro amigo: será que o Céu pode começar na Terra para nós?

— Só para alguns — respondi. — Só para aqueles que são simples e puros de coração. "Deles será o Reino dos Céus", conforme você bem sabe...

Lady Muriel trançou os dedos das mãos e olhou para o céu sem nuvens, com um olhar que me fez lembrar o de Sílvia.

— Sinto como se o Céu tivesse começado para mim — sussurrou. — É como se eu fosse uma daquelas crianças felizes, às quais Ele ordenou: "Deixai vir a mim", ao ver que queriam mantê-las distantes. Sim, Ele me viu no meio da multidão. Ele traduziu a súplica que meus olhos expressavam. Ele me chamou por acenos. Todos tiveram de abrir caminho para mim. Eu me cheguei, e Ele me tomou em Seus braços. Ele me impôs as mãos e me abençoou!

Parou e olhou para mim, ofegante e feliz!

— Sim, sim — murmurei. — Ele fez tudo isso!

— Entre — convidou ela, enquanto estávamos lado a lado junto ao portão, contemplando a alameda vazia a nossa frente. — Venha conversar com o Papai.

Enquanto ela ainda estava dizendo essas palavras, a sensação *eerie* invadiu-me completamente, e eu enxerguei, caminhando em nossa direção, logo quem? O velho Professor! E o mais estranho é que Lady Muriel também podia vê-lo!

Que fazer? Será que o mundo das fadas havia se mesclado com o mundo real? Ou estaria ela também em estado "*eerie*", e por isso igualmente capaz de me acompanhar naquela outra dimensão? Eu já me preparava para dizer uma frase ("Estou vendo um velho amigo que vem pela alameda, e gostaria de apresentá-lo a você"), quando para minha surpresa, ela se antecipou e disse:

— Estou vendo um velho amigo que vem pela alameda, e gostaria de apresentá-lo ao senhor.

Era como se eu acabasse de acordar, pois a sensação "*eerie*" permanecia forte em mim, e a pessoa que se aproximava mudava de aparência continuamente, como se fosse uma figura de caleidoscópio. Num momento, era o Professor; no momento seguinte, já não era! No instante em que chegou junto ao portão, não era mais meu velho conhecido, e sim um estranho; assim, o melhor seria deixar a cargo de Lady Muriel apresentá-lo a mim.

Ela saudou gentilmente o estranho e abriu o portão, convidando-o a entrar. Pelo jeito, tratava-se de um alemão, e também ele nos mirava com olhos aturdidos, como se tivesse acabado de acordar.

Não, não era o Professor. Desde a última vez que o vira, sua barba não poderia ter crescido tanto. Além do mais, se fosse o Professor, ele me teria reconhecido, já que eu, ao menos, não havia mudado tanto, desde aquela vez. Ao contrário, ele apenas olhou para mim de maneira formal, tirando o chapéu quando Lady Muriel disse:

— Permita-me apresentar-lhe Mein Herr.

Com forte sotaque germânico, que acabou de comprovar o fato de que não nos conhecemos, ele disse:

— Prazer em conhecer, senhor.

Lady Muriel levou-nos para o conhecido caramanchão, onde o chá da tarde seria servido em breve, e deixou-nos para procurar o Conde. Sentamo-nos nas espreguiçadeiras. Mein Herr apanhou sobre a mesa um trabalho de costura que a jovem estava fazendo e, depois de examiná-la atentamente, quase encostando nele seus óculos de lentes grossas (um dos detalhes que o tornavam parecido com o Professor), murmurou:

— Hmm, fazendo bainha nos lenços... É com isso que as senhoritas inglesas se ocupam nas horas vagas do dia?

— Trata-se do único trabalho no qual os homens não são páreo para as mulheres — respondi em tom brincalhão.

Nesse instante, Lady Muriel voltou, trazendo o pai. Depois da troca de cumprimentos e de retomarmos nossas posições confortáveis, o recém-chegado retomou o assunto dos lenços:

— Já ouviu falar da "bolsa de Fortunato", senhorita Muriel? Certamente. Ficaria surpresa de saber que, com apenas três desses lenços, você poderia confeccionar uma dessas bolsas, de modo rápido e fácil?

— É mesmo? — disse ela, enquanto pegava a pilha de lenços e os colocava sobre o regaço, tomando da agulha e enfiando a linha. — Então conte-me como pode ser isso, Mein Herr. Quem sabe eu consigo fazer uma antes que o chá seja servido?

— Consegue sim — disse Mein Herr, tomando dois lenços e abrindo-os um sobre o outro; em seguida, segurando-os por dois cantos, prosseguiu: — Primeiro, você junta esses cantos superiores, direito com direito, esquerdo com esquerdo. A abertura entre eles será a boca da bolsa.

Uns poucos pontos foram suficientes para seguir a instrução.

— Se eu costurar outros três lados, a bolsa está pronta?

— Não, senhorita. As bordas inferiores têm de ser costuradas primeiro... oh, não é assim! — (ela estava começando a costurá-las uma sobre a outra). — Vire uma delas para cima e costure o canto direito inferior de uma no canto esquerdo inferior da outra, depois costure as bordas de baixo, da maneira que se costuma chamar de "o jeito errado".

— Entendi — disse ela, executando logo em seguida a instrução. — E o resultado é este aqui: uma bolsa torcida, desconfortável e desajeitada... Mas a moral da história é fantástica: pode-se alcançar a riqueza sem limites, costurando "do jeito errado". E como vamos fechar essas misteriosas aberturas? Ora, olhando melhor, acabo de ver que a abertura é uma só!

Com ar sorridente e curioso, ela ficou virando a "bolsa" para todos os lados, contemplando a abertura única que nela havia.

— O senhor Conde conhece a mágica da argola de papel? — perguntou Mein Herr. — A gente pega uma tira de papel e junta as extremidades, mas antes torce a tira, de modo que o lado de cima de uma extremidade fique colado com o lado de baixo da outra. Já viu?

— Sim, já vi isso outro dia. Foi Muriel quem estava fazendo essa mágica, para divertir umas crianças que ela convidou para o chá, não foi, filha?

— Sim, pai. É uma brincadeira. O anel fica com uma única superfície e uma única borda. É muito misterioso!

— Isso tem a ver com essa bolsa, não é? — arrisquei. — A superfície externa de um lado continua na superfície interna do outro, certo?

— Certíssimo! — concordou Lady Muriel. — Apenas, ainda não está completa a bolsa. Como vamos tapar a abertura dela, Mein Herr?

— Assim, veja — disse ele com entusiasmo, segurando a bolsa e pondo-se de pé, excitado com a explicação que estava prestes a dar. — A borda da abertura consiste de quatro bordas de lenço, e agente pode acompanhá-la continuamente, em todo o perímetro da abertura, abaixando o canto direito de um, levantando o canto esquerdo de outro, depois o canto esquerdo do primeiro e o canto direito do segundo!

— É isso aí — murmurou Lady Muriel pensativamente, apoiando a cabeça na mão e mirando atentamente o velho. — Isso prova que a bolsa tem apenas uma abertura.

Ela estava como uma criança, dando tratos à bola para resolver um problema difícil, enquanto Mein Herr, por um momento, tornou-se tão parecido com o Professor, que quase me deixou desnorteado. O sentimento *eerie* estava no auge! Se eu não me contivesse, diria algo a Lady Muriel, chamando-a de Sílvia. Por sorte, consegui engolir em seco, deixando que o sonho prosseguisse (se é que se tratava de um sonho).

— Veja agora este terceiro lenço — disse Mein Herr. — Ele também tem quatro cantos, que você pode acompanhar continuamente, virando o lenço. O que temos de fazer é juntar as quatro bordas desse lenço com as quatro bordas da abertura da bolsa. Desse modo, ela ficará completa, e sua superfície externa...

— Já sei! — intrometeu-se Lady Muriel prontamente. — Sua superfície externa será contínua com sua superfície interna! Mas essa costura vai levar algum tempo; por isso, prefiro fazê-la depois do chá. Mas explique-me uma coisa, Mein Herr: por que o senhor a chamou de "bolsa Fortunato"?

Com um sorriso radiante, cada vez mais parecido com o Professor, o velho respondeu:

— Então não vê, prezada jovem, que tudo aquilo que se acha dentro da bolsa também se acha fora dela? E tudo que está fora dela está do lado de dentro? Portanto, pode-se dizer que você tem toda a riqueza do mundo dentro desta pequena bolsa!

A aluna bateu palmas, tomada de satisfação.

— Ainda vou costurar o terceiro lenço, fique certo, mas não agora, para não tomar seu tempo. Conte-nos mais alguma dessas coisas maravilhosas, por favor!

Lembrava tanto Sílvia, no semblante e no tom de voz, que até olhei para os lados, esperando encontrar Bruno ali por perto. Enquanto isso, Mein Herr, brincando de equilibrar a colher na beirada da xícara, matutava:

— Hmm... algo maravilhoso... como a "bolsa de Fortunato", hein? Ela pode lhe dar, quando pronta, riquezas a mais não poder, além de seus sonhos, mas... ela não lhe pode proporcionar *tempo*!

Seguiu-se uma pausa silenciosa, que Lady Muriel aproveitou para reencher as xícaras.

— Neste seu país — começou Mein Herr inopinadamente, — o que é que se faz com o tempo perdido?

Lady Muriel olhou-o intrigada e respondeu:

— Ora, que posso dizer? O tempo perdido... já era!

— Pois bem. No meu país, ou, melhor dizendo, num país que visitei, eles armazenam o tempo. Precisam ver a utilidade disso, anos mais tarde! Por exemplo: suponhamos que você tem diante de si uma noite longa e tediosa, sem ninguém com quem possa conversar, sem coisa alguma a fazer, e ainda falta muito para chegar a hora de dormir. Se fosse você, que iria fazer?

— Nada — admitiu ela. — Iria morrer de aborrecimento, com vontade de jogar tudo para cima!

— Pois quando acontece isso com as pessoas desse país que visitei, elas nunca fazem isso. Por um processo rápido e simples, que não posso explicar, eles armazenam as horas inúteis, usando-as mais tarde, em ocasiões nas quais necessitam de um tempo extra.

O Conde escutava a explanação, com um sorriso ligeiramente incrédulo.

— Por que não pode explicar-nos o processo? — perguntou.

O argumento de Mein Herr foi irretrucável;

— Porque não há palavras em sua língua para expressar as ideias e os conceitos necessários à compreensão. Eu poderia explicar com palavras da língua de lá, mas vocês não iriam compreender.

— Certamente — concordou Lady Muriel, dispensando-o delicadamente de dizer a que língua ele se referia. — Deve ser uma língua dificílima. Mas, por favor, continue, a contar-nos outras coisas maravilhosas!

— Os trens de lá não têm locomotivas, mas apenas dispositivos para fazer frear os vagões. Não é fantástico?

— Mas de onde vem a força que os impele? — aventurei-me a perguntar.

Mein Herr voltou-se para mim, a fim de ver quem seria o novo questionador. Ao ver-me, tirou os óculos, limpou-os e os recolocou, olhando-me atentamente. Pelo seu ar de surpresa, pude deduzir que ele deveria estar se perguntando onde já me teria visto antes...

— Eles usam a força da gravidade — respondeu finalmente. — Creio que aqui neste país vocês conhecem essa força, não?

— Mas ela só pode ser usada quando a composição está descendo — argumentou o Conde. — Não me vá dizer que nesse país todas as ferrovias estão no sentido do morro-abaixo...

— Sim, estão — respondeu Mein Herr candidamente.

— Em ambas as extremidades?

— Sim, senhor!

— Desisto! — suspirou o Conde.

— Pode explicar o processo? — perguntou Lady Muriel, completando: — De preferência sem usar aquela linguagem que não sabemos falar fluentemente

— Claro que posso. Cada ferrovia é constituída de um túnel comprido, retilíneo e absolutamente horizontal, de maneira que o meio dele está mais perto do centro da Terra do que as extremidades, naturalmente. Desse modo, o trem inicia seu percurso na descendente, e continua descendo durante a metade do caminho, o que lhe confere força suficiente para transpor a outra metade, em sentido ascendente.

— Obrigada pela explicação — disse Lady Muriel. — Entendi perfeitamente. Mas a velocidade desse comboio, ao atingir metade do túnel, deve ser simplesmente apavorante!

Mein Herr estava evidentemente gratificado com o interesse inteligente de Lady Muriel em suas palavras. Com isso, tornava-se a cada momento mais fluente e loquaz.

— Você gostaria de conhecer nossos métodos de conduzir um carro puxado a cavalos. O que constitui para vocês um terrível problema, no caso do animal ficar desenfreado, não nos causa o menos transtorno! — disse o velho, com um sorriso.

Lady Muriel estremeceu só de visualizar a cena.

— Realmente, Mein Herr, um animal desembestado é extremamente perigoso!

— Sabe por quê? Porque suas carruagens ficam inteiramente atrás do cavalo. O animal corre, lá vai ela atrás. E se ele tomar o freio nos dentes, hein? Quem conseguirá detê-lo? Resultado: a carruagem dispara, sem que se possa controlá-la. Acaba capotando!

— E se isso acontecer com o cavalo da sua carruagem?

— Sem problema! Não estamos nem aí! Nosso cavalo é atrelado bem na parte central da carruagem, de modo que duas rodas lhe ficam à frente e duas rodas lhe ficam atrás. A ponta de um cinturão largo é presa no teto da carruagem. Esse cinturão passa sob o corpo do cavalo. Sua outra ponta está presa numa espécie de... como se diz?... molinete, creio. O cavalo toma o freio nos dentes. Ele dispara! Sua velocidade já passa das dez milhas por hora! Que fazemos? Pegamos nosso molinete, damos cinco, seis, sete giros, e... pluf! Nosso cavalo já não mais toca as patas no chão! Agora, ele está galopando no ar! Pode galopar quanto quiser, pois a carruagem já não mais se move. Tranquilamente, aguardamos que o animal se canse. Só então, descemo-lo até o chão. E ele volta a trotar alegremente, depois de ter feito a sua estripulia daquele dia...

— Fabuloso! — exclamou o Conde, que estivera escutando atentamente aquela explanação. — E existem outras peculiaridades em suas carruagens?

— Sim, como por exemplo as rodas, Excelência. Digamos que o senhor queira ir ao mar, para repouso e tratamento de saúde. As ondas jogam-no de um lado para o outro, derrubam-no, e às vezes até mesmo o afogam! Pois conseguimos tudo isso em terra firme, exceto quanto ao afogamento. E por quê? Porque não há água!

— E o que têm as rodas a ver com isso?

— É que elas são ovais, Excelência. Assim, a carruagem sobe e desce, enquanto elas giram.

— Com isso, vocês conseguem que o corpo seja jogado para a frente e para trás. Mas como conseguir jogá-lo para os lados?

— Simples: elas não são simétricas, Excelência. A ponta de uma corresponde ao lado da outra, de modo que quando um lado se ergue, outro se abaixa, e quem está dentro vai sendo atirado para um e para outro, para a frente e para trás... Ah, sim, é preciso ser um bom marinheiro, para andar em nossas carruagens!

— Faço uma ideia... — comentou o Conde.

Então, Mein Herr ergue-se e disse; após consultar o relógio:

— Sinto muito, senhorita, mas tenho de deixá-los para atender um outro compromisso.

— É uma pena que não tenhamos armazenado algum tempo extra, para agora podermos desfrutar mais um pouquinho de sua presença — disse Lady Muriel, ao apertar-lhe a mão.

— Nesse caso, eu ficaria aqui de bom grado — respondeu o velho. — Como não é assim, tenho de ir-me. Até a próxima!

Depois que ele já havia ido embora, perguntei:

— Quando foi a primeira vez que o encontrou? Onde é que ele mora? E qual seu nome verdadeiro?

— Nós o conhecemos... em... interessante: não consigo lembrar-me! Também não sei onde é que ele mora. Quanto a seu nome... acho que ele nunca nos disse qual é! É deveras curioso! Nunca antes me ocorreu a ideia de perguntar essas coisas para ele... trata-se, de fato, de um mistério, tudo isso...

— Espero encontrá-lo de novo — disse eu. — Achei-o uma pessoa muito interessante.

— Ele deve vir aqui no dia de nossa festa de despedida. Será na semana que vem. — disse o Conde. — O amigo virá, não é? Muriel gostaria de reunir todos os amigos, antes de irmo-nos daqui.

Ele então explicou-me, enquanto Lady Muriel tinha ido para dentro resolver um caso, que era sua intenção afastar a filha daquele lugar que lhe trazia lembranças tão dolorosas, relacionadas com seu noivado desfeito. Já estava acertado que ela e Arthur iriam casar-se daí a um mês, saindo em seguida para uma viagem de lua-de-mel ao Exterior.

— E não se esqueça, hein? Terça-feira que vem! — reiterou, quando nos despedimos. — Traga consigo aquelas duas crianças encantadoras, que conhecemos no último verão. Fale com elas sobre o mistério de Mein Herr! Elas parecem que são atraídas pelas coisas misteriosas. Até hoje não me esqueci daquelas estranhas flores...

— Farei o possível para trazê-las.

Ao voltar para a pensão, fiquei a matutar em como faria para cumprir aquela promessa, sem encontrar solução para o problema.

CAPÍTULO 8

Sob o Caramanchão

Passaram-se rapidamente aqueles dez dias, até que chegou na véspera da grande festa de despedida, e Arthur propôs que déssemos um passeio ao Solar, por volta da hora do chá das cinco.

— Não acha melhor ir você sozinho? — sugeri. — Minha presença ali, acredito, seria inteiramente supérflua.

— O que estou querendo fazer é uma espécie de experiência — explicou ele. — "*Fiat experimentum in corpore vili*" — acrescentou, fazendo uma curvatura galhofeira para mim, sua infeliz cobaia. — É que, amanhã à noite, terei de contemplar passivamente minha amada toda sorrisos e gentilezas para todo o mundo, exceto para a pessoa certa, concorda? Será mais fácil suportar esse tormento se eu fizer um ensaio preliminar!

— Quer representar uma peça, não é? E já vi que meu papel será exatamente o da *pessoa errada.*

— Não exatamente — disse Arthur, enquanto seguíamos para o Solar. — Esse papel não consta em nosso repertório básico. Temos outro para você. Que tal "Pai Furibundo"? Hmm... não; esse papel já tem dono. "Arrumadeira Cantarolante" serve? Não, a Primeira Dama acumula esse papel. E "Velho Cômico"? Falta-lhe comicidade para interpretar o personagem. Depois disso tudo, receio não lhe restar outro papel que não seja o de "Vilão Almofadinha", com um pequeno detalhe: você deveria estar vestido com um pouquinho mais de apuro...

Recebeu-nos Lady Muriel. Estava sozinha, pois o Conde tinha saído para fazer uma visita. Logo retomamos nossa intimidade sob o caramanchão onde os apetrechos para tomar chá sempre estavam à espera dos visitantes. A única novidade na arrumação, aos olhos de Lady Muriel pareciam constituir questão de rotina, eram duas cadeiras colocadas lado a lado, bem juntas. Por estranho que possa parecer, não fui convidado a ocupar nenhuma das duas!

— Quando estávamos vindo para cá — disse Arthur, — fizemos planos a respeito de trocarmos cartas. Ele quer ficar sabendo como estamos desfrutando nossa viagem à Suíça. Será que a palavra "desfrutar" calha bem em nosso caso?

— Claro que sim — respondeu ela ternamente.

— E o esqueleto guardado no armário? — indaguei com malícia.

— Vai ser difícil levá-lo — respondeu ela. — Estaremos viajando, e os hotéis costumam não ter armários nas suítes. É bem verdade que o nosso esqueleto é portátil, e pode ser embalado num bauzinho fácil de transportar…

— Mas veja bem — atalhei, — nada de escrever cartas, ouviu? Há coisas mais interessantes a fazer durante uma lua de mel. Quanto a ler, tudo bem, chega a ser um agradável passatempo. Mas *escrever*, não: sei bem o quanto é aborrecido.

— Sim — concordou Arthur, — às vezes. É difícil escrever para alguém de quem sintamos vergonha, ou que nos cause constrangimento.

— Será que a gente demonstra isso nas cartas? — perguntou Lady Muriel. — A pessoa tímida se revela quando fala. Você, por exemplo; quando fala, demonstra sua enorme timidez. Mas a gente sente isso só de ler a carta de um tímido?

— Na fala, sim; nas cartas, não. Vale também para a pessoa que nada tem de tímida. Você, por exemplo, quando fala, demonstra sua total falta de timidez, que alguns até preferem chamar de *atrevimento*. Fala fluentemente, sem hesitação. Já quem escreve, ainda que seja tímido, lacônico, tatibitate, não revela isso na escrita, que pode ser fluente e brilhante. Quem pode saber o tempo que ele levou para escrever cada sentença? No momento em que se lê a carta, porém, a ideia que se tem é que as sentenças fluíram ininterruptamente, da primeira à última.

— Quer dizer que as cartas não expressam tudo o que deveriam expressar?

— Não, e isso devido ao fato de que nosso sistema de escrever cartas é incompleto. Uma pessoa tímida deveria expressar sua timidez ao escrever. Por que não coloca pausas entre as palavras, do mesmo modo que as coloca ao falar? Ela deveria deixar uma ou duas linhas em branco, de vez em quando, ou mesmo, quem sabe, meia página. E quando fosse o caso de uma garota muito tímida (se é que existe isso), ela poderia escrever apenas uma frase em cada página, ou mesmo nenhuma, de vez em quando, para dar ideia de suas hesitações e pausas.

— Já estou prevendo que nós — não todos nós, mas apenas esse menino inteligente e eu — vamos acabar ficando famosos, e estou dizendo nós dois, porque já estamos encaminhados para oficializar a comunhão de bens, em virtude de termos acabado de inventar uma nova sistemática para a redação de cartas. É o "Código da Epistolografia". Por favor, garotão, invente novas regras, vamos!

— Pois não, garotona! Outra grande necessidade dos missivistas é encontrar um modo de expressar que não se quer dizer aquilo que pode parecer que se está querendo dizer.

— Explique-se, garotinho! Por certo você não terá dificuldade de expressar uma total ausência de significado, caso isso ocorra em sua carta?

— Refiro-me à capacidade de expressar a falta de seriedade de alguma coisa que efetivamente não deve ser levada a sério. A natureza humana é constituída de tal forma, que muita coisa escrita com seriedade é levada na conta de piada, e muita piada é levada a sério!

— Creio que você não tem lá grande prática nesse assunto — disse Lady Muriel, espreguiçando-se na cadeira e contemplando o céu. — Deveria tentar...

— Aceito a sugestão. A quantas garotas devo escrever para início de conversa? Tantas quantas posso contar nos dedos das duas mãos?

— Tantas quantas você pode contar no indicador de uma de suas mãos! — retrucou a jovem, fingindo estar zangada. — Que menino mais sem vergonha! O senhor também não acha?

— Ele é um tanto rebelde — respondi. — Talvez seja porque o dente dele está nascendo.

"Essa conversa me lembra os diálogos de Sílvia com Bruno", pensei comigo mesmo.

— O menino levado quer chá — disse Arthur, fingindo ser criança. — Ele está cansado só de pensar na festa de amanhã!

— Então diga a ele que trate de descansar — disse a jovem, suavizando a voz. — O chá ainda não está pronto. Vamos menino, recline a cabeça na cadeira e tente não pensar em coisa alguma. Se não for possível, então pense em mim.

— Tanto faz um como o outro — respondeu Arthur com ar sonolento, contemplando-a com olhos amorosos, enquanto ela se levantava para servir o chá. — O menino vai esperar, porque ele é muito bonzinho.

— Quer que lhe traga os jornais de Londres? — perguntou Lady Muriel. — Vi uma pilha sobre a mesa, hoje. Papai nada comentou sobre as notícias, exceto com respeito ao julgamento de um horrendo assassinato ocorrido há pouco.

(A sociedade estava então experimentando frêmitos diários de excitação com a revelação dos detalhes de um assassinato especialmente sensacional, ocorrido numa espelunca dos arredores da Zona Leste de Londres.)

— Não tenho apetite para histórias de terror — retrucou Arthur. — Mas espero que tenhamos aprendido a lição que elas nos podem ensinar, embora tenhamos a tendência de lê-las de trás para diante!

— Você fala por enigmas — disse Lady Muriel. — Explique-se, por favor. Veja, agora — e fez com que as ações se seguissem às palavras, — estou sentada a seus pés, como se você fosse um segundo Gamliel. Oh, não obrigada — (essa última frase foi dirigida a mim, que fizera menção de levar-lhe sua cadeira.) — Não se dê ao trabalho. A relva e a sombra da árvore proporcionam excelente espreguiçadeira. Então, Arthur, qual é a lição que tendemos a ler errado?

Ele silenciou durante um minuto, até que por fim disse:

— Quero deixar bem claro o que estou pretendendo dizer, antes que me compreenda mal, pois sei que você raciocina bem.

Frases do gênero elogioso eram tão raras em Arthur, que ela até ruborizou, enquanto respondia:

— Se raciocino, é porque você me fornece temas para tal.

— Pois bem: o primeiro pensamento de uma pessoa, ao ler algo especialmente vil ou bárbaro, cometido por um nosso semelhante, tende a ser o entendimento da existência de um novo nível de pecado, situado muito abaixo de nós, o qual contemplamos aqui de cima, completamente alheios ao que ocorre naquele abismo tão profundo.

— Acho que entendo o que está querendo dizer. Ao agradecer a Deus, a pessoa não deve dizer “Obrigado, Senhor, por ter-me concedido a graça de não ser tão vil quanto esse meu irmão”.

— Não, não. O que estou querendo dizer vai bem além disso.

Ela fitou-o durante algum tempo, sem dizer coisa alguma, aguardando sua explicação.

— Temos de começar bem antes. Pense em alguém que tenha a mesma idade do pobre infeliz. Recue no tempo até à época de seu início de vida, antes que tivessem noção do Certo e do Errado. Nessa ocasião, seriam ambos iguais aos olhos de Deus?

Ela meneou a cabeça, num mudo assentimento.

— Portanto, temos duas épocas distintas durante as quais podemos contemplar os dois sujeitos cujas vidas estamos comparando. Na primeiro, tendo em mente a virtual ausência de responsabilidade moral, a situação de ambos é precisamente a mesma: de maneira semelhante, ambos são incapazes de distinguir o certo e o errado. Na segunda época, o primeiro deles — estou tomando casos extremos, para estabelecer o contraste — alcançou a estima e o amor de todos a seu redor. Seu caráter é sem mácula, sua reputação é ilibada. Quanto ao outro sujeito, seu currículo consta de uma sucessão de crimes e contravenções. E quais seriam as causas de tamanho contraste na segunda época analisada? Trata-se de dois tipos de causas: umas agindo de dentro para fora, outras de fora para dentro. Cada uma teria de ser discutida separadamente, o que creio não ser possível, já que vocês devem estar cnfarados de minha parlapatice.

— Nada disso — contestou Lady Muriel. — Para mim, trata-se de um verdadeiro deleite escutar uma discussão desse gênero, na qual a questão é analisada e arranjada de modo tal que se possa entendê-la sem qualquer problema. Alguns livros que aparentam fazer exatamente isso, são para mim extremamente maçantes, pelo fato de apresentarem as ideias de modo aleatório, sem obedecer à sequência didática e bem esquematizada.

— Suas palavras me encorajam — agradeceu Arthur, com um olhar agradecido. — as causas que agem de dentro para fora são as que moldam o caráter do homem, das quais decorrem seus atos volitivos, ou seja, sua capacidade de escolher se agirá assim ou assado.

— Temos de admitir, portanto, a existência do livre-arbítrio? — perguntei, a fim de esclarecer esse tópico.

— Obviamente, sim — respondeu Arthur. — Caso contrário, "*cadit quaestio*", e nada mais tenho a dizer.

— Sendo assim, vamos admiti-la! — respondemos quase em uníssono, levando o orador a prosseguir:

— As causas *internas* são as circunstâncias que cercam o sujeito: aquilo que Herbert Spencer chama de "meio ambiente". O ponto que desejo esclarecer é o fato de uma pessoa ser responsável pelas suas escolhas, mas não pelo ambiente em que se desenvolveu. Desse modo, se dois sujeitos, numa determinada ocasião, expostos à mesma tentação, fazem idênticos esforços para resistir a ela, suas condições, aos olhos de Deus, devem ser as mesmas. Se o esforço de um foi agradável a Seus olhos, o mesmo acontecerá com relação aos esforços do outro. O mesmo pode ser dito se Ele se aborrecer.

— Quanto a isso, concordo inteiramente — assentiu Lady Muriel

— Entretanto, devido a seus diferentes ambientes, um deles pode alcançar brilhante vitória sobre a tentação, enquanto o outro pode vir a despenhar-se no escuro abismo do crime.

— Mas seguramente você não vai querer dizer que ambos são igualmente culpados aos olhos de Deus.

— Se assim fosse — respondeu Arthur, — eu teria de renunciar a minha crença na perfeita Justiça divina. Mas deixe-me apresentar outro caso, que irá mostrar de maneira mais convincente o que eu quero dizer. Suponhamos que um dos dois homens possua uma elevada posição social, ao passo que o outro não passe de um ladrãozinho vulgar. Aquele é tentado a realizar um ato desonesto bem banal, algo que ele possa fazer com certeza absoluta de jamais ser descoberto, mas que poderia perfeitamente evitar, já que está plenamente consciente de que se trata de um pecado. Simultaneamente, o outro foi tentado a cometer um crime terrível, ou pelo menos assim considerado pela Sociedade, em razão de alguma pressão esmagadora que esteja sofrendo, mas não esmagadora a ponto de eliminar toda a sua responsabilidade. Nesse caso, digamos que o segundo faça um esforço maior para resistir à tentação, embora, como o primeiro, acabe não resistindo e cometendo tal crime. De acordo com meu modo de pensar, o segundo homem é menos culpado que o primeiro.

Lady Muriel suspirou fundo e comentou:

— Isso revira de cabeça para baixo muitos conceitos tradicionais do Certo e Errado, só para início de conversa! No caso desse tal julgamento que vai acontecer em breve, suponho que você ache possível que a pessoa menos culpada de todo o tribunal seja justamente o criminoso, enquanto que o Meretíssimo, caso ceda a tentação de aparecer como um justiceiro rígido, acabe pecando pelo rigor excessivo, e cometendo o crime de prejudicar o restante da existência do criminoso!

— Sim, acho possível tudo isso — concordou Arthur sem relutar. — Soa como um paradoxo, admito, mas acredito que constitua um pecado atroz, aos olhos de Deus, ceder às pequenas tentações às quais poderíamos resistir sem grande esforço, infringindo deliberadamente Sua Lei. Que penitência poderia reparar tal pecado?

— Não posso rejeitar a *priori* sua teoria — disse-lhe, — mas parece que tal amplia consideravelmente a abrangência do conceito de pecado.

— Você concorda? — perguntou-lhe Lady Muriel.

— Absolutamente não! Ela parece-me, isto sim, dissipar boa parte das nuvens que toldam a história do mundo. Quando esse ponto de vista se me tornou claro, lembro-me de ter saído pelos campos, repetindo para mim mesmo, como Tennyson, "*Parece não haver lugar algum onde caiba o conceito de Errado*!" Essa ideia de que a verdadeira culpa do gênero humano talvez fosse infinitamente menor do que cheguei a supor que seria, ou seja, de que os milhões de pessoas que eu antes imaginara afundados nas profundezas da inevitável condenação não teriam de fato cometido qualquer pecado aos olhos de Deus, era tão agradável, que não há palavras para definir a alegria que ela me causou! A vida pareceu-me ser mais bela, mais colorida, bem melhor do que até então me parecera ser! Como disse o poeta, era como se "*uma esmeralda rutilante se ostentasse sobre a relva verde, e uma safira puríssima se confundisse com o azul do mar"!*

Ao encerrrar, sua voz tremia, e seus olhos estavam marejados de lágrimas. Com a mão em pala sobre os olhos, Lady Muriel manteve-se em silêncio durante algum tempo, até que por fim falou, olhando-o ternamente:

— Que pensamento lindo, Arthur! Obrigado por tê-lo explicado e por ter-me convencido de sua verdade.

Pouco depois, chegava o Conde, para juntar-se a nós durante o chá, trazendo-nos a infausta notícia de que uma estranha febre estava grassando na pequena cidade portuária vizinha. Era uma enfermidade de caráter tão maligno, que, embora os primeiros casos constatados não datassem se não de um ou dois dias atrás, já se conheciam mais de doze pessoas contaminadas, sendo que duas ou três em estado bem grave.

Em resposta às perguntas que Arthur lhe dirigiu, motivado pelo interesse científico que o caso lhe despertava, ele não pôde acrescentar senão uns poucos detalhes técnicos, extraído da conversa que acabara de ter com o médico local. Parecia tratar-se de uma doença nova, ao menos presentemente, embora tudo levasse a crer que não passasse de terrível Peste Negra, de tão trágica memória, em razão da rapidez com que se espalhava e de ser extremamente infecciosa.

— Mas isso não nos impedirá de realizar a nossa festa de amanhã — concluiu o Conde, — já que nenhum de nossos convidados provém da área infectada, na qual, aliás, apenas residem pescadores. Portanto, nada há que temer, pelo menos para o momento.

Arthur regressou comigo em completo silêncio e, tão logo chegou à pensão, tratou de reunir diversos livros e revistas, certamente em busca de artigos relacionados com a alarmante enfermidade da qual acabara de ouvir falar.

CAPÍTULO 9

A Festa de Despedida

No dia seguinte, Arthur e eu chegamos ao Solar bem no início da festa, enquanto apenas uns poucos convidados já ali se achavam. Dezoito pessoas haviam sido convidadas. Como todos estavam proseando com o Conde, tivemos oportunidade de conversar a sós com nossa anfitriã.

— Quem é aquele sujeito ali — perguntou Arthur, — de óculos enormes, com cara de cientista? Será que o conheço?

— Creio que não — respondeu Lady Muriel. — É um amigo nosso, acho que é alemão. É uma figura notável! O homem mais sábio com quem já deparei, depois de alguém cujo nome prefiro não mencionar.

O final da frase foi dito em tom de chacota, dada a patomima de Arthur, fingindo estar ofendido com as palavras iniciais.

E a moça vestida de azul, atrás dele, conversando com aquele estrangeiro, quem é? Outra sábia?

— Se é sábia, não sci. Disseram-me que é uma excelente pianista. Espero que toque para nós, mais tarde. Quem a trouxe, atendendo um pedido meu, foi justamente o estrangeiro que está com ela. É um visconde francês, que canta admiravelmente bem.

— Ciência, Música, Canto: uma festa completa! — comentou Arthur. — Sinto-me um privilegiado, por desfrutar de tão insigne companhia. E não é brincadeira, pois adoro música!

— Mas falta alguém para a festa estar completa — disse ela, olhando para mim. — O senhor não trouxe aquelas crianças incríveis! Você precisava vê-las, Arthur, ele as trouxe aqui no verão passado. São encantadoras!

— São mesmo! — concordei.

— Então, por que não as trouxe? O senhor prometeu ao Papai que viria com elas.

— Peço mil perdões, mas não tive condição de trazê-las comigo. Porém... — e, ao invés de concluir a sentença com alguma desculpa esfarrapada, continuei a falar como se fosse um boneco de ventríloquo, sem entender como poderia ter acontecido aquilo: — ... elas deverão estar conosco dentro em breve, no decorrer da festa.

Como poderiam tais palavras ter saído de meus lábios, se as não pronunciei? Fiquei pasmo!

— Oh, que bom! — exclamou Lady Muriel. — Quero apresentá-las a alguns amigos que aqui estão. Quando deverão chegar?

Refugiei-me no silêncio. A única resposta honesta seria dizer: "Essas palavras não foram ditas por mim! Saíram de minha boca independentes de minha vontade! Isso não é verdade!" Só que não tive coragem para fazer tal confissão. A fama de "lunático" não é difícil de adquirir, segundo imagino, mas é dificílima de perder, uma vez adquirida. E eu tinha a virtual certeza de que qualquer palavra minha nesse momento iria garantir meu direito de usar, de ora em diante, uma faixa na testa, com a inscrição: "*doido varrido*".

Lady Muriel certamente imaginou que eu não tivesse escutado a pergunta, voltando-se para Arthur e mudando de assunto. Assim, tive tempo de recobrar-me do susto e da surpresa, espantando para longe minha momentânea condição de *eerie*, ou fosse lá o que fosse.

Quando as coisas ao meu redor readquiriram sua realidade, Arthur estava dizendo:

— Receio que não haja solução. Elas devem ter um número finito de variações.

— Acreditar nisso iria deixar-me muito triste — retrucou Lady Muriel. — Tenho de convir, contudo, que não tenho escutado melodias novas ultimamente. O que as pessoas chamam de "uma nova canção" sempre me lembra alguma que já conheço desde os tempos de menina.

— Há de chegar o dia, se o mundo durar tanto — prosseguiu Arthur, — em que toda música possível já foi composta, e todo trocadilho possível já tenha sido perpetrado. — (Neste momento, Lady Muriel ergueu as mãos para o céu, como uma rainha de tragédia.) — Pior ainda: todo livro possível já terá sido escrito! Digo isso, porque o número de palavras é finito!

— Para os escritores, a diferença será pequena — intrometi-me na conversa. — Ao invés de dizerem: "Vou escrever um livro", eles dirão: "Vou transcrever um livro"... Se disserem depressa, nem dará para notar...

Lady Muriel sorriu aprovadoramente, rematando:

— Mas os escritores malucos acabarão conseguindo escrever coisas novas. Eles jamais aceitarão a ideia de transcrever um livro… normal!

— Concordo — disse Arthur. — Mas também seus livros um dia chegarão ao fim. O número de livros malucos é tão finito como o número de escritores malucos.

— Mas uns e outros andam aumentando ultimamente — disse um sujeito pomposo, que reconheci ser o aborrecido parlapatão do piquenique.

— Assim dizem — concordou Arhur. — E quando noventa por cento de nós formos malucos — (pelo seu tom de voz, notei que estava disposto a desfiar alguns argumentos sarcásticos), — os hospícios passarão a ter outra finalidade.

— Posso saber qual? — indagou o pomposo.

— Abrigar os sãos! — respondeu Arthur, fingindo seriedade. — Nós os invadiremos e nos trancaremos dentro deles. Os malucos que se arrumem do lado de fora. No início, vai haver alguma confusão: choques de trens relativamente frequentes, explosões de caldeiras dos vapores, incêndios, naufrágios, pequenas catástrofes...

— Das quais a mais grave será a perda de vidas humanas aos milhões! — murmurou o pomposo, demonstrando completo aturdimento.

— É verdade... — concordou Arthur. — Desse modo, chegará ao tempo em que o número de malucos voltará a ser inferior ao dos não malucos. Será o momento de deixarmos os hospícios, devolvendo-os aos primitivos ocupantes. A isso podemos chamar de "o vaivém da existência".

O pomposo franziu o cenho, cerrou os lábios e cruzou os braços, tentando chegar a uma conclusão. Por fim, com um muxoxo de desaprovação, afastou-se com ar altivo, murmurando para si próprio:

— E eu que pensei que ele falava sério...

A essa altura, os demais convidados já haviam chegado, e o jantar estava pronto para ser servido. Fomos para a mesa. Sentei-me defronte a Arthur, que ladeava Lady Muriel, tendo a meu lado uma dama de aspecto sisudo, à qual fora apresentado minutos antes. Como é normal nessa apresentações, não consegui guardar seu nome, lembrando-me apenas de que era duplo. Eu não a conhecia, mas ela parecia conhecer bem Arthur, pois segredou-me a opinião que tinha a seu respeito:

— Como esse rapaz aprecia as discussões!

Quanto a Arthur, parecia disposto a dar inteira razão à dama sisuda, pois, ao ouvi-la dizer "*jamais bebo vinho quando estou tomando minha sopa*" (frase que ela não segredou para mim, mas que proferiu em voz alta, como se constituísse assunto de interesse geral), logo retrucou, ou, melhor dizendo, logo desafiou-a para um combate singular, comentando:

— Tomando *sua* sopa, hein? Em que momento teve início sua condição de proprietária desse prato de sopa?

— Ora — replicou ela, — esta aqui é a *minha* sopa, e a que está nesse prato é a *sua*.

— Sem sombra de dúvida! — concordou Arthur. — Mas, volto a perguntar: quando foi que ela começou a ser a sua? Enquanto ela estava na sopeira, certamente pertencia ao dono da casa. Ao ser trazida para a mesa e oferecia aos comensais, deve ter-se tornado um bem comum, sob a tutela e guarda do garçom. Quando foi que esta porção passou a ser minha: quando eu acenei com a cabeça, dizendo que a aceitava? Quando ele enfiou a concha na sopeira para me servir? Ou quando ele terminou de encher meu prato?

— Como esse rapaz aprecia as discussões! — foi tudo o que ela conseguiu dizer, não em segredo, para mim, mas em voz alta e clara, para proveito geral.

Arthur sorriu maliciosamente, e continuou com suas provocações:

— Eu poderia apostar com a senhora, digamos, um vintém, que o Eminente Causídico a seu lado — (não sei como, mas ele disse essas palavras com maiúsculas!) — também não saberia dar uma resposta a esta pergunta que lhe fiz.

— Eu, apostar? Jamais! — retrucou a dama, severamente.

— Nem uma apostinha barata, como as que são feitas no uíste?

— Gosto de uíste. É um jogo inocente, até o momento em que alguém propõe apostas a dinheiro. Aí, perde a graça.

Arthur voltou-se a posar de sério:

— Receio não compartilhar com seu ponto de vista. A meu ver, a introdução de pequenas apostas para os jogos de cartas foi uma das providências mais sensatas e *morais* que a Sociedade já tomou!

— Poderia explicar por quê? — perguntou Lady Muriel.

— Porque retirou os jogos de cartas da categoria dos jogos, digamos, trapaceáveis. Veja o croqué, por exemplo: que desmoralização! Depois que as damas passaram a tomar parte nesse jogo, quase não há mais partidas sem trapaça! E se elas acaso são pilhadas em pleno ato de trapacear, que fazem? Dão uma risadinha e dizem que... estavam brincando! Se houvesse dinheiro na partida, aí a coisa seria diferente. Nessa circunstância, a trapaça não pode ser levada em conta de brincadeira. Se um jogador de baralho passa a perna em seus colegas de jogo, ganhando dinheiro de maneira fraudulenta, ninguém rirá se ele for descoberto; talvez riam ao vê-lo ser escorraçado a pontapés da casa em que se encontrava.

— Se todos os cavalheiros tivessem das damas o mesmo conceito péssimo que o senhor tem — redarguiu a dama com azedume, — haveriam muito poucos... muito poucas... — hesitou antes de terminar, em busca de uma palavra socialmente aceita, até que encontrou: — muito poucas luas de mel!

— Ao contrário! — protestou Arthur, retomando seu sorriso maldoso. — Se todos adotassem minha teoria sobre o casamento, o número de luas de mel — refiro-me a um novo tipo de lua de mel — aumentaria ponderavelmente!

— E que novo tipo de lua de mel seria esse? — indagou Lady Muriel.

— Vamos supor um cavalheiro: Sr. X — começou Arthur em voz ligeiramente mais alta, já que agora seu auditório era composta de seis pessoas, dada a recente participação de Mein Herr, sentado defronte à dama binômina que me ladeava, — e uma dama, senhorita Y, a quem ele pretende desposar. X vai até ela e solicita uma Lua de Mel Experimental. Ela diz que sim. Imediatamente, o casal, agora acompanhado da tia-avó de Y, promovida à condição de dama de companhia de noiva, sai para uma viagem de um mês, durante a qual não faltarão oportunidades de caminhadas ao luar, conversas tête-à-tête, etc. e tal, de modo que cada qual possa bem aquilatar o caráter de outro, coisa que não é possível dentro do atual sistema de namoro e noivado, a não ser após alguns anos de convivência repleta de regras e restrições. Após o regresso da viagem, aí, sim, é que X finalmente toma a decisão de pedir a mão de Y ou de não pedir!

— Nove entre dez cavalheiros preferirão desistir do matrimônio — proclamou o homem pomposo.

— Nesse caso — retrucou Arthur, — estaremos evitando nove casamentos desajustados, salvando dezoito pessoas de uma vida atormentada!

— Os únicos casais efetivamente desajustados — interveio a dama sisuda — são aqueles que não têm dinheiro suficiente. O amor pode vir depois. Para começar uma união feliz, dinheiro é essencial!

Esse parecer foi lançado sobre o grupo de convidados como uma espécie de desafio geral, parecendo ter sido aceito como verdade absoluta por vários dos que achavam dentro do raio de alcance de sua voz. Por algum tempo, o assunto principal das conversas foi o dinheiro, e um distante eco ainda se podia escutar quando a sobremesa foi servida, os criados deixaram o salão e o Conde iniciou o lento rodízio da garrafa de vinho por entre os comensais, saudado por todos com um sorriso de satisfação.

— Fico satisfeito de ver que vocês aqui conservam os costumes tradicionais — comentei com Lady Muriel, ao servir-lhe a bebida. — Como é bom experimentar o sentimento de tranquilidade que se espalha ao redor de uma mesa, quando os garçons nos deixam à vontade, cada qual servindo-se pessoalmente. É aí que podemos conversar sem a sensação desagradável de estar sendo escutados por estranhos, e sem o estorvo dos pratos a passar constantemente por cima de nossos ombros. É bem mais agradável podermos nós mesmo servir o vinho às senhoras e passar os pratos de doces aos vizinhos de mesa.

— Já que é assim — disse um sujeito gordo e vermelhão, sentado ao lado do nosso amigo pomposo, — faça o favor de passar-me esses pêssegos. Estou esperando por eles — diagonalmente — há algum tempo!

— Concordo com o senhor — comentou Lady Muriel. — Não aprecio essa inovação moderna de deixar os garçons servindo o vinho ao redor da mesa, durante a sobremesa. Além do mais, eles sempre nos servem pelo lado errado, o que naturalmente pode trazer má sorte para todos os presentes!

— É melhor servir o vinho pelo lado errado — disse nosso anfitrião, — do que deixá-lo na garrafa. Não dá para servir-se você mesmo? — (isso foi dito para o vermelhão) — Creio que o amigo não é abstêmio, acertei?

— Errou — respondeu o outro, empurrando a garrafa para longe. — Na Inglaterra, gasta-se quase duas vezes mais com bebida do que com qualquer artigo comestível. Veja este gráfico que trago comigo — (qual novidadeiro que não anda com os bolsos repletos de literatura de convencimento?) — As colunas de cores diferentes representam os valores gastos com diversos artigos alimentares. Observe as três colunas mais altas. Correspondem a derivados do leite, trinta e cinco milhões; pão e similares, setenta milhões; bebidas alcóolicas, cento e trinta e seis milhões! Se me fosse possível, eu mandaria fechar todos os botequins da terra! Vê? Está aqui no gráfico. E leia o título dele: "*Eis para onde vai o nosso dinheiro*"!

— Será que o senhor já viu o *Gráfico Antiabstêmio*? — perguntou Arthur, com ar inocente.

— Esse eu desconheço! — respondeu o outro, em tom agressivo. — Como é ele?

— Quase igualzinho a esse seu. As colunas são as mesmas, até na cor. Apenas, ao invés de "*valores dispendidos*", vem "Receitas apuradas". E em lugar do título "*Eis para onde vai o nosso dinheiro*", o dele é: "*Eis de onde provém o nosso dinheiro*"...

O vermelhão olhou-o de cima abaixo, com aspecto carrancudo, mas não se dignou dar-lhe resposta. Quem deu prosseguimento ao assunto foi Lady Muriel, que perguntou:

— O senhor acha que, para defender a redução do consumo de bebidas, é necessário tornar-se um completo abstêmio?

— Claro que sim! Vou dar-lhe um exemplo — e tirou do bolso um recorte de jornal, pondo-se a lê-lo: — "*Senhor Editor: Até pouco tempo atrás, eu bebia socialmente. Um amigo meu, porém, era um beberrão inveterado. Um dia, procurei-o e o aconselhei a largar a bebida antes que ela arruinasse sua saúde. Ele então replicou: 'Se você bebe, por que não posso beber?' Eu ainda retruquei que, de fato, bebia, mas sabia quando parar, tendo ele encerrado a discussão dizendo: 'Então, beba a seu modo, que eu beberei ao meu'. Com isso, constatei que só poderia combater a bebida em excesso, se eu mesmo abandonasse inteiramente o hábito de beber. Foi o que eu fiz. Dali em diante, nunca mais pus uma gota na boca!*" E então? Que me dizem? — e olhou triunfalmente em torno da mesa, enquanto o recorte de jornal passava de mão em mão para exame geral.

— Muito interessante! — comentou Arthur, quando o recorte chegou até suas mãos. — Por acaso o senhor leu uma carta semelhante publicada semana passada, a respeito do hábito de levantar cedo? Era estranhamente parecida com esta aqui!

O vermelhão mostrou-se curioso:

— Não, não li. Como para ela?

— Tenho aqui o recorte — disse Arthur, enfiando a mão no bolso e fingindo trocar o pedaço de papel por outro. — Permita-me que o leia. "*Senhor Editor: Até pouco tempo atrás, eu dormia moderadamente. Um amigo meu, porém, era um dorminhoco inveterado. Um dia, procurei-o e o aconselhei a largar a cama cedo, antes que o dormir em excesso arruinasse sua saúde. Ele então replicou: 'Se você dorme, por que não posso dormir?' Eu ainda retruquei que, de fato, eu dormia, mas sabia quando levantar, tendo ele encerrado a discussão dizendo: 'Então, durma a seu modo, que dormirei ao meu'. Com isso, constatei que só poderia combater o dormir em excesso, se eu mesmo abandonasse inteiramente o hábito de ir para a cama. Foi o que fiz. Dali em diante, nunca mais preguei o olho!*"

Sem acrescentar qualquer comentário, Arthur fingiu que guardava seu recorte e voltava a tirar o outro, passando-o para as mãos de um convidado. Nenhum de nós atreveu-se a rir. O vermelhão se arroxeou e rosnou:

— Seu exemplo é tão mal arranjado, que nem consegue equilibrar-se direito!

— Coisa que quem bebe socialmente faz muito bem — replicou Arthur imediatamente, fazendo rir até mesmo a dama sisuda.

Evidentemente ansiosa para mudar o assunto, Lady Muriel interveio:

— São necessários muitos detalhes para que um jantar seja perfeito! Por favor, Mein Herr, qual é sua ideia de um jantar perfeito?

O velho olhou ao redor sorridente, e seus óculos enormes pareciam mais gigantescos do que nunca. Com uma mesura galante, respondeu:

— Para um jantar perfeito, a primeira exigência é que ele seja mais presidido por esta gentil anfitriã.

— Mas isso é óbvio! — exclamou ela com ar gaiato. — E que mais, Mein Herr?

— Só posso dizer-lhe o que já tive a oportunidade de ver em meu... isso é, no país que há pouco visitei.

Fez uma pausa comprida e pervagou o olhar pelo teto, com uma expressão tão sonhadora, que receei estivesse ficando fora de si, o que, afinal de contas, parecia ser seu estado normal. Ao final de um minuto, porém, recobrou-se e prosseguiu:

— O que causa o fracasso de um jantar é a insuficiência, não de comida ou de bebida, mas de assunto de conversação.

— Num jantar inglês — intrometi-me — jamais observei insuficiência de assuntos capazes de manter uma boa conversa fiada.

— Perdoe-me, senhor — tornou Mein Herr, — mas não mencionei "conversa fiada", e sim conversação. Assuntos, tais como o tempo, a situação política ou os mexericos locais são desconhecidos entre nós. Quando não são enfadonhos, acarretam controvérsias desagradáveis. O que necessitamos para nossa conversação é de algum assunto que tanto tenha de *interessante* como de *novidade*. Para tanto, tentamos diversos esquemas e cenários intitulados "Quadros Móveis", "Criaturas Abjetas", "Interlocutores Cambiáveis" e "Animador Giratório". Este último só funciona em jantares mais restritos.

— Apresente-nos esses "esquemas" em capítulos separados, Mein Herr — pediu Lady Muriel, evidentemente interessada no assunto, como aliás toda a mesa parecia estar, já que as conversas haviam cessado e as cabeças se inclinavam para frente, afim de que todos pudessem escutar suas palavras. — Vamos lá, Capítulo Um: Quadros Móveis!

— A mesa de jantar tem o formato de um anel — começou Mein Herr em voz baixa, mas perfeitamente audível, dado o silêncio geral que se havia estabelecido. — Os convidados sentam-se tanto do lado de dentro como do lado de fora dela. Os de dentro chegaram até ali através de uma escada em caracol que liga o salão de jantar a um cômodo situado logo abaixo dele. Em cima do anel da mesa há um trilho, por onde corre um trenzinho de brinquedo. Em cada vagão há dois quadros, cada qual voltado para um lado. O trenzinho segue num sentido e volta por outro, de modo que todos os convidados veem todos os quadros, podendo comentá-los tranquilamente entre si.

Fez uma pausa, e o silêncio pareceu ainda mais absoluto que antes. Quem o quebrou foi Lady Muriel, que comentou, em tom consternado:

— Realmente... macacos me mordam se isso funciona... Oh! Esqueci! Desculpe, Mein Herr. Vamos lá. Capítulo Dois: Criaturas Abjetas!

— Depois que passamos a achar o assunto "Quadros Móveis" um tanto enfadonho e repetitivo, já que as pessoas não apreciavam discutir questões de Arte durante todo o jantar, tentamos esse segundo esquema. Entre as flores postas sobre a mesa (nós gostamos de flores tanto quanto você), podiam-se ver: aqui um comundongo, ali um besouro, mais além uma aranha — (Lady Muriel ficou arrepiada), — atrás uma vespa, ou um sapo, ou então uma cobra — ("Ouviu isso, Papai?" — perguntou ela em tom de provocação), — e esses assuntos davam muito pano para manga.

— E que me diz das ferradas e mordidas? — perguntou a velha dama.

— Todas essas sevandijas ficavam presas, Madame.

A dama inclinou a cabeça, satisfeita com a resposta.

Dessa vez não se seguiu o silêncio constrangedor, pois Lady Muriel logo tratou de anunciar:

— Capítulo Três: Interlocutores Cambiáveis!

— Até mesmo as criaturas horrorosas acabaram por tornar-se monótonas. Assim, deixamos a cargo dos próprios convidados a escolha dos assuntos. No intuito de evitar a monotonia, tratamos de permutá-los entre si. Construímos uma mesa formada por dois anéis concêntricos. O anel interno era móvel, e se deslocava lentamente, durante todo o jantar, juntamente com o chão e, evidentemente, com os convidados assentados na parte de dentro da mesa. Assim, cada convidado "interno" acabava ficando face a face com um convidado "externo", o que eventualmente provocava uma pessoa, e acabava sendo escutada por outra. Que fazer? Todo arranjo tem seus méritos e deméritos...

— Capítulo Quarto! — exclamou Lady Muriel sem tardança. — O Animador Giratório!

— Para um jantar de poucos convivas, inventamos um excelente arranjo para mesa redonda, desde que esta tenha um buraco no meio, largo o suficiente para conter uma pessoa. Ali é colocado o convidado mais falante, mais conversador e animado. Sua cadeira gira lentamente, deixando-o vis-à-vis com todos os convidados, um a um. E ele vai contando casos e anedotas o tempo todo!

— Não gostei desse esquema — comentou o homem pomposo. — Já pensaram se eu tivesse de ficar ali no centro da mesa, rodando sem parar, conversando todo o tempo? Eu prefiro declinar do convite e...

Interrompeu de repente o que ia dizer, ao cair em si que estava sendo extremamente pretensioso de imaginar-se o centro das atenções, antes que alguém o solicitasse. Assim, segurando a taça, tomou um gole generoso de vinho e preferiu continuar calado.

Quando a Mein Herr, recaiu em seu transe habitual, nada mais dizendo. Vendo isso, Lady Muriel fez um sinal e, no mesmo momento, todas as damas deixaram o salão.

CAPÍTULO 10

Conversa Fiada e Geleia

Quando a última dama saiu pela porta do salão, e o Conde, assumindo pose militar, ordenou "Cavalheiros! Cerrar fileiras!", e quando, em obediência ao comando, agrupamo-nos compactamente a seu redor, o sujeito pomposo suspirou profundamente, como se aliviado de uma carga, encheu a taça de vinho até a borda, empurrando depois a garrafa, e deu início a seu passatempo favorito: a parlapatice.

— São encantadoras, sem dúvida que são! Pena que também sejam extremamente frívolas. Só fazem rebaixar-nos, por assim dizer, até o nível da mediocridade. Oh, as mulheres. Algumas até...

— Não seria melhor que o amigo nomeasse quais seriam essas "algumas"? — indagou o Conde, educadamente.

— Queira desculpar-me — respondeu o pomposo, com altiva condescendência, — mas não me refiro a nenhuma delas em particular. Digo genericamente: as damas, cuja ausência lamentamos. O remédio que temos é consolar-nos uns com os outros. "*O pensamento vagueia livremente*". Se elas estão conosco, ficamos restritos ao trivial ligeiro: tópicos como esses bem podem ser discutidos com uma dama. Mas homem algum, na plena posse de suas faculdades mentais — e nesse ponto ele olhou desafiadoramente ao redor da mesa, encarando um por um dos presentes, — jamais discutiria com elas, por exemplo, acerca de... VINHOS! — Sorveu um gole generoso de porto, inclinando-se em seguida contra o espaldar da cadeira e erguendo os olhos, até poder fitar o lustre do salão. — Por favor, Senhor Conde, qual a safra deste?

O Conde respondeu.

— Era o que eu supunha. Mas gosto de me certificar. O matiz é, digamos, um tanto pálido. Mas o corpo é fora de questão! E quanto ao *bouquet*...

Ah, o *bouquet*! Palavra mágica! Foi escutá-la e logo me veio à mente, nitidamente, a cena quase esquecida, do pequeno mendigo fazendo cabriolas na estrada, enquanto eu carregava nos braços a aleijadinha, ladeado pela ama misteriosa e evanescente... Todas essas imagens atropelavam-se em minha mente, como figuras de sonho, e através da neblina mental reboava, qual dobre fúnebre de sinos, a voz solene do profundo conhecedor de VINHOS!

Todavia, até mesmo suas palavras soavam como se pronunciadas durante um sonho. E ele recomeçou:

— Não — (e neste ponto faço uma pausa para perguntar: por que as pessoas, ao retomarem o fio partido de um diálogo, sempre reiniciam sua argumentação por esse enfadonho monossilábico? Após pensar longamente a esse respeito, cheguei à conclusão de que a intenção do reiniciador de conversa é a mesma do estudante que foi chamado à lousa e tenta desesperadamente resolver um cálculo, confundindo-se sem parar. A saída que encontra é tomar do abafador, limpar tudo o que estava escrito e recomeçar do zero. Da mesma maneira, o orador confuso, pelo processo simples de iniciar negando tudo que tinha sido até então afirmado, por assim dizer "limpa"a discussão e pode dar início a uma teoria novinha em folha. Voltemos então ao nosso pomposo tagarela.) — Não, nada se pode comparar à velha e tradicional geleia de cerejas, é o que sempre digo!

— Discordo no que toca a *todas* as qualidades que uma geleia possui — protestou um homenzinho de dar impaciente e voz estridente. — Concordo no que concerne à vivacidade de sua coloração. Nesse aspecto ela não tem rival. Mas quanto à delicadeza de modulação (será que me faço entender? Refiro-me à harmonia de seu paladar), sou mais a velha geleia de framboesa!

— Permitam-me, cavalheiros — intrometeu-se o vermelhão, rouco de excitação, — mas essas distinções são por demais sutis para serem estabelecidas por, perdoem-me, amadores. Posso repassar-lhes o ponto de vista externado por um *profissional*, certamente o mais experiente provador de geleia de que tenho notícia. Saibam, senhores, que testemunhei eu mesmo sua competência, ao determinar a data de fabricação de uma geleia de morangos com margem de erro de uma dia! Qualquer um vê a dificuldade que existe nessa avaliação! Pois bem: ele o fez depois de saborear uma provadinha só, e nada mais! De certa feita, questionei esse *expert* a respeito do mesmo assunto que os cavalheiros acabam de discutir. E ele respondeu que a geleia de cereja é a melhor, devido ao claro-escuro de seu sabor, enquanto que a de framboesa se presta melhor à satisfação daqueles que apreciam as dissonâncias do paladar, que repercutem tão encantadoramente na ponta da língua. Todavia, para alcançar o suprassumo embevecedor da perfeição sacarina, nada, mas nada mesmo, pode igualar-se à sofisticação e ao primor da geleia de damasco. Primeiro, esta, depois... o resto! Disse quem pode: alguém discorda?

— Concordo *in totum*! — cacarejou o homenzinho.

— Sei de quem o amigo está falando. Conheço-o também — disse o pomposo. — Trata-se, com efeito, de um provador de geleia sem qualquer rival. Não obstante, ainda penso que...

E a partir daí a discussão generalizou-se. As palavras cruzavam os ares, numa verdadeira miscelânea de frutas, qualidades e interjeições. Todos queriam defender seu ponto de vista, até que, superando o alarido, ouviu-se a voz do dono da casa, ordenando:

— Muito bem, senhores: é hora de nos reunirmos às damas!

O comando trouxe-me de volta à vida real, uma vez que, nos últimos minutos, eu havia recaído no estado "*eerie*".

"Acabo de ter um sonho estranho", pensei comigo mesmo. "Homens crescidos discutiam seriamente, como se estivessem tratando de temas de vital importância, a respeito de assuntos de uma banalidade assustadora, tais como a maior ou menor palatabilidade de certas guloseimas, para cuja determinação não era necessário recorrer senão a funções corporais elementares: os nervos da língua e do palato! Que humilhante espetáculo tal discussão iria proporcionar, se acaso fosse travada na vida real!"

A caminho da sala de estar, encontrei-me com a velha governanta, que me entregou dois convidados tardios: meus queridos amiguinhos, trajados na maior elegância. Seus semblantes, iluminados pelo entusiasmo da expectativa, pareciam mais radiantes e belos do que nunca. Curioso: não fiquei surpreso ao vê-los, aceitando o fato com aquela apatia irracional que se apossa de nós durante um sonho. Só bem no fundo de minha mente agitava-se uma vaga ansiedade com respeito ao modo como ambos iriam portar-se naquele ambiente inusitado, esquecendo-me de que sua vida pregressa, na Corte de Estrangeirônia, devia tê-los preparado suficientemente bem para enfrentar as complicações de um evento social do mundo real.

Seria melhor, pensei, apresentá-los, tão logo fosse possível, a algum dama de temperamento afável. Assim, selecionei a pianista, e dirigi-me a ela, dizendo:

— Estou certo de que a senhoria aprecia crianças. Posso apresentar-lhe duas, e encantadoras? Esta aqui é Sílvia, e este é Bruno.

A moça beijou Sílvia graciosamente, preparando-se para fazer o mesmo com Bruno, que imediatamente se pôs fora de seu alcance.

— Seus rostos são novos para mim — disse ela. — De onde vocês são?

Eu não tinha imaginado que essa pergunta tão inconveniente pudesse ser feita. Temendo que Sílvia ficasse embaraçada, preferi eu mesmo responder:

— Vieram de um lugar distante daqui, e só pretendem passar esta noite entre nós.

— E qual a distância desse lugar, queridos? — insistiu a jovem.

— Uma ou três milhas — respondeu Bruno.

— Não diga assim, Bruno, "uma ou três" — corrigiu Sílvia.

— Ela está certa, querido — concordou a pianista. — Não se diz "uma milha ou três".

— Tanto se diz, que eu disse — contestou Bruno. — Pode não ser comum, mas acaba sendo, se todo mundo repetir.

A réplica deixou a moça ligeiramente atordoada.

— Ele é bem esperto para a idade — murmurou. — Aliás, quantos anos você tem? Vamos ver se consigo adivinhar sua idade. Sete?

— Não. Minha idade é uma. A da Sílvia é outra. Somando a minha idade e a dela, dá duas.

— Ah, danadinho! Então, sabe contar, não é?

— Sei. Se você quiser aprender, eu ensino.

Dessa vez a jovem arregalou os olhos de espanto, e falou "para o lado" de maneira que todos pudessem escutar:

— Esse aí deixa a gente bem embaraçada!

— Oh, Bruno, você não devia! — ralhou Sílvia.

— Não devia o quê?

— Falar o que você disse.

— Mas eu só posso falar o que eu disse. Seria impossível falar o que eu não disse.

Vendo que Bruno acabaria deixando a irmã completamente desarvorada, a pianista achou melhor retomar o assunto interrompido.

— Deixe de nos enrolar, garoto. Quero saber qual é a sua idade.

— Não sei o que significa isso.

— Isso o quê?

— "Assuidade".

— Está certo. Não quer responder. Você veio com essa menina?

— Não. Ela é que veio comigo. Eu vinha, com ela ou sem ela. Mas ela não vinha aqui "*sem migo*".

— É sua irmã, não é? — continuou a jovem, que era bem persistente. — Eu também tenho uma irmã em casa, igualzinho a ela. Se elas se conhecessem, estou certa de que seriam boas amigas.

— Mais do que amigas — corrigiu Bruno. — Seriam úteis uma para a outra. Na hora de pentear o cabelo, não precisavam ficar diante do espelho.

— Por que diz isso, meu querido?

— Ué! Você não disse que elas eram iguaizinhas? Então cada uma ia servir de espelho para a outra!

Nesse instante, Lady Muriel, que estivera ali perto, apreciando a verdadeira "sova oral" que Bruno estava aplicando na pobre convidada, interrompeu o diálogo, solicitando-lhe a fineza de brindá-los com uma apresentação ao piano. Ela então levantou-se e caminhou na direção do instrumento, seguida por seus novos amiguinhos.

Arthur aproximou-se, sentando-se ao meu lado.

— Se o que se diz por aí é verdade — comentou em voz baixa, — vamos ter uma execução primorosa.

Assim, em meio a um silêncio que não era cortado sequer pela respiração dos presentes, teve início a apresentação.

A jovem era uma daquelas pianistas que a Sociedade classifica de "brilhantes". Sem perder tempo com prólogos, arremeteu logo de saída com uma das mais encantadoras sinfonias de Haydn, num estilo que revelava ser o resultado de anos e anos de paciente estudo, supervisionado pelos melhores mestres. De início, parecíamos estar diante da verdadeira perfeição, em matéria de execução pianística. Dentro em pouco, porém, eu me perguntava: "Mas que será que está faltando? Por que essa execução não nos satisfaz?"

Pus me a escutar atentamente cada nota que ela tocava, e por fim dissipou-se o mistério. Havia na execução uma quase perfeita correção mecânica — e nada mais! Notas erradas, de fato, não havia: ela mostrava conhecer a peça nos seus mínimos detalhes. A falha estava no *tempo*, no momento de tocar as notas, e isso indicava que a pianista não tinha ouvido para música. Faltava-lhe expressão nas passagens mais elaboradas, como se ela não pusesse sentimento na execução, mas tão somente técnica. Essa monotonia mecânica tirava da música toda a alma, toda a sua modulação celestial. Aquilo era uma verdadeira profanação e, a partir de um determinado momento, começou a tornar-se irritante. Assim, quando chegou o *grande finale* e ela martelou a derradeira nota, com uma força tal que por um triz não arrebentava a corda, não pude sequer simular o estereotipado "Bravo!" que ecoou a meu redor.

Lady Muriel chegou-se até nós dois e segredou para Arthur, sorrindo maliciosamente:

— Então: não é uma beleza?

— Não é mesmo! — respondeu Arthur, com um olhar doce que contrastava com a rudeza da resposta.

— Refiro-me à execução — insistiu Lady Muriel.

— Bem que essa pianista merecia ser executada — retrucou Arthur, — mas acabarão comutando sua pena e transformando-a em prisão perpétua...

— Pare de exagerar. Afinal de contas, você gosta ou não gosta de Música?

— Claro que gosto. Gosto de Música, não de música — (de algum modo ele conseguiu pronunciar as duas palavras com e sem maiúscula). — Sua pergunta é vaga. Digamos que eu lhe perguntasse: "Você gosta de gente?" Entendeu?

Lady Muriel cerrou os lábios, franziu o cenho, cruzou os braços e bateu o pezinho no chão, representando — muito mal — uma cena de raiva, que só enganou Bruno. Imaginando ser o início de uma terrível discussão, ele se intrometeu na conversa, afirmando categoricamente:

— Eu gosto de gentes! Gosto muito!

Arthur acariciou-lhe a cabeleira encaracolada e perguntou:

— Gosta de todas as gentes que existem?

— De todas, não! Gosto de Sílvia, de Lady Muriel, daquele ali — (e apontou para o Conde), — e você e desse aí — (dessa vez, o apontado fui eu).

— Não aponte as pessoas, Bruno — ralhou Sílvia. — É falta de educação.

— No mundo de Bruno — comentei — não há mais que cinco pessoas dignas de menção.

— O mundo de Bruno! — repetiu Lady Muriel, pensativamente. — Um mundo brilhante e florido, onde a relva é sempre verde, a brisa sempre sopra suavemente, o céu nunca está encoberto por nuvens... Ali não há feras, nem desertos escaldantes...

— Sem um desertozinho, ao menos, não seria um mundo ideal — intrometeu-se Arthur.

— Mas por que essa exigência de um deserto? — estranhou Lady Muriel. — Seu mundo ideal teria algum lugar ermo para quê?

Arthur sorriu:

— Um lugar ermo seria mais necessário em meu mundo ideal que uma ferrovia! E mais importante para a felicidade geral do povo do que os sinos da igreja!

— E que destinação você lhe daria?

— Seria ali que as moças desprovidas de ouvido para música iriam estudar piano! Todas as manhãs, essas insistentes criaturas seriam levadas para o interior desses desertos, percorrendo mais ou menos duas ou três milhas, e ali cada uma teria seu quartinho confortável, dotado de um piano barato de segunda mão, em cujas teclas poderia praticar durante quantas horas quisesse, sem com isso acrescentar nem uma pitada de angústia ao caldeirão da música humana!

Lady Muriel olhou para os lados, alarmada, para verificar se aqueles comentários sarcásticos teriam sido escutadas por alguém. Por sorte, a pianista "correta" estava fora do alcance da voz de Arthur. Ao constatar isso, indagou:

— De qualquer modo, você há de convir que ela é uma pessoa doce.

— Oh, sim. Tão doce como água com açúcar. E tão interessante como essa mesma deliciosa bebida…

— Você é incorrigível! — comentou Lady Muriel, deixando-o temporariamente e voltando-se para mim: — Espero que tenha achado a Sra. Mills uma companhia mais interessante que água com açúcar…

— Ah, então é esse o nome dela… Quando conversarmos, já sei como tratá-la.

— Só se o senhor quiser correr um risco desnecessário. Ela não admite ser chamada apenas de "Senhora Mills". Nem ouse! Chame-a de "Senhora Ernest-Atkinson-Mills".

— Ela é uma daquelas pessoas nobres — completou Arthur — crentes de que, declinando nome, sobrenome e sobressalentes, sempre ligados por hífens, isso irá conferir à denominação um toque aristocrático. Como se já não fosse trabalho suficiente arquivar na memória um único nome...

Nessa altura, o salão estava ficando cheio de convidados, e Lady Muriel teve de ir recepcioná-los, tarefa na qual demonstrou possuir graça e elegância. Sílvia e Bruno ficaram a seu lado, profundamente interessados naquela espécie de jogo.

— Espero que gostem dos meus amigos — disse-lhes ela. — Quero que conheçam especialmente um deles (onde estará ele, afinal? Oh, ali está), aquele ali, mais velho, de óculos e barba comprida. É Mein Herr.

— Parece ser uma pessoa maravilhosa — comentou Sílvia, olhando Mein Herr, que também nos fitou através do fundo de garrafa de suas lentes. — E que linda barba tem!

— É muito estranho uma mulher com uma barbona dessas — sussurrou Bruno.

— Quem disse que ele é mulher, Bruno? Que absurdo! Não está vendo que é um senhor de idade?

— Então, como é que vocês tão chaman'o ele de "Mãe" Herr? Me explica isso, Senhor Doutor.

— Não é "Mãe", Bruno, é "Mein'. Quer dizer "meu". E "Herr" quer dizer "senhor". Não é o nome dele, nós é que o chamamos assim, "Meu Senhor", em alemão. Ele está ali tão solitário, coitado…

— Coitado mesmo! — concordou Bruno. — Primeiro, não tem nome. Segundo, todo o mundo chama ele de "meu", como se fosse o dono dele…

— Eu já vi esse senhor antes. Foi hoje à tarde. — disse Sílvia. — Tínhamos ido brincar com o Nero, e o vimos quando estávamos voltando.

— Por que não vamos até lá conversar com ele e alegrá-lo um pouco? — propus. — Talvez até consigamos descobrir qual é su verdadeiro nome!

CAPÍTULO 11

O Homem da Lua

As crianças acompanharam-me de bom grado. Ladeado por elas, cheguei-me até o velho e perguntei:

— Crianças incomodam o senhor?

— Rabugice e juventude não podem conviver — respondeu o velho com ar gaiato, sorrindo cordialmente. — Deem uma boa olhada em mim, crianças. Acham que eu pareço muito velho, não é?

À primeira vista, embora seu rosto fizesse recordar o Professor, ele me havia parecido um tanto mais novo que o outro. Agora, porém, examinando-o mais detidamente e observando a maravilhosa profundidade daqueles olhos sonhadores, senti, não sem uma certa estupefação, que ele era incomensuravelmente mais velho, pois parecia encarar-nos de longe, muito longe, de alguma era remota, de séculos atrás.

— Num sei se o senhor é muito velho — respondeu Bruno, que se aproximara dele tão logo havia escutado sua voz amistosa e simpática. — Acho que deve ter por volta de oitenta e três anos…

— Oh! Ele gosta de números exatos! — exclamou Mein Herr.

— E porventura acertou em sua estimativa? — indaguei.

— Existem razões, que não tenho permissão de explicar, segundo as quais não devo mencionar definitivamente quaisquer Pessoas, Lugares e Datas. Apenas uma observação vou-me permitir fazer: o período de vida compreendido entre cento e sessenta e cinco anos e cento e setenta e cinco é especialmente seguro.

— Seria possível provar isso?

— Sim, é. Tomemos, por exemplo, a natação. Se você jamais ouviu dizer que alguém morreu porque estava praticando natação, você teria de considerá-la uma diversão segura, não é? Pois bem: já ouviu falar de alguém que tenha morrido com idade entre cento e sessenta e cinco e cento e setenta e cinco anos?

— Entendo o princípio, mas não o exemplo. Receio que não se possa chamar a natação de uma diversão segura, pois não é raro ouvir contar que alguém morreu afogado.

— Não em meu país! Ali ninguém morre afogado!

— Será que não existem águas profundas por lá?

— Existem, e de sobra! Acontece que nós não podemos afundar, porque somos mais leves que a água. Espere, eu explico — acrescentou, ao ver meu olhar de surpresa. — Suponhamos que você deseje obter uma determinada raça de pombos, com algum formato ou coloração especial. Que faz? Separa os mais próximos daquela característica, fazendo-os cruzar entre si, não é?

— Sim, chamamos a isso "seleção artificial".

— Exatamente! Foi o que fizemos conosco, durante séculos e séculos, selecionando constantemente os espécimes mais leves. Hoje, todos nós somos mais leves que a água!

— Quer dizer que estão a salvo quando viajam pelo mar?

— Claro! O único perigo que corremos é quando estamos em terra firme! Esse perigo de afogar acontece quando estamos assistindo a uma peça de teatro, por exemplo.

— Afogar-se num teatro? Como?

— Nossos teatros são subterrâneos. A plateia fica situada sob enormes tanques cheios de água. Se irromper um incêndio, as torneiras são abertas e, em menos de um minuto, o teatro está com água até o teto! Não há fogo que resista!

— Mas... e assistência?

— Isso é um detalhe sem maior importância. Se morrerem os espectadores, sobrar-lhes-á o consolo de saber que todos são mais leves que a água. O objetivo final é conseguir reduzir nosso peso até ficarmos mais leves que o ar. É possível que dentro de uns mil anos...

— E quanto nasce algum pesadão — perguntou Bruno, demonstrando preocupação, — quê que faz com ele?

— Temos aplicado esse mesmo processo — prosseguiu Mein Herr, sem dar atenção à pergunta de Bruno — a diversos outros propósitos. Selecionamos há tempos as melhores bengalas, conservando aquelas que mais facilitam o caminhar. Nosso objetivo é produzir uma que caminhe sozinha! Já conseguimos selecionar algodão em rama, obtendo um tipo que flutua no ar. Não faz ideia dos artigos que estamos produzindo a partir dessa matéria-prima! Até já demos um nome para novo pano: "imponderável"!

— E pra quê que serve? — perguntou Bruno.

— A principal utilidade é embalar artigos para enviar pelo correio. Depois de embrulhado, o pacote nada pesa! Alguns chegam a ter peso negativo!

— E quanto se paga para expedir um embrulho com peso negativo? — perguntei.

— Aí é que está a vantagem! Em vez de pagar, recebemos! Uma vez recebi cinco xelins por um pacote que expedi!

— E o Governo não acha ruim?

— Achar, acha, especialmente quando a encomenda é para longe. Mas não há como fugir do óbvio: se eu pago um xelim por um pacote que pesa quatro libras, devo receber essa mesma quantia, se ele tiver quatro libras negativas.

— É... esse "imponderável", de fato, é bem útil! — comentei.

— Mas tem também suas desvantagens. Outro dia, comprei uma peça desse tecido e a coloquei dentro do meu chapéu. Quando dei por mim, já tinha perdido o pano e o chapéu...

— Hoje de tarde o senhor estava com esse pano no seu chapéu? — perguntou Bruno. — Nós vimos o senhor na estrada, e seu chapéu estava acima da sua cabeça um tantão!

— Oh, não, o caso ali era outro! Começou a chuviscar, então pus o chapéu na ponta da bengala e o carreguei como se fosse um guarda-chuva. A propósito, quando eu estava caminhando, aconteceu algo surpreendente!

— Um raio? — perguntou Bruno.

— Raio, não: parecia antes um rabo. Sim, um rabo de cachorro! Alguma coisa passou esfregando-se na minha perna. Quando olhei, nada vi junto da perna, mas avistei um rabo de cachorro, um pouco atrás, agitando-se, sozinho!

— Oh, Sílvia! — disse Bruno, em tom de lamento. — Você esqueceu de acabar de deixar o Nero "desinvisível"!

— É mesmo, coitado! — concordou Sílvia, com ar de profundo arrependimento. — Esqueci-me de esfregar o medalhão nas costas dele, tudo por causa daquela pressa! Farei isso amanhã. Pobrezinho: talvez nem consiga comida esta noite...

— Claro que num vai conseguir — disse Bruno. — Quem é que vai dar comida prum rabo de cachorro?

Mein Herr olhava ora para ele, ora para ela, em completo aturdimento. Aproveitando uma pausa, comentou:

— Ainda não estou compreendendo bem. Eu estava perdido no campo e resolvi consultar um mapa de bolso. Sem ver, meu lenço caiu no chão. Foi então que alguma coisa invisível, a tal que se tinha esfregado em minha perna, trouxe o lenço para mim!

— Naturalmente — concordou Bruno. — Ele adora buscar as coisas que deixamos cair no chão.

Dessa vez o espanto de Mein Herr chegou ao auge. Achei melhor mudar de assunto:

— Mapas de bolso... como são úteis!

— Essa é outra dívida que temos para com a sua nação: mapas. Foi com vocês que aprendemos a arte da Cartografia. Todavia, acabamos desenvolvendo-a muito além de seus conhecimentos. Qual a escala que vocês consideram ser a mais útil de todas?

— No meu modo de ver, é a escala de um para dez mil.

— O mapa ficou muito menor que o terreno! — protestou Mein Herr. — Logo de início, adotamos uma bem mais detalhada: um para trezentos. Com o tempo, acabamos usando uma ainda mais detalhada: um para dois! Por fim, acabamos elaborando o mapa do país na escala de um por um!

— É esse o mapa que vocês usam?

— Ainda não, porque não conseguimos estendê-lo no chão. Os fazendeiros protestaram, alegando que esse mapa acabaria tapando toda a luz do sol. O remédio foi usar como mapa o próprio terreno do país, e asseguro que está dando muito certo! Mas vamos mudar de assunto. Pergunto: qual seria o menor mundo que vocês gostariam de habitar?

— Primeirão a responder! — gritou Bruno. — Eu queria morar num mundo bem miudinho, que só cabesse eu e a Sílvia!

— Se assim fosse, vocês dois teriam de morar nos lados opostos desse mundo — disse Mein Herr? — intrometi-me. — Vocês estariam tentando experiências nessa direção?

— Não exatamente, porque não temos a pretensão de construir planetas. Mas um cientista amigo meu, que já realizou muitas viagens aéreas em balão, contou-me ter visitado um planetinha tão pequeno, que podia ser atravessado de um lado ao outro em apenas vinte minutos! Houve ali uma terrível guerra, pouco antes de sua visita, cujo término foi bastante excêntrico: o exército derrotado fugiu às pressas, e pouco depois estava face a face com a tropa vitoriosa, que naquele instante regressava para casa. Imaginando estar entre dois fogos, os até então vitoriosos acabaram rendendo-se ao inimigo inesperado, tornando-se desse modo os derrotados, mesmo que tivessem acabado de matar todos os soldados da outra facção!

— Ué! Se mataram, como é que eles fugiram? Soldado morto não foge! — comentou Bruno, intrigado.

— Matar, ali, é apenas uma palavra técnica. Suas balas são feitas de material plástico negro, que deixa uma pequena marca naquilo em que toca. Assim, depois de uma batalha, o que se faz é contar quantos soldados de cada lado receberam ferimentos que, se verdadeiros, seriam mortais, desde que nas costas do inimigo, porque os tiros que acertam na frente não são contados. Assim, tiro nas costas é morte certa.

— Então só morre quem foge?

— Sim. E meu amigo cientista idealizou uma excelente estratégia: atirando-se em direção contrária à do inimigo, as balas dariam a volta ao planeta e acabariam acertando os combatentes nas costas. E assim foi que, quanto pior fosse o atirador, melhor seria como soldado. O pior dos piores acabou recebendo medalha de honra pela eficiência de seus tiros!

— Pior dos piores? Como chegaram a essa conclusão?

— Fácil: o bom atirador é aquele que acerta o alvo de frente. Quanto mais você acertar seu alvo por trás, pior você será.

— Estranha gente, a que habita esse pequeno planeta…

— Estranhíssima! E que me dirá de seu método de governo? Aqui segundo tenho constatado, uma nação consiste de numerosos cidadãos, governados por um rei. Ali, não: sua nação consiste em numerosos reis, obedecidos por um único cidadão!

— Pelo que captei, o senhor está de visita ao nosso planeta. Porventura terá vindo de algum outro mundo? — perguntei.

Bruno arregalou os olhos e bateu palmas, excitado:

— O senhor será que é o tal homem que vive no mundo da lua?

Mein Herr pareceu ficar embaraçado com aquela pergunta:

— Oh, não, meu garoto! Eu não vivo no mundo da lua! Retomando o assunto anterior, acho que esse método de governo funciona muito bem. Como são vários reis, suas leis divergem umas das outras. Assim, o cidadão jamais poderá ser punido, já que, seja o que for que ele fez, sempre o terá feito obedecendo alguma lei!

— Mas também sempre estará desobedecendo outras! — gritou Bruno. — Tudo o que ele faz merece punição!

Lady Muriel passava por ali naquele momento e escutou apenas as últimas palavras. Tomando Bruno nos braços, falou:

— Nada disso, ninguém merece ser punido aqui. Esta casa tem o nome de Solar da Liberdade. Os senhores se importam de me ceder estas crianças por um minuto?

— Lá se foram os jovens — disse Mein Herr, vendo os três se afastarem. — Ficamos só nós dois, os veteranos. O jeito é fazermo-nos mútua companhia. — Riu gostosamente e completou: — Veteranos, hoje. Eu, pelo menos, acho que um dia fui criança.

A brincadeira tinha sua razão de ser, pois eu próprio custaria a admitir, vendo sua basta cabeleira branca e sua longa barba, que ele um dia tivesse sido criança.

— Vejo que o senhor gosta de gente nova — comentei.

— Mas não exatamente de crianças. Prefiro gente moça. Já selecionei para rapazes, anos atrás, em minha querida Universidade…

— Como é mesmo o nome dela?

— Eu não disse. E, mesmo que o fizesse, o senhor não a conheceria. Estranhas histórias poderia contar-lhe acerca das mudanças que ali presenciei! Mas é assunto cansativo...

— De modo algum! Tenho o maior interesse em conhecer essas mudanças. Relate-as, por favor.

O velho parecia antes predisposto a perguntar que a responder. Assim, pondo a mão sobre meu ombro, indagou-me em voz baixa:

— Sou estranho nesta terra, e pouco sei acerca de seus métodos educacionais, embora possa presumir que estejamos bem à frente de vocês nesse particular. Por isso, posso antever que muitas teorias já abandonadas por nós ainda estão por ser experimentadas por vocês, com empenho e entusiasmo, para mais tarde, ao se mostrarem erradas, ser abandonados com amargo desespero!

Era estranho ver como, à medida que ele falava, suas palavras iam tornando-se mais fluentes, adquirindo mesmo uma certa elegância rítmica, e que seu semblante parecia fulgurar, desprendendo como que luz própria. Ele até mesmo parecia estar se transfigurando, como se tivesse subitamente ficado uns cinquenta anos mais novo.

CAPÍTULO 12

Música das Fadas

O silêncio que se seguiu foi quebrado pela voz da pianista, que se sentara perto de nós, dirigindo-se a um dos convidados recém-chegados.

— Ora, ora — dizia ela, em tom fingida e desdenhosa surpresa, — parece que vamos ter alguma novidade no campo da música...

Olhei ao redor, procurando entender o porquê da ironia, e qual não foi minha surpresa ao deparar com Sílvia, que estava sendo levada até o piano por Lady Muriel!

— Nada de constrangimento, Sílvia — dizia ela. — Tenho certeza de que você saberá tocar lindamente.

Sílvia lançou-me um olhar de súplica, com os olhos cheio de lágrimas. Tentei sorrir-lhe à guisa de encorajamento, mas era evidente a enorme tensão de nervos daquela criança, tão pouco habituada a atos de exibicionismo. Dava pena ver sua angústia e infelicidade. Apesar de tudo, sua disposição afável acabou vencendo, e ela se resignou a esquecer o constrangimento e fazer o melhor que pudesse para ser gentil com Lady Muriel e agradar seus amigos. Sem nada dizer, sentou-se na banqueta do piano e deu início à execução. Ritmo e expressão, tanto quanto seria possível julgar, eram perfeitos, mas o que distinguia sobremodo seu toque era a extraordinária leveza, que mal sobressaía ao zunzum das conversas, obrigando os que a escutavam a apurar os ouvidos, a fim de escutar cada nota que ela tocava.

Não demorou um minuto, e o silêncio tornou-se absoluto. Os que ainda estavam em pé sentaram-se, arrebatados e sem fôlego, inteiramente presos ao fascínio daquela música celestial, diferente de tudo o que qualquer um de nós já havia escutado alguma vez em sua vida.

Mal tocando as notas, ao início, ela executou uma espécie de introdução em tom menor, lembrando como que um crepúsculo. Fechando os olhos, o ouvinte por assim dizer enxergava um progressivo escurecimento das luzes, como se uma neblina estivesse se erguendo do assoalho. Súbito, reluziram através da obscuridade as primeiras notas de uma melodia tão encantadora, tão delicada, que nos fazia prender a respiração, receosos de que o menor ruído impedisse escutar cada detalhe da música. De tempos em tempos, retornava o tema em tom menor, o mesmo do início, mas sempre suplantado pela melodia mais alegre, que forçava caminho através da espessa neblina, fazendo de novo sobressair as cores do dia claro e levando a assistência a um verdadeira arrebatamento ante a magia e doçura daquela execução. Apenas tocadas pelos dedos leves da menina, as teclas do instrumento até pareciam gorjear, fazendo-o ressoar como se cantasse essas palavras: "*Levante-se, meu amor, minha querida, e venha comigo! Veja: o inverno terminou, a chuva cessou, as flores brotam; chegou o tempo do cantar dos pássaros!*"

Dava para escutar o ruído das gotas que se desprendiam das árvores devido a uma inesperada rajada de vento, e até mesmo para enxergar os primeiros raios rútilos de sol, furando a barreira das nuvens.

O Visconde francês atravessou o salão excitadíssimo, exclamando:

— *Non consigo lembrrar* o nome dessa ária tão encantadora! É de alguma óperra, tenho certeza, mas nem mesmo o nome dela me vem à cabeça! Refresque minha memória, chérie!

Sílvia encarou-o com uma expressão embevecida. Já havia terminado de tocar, porém seus dedos ainda passeavam caprichosamente pelo teclado do piano. Todo medo e timidez iniciais tinham-se desvanecido inteiramente, e nada mais se sentia no ar que não fossem as vibrações de pura alegria daquela música que tanto havia tocado nossos corações.

— O título, *chérie*! O título da ópera! Qual é?

— Sinto muito, mas não sei… — sussurrou a menina.

— Eh, bien! Diga-me então o nome da ária. Como é que você a chama?

— Não chamo, apenas toco — respondeu Sílvia, erguendo-se do piano.

— Mas ela é *merveilleuse*! — exclamou o Visconde, seguindo-a e dirigindo-se a mim, como se eu fosse o empresário daquele prodígio musical. — O senhor que a conhece bem e já a escutou tocar, diga-me: como se chama essa ária?

Sacudi a cabeça, com ar desalento, sendo salvo de um interrogatório por Lady Muriel, que lhe solicitou uma canção. O Visconde espalmou as mãos ainda mais desalentado do que eu, balançando a cabeça e dizendo em tom consternado:

— Oh, *Milady*, já examinei — melhor dizendo: já *explorrei* a fundo suas partituras, e não encontrei uma sequer que se adaptasse a minha voz! Não há por aqui uma única chanson para baixos profundos...

— Oh, senhor Visconde, examine outra vez, por favor! — suplicou a jovem.

— A gente ajuda ele, Sílvia — segredou Bruno para a irmã, com uma piscadela marota.

Sílvia fez que sim com a cabeça, perguntando ao Visconde:

— Quer que encontremos uma canção para o senhor?

— *Mais oui*! — exclamou ele.

— Se "mesuí" quer dizer sim, então vamos lá, seu moço! — disse Bruno, tomando-lhe a mão e dirigindo-se com ele para a estante onde se achavam as partituras.

— Nem tudo está perdido — comentou Lady Muriel em voz baixa, acompanhando-os com o olhar.

Voltei para junto de Mein Herr, esperando retomar a conversa que tinha sido interrompida. Nem bem comecei a falar, quando vi Bruno retornando, dessa vez com ar sério. Atrás dele vinha Sílvia, implorando:

— Venha, Bruno. Você tem de distrair a atenção dele, para que não veja o medalhão!

Mas Bruno estava irredutível:

— *Num vô* não! Ele 'tá confundindo.

— Como assim, Bruno? — perguntei, intrigado.

— Ele 'tá achando que eu sou garçom. Perguntei pr'ele que tipo de canção qu'ele queria, e ele falou que queria música de homem, mas que ali só tinha música de mulher. Então eu falei que ia achar pra ele uma música de homem, chamada "*O que é que Tottles disse*", e ele então virou pra mim e disse que eu era um bom garçom! Ora, eu sou é convidado!

— Não foi isso, Bruno — explicou Sílvia. — *Bon garçon* em francês, quer dizer "bom rapaz". Ele estava era elogiando!

— Se é assim, tudo bem. Mas por quê francês nunca aprende direito nossa língua? Vou ensinar pra ele o que é que "garçom" quer dizer.

— Depois, Bruno, depois. Agora, venha ajudar-me a encontrar a partitura. E lá se foram os dois.

— Crianças encantadoras! — exclamou o velho, tirando os óculos e esfregando-os cuidadosamente.

Em seguida, colocou-os de novo e ficou a contemplar os dois, sorrindo quando Sílvia murmurou, em tom reprovador:

— Devagar, Bruno! Que bagunça você está aprontando!

Aproveitei para reencetar nossa conversação:

— Vamos voltar ao assunto que estávamos tratando?

— Com prazer. Estou muito interessado em saber... — interrompeu-se, com ar apreensivo, coçou a testa e prosseguiu: — A gente esquece... que é mesmo que eu estava dizendo? Ah, ia perguntar-lhe uma coisa. Vamos lá. Qual de seus professores vocês valorizam mais, os que só dizem coisa que todos compreendem, ou os que ninguém entende o que querem dizer?

Fui obrigado a admitir que, em geral, os professores mais admirados eram exatamentes os que menos se faziam entender. Mein Herr sorriu e prosseguiu:

— No início é assim mesmo! Nós estivemos nesse estágio até uns oitenta anos atrás... ou serão noventa? Nosso professor favorito tornava-se mais obscuro a cada ano que passava, e por isso mesmo nós o admirávamos cada vez mais. Comparando, é como seus intelectuais esnobes, que dizem ser a névoa o detalhe mais lindo de uma paisagem, deleitando-se tanto mais na sua contemplação quanto menos podem enxergar! Pois vou contar-lhe como foi que tudo isso terminou. O tal professor, venerado por todos, lecionava Filosofia Moral. Seus alunos anotavam o que ele dizia tintim por tintim, decorando aquilo sem nada entender. Na época das provas, despejavam aquela mixórdia no papel, deixando embasbacados seus examinadores com a profundidade hermética daqueles pensamentos.

— E de que servia isso mais tarde para aqueles jovens?

— Servia para eles próprios se tornarem professores, repetindo todo o processo!

— E como foi que tudo terminou?

— Foi assim: um belo dia, todos nós chegamos à conclusão de que ninguém sabia patavina acerca de Filosofia Moral. No dia seguinte, tínhamos abolido a disciplina, os professores, classes, examinadores, e coisa e tal. Quem quisesse aprender a matéria, que se virasse sozinho. Resultado: passados uns vinte anos, alguns até que se tornaram de fato versados no assunto, mas autodidaticamente. Agora, diga-me outra coisa. Quanto tempo vocês levam ensinando um estudante antes de examiná-lo em suas universidades?

— Uns três ou quatro anos.

— Era assim que nós fazíamos! — exclamou o velho. — Dávamos uma tintura superficial de educação e, quando ele estava começando a aprender, mandávamos o pobre coitado para fora! Esvaziávamos nossos poços antes que eles estivessem cheios até um quarto de sua capacidade! Podávamos nossas árvores frutíferas quando elas estavam no início da floração! Aplicávamos a severa lógica da aritmética aos pintainhos que ainda estavam dormitando dentro de suas cascas! Não resta dúvida: é o pássaro madrugador que devora a minhoca; todavia, cabe lembrar que, se o pássaro madrugar demais, não haverá de encontrar a minhoca, que ainda não despertou de seu sono subterrâneo, e por isso terá de esperar muito para ter seu café da manhã...

Tive de concordar com ele.

— Mas ainda não sei como é que a coisa funciona — prosseguiu. — Como fazem para selecionar os estudantes?

— Num país superpovoado como o nosso, o recurso é utilizar exames competitivos...

Mein Herr ergueu as mãos, num gesto dramático:

— Quê?! Até hoje? Pensei que isso já teria sido extinto há mais de meio século! Invenção anacrônica, que faz murchar toda a genialidade, toda a originalidade, toda a pesquisa exaustiva, toda a incansável diligência por meio da qual nossos antepassados levaram o conhecimento humano até o estágio em que se encontra, e que, desse modo, acaba dando lugar a um sistema culinário que reduz a mente humana à condição de salsicha, dentro da qual socamos um recheio indigesto a mais não poder!

Depois dessas explosões de eloquência, ele parecia esquecer-se de tudo durante algum tempo, retomando em seguida o fio da narrativa por meio de alguma palavra-chave. Nesse caso, foi "socamos".

— Socamos, é isso aí. Nós passamos por todas as fases dessa doença que ora os aflige. Sim, é uma doença, pode crer! Quando os exames estavam no auge, nosso principal objetivo era que o candidato não soubesse senão a matéria pedida nas provas, e nada mais. Não digo que tenhamos obtido êxito completo, mas lembro-me de um aluno meu (perdoe-me a falta de modéstia) que chegou bem perto disso! Depois de ser examinado, ele mencionou para mim o poucochinho que sabia a mais, e posso assegurar-lhe que não passava de conhecimentos bem triviais, trivialíssimos!

Tentei manifestar minhas congratulações com um aceno de cabeça, mas não creio ter sido muito expressivo. Mesmo assim, ele agradeceu com um sorriso, e continuou:

— Nessa época, ainda não havíamos descoberto o método bem mais racional de valorizar e premiar as eclosões individuais de genialidade, mas convertíamos nosso infeliz estudante numa garrafa de Leyden, enchendo-o até as pálpebras de conhecimento inútil, para em seguida depois de apertar o botão do Exame Competitivo, produzirmos uma centelha magnífica, que muitas vezes rachava o casco da garrafa! E daí? Dizíamos que havia acontecido uma "centelha de primeira classe" e o deixávamos de lado, já que a garrafa tinha ficado imprestável...

— Então explique em que consiste o método mais racional.

— Oh, sim. Esse veio depois. Ao invés de darmos toda a recompensa pelo aprendizado de uma só vez, passamos a pagar por cada boa resposta, sempre que esta acontecia. Como me recordo das aulas que ministrava nessa ocasião, tendo à mão uma pilha de moedas para distribuir entre os alunos! Cada vez que eu dizia: "Excelente resposta, Jones!", ou "Bravo, Robinson!", lá ia um xelim, ou uma meia-coroa. E a coisa funcionava mesmo! Acertou, ganhou! Assim, quando um aluno inteligente acabava de se formar, tinha ganhado mais dinheiro do que eu para lecionar! Mas foi aí que surgiu aquela mania…

— Outra mania?

— Essa é a última. Devo estar cansando o amigo com essa história que não acaba nunca… Cada escola queria ter os melhores alunos, é claro: por isso, adotamos um sistema que nos disseram ser muito popular na Inglaterra: O leilão, só que de alunos. O negócio era arrematar os mais inteligentes e aplicados, dando o maior lance. Oh, como éramos patetas! Eles viriam para a escola de qualquer maneira; então, por que pagá-los para vir? Nessa brincadeira, lá se ia todo o dinheiro da escola. A disputa era tão renhida, que no final já não bastava oferecer dinheiro: as escolas destacavam alguém para agarrar o aluno, tão logo ele chegasse à estação ferroviária, e para persegui-lo pelas ruas, caso escapasse! Ficava com ele quem o agarrasse primeiro!

— Curiosa profissão: caçador de estudante brilhante! Poderia dar-me uma ideia de como era a caçada?

— De bom grado! Vou descrever-lhe a última que aconteceu, antes que esse gênero de esporte (cujo nome oficial era "caça ao calouro") fosse finalmente abandonado. Fui testemunha ocular, por mero acaso. É como se estivesse revendo aquela cena! Parece que foi ontem, entretanto...

O velho interrompeu suas palavras, mirando o infinito com seus olhos enormes e sonhadores.

— Há quantos anos foi isso? — perguntei astutamente, já que ele nunca definia as datas com precisão.

— Ih, faz muito tempo… Eu só testemunhei o final da caçada. A cena da estação ferroviária, segundo me contaram depois, tinha sido deveras excitante. Oito ou nove catedráticos, cada qual representando uma escola, estavam de tocaia junto aos portões da estação (não lhes era permitido entrar). O chefe da estação tinha traçado uma linha no chão, obrigando todos a aguardar atrás dela. De repente, abrem-se os portões! O jovem passa por um deles em disparada, ganhando a rua na maior velocidade, passando a ser perseguido pelos catedráticos, que uivavam de excitação! Um professor emérito pronunciou a ordem de iniciar a caçada, obedecendo os antigos regulamentos: "*É um, é dois, é três, e já!!!*", e a perseguição teve início! Oh, que espetáculo! Já na primeira esquina, ele próprio havia deixado cair seu dicionário de língua grega; não demorou, e lá se foi seu capelo, seu jaleco, seu guarda-chuva, e até mesmo o mais precioso de tudo: sua pasta! Mas nada disso fez com que ele ou os demais desistissem da caçada! Aquele esférico que era Diretor da faculdade de… de…

— Qual?

— Não me lembro, uma delas. Ele pôs em prática sua própria teoria da Velocidade Acelerada, e conseguiu agarrar a presa bem diante de mim. Não posso esquecer o resfolegar selvagem da caça, forcejando por escapar de seu capturador! Impossível! Uma vez seguro por aqueles dedos de aço, seguro para sempre!

— Posso saber por que chamou esse Diretor de "esférico"?

— De fato, quanto à mentalidade, ele até que era bem "quadrado", mas quanto à forma, era uma esfera perfeita! E, como o amigo deve saber, uma bala de canhão, outro exemplo de esfera perfeita, quando em movimento vertical, cai com *velocidade acelerada.*

Assenti com a cabeça.

— Bem, meu esférico colega (ele não se importava de ser chamado assim) empenhou-se em elucidar as causa disso, descobrindo que não passavam de três: primeiro, porque a bala é esférica; segundo, porque se move em sentido retilíneo. terceiro, porque está na descendente. Basta preencher essas três condições para se obter a Velocidade Acelerada.

— Convenhamos, contudo — não pude deixar de protestar — que ele então se movia *horizontalmente*, Mein Herr. Se a bala for dispara horizontalmente...

— Ela não se move em sentido retilíneo — concluiu ele.

— Então, como se aplica a tal teoria?

— Simples. O corpo que se move tende sempre a cair, a não ser que possua apoio constante que o sustente na horizontal. No caso do Diretor, esse apoio consistia em quê? Ora, em suas pernas! Foi essa descoberta que imortalizou seu nome!

— E como é mesmo esse nome?

— Eu não disse. Seu passo seguinte foi bem óbvio: ele passou a seguir uma dieta rígida de engorda, abusando das frituras, até tornar-se uma esfera perfeita. Só depois disso tentou sua primeira experiência prática, que quase lhe custou a vida!

— Como foi?

— Ele não tinha noção das tremendas forças naturais que estava deflagrando; por isso, não tomou maiores precauções. Pôs-se a correr sem se preocupar em acelerar o passo gradativamente, e em poucos minutos já estava perfazendo uma velocidade de cem milhas por hora! Se não tivesse a presença de espírito de se atirar contra um monte de feno, causando um desastre de pequenos gastos e proporções, não resta dúvida de que teria sido pouco depois atirado ao espaço pela força centrífuga!

— E por que foi essa a última"caçada ao calouro"?

— Porque ela acarretou uma feroz disputa entre duas faculdades. Outro Diretor também conseguiu agarrar simultaneamente a presa, e a briga acabou chegando aos jornais e se transformando em escândalo. Resultado: nunca mais ocorreu outra caçada do gênero. Quer saber como foi que acabou o costume de artigos de compra e venda? Pois aconteceu quando o sistema estava no auge. Uma faculdade resolveu implantar uma bolsa de estudos no valor de mil libras anuais. Foi então que um viajante chegado da África trouxe de lá um manuscrito antigo, referente a uma lenda. Por acaso tenho uma cópia dele aqui no bolso. Quer que o leia?

— Tenha a bondade — disse, embora começasse a me sentir um tanto sonolento.

CAPÍTULO 13

O Que Foi Que Tottles Disse

Mein Herr desenrolou o manuscrito e, para minha grande surpresa, em lugar de lê-lo, começou a cantar, com uma voz quente e suave, que parecia ressoar no salão:

"Mil libras anuais, vamos convir,
para um solteiro, dão pra divertir!"
— gritou Tottles. — "E, por cima, acrescento:
dão até pra pensar em casamento!
Não que eu considere essencial;
acho mesmo que ao homem não convém,
mas para a mulher é fundamental
casar!" — disse Tottles (e disse-o bem).

Veio o casamento e a lua de mel:
dez dias de repouso num hotel,
e depois disso, enfim, chegou a vez
de montar casa, só que para três
já que a sogra com ele quis morar.
"Com esse salário que você tem",
disse ela, "dá para deitar e rolar!"
"Será?" — disse Tottles (e disse-o bem).

Compraram no campo um pequeno lote,
e no teatro um belo camarote;
frequentaram festas e recepções,
e os amigos chegavam aos montões.
Suas trezentas libras de aluguel,
ele as pagava quase com desdém.
"Da vida quero o ardente e doce mel
sorver" — disse Tottles (e disse-o bem).

Como dizem os mais caros restaurantes,
"porções frugais são mais do que bastantes";
por isso ele comprou um pequeno iate,
doze bons cães de caça (ou de combate?)
e um elegante barco a vela, pois
gostava muito de pesca também
"Vida melhor podíamos nós dois levar?"
— disse Tottles (e disse-o bem).

Neste ponto, após um desses repelões involuntários que nos acordam no momento em que estamos preste a pegar no sono, tornei-me consciente de que a voz de baixo profundo que tanta surpresa me havia causado não pertencia a Mein Herr, mas sim ao visconde francês. O velho ainda estava examinando o documento e, naquele momento, voltou-se para mim, dizendo:

— Perdão por mantê-lo esperando. Estava verificando se eu de fato saberia traduzir todas as palavras do documento. Vi que sei. Estou pronto.

E logo em seguida leu a seguinte lenda:

— Numa cidade situada bem no centro da África, e raramente visitada pelo turista ocasional, os moradores costumavam comprar ovos (artigo mais do que necessário num clima no qual a gemada constitui parte normal da dieta) de um mercador que ali aparecia semanalmente. Cada vez que ele vinha, formava-se a seu redor um verdadeiro leilão, já que ele não estabelecia um preço fixo para sua mercadoria, deixando que os compradores fizessem lances, arrematando os ovos pela oferta mais alta. O último ovo de sua cesta costumava ser arrematado por quantia vultosa, eventualmente alcançando o valor correspondente ao preço de dois ou três camelos! E esse preço podia ainda tornar-se maior na semana seguinte. Como eles não perdessem o costume de tomar gemada, já se viu como e onde seu dinheiro desaparecia cada vez mais rápido!

... Um belo dia, os moradores caíram em si e tomaram consciência da asneira que estavam cometendo. Desse modo, quando o mercador reapareceu por ali, apenas um cidadão veio até ele, assim falando: "Ó mercador do nariz adunco e dos olhos esbugalhados, dono de longas barbas; quanto quer por todo o lote?". O mercador respondeu: "O freguês pode comprar quantos ovos quiser, desde que me pague na base de dez mil piastras a dúzia". O homem deu uma risadinha e replicou: "Pois eu ofereço não dez mil piastras, mas apenas dez piastras por dúzia, e nada mais, ó descendente de notáveis ancestrais"

... O mercador cofiou a barba e resmungou: "Hmm... acho que vou esperar a chegada de seus amigos...". E ali ficaram os dois esperando, esperando.

... Aqui termina o manuscrito — disse Mein Herr, enrolando novamente o papel, — mas bastou isso aí para abrir nossos olhos. No mesmo instante compreendemos como estávamos sendo simplórios, agindo de maneira idêntica à dos selvagens, e então abandonamos aquele sistema que nos estava levando à ruína. Podíamos ter aproveitado para abandonar todas as outras modas que pedimos emprestadas a vocês, ao invés de continuarmos com elas até a constatação de sua ineficácia. Bobeamos. E foi justamente uma de suas teorias, a da Dicotomia Política, introduzida em nosso exército, que arruinou minha terra e me fez sair dali…

— Poderia fazer o obséquio de explicar em que consiste essa teoria?

— Com todo o prazer. Nada me agrada mais que encontrar um ouvinte tão atento como o senhor. Tudo começou quando um de nossos mais eminentes estadistas regressou da Inglaterra e nos relatou como é que os negócios eram acertados neste país. A boa política exigia (ao menos, foi isso o que ele nos disse, e nós o aceitamos tacitamente, ainda que nunca tivéssemos sentido tal necessidade) que houvesse dois partidos, fosse qual fosse o negócio ou o assunto tratado. Desses dois, um seria chamado Liberal, e outro Conservador. Assim é que devia ser.

— Há quanto tempo foi isso? — perguntei.

— Faz bastante tempo. Ele garantiu que a Nação Britânica devia a isso seu funcionamento. Se não concorda, corrija-me, mas lembre-se de que estou apenas repetindo o que aquele estadista nos disse. Os dois Partidos viviam em perpétua rivalidade, alternando-se na condução do Governo. Assim, com relação àquele que no momento não se achava no Poder, dizia-se que era o "Partido da Oposição". Isso é verdade?

— Perfeitamente. Desde que temos um Parlamento, é assim que funciona.

— Pois bem. Disse ele a função do Partido que estivesse "de dentro" era agir da melhor maneira que pudesse, a fim de propiciar o bem-estar do povo. Caberia a esse Partido as decisões acerca de guerra e paz, tratados comerciais, etc. Confere?

— Confere.

— E ao Partido que estivesse "de fora", asseverou o estadista (e confesso que estamos a crer nisso), caberia impedir que os "de dentro" fossem bem sucedidos em seus planos. Também confere?

— Sua função, na realidade, é a de criticar e corrigir. Seria antipatriótico impedir o Governo de assegurar o bem-estar da Nação! No nosso modo de ver, o patriotismo é o apanágio dos heróis, ao passo que o antipatriotismo é um dos piores males que afligem a Humanidade!

— Ah, é? Então permita-me ler umas notas que guardei, referentes a uma correspondência que troquei com esse tal estadista-viajante. Servirão para refrescar-me a memória e verificar essa sua afirmação referente à falta de patriotismo.

Nesse ponto, Mein Herr recomeçou a cantar:

Com a patroa, em breve, se indispõe;
pois de onde só se tira e não se põe
acaba por faltar. A sua conta
foi a zero. "Culpa daquela tonta!"
pensou ele, e fez um cálculo claro:
"Mil vezes dois, dividido por cem,
dá vinte libras! Seu dia sai caro,
mulher!" — disse Tottles (e disse-o bem).

Disse ela em prantos: "Eu não gastei demais!
Só comprei coisas úteis e essenciais!
Além de tudo, eu nada fiz sozinha:
fui sempre aconselhada por Mãezinha.
Quem sugeriu nossos móveis de estilo,
cristais, joias, telas, tapetes... quem?"
"Ah se ela tivesse de tudo aquilo
pagar!" — disse Tottles (e disse-o bem)

Não podendo suportar a pressão,
a mulher desabou dura no chão.
Mãezinha acorre aflita quando a vê:
"Filhinha, o que o bruto fez a você?
Como pode, meu genro, agir qual monstro?
Veja se acalma a fúria e se contém!"
"A fúria é bem maior do que demonstro
possuir!" — disse Tottles (e disse-o bem).

"Ao pedir sua filha em casamento
mostrei que eu não passava de um jumento,
e ao trazer para cá Vossa Excelência,
foi o mesmo que requerer falência!"
"Como ousa, rapaz, tal coisa dizer?"
"Tenho este dinheiro, mais que ninguém!
E sabe o melhor que tem a fazer?
Calar!" — disse Tottles (e disse-o bem).

Súbito, caí em mim: não era Mein Herr quem estava cantando. Ele apenas estava consultando uns papéis que havia tirado do bolso.

— É exatamente como meu amigo disse — prosseguiu, depois de desdobrar e ler diversos pedaços de papel. — "Impatriótico", foi a palavra que usei, ao escrever-lhe, e "estorvar" foi a que ele usou na resposta. Permita-me ler-lhe um trecho da carta que ele me mandou:

"Posso assegurar-lhe que, embora você considere tal atitude impatriótica, a função reconhecida da Oposição é a de estorvar de toda maneira permitida por lei a ação do Governo. Esse processo recebe o nome de obstrução legal, e o maior triunfo da Oposição é justamente ser capaz de mostrar que, devido a essa obstrução, o Governo fracassou na tentativa de realizar algo em benefício da Nação."

— Seu amigo não definiu de modo correto — protestei. — A Oposição fica feliz apenas por constatar que a Situação foi impedida de cometer um erro descoberto por ela, e não pelo fato simples de ter exercido com sucesso seu trabalho de obstrução!

— Acredita nisso? Permita-me então ler um recorte de jornal que meu amigo juntou a sua carta. É um trecho de um discurso proferido por um estadista que, nessa época, era membro da Oposição;

"Ao encerrar-se a sessão, ele julgou não ter razão de descontentamento com respeito ao êxito da campanha. Seus opositores tinham sido derrotados em todos os pontos. Mas a ação tinha de ter prosseguimento, com a perseguição implacável do inimigo, então abatido e transtornado."

— Diga-me — disse ele, erguendo os olhos para mim — a que período de nossa história o orador se referia?

— Bem, o número de guerras bem sucedidas que travamos neste último século é tal — respondi, inchado de orgulho britânico, — que tenho poucas chances de acertar. Arrisco, porém um palpite: a campanha da Índia. O orador devia referir-se à Revolta dos Sipaios, que nossas tropas esmagaram com heroísmo e bravura. Esse, sim, deve ter sido um discurso patriótico!

— Acha mesmo? — disse ele, em tom de piedosa condolência. — Saiba então que o "inimigo abatido e transtornado" nada mais era que a Situação daquele momento; que a "ação" à qual o orador se referia era tão somente o trabalho de obstrução que seu Partido então executava, e que a expressão "*os opositores tinham sido derrotados em todos os pontos*" apenas queria dizer que a Oposição fora bem sucedida em seus esforços para impedir o Governo de realizar o trabalho que constituía a obrigação dos políticos da Situação, e para cuja realização eles tinham sido eleitos pelo povo!

Achei melhor nada replicar. Após um minuto de pausa cortês, ele continuou:

— Pareceu-nos estranho tudo aquilo, à primeira vista; contudo, depois que a apreendemos a essência da ideia, cresceu tanto o respeito que passamos a ter por sua Nação, que resolvemos adotar aquele sistema para cada setor de nossa existências. Isso foi "o começo do fim". Meu país, depois disso, nunca mais conseguiu reerguer-se!

E, dizendo isso, o pobre velho prorrompeu a chorar.

— Vamos mudar de assunto — disse-lhe. — Não se aflija, vamos!

— Oh, não — disse ele, esforçando-se para se controlar. — Estou quase acabando minha história. O passo seguinte (depois de reduzir nosso Governo à impotência e pôr um ponto final em toda legislação útil, o que não demorou muito a ser feito) foi introduzir o que chamamos de "o glorioso princípio britânico da Dicotomia" na Agricultura. Persuadimos boa parte de nossos fazendeiros mais prósperos a dividir seus empregados em dois partidos, pondo-os em confronto entre si. Os dois grupos foram chamados de "os de dentro" e "os de fora". A tarefa dos "de dentro" era lavrar a terra, semear, cultivar, etc., recebendo de noite pelo que tinham executado de dia, enquanto que o papel dos "de fora" era desfazer o que os outros tinham feito, recebendo pelo tanto que tivessem podido sabotar. Os fazendeiros ficaram satisfeitos, pois descobriram que estavam pagando apenas metade do que costumavam pagar, e só bem mais tarde se conscientizaram de que o trabalho executado não passava de um quarto daquilo que antes era feito, dando cabo de seu entusiasmo inicial.

— E então?

— Então, ficam muito desapontados. Pouco mais tarde, as coisas acabaram por tornar-se rotineiras, reduzindo-se a nada o trabalho executado. Assim, só os "de fora" recebiam, nada sendo pago aos "de dentro", uma vez que todo seu trabalho tinha sido desfeito. Não demorou para que os fazendeiros ficassem sabendo da tramoia: os velhacos tinham entrado em combinação, e tanto uns como outros nada faziam, dividindo mais tarde entre si o pagamento! Até que foi divertido, enquanto durou. Certa vez assisti a uma cena curiosa: um lavrador da Situação arava o terreno, com um arado puxado por dois cavalos. Chegou então o lavrador da Oposição e atrelou junto três jumentos à traseira do arado, forçando os animais a andar para trás. Resultado: o arado nem ia para a frente, nem ia para trás! Ficou parado, o tempo todo!

— Mas nós aqui nunca fizemos coisa semelhante! — exclamei.

— Simplesmente porque são menos lógicos do que nós — retrucou Mein Herr. — Como vê, de vez em quando é vantajoso ser estúp... oh, perdão! Não quis fazer nenhuma alusão pessoal, garanto! Isso tudo aconteceu faz muito, muito tempo...

— Esse princípio teve sucesso em algum dos campos em que foi aplicado?

— Não, em nenhum. No Comércio, por exemplo, a tentativa foi bem curta. Os proprietários de lojas de tecidos, por exemplo, logo suspenderam sua aplicação, constatando a inutilidade de ter metade de seus balconistas dobrando e guardando as peças, enquanto a outra metade as desdobrava e espalhava sobre o balcão. Os primeiros a reclamar foram os fregueses.

— Não é de causar espanto...

— O fato é que tentamos o "Princípio Britânico" durante alguns anos, até que, um belo dia... — e nesse ponto sua voz reduziu-se a um balbucio, enquanto grossas lágrimas rolavam-lhe pelas faces. — Um belo dia, vimo-nos envolvidos numa terrível guerra. Houve uma batalha feroz. Nossas tropas eram extremamente superiores às do inimigo. Entretanto, apenas metade de nossos soldados avançava, enquanto a outra metade se empenhava por fazê-los recuar! Aquilo não podia resultar senão em malogro, e acabamos esmagados por um inimigo sem a menor condição de nos derrotar! Isso provocou uma revolução, e a maior parte do Governo foi mais ardosos defensores do "Princípio Britânico". Todos os meus bens foram confiscados, e acabei sendo convidado a deixar o país. É bem verdade que o convite foi feito com palavras gentis, mas mesmo assim aquilo me cortou o coração. Sabe como foi que me convidaram a buscar o exílio? Foi assim: "Viu só em que deu sua asneira? Vá-se daqui, não deixe para depois!

O tom melancólico de suas palavras transformou-se primeiro num gemido, depois numa cantilena chorosa, e finalmente numa canção, embora a voz não mais parecesse ser a de Mein Herr, e sim de outra pessoa. Fosse como fosse, a letra era esta:

"Vá-se daqui, não deixe para depois!
Vamos recomeçar a vida a dois,
longe de seu mau aconselhamento
e dentro de meu modesto orçamento.
Nosso viver, fazendo economia,
vai ser singelo, é verdade, porém
o casamento será, dia a dia
melhor!" — disse Tottles (e disse-o bem).

A música pareceu morrer. Mein Herr estava novamente falando com sua voz normal:

— Diga-me uma outra coisa. Creio que em suas Universidades, embora uma pessoa exerça seu trabalho durante trinta ou quarenta anos, ela só é examinada uma vez, tão logo se forma. Não é assim?

— Sim senhor.

— Portanto, você apenas o examinam quando ele se encontra no início de sua carreira — comentou ele, antes para si para mim. — E o que lhes garante que ele vá reter o conhecimento adquirido, durante o resto de sua vida?

— A bem da verdade, nada nos garante isso — tive de admitir, um tanto embaraçado. — E qual a solução que os senhores encontraram?

— Simples: examinamo-lo ao final de trinta ou quarenta anos, e não logo no início de sua carreira. Em geral, o conhecimento retido corresponde a cerca de um quinto do que ele possuía inicialmente. Sim, o esquecimento avança mais ou menos passa a ser remunerado melhor do que quem esqueceu mais.

— Mas como pode ser isso? Vocês somente o remuneram quando ele não mais precisa de remuneração? E até que alcance essa fase da vida, de que vive o profissional universitário? De nada?

— Não é bem assim. Até essa fase, ele vive normalmente, faz suas compras e encomendas, sempre fiado, durante quarenta, cinquenta anos. Depois de ser examinado, aí ele recebe sua bolsa, com o valor correspondente ao de quarenta, cinquenta anos de trabalho, e quita todas as suas dívidas, sem juros.

— Mas e se ele não passar no exame? Suponho que isso ocorra eventualmente.

— De fato, ocorre — chegou a vez das admissões de Mein Herr.

— Nesse caso, os comerciantes que venderam fiado ficam a ver navios?

— Não, porque sabem se prevenir. Quando um sujeito parece estar ficando alarmantemente ignorante, agindo de maneira incompetente ou mesmo estúpida, eles começam a recusar atender seus pedidos. O senhor não sabe como isso funciona em termos de motivação, fazendo retomar seus estudos com afinco, a partir do momento em que o açougueiro lhe nega os bifes e pernis que ele encomendou!

— E quem são os examinadores?

— Jovens recém-formados, transbordantes de conhecimentos. É curioso ver rapazes imberbes examinando provectos senhores. Já houve o caso de um neto examinando seu próprio avô! Foi um pouco constrangedor para ambos, sem dúvida. Eu assisti à cena. O velho tinha a cabeça todinha branca...

— E se ela não fosse todinha branca? — indaguei, sem saber por que fazia uma pergunta tão tola.

Será que eu estaria ficando maluco?

CAPÍTULO 14

O Piquenique De Bruno

Então seria apenas meio branca — foi a desconcertante resposta de Sílvia.

— Agora, Bruno, vou contar-lhe uma história.

— Quem vai contar sou eu — replicou Bruno afobadamente, receoso de que Sílvia começasse antes dele. — Era uma vez um Camundongo pequeno, muito pequeno, pequenininho mesmo! Ninguém nunca viu um Camundonguinho tão pequetitinho daquele jeito!

— E isso é tudo que tem a dizer sobre ele, Bruno? Que aconteceu a esse Camundongo tão pequeno?

— Num aconteceu nadinha! — respondeu Bruno solenemente.

— Mas por que nada aconteceu a ele? — perguntou Sílvia, sentada e com a cabeça apoiada no ombro de Bruno, aguardando pacientemente sua vez de contar uma história.

— Porque ele era pequenininho demais.

— E isso lá é razão? — protestei. — Desde quando não acontecem coisas a alguém só porque é muito pequeno?

Bruno dirigiu-me um olhar paciente, compadecido de minha estupidez tão crassa, e explicou pausadamente:

— Não podia acontecer nada com ele, *sô*! Se acontecesse, ele morria, de tão pequeno que era!

— Então, está certo — interveio Sílvia, — ele era pequeno demais. Que vem depois?

— Ainda não inventei o que vem depois disso.

— Ora! Se a história ainda não foi inventada, como é que você tem coragem de começar a contá-la? Trate de ficar calado e escutar, que agora quem vai contar uma história sou eu.

Tendo esgotado sua faculdade inventiva na ânsia de iniciar sua história, Bruno sossegou e resignou-se a escutar o que a irmã teria a dizer, sugerindo:

— Conte uma história daquele outro Bruno.

Sílvia passou-lhe o braço em torno do pescoço e começou:

— O vento assobiava entre as árvores..

— Que vento mais mal-educado! — interrompeu Bruno.

— Como se você entendesse muito de boa educação! Era noite, uma linda noite enluarada. As corujas piavam...

— Esqueça essas corujas — pediu Bruno, esfregando as bochechas com suas mãos gordinhas. — Não gosto desse bicho. É uma ave muito *zoiuda*! Troque por pintinhos.

— Tem medo dos olhos das corujas, Bruno? — perguntei, apenas para provocá-lo.

— Que medo o quê! — respondeu ele, com ar fingidamente displicente. — Só acho que elas são feias de doer! Se saísse lágrima daquele olhão, devia ser uma lágrima de todo o tamanho, grandona como a Lua!

Deu uma risada, imaginando as lágrimas da coruja, e depois perguntou:

— Coruja chora, Senhor Doutor?

— Jamais — respondi tentando imitar sua maneira de falar. — Elas não têm motivo para ficar tristes.

— *Num* têm? Claro que têm! Elas ficam tristes porque mataram os pobres camundongos!

— Não deveriam ficar mais tristes antes disso, quando estavam morrendo de fome?

— O senhor não entende nada de coruja! — comentou Bruno desdenhosamente. — Quando elas 'stão com fome, elas ficam tristes é por causa que elas ainda não mataram os camundongos, e vão ter de matar, para ter comida na mesa e isso deixa elas tristes.

Bruno estava ingressando evidentemente num perigoso torvelinho mental, de modo que Sílvia tratou de interrompê-lo, dizendo:

— Vamos continuar a história. Então, as Corujas... isso é, os pintinhos, ficaram procurando ver se encontravam algum ratinho gordo para comer no jantar...

— Em vez de ratinho, faz de conta que era um "leitinho" — disse Bruno.

— Que ideia, Bruno! Estou falando de bicho, e você vem com leite!

— Que leite que nada, menina boba! É "leitinho", que quer dizer um *leitão* pequeno. Um porquinho, ora!

— Está bem, será um Porquinho, já que você insiste. Mas para de modificar minha história. Onde já se viu, um pintinho que come um porquinho?

— Pelo menos ele devia tentar.

— Certo, certo. O pintinho quis tentar ver se podia comer um porquinho... ora, Bruno, isso está virando um absurdo. Vou retornar às Corujas.

— Bem, então vê se usa uma coruja que não tem olho grande.

— Elas avistaram um menininho — prosseguiu Sílvia, não mais disposta a fazer qualquer tipo de concessão, — e ele lhes pediu para contarem uma história, mas elas saíram voando...

— Por quê que você diz "voando"? O certo é "avoando".

Sílvia deu de ombros e continuou:

— Foi então que ele encontrou um Leão, e lhe pediu para contar uma história. Enquanto contava, aproveitou para dar uma mordidinha na cabeça do menino.

— "Mordidinha"? Não senhora! Quem dá mordidinha é bichinho pequeno, que tem dentinho fino e afiado.

— Certo. O Leão deu uma mordidona na cabeça dele. Uma mordidona tão grande, que o menino ficou decapitado. Então ele foi embora, sem sequer dizer "obrigado".

— Que menino mais sem-'ducação! Já que não podia falar, pelo menos que fizesse um sinal com a cabeça... ih, não podia! ... Ahá, mas podia apertar a mão dele!

— E foi o que ele fez: apertou a mão do Leão em agradecimento pela linda história que ele havia contado.

— E a cabeça dele cresceu de novo?

— Sim, cresceu! Um minuto depois, já estava grande! Quando viu isso, o Leão pediu desculpas, dizendo que nunca mais iria dar mordidonas nas cabeças dos menininhos. Nunca mais!

Bruno pareceu satisfeito com aquele inesperado desfecho. Voltando-se para mim, comentou

— Isso, sim, é que é história boa! Gostou, Senhor Doutor?

— Muito. Mas gostaria de ouvir outra história sobre esse mesmo menino.

— Eu também — concordou Bruno, dando um beliscão carinhoso na bochecha da irmã. — Conte aquela do piquenique do Bruno, Sílvia, mas não me venha com leões mordedores, viu?

— Já que isso te assusta...

— Me assusta? — protestou Bruno, indignado. — Que nada! É que não gosto dessa palavra, ainda mais quando o mordedor arranca a cabeça do mordido! Só de pensar nisso, fico sentindo cosquinha, Senhor Doutor! Até parece que está nascendo barba ni mim!

Apesar do tom indignado de sua voz, via-se que estava fazendo piada. Notando isso, Sílvia deu uma risada alegre e musical, encostando o rosto na cabeça encaracolada do irmão, como se ela fosse uma almofada. E, ali apoiada, começou uma nova história:

— Então, esse menino...

— Num sou eu não, viu? — interrompeu Bruno.

— Pare de olhar para mim como se eu fosse esse Bruno aí, Senhor Doutor!

Tentei alterar meu olhar, olhando-o como se não fosse aquele outro Bruno...

— ... que era bonzinho, mas meio bobo...

— Nem meio, nem um pouco! Ele não era bobo coisa nenhuma! E nunca fez nada que não tivessem mandado ele fazer!

— O que não o transforma num bom menino — retrucou Sílvia.

— Transforma num menino *bonzíssimo*! — insistiu Bruno

Sílvia desistiu de prosseguir com a discussão.

— Está bem. Era um menino bonzinho, que fazia questão de guardar a palavra empenhada. Dentro do seu armário...

— ... que estava cheio da palavra empenhada que ele guardava...

— Nisso ele se mostrava diferente de alguns meninos que eu conheço — retrucou Sílvia, olhando para Bruno com malícia.

— Para guardar a palavra empenhada é preciso pôr sal nela, senão estraga — disse Bruno com ar sério. — E ele guarda os domingos e dias santos na prateleira de cima.

— Por quanto tempo ele guarda um domingo? — perguntei. — Jamais consegui guardar um por mais de vinte e quatro horas.

— Tem domingo curto e domingo comprido. O senhor parece que não sabe guardar domingo direito! Esse menino aí guarda os dele durante uma semana inteira!

— Guarda um domingo até que o outro comece — completou Sílvia. — Desse modo, para ele, sempre é domingo.

— Já eu prefiro guardar meu aniversário durante um ano, até que chegue a vez do outro. No seu aniversário tem festa, Senhor Doutor?

— Às vezes.

— Já sei: só tem festa quando o senhor fica bonzinho.

— Ora, Bruno, eu não *fico* bonzinho, eu *sou* bonzinho!

— Será? *Falar* é uma coisa! *ser* é outra...

— Oh, Bruno! — ralhou Sílvia. — Mas que falta de respeito!

— Vou te ensinar, Senhor Doutor — continuou Bruno, sem lhe dar atenção. — Olhe para mim. — Dizendo isso, sentou-se todo empertigado, com um ar absurdamente solene. — A primeira coisa que tem a fazer é sentar assim, *durirreto*.

— Duro e reto — corrigiu Sílvia.

— Isso: *durirreto*. Depois, fique de mãos cruzadas, assim, e comece a zangar com os outros: "Oh, Bruno, por que não penteou o cabelo? Vai lá dentro e penteie com capricho, viu? Oh, Bruno, você não devia arrancar as pétalas das margaridas!". O senhor aprendeu a fazer letras com pétalas de margarida, Senhor Doutor?

— Eu gostaria de ouvir o resto da história — interrompi-o. — Até me esqueci onde é que Sílvia estava. Acho que era no dia do aniversário daquele menino.

Mas quem retomou a história foi Bruno:

— Isso mesmo. O menino então falou: "Oba! Hoje é meu aniversário!". Aí... estou cansado — e desistiu de prosseguir, repousando a cabeça no regaço da irmã. — Sílvia conhece essa história melhor do que eu. Ela é mais velha. Continua, Sílvia.

Pacientemente, a menina retomou o fio da história:

— Então ele disse: "Oba! Hoje é meu aniversário! Como irei comemorar?" Todos os meninos bonzinhos — e de repente sua voz tornou-se mais grave, como a de quem está fazendo um sermão, — todos aqueles que aprendem suas lições, esses sempre têm festa no seu aniversário. Era o caso do menino da história.

— Pode chamar ele de Bruno. Não sou eu, não, viu? Mas assim a história fica mais interessante.

— Bruno então diz a si próprio: "A melhor maneira de festejar é fazendo um piquenique, mesmo que seja sozinho, lá no alto da colina. Vou levar uma garrafa de leite, um pão e umas maçãs. Primeiro, vou providenciar o leite". E ele saiu dali com um balde...

— … para *desleitar* a vaca.

— Isso mesmo — concordou Sílvia, sem estranhar a palavra que ele acabava de inventar. — A vaca fez "Muu!" e perguntou o que ele ia fazer com todo aquele leite. "Vou levar para o meu piquenique, Dona Vaca. A senhora dá licença?" E ela disse: "Muu! Espero que você não vá ferver esse leite!" E ele: "Claro que não! É leite sadio e quentinho, dispensa fervura".

— Ninguém vai querer ferver — confirmou Bruno.

— Ele pôs o leite numa garrafa e disse: "Agora é hora de providenciar o pão". Foi até o forno e tirou de lá um pão que acabava de ser assado.

— Esqueceu de dizer que estava fofo e crocante — corrigiu Bruno com impaciência. — Você não devia esquecer as palavras importantes da história.

— Está certo, Bruno. Tirou de lá um pão fofo e crocante. Foi então que o forno falou… eh… não sei como é que é que deve começar a fala de um forno...

Os dois voltaram-se para mim com olhar suplicante, mas a única resposta que me acudiu foi esta:

— Não faço a menor ideia. É que nunca escutei um forno falando...

Durante um ou dois minutos reinou o silêncio. Por fim, Bruno arriscou timidamente:

— Forno começa com F…

— Muito bem! Gostei de ver! — exclamou Sílvia. — Ele já está escrevendo que é uma beleza! — E, baixinho, para que apenas eu escutasse: — É muito mais inteligente do que ele mesmo imagina que seja! — E prosseguiu, agora com voz normal: — Então o forno soprou e falou: "Fuu! Que vai fazer com esse pão?" E Bruno respondeu: "Oh, Forn…" como é que se deve tratar um forno? Por "forninho" ou por "Senhor Forno"?

A pergunta era dirigida a mim, que respondi escapando pela tangente:

— Pode ser das duas maneiras.

— Bem. Então ele disse: "Oh, Senhor Forninho, vou levar esse pão para meu piquenique". E o forno disse: "Fuu! Mas espero que não vá transformá-lo em torrada!". E o Bruno: "Nem pensar! Um pão desses, tão fofo e crocante, dispensa torrar".

— Ninguém vai querer torrar, é assim que você deve dizer. Desse jeito, você está encurtando a história.

— Bruno pôs o pão dentro da cesta e disse: "Agora vou providenciar as maçãs". Dirigiu-se então a uma macieira e colheu algumas maçãs suculentas e maduras. Então a macieira falou...

Seguiu-se a nova pausa demorada. Bruno adotou seu expediente favorito de ficar batendo o dedo na testa, enquanto Sílvia olhava de maneira vaga para o alto, como se esperasse que os pássaros lhe enviassem alguma sugestão, ao invés de apenas ficarem pousados nos ramos das árvores, cantando alegremente. Mas nada aconteceu.

— O que é que uma macieira diz quando começa alguma fala? — perguntou ela aflita às displicentes criaturas aladas.

Tentei ajudá-la, repetindo a ideia inventada por Bruno:

— Já que macieira começa por M…

— Oh, é mesmo! Como o senhor está ficando esperto! — exclamou ela satisfeita.

Bruno também demonstrou sua satisfação, dando-me um tapinha na cabeça. Tentei não me sentir demasiadamente vaidoso com tanto incentivo.

— Então a macieira disse: "Mas o que é que você vai fazer com essas maçãs?". E Bruno respondeu: "Oh, Dona Árvore, vou levá-las comigo para um piquenique". E a macieira falou: "Mas não me vá assar minhas filhinhas, ouviu?". E Bruno respondeu: "Claro que não! Maçãs docinhas e suculentas como estas devem ser comidas frescas. Dispensa assar."

— Ninguém vai querer… — começou Bruno a dizer, mas Sílvia atalhou antes que ele prosseguisse:

— "Ninguém vai querer assar". Então Bruno pôs as maçãs no cesto, junto com o pão e a garrafa de leite, e partiu para o piquenique, que seria no topo da colina.

— Ele era muito guloso — explicou Bruno, beliscando-me a bochecha para me chamar a atenção, — por causa que ele não tinha irmãos para dividir a comida.

— Deve ser triste para um menino não ter irmãos, não acha? — provoquei.

— Sei não… Se tivesse irmã, ela ia ficar cobrando dele as lições… Acho que ele não se importava de viver sozinho.

Sílvia prosseguiu:

— Quando ele estava caminhando pela estrada, escutou um barulho curioso: tum-tum-tum! "Que será isso?", perguntou. "Ah, já sei: deve ser meu relógio!"

— Será que era mesmo? — perguntou-me Bruno, com os olhos brilhando.

— Claro que era! — asseverei, fazendo-o rir exultantemente, mas sem me explicar o porque.

— Então ele continuou andando, e disse: "Oh, não, não pode ser meu relógio. Eu nem tenho relógio…"

Bruno fitou-me ansiosamente para ver como eu receberia aquela informação. Deixei cair a cabeça e fiz cara de intrigado, para deleite de meu amiguinho.

— Continuou andando mais um pouquinho, até que escutou de novo: tum-tum-tum! "Que será isso? Ah, já sei: deve ser o carpinteiro consertando meu carrinho de mão."

— Acha que era isso mesmo, Senhor Doutor?

Ergui a cabeça com convicção e declarei:

— Tenho plena certeza de que era.

Bruno abraçou-se ao pescoço da irmã e sussurrou, bem audivelmente:

— Ele tem plena certeza de que era, Sílvia!

— Bruno então pôs-se a pensar e concluiu: "Não! Claro que não pode ser isso! Pois se eu nem tenho um carrinho de mão!"

Dessa vez escondi o rosto entre as mãos, sem coragem de enfrentar o olhar de triunfo de Bruno.

— Então ele andou mais um pouco e de novo escutou aquele barulho: tum-tum-tum! Resolveu dar uma olhada pelos arredores, a fim de verificar do que se tratava. Pois não é que quem fazia aquele barulho era um enorme Leão?

— Um leão enorme de grande! — corrigiu Bruno.

— Isso mesmo. Bruno ficou com medo e saiu correndo...

— Mentira! Ficou com medo coisa nenhuma! — protestou Bruno, em nome da boa reputação de seu xará. — Ele correu foi para ver melhor o Leão, por causa que ele queria saber se era o mesmo Leão que arrancava cabeça de menino. Só por curiosidade.

— Vá lá. Ele correu para ver melhor o Leão, e o Leão também saiu correndo atrás dele, só que devagar, chamando o menino com voz gentil: "Ó menino! Menino! Não precisar ter medo de mim! Tornei-me um Leão bom! Desisti daquela mania de arrancar cabeças de garotos!". Então Bruno perguntou: "É verdade? E o que é que o senhor come?" E ele respondeu...

— Tá vendo? Conversou com ele sem medo! Chamar de "senhor" não é medo, é respeito!

Concordei com ele que Bruno havia passado pelo teste da bravura.

— Então o Leão disse: "Como pão com manteiga, cerejas, geleia, pudim..."

— ... e maçãs!

— Certo! Então Bruno convidou o Leão para ir com ele fazer um piquenique, o Leão agradeceu muito, e lá se foram os dois.

Sílvia interrompeu subitamente sua história.

— Acabou? perguntei desapontando.

— Não inteiramente. Ainda faltam duas ou três sentenças, não é, Bruno?

— Sim — respondeu ele, com um desinteresse evidentemente fingido, — duas ou três sentenças...

— Enquanto os dois caminhavam, olharam por cima de uma cerca viva e... que viram? Um cordeirinho preto! Ele estava muito assustado, e saiu correndo...

— Assustado para caramba!

— Bruno correu atrás dele, chamando: "Cordeirinho! Não precisa ter medo! Este Leão é manso! Ele só come cerejas e doces!..."

— ... e maçãs. Ora, Sílvia, você sempre esquece as maçãs!

— Então Bruno convidou: "Que tal vir conosco a um piquenique?". E o Cordeirinho respondeu: "Oh, como eu gostaria! Será que Mamãe deixa?". Bruno respondeu: "Vamos perguntar". E lá se foram os dois atrás da Dona Ovelha. Chegando em sua casa, Bruno pediu: "Será que seu Cordeirinho poderia ir comigo fazer um piquenique?". E ela disse: "Pode, sim, mas desde que já tenha feito todas as suas lições". E o Cordeirinho disse: "Oh, sim, Mamãe, já fiz todas!"

— Por que não pula esse negócio de lições? — pediu Bruno, aborrecido,

— Não dá. É parte fundamental da história. E a velha Ovelha perguntou: "Já aprendeu o ABC? Que sabe sobre a letra A?". E o Cordeirinho respondeu: "Um A sozinho é pouco; junta com outro e forma uma gargalhada." "Muito bem, querido! E que me diz do B?". "Um B sozinho é pouco; junta com outro e forma um nenêm". "Ótimo! E quanto ao C?" "Um C sozinho é pouco; junta com outro e fica cheirando mal". "Muito bem! Gostei! Pode ir com Bruno para o piquenique". E lá se foram os três. Bruno seguia no meio, de modo que o Cordeiro não pudesse ver o Leão.

— Se visse, ficava assustado — explicou Bruno

— Mas ele estava assustado! Tanto estava, que foi ficando pálido, ficando pálido, até que, ao chegar ao topo da colina, não era mais um Cordeirinho preto, e sim branco como a neve!

— Já o Bruno ficava cada vez mais sem medo, e chegou lá em cima preto que nem carvão!

— Que preto coisa nenhuma! Chegou lá em cima com as bochechas rosadas, como você — disse Sílvia, rindo e beijando o rosto do irmão. — Se ele estivesse "que nem carvão", eu não iria beijá-lo.

— E por que não? — protestou Bruno com veemência. — Só se for porque esse Bruno não é Bruno, isso é, não sou eu, quer dizer... ora, Sílvia, pare de dizer besteira!

— Está certo, vou parar — concordou Sílvia, sem querer discutir. — Os três foram caminhando, quando de repente o Leão disse: "Vou contar-lhes o que eu costumava fazer quando era jovem. Escondia-me atrás das árvores, esperando a passagem de algum menino. — (Nesse ponto da história, Bruno aconchegou-se à irmã) — Quando eu via algum magrelo ossudo, deixava passar. Mas quando aparecia algum mais gorduchinho…

— Pula essa conversa do Leão, Sílvia — implorou Bruno.

— Deixe de bobagem, Bruno. É parte da história. "Quando aparecia algum mais gorduchinho, eu dava o bote e o devorava num minuto! Oh, que delícia! Nem podem imaginar como seja apetitoso um gorduchinho!". Bruno então disse: "Por favor, Senhor Leão, não fale nessas coisas! Fico trêmulo só de escutar!".

Em solidariedade com seu xará, o Bruno verdadeiro estava tremendo como vara verde.

— Então o Leão disse: "Está bem, não falarei mais disso. Vou contar o que aconteceu no dia de meu casamento".

— Gosto mais dessa parte — comentou Bruno, dando-me um tapinha para me manter acordado.

— "Oh, mas foi maravilhoso o banquete oferecido no dia do meu casamento! Numa extremidade da mesa havia um enorme pudim de ameixas, na outra, um belo Carneiro assado!". E o Cordeirinho falou: "Por favor, Senhor Leão, não vamos falar nessas coisas! Fico trêmulo só de escutar!". E o Leão: "Está bem, está bem, não falarei também nisso!"

CAPÍTULO 15

As Raposinhas

Assim quando alcançaram o topo da colina, Bruno abriu a cesta, tirando de dentro dela o pão, as maçãs e o leite, e todos comeram e beberam. E quando já tinham tomado todo o leite e comido metade do pão e das maçãs, o Cordeiro disse: "Oh, minhas patas estão sujas! Gostaria de lavá-las!". Então, o Leão disse: "Desça até o sopé da colina e lave suas patas naquele regato. Ficaremos aqui esperando sua volta."

— E ele não voltou — segredou Bruno para mim, com ar solene.

Observando isso, Sílvia repreendeu:

— Pare de cochichar, Bruno! Isso atrapalha a história! Depois de esperar muito tempo em vão, o Leão disse para Bruno: "Vá ver onde se meteu aquele Cordeiro boboca! Deve estar perdido!". Bruno desceu até o regato e viu o Cordeiro sentado na margem, junto — sabem de quem? — de uma velha Raposa!

— Veja bem quem é que estava com ele — complementou Bruno para si próprio, com ar pensativo: — uma velha Raposa!

— E ela estava dizendo: "Sim, queridinho, você vai viver muito feliz ao nosso lado! Venha comigo. Vou apresentar-lhe minhas três Raposinhas. Elas, e eu também, adoramos Cordeirinhos!". E o Cordeiro disse: "Mas vocês não comem cordeiros, não é mesmo?". E a Raposa respondeu: "Oh, não! Comer um cordeiro? Nunca sequer sonhamos com isso!" Então, o Cordeiro disse: "Sendo assim, vou acompanhá-la". E os dois lá se foram de mãos dadas.

— Essa Raposa era um demônio! — comentou Bruno.

— Não — protestou Sílvia, — era apenas uma raposa.

— Podia não ser a mais malvada do mundo — corrigiu Bruno, — mas boazinha não era!

— E Bruno voltou até onde estava o Leão dizendo: "Venha depressa! A Raposa levou o Cordeiro para a casa dela!

Tenho certeza de que pretende comê-lo!" E o Leão disse: "Vamos depressa para lá!". E os dois desceram velozmente a colina

— Será que vão chegar a tempo, Senhor Doutor?

Meneei a cabeça, evitando falar, e Sílvia prosseguiu:

— Quando chegaram à casa da Raposa, Bruno olhou pela janela e viu três Raposinhas sentadas ao redor de uma mesa, com guardanapos ao pescoço e colheres nas mãos.

— Elas não usam garfos! — disse Bruno, estremecendo de emoção.

— E a Raposa velha brandia um facão enorme, pronta para matar o pobre Cordeirinho...

— Não precisa ficar com medo, Senhor Doutor! — sussurrou Bruno, de olhos arregalados.

— E aí, quando ela levantou o facão, ouviu-se um tremendo rugido — (neste momento, Bruno segurou minha mão com força) — e o Leão derrubou a porta e saltou em cima da Raposa, arrancando sua cabeça! Aí, Bruno entrou pela janela e ficou saltando em redor da sala, gritando: "Oba! A Raposa velha morreu! Oba!"

Bruno ergueu-se, tomado de excitação, e disse:

— Posso mostrar como é que foi?

Mas Sílvia estava determinada a encerrar a história, e não deixou:

— Depois, Bruno, depois. Primeiro, vem a fala do Leão. Você gosta de falas solenes, não gosta?

— Gosto. — concordou o garoto, sentando-se.

— Então, o Leão disse: "Pronto, Cordeiro inocente, vá para casa, para junto de sua mamãe, e nunca mais dê ouvidos a raposas astutas. E seja doravante um cordeirinho bom e obediente.". E o Cordeiro respondeu: "Obrigado, Senhor. Não me esquecerei de seu conselho." E em seguida foi-se embora.

— Mas a história ainda num terminou não — explicou Bruno. — É agora que vem a melhor parte!

Sílvia sorriu, sentindo-se incentivada pelo comentário.

— O Leão disse a Bruno: "Agora, garoto, leve consigo esses filhotes da Raposa e ensine-os a serem raposinhas boas e obedientes. Diga-lhe que, se seguirem o exemplo de sua mãe, acabarão como ela: mortas e decapitadas!

— E ainda por cima sem cabeça! — completou Bruno.

— E Bruno disse ao Leão: "Farei como ordenou, Senhor!".

Dito isso, o Leão foi-se embora.

— Num tá bom, Senhor Doutor? — sussurrou Bruno. — Pois ainda vai ficar muito, muito mais melhor!

— E Bruno disse às Raposinhas: "Agora vou dar-lhes a primeira lição, para que aprendam a ser boazinhas. Vou pô-las dentro desta cesta, junto com as maçãs e o pão. Nada de comê-los, ouviram bem? Sigam de boca fechada até minha casa. Chegando lá providenciarei seu jantar."

— E elas ficaram bem caladinhas.

— Então, Bruno abriu a cesta e pôs dentro dela as maçãs, o pão e as Raposinhas...

— Num tinha mais leite pra por.

— ... e foi para sua casa.

— Tá pertinho do fim, Senhor Doutor.

— Depois de caminhar um pouco, ele resolveu espiar dentro da cesta para ver como estavam as coisas.

— Ele então levantou a tampa e...

— Ora, Bruno, deixe-me contar a história! Quando olhou, não viu as maçãs! Então ele disse: "Raposinha mais velha, foi você que comeu as maçãs?". E ela respondeu: "Não-não-não!" — (É impossível descrever o tom de voz empregado por Sílvia para a imitar a voz da Raposinha, nessa tríplice negativa. A ideia mais próxima é a de um patinho excitado, grasnando três vezes. De fato, patos não sabem grasnar tão rápido, mas o som estridente até que é bem parecido.) — Ele então disse: "Segunda Raposinha, foi você que comeu as maçãs?". E ela respondeu: "Não-não-não!". Então ele disse: "Raposinha caçula, foi você que comeu as maçãs?". E ela tentou responder "não-não-não", mas só conseguiu dizer: "Vã-vã-vã", porque estava com a boca cheia. Bruno olhou dentro de sua boca e viu que ela estava cheia de maçã! Então ele balançou a cabeça e disse: "Ahn, ahn, ahn, como as raposas são más!"

Sílvia fez uma pausa para respirar. Atento e ofegante, Bruno quase engasgou ao perguntar:

— E o pão?

— Lá vem. Bruno fechou a cesta e caminhou mais um pouco, até que resolveu dar outra espiadinha. Eis que não havia mais pão!

— Quê que quer dizer "eisquenuavia"?

— Fique calado! Então ele disse: "Raposinha mais velha, foi você que comeu o pão?". E ela respondeu: "Não-não-não!". "Então foi você, segunda Raposinha?". E ela respondeu: "Vã-vã-vã!". Bruno examinou sua boca,e viu que ela tava cheia de pão.

— Ela ainda não tinha engolido,

— E ele disse: "Oh, oh, que vou fazer com esses bichos?"

E caminhou mais um pouquinho.

— Agora é que é a parte mais interessante!

— E quando ele abriu a tampa da cesta de novo, que foi que ele viu?

— Só duas Raposas! — gritou Bruno.

— Assim você corta a surpresa! É, ele só viu duas Raposas. E perguntou: "Raposinha mais velha, foi você que comeu sua irmãzinha caçula?". E ela respondeu: "Não-não-não!". "Segunda Raposinha, então foi você?". A segunda respondeu com dificuldade: "Guê-guê-guê". Quando ele examinou sua boca, estava meio cheia de pão e meio cheia de raposa!

Nova pausa, mas dessa vez sem participação de Bruno, que ofegava, em vista da proximidade do clímax da história.

— Chegando perto de sua casa, deu mais uma olhada, e que foi que viu?

— Que só tinha… — começou Bruno, interrompendo o que ia dizer movido por um sentimento nobre, que logo expressou, olhando para mim: — O Senhor Doutor é que vai dizer!

A oferta era generosa, mas eu não quis roubar-lhe o pequeno prazer.

— Nada disso, Bruno. Você sabe dizer melhor do que eu.

— Que só tinha… — disse ele vagarosamente, completando com solenidade: — uma… raposa!

— "Raposinha mais velha" — disse Sílvia, sem acelerar o ritmo da história, apesar da proximidade do fim, — "você tem procedido tão bem, até aqui, que custo a crer tenha sido desobediente. Entretanto, não vejo sua irmã. Que fez com ela? Será que você comeu sua irmã?". E ela respondeu: "Grr-grr-grr!", e em seguida engasgou. Bruno olhou dentro de sua boca e viu que ela estava cheia!

Nova pausa para respirar. Deitado entre as margaridinhas do campo, Bruno olhou-me triunfante e perguntou:

— Então, Senhor Doutor, é ou não é das boas?

Tentei assumir um ar crítico, comentando sério:

— Sim, é das boas, mas… hmm… assusta um pouco!

— Se quiser, pode ficar aqui mais pertinho de mim.

— E assim, Bruno chegou em casa, entrou, foi até a cozinha, destampou a cesta e… sabem o que viu?

E olhou para mim um tanto arrependida, como se eu estivesse sendo deixado de lado, tendo agora a última chance de adivinhar o desfecho da história. Mas Bruno não acreditava em minha argúcia, pois interveio:

— Ih, esse aí não vai adivinhar de jeito nenhum! Sou obrigado a contar pra ele. Quê que tinha na cesta? Nada, ouviu? Nada!

Recuei, assustado, enquanto ele esfregava as mãos, deliciado, dizendo para Sílvia:

— Ele 'tá apavorado, Sílvia! Conte o resto!

— Bruno então disse: "Raposinha mais velha, será que você comeu você mesma, sua danada?". E ela disse: "Grl-grl-grl!". Ele aí viu que só havia uma boca de raposa dentro da cesta! Pegando aquela boca, abriu-a, balançou, até que por fim a Raposinha saiu pela sua própria boca! Então ele disse: "Abra sua boca de novo, sua sem-vergonha!", e continuou a sacudi-la, até que a segunda Raposinha caiu de dentro dela. Ele disse: "Abra sua boca", e balançou, balançou, até que foram saindo, primeiro, a Raposinha caçula, em seguida as maçãs, e por fim o pão! Ele então mandou que elas ficassem encostadas na parede e lhes pregou um bom sermão, dizendo: "Mas que mau começo, hein? Merecem uma boa punição! Vão lá para cima, lavem as caras e ponham guardanapos limpos no pescoço. Quando ouvirem a sineta, desçam para jantar. Só que, em vez de jantar, vocês vão receber uma boa surra! Depois, vão para a cama. Pela manhã, quando escutarem a sineta, desçam para o café, e sim uma boa surra! Depois, hora de estudo. Se vocês estudarem direitinho, aí pode ser que, na hora do almoço, em vez de uma nova surra, comam qualquer coisa.

— Esse seu xará é tão bonzinho… — segredei para Bruno.

— Mais ou menos — corrigiu ele, levando a sério meu comentário.

— Desse modo, as Raposinhas subiram para o andar de cima, e pouco depois Bruno bateu sineta, "dlim dlim dlim dlim dlim dlim! Hora de jantar" As Raposinhas desceram rapidamente, com guardanapos bem limpos, empunhando suas colheres, mortas de fome! Mas quando chegaram à sala de jantar, a mesa estava posta, com toalha de linho e tudo mais, porém sem pratos ou travessas. Em cima dela o que havia era um baita de um chicote! E logo começou o festival de açoites!

Fingi que enxugava os olhos com um lenço, o que fez Bruno trepar em meus joelhos e me afagar o rosto, enquanto dizia:

— Aguenta mais um pouquinho, Senhor Doutor. Mais uma ou duas chicotadas, e a acaba o castigo!

— Chegando a manhã, Bruno tocou a sineta: dlim, dlim, dlim, dlim, dlim! Desceram velozes as raposas, guardanapo no pescoço, colher na mão. Olha o café da manhã! Mas o café foi outra surra bem dada. Quando acabou, vieram as lições. — (Sílvia começou a contar a história mais depressa, agora que me viu enxugando os olhos com o lenço.) — As Raposinhas capricharam! Estudaram que foi uma beleza. Aprenderam as lições de cor e salteado. Depois disso, Bruno tocou a sineta, chamando para o almoço. Dlim, dlim, dlim, dlim, dlim! Desceram as Raposinhas.

— Com guardanapo no pescoço? — perguntou Bruno.

— Claro!

— Cada uma com sua colher?

— Você sabe que sim!

— Foi só para certificar.

— Mas dessa vez elas vieram devagar, bem cabreiras. Vieram pensando que seu jantar seria uma nova rodada de açoites. Porém, quando entraram na sala, viram um almoço delicioso!

— Tinha sobremesa?

— Tinha! Tinha bolo, tinha...

— Geleia?

— Sim! Mas ia começar com uma sopa. Depois...

— Tinha bombom?

— Tinha. E elas comeram tudo. Depois disso, transformaram-se em Raposinhas educadíssimas, que nunca fizeram o que não podiam fazer, nunca comeram o que não podiam comer, e que nunca mais se comeram umas às outras!

A história chegou ao fim tão subitamente, que quase engoli o fôlego. Mesmo assim, tentei fazer um belo discurso de agradecimento:

— Sem dúvida alguma, essa história foi muito, mas muito mesmo, claro que foi!

Eu próprio custei a crer que tinha dito aquilo...

CAPÍTULO 16

Além Daquelas Vozes

Não entendi muito bem o que o senhor disse — foram as palavras que ouvi logo em seguida, percebendo não se tratar da voz da Sílvia ou de Bruno, que eu podia avistar, no meio dos hóspedes, ao lado do piano, escutando a canção do Visconde.

Quem tinha falado era Mein Herr, que repetiu:

— Não entendi muito bem, mas tenho certeza de que o senhor compreendeu perfeitamente meus pontos de vista. Agradeço-lhe penhoradamente por sua obsequiosa atenção. Só falta uma estrofe.

A última frase não foi pronunciada pela voz educada de Mein Herr, mas sim pelo vozeirão de baixo profundo do Visconde. E, em meio ao silêncio que se seguiu, os versos finais da canção de Tottles encheram o salão:

Vivem agora os dois num barracão
confortável, mas sem ostentação.
É vida de trabalho e pouca festa,
já que a renda de Tottles é modesta.
Um dia, ajoelhada, ela suplica:
"Deixe a Mamãe vir aqui mês que vem?"
"Deixarei, sabe quando?" — ele replica:
"JAMAIS!" — foi o que disse (e disse-o bem).

O término da canção foi seguido por um verdadeiro coro de agradecimentos e cumprimentos provenientes de todos os cantos do salão, aos quais o gratificado Visconde agradeceu, curvando-se em todas as direções.

— *Considerro* um verdadeiro *prrivilégio* — disse pouco depois a Lady Muriel — ter encontrado essa canção tão *merveilleusei*! O acompanhamento dela é tão estranho, tão *misterrioso*, que é como se uma nova música acabasse de ter sido inventada! Vou executá-lo de novo, só mais uma vez, para que *Mademoiselle* Muriel veja o que estou *querrendo* dizer.

Voltou ao piano, mas a partitura havia desaparecido. O atônito cantor procurou na pilha de partituras que estava sobre uma mesa ali perto, mas nada de encontrar aquela que ele tanto desejava. Lady Muriel juntou-se a ele na busca, e o mesmo fizeram os outros convidados, mas tudo em vão. A excitação aumentava a olhos vistos.

— Mas que foi feito da partitura? — perguntou Lady Muriel, espantada.

Ninguém soube responder, mas uma coisa era certa: depois que o Visconde acabara de cantar, nenhuma pessoa se aproximara do piano.

— Podem deixar — disse o Visconde, sorrindo, — vou tocar a música de ouvido. Lembro-me bem dela.

Sentou-se ao piano e tentou dedilhar a melodia recém-executada, mas sem sucesso: não conseguia lembrar-se mais de uma só nota!

— *Par Dieu*! Estranhíssimo! Que eu esqueça a letra da canção, vá lá, mas esquecer a melodia inteiramente! *Pas possible*!

Mesmo quem não sabia francês concordou inteiramente.

— Foi aquele *petit garçon* que encontrou a *partiturra*. Eh, *bien*, e se for ele quem a surrupiou?

— Sim, o senhor está certo — concordou Lady Muriel.— Deve ter sido ele. Bruno! Onde está você, meu querido?

Bruno não respondeu. Ao que parecia, as duas crianças tinham desaparecido tão completamente quanto a partitura da canção.

— Ah, esses dois! — sorriu Lady Muriel. — Estão pregando uma peça em nós. Brincando de esconde-esconde... Deve ser mais uma ideia de Bruno, travesso como ninguém!

O comentário acalmou alguns convidados, que já começavam a se sentir inquietos. Uma busca geral foi empreendida, com grande entusiasmo. Cortinas foram abertas e sacudidas, armários esquadrinhados, divãs revirados de cabeça para baixo, mas o número de possíveis esconderijos mostrou-se bastante limitado, e logo a busca teve de ser encerrada, tão rapidamente quanto tinha sido iniciada.

— Eles devem ter saído do salão enquanto estávamos entretidos com a música — disse Lady Muriel, dirigindo-se especialmente ao Visconde, que parecia mais agitado que os demais convidados. — Imagino que tenham ido buscar seus pertences no quarto da governanta.

— Por esta porta eles não passaram! — foi o veemente protesto de dois ou três cavalheiros, postados juntos à porta que dava acesso à parte íntima da residência (um deles estava com o corpo inteiramente apoiado nela). — Pelo menos, não depois que o senhor Visconde começou a cantar. Estivemos aqui durante toda a canção.

Um silêncio desconfortável seguiu-se a essa declaração. Lady Muriel desistiu de fazer novas conjecturas, limitando-se a examinar as trancas da janelas para ver se estavam soltas. Não estavam. Aquelas janelas não tinham sido abertas durante toda a recepção.

Mas ela ainda tinha um triunfo. Tocando a sineta, disse ao criado que veio atendê-la:

— Faça o favor de pedir a governanta que venha até aqui, trazendo os pertences das duas crianças.

Pouco depois, entrava a governanta no salão, trazendo um par de botas, chapéus e agasalhos.

— Aqui estão, *Milady*. Pena que seja hora dos dois irem embora. Gostei muito deles. Ei, onde estão? — perguntou, espantada, olhando em todas as direções. — Estão escondidos, *Milady*?

— Não sei onde estão — respondeu Lady Muriel esvasivamente. — Deixe as coisas deles aqui. Eu mesma cuido disso. Pode recolher-se.

Os dois chapéus e a blusa de frio de Sílvia passaram de mão em mão, entre exclamações de aprovação por parte das senhoras. Eram peças de vestuário estranhamente belas. Mesmo as botas de Sílvia receberam sua quota de elogios.

— Que botinhas mais elegantes! — comentou a pianista, afagando-as enquanto falava. — Como são delicados os pezinhos da dona delas!

Por fim, chapéus, botas e agasalho foram postos em cima da mesinha de canto, e os convidados, desistindo de ver novamente as crianças, começaram a despedir-se de seus anfitriões. Ficaram ali conversando apenas uns oito ou nove, entre os quais o Visconde, que não se cansava de repetir ter visto os dois enquanto cantava a última estrofe. Acontece que, depois de emitir um difícil "dó de peito", ele tinha corrido os olhos pela assistência, a fim de avaliar o efeito, e daí em diante não mais avistara os dois. "*Desaparreceram*!", foi seu comentário consternado, seguido de um geral balançar de cabeças tristonho e solidário. Nesse momento, inesperadamente, o Visconde deu um grito, enquanto mirava de olhos arregalados a mesinha de canto. Os pertences tinham desaparecido!

Nova busca foi empreendida, mas dessa vez de maneira desanimada, em razão do fracasso da anterior. Os últimos convidados foram-se despedindo constrangidamente, e por fim ficamos ali apenas nós quatro e o Visconde, que se deixou afundar numa espreguiçadeira, arquejando.

— Diga-me, por favor, *M'sieur*, quem são essas crianças? Por que *vierram* aqui? Por que forram *emborra* assim sem mais nem menos? Tudo, por assim dizer, evaporrou: a música, os chapéus, as notas, e até mesmo as duas crianças! Como pôde acontecer isso, *M'sieur*?

— Não faço nem ideia de onde elas devem estar — foi tudo o que pude dizer, ao sentir que todos exigiam de mim alguma explicação para tanto sumiço.

O Visconde parecia querer prosseguir no questionamento, mas acabou desistindo de seu intento.

— Está ficando tarde — disse, com um suspiro. — Desejo-lhe uma ótima noite, *Milady*. Quanto a mim, pretendo ir daqui *dirreto parra* a cama. Vou dormir e sonhar, se é que já não estou sonhando!

E foi-se embora apressadamente.

— Fique mais um pouco — pediu-me o Conde, ao ver que eu também pretendia despedir-me. — O senhor não é um mero convidado. Como amigo de Arthur, sinta-se em casa.

Agradeci e, em seguida, numa demonstração de nossos instintos ingleses, assentamo-nos ao redor da lareira, embora o fogo não estivesse aceso. Ali perto, Lady Muriel voltava a examinar a pilha de partituras, numa derradeira busca à música desaparecida.

— O senhor costuma sentir de vez em quando um desejo ardente — disse-me ela — de ter algo a fazer com suas mãos enquanto fala, tal como segurar um charuto, batendo as cinzas de vez em quando? Ah — mudou de tom de voz, dirigindo-se agora a Arthur, — já sei o que você vai dizer: Sua Majestade, o Pensamento, supera o trabalho dos dedos. Com relação ao Homem, pensar intensamente, mais o ato de bater no charuto para tirar as cinzas, equivale, no caso da Mulher, a falar de assuntos banais e usar adereços caros. Com palavras mais elaboradas, é esse o seu modo de ver, não é?

Arthur encarou o rosto radiante e malicioso da jovem com um sorriso grave e terno:

— Sim — concordou resignado, — é assim mesmo que vejo.

— O corpo em repouso, a mente em atividade — intrometi-me — Algum escritor já deve ter dito tratar-se do suprassumo da felicidade humana.

— Quanto ao corpo em repouso — comentou Lady Muriel, encarando as três figuras espichadas nas cadeiras, — este já foi devidamente providenciado. Falta a mente em atividade.

— Essa constitui privilégio dos jovens médicos — disse o Conde. — Nós outros, os mais velhos, não temos o direito de manter a mente ativa. "*Que pode fazer um velho, senão morrer*"?

— Muitas coisas, creio — explicou Arthur.

— Pode ser. Mesmo assim, você tem sobre mim diversas vantagens, meu jovem. Não somente seu dia está amanhecendo, enquanto o meu já se põe, como seu interesse pela vida é bem maior que o meu, disso eu não posso deixar de sentir inveja. Ainda haverão de passar muitos anos antes que esse seu sentimento arrefaça.

— Será que os interesses humanos irão sobreviver à existência do gênero humano? — perguntei.

— Sem dúvida! E também algumas formas de Ciência, como a Matemática, por exemplo, que parece possuir um interesse perene. Não se pode imaginar alguma forma de vida ou alguma raça de seres inteligentes em que a verdade matemática perca seu significado. Já quanto à Medicina, receio que a situação seja um tanto diferente. Suponha que alguém descubra um medicamente para uma certa doença hoje considerada incurável. O fato em si é auspicioso, sem dúvida, é repleto de interesse, e talvez traga para o descobridor fama e fortuna. Depois de algum tempo, porém, quando aquela doença tiver sido erradicada, quem haverá de se lembrar daquele benemérito? Milton coloca na boca de Jove uma promessa exagerada: "*Grande fama no céu será tua recompensa*", diz o deus. Diminuto conforto esse, quando o conceito de "fama" tiver perdido todo o seu significado…

— Então não vale a pena preocupar-se em fazer descobertas novas em Medicina — comentou Arthur. — Isso me entristece, pois terei de suspender meus estudos favoritos. De fato, acredito que remédios, doenças, dor, angústia, sofrimento e pecado são intimamente interligados. Se dermos cabo do pecado, também daremos de todo o resto!

— No caso da Ciência Militar, então, isso ainda repercute mais fortemente — prosseguiu o Conde. — Inexistindo o pecado, tornar-se-à impossível a guerra. Aqueles que neste mundo porventura quisessem dedicar-se a esse ramo de estudos, terão de descobrir campos de pesquisa mais adequados para o desenvolvimento de sua curiosidade. Wellington pode não mais ter batalhas nas quais se empenhar, e dele há de se poder dizer o seguinte:

Destacou-se na tarefa que exerceu.
Outra mais nobre haverá para exercer.
Uma vez que em Waterloo ele venceu,
Para sempre vencedor ele há de ser!

Recitou pausadamente, curtindo o efeito daqueles palavras. Sua voz, como uma música distante, morreu no silêncio.

Depois de um minuto ou dois, recomeçou:

— Se não os estiver cansando, gostaria de expor uma ideia que há anos me vem atazanando, a respeito da vida futura. Trata-se de uma espécie de pesadelo acordado, que não consigo afastar da mente.

— Tenha a bondade — dissemos os dois ao mesmo tempo, enquanto Lady Muriel abandonava a pilha de partituras e cruzava as mãos, aguardando o que o pai iria dizer.

— A ideia que me parece eclipsar todas demais é a da Eternidade, já que ela envolve, parece-me, a necessária exaustão de todos os assuntos dignos do interesse humano. Tomemos a Matemática pura, por exemplo, que é uma ciência independente das circunstâncias que nos envolvem. Tenho-a estudado um pouco. Vamos selecionar um assunto: círculos e elipses, que chamamos de "curvas de segundo grau". Numa vida futura, seria mera questão de tempo — umas poucas centenas de anos talvez, — para que uma pessoa voltasse a formular todas as propriedades dessas curvas, permitindo-lhe, depois disso, passar a examinar as curvas de terceiro grau. Digamos que leve até mais tempo, milhares de anos, pouco importa quanto, já que não há limite temporal nesse caso. É difícil imaginar que o interesse dessa pessoa se mantivesse mais longamente no estudo de tal assunto, e, embora não haja limite de grau para as curvas que ela possa estudar, certamente haverá uma hora em que acabe a vontade de prosseguir no estudo exclusivo daquele assunto. Essas coisas são finitas. O mesmo pode ser dito para os demais ramos e assuntos da Ciência. Assim, quando me transporto em pensamento para milhões de anos à frente e me imagino possuidor de tanto conhecimento quanto a Razão possa entender e guardar, pergunto-me: "E agora, que nada mais tenho a aprender, será que apenas me resta descansar, sem nada mais pesquisar, pela eternidade afora?" Trata-se de um pensamento fatigante, que por vezes me levou a imaginar ser melhor nada ser, rogando a Deus por uma vida futura constituída da aniquilação pessoal: o Nirvana dos budistas.

— Mas isso é apenas metade da questão — comentei. — Além de trabalhar para si próprio, pode-se também prestar ajuda ao próximo, não?

— Claro, claro! — exclamou Lady Muriel com um suspiro de alívio, encarando o pai com olhos brilhantes.

— Sim — concordou com Conde, — desde que houvesse pessoas necessitando de ajuda. Mesmo assim, após eras e eras, seguramente todas as pesquisas teriam por fim alcançando o mesmo grau de saciedade. Daí em diante, que se poderia esperar?

— Conheço essa sensação — disse Arthur. — Eu mesmo já a experimentei, mais de uma vez. Deixem-me contar-lhes como foi que solucionei o problema. Imaginei uma criancinha, divertindo-se com seus brinquedos, e que de repente se pusesse a raciocinar, tentando prever o que iria acontecer daí a trinta anos. Sua conclusão por certo seria a de imaginar que, nesse tempo, sua coleção de tijolinhos e bolinhas de gude estaria completa, e que a vida passaria a ser muito enfadonha daí em diante. No entanto, trinta anos mais tarde, o que de fato acontece é que essa criança pode ter-se transformado num renomado estadista, cuja vida possui interesses e alegrias de uma intensidade tal que jamais poderiam ser vividos, imaginados ou sequer descritos por uma criança. Ora, será que nossa vida de adultos, após um milhão de anos, não teria a mesma relação com a vida atual que esta teria com a de nossos tempos de infância? E, assim como alguém que queria ensinar a uma criança, utilizando as figuras de linguagem de tijolinhos e bolinhas de gude, o significado da palavra "Política", assim talvez sejam todas as descrições do Céu, mencionando músicas, festas, ruas calçadas de ouro, etc.: não passam de toscas tentativas de descrever, com nossas palavras, aquilo que de fato não há palavras humanas que possam participar da vida política, antes de atingir um determinado desenvolvimento físico e mental?

— Creio ter entendido seu ponto de vista — concordou o Conde. — A música celeste pode estar além do nosso poder de compreensão, o que não me impede de achar encantadora a música terrestre. Muriel, querida, cante alguma coisa para nós antes de irmos dormir.

— Boa ideia — disse Arthur, levantando-se e levando a lamparina até o velho piano de armário, então deportado para a sala de estar, a fim de dar lugar a um de meia-cauda. — Deparei com a partitura de uma canção que ainda não a escutei cantar. A letra diz assim:

Salve, espírito de alegria,
Ave divina, voz do Senhor,
Que do céu sempre nos envia
Bênçãos de paz, de luz e de amor.

Pode cantá-la? — perguntou, pondo a partitura sobre o piano, enquanto o Conde arrematava:

— E nossa breve vida terrestre, comparada com aquela que um dia haverá de vir, é como se não passasse de um dia de verão para uma criança. Vamos ficando cansadas à medida que o dia avança, antevendo a hora de irmos para a cama — (havia um toque de tristeza em sua voz) — até que, finalmente, uma bendita voz nos diz as tão esperadas palavras: "Hora de dormir! Vem, filhinho!".

CAPÍTULO 17

Ao Sacrifício!

Ainda não é hora de dormir! — protestou uma vozinha sonolenta. — As corujas ainda não foram deitar, e eu só durmo depois que alguém cantar pra mim!

— Oh, Bruno! — zangou Sílvia. — Você sabe bem que as corujas acabaram de se levantar! Em compensação, as rãs já se deitaram há horas!

— E daí? Não sou rã...

— Está bem. Que quer que eu cante? — concordou Sílvia, evitando discutir.

— Pergunte ao Senhor Doutor — respondeu Bruno preguiçosamente, juntando as mãos atrás da nuca encaracolada e reclinando-se sobre a folha de samambaia, até que ela quase dobrou com seu peso. — Esta folha não é de confiança, Sílvia. Procure uma melhor, por favor. Sabe o quê que é? — justificou-se, ao ver o dedinho de Sílvia erguido em admoestação: — É que não gosto de ficar com os pés pra cima...

Era uma visão digna de ser contemplada, a da maneira maternal com que a fadinha recolheu o mano em seus braços, depositando-o em seguida sobre uma folha mais resistente. Em seguida, empurrou-a ligeiramente, para que ficasse oscilando, e a folha ali ficou, indo para a frente e para trás, sempre com a mesma força, como se algum mecanismo escondido não a deixasse parar de balançar. O causador do movimento certamente não seria o vento, pois apenas soprava uma brisa vespertina suavíssima, que mal agitava as outras folhas das árvores. Intrigado, perguntei a Sílvia:

— Por que apenas essa folha oscila?

A menina sorriu e balançou a cabeça, dizendo:

— Não sei dizer, mas é sempre assim, quando há um duende na folha. Ela não para de balançar.

— E mesmo quem não tem capacidade de ver os duendes enxerga essa folha oscilando?

— Claro que sim! Folha é folha, todo mundo pode ver. Mas Bruno é Bruno, e nem todos podem vê-lo, a não ser quem estiver encantado, em estado *eerie*, como o senhor agora está.

Só então compreendi por que é que, quando a gente passa por um bosque durante uma tarde calma, às vezes enxerga uma folha oscilando sozinha, como se tivesse movimento próprio. Já lhe aconteceu isso? Pois olhe bem para aquela folha, e quem sabe conseguirá enxergar nela um duende dorminhoco? Se o vir, deixe-o ali em paz. Não me vá arrancar a folha, certo?

Enquanto isso, Bruno ia ficando cada vez mais sonolento.

— Cante, Sílvia, cante! — pedia impacientemente.

— Que sugere? — perguntou-me ela.

— Por que não canta aquela canção de ninar que foi espichada pela máquina do Professor? — perguntei — Creio que o nome dela é "O homenzinho com um revolvinho", ou coisa parecida.

— Boa ideia! — exclamou Bruno, parecendo acordar. — É uma das canções do Professor! Gosto do homenzinho e de sua música, que me lembra o rodopio de um pião.

E, dizendo isso, olhou com ternura para o velho que surgiu, não sei como, do outro lado de sua folha, e que no mesmo instante começou a cantar, acompanhando-se num bandolim estrangeironês, enquanto o caracol que lhe servia de assento oscilava os chifrinhos ao ritmo da canção:

O Miudinho era pequeno, mas não tinha
medo dos outros, fosse bicho ou fosse gente;
sentado à mesa, ele aguardava que a esposinha
trouxesse a janta, e se sentia impaciente,
porque sabia que ela estava preparando
um caranguejo, bicho de aspecto nefando.
Eis que ele se ergue e diz: "Eu vou até o regato,
e vou voltar trazendo um pato!"

Ela foi ao armário e trouxe um revolvinho
que lhe entregou, dizendo: "Vá rapidamente.
Enquanto espero, vou assando este pãozinho.
Quando você voltar, o forno estará quente."
Sem perder tempo, ele coloca na cintura
o revolvinho, verdadeira miniatura,
e segue pela estrada em passo acelerado,
já imaginando o pato assado!

Não era longe o tal lugar que ele buscava:
seguindo a estrada, era após a primeira curva,
onde o regato suas águas despejava
numa laguna litorânea de água turva.
Ali a lagosta, o caranguejo, a rã, o atum,
aves e insetos levavam vida em comum;
ali o linguado, vestido a rigor, fazia
longas visitas — que agonia!

Lá vem o homenzinho, cheio de astúcia e manha,
pisando leve, num silêncio tumular,
mas súbito se escuta uma zoeira estranha,
um crescente rumor, parecendo encher o ar;
eram guinchos, bramidos, estrídulas risadas,
gemidos de pesar, horrendas gargalhadas;
mas mesmo sendo um som de tristeza e agonia,
o homenzinho nem arrepia!

As vozes aumentam e mais alto reboam,
penetram pela barbas, saem pelos bigodes,
repercutem, retinem, explodem, ecoam,
relincham como poldros, berram como bodes;
ora debocham dele, fazendo chalaça,
ora mudam de tom, passando pra ameaça.
Indiferente a tudo, o valente Miudinho
não abandona seu caminho.

As vozes, então, resolvem rememorar
estranhas e terríveis lendas do passado,
como a da vaca que quis a Lua galgar,
a do prato que com a colher foi casado,
a da jovem, que estava tranquila em seu canto,
quando avistou a aranha e, tomada de espanto,
correu tanto que subiu ao céu sem saber
como faria para descer!

De nada adiantaram essas tais tentativas,
pois o homenzinho acabou chegando ao regato.
Via-se, pelas suas maneiras esquivas,
que já estava selado o destino do pato.
A pobre ave lá havia chegado primeiro,
e nem podia supor que um tiro certeiro
iria abatê-la. Então, pondo-a num carrinho,
o homem voltou pelo caminho

Chegando em casa, encontrou o forno aquecido
e, para aguardar o assado, um pãozinho quente.
Ao preparar o pato para ser cozido,
a esposa alertou: "Não acho que é suficiente.
Se eu fosse você, arranjava um complemento."
Mesmo estando com fome, no mesmo momento
levanta-se o homenzinho e vai para o regato
em busca da fêmea do pato.

— Agora ele está dormindo profundamente — disse Sílvia, dobrando carinhosamente a borda de uma folha de violeta, depois de cobrir com ela o irmão, como se fosse um lençol. — Boa noite, querido.

— Boa noite — repeti como um eco.

— Mas que beleza! — exclamou Lady Muriel, rindo e fechando o piano. — Boa noite, hein? Eu aqui cantando, enquanto o senhor ficava "pescando" e sonhando. Diga-me: qual era o assunto da minha canção?

— Tinha a ver com um pato? — arrisquei. — Bem... quem sabe sobre algum outro tipo de ave? — tentei corrigir, depois de sentir que havia dado um "fora".

— "*Algum outro tipo de ave*", ora veja só! — exclamou ela, representando o papel de dama ofendida, mas não muito convincentemente. — Então é assim que o senhor chama a Cotovia de Shelley? E só porque ela é uma "*ave divina, voz do Senhor*"? Com efeito...

Sem mais dizer, guiou-nos até a sala de fumar, onde, ignorando todos os bons costumes da Sociedade e os instintos do Cavalheirismo, os três Senhores da Criação espojaram-se confortavelmente nas espreguiçadeiras, permitindo que a única dama presente ficasse vigiando nossos desejos e servindo-nos refrescos e cigarros acesos. Para melhor caracterizar o abuso, basta dizer que um dos três cavalheiros, sem se satisfazer com o "muito obrigado" de praxe, ao ser servido por ela, imitando o Poeta, o que fez foi

> *"... curvar-se e dar um beijo no róseo dedinho*
> *que, ao pousar a bandeja, sobre esta se via..."*

tomando audaciosamente uma liberdade que, sou obrigado a relatar, não foi pela dama devidamente repreendido.

Como nenhum tópico de conversação parecia ocorrer a qualquer das quatro pessoas, e como tínhamos entre nós aquela relação de amizade que merece a classificação de íntima e que dispensa a necessidade constante de estar conversando, ali ficamos em silêncio durante alguns minutos. Fui eu quem falou primeiro, ao perguntar:

— Alguma notícia sobre a febre que está grassando no porto?

— Nada desde a manhã — respondeu o Conde, tornando-se sério. — Mas as notícias são alarmantes. A febre espalha-se rapidamente. O médico londrino que estava atendendo os doentes foi-se embora, deixando ali apenas um prático, que faz as vezes de farmacêutico, dentista, doutor e sabe-se lá o que mais. Isso é péssimo para os habitantes, tanto os pescadores como suas mulheres e filhos...

— Quantas pessoas vivem ali? — perguntou Arthur.

— Uma semana atrás, eram cerca de cem. De lá pra cá, parece que já houve umas vinte ou trinta mortes...

— E elas dispõem de assistência religiosa?

— Sim, dispõem. Estão entre eles três bravos ministros de Deus genuínos heróis que por certo mereciam as mais altas condecorações por sua intrepidez. Estou certo de que nenhum deles pretende deixar o lugar, a fim de salvar sua vida. Estão ali o Cura e sua esposa (eles não têm filhos), além de um sacerdote católico e de um ministro metodista. Cada um tenta assistir seus próprios fiéis, mas fiquei sabendo que, na hora da morte, ninguém se importa em saber qual dos três está presente à beira de seu leito, desde que haja ao menos um deles. Como se tornam tênues as barreiras que separam os cristãos, quando a pessoa se acha diante dos grandes fatos da Vida e da realidade da Morte!

— É assim que deve ser, e de fato seria assim se... — começou Arthur, interrompendo quando a campainha da porta soou, acionada por mãos aflitas.

Calados, escutamos a porta abrir-se, seguindo-se o som de vozes afobadas. Não demorou e alguém bateu de leve à porta da sala de fumar. Era a governanta, parecendo um tanto alarmada:

— Duas pessoas aí fora desejam falar com o Dr. Forester.

Arthur foi ver imediatamente do que se tratava. De onde estávamos ouvimo-lo saudar os recém-chegados com cordialidade: "Que desejam, senhores?", mas apenas conseguimos entender parte da resposta:

— ... até pela manhã, dez, e de tarde mais dois...

— E onde está o médico? — retrucou Arthur, ao que uma voz grave respondeu, dessa vez audivelmente:

— Faz três horas que ele morreu.

Lady Muriel estremeceu, escondendo o rosto entre as mãos. Nesse momento a porta da frente foi encostada, e não mais escutamos a conversa que se seguiu.

Durante alguns minutos, permanecemos em completo silêncio. O Conde levantou-se e foi até a entrada, voltando pouco depois para nos dizer que Arthur tinha saído com dois pescadores, deixando o recado de que voltaria daí a uma hora. Com efeito, no fim desse tempo, durante o qual pouca coisa foi dita, já que nenhum de nós parecia estar disposto a conversar, os gonzos enferrujados da porta da frente rangeram, seguindo-se o som de passos que dificilmente seriam reconhecidos como sendo de Arthur, tão lentos e incertos pareciam, lembrando antes os passos de um cego num trajeto desconhecido.

Arthur entrou e parou diante de Lady Muriel, descansando uma das mãos pesadamente sobre a mesa. Seu olhar era opaco e estranho, como se de um sonâmbulo.

— Muriel, querida... — começou, interrompendo-se ao sentir que seus lábios tremiam.

Logo em seguida recomeçou:

— Muriel, querida, querem que eu siga com eles para o porto.

— E você tem de ir? — perguntou ela com ar de súplica, pondo-lhe as mãos sobre os ombros e encarando-o com os olhos rasos d'água. — Sabe o que isso pode significar? A morte!

Ele também encarou-a, sem se esquivar:

— Sei disso — respondeu ele, num sussurro, — mas… fui chamado. Quanto a minha vida… — sua voz falhou e ele nada mais disse.

Por um minuto ela quedou-se silenciosa, olhando para cima com ar desesperançado, como quem acha que sequer vale a pena rezar. Suas feições contraídas revelavam agonia por que estava passando. Súbito, uma espécie de inspiração pareceu ocorrer-lhe, e sua face se iluminou como um sorriso estranho e suave:

— Sua vida? Ela não é tão sua assim que possa ser dada.

A essa altura, Arthur já se havia recobrado e pôde explicar com firmeza:

— Isso é verdade, ainda mais que ela já não é minha, e sim sua, visto que lhe foi prometida. E então: proíbe-me de ir? Não concorda em me entregar?

Ainda segurando-lhe os ombros, ela apoiou a cabeça em seu peito, num gesto íntimo que eu até então jamais havia presenciado, e que me revelou o quanto ela devia estar emocionada. Escutei-a murmurar:

— Concordo em entregá-lo… a Deus.

— E aos pobres de Deus — completou Arthur, num sussurro.

— Sim — concordou ela, — e aos pobres de Deus. E quando será, querido?

— Amanhã de manhã. Tenho muito a fazer, antes disso.

E então contou-nos o que havia feito nessa sua hora de ausência. Fora até a casa paroquial e marcara o casamento para as oito horas da manhã (não havia obstáculo legal, já que ele providenciara previamente todos os papéis), na igrejinha que tão bem conhecíamos.

— Meu velho amigo aqui presente — disse, fitando-me com um sorriso — será o padrinho. Seu pai entrará com você e... espero que não se importe de não ser precedida por damas de honra...

Ela apenas acenou com a cabeça, concordando.

— E assim poderei seguir com o coração feliz, cumprindo a missão que Deus me confiou, sabendo que somos um só, juntos em espírito, ainda que separados materialmente. Quando orarmos, nossas preces seguirão juntas, como se uma só fossem.

— Sim, sim — soluçou Lady Muriel. — Você não deve ficar aqui por mais tempo, querido. Vá para casa descansar. Você precisar estar com todas as suas forças amanhã.

— Sim, já estou indo. Estarei aqui amanhã cedo. Boa noite, minha querida!

Segui seu exemplo e saímos juntos. Enquanto caminhávamos de volta para e pensão, Arthur suspirou profundamente uma ou duas vezes, como se estivesse preste a dizer algo, sem contudo abrir a boca. Só falou depois que entramos em casa, acendemos as velas e paramos diante de nossos quartos, despedindo-nos;

— Boa noite, meu bom e velho amigo! Que Deus te abençoe.

— Fique com Deus — respondi, emocionado.

Às oito da manhã estávamos de volta no Solar, onde nos esperavam Lady Muriel, seu pai e o velho Vigário. Foi um estranho e triste séquito que caminhou até a igrejinha, e depois regressou, antes parecendo um cortejo fúnebre do que um grupo de pessoas seguindo para uma cerimônia de casamento. Para Lady Muriel, era como se ela de fato estivesse seguindo para um enterro, tão forte era o pressentimento que a assaltava (conforme depois nos confidenciou) de que aquela seria a última vez que veria o homem com quem acabava de casar.

Tomamos um café da manhã reforçado, e logo em seguida uma charrete chegou para levar Arthur, primeiro para a pensão, onde ele ia buscar seus pertences, e depois para um ponto próximo do vilarejo condenado à morte, já que ninguém se arriscava chegar até lá. Um ou dois pescadores deveriam estar esperando-o naquele ponto, a fim de ajudá-lo a carregar sua bagagem pelo resto do caminho.

— Está certo de que separou tudo o que é necessário para sua estada? — perguntou a jovem.

— Tudo o que um médico necessita, sim. Quanto a minhas necessidades pessoais, estas são poucas. Não estou levando qualquer peça de meu guarda-roupa habitual, e sim um traje de pescador, bem simples, além de meu relógio e uns poucos livros. Eu gostaria de ter um Novo Testamento de bolso, não só para meu uso, como para poder lê-lo à cabeceira dos enfermos...

— Leve o meu — disse Lady Muriel, subindo apressadamente as escadas para pegá-lo.

Logo voltou, dizendo:

— Nada está escrito nele, a não ser meu nome. Vou acrescentar uma dedicatória…

— Não precisa, querida — disse Arthur, tomando o livro nas mãos. — Que mais é preciso escrever, senão seu nome? Não será essa a melhor maneira de dizer a quem pertence o livro e a quem pertenço eu? Eu não sou seu, e você não é minha? Ou melhor, como diria Bruno — e sorriu com ar brincalhão, — você não é "minhíssima"?

Em seguida abraçou-nos longa e comovidamente, deixando a sala de estar acompanhado apenas da esposa, que suportava estoicamente toda aquela provocação, nisso diferindo do pai, que não ocultava seu extremo estado de perturbação.

Ficamos os dois ali por um ou dois minutos, até que o barulho de rodas nos indicou que Arthur já se fora. Mesmo assim só saímos depois de ouvirmos morrer à distância os passos de Lady Muriel, subindo para seu quarto. Ela, que nos últimos tempos costumava pisar de maneira saltitante e alegre, agora com que se arrastava pesadamente, vergada ao peso de uma carga melancólica e desesperançada. Eu também sentia-me quase tão desesperado e deprimido quanto ela. "Será que nós quatro ainda iremos encontrar um dia, do lado de cá da existência?", perguntei-me, enquanto regressava para a pensão.

O dobre distante de um sino pareceu responder minha pergunta:

— Não! Não! Não!

CAPÍTULO 18

Um Recorte de Jornal

(Extraído de "A CRÔNICA", Jornal Editado em Fayfield)

Nossos leitores devem estar seguindo com doloroso interesse os acontecimentos que de tempos em tempos publicamos acerca da terrível epidemia que, durante os últimos dois meses, tem ceifado a vida da maior parte dos moradores da pequena aldeia de pescadores situada próximo da vila de Elveston. Os derradeiros sobreviventes, que somam apenas vinte e três almas, remanescentes de uma população que, três meses atrás, elevava-se nada menos que cento e vinte pessoas, foram removidos, quarta-feira passada, por ordem da Junta local, para o Hospital do Distrito, onde estão recebendo tratamento médico. O vilarejo tornou-se agora uma verdadeira "cidade morta", sem uma única voz humana capaz de quebrar seu soturno silêncio.

A equipe que resgatou os sobreviventes foi composta de seis valorosos cidadãos, pescadores estabelecidos nos arredores da aldeia, sob as ordens do médico residente do Hospital, que para ali se dirigiu à frente de um grande número de voluntários que se apresentaram para essa missão arriscada, em razão de sua boa saúde e excelente compleição física. Com efeito, a epidemia já perdeu, atualmente, sua virulência inicial, mas mesmo assim o resgate de doentes não consistui tarefa desprovida de riscos.

Toda precaução sugerida pela Ciência contra a possibilidade de infecção foi tomada, e os doentes foram transportados com todo o cuidado em padiolas, um a um, até as ambulâncias estacionadas na estrada próxima, cada qual dispondo de dois leitos e uma enfermeira experiente. As quinze milhas de percurso até o Hospital foram transpostas a passo, devido ao estado melindroso de alguns pacientes, incapazes de suportar os solavancos de uma viagem mais rápida. Desse modo, o pequeno percurso levou toda uma tarde para ser vencido.

Os vinte e três pacientes consistem em nove homens, seis mulheres e oito crianças. Não foi possível identificá-los todos, uma vez que algumas crianças não passam de bebês, órfãos, e, além disso, dois homens e uma mulher se encontram em estado inconsciente, incapazes de responder as perguntas que lhes são dirigidas. Alguns somente puderam ser identificados por causa dos nomes bordados em suas roupas, o que não aconteceu com esses há pouco mencionados.

Juntos dos pobres pescadores e seus familiares havia cinco forasteiros, todos os quais, sem dúvida, constam no número daqueles que sucumbiram à epidemia. Como um preito de gratidão por esses abnegados mártires, vamos mencioná-los individualmente, uma vez que seus nomes devem, com justa razão, juntar-se ao daqueles que enriquecem o panteão dos heróis de nossa Pátria. São eles:

— O Reverendo James Burgess, Licenciado em Ciências Humanas, e sua esposa Emma. Ele era o cura da aldeia. Ainda não tinha completado trinta anos. Casado há dois anos. Em sua casa foi encontrado um registro escrito no qual se mencionava as datas de suas mortes.

Registramos em seguida, com profundo pesar e respeito, o nome do Dr. Arthur Forester, que, em razão do falecimento do médico local, enfrentou com denodo o risco da morte, levando seu saber e sua competência àqueles pobres irmãos, então desassistidos. Não se encontrou qualquer anotação relativa a sua morte, mas o corpo foi facilmente identificado entre os cadáveres encontrados na aldeia. Estava trajado como um dos pescadores (vestuário que adotou desde o momento em que ali chegou), trazendo sobre o peito um exemplar do Novo Testamento, presente que havia recebido de sua jovem esposa, segurando-o com as duas mãos. A conselho médico, evitou-se trasladar seu corpo, sendo o Dr. Forester enterrado ali mesmo, junto com outros quatro defuntos encontrados em casas da vizinhança, realizando-se o sepultamento com as honras possíveis de ser prestadas em tais circunstâncias. Seu casamento com Lady Muriel Orme aconteceu na manhã do próprio dia em que ele se dispôs a empreender a nobre e arriscada missão que acabou por consumir sua vida.

Em seguida, registramos o nome do Reverendo Walter Saunders, Ministro metodista. Acredita-se que seu falecimento tenha ocorrido duas ou três semanas atrás, já que na parede de seu quarto foi encontrada uma mensagem a lápis, dizendo: "Morto em 5 de outubro". A casa onde ele residia estava fechada e nada indicava que alguém ali tivesse entrado antes do reconhecimento feito pela equipe de resgate.

Finalmente, no mesmo nível de heroísmo e senso de dever dos demais, temos de registrar o nome do Padre Francis, jovem sacerdote jesuíta chegado poucos meses antes àquela aldeia de pescadores. Sua morte tinha ocorrido poucas horas antes da chegada dos voluntários, e seu corpo foi facilmente identificado pelos trajes de clérigo e o Crucifixo, que o jovem padre, em gesto idêntico ao do médico com seu Novo Testamento, trazia seguro firmemente contra o peito.

Depois de internados no Hospital, dois dos pacientes masculinos adultos e uma das crianças faleceram. Espera-se que o mesmo não vá ocorrer aos demais, embora haja dois ou três casos de extrema gravidade entre os sobreviventes. Para estes, cuja resistência parece estar nos limites da exaustão, resta apenas aquele fio de esperança de se alcançar, Deus queira, sua recuperação.

CAPÍTULO 19

Fada e Duende em Dueto

O ano — aliás, que ano memorável! — estava caminhando para seu final, e a luz do curto dia hibernal era insuficiente para deixar reconhecer os velhos panoramas familiares, misturadas a tantas e tão alegres lembranças, à medida que a locomotiva chiava, transpondo a última curva antes de chegar à estação, enquanto o roufenho brado "Elveston! Elveston!" ressoava ao longo da plataforma.

Era triste regressar àquele lugar, sabendo que eu não mais seria recebido com o caloroso sorriso de boas vindas que me havia recepcionado poucos meses atrás. "Entretanto, se tivesse de encontrá-lo aqui", murmurei, enquanto seguia o carregador que empurrava minha bagagem num carrinho de mão, "e ele, súbito,

apertasse minha mão
e mil notícias quisesse,
eu não deveria achar
que algo estranho nisso houvesse".

Depois de dar ao carregador o endereço da pensão, caminhei sozinho, intencionado a fazer uma visita a meus velhos amigos antes de descansar da viagem. Sim, velhos amigos, assim os considerava, embora não os conhecesse senão há um ano apenas — refiro-me ao Conde e a sua filha, viúva recente.

O caminho mais curto, eu bem me lembrava, era atalhado pelo cemitério da igreja. Assim, empurrei o portãozinho enferrujado e pus-me a caminhar por entre os túmulos solenes, pensando nas tantas pessoas que, durante o ano que terminava, tinham dado adeus à existência, para "juntar-se à maioria" dos seres humanos.

Poucos passos à frente, e deparei com quem eu ia visitar: Lady Muriel. Trajando luto fechado, rosto coberto por espesso véu negro, ela estava ajoelhada diante de uma pequena cruz de mármore, na qual colocava uma coroa de flores. A cruz destacava-se por entre a relva daquele terreno plano, mas eu sabia que se tratava apenas de um monumento simbólico, e que as cinzas do homenageado repousavam bem longe dali, mesmo não tendo lido a inscrição que nela estava gravada:

À saudosa memória do

DOUTOR ARTHUR FORESTER,

cujos restos mortais repousam no mar
e cujo espírito retornou a Deus que o concedeu.

"PROVA DE AMOR MAIOR NÃO HÁ
QUE DOAR A VIDA PELO IRMÃO"

Ao ver-me aproximar, ela afastou o véu para trás e veio em minha direção, com um sorriso triste nos lábios e uma aparência mais serena do que eu poderia esperar.

— Encontrá-lo aqui é como se fosse nos velhos tempos! — saudou-me, demonstrando genuína satisfação. — Já esteve com Papai?

— Não. Estava indo justamente visitá-los, e passei por aqui para encurtar o caminho. Espero que ele e você estejam bem.

— De fato, estamos, obrigada. E o senhor? Melhorou?

— Não muito, infelizmente, mas também não piorei.

— Vamos sentar-nos aqui e conversar um pouco — convidou ela.

Seu aspecto calmo, ou quase indiferente, causou-me surpresa. Eu não tinha ideia do tremendo esforço que ela estava fazendo para transmitir tal aparência.

— Aqui é tão calmo! Visito este lugar diariamente.

— De fato é tranquilo.

— Recebeu minha carta?

— Sim, mas não soube como responder. Há coisas que são tão difíceis de pôr no papel…

— Eu sei. Devia esperar por isso. O senhor estava conosco quando o vimos pela última vez… — ela fez uma pausa, recobrou-se e prosseguiu mais depressa: — Fui ao porto diversas vezes, mas ninguém soube dizer-me em qual daquelas covas rasas ele foi enterrado. Mostraram-me apenas a casa que ele ocupou, o que me trouxe algum consolo. Visitei o cômodo em que ele… em que ele...

Lutou em vão para prosseguir, até que suas comportas se romperam, e a explosão de dor que se seguiu foi a mais terrível que eu já pude testemunhar. Totalmente indiferente a minha presença, ela se atirou sobre a relva, escondendo o rosto no chão, abraçando-se à pequena cruz de mármore e exclamando:

— Oh, meu querido, meu querido! E pensar que Deus lhe destinava uma vida tão bela!

Espantei-me de ouvir, repetidas por ela, as mesmas palavras que um dia ouvi da boca de Sílvia, soluçando ao tomar conhecimento da morte da lebre. Será que alguma influência misteriosa teria sido transmitida pela doce fadinha, antes de regressar a Duêndia, àquele espírito humano que ela tanto amava? A ideia pareceu-me um tanto impossível, embora, como se sabe, "*existam mais coisas entre o céu e a terra do que sonha nossa vã filosofia*".

— Deus quis e fez — sussurrei. — A vida dele foi bela. Os desígnios de Deus nunca falham.

Preferi nada mais dizer. Levantei-me e saí, seguindo sozinho até a entrada do Solar, junto de cujo portão parei, contemplando o pôr do sol, perdido entre minhas memórias, algumas felizes, outras nem tanto, até que ela por fim chegou.

— Vamos entrar — disse em voz tranquila, mostrando que já havia conseguido recobrar-se inteiramente. — Papai vai ficar satisfeito por vê-lo.

O velho ergueu-se da cadeira com um sorriso e veio receber-me. Não tendo o mesmo poder de autocontrole da filha, prorrompeu em lágrimas enquanto segurava minhas mãos, apertando-as com força. Eu também não conseguia falar, e ficamos os dois entreolhando-nos em silêncio por um ou dois minutos, até que Lady Muriel tocou a sineta, pedindo que o chá fosse servido.

— Sei como o senhor gosta de tomar o chá das cinco — disse com o ar brincalhão de que eu tanto lembrava, — mesmo quando não pode desfazer a Lei da Gravidade e deixar as xícaras subindo e descendo pelo espaço infinito afora, com e sem chá dentro delas...

A observação norteou o rumo de nossa palestra. Por um acordo mudo e tácito, evitamos, durante esse primeiro encontro após sua terrível experiência, os tópicos dolorosos que turvavam nossas mentes, e conversamos como crianças descuidadas, completamente alheias a qualquer tipo de preocupação.

— O senhor acaso já se perguntou — disse ela, sem mais nem menos — qual é a principal vantagem que se tem em ser gente, e não cachorro?

— Para falar a verdade, não — respondi, — embora creia que também haja vantagens no contrário.

— Sem dúvida — concordou ela, com a fingida graciosa seriedade que lhe ficava tão bem. — Mas, do nosso ponto de vista, a principal vantagem consiste no fato de termos bolsos. Isso ocorreu-me ontem, ou melhor, ocorreu-nos, pois voltávamos de um passeio eu e meu pai quando aconteceu. Foi quando vimos um cãozinho andando com um osso na boca. Para quê queria aquele osso, não sei, pois certamente nele não havia nem um restinho de carne.

Assaltou-me estranha sensação de já ter escutado tudo aquilo antes, e pude até mesmo antever — ou melhor, anteouvir — o que viria a seguir. "Talvez ele deseje trocá-lo por uma capa de frio", mas não foi isso o que ela disse, e sim:

— Vendo aquilo meu pai disse uma piada qualquer, um jogo de palavras com a expressão "ossos do ofício", e o cãozinho abandonou o osso no chão, assim sem mais nem menos, não para rir da piada, pois via-se que se tratava de um cachorro de gosto refinado, e sim para descansar a boca, pobrezinho! Como me deu dó! O senhor não gostaria de se associar à *Sociedade Beneficente Encarregada de Dotar os Cãezinhos de Bolsos*? Imagine se tivesse de carregar sua bengala presa aos dentes!

Embora a questão fosse outra, já que segurar a bengala nos dentes seria consequência de não possuir mãos, passei por cima desse pormenor e mencionei uma curiosa cena que certa vez testemunhei, e que me confirmou a existência de raciocínio por parte dos cães. Avistei, na extremidade de um cais, um senhor, uma senhora, um garotinho e um enorme cão. Suponho que, com a intenção de divertir o garoto, o cidadão "esqueceu" ali seu guarda-chuva e a sombrinha da dama, caminhando até a outra extremidade do cais, onde ordenou ao cão que voltasse e trouxesse aqueles objetos. Fiquei assistindo à cena, curioso de ver o desfecho. O cão voltou ao lugar onde tinha estado e encontrou uma inesperada dificuldade de abocanhar simultaneamente os dois objetos. Mordeu primeiro o guarda-chuva, abrindo a boca de modo tal, que os dentes não conseguiam segurar a sombrinha, que era bem mais fina. Depois de duas ou três tentativas, ele parou e ficou como que matutando. Então, resolveu inverter a ordem dos fatores, mordendo primeiro a sombrinha, o que lhe permitiu segurar com os dentes o guarda-chuva mais grosso. Ao conseguir realizar seu intento, voltou airoso e triunfante até o lugar onde se achavam seus donos. Não tenho a menor dúvida de que sua decisão foi consequência de um encadeamento lógico de ideias.

— Concordo inteiramente com o senhor — disse Lady Muriel, — mas que me diz dos cientistas ortodoxos que condenam esse ponto de vista, afirmando que sua aceitação pressupõe colocar-se o homem no mesmo nível dos animais inferiores? Não costumam eles traçar uma linha divisória nítida entre a Razão e o Instinto?

— Essa teria sido certamente a posição dos ortodoxos, uma geração atrás — disse o Conde. — A verdade da Religião parecia prestes a cair, caso não se aceitasse que o homem seria o único animal racional. Mas isso já acabou. O homem ainda reclama certos monopólios, com por exemplo o do uso da linguagem, que o capacita a desfrutar do trabalho coletivo, por meio da "divisão de tarefas". Mas a crença do monopólio da Razão já de longa data foi abandonada. E nenhuma catástrofe sobreveio por causa disso. Como disse o poeta, "*Deus continuou onde sempre esteve*".

— A maior parte das pessoas religiosas de hoje concorda com o Bispo Butler — disse eu, — não rejeitando a priori uma linha de argumento, mesmo que ela leve direto à conclusão de que os animais possuam algum tipo de alma, capaz de sobreviver a seu corpo.

— Eu gostaria de ter certeza disso — comentou Lady Muriel, — nem que fosse apenas com relação aos cavalos. Já cheguei a pensar que, se houvesse algo que me impedisse de crer num Deus de justiça perfeita, teria de ser o sofrimento dos cavalos, que não fizeram por merecê-lo, sem receber por isso qualquer tipo de compensação!

— Isso é apenas parte do Grande Enigma — disse o Conde, completando: — por que os seres inocentes têm de sofrer? Essa pergunta chega a abalar a Fé, sem contudo dar cabo dela, segundo penso.

— O sofrimento dos cavalos — disse eu — é causado principalmente pela crueldade do homem. Trata-se tão somente de um dos inúmeros exemplos de pecado, no qual o pecador inflige aos outros o sofrimento. E que me diz dos sofrimentos que os próprios animais se infligem uns aos outros? O gato que brinca com o rato, por exemplo: presumindo que ele não possua responsabilidade moral, não seria isso mais difícil de explicar do que o sofrimento do cavalo, maltratado pelo homem?

— Creio que sim — respondeu ela, fazendo ao pai um apelo mudo de ajuda.

— Que direito temos de assim pensar? — disse o Conde. — Muitas de nossas dúvidas religiosas decorrem justamente de deduções injustificadas. A resposta mais sábia que se pode dar a quase todas essas dúvidas é uma só: não sabemos coisa alguma.

— O senhor há pouco mencionou a "divisão de tarefas" como consequência do raciocínio humano — disse eu. — Não acha que, no caso das abelhas, essa divisão teria alcançado um máximo de perfeição?

— Sim, sem dúvida, uma perfeição maravilhosa inteiramente distinta da capacidade humana, tão inconsistente com a inteligência, que não duvido estarmos aqui diante do puro Instinto, e não, como asseveram alguns, de alguma ordem racional superior. Veja-se a estupidez crassa de uma abelha, tentando sair de uma casa passando através da vidraça de uma janela! Nem bem acabou de chocar-se contra aquela barreira transparente, e lá vem ela de novo, repetir sua tentativa irracional. Como imaginar que a mente de um inseto desses seja dotada de nível intelectual superior ao de Isaac Newton?

— Então o senhor acredita que o Instinto puro nada tenha a ver com a Razão?

— Ao contrário — replicou o Conde, — acredito que o trabalho de construção de uma colmeia envolva Razão de altíssimo nível, mas não por parte da abelha, e sim por parte de Deus, que a criou e nela infundiu as conclusões decorrentes de um elaboradíssimo processo racional.

— Mas como suas mentes conseguem trabalhar em conjunto? — perguntei.

— Que direito temos de supor que elas possuam mentes?

— Questão de ordem! — interrompeu Lady Muriel. — O senhor mesmo não usou, faz pouco, a expressão "a mente de um inseto desses"?

— Sim, mas eu não disse "as mentes", querida — retrucou ele. — Já me ocorreu, como uma das mais prováveis soluções desse mistério, que um enxame de abelhas não possua senão *uma única mente*. Essa mente coletiva controla todo aquele conjunto. E qual seria a conexão material necessária para estruturar o conjunto? Não bastaria para tanto a simples vizinhança dos corpos? Desse modo, o enxame não passaria de um único animal, dotado de centenas de cabeças, troncos e membros, ligeiramente separados entre si.

— É uma ideia desconcertante — comentei, — e será preciso uma noite de repouso para ser devidamente apreendida. Tanto a Razão como o Instinto ordenam-me ir para casa descansar. Assim sendo, boa noite.

— Vou acompanhá-lo em parte do caminho — disse Lady Muriel. — Hoje eu não fiz minha caminhada diária. Além do mais, tenho algo particular a lhe dizer. Que tal seguirmos pelo bosque? Será mais agradável do que pelo caminho habitual, mesmo que esteja ficando um pouco escuro.

Seguimos por baixo do dossel formado pelos ramos entrelaçados das árvores, que apresentava uma arquitetura de simetria quase perfeita, ora se abrindo em encantadores arcos abobadados, ora estendendo-se até onde a vista podia alcançar, em longas naves de uma catedral fantasmagórica, edificada a partir da planta desenhada pela mente sonhadora de um poeta lunático.

Após uma longa pausa, que pareceu natural naquela obscura soledade, foi ela quem deu início a conversa, dizendo:

— Sempre que venho a este bosque, não consigo deixar de pensar em fadas e duendes. Posso fazer-lhe uma pergunta? — E acrescentou hesitantemente: — O senhor acredita em duendes?

Senti um forte impulso momentâneo de contar-lhe minhas experiências ali mesmo naquele bosque, tendo de fazer um verdadeiro esforço para conter as palavras que afluíram imediatamente a meus lábios. Tomando cuidado com o que dizia, respondi:

— Se você se refere a acreditar na possibilidade de sua existência, eu respondo que sim. Se se refere à existência *real*, nesse caso seriam necessárias evidências.

— O senhor estava dizendo há pouco que estaria aberto a aceitar qualquer coisa que não fosse *a priori* impossível, desde que houvesse evidência suficiente para tal. Creio que mencionou os fantasmas como um exemplo de fenômeno de existência provável. Outro exemplo que tal não seriam as fadas e os duendes?

— Creio que sim — respondi, contendo-me de novo para não falar demais, já que não estava seguro de receber uma compreensão solidária por parte de minha ouvinte.

— E qual a sua teoria com respeito ao papel que esses seres ocupariam na Criação? Diga-me como os encara. Supondo que existam, porventura seriam dotados de responsabilidade moral? O que quero dizer é o seguinte — e nesse ponto seu ar até então zombeteiro tornou-se subitamente sério: — seriam eles capazes de pecar?

— Bem, eles podem raciocinar, embora em nível inferior ao dos homens, não ultrapassando, segundo imagino, as faculdades de uma criança. Ademais, seguramente possuem senso de livre-arbítrio. Assim, sou levado à conclusão de que eles efetivamente sejam capazes de pecar.

— Quer dizer que acredita neles? — perguntou ela com os olhos rebrilhando, contendo-se para não bater palmas de alegria. — Diga-me: acaso tem alguma razão que o leve a tal crença?

Mais uma vez tive de conter-me para não dizer o que meus lábios ansiavam por revelar.

— Acredito que haja diversas formas de vida por aí, não só de seres materiais, palpáveis, como também de seres imateriais e invisíveis. Nós acreditamos em nossa própria essência imaterial — chamemo-la "alma", "espírito", ou o quer que se diga. Por que não poderiam existir ao nosso redor outras essências similares, desvinculadas de um corpo visível e imaterial? Deus não criou esses enxames de insetos felizes cuja vida consiste em dançar dentro do foco de um raio de sol durante uma hora de puro júbilo, sem outro objetivo, a nosso ver, que o de aumentar o volume de felicidade consciente existente no mundo? E quem somos nós para nos atrevermos a afirmar que Ele teria criado apenas esses seres, e não aqueles outros?

— Sim, sim! — concordou ela, olhos brilhantes de satisfação. — Mas esses são argumentos para não negar a sua existência. O senhor possui outros, não é?

— Bem... sim — deixei escapar, sentindo que agora podia contar-lhe tudo. — E não poderia haver lugar melhor do que o bosque, eu tive a oportunidade de *vê-los*.

Ela nada mais perguntou, prosseguindo silenciosamente a meu lado, de cabeça baixa e mãos juntas, enquanto eu lhe contava minhas experiências. Apenas respirava mais rapidamente, ofegando ligeiramente, como uma criança ao escutar uma história. E eu revelei então o segredo que até então não partilhara com quem quer que fosse, acerca de minha dupla existência e, mais do que isso (já que o que se referia a mim poderia não passar de um sonho diurno), da dupla existência daquelas duas queridas crianças.

Quando lhe descrevi as cabriolas de Bruno, ela riu alegremente, e quando falei da suavidade de Sílvia, de sua completa abnegação e confiante amor, suspirou fundo, como alguém que finalmente escuta aquela notícia pela qual o coração há tanto almejava. Logo em seguida, lágrimas felizes escorreram-lhe pelo rosto.

— Há tempos anseio por ver um anjo — murmurou tão baixo que quase não compreendi o que ela dizia. — Estou tão feliz por ter visto Sílvia! Meu coração amou aquela criança desde o primeiro momento em que a vi. Hei! Ouça! É ela cantando! Sim, é Sílvia, tenho certeza! Não reconhece sua voz?

— Já ouvi Bruno cantar, e mais de uma vez, mas nunca até então escutei a Sílvia.

— Pois eu já a escutei uma vez. Foi naquele dia em que o senhor nos trouxe aquelas flores misteriosas. Os dois tinham ido para o jardim. Vi Eric chegando e fui à janela saudá-lo, quando escutei Sílvia ali perto, sob as árvores, cantando uma música que eu jamais escutara antes. As palavras eram mais ou menos estas: "Sussurro que é o Amor, depois digo em voz alta que é o Amor", algo assim. Sua voz soava distante, como um sonho, mas era linda, indescritivelmente linda, tão doce como o primeiro sorriso de um bebê, ou o primeiro vislumbre dos alvos penhascos quando se regressa a casa após aborrecidos anos vividos lá fora; uma voz que parecia encher a pessoa de paz de pensamentos celestiais. Escute! — exclamou, tomada de excitação. — É mesmo a voz dela, e ela está justamente cantando aquela tal música!

Não pude distinguir as palavras, mas tive efetivamente uma sonhadora sensação de música no ar, aumentando pouco a pouco, como se estivesse se aproximando de onde estávamos. Quedamo-nos silenciosos e, um minuto depois, as duas criaturinhas apareceram, vindo em nossa direção através de uma abertura em arco entre as árvores. Caminhavam abraçados, e o sol poente formava um halo dourado e rebrilhante em torno de suas cabeças, como costumam ser representados os santos nas pinturas sacras.

Eles olhavam em nossa direção, mas evidentemente não nos viam, e logo compreendi que Lady Muriel estava, como eu, naquele estado eerie que me era tão familiar. A diferença é que, agora, nós podíamos ver as criaturinhas, embora estivéssemos inteiramente invisíveis para elas.

A canção terminou logo que os avistamos. Para a minha satisfação, porém, Bruno pediu:

— Vamos cantar tudo de novo, Sílvia? Estava tão bonito!

— Está certo — respondeu ela. — Você começa.

E ele começou, cantando com aquele timbre infantil que eu tão bem conhecia

Qual a razão que traz de volta a ave ao seu ninho,
tão logo escuta os pios tristes dos filhotes?
Que leva a mãe, ao contemplar seu bebezinho,
tudo largar, só para vê-lo a dar pinotes?
Se posto ao colo, por que ele a cabeça tomba
sobre o seu ombro, e não mais sente angústia ou dor?

Seguiu-se então a mais estranha de todas as experiências ocorridas durante o ano em que se desenrolou esta história: a de escutar pela primeira vez a voz de Sílvia a cantar. Sua parte era curta, apenas umas poucas palavras, que ela pronunciou com certa timidez, bem baixinho, quase inaudivelmente, mas a doçura de sua voz era simplesmente indescritível. Eu jamais tinha ouvido nada mais musical do que aquela voz, que cantou apenas isso:

Por que sorrir? Por que ele arrulha como pomba?
Essas perguntas têm uma resposta: o Amor!

O primeiro efeito que sua voz causou sobre mim foi uma súbita pontada que parecia perfurar meu coração. (Uma vez na vida eu já havia sentido essa pontada, ao ver o que então me pareceu encarnar a ideia da beleza perfeita. Foi em Londres, numa exposição. Eu estava abrindo caminho através da multidão, quando subitamente deparei cara a cara com uma criança lindíssima, de uma beleza tal que nem parecia ser terrena.) Uma torrente de lágrimas quentes encheu-me os olhos, como se minha alma estivesse saindo por entre aquelas lágrimas, num arroubo de puro deleite. Por fim, assaltou-me uma sensação de medo, quase terror, semelhante à que Moisés deve ter sentido ao escutar as palavras: "Tira as sandálias dos pés, pois estás pisando em solo sagrado!" As imagens dos dois começaram a tornar-se vagas e difusas, como meteoros bruxuleantes, enquanto suas vozes continuavam soando suave e harmônicas, dessa vez em dueto, dizendo:

Respondo sussurrando: é o Amor;
depois digo em voz alta: é o Amor.
Não existe outra resposta senão o Amor.

Começou a segunda parte, e dessa vez pude escutar nitidamente as palavras que Bruno cantou:

Quando a cólera invade nosso coração,
fazendo-nos perder a calma e a compostura,
uma voz misteriosa nos chama à razão,
aplaca nossa fúria, nos leva à cordura,
nos faz perdoar e abraçar fraternalmente
aquele que ainda há pouco nos causou furor.

Sílvia dessa vez cantou com mais coragem, dando às palavras uma interpretação mais emocionada;

Que voz pode ser essa, que torna sorridente
quem antes sentia ódio? A resposta é o Amor.

E novamente o coro entoou:

Respondo sussurrando: é o Amor;
depois digo em voz alta: é o Amor.
Não existe outra resposta senão o Amor!

De novo se ouviu voz delicada de Bruno a cantar em solo:

Qual é o secreto dom que colore a paisagem,
transformando-a num quarto bonito e atraente,
que faz curvar-se a relva ao sopro de uma aragem,
que refresca e perfuma todo esse ambiente?

Ergueu-se a voz argentina, cuja suavidade angelical me era até difícil de suportar sem prorromper em pranto:

Os de coração duro sequer o conhecem,
ao passo que os poetas sentem seu calor,
buscando-o sem cessar, pois nele é que se aquecem.
Que secreto dom é esse? Eu revelo: é o Amor!

Voltou a formar-se o dueto:

Respondo sussurando: é o Amor;
depois digo em voz alta: é o Amor.
Não existe outra resposta senão o Amor!

— Como ficou lindo! — exclamaram os dois, ao passar por nós.

Passaram tão perto, que tivemos de dar-lhes passagem. Bastaria estender a mão para tocar neles, mas preferimos não fazê-lo.

— É inútil tentar detê-los — disse eu, vendo-os mergulhar na sombra do bosque. — Curioso: desta vez, eles é que não nos podiam ver!

— Sim, é inútil — repetiu Lady Muriel, com um suspiro. — Eu gostaria de poder encontrá-los em sua forma "normal", mas sinto que isso seria impossível. Eles já não pertencem mais à nossa dimensão.

Suspirou de novo, e nada mais dissemos, até que alcançamos a estrada, num ponto não distante de minha pensão.

— Bem, deixo-a aqui — disse ela. — Quero voltar antes de escurecer, e ainda tenho de visitar uma pessoa pobre. Boa noite, meu caro amigo. Venha ver-nos logo, e sempre que puder. — E acrescentou, demonstrando um afeto que tocou fundo meu coração: — "*São bem poucos aqueles que podemos chamar de caros!*"

— Boa noite — respondi. — Quando Tennyson disse essas palavras, referia-se a um amigo bem mais dileto que eu.

— Isso é porque ele não o conhecia — retrucou ela atrevidamente, revelando no olhar seu antigo toque de alegria infantil.

E cada qual seguiu seu caminho.

CAPÍTULO 20

Embromação e Espinafre

A dona da pensão recebeu-me com cordialidade ainda maior do que a que geralmente me dispensava. Delicadamente, não fez qualquer alusão ao companheiro que tanto abrilhantara a minha vida, mas via-se que era por estar com pena de meu estado solitário que ela se desvelava em fazer tudo o que fosse possível para assegurar meu conforto, levando-me a sentir como se estivesse em casa.

A noite solitária prenunciava ser longa e tediosa. Deixei-me ficar na sala de estar, contemplando o fogo que bruxuleava na lareira e deixando que Fantasia modelasse as brasas rubras, transformando-as em silhuetas e caras que me faziam recordar cenas e pessoas do passado. Num momento, pareceu-me ver o sorriso maroto de Bruno cintilando e desaparecendo, para dar lugar à face rosada de Sílvia, depois ao rosto redondo e jovial do Professor, num gesto de saudação aos dois. Então, o carvão começou a apagar e enegrecer, não me deixando escutar as palavras que ele sequer chegara a dizer. Tomando do atiçador, avivei as brasas, deixando que a Fantasia, como um tímido menestrel, me fizesse escutar ao longe a melodia mágica de que tanto gostava, seguida da voz do Professor, que agora dizia claramente:

— Bem vindos, amiguinhos! Eu avisei o Imperador e a Imperatriz de sua chegada. Eles mandaram aprontar seus quartos e estão felicíssimos com sua visita. Sua Alteza até disse assim: “Espero que eles possam chegar a tempo de assistir ao banquete” — sim, foi assim mesmo que ela falou!

Então ouvi Bruno perguntar:

— Uggug estará presente ao banquete? — e tanto ele como Sílvia ficaram apreensivos com aquela lúgubre perspectiva, especialmente depois de ouvirem a resposta do Professor:

— Mas é claro que sim! Afinal de contas, é o aniversário dele, ora! Vamos beber a sua saúde e desejar-lhe muitas felicidades. Como ficaria o banquete, se ele não estivesse presente?

— Muito melhor — respondeu Bruno, mas dessa vez em voz tão baixa, que apenas Sílvia conseguiu ouvir.

O Professor prosseguiu:

— Será um banquete e tanto, meu jovem, melhor ainda agora que vocês dois também estarão presentes! Estou muito contente em vê-los.

— Quase que não conseguíamos chegar a tempo — observou Bruno, recebendo uma estranha resposta:

— Então quase que eu não fiquei contente.

Em seguida, começou a enumerar o programa do dia:

— Primeiro vem a Conferência, porque a Imperatriz insiste para que seja assim. Disse que vai haver muita comilança durante o banquete, deixando os convidados muito sonolentos. Acho que ela tem razão. Assim, serão servidos apenas uns petiscos à chegada do pessoal, e isso haverá de causar-lhe uma agradável surpresa. Desde que a Imperatriz ficou meio… isso é, deixou de ser tão sensata como era antes, achamos boa ideia causar-lhe umas pequenas surpresas de vez em quando. Depois desses petiscos, aí sim, virá a Conferência...

Nesse ponto, Sílvia interrompeu-o:

— Essa Conferência é aquela mesma que o senhor estava preparando desde aquela época?

— Sim, ela mesma — respondeu o Professor com certa relutância. — Levou um bom tempo para ser preparada. Além disso, tive de me preocupar com muitas outras coisas. Como vocês sabem, sou o Médico da Corte, e tenho de manter todos os cortesãos em bom estado de saúde. Oh, isso me fez lembrar de uma coisa! — exclamou subitamente, tomando da sineta e tocando-a insistentemente. — Hoje é Dia de Tomar Remédio! Só ministramos remédio uma vez por semana. Se fosse todo dia, os frascos acabariam!

— Mas e se os cortesãos ficarem doentes nos outros dias da semana? — perguntou Sílvia.

— Oh, não! Aqui não se fica doente no dia errado! Quem ficar, é imediatamente despedido. O remédio que será tomado hoje é este aqui — disse ele, tirando de uma estante um caldeirão cheio. — Já o tinha preparado hoje de manhãzinha. Prove-o — e estendeu o caldeirão para Bruno. — Enfie o dedo aí dentro e dê uma provadinha.

Bruno obedeceu, fazendo uma careta tão feia, que Sílvia até ficou assustada.

— Que foi, Bruno?

— É ruim demais! — disse ele, retomando seu semblante habitual.

— Por que a estranheza? — perguntou o Professor, perturbado ante a pronta resposta de Bruno — é assim que tem de ser. Remédio tem de ter sabor desagradável. Ei, lacaio, faça o favor de levar este caldeirão para a sala da criadagem — disse, dirigindo-se ao criado que atendeu o chamado da sineta. — Diga a todos que é o remédio de hoje.

— Quem vai tomar? — perguntou o lacaio, segurando o caldeirão.

— Hmm… ainda não sei… Daqui a pouco eu chego lá e digo quem deverá tomar o remédio. Mande que esperem até que eu chegue. É realmente maravilhoso — disse, dirigindo-se a Sílvia e Bruno — o sucesso que venho tendo na cura de doenças. Vejam aqui algumas de minhas anotações — e tirou da estante uma pilha de papeizinhos, grampeados em conjuntos de dois e de três. — Estes daqui, por exemplo. — Leu: — “ajudante de cozinha número 13: curado de febre comum”. E o que está grampeado atrás? O remédio que ele tomou. Vejam: “Ajudante de cozinha nº 13: foi ministrada uma dose dupla do Remédio do Dia”. Essas coisas deixam a gente orgulhoso, não é?

— Mas a receita está pregada atrás — estranhou Sílvia. — O que veio primeiro, a febre ou o remédio?

O Professor examinou atentamente os papeizinhos, respondendo depois:

— A bem dizer, não sei, porque as anotações não estão datadas. Mas o que importa é que houve a doença e a medicação, independente da ordem dos fatores. O Remédio é elemento principal; a Doença é secundária. E tanto é assim, que se pode guardar um remédio por anos a fio, coisa que ninguém quer fazer com a doença. A propósito, vamos dar uma olhada no jardim. O Jardineiro quer mostrar-me o palanque que ele construiu para a Conferência. Vamos antes que escureça.

— Venha, Bruno — chamou Sílvia. — Não vamos atrasar o Professor.

— Não sei onde está meu chapéu — disse Bruno, demonstrando aborrecimento. — Eu estava brincando com ele de rolar, e ele saiu rolando por aí e sumiu.

— Quem sabe ele foi parar ali? — perguntou Sílvia, apontando um quartinho escuro, cuja porta estava entreaberta.

Bruno foi até lá e entrou no quartinho escuro. Um minuto depois reapareceu, de semblante sério, e fechou cuidadosamente a porta atrás de si.

— O chapéu não está aí dentro — disse com ar inusualmente solene, fazendo despertar a curiosidade de Sílvia.

— E o que há ali dentro?

— Onde? Ali? Eh... umas teias de aranha... duas aranhas... — respondeu Bruno, com ar pensativo, contando os ítens nos dedos — a capa de um livro... um cágado... um pratinho de nozes e... ah, e um velho.

— Quê? Um velho? Já sei! — exclamou o Professor, dirigindo-se excitadamente para o quarto — Deve ser o Outro Professor, que há tempos foi dado como perdido!

Abrindo a porta do quartinho, deixou que todos olhassem lá dentro, e ali de fato estava o Outro Professor, sentado numa cadeira, com um livro aberto sobre os joelhos, esforçando-se por pegar a última noz do pratinho, até que o conseguiu, levando-a à boca. Nesse momento, avistou-nos e ficou olhando para nós, nada dizendo até que acabou de mastigar e engolir a noz. Por fim, falou, repetindo a velha pergunta:

— E a Conferência?

— Vai começar daqui a uma hora — respondeu o Professor. — Antes dela, teremos a surpresa para a Imperatriz; depois dela, o banquete.

— Oh, o banquete! — exclamou o Outro Professor, erguendo-se com isso fazendo levantar uma nuvem de pó. — Então vou ter de escovar-me, porque estou um tantinho empoeirado...

— Como se bastasse isso — comentou o Professor com ar crítico. — Aqui está o seu chapéu, rapazinho. Estava na minha por cabeça. Esqueci que já estava de chapéu, e acabei pondo o seu por cima do meu. Bem, vamos ao jardim.

— Lá está o velho Jardineiro, sempre a cantar! — disse Bruno sorrindo, logo que ali chegou. — Acho que está cantando a mesma música que ouvi da última vez que estive aqui.

— Deve estar mesmo — confirmou o Professor. — Para ele, as coisas praticamente continuam as mesmas. Ei! — gritou para o Jardineiro. — Que está fazendo com esse porco-espinho?

Parado sobre um pé só, o Jardineiro cantarolava, enquanto seu outro pé fazia um porco-espinho rolar para cá e para lá, como se fosse uma bola.

— Tô querendo saber quê que é que o porco-espinho come. Tô aqui vigiando ele. Ai desse bicho que ele gostar de comer batata!

— Não acha mais fácil ficar vigiando a batata? — perguntou o Professor.

— É, e deve ser mais fácil — concordou o Jardineiro. — O senhor veio ver o palanque?

— Vim, e trouxe as crianças comigo.

O Jardineiro olhou-os e sorriu, levando-os em seguida na direção do pavilhão. Enquanto caminhava, ia cantando:

Olhou de novo e viu que era
uma Regra de Três.
"Esse problema é complicado!
Resolvam-no vocês!"

— Há meses que você está cantando essa música — disse o Professor. — Ainda não terminou?

— Só tem mais uma estrofe — respondeu ele com tristeza.

E, com lágrimas nos olhos, cantou-a:

Pensou ter visto um argumento
que o promovia a Papa;
olhou de novo e viu que era
um caderno sem capa!
"Você, por esse seu desleixo,
bem que merece um tapa!"

Engasgado e com uma crise de soluços, o Jardineiro apressou o passo, a fim de que os três acompanhantes não presenciasse a emoção.

— Será que ele viu mesmo um caderno sem capa? — perguntou Sílvia em voz baixa.

— Oh, certamente — respondeu o Professor. — Essa canção narra sua própria história.

Lágrimas de solidariedade inundaram os olhos de Bruno.

— Coitado! Achou que tinha sido promovido a Papa e se enganou. É triste, não é, Sílvia?

— Bem... não sei... Será que ele seria mais feliz se tivesse sido promovido a Papa? — perguntou ao Professor.

— Tenho minhas dúvidas. Ei, olhem o palanque. Não é bonito? — perguntou aos dois, logo que entrou no pavilhão.

— Pus uma viga extra por baixo dele — disse o Jardineiro, mostrando sua obra com orgulho. — Ficou resistente pra burro! Tão resistente, que até um elefante louco pode dançar em cima dele. Experimente para ver!

— Obrigado, mas creio que não é necessário — respondeu o Professor sorrindo. — Ficou muito bom, e certamente haverá de servir bem a seus propósitos.

Chamando os dois irmãos, subiu ao palanque e começou a explicar:

— Aqui temos três assentos, para o Imperador, a Imperatriz e o Príncipe Uggug. Ei, estão faltando duas cadeiras! Uma para Lady Sílvia e outra para este baixinho.

— Será que posso participar da Conferência, ajudando em alguma coisa? — perguntou Bruno. — Posso fazer umas mágicas, por exemplo.

— Bem — respondeu o Professor, arranjando sobre a mesa alguns aparelhos curiosos, — não se trata de uma conferência de entretenimento. Porém, pensando bem… que é que você sabe fazer? Sabe atravessar uma mesa?

— Mais ou menos, não é, Sílvia?

Embora disfarçando, via-se que a resposta deixara o Professor um tanto intrigado; tanto assim que ele murmurou, enquanto anotava em sua caderneta:

— Isso merece ser investigado. — Depois indagou em voz alta: — Que tipo de mesa você atravessou mais ou menos?

— Conte para ele, Sílvia — pediu Bruno, abraçando-se à irmã.

— Por que eu? Conte você mesmo!

— Eu tenho vergonha…

— Quem? Você? Custo a crer. Vá lá, Bruno, conte qual é o tipo de mesa que você já atravessou.

— Está certo. Sabe aquelas mesas que a gente põe uma tábua no meio para espichar, e tira a tábua para diminuir? Quando tira a tábua, antes de diminuir o tamanho, eu sei atravessar…

— Ah, sei — disse o Professor, ligeiramente desapontado, mas mesmo assim tomando nota na caderneta.

— Quer saber outros truques que conheço?

O som de trombetas encheu o ar, interrompendo o diálogo.

— Começou o evento! — exclamou o Professor, seguindo com as crianças para o salão de recepções. — Não imaginei que já fosse tão tarde.

Uma mesinha com um bolo e umas garrafas de vinho estava preparada no canto do salão. Junto a ela, o Imperador e a Imperatriz esperavam por nós. O resto da mobília tinha sido tirado, para dar lugar aos convidados.

Impressionou-me profundamente a modificação operada nos semblantes do Casal Imperial, desde a última vez que o tinha visto. O Imperador mantinha o olhar fixo no infinito, enquanto a Imperadora conservava nos lábios um eterno e inexplicável sorriso.

— Finalmente chegaram — disse o Imperador com ar ranzinza.

Sua impaciência era evidente, e mais tarde viemos a saber a razão dela. Logo de início criticou os arranjos feitos pela comissão encarregada de preparar a festa:

— Onde já se viu mesa mais vulgar que esta? Uma mesa de mogno… ora vejam só! Por que não de ouro maciço?

— A que havia no palácio não era comprida o bastante — começou o Professor a explicar, calando-se ante um gesto do Imperador, que prosseguiu:

— E este bolo? Um bolo de ameixa dos mais ordinários! Por que não fizeram um bolo de… de… — fez uma pausa e preferiu mudar de assunto: — E esse vinho, então? O velho madeira de sempre… Bem que poderia ser um… um… Mas o pior de tudo é esta cadeira aqui. Uma cadeira para mim! Eu sento é em trono! O resto eu até perdoo, mas a cadeira, não!

— E eu não perdoo é esta mesa — disse a Imperatriz, com evidente intenção de apoiar o marido, que não pareceu muito satisfeito com sua intervenção, exclamando:

— Puh!

— É muito de se lastimar — desculpou-se o Professor, tão logo teve a oportunidade de falar. — Sim, tudo isso é muito de se lastimar!

Ao dizer essas últimas palavras, olhou para os convidados, escutando-se em seguida um murmúrio geral de "Bravo! Apoiado!", vindo de todos os lados. Seguiu-se uma pausa embaraçosa. Era evidente que o Professor não sabia como começar. Para ajudar, a Imperatriz sussurrou:

— Que tal contar umas piadas? É preciso quebrar o gelo.

— Certo, certo, Alteza! — E, em voz alta: — um dia, saiu um guri lá do bosque...

— Lá vem o senhor com alguma piada a meu respeito — queixou-se Bruno, com os olhos cheios de lágrimas.

— Não, garoto, não é sobre você. Preste atenção. O que eu disse foi: "um dia, saiu um gorila do bosque". Mas não importa. Vou seguir o conselho da Imperatriz. Senhores e senhoras! — e parou a dirigir-se à assistência. — É preciso quebrar o gelo minha gente! Quem não tiver martelo, que use o salto do sapato!

Ouviu-se um estrugir de risos partindo dos ouvintes. Sem entender direito o que o Professor tinha dito, alguns pediram explicações aos que estavam mais perto, nem sempre recebendo respostas muito lógicas:

— Não entendi direito. Tinha a ver com marreco e com pato...

A Imperatriz manteve nos lábios seu sorriso alvar e começou a abanar-se com um leque. Desnorteado, o Professor olhou pra ela, esperando receber nova sugestão. E ela não se fez de rogada:

— Sirva-lhe espinafre, Professor. Será uma boa surpresa.

O Professor chamou o Mestre-Cuca e segredou-lhe algo. Enquanto o Mestre-Cuca saía para atender seu pedido, ele queixou-se com Bruno:

— O difícil é começar, depois fica fácil.

— Se quiser deixar todo o mundo interessado e de olho arregalado, é só enfiar uma rã as costas da camisa de cada um — sugeriu Bruno.

O Mestre-Cuca voltou, seguido de todos os cozinheiros, em procissão, trazendo nas mãos alguma coisa, mas não se conseguia ver o que era, porque seus ajudantes ficaram agitando bandeiras justamente para impedir a visão da assistência.

— Não tem nada aqui, não, gente — dizia ele, enquanto caminhava em direção à mesa.

Ali chegando, cessou a agitação das bandeiras, e todos viram o que é que o Mestre-Cuca trazia escondido: uma terrina. Solenemente, ele foi tirando a tampa, bem devagar.

— Que tem aí? — perguntou a Imperatriz, colocando um monóculo para ver melhor. — Oh! É espinafre!

— Sua Alteza Imperial ficou surpresa! — disse o Professor para os serviçais, alguns dos quais bateram palmas.

O Mestre-cuca fez uma profunda reverência, deixando propositalmente cair uma colher para que a Imperatriz pudesse pegá-la, mas ela olhou para o lado oposto, fingindo não ter visto o pretenso acidente.

— Estou surpresa! — disse ela para Bruno. — E você?

— Nem um pouquinho. Ouvi dizer que...

Sílvia impediu-o de prosseguir, tapando-lhe a boca com a mão.

— Ela está cansada, e prefere que a Conferência comece já.

— A Conferência, não; o banquete, sim — corrigiu Bruno.

A Imperatriz pegou a colher do chão e tentou equilibrá-la nas costas da mão, deixando-a cair dentro do prato. Ao pegá-la de novo, viu que estava cheia de espinafre.

— Oh, que interessante! — comentou, levando-a à boca. — E tem realmente sabor de espinafre! Pensei que era apenas uma imitação de espinafre, mas não, é de verdade!

E engoliu outra porção.

— Daqui a pouco esse espinafre não será mais real — comentou Bruno.

Mas isso ainda iria demorar, pois a Imperatriz tinha muito espinafre no prato. De repente, não sei explicar como, vimo-nos todos no pavilhão, estando o Professor prestes a dar início a sua tão esperada Conferência.

CAPÍTULO 21

A Conferência Do Professor

Quando se trata das Ciências — de fato, quando se trata de quase todas as coisas, — o melhor, em geral, é começar pelo princípio. Em uma ou outra coisa, o contrário é melhor. Exemplo: se você quiser pintar um cachorro de verde, o melhor é começar pela cauda, já que o cachorro não morde com aquela extremidade do seu corpo. Destarte…

— Posso ajudar o senhor? — perguntou Bruno.

— Ajudar como, fedelho? — perguntou o Professor com cara de espanto, olhando-o por um momento, mas mantendo na página aberta do livro o dedo indicador, para não perder o ponto da leitura.

— Ajudando a pintar o cachorro de verde. Prefiro começar pela boca porque…

— Oh, não! — protestou o Professor. — Ainda não chegamos à hora das experiências! Destarte — e retomou sua leitura, — iniciarei pelos Axiomas da Ciência. Em seguida, exibirei alguns Espécimes. Após isso, explicarei um ou dois Processos. Para concluir, farei algumas Experiências. Vamos lá. Um Axioma, sabem-no todos, é algo que se admite sem qualquer contestação. Exemplo: se eu disser: "Eis-me aqui, gente!", isso será admitido por todos, sem qualquer contradição, e com isso a gente pode iniciar uma agradável palestra. Trata-se, portanto, de um Axioma. Agora, se o que eu disser for: "Eis-me ali!", isso será uma…

— Uma lorota! — completou Bruno.

— Oh ,Bruno! — zangou Sílvia. — Se o Professor disse isso, trata-se de outro Axioma!

— E se as pessoas aceitarem essa premissa, ainda que por simples polidez — prosseguiu o Professor, — teríamos então um outro Axioma.

— Pode até ser um outro axioma — contestou Bruno, — mas que é uma mentira deslavada, ah, isso é!

— A ignorância com respeito aos Axiomas — continuou o conferencista — constitui terrível inconveniente. É desgastante ter de ficar repetindo os axiomas interminavelmente. Tomemos um deles, por exemplo; aquele que afirma: "nenhuma coisa pode ser maior do que a própria coisa". O corolário dessa premissa constitui outro Axioma: "nenhuma coisa pode caber dentro de si própria". Quantas vezes escutamos pessoas dizendo: "Ele não cabe em si, de tão contente!" Mas é claro que não! E como poderia, só por ter ficado contente?

— Ei, Professor — aparteou o Imperador, demonstrando um início de cansaço, — quantos axiomas pretende criar como exemplo? Se não se apressar, as experiências não irão começar antes de amanhã de manhã!

— Garanto a Vossa Majestade que vão começar bem antes — asseverou o Professor, ligeiramente alarmado. — Mas há ainda, vejamos — e voltou a consultar suas anotações — mais dois exemplos que são efetivamente necessários...

— Pois leia-os bem depressa e passe logo em seguida aos espécimes — grunhiu o Imperador.

— O Primeiro Axioma — leu o Professor apressadamente e — é aquele que se resume nestas palavras: “o que for, é”. E o Segundo consiste tão somente nestas outras: “O que não for, não é”. Passemos então aos Espécimes. Nesta primeira bandeja temos Cristais e Outros Materiais — e, após consultar novamente a caderneta, prosseguiu: — Algumas das etiquetas, devido à má qualidade da cola utilizada... — parou de novo, tirou uma lupa, examinou o conteúdo da bandeja e continuou: — Não consigo saber do que se trata, concluindo daí que as etiquetas se desgrudaram...

— Deixe comigo, que prego elas de novo! — gritou Bruno, tomando da etiquetas e passando-as na língua, como se fossem selos, para em seguida grudá-las nos Cristais e Outros Materiais.

O Professor impediu-o de continuar, advertindo:

— Pare! Você pode estar pregando as etiquetas certas nos espécimes errados!

— Será? — estranhou Bruno. — Pus a etiqueta de hortelã-pimenta na hortelã-pimenta. Será que tem uma hortelã-pimenta certa e uma errada? Que acha, Sívia?

A menina preferiu apenas menear a cabeça sem nada dizer. Quanto ao Professor, parece que nem escutou o que ele disse, pois naquele momento estava examinando atentamente o rótulo de uma garrafa, anunciando em seguida:

— Nosso primeiro Espécime chama-se... — examinou de novo o rótulo, como se receasse a possibilidade de que ele houvesse mudado — chama-se *Aqua Communis Puríssima*, isso é, água pura, líquido estimulante.

— Hip! Hip! — exclamou o Mestre-Cuca.

— ... mas que não embriaga — completou o Professor depressa, antes que soasse o “hurra!”. — Nosso segundo Espécime — prosseguiu, abrindo cuidadosamente a tampa de uma pequena jarra — é um... — parou, porque no mesmo instante um besouro saiu voando de dentro da jarra, escapando do pavilhão — ... acho melhor dizer que *era* um interessante exemplar de besouro azul. Teria alguém reparado, quando ele passou voando velozmente, nas três manchas azuis que ele tem sob cada uma de suas asas?

Infelizmente, ninguém tinha reparado naquela interessante característica.

— Oh, que pena! — lamentou o Professor. — Da próxima vez, estejam mais atentos, pois do contrário ficarão novamente sem reparar nelas. Vamos agora a um espécime que não sabe voar. E não sabe mesmo, pois trata-se, como até mesmo os muito míopes conseguirão ver, de um elefante. Vamos examiná-lo cuidadosamente, observando que... — fez um sinal ao Jardineiro, que subiu ao palanque, trazendo trazendo tábuas e tubos.

Os dois logo começaram a montar uma estranha armação de madeira, da qual se desprendiam algumas pontas de tubos. Cansado de esperar o final da montagem, o Imperador grunhiu:

— Ora, Professor, todos nós já vimos elefantes...

— Mas não através de um megaloscópio! Como se sabe, não se pode estudar uma pulga senão através de aparelhos óticos dotados de lentes de aumento, ou seja, dos microscópios. Por outro lado, a melhor maneira de estudar um elefante é através de aparelhos óticos dotados de lentes redutoras. Aqui os temos. Cada um desses tubos é um megaloscópio, adequado ao estudo de elefantes. Traga o espécime propriamente dito, Senhor Jardineiro! Abram caminho, senhores! Lá vem o Elefante!

Espremeram-se todos junto às paredes do pavilhão, olhos voltados para a porta, aguardando a entrada do Jardineiro, cuja voz podia ser escutada de longe, cantando: "*Pensou ter visto um Elefante/ tocando clarineta...*"

Durante um minuto a voz silenciou, voltando a soar estridentemente logo depois:

— "Olhou de novo..." Oa! Oa! Quieto! "Olhou de novo e viu que era... Vamos, bicho! Sobe! "Que era/sua avó pela... Aí, bichão! Lá vamos nós! "... greta!"

E então, marchando, isso é, gingando (qual a palavra melhor?) sobre as patas traseiras, entrou no pavilhão um elefante, tocando uma clarineta que trazia segura entre as patas dianteiras.

Mais que depressa, o Professor abriu uma porta na armação do megaloscópio. Obedecendo a um sinal do Jardineiro, o animal depositou a clarineta no chão e entrou ali dentro. Após fechar a porta, disse o Professor:

— O espécime está pronto para ser observado. Vocês agora poderão vê-lo do tamanho de um camundongo.

Os presentes correram em direção aos tubos, observando excitadamente o elefantinho, que enrolava alegremente sua tromba em redor do dedo do Professor, até que resolveu subir na palma de sua mão. Tirando-o lá de dentro, o conferencista seguiu com ele até diante do Casal Imperial, exibindo-o orgulhosamente.

— Que bonitinho! — exclamou Bruno. — Posso fazer um carinho nele? Não vou machucar!

A Imperatriz inspecionou-o gravemente com seu monóculo e comentou com seriedade:

— É muito pequeno! Bem menor do que os elefantes costumam ser!

O Professor estremeceu de alegria ante o que acabava de ouvir, murmurando:

— E não é que é verdade? — Depois, em voz alta, dirigiu-me à assistência, dizendo: — Sua Alteza Imperial acaba de fazer uma observação absolutamente sensata, senhores!

Seguiu-se uma vibrante salva de palmas por parte dos presentes.

— O espécime seguinte — prosseguiu o Professor, depois de colocar o elefantinho cuidosamente na bandeja, entre os Cristais e Outros Materiais — é uma Pulga, que vamos aumentar, a fim de possibilitar melhor observação.

Tirando uma caixinha da bandeja, levou-a até o megaloscópio e inverteu a posição dos tubos, proclamando, enquanto mantinha o olho numa lente e esvaziava o conteúdo da caixinha num buraquinho existente sobre a armação:

— O espécime está pronto! Está do tamanho de um cavalo comum, o *Equus communis*!

Houve outro afluxo de pessoas rumo aos tubos de observação, enchendo-se o pavilhão de gritos de espanto, enquanto o Professor tentava inutilmente acalmar a multidão, berrando:

— Mantenham fechada a porta do microscópio! Se a criatura escapar, do tamanho que ela está, nem sei!...

Mas o mal já estava feito. A porta foi deixada aberta, e num instante a Criatura escapou, pulando em cima dos espectadores apavorados. Por sorte, o Professor não perdeu a presença de espírito, e gritou:

— Descerrem as cortinas!

Sua ordem foi prontamente obedecida. Então, depois de encolher as pernas, a Criatura desferiu tremendo salto, desaparecendo no céu.

— Onde está ela? — perguntou o Imperador, esfregando os olhos.

— Na província vizinha, provavelmente — respondeu o Professor. — Calculo que ela tenha dado um pulo de pelo menos umas cinco milhas! Portanto, podemos seguir em frente. Meu próximo passo será explicar um ou dois Processos. Pena que não tenho espaço suficiente. Há um sujeitinho aqui que está me atrapalhando.

— Quem será o tal sujeitinho? — sussurrou Bruno para Sílvia.

— Creio que ele está se referindo a você! — sussurrou ela em resposta. — Por isso, bico calado!

— Por favor — disse o Professor, dirigindo-se a Bruno, — desloque-se angulosamente para aquele canto.

Bruno foi com sua cadeira para o lugar indicado.

— Já desloquei, e *gulosamente*, como o senhor pediu.

O Professor pareceu não ter ouvido a resposta, absorvido que estava na leitura de sua anotações. Olhando para a assistência prosseguiu:

— Vou explicar o Processo de... não consigo ler direito... a escrita está borrada. Perdão. Para ilustrar, utilizaremos um... um... — examinou novamente as anotações, antes resmungando que falando: — não sei se o que está escrito aqui é *experiência* ou *espécime*...

— Já tivemos espécimes de sobra — protestou o Imperador. — Vamos às experiências.

— Certamente, certamente! — concordou o Professor. — Vamos às experiências.

— Posso ajudar? — perguntou Bruno assanhadamente.

— Oh, não, meu caro! — respondeu o Professor, assustado. — Não sei o que iria acontecer, se você participasse delas!

— O mesmo digo eu — replicou Bruno, desaforadamente,

— Nossa primeira experiência requer uma máquina. Ei-la. Tem duas alavanquinhas para ligar e desligar. Duas: podem contá-las, se quiserem.

O Mestre-Cuca levantou-se, acercou-se da máquina, contou os interruptores e retirou-se satisfeito.

— Os senhores poderão, se quiserem, apertar as duas alavanquinhas simultaneamente, embora não seja essa a maneira certa de agir. Também poderão virar a máquina de cabeça para baixo, outra maneira absolutamente errada de proceder. Mas, que podem, podem!

— Por que não diz logo qual é a maneira certa? — perguntou Bruno, que escutava atentamente a explanação.

O Professor sorriu bondosamente, concordando:

— De fato, é uma boa ideia. A Maneira Certa: vamos ela, se me permitem.

E, segurando Bruno pela cintura, colocou-o sobre a mesa, prosseguindo:

— Vou dividir meu assunto em três partes.

— Quero descer! — gemeu Bruno, olhando para Sílvia. — Ele quer me dividir em três!

— Deixe de ser bobo! — repreendeu a irmã. — Não vê que ele não tem uma faca nas mãos? Trate de ficar quieto, antes que acabe quebrando as garrafas e os pratos que estão aí em cima.

— Primeiro — prosseguiu o Professor, levando as mãos de Bruno até os interruptores, — é preciso segurar as alavanquinhas. Segundo...

E então, sem avisar, girou uma manivela, provocando um grito de susto em Bruno, que largou imediatamente os dois interruptores, pondo-se a esfregar os cotovelos, enquanto o Professor desatava a rir.

— Como veem, o efeito é imediato, não é, rapazinho?

— Imediato demais para meu gosto! — protestou Bruno, indignado. — Não foi legal não! Tô com os cotovelos tremendo, as costas doendo, o cabelo arrepiando e os ossos chacoalhando!

— Não precisa exagerar, Bruno! — repreendeu Sílvia.

— Quem falou que eu tô exagerando? Só que sei que estou sentindo! Se você pudesse ver dentro de mim, ia ver que era verdade!

— Nossa segunda experiência — prosseguiu o Professor, depois que Bruno retomou seu lugar, embora ainda esfregando os cotovelos — será a produção de fenômeno mais fenomenal de todos os fenômenos: a **Luz Negra**! Vocês todos já viram luz branca, luz vermelha, luz verde e outras do mesmo gênero, mas nunca, jamais, até o dia de hoje (dia maravilhoso, por sinal), tiveram a oportunidade de ver a **Luz Negra**! Esta caixa — e colocou em cima da mesa uma caixa, cobrindo-a com uma pilha de cobertores — está repleta dessa luz. Como foi que a produzi? Foi assim: pus uma vela acesa dentro de um armário e fechei a porta. Evidentemente, ele ficou cheio de luz amarela. Então, tomando um frasco de tinta nanquin, derramei-o sobre a vela e, para a minha satisfação, cada átomo daquela luz que era amarela tornou-se então negra! Aquele foi, certamente, um dos momentos mais esplendorosos de minha existência! Em seguida, enchi uma caixa com aquela luz e agora: ei-la aqui! Alguém deseja enfiar-se sob os cobertores para poder vê-la?

Um silêncio mortal seguiu ao convite, até que Bruno final,ente disse:

— Eu quero, desde que isso não me provoque outro chachoalhamento de ossos.

Depois de receber a garantia de que aquilo não iria acontecer, ele entrou de rastos sob os panos e, depois de uns dois minutos, saiu de lá, sempre rastejando, com o cabelo todo desgrenhado.

— Que viu na caixa? — perguntou Sílvia ansiosamente.

— Nadinha! Tava escuro pra burro!

— Exato, meu rapaz! Você descreveu com absoluta exatidão a aparência externa da Luz Negra! — exclamou o Professor com entusiasmo. — Ele e o Nada são extremamente parecidos, especialmente à primeira vista. Por isso, não me espantaria se você não fosse capaz de distinguir um fenômeno do outro. Podemos passar agora à terceira experiência.

O Professor caminhou até onde havia uma haste de ferro cravada firmemente no chão. Presos à haste havia uma corrente, de cuja extremidade pendia um peso de ferro, e uma barbatana de baleia, amarrada a um anel.

— Esta experiência é assaz interessante! Receio que leve algum tempo, mas isso é um detalhe insignificante. Observem: se eu desprender esse peso e largá-lo, ele cairá no chão. Alguém duvida?

Ninguém duvidou.

— Por outro lado, se eu dobrar essa barbatana, enrolando-a na haste — e o fez — e prender o anel sob o gancho que prende o peso... assim... ela permanecerá dobrada. Porém, se eu desenganchar o anel, a barbatana volta a ficar retilínea. Alguém duvida?

Também dessa vez ninguém duvidou.

— Suponhamos, então, que eu deixe tudo do jeito que está, durante longo, longo tempo. A resistência da barbatana ficará exaurida, é claro, e ela permanecerá curvada, mesmo depois que eu retirar o anel do gancho. Não é assim? Pois bem: e por que não repetimos esse procedimento com o peso, a fim de vermos se ele, à semelhança da barbatana, que acabou se acostumando com sua conformação curva, não se acostuma também com sua situação flutuante, passando a sustentar-se sozinho no ar? É isso que eu gostaria de saber!

— Nós também! — bradou a multidão em uníssono.

— Quanto tempo teremos de esperar? — grunhiu o Imperador.

O Professor examinou o relógio e respondeu:

— Acredito que... bem... uns mil anos, para início de conversa. Depois desse tempo, poderemos desenganchar cautelosamente o peso. Caso ele demonstre (quem sabe?) uma ligeira tendência a cair, voltamos a repô-lo no seu lugar, preso à corrente, deixando-o ali por mais uns mil anos.

Nesse instante, a Imperatriz, num de seus raros lampejos de Bom Senso, (como sempre, para espanto geral dos circundantes), ponderou:

— Neste intervalo, creio que teremos tempo para fazer outra experiência.

— Sem dúvida! — exclamou o Professor, radiante. — Voltemos ao palanque e passemos à quarta experiência.

Ali chegando, continuou:

— Para essa derradeira experiência, utilizarei um certo álcali, palavra que significa o mesmo que ácido. Qual ácido será? Bem... esqueci. Vocês verão o que acontece quando misturo esse álcali com... — e examinou o conteúdo de um frasco, com olhar de dúvida — com... alguma coisa que não sei bem o que é...

— Qual é mesmo o nome da substância? — perguntou o Imperador.

— Não consigo lembrar-me do nome... Acontece que a etiqueta sumiu!

Sem se preocupar com esse pormenor, verteu o conteúdo de um frasco no outro, seguindo-se um tremenda explosão que atirou para longe todos os objetos que havia em cima da mesa, reduzindo a cacos os dois frascos e enchendo o pavilhão de uma fumaça escura e sufocante.

Assustado, levantei-me de chofre e, quando dei por mim, encontrei-me de novo sozinho, diante da lareira. Devia ter adormecido e deixado cair o atiçador sobre as tenazes e a pá, revirando a chaleira, e com isso derramando chá sobre as brasas e provocando uma nuvem de vapor e fumaça. Com um suspiro de cansaço, ergui-me e tratei de me recolher ao leito.

CAPÍTULO 22

O Banquete

"Dura apenas uma noite a opressão; pela manhã, a alegria renasce". No dia seguinte eu era outra pessoa. Mesmo as lembranças de meu falecido amigo e companheiro eram tão coloridas como o dia ensolarado que sorria para mim pela janela aberta. Não quis perturbar Lady Muriel ou seu pai, procurando-os pela manhã. Preferi dar um passeio pelo campo, e só regressei à pensão quando os raios oblíquos do sol indicaram a aproximação do fim do dia.

A caminho da pensão, passei pela cabana onde vivia o velho cujo semblante sempre me trazia à lembrança o dia em que conheci Lady Muriel. Lancei os olhos para o interior, curioso de saber se ele ainda morava ali. Sim, ele ainda vivia lá. Estava sentado à varanda, com o mesmo aspecto que tinha quando o episódio acontecera poucos dias atrás!

— Boa tarde — saudei-o, ao passar.

— Boa tarde, patrão. Vam' entrá!

Aceitei o convite e sentei-me num banquinho que ali havia.

— Fico feliz por vê-lo gozando de boa saúde — disse-lhe. — Da última vez que o vi, lembro-me de que Lady Muriel acaba de fazer-lhe uma visita. Ela ainda aparece por aqui de vez em quando?

— Aparece — respondeu com voz tranquila. — Ela num me esqueceu, não. Vez em quando o rostinho bonito dela aparece por aqui. Acho que a primeira vez que ela veio foi mesmo naquele dia que ela me encontrou na estação de trem. Disse que veio me dar satisfação, óia só! Como se precisasse de dar satisfação…

— Dar satisfação de quê?

— É que nós tava na estação esperando o trem, e o chefe da estação me mandou dar lugar para ela no banco que eu 'tava sentado. Coisa boba! O senhor precisava ver…

— Mas eu vi. Eu estava lá.

— É? Disso eu não lembro. Pois isso que aconteceu, e ela veio até pedir desculpa pra mim, um zé-ninguém! Ê moça educada e de bom coração! *Dispois* disso, ela já voltou aqui muitas vezes. Ontem mesmo ela 'teve aqui, sentada aí onde o senhor 'tá, olhando pra mim com aquele jeitinho de anjo que ela tem. 'Tô até ouvindo ela falar comigo: "Agora não tem mais a Minnie para tratar do senhor", foi o que ela disse. Minnie era minha filha mais velha. Morreu, 'tadinha, faz uns dois ou três meses. Era moça bonita e bem disposta. E uma boa filha. Não teve sorte na vida, a pobrezinha...

Ao dizer isso, escondeu o rosto entre as mãos e ficou por algum tempo em silêncio. Depois recomeçou a falar:

— Aí ela disse assim: "Faz de conta que eu estou no lugar da Minnie. Não era ela quem fazia chá para o senhor?" Eu disse que era, e ela então entrou, preparou o chá e trouxe ele na xícara pra mim. "Não era ela quem acendia seu cachimbo?". Eu disse que era, e ela acendeu o cachimbo para mim. Aí eu fechei os óio e disse: "Tô até pensan'o que 'ocê era a Minnie de verdade!", e ela 'garrou a chorar, e eu 'garrei tam'ém, e foi aquela choradeira...

De novo o silêncio temporário.

— Antão eu fiquei fumando meu cachimbo, e ela sentou aí e ficou conversando comigo, tão carinhosa, igual uma filha... Era que nem a Minnie mesmo... Aí ela levantou e fez que ia embora sem despedir, e eu perguntei se ela não ia apertar minha mão, e ela disse que num ia não.

— Ué! — exclamei, intrigado com aquela atitude. — Não posso entender por que ela teria agido assim.

— Achan'o que era orgúio, né? Era não! Ela falou: "Se fosse a Minnie, ia apertar sua mão na hora de sair? Não. Ela ia dar um beijo no paizinho". E ela então me abraçou e me deu um beijo, como se fosse mesmo minha filha, sô moço! Deus que proteja aquela moça!

E, com a voz embargada, nada mais conseguiu dizer.

— Sim, Deus a proteja — concordei, — e boa noite — despedi-me, apertando-lhe a mão e saindo dali.

"É, Lady Muriel", murmurei para mim mesmo, "você de fato sabe como dar uma satisfação..."

Na pensão, sentado mais uma vez diante de minha solitária lareira, tentei relembrar a estranha visão da noite anterior e evocar o semblante amigo do velho Professor entre os carvões em brasa. "Aquele pretinho ali", pensei, "com uma fina listra vermelha, bem poderia ser ele. Depois de todo o rebuliço que provocou, o coitado deve estar assim, quase inteiramente preto, e certamente haverá de encontrar sua malfadada experiência com essas palavras: *O resultado dessa combinação, como talvez tenham notado, foi uma Explosão, senhores e senhoras. Querem que eu repita a experiência?*

— Não, Professor! — gritaram todos em uníssono. — Não precisa dar-se ao trabalho!

E todos saímos às pressas do pavilhão, seguindo para o salão de festas, onde já iria ter início o banquete. Os criados não perderam tempo, e logo passaram a servir os pratos, enchendo-os rapidamente. Antes de começar a devorar sua quota, o Professor disse:

— Sempre tive por princípio ser regra de bom senso alimentar-me ocasionalmente. A grande vantagem dessas festas de comilança... — interrompeu de repente o que estava dizendo, prosseguindo em outro tom: — Ora, ora, eis aqui o nosso Outro Professor! Esquecemos de reservar-lhe um lugar!

O Outro Professor entrou no salão inteiramente absorto com a leitura de um alfarrábio que trazia bem junto dos olhos. Como resultado desse alheamento, tropeçou, saiu catando cavaco e acabou precipitando-se de cara na mesa de refeições.

— Coitado! — exclamou o Professor, levantando-se para ajudá-lo.

— Se eu não tivesse tropeçado — desculpou-se o Outro Professor, — quem estaria aqui caído não seria eu...

O Professor pareceu ficar muito chocado ao ouvir esse argumento:

— Se fosse outro, não sei se seria pior ou melhor. Que me diz? — perguntou a Bruno.

— Digo que não puseram nada no meu prato — respondeu o garoto, com ar aborrecido.

Pondo seus óculos para assegurar-se da verdade dessa nova afirmação, o Professor perscrutou o prato de Bruno, perguntando-lhe em seguida:

— E o que você gostaria de ter no prato, rapazinho?

— Bem... — respondeu Bruno, hesitando ligeiramente, — tenho de pensar... Enquanto isso, acho que gostaria de uma porção de pudim de ameixa.

— Oh, Bruno, você me deixa morta de vergonha — sussurrou Sílvia. — Como pode pedir um prato antes que ela venha para a mesa?

Harry Furniss
SWAIN SC.

Bruno respondeu também de forma sussurrante:

— E se eu esquecer de pedir quando o prato vier? Você sabe como costumo ser esquecido...

Sílvia ia replicar, mas, em vista da esquisitice desse último argumento, preferiu calar-se. Nesse meio tempo,alguém tinha trazido uma cadeira para o Outro Professor, que se assentou entre ela e a Imperatriz. A menina achou seu novo vizinho assaz desinteressante, pois, durante todo o banquete, a única observação que ele fez foi esta:

— Dicionário é uma coisa muito boa, não é?

(Mais tarde ela confidenciou para Bruno que teve medo de responder: "É sim, senhor", e que por isso a conversação encerrou-se ali mesmo. Bruno então comentou que aquilo nem mesmo podia ser chamado de "conversação", sugerindo que ela devia tê-lo desafiado a desvendar uma charada. Ele mesmo tinha desafiado o Professor a responder-lhe uma. "Que charada, Bruno?", perguntou Sílvia. "Perguntei a ele quantos tostões inteiram dois vinténs". "Mas isso não é uma charada, é problema de aritmética!" "Eu chamo de charada", respondeu ele, bravo.)

Nessa altura dos acontecimentos, o prato de Bruno foi preenchido com alguma coisa, fazendo-o esquecer de uma vez por todas o pudim de ameixas.

— Outra vantagem dos banquetes — prosseguiu o Professor animadamente, certo de que suas palavras seriam escutadas e aproveitadas por alguém — é que eles servem para que você veja seus amigos. Se quiser ver alguém, basta convidá-lo a comer. Serve tanto para gente como para camundongos.

— Esse papo interessa a este gatinho aqui — disse Bruno, afagando um gato que se encontrava debaixo da mesa, um bichano gordo e rebolante, que naquele momento coçava o ombro, esfregando-o na perna da sua cadeira. — Ele é muito gentil com os camundongos. Ponha leite em seu pires e dê para ele, Sílvia, que parece estar morto de sede.

— Ah, é? Por que no meu pires, e não no seu?

— É que vou usar o meu na hora que ele quiser um repeteco.

O argumento não convenceu a menina, que mesmo assim fez o que ele queria, já que não sabia como recusar um pedido do irmão. Depois de despejar leite em seu pires, estendeu-o ao irmão, para que ele o pusesse embaixo da mesa.

— Com toda esta gente junta, aqui dentro está muito quente! — disse o Professor a Sílvia. — Por que será que ninguém pensa em pôr blocos de gelo na lareira? Quando faz frio, aí sim, é hora de se colocar carvão, de se sentar diante dela para desfrutar do calorzinho. Por outro lado, quando faz calor, é hora de inverter as coisas, e ficar desfrutando do friozinho.

A ideia fez Sílvia estremecer, apesar do calor que estava fazendo.

— Mas lá fora está fazendo frio — replicou ela. — Hoje de manhã meus pés quase congelaram!

— Falha do sapateiro — disse o Professor, sorrindo. — Quantas vezes já disse a ele para fazer botinas com solas revestidas com chapas de ferro, permitindo que as ponhamos sobre a chama de um fogareiro, para esquentar! Ele nunca quis aceitar minha sugestão. Ninguém padeceria com frio na sola dos pés, se essa ideia fosse adotada. Veja meu caso: no inverno, uso tinta de escrever quente. Ninguém pensou nisso até hoje; entretanto, olhe só que coisa mais simples!

— De fato, muito simples — concordou Sílvia, por educação. — O gato quer mais? — perguntou, vendo que Bruno voltava com o pires apenas meio vazio.

Parecendo não ter escutado a pergunta, Bruno disse:

— Tem alguém arranhando a porta, pedindo para entrar.

Dizendo isso, desceu na cadeira, foi até a porta, que estava entreaberta, espiou pela greta e voltou.

— Tinha alguém lá? — perguntou Sílvia.

— Tinha um camundongo. Ele espreitou pela greta, viu o fato e disse: "Volto outro dia". Eu então disse pra ele: "Que medo é esse, sô? Esse gato é bonzinho pros ratos", mas ele disse que tinha um negócio importante para resolver, e que, por isso, voltaria outro dia. Pediu que eu mandasse lembranças pro gatinho.

— Mas que gato gordo! — comentou o Primeiro Ministro, esticando a cabeça por cima do ombro do Professor. — Chega a ser espantoso, de tão gordo!

— Mais espantoso seria se ele ficasse magro de repente — disse Bruno.

— E foi para que isso acontecesse — perguntou o Primeiro Ministro — que você preferiu não lhe dar o resto do leite?

— Oh, não! — protestou Bruno. — Tinha uma razão bem mais melhor! Tirei os pires dele porque ele 'tava contrariado.

— Pois não me pareceu — contestou o Primeiro Ministro. — Que o fez imaginar que estivesse contrariado?

— É que 'tava sain'o um ronco da goela dele.

— Oh, Bruno! — intrometeu-se Sílvia. — Então não sabe que é desse modo que os gatos expressam sua satisfação?

Bruno fez ar de descrença, objetando:

— Não me parece uma boa maneira de mostrar satisfação. Se eu saísse roncando por aí, ninguém ia pensar que eu 'tava satisfeito.

— Esse garoto é bem singular! — comentou baixinho o Primeiro Ministro, sem conseguir que Bruno não escutasse, porque ele logo segredou para Sílvia:

— — Quê que quer dizer *singular*?

— Significa um só. É o contrário de *plural*, que significa dois, três ou mais.

— Então é bom ser um garoto singular! — exclamou Bruno, aliviado. — Se eu fosse dois ou três, eu ia achar horrível! E se os outros dois não quisessem brincar comigo?

— Isso bem que poderia acontecer — intrometeu-se o Outro Professor, acordando de um sono profundo, — desde que eles estivessem dormindo.

— *Cumé* que podiam estar dormindo, já que *eu* estava acordado?

— Muito simples — respondeu o Outro Professor. — Como se sabe, garotos não vão dormir todos à mesma hora. Destarte, os outros dois garotos... mas, afinal de contas, que outros dois garotos seriam esses?

— Ele nunca se lembra de fazer essa pergunta antes de começar a argumentar — sussurrou o Professor para as crianças.

— Os outros dois são o resto de mim, ora! — respondeu Bruno. — Isso, se eu fosse três.

O Outro Professor suspirou fundo e parecia que já estava prestes a novamente mergulhar em seu sono profundo, quando subitamente abriu os olhos e perguntou ao Professor:

— Agora não há mas coisa alguma a fazer, não é mesmo?

— Bem, temos de terminar o jantar e de suportar o calor reinante — respondeu o Professor. — Espero que o senhor aprecie um, esqueça o outro vice-versa.

A frase não soava mal, mas me causou uma certa estranheza, não só a mim, como também, ao Outro Professor, que perguntou, intrigado:

— Como assim "vice-versa"?

— Esqueça a comida, depois que a comeu, e aprecie o calor, imaginando que ele podia ser pior.

— Agora eu entendi, e posso tirar a limpo outra coisa que não ficou muito clara. Você disse, treze minutos e meio atrás — e olhou, primeiro para Bruno, depois para seu relógio — que um certo gato era "muito gentil com os camundongos". Um gato desses deve ser singular!

— Deixe ver — disse Bruno, olhando por baixo da mesa e verificando que o animal era um só. — É singular, sim.

— Mas como você pode asseverar que ele é gentil com os camundongos?

— É que ele gosta de brincar com os ratinhos!...

— Mas você não sabia que, quando um gato brinca com um rato, não o faz por mera questão de gentileza, mas sim porque está querendo matá-lo?

— Só se for por acidente! — protestou Bruno, assumindo a defesa intransigente do felino. — Foi ele mesmo que explicou isso pra mim, enquanto estava tomando leite. Disse que gosta de ensinar brincadeiras novas pros ratinhos, e que eles ficam alegres, mas que de vez em quando acontece um acidentezinho, e os ratinhos acabam matando eles mesmos sem querer, e que ele fica muito triste, e que...

— Se ele ficasse triste de verdade — objetou Sílvia, — não iria comê-los depois que eles morressem.

O argumento parece não ter produzido grande efeito sobre Bruno, preocupado apenas com o aspecto ético da questão, e ele prosseguiu em sua exposição, sempre omitindo sua própria participação no diálogo e deixando toda a responsabilidade sobre as costas do pobre bichano:

— Ele disse que rato morto não acha ruim de ser comido, e que seria desperdício jogar fora um rato nutritivo e saboroso. Ele virou pra mim e disse:

"Já pensou se eu deixo de comer ele, e depois fico com fome? Pra não ter arrependimento, eu..."

— Ora, Bruno! — protestou Sílvia, com ar de indignação. — E ele lá teve tempo para dizer tanta coisa assim?

— Vê-se que você não entende nada de gatos! — replicou Bruno desdenhosamente. — Precisa ver como eles falam depressa!

CAPÍTULO 23

O Conto Porcino

Nessa altura dos acontecimentos, o apetite dos convidados parecia estar quase satisfeito, e mesmo Bruno, ao lhe ser oferecida pelo Professor uma quarta porção de pudim de ameixas, teve a coragem de responder:

— Obrigado. Três é bastante!

De repente, como se tivesse tomado um choque elétrico, o Professor exclamou:

— Gente, gente, quase que me esqueço do principal! O outro Professor ainda vai recitar uma poesia suína, intitulada "O Conto Porcino"! É um poema diferente, pois tem versos introdutórios no início, no meio e no fim!

— Se são "introdutórios" não deveriam ser apenas no início? — perguntou Sílvia.

— Espere até ouvir — respondeu o Professor. — Talvez, de fato, fosse mais correto designá-los "introdutórios", "intermediários" e "encerratórios"; enfim... — e o Professor pôs-se de pé, seguindo-se o silêncio, já que todos esperavam que ele proferisse algum discurso.

— Senhoras e senhores — começou ele, em tom oratório. — O Outro Professor vai fazer-nos a gentileza de recitar um poema de sua lavra, intitulado"O Conto Porcino", jamais recitado até o dia de hoje! — (Grande animação por parte da assistência) — E jamais será recitado novamente após o dia de hoje! — (Excitação e frêmito por parte da assistência. O Professor subiu na mesa, a fim de reger o "hip hurra", brandindo os óculos numa das mãos e uma colher na outra).

Então, o Outro Professor levantou-se e começou a recitar os Versos Introdutórios:

Passarinhos a jantar
acham tudo muito bom,
mesmo sem sentar-se à mesa,
sem copeiro e sem garçom.
Vamos tratar de escutar
a história que eu vou contar.

Passarinhos foram ver
juízes num tribunal.
"Juízes que sentem fome
certamente julgam mal."
Acharam ser boa ideia
dar-lhes ostras e geleia.

Passarinhos escutaram
o feroz tigre a rugir.
"Por que tanto mau humor?
Vamos ensiná-lo a rir!"
E agora o tigre, fagueiro,
fica rindo o dia inteiro.

Passarinhos avistaram,
esquecidos sobre a grama,
vários pinos de boliche.
"Isso é melhor que uma cama!"
Estão prontos para escutar
a história que eu vou contar.

Era uma vez um Porco que quis fazer
de uma bomba d'água seu lar.
Aquela bomba era antiga pra valer,
lá estava o Porco, a lamentar.
Por que esses lamentos, tristes de doer?
Porque não sabia pular!

Passou um Camelo por ali e perguntou:
"Que te faz assim esgoelar?
Se eu puder fazer algo, diz, aqui estou
preparado pra te ajudar."
De olhos úmidos, o Porco então falou:
"Isso é porque não sei pular!"

"Faz força pra perder o excesso de banha.
É necessário exercitar.
Quem come moderado, peso não ganha;
trata, então, de a boca fechar.
Pra quem é magro e forte, ninguém estranha
que saiba e possa pular".

Foi-se o Camelo. O Porco, em vez de seguir
os conselhos, pôs-se a chorar.
Seus gritos ao longe podiam-se ouvir.
Torcia os cascos sem parar,
como se seu coração fosse partir.
"Que horrível não saber pular!"

Uma Rã que por ali estava passeando,
tão logo o escutou a gritar,
quis saber por que ele estava lamentando.
Parando um pouco de chorar,
ele respondeu, fungando e soluçando:
"É porque não posso pular!"

Ouvindo a resposta e vendo aquela cena,
disse a Rã: "Mas por que chorar?
Mediante remuneração bem pequena,
posso fazê-lo gargalhar!
Se me obedecer, tenha certeza plena:
em breve, há de saber pular!"

E prosseguiu, depois que ele fez que sim:
"Consiste o segredo em treinar.
Comece com um pulinho bem chinfrim;
aos poucos, trate de aumentar
a altura do pulo, dia a dia, e assim
rapidamente irá pular."

Depois de escutar os conselhos da Rã,
com os olhos a rebrilhar
o Porco agradeceu: "Ó, querida irmã!
Faço questão de lhe pagar
seja lá quanto for! Saiba, sou seu fã,
já que me ensinou a pular."

"Um prato de mosquitos consistirá
no que eu pretendo lhe cobrar.
Além disso, você me concederá
licença para me instalar
no topo dessa bomba d'água, e é pra já;
vamos começar a treinar!"

"Encolha os joelhos, assim, e de repente,
se estiue. Vê como é banal?"
O Porco obedeceu, dando um salto à frente;
porém, foi um salto... mortal:
deu de cabeça na bomba e, infelizmente,
o choque foi mesmo fatal...

Depois que o Outro Professor acabou de recitar esse verso, atravessou o salão, chegou-se à lareira e enfiou a cabeça pelo vão da chaminé. Ao fazer isso, perdeu o equilíbrio e caiu de ponta-cabeça no forno, por sorte vazio. Tão espremido ficou, que levou algum tempo até que conseguissem arrancá-lo de lá. Sem entender direito o porquê daquilo, Bruno arriscou uma explicação:

— Acho que ele queria ver quantas pessoas tinha naquela chaminé.

— Fazendo o quê, Bruno? — perguntou Sílvia.

— Talvez fossem penetras...

Nesse meio tempo, o Outro Professor acabava de ser extraído da lareira. A Imperatriz assustou-se ao vê-lo:

— Sua cara está preta, Outro Professor! Vou mandar trazer um sabonete.

— Não precisa, Majestade — disse o Outro Professor, virando-se de costas. — Preto é uma cor muito distinta. Além do mais, sabonete sem água não tem serventia...

E sem se virar de frente para a assistência, prosseguiu com o poema, recitando agora os Versos Intermediários:

Passarinhos a escrever
cartas gentis e suaves
para a cozinheira ler:
"Por favor, não asse as as aves!"
Se alcançarem o seu alvo,
eles estarão a salvo.

Passarinhos a tocar
gaita de foles na praia.
É pena que sua música
não encante e nem atraia.
"Se esta gaita acaso amola,
deixem aqui uma esmola!"

Passarinhos dando banho
nos ferozes crocodilos,
que, ao invés de ficar bravos,
ficam mansos e tranquilos.
Mas que ninguém seja louco:
a mansidão dura pouco!

Ao voltar por ali, o Camelo quis ver
como estava passando o amigo;
porém o que ele viu muito o fez sofrer.
"É por isso que eu sempre digo:
Pobre daquele que não sabe prever
onde é que reside o perigo..."

"Esse Porco não viu que antes de pular
teria de tomar cuidado.
O indivíduo precisa, para saltar,
de ser mais esbelto e delgado.
Agora ele não vai mais se lamentar,
para ele está tudo acabado..."

A Rã tudo ouviu, mas nada respondeu,
pois estava bem deprimida.
Aquela paga que o Porco prometeu
já estava de todo perdida.
Ao menos, seu lugar ela não perdeu...
Perde aqui, ganha ali: é a vida...

— Que história mais triste! — protestou Bruno. — Triste no começo, tristíssima no meio, tristississíssima no fim! Acho até que vou chorar. Me empresta seu lenço, Sílvia?

— Não trouxe lenço — sussurrou Sílvia.

— Nesse caso, prefiro deixar para chorar depois.

— O poema ainda não acabou — disse o Outro Professor. — Ainda há alguns Versos Introdutórios — (ele insistirá em chamá-los assim). — Vou deixar para depois, porque estou com fome.

E, sem mais, sentou-se, cortou um generoso pedaço de bolo, colocou-o no prato de Bruno e ficou olhando espantado para o seu próprio prato, sem saber como agir.

— Por que ele pôs o bolo no seu prato? — sussurrou Sílvia para Bruno.

— Ele deu o bolo para mim. — respondeu ele.

— E por que pediu outra fatia?

— Não pedi, não! — protestou Bruno, levando à boca uma garfada. — Ele é que quis me dar!

Sílvia ficou matutando por algum tempo, até descobrir um modo de resolver a situação. Então, deixando de sussurrar, disse a Bruno:

— Peça a ele para me dar um pedaço de bolo.

— Ah! — intrometeu-se o Professor. — Estou vendo que o bolo lhe soube bem!

— Isso quer dizer que você achou o bolo gostoso? — segredou Bruno.

— Exatamente — confirmou a menina.

Ele então voltou-se para o Professor e disse:

— Eu também "soube bem" desse bolo.

O Outro Professor escutou a observação e perguntou:

— Você quer dizer que soube preparar o bolo?

— Eu não quis dizer isso, não! Quis dizer que comi até ficar cheio!

— Ficou enfartado? — perguntou o Outro Professor, sempre entendendo errado as palavras de Bruno. — Então tome um licorzinho — e estendeu um cálice para ele. — Depois de tomar esse licor, você estará outro!

— Estarei quem, então? — disse Bruno, esperando a resposta antes de levar o cálice aos lábios.

— Não faça tantas perguntas — admoestou Sílvia, na intenção de livrar o pobre velhote daquele diálogo atordoante. — E se o Professor nos contasse uma história?

Bruno entusiasmou-se com a ideia, pedindo ao Professor com olhos súplices:

— Boa ideia, Professor! Conte-nos uma "daquelas", por favor! Uma que fale de tigres, de abelhões e de tordos vermelhos!

— Por que preocupar-se com os personagens vivos da história — contrapôs o professor, — e não com seus eventos e circunstâncias?

— Invente o senhor os "inventos e circulâncias" que bem desejar, mas enfie aqueles bichos na história, por favor!

Sem se fazer de rogado, o professor começou:

— Era uma vez uma coincidência que resolveu dar um passeio em companhia com um pequeno acidente. No caminho, depararam com uma explanação muito velha, tão velha que estava até encarquilhada, antes parecendo um enigma...

Interrompeu subitamente o que estava dizendo.

— Prossiga, Professor! — exclamaram as duas crianças.

— Oh, crianças — confessou o Professor, candidamente, — eu não tenho facilidade para inventar histórias. Sugiro que Bruno nos conte uma.

Dava para ver a felicidade de Bruno com aquela sugestão. No mesmo instante, ele começou:

— Era uma vez um porco, uma sanfona e dois vidros de geleia de laranja...

— Aí temos o elenco da peça — murmurou o Professor. — Prossiga, rapazinho.

— Certa vez, o porco estava tocando a sanfona, e um dos vidros de geleia de laranja não gostou da música que ele 'tava tocando. Acontece que o outro vidro gostou, e aí... ih, Sílvia, acho que vou aprontar a maior confusão nesta história! Briga entre dois vidros é caco pra tudo quanto é lado!

Foi então que o Outro Professor voltou a tomar a palavra:

— Vou recitar os Versos Introdutórios finais:

E recitou mesmo:

Passarinhos trazem pão
para os mendigos sem lar.
Pão é pouco, falta o peixe,
que eles logo vão buscar.
Mas com bala, o resultado
é peixe despedaçado!

Passarinhos assaltando
as cestas de piquenique,
mas os veados não querem
que nenhum por perto fique.
Com mordidas e varadas,
as aves são espantadas.

Passarinhos tocam sinos
alertando a toda a gente
que a história enfim terminou
(Já era hora, finalmente!)
Não fosse o sino bater,
ninguém ia saber...

— A próxima coisa a ser feita — disse o Professor ao Primeiro Ministro, com cara satisfeita, depois que os aplausos à récita do Conto Porcino chegaram ao fim — será beber à saúde do Imperador, não acha?

— Sem dúvida! — concordou o Primeiro Ministro solenemente, erguendo-se para coordenar a cerimônia. — Encham seus copos, senhores e senhoras! — trovejou, sendo imediatamente obedecido por todos os comensais. — Bebamos à saúde do nosso Imperador! — (um gorgolejar geral ressou pelo salão.) — Vamos erguer três hurras ao Imperador!!! — (dessa vez o entusiasmo foi bem menor, e apenas se ouviram uns débeis e desanimados hip-hurras por parte de alguns.)

Sem perder a presença de espírito, o Primeiro Ministro prosseguiu:

— Um discurso, Senhor Imperador!

Antes mesmo do ponto de exclamação, o Imperador já começava a discursar, dizendo:

— Embora relutando em ser vosso Imperador — aceitei o encargo para tal me nomeastes — todos vos lembrais de como o falecido Regente demonstrava incompetência no governo desta terra — mas o entusiasmo com que me coroastes — ele vos perseguia, ele vos fazia vergar ao peso dos impostos excessivos — não tivestes dúvida alguma sobre quem seria a pessoa mais qualificada para ser vosso Imperador — reconheço que ele não tinha bom senso, conquanto fosse meu irmão...

Por quanto tempo continuaria esse estranho discurso, composto de frases soltas, é impossível dizer, pois nesse exato instante um furacão sacudiu todo o palácio, fazendo tremer até mesmo seus alicerces, deixando escancaradas as janelas, apagando boa parte dos lampiões e enchendo o ar de nuvens de poeira, que tomavam formas estranhas, parecendo formar letras e palavras.

A tormenta cessou tão rapidamente quanto tinha começado. Os caixilhos das janelas retomaram seus lugares, a poeira desvaneceu, tudo voltou a ser como era minutos atrás, exceto o Imperador e a Imperatriz, nos quais se operou uma assombrosa mudança. O olhar vazio, o sorriso alvar, tudo desapareceu, e o estranho casal reassumiu a antiga aparência. Como se nada houvesse acontecido, o Imperador retomou seu discurso, embora num tom de voz diverso do inicial:

— Ambos procedemos, eu e minha esposa, como dois rematados velhacos. Melhor nome que esse não fizemos por merecer. Quando ele se foi, perdeste o melhor governante que poderíeis ter. Quanto a mim, desprezível hipócrita, agi na surdina, de maneira astuta, para ludibriar-vos, levando-vos a me eleger vosso Imperador. Eu, Imperador, oh, logo eu, que mal tenho competência para me sair bem na função de engraxate!

Nessa altura do discurso, o Primeiro Ministro não parava de torcer as mãos, tomado de desespero. Erguendo-se, tentou intrometer-se na fala do Imperador, bradando:

— Ele ficou doido, minha gente! Doido varrido!

Súbito, calaram-se ambos, ao escutarem batidas na porta de entrada. Ao silêncio mortal que inicialmente se seguiu, sobreveio uma verdadeira confusão, com os convidados correndo para lá e para cá, perguntando-se:

— Que será isso? Quem está aí?

A excitação aumentava. Esquecendo-se das regras do cerimonial, o Primeiro Ministro desceu as escadas saltando os degraus de dois em dois e foi até a porta dc cntrada, voltando um minuto depois, pálido e ofegante.

CAPÍTULO 24

O Regresso Do Mendigo

É aquele velho mendigo de novo, Alteza Imperial! — exclamou o Primeiro Ministro. — Quer que eu atice os cachorros nele?

— Traga-o aqui! — ordenou o Imperador.

O Primeiro Ministro custou a acreditar no que estava escutando:

— Como, Excelência? Trazê-lo aqui?! Será que entendi direito...

— Traga-o aqui, e já! — trovejou o Imperador, sendo imediatamente obedecido pelo Primeiro Ministro, que num minuto já havia descido e retornava ao salão, abrindo caminho para a entrada do velho mendigo esfarrapado.

Sua figura era mesmo lastimável: a roupa em trapos estava toda borrifada de lama, barba e cabelo em desalinho evidenciavam que aqueles pelos há tempos não recebiam a visita de um pente ou de uma tesoura. Entretanto, ele caminhava desempenado, com passo e porte majestosos, como se estivesse acostumado a comandar. Para espanto de geral, Sílvia e Bruno correram em sua direção e seguraram suas mãos, fitando-o em silêncio, com olhares cheio de ternura e amor.

Todos aguardavam ansiosamente a maneira como ele seria recebido pelo Imperador. Será que Sua Excelência iria arrojar aquele desaforado intruso pela escada abaixo? Mas não! Atônitos, viram todos quando o Imperador se ajoelhou diante da figura em andrajos, balbuciando, de cabeça baixa:

— Perdoe-nos!

Prostrando-se de joelhos ao lado do marido, a Imperatriz também murmurou, num eco patético:

— Perdoe-nos!

O esfarrapado sorriu e disse:

— Vamos, levantem-se. É claro que os perdoo.

Cresceu o espanto geral quando todos o viram transfigurar-se à medida que ia falando. Os trapos enlameado foram transformando-se em vestimentas reais, bordadas em ouro e adornadas com brocados e joias faiscantes. Por fim, reconheceram quem era: o irmão mais velho do Imperador, o verdadeiro governante daquela terra: O regente!

— Querido irmão, querida irmã — começou ele a dizer, numa voz alta e clara, que podia ser distintamente escutada em todo aquele vasto salão. — Não vim aqui com o intuito de perturbar a sua tranquilidade. Prossigam à frente do governo desta terra, mas doravante dirijam-na com sabedoria. Fui escolhido Rei

da Élfia. Amanhã deverei regressar para lá, nada levando daqui, a não ser… — e nesse ponto sua voz vacilou, e com um olhar de inefável ternura, ele acariciou as cabeças dos filhos que o ladeavam, agarrando-se a suas pernas.

Logo em seguida, recobrando o autodomínio, acenou para o Imperador, indicando que ele deveria retomar seu lugar à mesa. Mais que depressa todos se sentaram, sendo rapidamente providenciada uma cadeira para o ilustre visitante, sua augusta Majestade, o Rei de Élfia. Erguendo-se mais uma vez, o Primeiro Ministro propôs um brinde:

— Vamos continuar a festa, minha gente. É hora de brindar ao herói do dia, ao aniversariante… ué! Onde estará ele?

Só então deram todos pela falta do príncipe Uggug.

— Avisaram-no da realização deste banquete? — perguntou o Imperador.

— Claro que sim! — respondeu o Primeiro Ministro. — O Camareiro-Mor recebeu essa incumbência.

— Que tem a dizer, senhor Camareiro-Mor? — indagou o Imperador, de cenho franzido.

— Sua Imperial Obesidade foi devidamente avisado do evento — respondeu o Camareiro-Mor, traindo sua emoção pela voz tremelicante. — Eu mesmo comuniquei pessoalmente que haveria uma conferência científica, seguida de lauto banquete, mas acontece que…

— Vamos, desembuche! — ordenou o Imperador, vendo que o pobre homem hesitava em prosseguir com o seu relato.

— … que Sua Imperial Adiposidade não apreciou a informação, parecendo mesmo que teria ficado um tanto aborrecido com ela, e me dirigiu sua principesca palavra, dizendo "Num tô nem aí", fazendo a bondade de me avermelhar a orelha com um tapa bem aplicado…

— Por causa desse "num tô nem aí" ele tá é ferrado! — sussurrou Bruno para Sílvia.

— Ah, vocês conhecem a história? — perguntou o Professor, que havia escutado o que Bruno dissera baixinho. — O rei tinha dois cavalos, Nuntô e Nenhaí. Um dia ele ordenou ao ferreiro: "Ferre um dos meus cavalos, que quero sair". Sem saber qual dos dois ferrar, o ferreiro ferrou ambos. "Qual que você ferrou?", perguntou o rei. "Nuntô e Nenhaí", respondeu o ferreiro. "Mandei ferrar só um. Ferrou Nuntô e Nenhaí? Você é que tá ferrado!"

— É, Professor, uma história bem interessante… Acho que ela explica tudo… — comentou Sílvia, balançando a cabeça.

— Tudo, tudo, não — protestou o Professor, modestamente. — Uma ou duas coisinhas ficam sem ser explicadas…

— Diga-me, Camareiro-Mor — prosseguiu o Imperador. — Qual a sua impressão sobre a Sua Adiposidade Imperial?

— Bem, Majestade, a impressão que tive é de Sua Adiposidade está ficando cada vez mais…

— Mais o quê, criatura?

Todos contiveram o fôlego, esperando qual seria a palavra.

— … mais… abespinhado.

— Traga-o aqui imediatamente! — ordenou o Imperador.

O Camareiro-Mor saiu dali como um raio. Assistindo toda essa cena com ar constrangido, o Rei de Élfia murmurou para si:

— Não é assim que se deve agir. Sem amor, nada funciona...

Trêmulo, pálido e sem fala, o Camareiro-Mor retornou.

— E então? — perguntou o Imperador. — Que é feito do Príncipe?

Vendo que o Camareiro-Mor nada conseguia dizer, adiantou-se o Professor:

— Podemos presumir que ele esteja mais uma vez abespinhado...

Bruno voltou-se para ele e perguntou:

— Afinal de contas, quê que quer dizer "abespinhado"? Que ele está cheio de espinhos?

O Professor não esclareceu, notando que o Camareiro-Mor já se havia recobrado em parte, estando prestes a responder ao Imperador. Aflitos, todos esperavam pelo que ele iria dizer. E ele disse:

— Sua Imperial Obesidade… está cada vez mais...

Alarmada com a hesitação do Camareiro-Mor, a Imperatriz ordenou:

— Vamos até onde ele está!

Todos correram em direção à porta do salão. Descendo da cadeira, Bruno pediu:

— Posso ir também, Papai?

O Rei de Élfia, não escutou o pedido, pois naquele instante estava conversando com o Professor, que dizia:

— Por que será que ele não está conseguindo pronunciar a palavra "abespinhado"?

— Posso ir lá, Papai? — voltou Bruno a perguntar.

O Rei fez que sim com a cabeça, e as duas crianças saíram correndo do salão. Dois minutos depois, regressaram, com ar preocupado.

— E então? — perguntou o Rei. — Como está o príncipe Uggug?

— Está cada vez mais aquilo — respondeu Bruno, olhando para o Professor. — Aquilo que o senhor falou, Professor.

— Está *porco-espinhado* — acorreu Sílvia em seu auxílio.

— Oh, não, querida — contestou o Professor, sorrindo. — Não é "porco-espinhado", é "abespinhado".

— Engana-se, Professor — insistiu Sílvia. — Ele está mesmo é "porco-espinhado". Vamos lá ver? O palácio está no maior alvoroço!

— E bota "lavrar osso" nisso! — confirmou Bruno.

Levantamo-nos imediatamente e seguimos as crianças pela escada acima. Ninguém tomou conhecimento de minha presença, o que não me surpreendeu, pois já sabia que estava invisível até mesmo para Sílvia e bruno.

Ao longo do corredor que levava aos aposentos do príncipe, uma excitada multidão ia e vinha, numa babel ensurdecedora de vozes. À porta do quarto, três homens robustos se debruçavam, empurrando-a com força, tentando em vão impedir que ela fosse forçada para fora por alguma besta-fera enorme que estava lá dentro. Devia ser um animal bem forte, pois mantinha a porta continuamente entreaberta, empurrando-a para fora... Num dado momento, conseguimos avistar ligeiramente o monstro, antes que os homens conseguissem fechar a porta do aposento. Vimos a cabeça de uma fera exasperada, com olhos grandes e arregalados e presas rebrilhantes. De sua garganta saía um ronco indefinível, misto de rugido leonino, mugido bovino e grito agudo de papagaio gigante.

— Não consigo identificar o animal pelo guincho que ele emite! — guinchou o Professor. — Que bicho é esse, senhores? — perguntou aos homens que seguravam a porta.

— Um porco-espinho, Professor! — responderam eles em uníssono. — O príncipe Uggug transformou-se num porco-espinho! Ficou "abespinhado"!

— Espécime novo! — exclamou o Professor, satisfeitíssimo. — Preciso entrar lá dentro. Quero fazer sua classificação científica!

— Deixe de ser imprudente, Professor! — recriminaram os homens. — Quer virar comida de porco-espinho?

— Deixe a classificação para mais tarde, Professor — ordenou o Imperador. — Primeiro, invente um modo de tirá-lo dali a salvo.

— Basta arranjar uma jaula, Majestade — respondeu o Professor prontamente. — Uma jaula bem grande, com grades de ferro bem reforçadas e uma porta corrediça que suba e desça, como a das ratoeiras. Alguém sabe onde já uma jaula desse tipo?

Imaginei que ninguém soubesse; porém, para minha surpresa, logo alguém trouxe até ali uma jaula exatamente com aquelas especificações, que por sorte estava largada por perto, no corredor.

— Coloquem-na com a face voltada para a porta do aposento — ordenou o Professor, — e mantenham a porta corrediça aberta!

Sua ordem foi cumprida e ele prosseguiu:

— Preparem as mantas! Oh, mas que experiência mais interessante!

Por uma estranhíssima coincidência, havia ali por perto uma pilha de mantas. Todas foram abertas e esticadas, de modo a formar uma espécie de túnel que interligava a porta do aposento à da jaula. Feito isso, ordenou o Professor:

— Agora, abram a porta!

Essa ordem nem teve de ser cumprida. Os homens apenas pararam de segurá-la, e ela logo se abriu num estrondo, deixando sair do quarto o monstro. Este, com um guincho assustador, que lembrava o silvo de uma locomotiva, arrojou-se dentro da jaula.

— Baixem a porta corrediça!

A ordem foi cumprida no ato. Só então puderam todos respirar aliviados, ao verem o porco-espinho devidamente enjaulado. Demonstrando entusiasmo infantil, o Professor esfregava as mãos e dizia:

— Preparem seu alimento diário, que pode consistir em rodelas de cenoura três vezes ao dia, além de…

— Depois providenciaremos isso, Professor — interrompeu o Imperador. — Vamos recomeçar o banquete. Siga à frente, mano!

Dando a mão aos filhos, o velho rei seguiu à frente do cortejo, dizendo-lhes baixinho:

— Vejam o triste destino de uma vida desprovida de amor!

De novo assentados em seus lugares, Bruno comentou:

— Sílvia sempre teve meu amor; por isso, nunca ficou "pespinhada" daquele jeito!

— De fato — intrometeu-se o Professor, ao escutar as palavras de Bruno — ele está abespinhado como nunca. Temos de convir, contudo, que se trata de pessoa de sangue real, apesar de sua aparência porco-espinhesca. Depois de finda a festa, vou levar-lhe um presente de aniversário. Será um consolo para quem, no momento, está vivendo enjaulado.

— Que tipo de presente, Professor? — perguntou Bruno.

— Um pratinho de rodelas de cenoura. Pra presentes de aniversário, meu lema sempre foi a barateza! Com isso, creio que consigo economizar umas quarenta libras por ano. Só compro presente baratos… ai! Oh, que pontada dolorosa!

— Que foi, Professor?

— Meu velho inimigo, o Lumbago. É uma espécie de reumatismo. O que tenho a fazer é repousar um pouco.

E, cambaleando, saiu do salão, sob os olhares compadecidos das crianças.

— Não se preocupem, filhos, ele logo estará bom — consolou-os o pai. — Mano! — exclamou, voltando-se para o Imperador. — Tenho alguns negócios a acertar com você agora à noite. Minha cunhada ficará tomando conta das crianças.

E os dois irmãos foram-se dali de braços dados.

Diante da Imperatriz, as crianças não conseguiam conter sua tristeza, compadecidos com o estado lastimável do Professor. Angustiava-as imaginar como ele deveria estar sofrendo naquele instante. Para dar fim a suas preocupações, ela propôs que fossem vê-lo. Os dois aceitaram de bom grado a sugestão, tomando-lhe das mãos e seguindo com ela até o escritório do velhote. Lá o encontraram, estirado num sofá, coberto com uma manta, folheando uma caderneta de anotações, em cuja capa se lia: "Notas sobre o Volume Três". Olhando-nos por cima dos óculos, ele sorriu. Ali perto, sobre a mesa, estava o livro que ele procurava no dia em que o conheci.

— Como se sente, Professor? — perguntou a Imperatriz, chegando-se perto dele.

— Sinto-me feliz por estar à sombra de Vossa Alteza Imperial. Estou dividido entre dois sentimentos: de um lado, a dor do Lumbago; de outro, a Lealdade!

— Que palavras encantadoras! — exclamou a Imperatriz, com lágrimas nos olhos. — Tão doces que até lembram uma declaração de amor!

— Sabe de que o senhor precisa, Professor? — perguntou Sílvia, respondendo em seguida: — De tomar uns banhos de mar. Uma estada no litoral há de lhe fazer grande bem. Oh, como o mar é enorme!

— Uma montanha é mais enorme que o mar — contestou Bruno.

— Por que acha o mar enorme, se ele cabe na xícara? — perguntou o Professor.

— O mar inteiro, não — protestou Sílvia. — Apenas uma pequena parte dele.

— A bem da verdade, é preciso mais de uma xícara para contê-lo todo. Porém, havendo o número suficiente de xícaras, lá estará o mar, inteiramente contido. Portanto, onde está sua enormidade? O mesmo posso dizer das montanhas, que cabem inteirinhas dentro de um carrinho de mão, desde que você as transporte parceladamente, durante um certo número de anos.

— De fato, depois de despejada, a montanha não deve parecer tão grande… — concordou Sílvia.

— Mas se 'ocê puser ela toda empilhada de novo — começou Bruno a dizer, sendo interrompido pelo Professor:

— Quando você for mais velho, verá que não é possível reerguer uma montanha desfeita. A gente vai vivendo a aprendendo…

— Eu preferia que fosse assim: uma gente ia vivendo, e outra ia aprendendo. Eu vivendo e Sílvia aprendendo, por exemplo.

— Eu não poderia aprender, se não vivesse! — protestou Sílvia.

— Pois eu posso muito bem viver sem aprender nada! — retrucou Bruno. — Faça como eu, ora!

— O que estou querendo dizer — insistiu o Professor — é que ninguém pode saber tudo, tudo!

— Mas eu sei tudo o que eu aprendi e guardei — replicou Bruno. — Sei até coisa que não precisava saber. Pensando bem, sei tudo, tudo, menos aquilo que ainda não sei. E tudo o que não sei, Sílvia sabe.

O Professor suspirou e desistiu de prosseguir, mudando de assunto:

— Sabe o que é uma *Cassandrea*?

— Sei! — exclamou Bruno. — É um negócio que arranca a pessoa de dentro do sapato!

— Ele está achando que é "calçadeira" — segredou Sílvia.

— Ora, menino, você não pode arrancar as pessoas de dentro dos sapatos! — protestou o Professor, embora timidamente.

Bruno deu uma risada insolente.

— Que num pode o quê! Só num vai podê se o cara estiver agarradão!

— Houve uma vez uma Cassandrea — começou o Professor, desistindo logo depois e prosseguindo em voz desanimada:

— Ah, esqueci o resto da fábula. Sei que ela terminava com uma excelente lição de moral, mas creio que esqueci também qual seria...

— Então eu é que vou contar uma fábula! — exclamou Bruno afobadamente. — Era uma vez uma Lagosta, uma Pega e um Maquinista. Moral da história: tem de aprender a levantar cedo...

— Isso não tem graça nenhuma — protestou Sílvia. — Onde já se viu revelar a moral da história antes de contá-la?

— Quando foi que você inventou essa fábula? — perguntou o Professor. — Semana passada?

— Não. Depois disso. Tente adivinhar quando foi.

— Não gosto de fazer adivinhações. Diga logo: quando foi?

— O senhor não ia adivinhar mesmo. Eu ainda não inventei ela! — exclamou Bruno, triunfante. — Mas tem uma que eu inventei que é uma beleza. Quer que conte?

— Só se já acabou de inventá-la — disse Sílvia. — E que a moral da história seja: "tente outra vez".

— Nada disso! A moral agora vai ser;. "não tente outra vez"! Vamos lá. Era uma vez um bonito homenzinho de porcelana que ficava em cima da beirada da lareira. Sua vida era só ficar ali. Um dia ele tomou um tropicão, caiu e não machucou nem um pouquinho. Se fosse burro, ele tentava outra vez, até machucar. Então, não tentou. Mas deu azar, tropicou de novo, caiu, machucou e ficou todo trincado e lascado.

— E como foi que ele conseguiu voltar para a beirada da lareira depois que levou o primeiro tropeção? — perguntou a Imperatriz, que, como se vê, era capaz de fazer perguntas sensatas, embora só muito raramente.

— Eu pus ele ali, ué!

— Presumo que você saiba mais pormenores acerca desse tropeço disse o Professor. — Quem sabe foi você quem o empurrou?

Franzindo o cenho, Bruno respondeu, com ar muito sério:

— Empurrei, sim, mas não *empurreeei*, só dei um empurrãozinho de nada. Era um homenzinho de porcelana bem bonitinho... — prosseguiu, tentando mudar de assunto.

— Venham aqui, crianças! — ordenou o Rei de Elfos, que acabava de entrar no aposento. Vamos bater um papo, até a hora de recolher.

Antes de saírem com ele, os dois correram aonde estava o Professor, para as despedidas. Sílvia deu-lhe um beijo afetuoso na testa, e Bruno apertou-lhe a mão solenemente, enquanto o Professor os fitava satisfeito, com um sorriso terno nos lábios.

— Boa noite, queridas crianças. Vão, que agora preciso meditar um pouco. Em geral, sou uma pessoa alegre, exceto quando tenho de meditar sobre algum assunto preocupante. Costumo dizer que, em mim, tudo o que não é bonomia, é meditação.

As últimas palavras soaram confusas, porque ele estava bocejando ao dizê-las.

— Entendeu o que ele disse, Bruno? — indagou Sílvia já fora do quarto, longe do alcance dos ouvidos do Professor.

— Entendi tudinho, ora! Ele disse assim: "Ni mim, tudo o que não é bom não mia, é maldita ação". Tô ouvindo uma batidas. Que será?

Sílvia parou e prestou atenção. Soava como se alguém estivesse esmurrando uma porta.

— Espero que não seja o porco-espinho fugindo! — assustou-se Sílvia.

— Então vamos embora! — exclamou Bruno, aflito. — Eu é que não vou ficar aqui à espera dele!

CAPÍTULO 25

Arrebatado da Morte

O som de socos e pontapés desferidos contra uma porta foi aumentando, até que finalmente uma porta de fato se abriu, ouvindo-se em seguida uma voz tímida perguntar:

— Posso entrar, senhor?

Era a senhoria.

— Oh, mas é claro! Entre! — respondi. — Algum problema?

— O filho do padeiro deixou um recado escrito para o senhor. Disse que foi o pessoal do Solar que pediu a ele para trazer.

Tomei o pequeno papel dobrado, abri-o e li um recado lacônico, que dizia apenas isso: "*Venha até aqui, por favor. É urgente.* Muriel."

Um terrível pressentimento tomou conta de mim, fazendo meu coração disparar. "O Conde deve estar passando mal!", pensei. "Talvez esteja à morte!"

Mais que depressa, aprontei-me para sair.

— Espero que não seja alguma notícia ruim — disse a senhoria, ao ver-me sair. — O menino disse que alguém havia chegado lá inesperadamente…

— Tomara que seja isso mesmo! — exclamei, duvidando no fundo de que se tratasse apenas da chegada de algum conhecido.

Antes com medo do que com esperança, entrei no Solar. Tranquilizou-me a visão da bagagem deixada no vestíbulo, pois as malas traziam as iniciais "E.L.", sugerindo a presença de Eric Lindon por ali. "Será que me mandaram chamar apenas por causa disso?", pensei, em parte aliviado, em parte ainda apreensivo.

Lady Muriel veio receber-me. Seus olhos rebrilhavam, evidenciando que a alegria viera substituir seu antigo sentimento de dor.

— Tenho uma surpresa para você! — segredou-me.

— Já sei: Eric Lindon está aqui — retruquei, sem conseguir disfarçar a amargura involuntária de meu tom de voz.

"*Antes que esfrie a comida do velório, trate de servi-la nas bodas*", foi a frase que me veio à mente naquele momento. Como me arrependi mais tarde da crueldade de meu julgamento!

— Não, não! — exclamou ela. — Bem, de fato, Eric está aqui, mas… — e sua voz estremeceu — a surpresa não é a vinda dele, e sim… a de outra pessoa!

Eu não quis perguntar a ela a quem ela se referia. Segui-a aflito até um aposento da casa. Entrei. E ali estava ele, deitado, pálido e depauperado, uma sombra do que tinha sido, sim, mas ele, meu velho amigo, arrebatado da morte!

— Arthur! — exclamei, sem saber o que dizer naquele momento.

— Sim, meu velho, eu mesmo, de volta! — murmurou ele, sorrindo, enquanto eu me agarrava a sua mão. — Esse aí — (e indicou Eric, que estava parado ali perto) — salvou minha vida. Foi ele quem me trouxe de volta. Depois de Deus, é a ele que devemos agradecer, minha querida Muriel.

Sem nada dizer, apertei a mão de Eric, e depois a do Conde. Com um sinal, saímos de perto do enfermo e fomos para um canto mais escuro do quarto, onde poderíamos conversar sem perturbá-lo, deixando-o em silêncio e feliz, de mãos dadas com sua esposa, fitando-a com olhos nos quais reluzia o brilho eterno do Amor.

— Ele teve delírios até o dia de hoje — disse Eric em voz baixa, — e mesmo poucas horas atrás andou divagando um pouco, mas a visão dela trouxe-lhe uma nova vida.

E em seguida contou-nos, com voz aparentemente despida de emoção — eu bem sabia como ele detestava qualquer demonstração de sentimentalismo — como ele havia insistido em regressar à cidade empestada, a fim de resgatar um sujeito que o médico tinha desistido de salvar, imaginando tratar-se de um caso perdido, mas que a ele, Eric, parecia ter ainda uma ligeira possibilidade de cura, desde que pudesse ser devidamente assistido em um hospital. Em momento algum ele reconheceu naquele moribundo as feições de Arthur, tal o seu estado de esgotamento e inanição. Só um mês mais tarde, já no hospital, pôde ele reconhecer de quem se tratava, mas o médico o proibira de revelar sua descoberta, dizendo quc qualquer choque poderia dar cabo daquela vida tão débil e daquele cérebro tão esgotado. Contou em seguida como permanecera no hospital, tratando daquele enfermo como se fosse seu parente próximo, dia e noite, tudo isso com a estudada indiferença de quem nada mais faz do que relatar fatos banais, acontecido com alguma pessoa distante!

"E era esse aí o rival que tanta dor de cabeça lhe causava!" pensei. "O sujeito que havia conquistado o coração da mulher que ele adorava!"

— O sol está se pondo — disse Lady Muriel, levantando-se e caminhando até a janela aberta. — Vamos contemplar o poente? Vejam que lindos tons carmesins! Vamos ter um dia glorioso, amanhã!

Reunimo-nos a ela, formando um pequeno grupo junto à luz do sol que se despedia, quando fomos surpreendidos pela voz do convalescente, que murmurava algo incompreensível para nós.

— Ele voltou a delirar! — murmurou ela, um tanto apreensiva, voltando para junto dele.

Nós também chegamos para perto, e então passamos a compreender suas palavras, que nada tinham de delirantes ou incoerentes:

— Como poderei retribuir ao senhor — era o sussurro que saía daqueles lábios trêmulos — por todos os benefícios que Dele recebi? Tomarei nas mãos o cálice da salvação e direi...

Nesse ponto, a memória debilitada falhou, e a voz sussurrante nada mais disse. Sua esposa prostrou-se de joelhos a seu lado e tomou-lhe a mão pálida e descarnada, beijando-a ternamente. Pareceu-me o momento azado para sair de fininho, dispensando-a de me acompanhar até a porta. Fazendo um sinal de cabeça para o Conde e para Eric, saí dali em silêncio. Eric também veio atrás de mim, seguindo a meu lado sob o resto de luz do entardecer.

— É Vida ou Morte? — perguntei-lhe, depois que já nos havíamos afastado o suficiente para não ser ouvidos, podendo conversar em voz normal.

— É Vida! — respondeu ele com ênfase. — Os médicos nem duvidam disso. Tudo o que ele necessita, segundo asseveram, é repousar. Vida tranquila e trato carinhoso. Isso não lhe faltará aqui, especialmente o trato carinhoso, que ele até corre o risco de ter em excesso.

Ao dizer essas últimas palavras, tentou fazer com que sua voz ligeiramente trêmula assumisse um tom brincalhão.

— É verdade! — concordei. — Agradeço-lhe por ter vindo até aqui para me trazer essas palavras tranquilizadoras.

E estendi-lhe a mão, achando que ele já fizera tudo o que tinha intenção de fazer. Ele apertou-a, com um gesto antes de cumprimento do que de despedida, e continuou a falar, sem olhar para mim:

— Mas ainda há um outro assunto que quero tratar com o senhor. Acho que gostaria de saber que eu... como posso dizer... que meu estado de espírito está um tanto diferente daquele em que eu me encontrava, da última vez que nos vimos. Não quero dizer com isso que eu tenha abraçado a fé cristã... ao menos por enquanto. Mas algumas coisas estranhas têm acontecido comigo ultimamente. E, como o senhor sabe, ela tem rezado muito, e eu também. E... — (nesse ponto sua voz abaixou, tornando-se quase indistinta, e apenas consegui compreender o final da frase) — ... já não duvido mais de que haja um Deus que atende nossas preces!

E, dizendo isso, voltou a apertar minha mão, deixando-me logo em seguida. Eu jamais o vira tão comovido como ele então se havia mostrado.

No lusco-fusco do entardecer, segui meu caminho a passos lentos, com a mente envolta num turbilhão de pensamentos felizes. Meu coração transbordava de alegria e gratidão. Tudo aquilo por que eu mais ansiava, tudo pelo qual eu tão fervorosamente havia rezado, tudo parecia estar sucedendo agora. Censurava-me por ter abrigado uma indigna suspeita com respeito à sinceridade de Lady Muriel, mas consolava-me lembrar que aquilo não havia passado de uma ideia passageira.

Nem mesmo Bruno teria subido as escadas tão animadamente como eu, sem me preocupar em acender uma vela, sabendo que devia haver uma ardendo em meu quarto. Mas não era luz de vela que ali me aguardava, e sim uma sensação esquisita, nova e sonhadora, como se uma espécie de sortilégio se houvesse espalhado por todo o aposento. Uma luz dourada, mais brilhante e clara que a de um lampião, inundava o quarto, entrando por uma janela cuja existência eu até então jamais havia notado, deixando entrever três silhuetas difusas, que aos poucos se foram tornando mais distintas. Vi que se tratava de um velho, trajando vestimentas reais, sentado comodamente numa espreguiçadeira, tendo ao lado duas crianças: um menino e uma menina. E o velho então falou:

— Guardou bem seu medalhão, filha?

— Claro que sim! — respondeu Sílvia com uma ênfase que não lhe era habitual. — Acha que eu seria capaz de perdê-lo?

E, dizendo isso, tirou do pescoço a fita com o medalhão e depositou-o nas mãos do pai. Bruno contemplou-o com olhos de admiração, exclamando:

— Que beleza! Como brilha! Parece uma estrelinha vermelha! Posso segurar?

Sílvia fez que sim com a cabeça, e o menino levou a joia até a janela, segurando-a contra o céu, já então azul-escuro e recamado de estrelas. Logo depois voltou, tomado de excitação:

— Olhe aqui, Sílvia! Posso ver através dele, quando o seguro contra a luz do céu. E ele não é vermelho, não, é azul, um azul lindo! E as palavras escritas nele são diferentes, veja!

Sílvia ficou intrigada e seguiu rapidamente para a janela, erguendo contra o céu o medalhão e lendo em voz alta: "TODOS AMARÃO SÍLVIA".

— Viu? — gritou Bruno, olhos bem abertos. — Está lembrada, Sílvia? É a outra joia! Aquela que você não escolheu!

Sílvia tomou de novo o medalhão, cada vez mais intrigada, e voltou a segurá-lo contra o céu, mas dessa vez virando-o de costas.

— Oh! — exclamou, falando antes para si própria. — De um lado é azul, do outro é vermelho! Não há dois medalhões, como pensei, mas um só! — E, voltando-se para o pai, prosseguiu em voz alta: — Então as duas joias eram uma só!

— Se as duas eram uma só, e você escolheu uma delas, como é que fica a outra? — perguntou Bruno, olhando para Sílvia e depois para o pai.

— Sim, filha, as duas eram uma só — respondeu o pai, sem tentar resolver o enigma proposto por Bruno. — Mas sua escolha foi sábia.

E voltou a colocar o medalhão em Sílvia. Erguendo-se na ponta dos pés para observá-los mais uma vez, Bruno leu:

— SÍLVIA AMARÁ TODOS — TODOS AMARÃO SÍLVIA. Se a gente olha pra ele, é vermelho e ardente como o sol; se olha por dentro dele, é azul e suave como o céu!

— Como o céu de Deus — disse Sílvia, com ar sonhador.

— O céu de Deus — repetiu o garoto, contemplando o firmamento abraçado à cintura da irmã. — O que é que faz o céu ter esse azul tão bonito, Sílvia?

Os lábios de Sílvia abriram-se para responder a pergunta, mas sua voz tornou-se indistinta e distante. A visão foi-se desfazendo depressa, sem que meu ansioso olhar pudesse retê-la. Entretanto, antes que se encerrasse o momento mágico, tive a impressão de que aqueles olhos castanhos, que transmitiam serenidade e confiança, não eram de Sílvia, e sim de um anjo, e que o fio de voz que ainda escutei não era dela, mas desse anjo e, se bem entendi seu sussurro, sua resposta foi:

"É O AMOR".

V

UMA HISTÓRIA EMARANHADA

A MEU ALUNO

Querido aluno! Dominadas por ti,
adi-subtra-miltiplica-ção,
Divisão, fração, regra de três
Atestam tua destra manipulação.

Então,segue em frente! Deixa a voz da fama,
De era em era, repetir esta história,
Até que tenhas conquistado um nome
Que exceda, de Euclides, a própria glória!

PREFÁCIO

Este livro consiste da compilação de artigos publicados em *The Monthly Packet*, a partir de abril de 1880. A intenção do Autor foi incluir em cada "nó" (como no caso dos remédios amargos, astuta mas ineficazmente administrados, quando somos crianças, envoltos na geleia de nossa preferência) essa ou aquela questão matemática, do campo da Aritmética, da Álgebra ou da Geometria, para diversão e possível edificação dos prezados leitores daquele periódico.

Lewis Carroll

Dezembro de 1885

A.B.F.

PRIMEIRO NÓ

Excelsior

"Leva-os, Gnomo, para cima e para baixo"

O rubro fulgor do pôr do sol começava a ser encoberto pelas sombras lúgubres da noite, quando dois viajantes velozes surgiram de súbito, descendo a encosta escarpada de uma montanha, à velocidade de seis milhas por hora. O mais jovem saltava de penhasco em penhasco com a agilidade de uma corça, enquanto que seu companheiro, cujas pernas mais cansadas pareciam pouco à vontade dentro da pesada cota de malhas usada habitualmente pelos pedestres daquela região, seguia a seu lado com cara de dor.

Como costuma acontecer em tais circunstâncias, foi o caminhante mais jovem quem rompeu o silêncio:

— Estamos progredindo celeremente! exclamou. Nosso passo não foi tão veloz durante a subida!

— É verdade — grunhiu o outro. — Quando galgamos a encosta, devíamos estar marchando à velocidade de três milhas por hora.

— E qual teria sido nossa velocidade no plano? — indagou o mais jovem, que era um tanto fraco em matéria de estatística, e que por isso sempre deixava esse tipo de questão para seu companheiro mais velho.

— Quatro milhas por hora — respondeu o outro, demonstrando um ligeiro aborrecimento. — Nem um tostão a menos, nem um vintém a mais — complementou, com aquele dogmatismo metafórico tão comuns nas pessoas de sua idade.

— Eram três da tarde quando deixamos a estalagem, — prosseguiu pensativamente o mais jovem. — Dificilmente conseguiremos estar de volta a tempo de alcançar a ceia. Pode até ser que o estalajadeiro se recuse a dar-nos de comer!

— Ele certamente haverá de reprovar nosso tardio regresso — concluiu o outro, franzindo o cenho, — e teremos de escutar suas censuras sem poder retrucar…

— Essa é muito boa! — exclamou o jovem, sem conter o riso. — Quer dizer que, se fosse ainda mais longo o percurso, maior seria a nossa culpa e mais severa a reprimenda recebida?

— Nada mais receberemos senão o que fizemos por merecer — retrucou o outro com um suspiro, já que não apreciava brincadeiras, chegando mesmo a condenar acerbamente a inoportuna frivolidade de seu companheiro. — Quando chegarmos de volta à estalagem, já serão nove horas da noite. Foram muitas as milhas que tivemos de percorrer no dia de hoje…

— Quantas no total? — perguntou o jovem, sempre sequioso pelo conhecimento dos números.

O mais velho ficou em silêncio por algum tempo, até que, finalmente, falou: — Diga-me: que horas eram quando alcançamos o píncaro daquela ladeira distante? Basta a hora. Não é necessário precisar os minutos, — acrescentou, ao notar uma ruga de protesto na testa do mais jovem. — Admitindo-se uma margem de erro mais ou menos meia hora, posso calcular, sem maior problema, a distância que percorremos entre três da tarde e nove da noite.

Um grunhido foi tudo o que o mais jovem respondeu, enquanto que as feições franzidas do outro e os profundos vincos que lhe sulcavam a face varonil revelaram o vórtice terrível da agonia aritmética dentro da qual ele se debatia, na tentativa de resolver essa questão crucial

(Para saber como desatar este e os demais "nós", favor consultar o Apêndice, na segunda parte deste livro.)

SEGUNDO NÓ

Alojamentos Confortáveis

Descendo a viela curva
E dando a volta na praça

Vamos perguntar a opinião de Balbus — disse Hugh.

— Está bem — concordou Lambert.

— Ele saberá calcular — tornou Hugh.

— Com certeza — concordou Lambert novamente.

Não houve necessidade de palavras adicionais: os dois irmãos se entendiam perfeitamente.

Balbus estava esperando por eles no hotel. A caminhada do dia anterior tinha-o deixado muito cansado, disse ele, de maneira que seus dois pupilos tiveram de rodar sozinhos pelo lugar, em busca de um alojamento para alugar, dessa vez sem poderem contar com a companhia do inseparável amigo que os orientava desde a infância. "Balbus" era o apelido que lhe tinham dado, extraído do nome do herói de seu livro-texto de Latim, recheado de historietas nas quais o papel principal era destinado àquele gênio versátil narrativas cuja imprecisão de detalhes era fartamente compensada pelo brilhantismo sensacional de seus desfechos. À margem do conto intitulado "*Balbus sobrepujou todos os seus inimigos*", o tutor tinha anotado: "*Bravura triunfante!*". Assim, tinha ele tentado extrair algum tipo de moral de cada historieta do herói Balbus. Às vezes vinha uma condenação, como naquele intitulado "*Balbus levou para casa um robusto dragão*", à margem do qual vinha anotação: "*Temeridade especulativa*", ou então palavras de encorajamento, como na observação "*Solidariedade cooperativa*", anotada ao pé da historieta intitulada "*Balbus ajudou sua sogra a convencer o dragão*". Eventualmente, o comentário crítico se resumia a uma única palavra, como no caso de "*Prudência*", anotada ao lado do conto "*Depois de chamuscar a cauda do dragão, Balbus bateu em retirada*".

O que conseguiram encontrar, depois de vasculharem detidamente o lugar, foi desencorajador. Little Mendip, o balneário da moda, estava lotado, ou, como preferiam dizer, os garotos, "empapuçado" de ponta a ponta. Numa certa praça, porém, avistaram quatro cartazes diferentes, cada qual diante de uma casa, todos anunciando, em letras garrafais: "ALOJAMENTOS CONFORTÁVEIS".

A.B.F.
SWAIN Sc

— Custou, mas acabamos tendo até como e onde escolher — comentou Hugh.

— Pode ser que a coisa não seja bem assim — disse Balbus, erguendo-se da espreguiçadeira onde até então estivera cochilando, com um exemplar da Gazeta de Little Mendip sobre o rosto. — Talvez não passem de quartos isolados para alugar. Seja como for, podemos examiná-los. Preciso esticar as pernas.

Um espectador imparcial poderia objetar que "esticar as pernas" não seria bem o que precisaria fazer uma criatura magra e pernalta como aquela; todavia, esse pensamento não passou pela cabeça de seus pupilos. Ladeando o mestre, esforçavam-se ao máximo para acompanhar suas passadas gigantescas, enquanto Hugh repetia uma frase da carta que acabara de receber do pai, então em viagem no exterior, e sobre a qual ele e Lambert até pouco tempo atrás tinham estado conversando:

— Papai disse que um amigo dele, o Governador de... como é mesmo o nome do lugar, Lambert?

— Kigovjni.

— Isso. O Governador desse lugar aí pretende dar uma festa bem íntima, e convidou o cunhado de seu pai, o sogro do seu irmão, o irmão do seu sogro e o pai do seu cunhado, e ele nos pergunta quantos convidados irão à tal festa.

Seguiu-se uma pausa silenciosa.

— É fácil — respondeu Balbus. — Sabendo-se o tamanho do bolo que será servido aos convidados, tome-se seu volume, divida-se pela quantidade que cada convidado é capaz de comer, e o resultado será igual ao número...

— Mas de que bolo está o senhor falando? Papai nada disse a respeito de bolos... — interrompeu Hugh, mudando de tom repentinamente e apontando: — Oh, ali está a praça.

De fato, à frente dos três estava a tal da praça com os quatro cartazes anunciando a existência de "alojamentos confortáveis" para alugar.

— Ah, que bela praça! Trata-se de um quadrado perfeito! — exclamou Balbus, mirando-a com evidente satisfação. — Linda, linda! Retangular e equilateral!

Já os garotos olharam para ela com entusiasmo bem menor,

— A casa nº9 é a primeira que tem um cartaz sobre a porta.

O prosaísmo do comentário de Lambert não foi suficiente para retirar Balbus de seu deleite.

— Vejam meninos! — continuou o tutor a falar em tom exclamativo. — Vinte portas de cada lado! Que simetria! Cada lado dividido em vinte e uma parte iguais! Maravilhoso!

— Devo bater na porta ou tocar a campanhia? — perguntou Hugh,sem saber como agir diante de uma placa na qual se lia: "BATA E/OU TOQUE".

— Faça as duas coisas — respondeu Balbus. — Você está diante de uma elipse. Nunca viu uma antes?

— Acontece que não entendi direito — respondeu Hugh evasivamente. — Não é bom usar elipses em cartazes, deixando as frases um tanto ambíguas.

— O que temos a oferecer, cavalheiros — disse a senhora sorridente que veio atendê-los — é um quarto, um belo e aconchegante quartinho de fundos...

— Vamos vê-lo — disse Balbus com ar de desânimo, caminhando atrás dela. — Eu já estava adivinhando... Um quarto em cada casa... Nada de vista, não é?

— Absolutamente, cavalheiros! — protestou a senhoria. — Vista é o que não falta aqui!

E, para demonstrar o que acabava de dizer, abriu a persiana, deixando ver o quintal e a horta da casa.

— Ah, repolhos... — comentou Balbus. — Bem, ao menos não se sente a falta do verde...

— Nem do verde, nem da verdura — concordou a senhoria. — Que, aliás, é de primeira qualidade! As que são vendidas no mercado não merecem a menor confiança!

— A janela abre? — (essa era a primeira pergunta que Balbus fazia quando examinava um alojamento.) — A lareira funciona? — (essa era a segunda.)

Tendo recebido respostas afirmativas a ambas as questões, deixou seu nome com a mulher e seguiu para a casa de nº 25.

Recebeu-os uma velhota grave e austera, que foi logo avisando:

— O que tenho aqui é um quartinho de fundos que dá para o quintal.

— A senhora planta repolhos na horta? — perguntou Balbus.

Ouvindo a pergunta, as feições da velhota se abrandaram e ela respondeu:

— Oh, sim senhor. E repolhos excelentes! Sei que não deveria dizer isso, por uma questão de modéstia, mas a verdade é que, hoje em dia, não se pode confiar nas verduras vendidas no mercado. Cada qual que plante as suas próprias!

— Não deixa de ser uma vantagem — comentou Balbus.

Depois das verificações de praxe, seguiram os três para a casa de nº 52.

— Oh, senhores, como gostaria de poder acomodá-los a todos... — foi a saudação que receberam da senhoria. — Infelizmente, só disponho de um quarto pequeno... O senhor sabe como é, não?

— Sim, sei — respondeu Balbus, tranquilizando-a. — A propósito, o quarto fica nos fundos da casa, não é? E dá vista para o quintal, onde a senhora tem uma horta com repolhos. Acertei?

— Em cheio, senhor! E sabe por que plantamos nossos próprias verduras? Porque as que são vendidas no...

— A senhora tem toda a razão — interrompeu Balbus. — Por falar nisso, a janela abre?

Depois de respondidas afirmativamente esta e as demais questões, Hugh resolveu acrescentar uma de sua própria invenção:

— O gato costuma arranhar a gente?

Antes de responder, a mulher olhou para os lados, com ar desconfiado, para assegurar-se de que o gato não estaria ouvindo, e só então disse:

— Arranha, sim, mas só quando puxam os bigodes dele! Se não puxar — prosseguiu pausadamente, como se estivesse repetindo os termos de um convênio firmado entre ela e o bichano, — ele jamais haverá de arranhar quem quer que seja!

— Isso é que é gato conhecedor de seus deveres! — comentou Balbus, enquanto se dirigiam para a casa de nº 73, deixando junto à porta a senhoria ainda a repetir:

— Só quando puxam os bigodes dele...

Na quarta casa encontraram uma garota tímida que nada mais sabia responder "Sim, senhor", a qualquer pergunta que lhe fizessem.

— O mesmo quartinho de fundos de sempre — comentou Balbus, enquanto acompanhava a mocinha, dando vista para a mesma horta. — Seus repolhos são bem melhores que os vendidos no mercado, não é mesmo, mocinha?

— Sim, senhor,

— Bem, diga à patroa que ficaremos com esse quarto, e que achamos fantástica a ideia de plantar seus próprios repolhos.

— Sim, senhor — disse ela, concordando e ao mesmo tempo já se despedindo.

— Um quarto para ficarmos de dia, e três para passarmos a noite — disse Balbus, ao voltarem para o hotel. — O quarto para passarmos o dia será o mais próximo, certo?

— Como vamos fazer para calcular essa proximidade? Contando os passos gastos para chegar a cada um deles? — perguntou Lambert.

— Oh, não! Façam cálculos, garotos! Cálculos! — exclamou Balbus sorrindo, enquanto colocava à frente deles penas,tintas e papéis, saindo dali e deixando os dois pupilos com cara de infelizes.

— Ele tinha de encontrar um jeito de nos passar um "para casa"... — lamentou-se Hugh.

— Com certeza! — concordou Lambert.

TERCEIRO NÓ

Malu Quinha

Fiquei ali esperando o trem.

Bem, creio que me chamam assim porque eu sou de fato meio maluca... — respondeu ela bem -humoradamente à pergunta que sua sobrinha Clara, um tanto envergonhada, acabava de lhe dirigir, querendo saber a razão de seu estranho apelido. — Por exemplo: nunca usei essas saias compridas que se arrastam pelo chão, como se fossem trens. (Por falar em trens, aquele ali é o que vai para a estação metropolitana de Charing Cross. Tenho algo a lhe dizer a respeito dele.) Jamais joguei tênis. Não sei fazer omelete. Ignoro como é que se encana uma perna ou um braço quebrado. Você está diante de uma rematada ignorante!

Clara era sua sobrinha e pupila. Tinha vinte anos e estava terminando o Científico, curso que Malu Quinha encarava com indisfarçada aversão. "De que valem esses estudos acadêmicos?", costumava perguntar, acrescentando: "Que utilidade têm para a mulher? De minha parte, o que quero deles é distância!" Mas era tempo de férias, e Clara tinha sido convidada para passar uns dias com ela, que agora estava empenhada em mostrar à jovem os pontos turísticos da Oitava Maravilha do Mundo: a cidade de Londres! — Eis a estação de Charing Cross! — mostrou ela, estendendo a mão num gesto de quem estivesse apresentando à sobrinha algum amigo dileto.

O ramal de Bayswater e o de Birmingham acabam de ser inaugurados, e agora os trens circulam continuamente, sem parar. Seguem bordejando o País de Gales, depois passam ao lado de York e prosseguem pela costa leste, de volta para Londres. Há um detalhe singular com referência ao tempo gasto por esses dois trens: o que vai para oeste faz seu circuito em duas horas; o que vai para leste, em três. Pois, apesar disso, os controladores conseguem fazer com que sempre saiam daqui dois trens simultaneamente, de quarto em quarto de hora!

— Quer dizer que eles saem daqui em direções opostas, mas depois de algum tempo sempre voltam a se encontrar? — perguntou Clara, a quem aquele pensamento tão romântico tinha deixado com os olhos úmidos.

— Ora, e você agora vai chorar por causa disso? — retrucou a tia, com um sorriso irônico. — Se eles seguissem pela mesma linha, até que seria mesmo o caso de derramar lágrimas sentidas! Mas, não: seguem por linhas paralelas. Por falar nisso, acaba de me ocorrer uma ideia disse ela em tom excitado, mudando de assunto inesperadamente, como tinha o hábito de fazer. Por que não tomamos dois trens em sentidos opostos e apostamos para ver quem é que cruza com o maior número de composições? Não precisa ter medo, porque os comboios que saem daqui têm vagões exclusivos para as damas. Escolha o lado para o qual deseja seguir.

— Oh, tia, nunca faço apostas! — protestou Clara, franzindo o cenho. — Nossa bondosa preceptora já nos advertiu quanto a isso...

— Você não iria piorar como ser humano se de vez em quando fizesse uma apostazinha! — repreendeu Malu Quinha. — Provavelmente iria tornar-se uma pessoa bem melhor, posso "apostar".

— Oh, tia, fazendo trocadilhos! Nossa bondosa preceptora também já nos advertiu quanto a esse feio hábito — retrucou Clara, ainda em tom algo revoltado, mas abrandando-o logo em seguida, quando prosseguiu: — Por outro lado, porém, ela acha positivo o ato de competir. E o que a senhora está me propondo é justamente uma competição. Assim sendo, aceito. Vou escolher o trem no qual irei embarcar. Hmm... Acredito que... — interrompeu o que dizia, enquanto fazia alguns cálculos mentais que o número de trens com os quais irei cruzar será o dobro dos seus.

— Não, se você contar bem direitinho. Só vale contar quando os trens já estiverem em movimento. Não vale contar o que sair ao mesmo tempo que o seu, nem o que chegar junto, mas apenas os que forem vistos durante o percurso.

— Isso só servirá para diminuir um trem na diferença final — comentou Clara, entrando com a tia na estação. — Sabe de uma coisa? Nunca viajei sozinha em toda a minha vida! — Será a primeira vez! Estou um tantinho receosa. Mas deixe para lá, e vamos à nossa aposta... ou melhor, à nossa competição. Estou prevendo que a disputa vai pegar fogo!

Tendo escutado apenas essas últimas palavras, um menino esfarrapado aproximou-se com seu tabuleiro, oferecendo:

— Então compre fósforos, moça! Compre uma caixa!

Voltando-se para ele, Clara explicou pacientemente:

— Oh, garoto, eu não fumo e nem pretendo vir a fumar um dia. Nossa bondosa preceptora diz que...

Malu Quinha interrompeu a explicação, puxando-a pelo braço, enquanto o menino ficou a olhar para as duas sem entender direito o que tinha acabado de ouvir.

Depois de comprar as passagens, as duas caminharam lentamente pela plataforma central. A mais velha tagarelava sem parar, como de hábito, enquanto que a mais nova seguia em silêncio, impaciente, refazendo os cálculos mentais que indicavam sua vitória naquela competição.

— Olhe onde pisa, querida! — gritou a tia, segurando-a pelo braço. — Um passinho a mais, e você teria sabe o quê? pisado dentro desse balde de água!

— É sim, tia — respondeu a outra, sem sair do estado de vaguidão em que se encontrava. — "Pesado e denso, fez-se um mar de mágoa"... Que quer dizer com isso?

— Ora, menina, saia do mundo da lua e trate de ficar na beirada da plataforma.

— Não é perigoso? — perguntou Clara, num sussurro amedrontado.

É assim que se tem de fazer — respondeu a tia, com uma indiferença de quem estava habituada a fazer aquilo sempre. — Poucas pessoas conseguem subir no vagão em menos de três segundos, a não ser recebendo ajuda de outra. Pois aqui os trens só fazem uma paradinha de um segundo.

Nesse momento ouviu-se um apito, e dois trens entraram chiando na estação. Houve uma pausa bem curta, e logo em seguida os dois saíram resfolegando. Nesse curto espaço de tempo, porém, centenas de passageiros tinham entrado nos vagões, com admirável precisão, enquanto que, do lado oposto, outras centenas de pessoas tinham saído do trem e agora caminhavam pelas plataformas laterais.

Três horas mais tarde, tia e sobrinha se reencontraram na plataforma principal, pondo-se a comparar avidamente suas anotações. Ao tomar conhecimento do resultado, Clara baixou a cabeça e suspirou fundo. Para os jovens corações impulsivos, e o dela era dessa categoria, um desapontamento é sempre doloroso de suportar. Malu Quinha pôs-lhe a mão no ombro, consolando-a carinhosamente.

— Vamos tentar outra vez, querida! — falou-lhe em tom bondoso. — Façamos agora de outra maneira: em vez de começar a contagem logo que os dois trens entrarem em movimento, vamos fazê-lo apenas quando passarmos uma pela outra. Que tal? Logo que nos virmos, cada qual dirá "Um!", prosseguindo a contagem dai em diante, até nos reencontrarmos aqui novamente.

Clara abriu um sorriso, exclamando:

— Dessa vez, hei de vencer! Posso escolher o trem?

De novo chegaram duas locomotivas, de novo uma avalanche de pessoas entrou e outra saiu, de novo os dois comboios partiram simultaneamente. As duas passageiras, cada qual no seu vagão, despediram-se com um aceno de lenço e seguiram em direções opostas. Mais tarde, num túnel, as composições se cruzaram, e ambas, com um suspiro de alívio ou melhor, com dois suspiros reiniciaram suas contagens. "Um!", murmurou Clara para si própria. "E eu serei a Número Um nesta competição! Este pensamento vai trazer-me sorte desta vez. Muita sorte!"

Será que trouxe mesmo?

QUARTO NÓ

Cálculo de Posição

Ontem à noite, sonhei com sacos e sacos de dinheiro.

Em alto-mar, a poucos graus do equador, a hora do meio-dia costuma ser opressivamente quente. Nossos dois viajantes trajavam belos ternos de linho branco, já tendo abandonado a cota de malhas que até pouco usavam nas montanhas de onde acabavam de chegar, não tanto para se protegerem do frio, mas sim das facas dos bandidos que infestavam aquelas paragens. As férias estavam acabando, e eles agora seguiam para casa, no vapor que mensalmente fazia a ligação entre os dois grandes portos daquela ilha que ambos tinham estado a explorar.

Junto com a cota de malhas, também tinham deixado para trás o linguajar antiquado que ali se usava, simulando o falar cavalheiresco, e tinham retomado o estilo sem afetação de dois ingleses normais do século XX.

Espichados sobre uma pilha de almofadas e à sombra de um amplo guarda-sol, contemplavam preguiçosamente alguns pescadores nativos que tinham vindo a bordo na última parada, cada qual trazendo sobre o ombro uma sacola cheia de alguma coisa que parecia muito pesada. Uma balança enorme, utilizada para pesar a carga embarcada no último porto em que tinham estado, estava no convés, e em torno dela estavam reunidos os nativos, conversando entre si numa algaravia incompreensível, enquanto se divertiam pesando suas sacolas.

Mais parecem pardais numa árvore comentou o viajante mais velho, e não seres humanos a conversar.

O mais jovem, seu filho, não quis responder, preferindo sorrir debilmente, levando o velho a buscar outro interlocutor.

— Que trazem eles nas sacolas, Capitão? — perguntou então ao homenzarrão que caminhava de um lado para o outro no convés, ao vê-lo passar ali perto.

Interrompendo sua caminhada, o Capitão deteve-se com ar majestoso diante dos dois turistas, dizendo em tom didático:

— Trata-se de pescadores nativos, senhores, eventuais passageiros deste meu navio. Esses cinco vieram de Mhruxi, o último lugar onde estivemos. Nas sacolas, trazem dinheiro. A moeda usada nesta ilha é muito pesada, como os senhores estão vendo, mas vale pouco. Costumamos trocar seu dinheiro ao câmbio de 5 xelins para cada libra. Acredito que tudo o que essas sacolas contêm não valha mais que dez libras esterlinas..

A essa altura da conversa, o mais velho tinha cerrado os olhos, certamente com a finalidade de concentrar seus pensamentos nesses fatos tão interessantes, mas o Capitão não entendeu o motivo, e com um resmungo retomou sua caminhada monótona.

Entrementes, os pescadores continuavam fazendo tal zoada junto à balança, que um dos marinheiros tomou a precaução de recolher todos os pesos, levando-os embora. Mas os homens continuaram por ali, divertindo-se com pesagens relativas, usando como pesos os objetos de uso náutico que encontraram por perto: manivelas de sarilho, cunhos de mareação, etc. Aos poucos, sua excitação foi arrefecendo, e eles acharam cansando-se daquilo e deixando suas sacolas de dinheiro guardadas nas dobras da bujarrona que jazia estendida no convés. Feito isso, saíram dali.

Quando os passos fortes do Capitão revelaram de novo sua proximidade, o mais moço ergueu-se e se dirigiu a ele, dizendo:

— Como é mesmo o nome do lugar de onde são esses homens, Capitão?

— Mhruxi, meu jovem.

— E qual é o nome do lugar para onde estamos seguindo?

Tomando fôlego para pronunciar corretamente a palavra, o Capitão finalmente respondeu com entonação orgulhosa:

— Kigovjni, meu rapaz.

— Kig... desisto! — disse o moço, baixando a cabeça.

Em seguida, com ar infeliz, estendeu a mão para apanhar copo de água gelada que o camareiro acabara de lhe oferecer, sentando-se fora da sombra do guarda-sol. Embora o calor fosse escaldante, acabou desistindo de beber. O esforço decorrente dessa resolução, aliado ao que resultara da conversação fatigante que tivera há pouco com o Capitão, foram demasiados para ele, que acabou voltando a afundar-se em silêncio nas almofadas.

Para compensar a descortesia de sua atitude, o pai tentou prosseguir com a conversa, perguntando:

— Diga-nos, Capitão, o senhor acaso faz ideia de onde estamos agora?

O velho lobo do mar lançou um olhar condescendente sobre o ignorante terrícola, respondendo altivamente:

— Claro que sim! Posso determiná-lo com margem de erro de uma polegada!

— Está exagerando!

— Absolutamente! Que seria deste meu navio se eu desconhecesse minha latitude e minha longitude? Acaso faz ideia de como se procede a um cálculo de posição?

— Deve ser extremamente complicado! — exclamou o velho, demonstrando nada entender daquilo.

— Não para quem é do ramo!...

Dito isso, afastou-se e começou a dar ordens aos marujos, que se preparavam para içar a bujarrona.

Os dois turistas ficaram apreciando a operação com tal interesse, que nenhum deles se lembrou das cinco sacolas de moedas escondidas nas dobras da vela. De repente, quando esta foi içada, as cinco sacolas despencaram, caindo pesadamente no mar e afundando imediatamente.

É claro que os cinco pescadores nativos não iriam esquecer-se facilmente de seu dinheiro. Como um raio, correram até o convés e ali ficaram a gritar iradamente, apontando para a água e para os marinheiros causadores do desastre.

O viajante mais velho explicou ao Capitão o porquê daquela gritaria, concluindo:

— Podemos fazer uma "vaquinha" para compensar os pobres homens, Capitão. O senhor disse há pouco que umas dez libras seriam mais que suficientes para pagar por tudo, não foi?

Com um gesto altivo, o Capitão recusou a oferta, dizendo:

— Oh, não, senhor! Queira perdoar: são meus passageiros; o acidente ocorreu a bordo do meu navio, devido às ordens que eu dei. Cabe a mim, portanto, compensar a perda que eles tiveram.

Em seguida, voltando-se para os pescadores, dirigiu-se a eles em dialeto mhruxiano, dizendo:

— Venham cá, meus amigos. Digam-me qual é o peso de cada sacola, pois vi que vocês as estavam pesando.

Seguiu-se uma verdadeira babel de respostas, cada nativo querendo explicar que os marinheiros tinham levado os pesos embora, obrigando-os a lançar mão dos pesos alternativos que encontraram por ali, e que eram: dois cunhos de mareação de ferro, três cunhas de madeira, seis zorras, quatro manivelas e uma marreta. Todos esses itens foram cuidadosamente pesados, para converter em libras os resultados obtidos, tudo sob supervisão e controle do Capitão. Pois mesmo assim o impasse persistiu, seguindo-se nova e feroz discussão entre os marujos e os pescadores nativos. Por fim, apelando para os turistas com olhar desconcertado e sorriso amarelo, o Capitão pediu:

— Vejam em que situação absurda me encontro! Talvez um dos cavalheiros possa sugerir-me alguma saída. Parece que eles não pesaram as sacolas isoladamente, preferindo pesá-las de duas em duas!

— Se não foram feitas cinco pesagens separadas, naturalmente não há como calcular o peso de cada sacola a firmou apressadamente o mais jovem.

— Calma! — ponderou o mais velho. — Vamos primeiro conhecer toda a verdade.

— Na realidade, eles fizeram cinco pesagens — explicou o Capitão, — mas não de sacolas isoladas. Oh, estou inteirame confuso! Eis os resultados obtidos: a primeira e a segunda sacola pesaram juntas 12 libras; a segunda e a terceira, 13,5; a terceira e a quarta, 11,5; a quarta e a quinta, 8. Entretanto, em lugar de pesarem apenas a primeira e a quinta, juntaram ainda a terceira e viram que as três pesavam o mesmo tanto da marreta, isso é, 16 libras. Eis aí, senhores, o problema que tenho diante de mim. Acaso já depararam com algo semelhante?

"Ah, se minha irmã estivesse aqui", murmurou o velho, mirando desesperançadamente seu filho, enquanto este mirava desesperançadamente os nativos, que por sua vez miravam esperançosamente o Capitão. Quanto a este, não mirava quem quer que fosse, limitando-se a manter os olhos baixos, como se estivesse comentando baixinho, só para si próprio:

— Contemplai-vos uns aos outros, senhores, já que isso vos apraz. Quanto a mim, prefiro contemplar-Me e basta!

QUINTO NÓ

Círculos e Cruzinhas

Olhe para este quadro e trate de enxergá-lo.

Por que decidiu escolher logo o primeiro trem, sua bobinha? perguntou Malu Quinha à sobrinha, enquanto entrava com ela no vagão. Não seria melhor escolher com mais vagar?

Apelei para um "caso extremo" foi a resposta em tom choroso da outra. Nossa bondosa preceptora sempre diz: "Quando em dúvida, caríssimas, apelem para um caso extremo". Pois bem: eu estava em dúvida..

— Isso sempre dá bom resultado?

Clara soluçou, admitindo relutantemente:

— Nem sempre... e não consigo entender por quê. Certo dia, ela estava repreendendo as menininhas (que alarido fazem elas durante o chá!), e lhes disse: "Quanto mais barulho fizerem, menos geleia ganharão, e vice-versa". Receando que elas não soubessem o que significaria "vice-versa", expliquei com um caso extremo: "Se vocês fizerem um barulho infinito, não terão sequer uma colherinha de geleia, mas se não fizerem barulho algum, receberão como prêmio infinitas colherinhas de geleia". Pois nossa bondosa preceptora não gostou do exemplo. Por que, tia?

Malu Quinha preferiu sair pela tangente, respondendo:

— Ele é passível de objeção, conforme o enfoque que se lhe dê.. Mas como foi que você aplicou esse princípio à escolha dos trens? Nenhum deles pode ser considerado infinitamente veloz!

— Para mim, os trens rápidos são as lebres, e os vagarosos as tartarugas — respondeu Clara, temerosa de que sua comparação acabasse provocando risos. — Assim, podem estar rodando, ao mesmo tempo, diversos trens-lebres e diversos trens-tartarugas. O caso extremo seria a existência de apenas um trem-lebre e um sem número de trens-tartarugas.

— Além de extremo em si, esse caso seria extremamente perigoso — comentou a tia, simulando estar preocupada com aquela possibilidade.

— Desse modo — prosseguiu Clara-se eu tomasse um trem-tartaruga, apenas conseguiria cruzar com um trem-lebre, mas se tomasse este acabaria cruzando com não sei quantos trens-tartarugas!

— Não seria má ideia — comentou a tia, enquanto as duas deixavam o vagão, defronte à entrada da Galeria Burlington. — Mas você poderá tirar a forra ainda hoje. Vamos disputar um "jogo dos quadros".

O rosto de Clara iluminou-se:

— Ah, que bom! Quero ter outra oportunidade! Desta vez, terei mais cuidado. Como é esse jogo?

Malu Quinha não respondeu, pois estava empenhada em traçar linhas retas no catálogo dos quadros ali expostos. Um minuto depois, disse:

— Veja: acabei de traçar três colunas à frente dos nomes dos quadros expostos no salão principal. Vamos preenchê-las com círculos e cruzinhas, conforme as notas que atribuirmos a cada quadro. Cruzinhas para as notas boas, círculos para as más. A primeira coluna refere-se à escolha do tema; a segunda, a execução da obra; a terceira, ao colorido. E as condições do jogo são as seguintes: cada qual deve atribuir três cruzes para dois ou três quadros, e duas cruzes para quatro ou cinco.

— Só valem os que ganharem apenas duas cruzinhas? Ou posso contar como tendo duas aqueles que tiverem três?

— Claro que pode. Quem tem três olhos não deixa de ter dois, não é?

— Clara acompanhou o olhar sonhador da tia através da galeria repleta de gente, receando cruzar seu próprio olhar com alguém que a estivesse fitando com três olhos.

— E sou obrigada a dar uma cruzinha para nove ou dez quadros.

— Quem é que ganha o jogo? — perguntou Clara, sem parar de anotar cuidadosamente as condições, numa folha em branco do catálogo.

— Quem assinalar o menor número de quadros.

— Suponha que marquemos o mesmo número.

— Nesse caso, ganhará quem fizer o maior número de marcações. Isso não me parece muito com um jogo — protestou Clara. — Digamos que eu marque 9 quadros e atribua 3 cruzinhas a 3 deles, duas Cruzinhas a outros 2 e uma para todo o resto.

— Ah, é? Espere até escutar todas as condições, minha impetuosa jovem. Você terá de atribuir 3 círculos a 1 ou 2 quadros, 2 círculos a 3 ou 4, e apenas 1, a 8 ou 9 quadros. E não me vá ser por demais severa com nossos pintores, pois todos são diplomados pela Academia Real!

Clara quase perdeu o fôlego, na ânsia de anotar todas as condições. Ao terminar, comentou:

— Isso é pior que tentar resolver uma dízima periódica! Apesar de tudo, estou decidida a vencer!

A tia sorriu maldosamente:

— Então, podemos começar aqui mesmo disse, — postada diante de uma tela gigantesca, que o catálogo informava tratar-se do "*Retrato do Tenente Brown, montado em seu elefante favorito*".

— Ele parece extraordinariamente vaidoso! — comentou Clara.

— Não creio que fosse o tenente favorito desse elefante. Que quadro mais horroroso! E enorme, ainda por cima: toma um espaço que poderia ser melhor ocupado por vinte telas tamanho normal!

— Pese bem suas palavras, querida! Lembre-se: foi pintado por um diplomado pela Academia Real!

Mas Clara não se deixou influenciar pela informação, continuando a protestar:

— Não me importa o diploma do pintor! O que sei é que vou atribuir a seu quadro três marcações negativas!

Tia e sobrinha separaram-se, indo cada qual para seu lado.

Na meia hora seguinte, Clara esteve empenhada na tarefa de desenhar cruzinhas e círculos, para em seguida desmanchá-los e redesenhá-los, enquanto procurava ansiosamente as telas que se encaixassem em suas necessidades marcatórias. Essa foi a parte mais difícil de seu trabalho.

— Não consigo encontrar aquela de que estou precisando! — exclamou num dado momento, quase chorando de aflição.

— E o que é que você está procurando, querida? — perguntou uma voz desconhecida, mas tão doce e gentil, que a jovem logo se sentiu atraída pela sua dona, mesmo sem saber de quem se tratava.

Quando se voltou e deparou com o sorriso franco de duas velhotas baixinhas e gorduchas, cujas faces redondas absolutamente idênticas pareciam nunca ter enfrentado um contratempo emocional, o máximo que pôde fazer, segundo mais tarde confessou à tia, foi resistir à tentação de ir correndo abraçá-las. "Parecia que eu estava olhando um quadro e seu reflexo", comentou então. "O tema era bem escolhido, a pintura tinha sido bem feita, mas o colorido deixava a desejar..."

As gorduchinhas entrefitaram-se com ar algo alarmado.

— Acalme-se, querida! disse uma delas. Tente lembrar-se do que se trata. Qual era o tema?

— Acaso seria um elefante? — sugeriu a outra, tentando enxergar não longe dali o quadro do Tenente Brown.

— Não sei! — exclamou Clara, demonstrando uma certa impaciência. — O tema não importa, desde que tenha sido bem escolhido.

Novamente as duas trocaram olhares alarmados, enquanto uma delas segredava algo para a outra. Clara esforçou-se para entender o que ela estaria dizendo, mas a única palavra que conseguiu captar foi "maluca".

Logo imaginou que estivessem se referindo a sua tia, esquecendo-se de que Londres era bem diferente de sua cidadezinha natal, onde todos se conheciam.

— Se estão falando de minha tia — disse em voz alta, — ali está ela, três quadros adiante da tela do Tenente Brown.

— Sua tia, ahn? Bom! O melhor que você poderá fazer, minha filha, será ir para junto dela, que certamente saberá dizer qual o quadro que você está procurando tão ansiosamente.

Adeus, queridinha! Adeus, queridinha! — ecoou a outra, trate de não perder sua tia de vista, viu?

E as duas seguiram para outra sala, deixando Clara sorrindo de satisfação.

— São duas gracinhas! — murmurou baixinho. — Como ficaram aflitas por minha causa!

E continuou a andar, sem parar de comentar em voz baixa:

— Preciso achar um quadro que mereça duas marcações boas.. E um outro que...

SEXTO NÓ

Sua Resplandescência

É inteiro, porém dividido em gomos.
Não sei o que é. Acaso sabes tu?
Sem ele, nada fazemos ou somos.
O que é? Bambu!

Tão logo desembarcaram, os dois foram conduzidos imediatamente ao Palácio. Já haviam percorrido metade do caminho, quando encontraram o Governador, que veio saudá-los pessoalmente, e em inglês, para grande alívio dos viajantes, uma vez que seu guia não entendia senão o kigovjniano.

— Não estou gostando nada da maneira como eles ficam olhando e sorrindo para nós segredou o mais velho. E por que será que pronunciam tantas vezes a palavra "bambu"?

— É porque estão aludindo a um costume local — intrometeu-se o Governador, que conseguira escutar a pergunta. — Quando um morador provoca algum tipo de aborrecimento em Sua Resplandecência, costuma levar uma surra de bambu.

O velho estremeceu, exclamando em seguida:

— Que costume mais censurável! Antes não tivéssemos desembarcado! Veja ali, Norman, aquele sujeito de pele bem escura, arreganhando os dentes para nós. Será que está querendo nos devorar?

Norman repassou a pergunta para o Governador, que seguia caminhando do lado oposto ao seu:

— Diga-me, senhor Governador, existe aqui o costume de devorar pessoas ilustres? — perguntou, no tom mais indiferente que pôde representar.

— Oh, só muito raramente! — respondeu o outro, mantendo nos lábios o sorriso de boas vindas. Em geral a carne dos ilustres é ruim. Preferimos a de porco, mais macia. Veja este velho, por exemplo: sua carne deve ser danada de seca!

— Ainda bem! — murmurou o velho. — Já que não temos como escapar de levar uma surra de bambu, sobra-nos o consolo de saber que não seremos batidos.. como bifes! Ei, filho, olhe aqueles pavões!

Nesse instante, estavam os três caminhando por entre duas fileiras compactas daquelas deslumbrantes aves, mantidas quietas em seus lugares por meio de coleiras e correntes de ouro, seguras nas mãos de escravos negros, postados atrás delas para não atrapalhar a esplendorosa visão de suas caudas abertas, com as penas farfalhantes entrelaçadas, ostentando as imagens de centenas de olhos.

WAIN Co
ABF

O Governador sorriu orgulhosamente:

— Em honra dos ilustres visitantes — explicou, — Sua Resplandescência ordenou que fosse trazido um batalhão adicional de dez mil pavões. Antes de partirem, vocês deverão ser condecorados com a Comenda das Estrelas e das Penas.

— Que não sejam penas... de morte! — comentou o mais velho.

— Ora, meu pai, deixe para lá esses receios! — repreendeu o mais jovem. — Estou sentindo um verdadeiro fascínio por tudo o que estou vendo!

— É porque você é jovem, Norman — suspirou o pai. Jovem e despreocupado. Que não seja um fascínio... de serpente!

— O visitante velho está assustado — comentou o Governador, tornando-se sério. — Já sei por quê: deve ter cometido algum crime hediondo!

— Eu ?! Não! — protestou o velho. — Diga-lhe, Norman, que não cometi crime algum!

— Ele não cometeu crime hediondo algum, senhor Governador, pelo menos até o presente — explicou Norman gentilmente.

Voltando a sorrir, o Governador repetiu:

— Pelo menos até o presente!

Seguiu-se uma pausa silenciosa.

— O país de onde os cavalheiros procedem é verdadeiramente assombroso! — recomeçou o Governador, tentando reencetar a conversa. — Acabo de receber uma carta de um amigo meu que está em Londres. Ele e seu irmão, ambos negociantes, foram para lá faz um ano, com mil libras cada um. Pois não é que, no dia de Ano Bom, eles tinham, entre os dois, 60 mil libras?

— E como conseguiram isso? — perguntou Norman espantado, olhando para o pai, que também parecia maravilhado ante aquela informação.

O Governador mostrou-lhes a carta, comentando:

— Pelo que dizem aí, qualquer um pode fazer isso, desde que saiba como. Leiam o que dizem nesta carta: "Não pedimos emprestado, nem roubamos, mas o fato é que, no primeiro dia do ano, tínhamos, cada qual, mil libras, e, no último dia do ano, tínhamos 60 mil entre nós dois".

Norman olhou grave e pensativo, enquanto o Governador guardava a carta no bolso. O pai arriscou um palpite:

— Teriam ganhado dinheiro em jogos ou em apostas?

— Um kigovjniano jamais joga — respondeu o Governador, com ar sisudo, enquanto transpunha os portões do palácio real, entrando com os dois visitantes.

Pai e filho seguiram-no em silêncio através de um longo corredor, até que entraram num enorme salão com paredes inteiramente revestidas de penas de pavão. No centro havia a pilha de almofadas encarnadas, quase escondendo a figura de Sua Resplandecência uma roliça donzela, trajando um manto de cetim verde, recamado de estrelinhas de prata. Seu rosto pálido e redondo iluminou-se por um momento com um meio sorriso, quando os visitantes se inclinaram diante dela, recaindo em seguida na sua expressão normal de boneca de cera, enquanto murmurava languidamente uma ou duas palavras em dialeto kigovjniano. O Governador traduziu:

— Sua Resplandecência saúda vocês. Ela diz já ter notado Impenetrável Placidez do viajante mais velho e a Imperceptível Sagacidade do mais jovem.

Nesse instante, a jovem soberana bateu palmas e uma tropa de escravos logo apareceu, trazendo bandejas de café e de doces, tratando de oferecê-las aos hóspedes. Estes, a um sinal do Governador, tinham-se sentado sobre o tapete.

— Docinhos de ameixa! — sussurrou o pai. — Sinto-me como se estivesse numa confeitaria! Pegue um bolinho para mim, Norman!

— Fale mais baixo, Pai! resmungou o outro. — E veja se diz algo lisonjeiro!

De fato, o Governador estava com cara de quem esperava um discurso.

— Agradecemos a Vossa Exaltada Potência — começou o velho timidamente pela luz de seu sorriso, que aquece nossos corações...

— São fracas as palavras desse orador — interrompeu o Governador. — Que fale o mais jovem.

— Pois diga a Vossa Repolhência — despejou Norman, numa explosão de eloquência —, que nós, quais gafanhotos num vulcão, estamos trêmulos e encolhidos ante a presença de Sua Reluzente Veemência!

— Assim está bem — disse o Governador, tratando de traduzir as palavras para o kigovjniano, e logo em seguida prosseguindo: — Vou revelar agora o que Sua Resplandecência deseja de vocês antes que retomem sua viagem. Encerrou-se há pouco nossa competição anual para preencher o posto de Tricotadora Imperial de Cachecóis. Vocês irão encarregar-se de julgar os trabalhos. Para tanto, deverão levar em consideração a rapidez da confecção, a leveza dos artigos e seu poder de aquecimento. Em geral, apenas uma dessas qualidades estabelece a diferença. No ano passado, por exemplo, Fifi e Gogó fizeram o mesmo número de cachecóis durante a competição, e os artigos confeccionados possuíam idêntica leveza, mas os de Fifi aqueciam duas vezes mais que os de Gogó. Em vista disso, foram declarados duas vezes melhores. Este ano, porém, ai de mim! quem seria capaz de julgá-los? Foram três os competidores, e seus cachecóis diferem no tocante aos três itens a ser considerados! Caberá aos senhores julgá-los, e, enquanto estiverem analisando seus predicados, ficarão hospedados, livres de despesas e por especial deferência de Sua Resplandecência, em nossa melhor masmorra, usufruindo de generosas rações de pão e água, ambos bem frescos.

O velho rosnou: "Estamos perdidos!", mas Norman não lhe deu atenção: tomando de uma caderneta, começou a anotar calmamente os pormenores que o Governador em seguida forneceu:

— Loló, Mimi e Zuzu são os nomes das três competidoras. Loló tricota cinco cachecóis durante o tempo que Mimi leva para tricotar dois, mas Zuzu tricota quatro durante o tempo em que Loló tricota três. O trabalho de Zuzu é tão delicado, que cinco de seus cachecóis pesam tanto quanto um de Loló. O de Mimi, entretanto, é ainda mais leve: cinco delas pesam tanto quanto três de Zuzu! E, quanto ao poder de aquecimento, um de Mimi aquece tanto quanto quatro de Zuzu, embora um de Loló seja tão quente quanto três de Mimi!

Nesse ponto, a rechonchuda soberana bateu palmas.

— É hora de deixá-la a sós — disse o Governador. — Façam suas despedidas e saiamos de costas.

A caminhada de ré foi tudo o que o mais velho conseguiu fazer, deixando a cargo de Norman a despedida, que foi sucinta:

— Diga a Sua Resplandecência que estamos petrificados ante o espetáculo de Sua Serena Luminosidade, e apresente nosso angustiado adeus a Sua Leitosa Condescendência.

— Sua Resplandecência sentiu-se mimoseada por suas palavras — comentou o Governador, após traduzir a despedida e escutar os miados da resposta.

Ela lança sobre nossos dois visitantes a mirada afetuosa de Seus Imperiais Olhos, na certeza de que fizeram por merecê-la.

— Que não nos mire como alvos! gemeu o velho, sem meddir as palavras.

Depois de fazerem a última reverência, seguiram com o Governador pela escada em caracol que levava às Masmorras Imperiais. Diferente do que esperavam encontrar, elas eram luxuosamente revestidas de mármore colorido, bem iluminadas, e ainda contavam com um belo banco de malaquita polida, que, se não era luxuoso, pelo menos não desmerecia o ambiente.

— Espero que não demorem a proferir seu veredito — disse o Governador, depois de introduzi-los na cela. — Já testemunhei sérios inconvenientes seriíssimos! acontecidos àqueles que retardaram o cumprimento das ordens expedidas por Sua Resplandecência. Nessas circunstâncias, ela é inflexível: remete o infeliz aos bambus, sem dó nem piedade. De certa feita, além da quota habitual, mandou acrescentar uma adicional de dez mil bambuzadas!

— Com essas palavras animadoras, deixou-os.

Os dois escutaram-no fechar e trancar por fora a pesada porta de ferro da cela.

— Eu lhe disse que era o fim! — gemeu o mais velho torcendo as mãos, inteiramente esquecido de ter sido ele próprio quem havia sugerido aquela excursão, jamais havendo predito que ela seria malsucedida. — Oh, quisera estar bem longe deste lugar miserável!

— Coragem! — exclamou o filho em tom jovial. — *Haec olim meminisse juvabit*! Ao final, a Glória será nossa coroa!

Enquanto se embalava para a frente e para trás no banco de malaquita, o velho comentou, em tom desalentado:

— Que não seja nossa coroa... fúnebre!

SÉTIMO NÓ

Despesas miúdas

É o escravo quem se encarrega dos pequenos pagamentos.

Tia!

— Que foi, minha filha?

— Dá para anotar agora? Se não for anotado, tenho certeza de que acabo esquecendo..

— Clara, querida, temos de esperar que o coche pare! Como posso escrever em meio a tanto sacolejo?

— Mas vou esquecer!...

A voz da jovem tinha aquele tom lamentoso ao qual Malu Quinha não sabia resistir. Com um suspiro, ela tirou da bolsa seu elegante bloco de anotações, coberto com uma capa de marfim, e se preparou para anotar a quantia que Clara acabara de gastar na confeitaria. A despesa saía mesmo era da bolsa da tia, mas a sobrinha sabia, por amarga experiência, que mais cedo ou mais tarde ela faria a contabilidade exata de cada vintém gasto, e por isso esperava com mal contida impaciência, enquanto Malu Quinha virava as páginas uma a uma, até finalmente deparar com aquela cujo cabeçalho indicava: "Despesas Miúdas".

— É esta aqui — disse. — A última coisa que anotei foi a despesa do lanche de ontem: *1 copo de limonada* (por que você não bebe água como eu?), *3 sanduíches* (eles nunca põem a quantidade certa de mostarda. Fui reclamar outro dia com a garçonete, e ela deu de ombros, na maior falta de educação!) *e 7 biscoitos. Total: 1 xelim e 2 pence*. E hoje, que foi?

— Um copo de limonada... — começou Clara a enumerar, quando subitamente o carro parou e um gentil cocheiro estendeu-lhe a mão, puxando-a delicadamente para fora do veículo antes que ela tivesse tempo de concluir a sentença.

A tia embolsou a caderneta imediatamente, murmurando:

— Primeiro, os altos negócios; quanto às despesas miúdas, que são uma forma de prazer, seja o que for que se possa pensar a respeito, estas vêm por último.

Em seguida, acertou o pagamento com o cocheiro e orientou pormenorizadamente o carregador quanto ao destino a ser dado à bagagem, inteiramente surda às súplicas da sobrinha lamurienta, sempre a insistir com ela para que completasse suas anotações. Por fim, com ar severo, repreendeu-a, dizendo:

— Querida, você deveria tentar desenvolver sua mente, tornando-a mais eficiente. Será que em sua memória não existe espaço suficiente para conter o registro de um simples lanche?

— O espaço daqui não é suficiente! Não é nem a metade do que seria necessário!

A resposta, proferida em tom veemente, combinava com a pergunta, mas a voz não era a de Clara. Tia e sobrinha voltaram-se intrigadas para o lado de onde haviam saído aquelas palavras, e viram uma gorduchinha junto à porta de um coche, ajudando o cocheiro a retirar de dentro do veículo o que parecia ser a réplica perfeita dela própria. Seria difícil dizer qual das duas seria a mais gordinha, ou qual delas teria a fisionomia mais bem-humorada.

— Pois é como lhe digo, mana — disse à que tentava sair; — essas cabines de coche não têm o espaço necessário para conter uma pessoa um pouquinho mais gorda que o normal.

Espreme daqui, contorce dali, e ela finalmente emergiu ao ar livre, como uma rolha que sai de uma espingarda de ar comprimido.

Erguendo os olhos para Clara, perguntou, tentando franzir o cenho e aparentar contrariedade, embora seu rosto mantivesse teimosamente um simpático sorriso:

— Não é mesmo, querida? São pequenas, apertadas, sem espaço...

— Para certas passageiras — comentou o cocheiro, em tom irônico — seriam necessárias cabines especiais...

— Veja lá, senhor cocheiro, não me provoque! — explodiu a mais baixinha, tentando representar (muito mal, diga-se de passagem) uma tempestade de fúria. — Diga outro desaforo desses e será levado às barras do tribunal, onde não hesitarei em impetrar-lhe um belo de um habeas corpus, ouviu bem?

Sem replicar, o cocheiro tocou com os dedos na aba do chapéu, num cumprimento mudo, e saiu dali sorrindo.

— Nada como uma ameaçazinha judicial para encher de medo esses rufiões — segredou ela para Clara. — Viu como ele até estremeceu ao escutar-me pronunciar "habeas corpus"? A bem da verdade, nem sei direito o que significa isso, mas que soa aterrador, soa, não é mesmo?

— Imagino que seja algo bem aborrecido — respondeu Clara um tanto vagamente.

— Mais do que aborrecido: deve ser aborrecidíssimo! — confirmou a segunda gordinha. — Mas nós também ficamos bastante aborrecidas, não é, maninha?

— Nunca me senti tão aborrecida como estou me sentindo neste momento — concordou a outra, embora sua fisionomia aparentasse justamente o contrário.

Nessa altura, Clara já havia reconhecido as gêmeas: eram as duas que ela havia topado no dia anterior, ao visitar a galeria de arte. Chamando a tia para o lado, segredou-lhe:

— Conheci essas duas na Academia Real. São duas senhoras muito gentis: tentaram ajudar-me a encontrar os quadros que eu estava procurando. Hoje, mais cedo, vi-as de novo, lá na lanchonete: estavam sentadas bem ao nosso lado. Fiz um aceno para elas, que são duas gracinhas!

— Ah, então as conhece? Também gostei do jeito das duas. Fique aí batendo um papo com elas, enquanto compro os bilhetes do trem. E trate de organizar suas ideias de maneira mais racional e cronológica...

Minutos depois, as quatro estavam sentadas no mesmo banco comprido da plataforma de espera, conversando como se fossem velhas amigas.

— É isso que chamo de uma notável coincidência — comentou a mais baixinha e falante, a mesma que havia esmagado o cocheiro com seu profundo conhecimento do vocabulário jurídico: — não só estamos esperando o *mesmo* trem, na *mesma* estação ferroviária, como e isso é que acho mais fantástico! no *mesmo* dia e na *mesma* hora! É de fato uma coisa assombrosa!

Sua irmã, que endossava tudo o que a outra dizia, sem jamais replicar (embora fosse uma réplica perfeita), apoiou suas palavras, dizendo:

— Concordo plenamente, maninha!

— Na realidade, não se pode dizer que se trate de coincidências independentes... — começou a contestar Malu Quinha, sendo impedida de prosseguir por Clara, que suplicou:

— Oh, tia, agora não está sacolejando! Será que a senhora poderia anotar a despesa?

De novo a caderneta de anotações veio à tona.

— Está bem. Mencione os itens de consumo.

— Um copo de limonada... um sanduíche... um biscoito.. ai, ai, ai!

Que foi, menina? Dor de dente? — perguntou Malu Quinha, sem parar de anotar os "itens de consumo" na caderneta.

No mesmo instante, as duas gêmeas abriram suas bolsas, delas retirando dois remédios diferentes contra nevralgia ("santos remédios"). Clara estendeu a mão aberta, num gesto de recusa, exclamando:

— Não é nada disso! Muito obrigada! Acontece que não consigo me lembrar do montante da despesa!

— Faça um esforço — incentivou a tia. — Se não conseguir lembrar, deduza! Tenho anotada a despesa de ontem, e isso pode ajudar. Anotei também a despesa de anteontem, quando fomos pela primeira vez a lanchonete. Ei-la: "*1 copo de limonada, 4 sanduíches e 10 biscoitos; total: 1 xelim e 4 pence*".

Para que Clara pudesse conferir, a tia estendeu-lhe a caderneta, aberta na página da anotação. A jovem tentou olhar o que Malu Quinha lhe mostrava, mas sem conseguir enxergar, devido às lágrimas que lhe toldavam os olhos.

As duas irmãs ficaram a acompanhar o diálogo com o maior interesse, mas sem nada dizer. Ao notar o desalento da jovem, a mais gordinha tentou consolá-la, segurando-lhe o braço e dizendo:

— Sabe de uma coisa, querida? Eu e minha irmã estamos nessa mesma situação embaraçosa. Sim, nessa mesma situação, não é, maninha?

— Numa situação absolutamente idêntica. — começou a outra, sem poder terminar a sentença, porque a irmã falante logo prosseguiu:

— Estávamos lanchando no mesmo lugar onde vocês duas foram. Ali tomamos 2 copos de limonada e comemos 3 sanduíches e 5 biscoitos. Pois bem: nem eu nem minha irmã temos a menor lembrança de quanto tivemos de pagar por isso, não é, maninha?

— A situação era absolutamente idêntica... — disse a outra, tentando dessa vez retomar e concluir seu pensamento, novamente debalde, pois a irmã voltou a interromper suas palavras, pedindo a Clara:

— Será que você poderia resolver este nosso problema, querida?

— Claro que ela pode — respondeu Malu Quinha, voltando-se para a sobrinha e dizendo: Trata-se de uma questão simples de Aritmética, minha filha.

Enquanto Malu Quinha olhava ansiosamente para Clara, esta fitava com olhar esgazeado as anotações, tentando sem sucesso ordenar seus pensamentos, mas sua mente parecia vazia de todo, e toda expressão humana parecia estar-se evaporando rapidamente de seu rosto lívido.

Seguiu-se um lúgubre silêncio.

OITAVO NÓ

De Omnibus Rebus

Um dos porquinhos foi ao mercado,
e o outro porquinho ficou em casa.

— Por ordem expressa de Sua Resplandecência — disse o Governador, enquanto comboiava os viajantes, que pela derradeira vez tinham estado em presença da soberana, — terei destarte a subida honra e o inigualável prazer de acompanhar os prezados amigos ao portão do Alojamento Militar, onde então haverei de suportar a exasperante dor de sua partida, se que minhalma não sucumbirá ante tal tortura. Ali junto ao portão passam *grurmstipths* a cada quarto de hora, seguindo para os dois lados da estrada.

— Como disse? Grur..? — perguntou Norman.

— *Grurmstipths* — repetiu o Governador. — Trata-se daquele veículo coletivo que vocês da Inglaterra chamam de "ônibus". Correm nos dois sentidos, e tanto uns como outros poderão levá-los ao porto.

Dito isso, deu um suspiro de alívio: quatro horas de tratamento cerimonioso tinham-no esfalfado, isso sem falar no seu constante receio de ter de enfrentar uma boa surra de bambus, se algo saísse errado.

Um minuto depois, eles estavam cruzando um enorme quadrilátero pavimentado de mármore, tendo em cada extremidade, como testemunhas vivas do bom gosto dos decoradores locais, um chiqueiro. Trazendo leitões sob os braços, soldados marchavam em todas as direções, tentando obedecer aos comandos estentóreos de um oficial de porte gigantesco, cujas ordens conseguiam, sabe-se lá como, suplantar o berreiro infernal dos suínos.

— Esse aí é o Comandante Geral — segredou o Governador, prostrando-se ante o figurão, no que foi imitado por seus dois acompanhantes.

O Comandante Geral retribuiu o cumprimento, curvando — se e fazendo-lhes um sinal para que ficassem à vontade. Seu uniforme todo atravessado por medalhas e cordões dourados, mas seu rosto denotava extremo desespero. Apesar de sua graduação, trazia um porquinho preto debaixo de cada braço. Na tentativa de ser gentil, mas sem esquecer seu papel de coordenador geral de alguma tarefa extremamente complicada, ele desejou boa viagem aos forasteiros, ora sorrindo e falando, ora franzindo o cenho e prorrompendo em berros:

— Até mais ver, cavalheiro... Leve esses três leitões para o chiqueiro sul! E até a próxima, jovem visitante.. Ponha esse aí mais gordo por cima dos outros na pocilga oeste! Que suas sombras nunca diminuam.. Mas não é possível! Assim não dá! Espero vê-los um dia na... Nessa pocilga, não! Está cheia demais! Tirem todos os porcos e vamos começar tudo de novo!

Tomado por um súbito ataque de desânimo, o curtido militar apoiou-se na espada e deixou rolar uma lágrima, que logo tratou de enxugar.

— Coitado! — comentou o Governador, tão logo deixaram o lugar. — Sua Resplandecência ordenou-lhe que distribuísse vinte e quatro leitões nesses quatro chiqueiros, de modo que, quando ela passasse por aqui na ronda que costuma fazer, sempre encontrasse, no chiqueiro seguinte, um número de leitões mais próximo de dez do que ela havia encontrado no chiqueiro precedente.

— Será que ela considera que o próprio número dez é mais próximo de dez do que nove? — perguntou Norman.

— Certamente concordou o Governador. — Para ela, dez é mais próximo que dez do que nove, ou do que onze.

— Então, sei como é que se pode resolver o problema.

O Governador sacudiu a cabeça, com ar de descrente, dizendo:

— Será? Nosso pobre Comandante Geral está tentando há meses sair dessa enrascada, sem qualquer sucesso. Ele já está desesperado, mormente porque ela já o ameaçou de mandar aplicar uma dose extra de dez mil bambus...

— Os porcos não parecem estar gostando de toda essa mexida — interrompeu o viajante mais velho, que detestava esse assunto de bambus.

— As transferências são provisórias — explicou o Governador.

— Na maioria das vezes, o porco acaba voltando para o chiqueiro de onde foi tirado. Não precisa ficar preocupado com o bem-estar dos animais. Eles são tratados com todo o cuidado, sob a supervisão direta do Comandante Geral.

— Creio que a ronda da soberana resume-se a uma única volta, não é mesmo? perguntou Norman.

— Seria bom se fosse — respondeu o Governador. — Mas deixemos dessa conversa, porque agora, oh!... oh!... chegamos à porta da cidade, e aqui terei de me despedir de meus diletos amigos de além-mar!

Soluçando convulsivamente, ele apertou calorosamente as mãos dos dois, e no minuto seguinte tinha-lhes dado as costas e caminhava celeremente de volta ao palácio.

— Nem quis esperar que o ônibus chegasse! — reclamou o viajante mais velho.

— E ele bem que poderia afastar-se algum tanto de nós, antes de começar a assobiar tão alegremente — queixou-se o mais moço. — Mas vamos esquecer isso, pois ali estão dois grur... sei lá o nome deles... prontos para partir.

— Infelizmente, os ônibus que deveriam levá-los ao porto estavam lotados.

— Não faz mal — comentou Norman. — Vamos seguir a pé.O próximo haverá de nos alcançar no caminho.

Os dois puseram-se a caminhar em silêncio, matutando sobre o grave problema militar da distribuição dos porcos, até que encontraram um ônibus que vinha do porto. Depois de consultar o relógio, o mais velho comentou, com ar distraído:

— Cruzou conosco exatamente doze minutos e meio depois que partimos.

Súbito, sua face iluminou-se, e ele exclamou, batendo no ombro de Norman com tamanha força, que o jovem quase caiu:

— Filho!

Depois de agitar os braços até recuperar o equilíbrio, o jovem resmungou alguma coisa parecida com "Um problema de Precessão e Nutação", sem contudo faltar com o respeito filial, e em seguida perguntou:

— Que foi, meu pai? Eu não sabia que o senhor tinha bebido...

Sem prestar atenção ao comentário crítico, o velho perguntou, em tom cada vez mais excitado:

— Quando seremos alcançados pelo próximo ônibus, hein? Quando? Quando?

Norman encarou-o com ar pensativo e pediu:

— Dê-me tempo para pensar.

Os dois novamente ficaram em silêncio, de quando em quando quebrado pelos guinchos dos infelizes leitões, que continuavam sendo transferidos provisoriamente de um chiqueiro para outro, sob a supervisão pessoal do Comandante Geral.

NONO NÓ

Uma Serpente Cheia de Dobras

Água à vontade, por todo lado;
nenhuma gota para beber.

Um seixo a mais, e pronto!

— Mas o que é que você está fazendo com esses baldes?

Esse diálogo estava sendo travado entre Hugh e Lambert.

O local, a praia de Little Mendip. A hora, uma e meia da tarde. Hugh tinha posto dentro de um balde com água um balde menor, que ali estava flutuando, e tentava descobrir quantos seixos ele poderia conter sem afundar. Quanto a Lambert, estava deitado de barriga para cima, sem fazer coisa alguma.

Durante os dois ou três minutos seguintes, Hugh permaneceu em silêncio, inteiramente às voltas com seus próprios pensamentos. Súbito, levantou-se e gritou:

— Ei, Lambert, veja aqui!

— Se for para ver algum bicho vivo, viscoso e cheio de pernas, fique você sozinho com ele.

— Lembra-se de ter Balbus dito hoje pela manhã que um corpo mergulhado num líquido desloca uma quantidade tal desse líquido igual a seu próprio volume?

— Ele disse qualquer coisa desse gênero — replicou Lambert um tanto vagamente.

— Pois então olhe aqui: temos um balde quase inteiramente submerso. A água deslocada por ele devia ser quase igual a seu volume. Mas não é o que está acontecendo — e retirou o balde pequeno de dentro do grande, mostrando-o ao irmão. — Essa água daqui mal dá para encher uma xícara de chá! Alguém poderia dizer que o volume dela seria igual ao desse balde?

— Claro que sim.

— Ah, é? Pois então veja!

E, com ar de triunfo, despejou a água que havia no balde grande dentro do pequeno, exclamando:

— Não enche nem a metade dele!

— Problema seu!— retrucou Lambert. — Se Balbus disse que o volume era o mesmo, então é!

— Ele disse, sim, mas eu não posso acreditar!

— Deixe isso para depois. Agora é hora do jantar. Vamos embora.

Encontraram Balbus esperando por eles, e, antes mesmo de jantar, Hugh começou a expor sua dúvida. O preceptor interrompeu-o, dizendo:

— Depois veremos isso. Por ora, vamos respeitar aquele provérbio que diz: "Primeiro, o carneiro; depois, o dois mais dois". Conhecem-no, não é?

Os dois nunca tinham escutado o tal provérbio, mas de modo algum duvidaram de que ele existisse, como aliás jamais haviam duvidado de qualquer coisa que tivesse o respaldo da infalível autoridade de seu mestre.

A refeição transcorreu em absoluto silêncio. Quando terminaram, Hugh levantou-se e foi buscar o tradicional conjunto de canetas, tinteiros e papéis. Logo em seguida, Balbus ditou-lhes o problema que havia preparado para constituir seu para casa daquela noite:

— Um amigo meu cultiva um jardim atrás de sua residência. É um belo jardim, embora seu tamanho não seja dos maiores.

— Quanto mede? — perguntou Hugh.

— Aí é que está o problema cuja resposta vocês deverão calcular — respondeu o preceptor, sorrindo. — Saibam que ele tem formato oblongo, e que é meia jarda mais comprido do que largo. Saibam ainda que, numa de suas extremidades, tem início um caminho de pedras, medindo uma jarda de largura, e que esse caminho atravessa o jardim em toda a sua extensão.

— Indo de uma à outra extremidade? — perguntou Hugh.

— Na realidade, não, meu jovem. O caminho segue até perto da outra ponta do jardim; porém, ao chegar perto dali, dobra-se sobre si próprio e torna a fazer todo o percurso, voltando até o início, onde faz nova curva, retomando a direção da extremidade oposta, e assim vai-se dobrando sempre que chega próximo da extremidade e voltando-se sobre si próprio, num sucessivo vai e vem, até percorrer e preencher toda a área ocupada pelo jardim.

— Como se fosse uma serpente toda enrodilhada? — perguntou Lambert.

— Seria antes uma serpente cheia de dobras. Se você caminhar por essa trilha encascalhada em toda a sua extensão, mantendo-se sempre na sua parte central, acabará percorrendo exatamente duas milhas e meia, ou seja, 3630 jardas (3320m). Tentem calcular o comprimento e a largura do jardim, enquanto eu estarei tentando solucionar o problema dos baldes.

— Pelo que entendi, trata-se de um jardim? — perguntou Hugh, antes que Balbus saísse da sala.

— Sim. Por quê?

— Não vejo onde poderiam estar as flores.

Preferindo fingir que não havia escutado a pergunta, Balbus deixou os pupilos às voltas com o problema e seguiu até seu próprio quarto, onde pretendia decifrar o paradoxo mecânico proposto por Hugh. No silêncio do aposento, começou a murmurar consigo mesmo, caminhando de um lado para outro com as mãos enfiadas nos bolsos:

— No intuito de organizar os pensamentos, tomemos uma vasilha comprida e cilíndrica, dotada de uma escala de polegadas, e deitemos-lhe água até que esta atinja a altura de 10 polegadas. Vamos presumir que cada polegada desse jarro possa conter um quartilho (0,57 *l*) de água. Em seguida, vamos tomar um cilindro sólido, que não precisa ser graduado, mas no qual cada polegada de altura corresponda a um volume de meio quartilho. Mergulhemos na água do jarro 4 polegadas desse cilindro, de maneira que sua extremidade desça até a marca de 6 polegadas. Isso deverá deslocar 2 quartilhos de água. Que decorre daí? Bem, se o cilindro tivesse apenas 4 polegadas de altura, existindo sobre ele apenas o vazio, essa água iria subir no jarro, até alcançar a marca de 12 polegadas. Infelizmente, o caso não é esse, e o cilindro está apenas parcialmente mergulhado, ocupando a metade do espaço contido entre as marcas de 10 e 12 polegadas. Assim, aquele espaço não poderá conter senão 1 quartilho de água. Que acontecerá então com o outro quartilho? Bem, se a ponta do cilindro estivesse naquela altura, a água subiria até a marca de 13 polegadas, e a brincadeira teria chegado ao fim. Infelizmente.. pelas barbas de Newton! — exclamou, arregalando os olhos com expressão de susto. — Se prosseguirmos sempre nessa direção, quando será que a água vai parar de subir?

Nessa altura dos acontecimentos, ocorreu-lhe uma ideia brilhante, e ele disse em voz alta:

— Vou escrever um ensaio a respeito disso!

Ensaio de Balbus

"*Quando um sólido é imerso num líquido, é fato bem sabido que ele desloca uma porção desse líquido igual a seu próprio volume, e que o nível do líquido sobe tanto quanto subiria se uma quantidade igual àquele volume lhe tivesse sido adicionada. Afirma Lardner que o mesmo processo ocorre quando um sólido é parcialmente mergulhado no líquido: nesse caso, a quantidade de líquido deslocada é igual à parcela do sólido que foi nele mergulhada, subindo o líquido na vasilha até atingir um nível proporcional àquele volume parcial...*"

Suponhamos então que um sólido esteja parcialmente mergulhado num líquido. Naturalmente, a porção deslocada desse líquido fará seu nível subir, onde quer que ele esteja. Ocorre, porém, que esse líquido não poderá ocupar a porção já ocupada pela parte de cima do sólido semi-imerso, de maneira que se verifica um novo caso de deslocamento de líquido, com a subsequente elevação de seu nível. Com essa elevação, volta a repetir-se o fenômeno, ainda que em escala menor. Fica evidente, então, que esse processo deverá prosseguir sem cessar, até que todo o sólido fique submerso, quando finalmente o líquido subirá apenas até alcançar a altura correspondente ao seu volume deslocado.

Portanto, se uma pessoa entrar numa tina cheia de água, e ali ficar segurando uma vareta de seis pés de altura apoiada no fundo dessa tina, permanecendo por longo tempo nessa posição, acabará coberta pela água.

1
2
3
4
5
A.B.F.

A questão relativa à fonte da qual provém a água, pertencente a um ramo superior da Matemática que foge ao alcance do presente ensaio, não se aplica ao mar. Tomemos, por exemplo, um sujeito que esteja num ponto da praia tocado pelas águas durante a maré baixa, tendo nas mãos um bambu retilíneo e comprido, com a extremidade inferior apoiada no chão. Se ele ali permanecer firme e imóvel, sabemos todos que acabará tragado inexoravelmente pelas águas.

"Diariamente sucumbem multidões de pessoas dessa maneira, no exclusivo interesse de atestar uma verdade filosófica, tendo seus corpos arremessados pirracentamente pelas ondas Irracionais em diversos pontos deste nosso ingrato litoral. Tem eles, tanto quanto Kepler ou Galileu, o lídimo direito de serem considerados mártires da Ciência. Plagiando a eloquente frase de Kossuth, eu diria que eles são os semideuses anônimos do Século Dezenove."

— Existe uma falácia em algum ponto desse ensaio — murmurou, entre dois bocejos, enquanto esticava as pernas compridas sobre o sofá. — Vou fazer uma revisão geral.

Para aumentar seu poder de concentração, fechou os olhos e, durante uma hora (ou seriam duas?) sua respiração lenta e regular testemunhou a cuidadosa deliberação empregada por ele para examinar esse novo e intrigante ponto de vista sobre aquele tema.

DÉCIMO NÓ

Bolos Quentes

"Bolos, bolos e mais bolos!"
(Canção Folclórica)

É muito triste, tia, triste demais! — exclamou Clara, com os olhos marejados de lágrimas.

— Sim, Clara, é triste, mas não deixa de ser curioso, quando encarado do ponto de vista aritmético — foi a resposta nada romântica de Malu Quinha. — Esses pobres diabos que aí estão são nossos bravos soldados que, a serviço da pátria, perderam alguma parte do corpo: um braço, uma perna, aqui uma orelha, ali um olho...

— Sem falar naqueles que perderam... tudo! — murmurou Clara, quando passaram pela longa fileira de heróis bronzeados, diante delas expostos ao sol. — Repare ali naquele velho de rosto vermelho, que está usando sua perna de pau para desenhar um mapa no chão. Veja como todos estão atentos ao que ele diz. Imagino que esteja discutindo um plano de batalha.

— Quem sabe da Batalha de Trafalgar? — indagou a tia maliciosamente.

— Creio que não — retrucou a jovem, sem captar a ironia, — porque, se ele tivesse participado dela, dificilmente estaria com saúde bastante para contar o que aconteceu.

— E saúde bastante é o que parece não lhe faltar — continuou a tia ironicamente. — Daria até para nos emprestar parte da que ele tem. Não fosse pela perna de pau, e seria possível dizer que esse sujeito está "inteiro"!

Clara pensou em replicar, mas acabou desistindo, por falta de argumentos.

— Voltando ao ponto de vista aritmético — continuou Malu Quinha, que não perdia a oportunidade de propor à sobrinha cálculos desafiadores, — quantos por cento desses soldados supõe você que tenham perdido quatro pedaços: um braço, uma perna, um olho e uma orelha?

— Como poderei saber? — balbuciou a jovem, antevendo horrorizada o tipo de problema que estava por ser-lhe apresentado.

— Sem dispor de dados, não há como, evidentemente. Mas já lhe darei alguns.

— É isso aí, dona! Dê-lhe alguns bolos quentes! As mocinhas adoram! — intrometeu-se uma voz doce e musical, cujo dono trazia um cesto no braço.

Erguendo a toalha alva que cobria o cesto, o homem exibe seu conteúdo tentador: várias pilhas de bolos quentes, cortados caprichosamente em pedaços quadrados que reluziam ao sol, demonstrando pela cor não terem sido poupados ovos manteiga na sua confecção.

— Nem pensar! — protestou Malu Quinha. — Acha que vou deixá-la comer essas iguarias indigestas? Caia fora!

Para mostrar que falava sério, a tia brandiu a sombrinha ameaçadoramente, mas nada parecia perturbar o bom humor do vendedor, que prosseguiu seu caminho, cantando o conhecido refrão dos vendedores de bolos quentes:

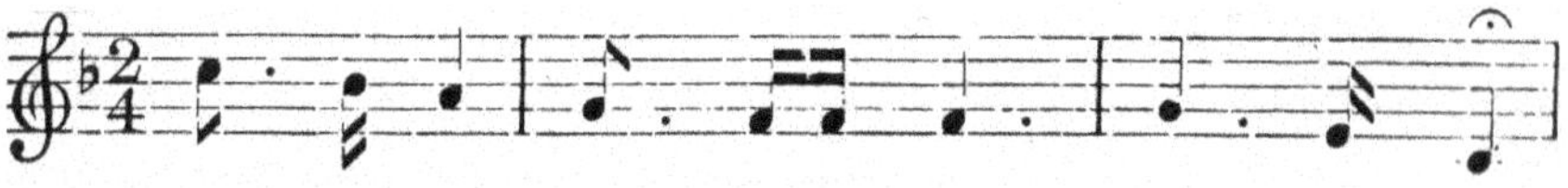

Bo-lo quente! Gos-to-so^e bom! Bo-lo quente!

Quen-te^e bom! | Quen — ti — nho^e bom! | Bo-loquente!|

— É muito indigesto, querida — reiterou a velha senhora, voltando-se para Clara. — Fique com as porcentagens, que fará mais proveito.

Clara suspirou, enquanto lançava um olhar faminto para o cesto que desaparecia à distância, mas não teve outro remédio senão obedecer à tia inflexível, que imediatamente retomou o assunto interrompido pelo vendedor, dizendo, enquanto contava nos dedos:

— Digamos que 70 por cento perderam um olho, 75 por cento uma orelha, 80 por cento um braço, 85 por cento uma perna. São proporções bastante razoáveis. Diga-me agora, querida, quantos por cento devem ter perdido todos os quatro?

Nada mais se ouviu nos minutos que se seguiram, a não ser um mal reprimido sussurro de Clara ("Quente e bom!"), que ela deixou escapar ao ver desaparecer na esquina o cesto cheio de iguarias. E em silêncio as duas prosseguiram, até chegarem diante da velha mansão onde então moravam o pai de Clara, seus três irmãos e um velho preceptor. Balbus, Lambert e Hugh tinham chegado pouco antes, e já se encontravam lá dentro. Tinham feito uma caminhada, e naquele momento Hugh acabava de fazer uma pergunta difícil, que havia deixado Lambert acabrunhado, e Balbus meio confuso. Era a seguinte:

— Deixa de ser quarta-feira e passa a ser quinta à meia-noite, não é?

— Geralmente, sim — respondeu Balbus com cautela.

— Sempre é assim — retrucou Lambert com firmeza.

— Geralmente — repetiu Balbus.

— Então, vou explicar melhor: quando acontece de acabar a quarta-feira e começar a quinta-feira, a mudança ocorre à meia-noite, não é? Exatamente à meia-noite.

— Com esta eu tenho de concordar — assentiu Balbus, sem que dessa vez Lambert se manifestasse.

— Pois bem — prosseguiu Hugh,— suponhamos que seja meia-noite aqui em Chelsea. Isso quer dizer que ainda é quarta-feira a oeste daqui (seja na Irlanda, seja na América), já que nesses lugares não soou a meia-noite, enquanto já é quinta-feira a leste daqui (digamos: na Alemanha ou na Rússia), nos lugares onde já passou de meia-noite. Estou certo?

— Está — assentiu Balbus, dessa vez apoiado por Lambert, que fez "sim" com a cabeça.

— Nesse mesmo instante, porém, não é meia-noite em qualquer outro lugar, de maneira que o dia não está mudando senão aqui em Chelsea. No entanto, se esse instante é chamado de quarta-feira na Irlanda e na América, e de quinta-feira na Alemanha e na Rússia, deve haver algum lugar, que não seja Chelsea, onde haja dias diferentes de um ou de outro lado dele. O pior de tudo, porém, é que, nesse lugar, os dias que mudam estão situados em lados diferentes dos nossos, isto é, a quarta-feira fica a leste, e a quinta a oeste! A ideia que se tem é a de que, ali, quando muda o dia, a quinta-feira passa a ser quarta!

— Já escutei essa charada certa vez! — gritou Lambert. — E a explicação é a seguinte: quando um navio dá a volta ao mundo de leste para oeste, sabe-se que ele perde um dia na sua contagem de tempo. Assim, quando ele ancora no porto de origem e seus tripulantes desembarcam, eles chamam aquele dia de "quarta-feira", enquanto que, para os que ali permaneceram, aquele dia será quinta-feira, já que eles tiveram uma meia-noite a mais. Mas quando a volta ao mundo é feita em sentido inverso, o que acontece é justamente o contrário disso.

— Sei disso tudo — retrucou Hugh, abanando a cabeça ante aquela confusa explicação, — mas isso nada tem a ver com o que perguntei, porque o navio não tem seus próprios dias. Se ele singrar para um lado, seu dia terá mais de 24 horas; se seguir para o outro, terá menos. Desse modo, os tripulantes acabam aplicando um nome errado ao dia que passa por eles. Já quem mora num determinado lugar sempre convive com dias de 24 horas.

— Suponho que exista de fato esse lugar do qual você falou — disse Balbus pensativo, — embora eu jamais tenha ouvido falar dele. E as pessoas devem achar esquisito, conforme diz Hugh, ter o dia anterior a leste e o dia seguinte a oeste, porque, quando for exatamente meia-noite, hora de mudar o dia, ninguém sabe exatamente o que irá acontecer. É, acho tenho de matutar um pouco sobre esse assunto.

Quando as duas entraram na casa, assim se encontravam os que tinham chegado antes delas: Balbus, de cenho franzido, como que intrigado com alguma coisa; Lambert, mergulhado em tenebrosos pensamentos.

— Minhas senhôras... âh... bom dia... âh... o patrão está lá dentro a sua espera... âh... faça o favor de acompanhar-me — (esse "âh" com acento circunflexo, utilizado na fala dos mordomos ingleses para substituir o ponto, só é adquirido na segunda geração desses profissionais).

— Coitado! — sussurrou Malu Quinha para Clara, enquanto as duas seguiam atrás do mordomo, — Ele está engasgado com alguma coisa!

— Não está, não! E assim mesmo que ele fala! — foi tudo o que Clara conseguiu sussurrar como resposta.

As duas foram levadas até a biblioteca, e ali deixadas, diante de cinco rostos solenes que as receberam em silêncio.

Sentado à cabeceira de uma mesa comprida, o velho apenas fez sinal às duas para que ocupassem as duas cadeiras vagas a seu lado. Nas outras cadeiras sentavam-se seus três filhos e Balbus. Papéis e canetas tinham sido dispostos diante deles, de maneira que os cinco pareciam preparados para tomar parte num banquete espectral. Via-se que todo aquele arranjo se devia às mãos e ao talento de um profissional: o mordomo, evidentemente. Daí seu aspecto de um serviço de mesa completo. As folhas brancas de papel ofício tomavam o lugar dos pratos; ladeando-as, penas e lápis — os talheres; no lugar geralmente ocupado pelos pães, os mata-borrões, e no do copos de vinho, tinteiros. Quanto à iguaria a ser servida, *a pièce de resistance*, essa estava representada por um grande saco de pano verde, que o velho no momento erguia, fazendo tilintar e com isso mostrando que estaria repleto de moedas.

— Minha irmã, minha filha, meus filhos e meu amigo — começou a falar o velho, em tom que tentava ser solene, mas que um certo desapontamento fazia soar estranho, levando Balbus a intervir, dizendo:

— Prestem atenção, por favor!

Hugh apoiou os punhos na mesa, enquanto desconcertado orador tentava prosseguir, dizendo apenas:

— Minha irmã...

Fez uma pausa, afastou o saco verde para o lado e finalmente continuou, um tanto afobado:

— Como todos sabem... estamos agora... numa ocasião crítica... isso é, mais ou menos crítica... uma vez que neste ano um de meus filhos vai... irá... tornar-se maior de idade.

Fez nova pausa, deixando entrever que teria revelado um segredo que só no final do discurso deveria ser dito. Para ajudá-lo, Balbus voltou a intervir:

— Prestem atenção!

— Desse modo, meus caros — continuou, parecendo então ter recobrado o controle, ao menos em parte, — repetindo aquele costume anual — e peço ao amigo Balbus que me corrija, se o que eu disser não for absolutamente correto — ("Queria ver se ele iria corrigi-lo do mesmo modo que nos corrige!", murmurou Hugh, tão baixo que apenas Lambert o escutou, franzindo o cenho e repreendendo-o com um sacudir de cabeça) — aquele costume anual de distribuir entre meus filhos uma quantidade de moedas proporcional a suas idades, lembrei-me daquela vez em que, numa situação idêntica, atravessamos um momento crítico, pois então, conforme bem lembrou Balbus, as idades somadas de dois de vocês igualaram a do terceiro, obrigando-me naquela ocasião a fazer um discurso semelhante a este...

E neste momento voltou a fazer nova e comprida pausa, levando Balbus a entender que deveria voltar a ajudá-lo com alguma frase de alerta, mas o velho o deteve com um gesto de mão, retomando a palavra e dizendo:

— Um discurso semelhante a este. Poucos anos mais tarde, novamente Balbus me alertou para uma curiosidade referente às idades de vocês...

— Prestem atenção!

— Foi outra ocasião crítica. Daquela vez, as idades somadas de dois de vocês davam o dobro da idade do terceiro. Tive de fazer outro discurso. Sim, outro. Pois agora, chegamos de novo a uma ocasião crítica. Novamente Balbus me alertou para um pormenor, e eu achei que devia de novo discursar.

Nesse ponto, Malu Quinha consultou ostensivamente seu relógio.

— Não se preocupe, minha irmã, já estou terminando. O número de anos transcorridos desde aquela primeira ocasião é exatamente igual a dois terços das moedas que então lhes entreguei. E para que agora recebam o que lhes tenho a dar, basta que primeiro calculem suas idades a partir desses dados que acabo de lhes fornecer.

— Mas nós sabemos nossas idades! — protestou Hugh.

— Silêncio! — trovejou o velho, erguendo-se da cadeira ameaçadoramente (tinha exatamente 5 pés e 5 polegadas 1,64m). — Disse e repito: usem os dados que lhes forneci e calculem suas idades. E não se esqueçam de que um de vocês está para tornar-se maior de idade.

Então, segurando o saco verde pela boca, saiu da sala com passos decididos.

E quanto a você segredou a tia para a sobrinha, também receberá um "regalo" semelhante, no momento em que conseguir calcular aquela porcentagem.

E foi-se embora atrás do irmão.

Nada poderia exceder a solenidade com que irmão e irmã saíram da sala, e no entanto a fisionomia do velho parecia sorridente, quando ele se voltou para uma última espiada, antes de deixar o recinto. Mais estranho ainda foi notar o piscar de olhos que ele pareceu trocar com Malu Quinha, tão logo passaram para o corredor. E teria sido um som de risadas abafadas que os infelizes jovens escutaram, vindo de fora da sala, logo que Balbus se juntou à dupla? Certamente, não, embora o mordomo tenha ido cochichar com a cozinheira, dizendo-lhe que.. não! Nada de mexericos! Vamos parar por aqui.

As sombras da noite, embora não solicitadas, compareceram à reunião, e, usando e abusando das palavras do poeta, só não conseguiram "*envolver a todos em seu manto espesso*" porque o mordomo não tardou a chegar com os lampiões. Essas mesmas sombras amáveis concederam-lhes a dádiva de "*um ladrido solitário*" (o uivo de um cão no pátio, saudando a lua) que ecoou "*apenas por um breve instante*". Contudo, nem a aproximação da "*madrugada infeliz*", nem qualquer outra circunstância pareciam ter o condão de "*recompor dentro deles*" aquela paz de espírito que um dia tinha assinalado suas existências, antes que esses problemas se houvessem despejado sobre eles e os esmagado com sua carga de imperscrutável mistério!

É desagradável pensar resmungou Hugh que mesmo depois de solucionarmos esses problemas, só ficaremos livres de um transtorno igual a este até a próxima vez em que nos reunirmos...

— Até a próxima vez! — ecoou Clara amargamente. — É verdade!

E para todos os meus leitores eu apenas posso repetir as penúltimas palavras da suave Clara:

ATÉ A PRÓXIMA VEZ!

APÊNDICE

"Um nó!", exclamou Alice, "Oh, deixe-me ajudá-la a desfazê-lo!"

Desfazendo o Primeiro Nó

Problema: Dois caminhantes seguiram das 3 da tarde às 9 da noite por uma estrada parcialmente plana, na qual havia um trecho de subida e um de descida, num percurso de ida e volta. No trecho plano, sua velocidade foi de 4 milhas por hora. Na subida, caminharam à velocidade de 3 milhas por hora, e, durante a descida, a 6 milhas por hora. Calcular: a) a distância percorrida; b) com margem de erro de meia hora, o instante em que alcançaram o ponto culminante do percurso.

Respostas: a) 24 milhas; b) 6 e meia.

Solução: Para percorrer uma milha, eles gastaram, no plano, 15 minutos; na subida, 20 minutos; na descida, 10. Daí, para percorrer a mesma milha, na ida e na volta, quer no plano, quer na ladeira, dispenderam meia hora. Portanto, em 6 horas, os dois caminhantes percorreram 12 milhas na ida e as mesmas 12 na volta. Se as 12 milhas de ida fossem inteiramente planas, teriam levado 3 horas; se fossem em subida, 4 horas. Daí se deduz que 3 horas e meia deva ser o tempo gasto para alcançar o ponto culminante da ladeira. Ora, se eles saíram às 3 da tarde, teriam atingido esse ponto por volta de 6 e meia, dentro de uma margem de erro de meia hora.

Recebi 27 respostas. Destas, 9 estavam absolutamente certas, 16 corretas apenas em parte, e duas erradas. No caso das 16 parcialmente corretas, a distância foi indicada sem erro, mas não o cálculo da hora de chegada ao ponto culminante que deveria situar-se em algum instante entre 6 e 7 da tarde.

As duas respostas erradas foram de GERTY VERNON e NIILISTA. O primeiro calculou a distância em 23 milhas, enquanto que seu revolucionário companheiro estimou-a em 27. Em seu raciocínio, GERTY VERNON afirmou: "*Eles tiveram de percorrer 4 milhas no plano, chegando ao início da subida às 4 horas*" Bem, que eles possam ter percorrido essa distância, é fato com o qual tenho de concordar, meu caro, mas que *tiveram* de percorrê-la, isso você não pode asseverar com absoluta certeza. Baseado em quê? E ele prossegue dizendo: "*Foram 7 milhas e meia até o topo da ladeira, que eles alcançaram faltando 15 minutos para as 7*". Sua aritmética está equivocada, e por isso devo condená-lo, ainda que relutantemente. Com efeito, para percorrer 7,5 milhas à velocidade de 3 milhas/hora, não seriam necessárias duas horas e três quartos.

Disse o NIILISTA: "*Se x representar o número total de milhas, e y o número de horas para se atingir o topo da ladeira, então 3y = n° de milhas até o alto, e x — 3y = n° de milhas existentes do outro lado.*" Esta me deixou confuso, NIILISTA. Do outro lado de quê? "Da ladeira", presumo seja a sua resposta. Sendo assim, como foi que eles voltaram depois para o ponto de partida? Para tornar lógico seu ponto de vista, teríamos de construir uma nova estalagem no início da ladeira, no lado de lá, e ainda por cima presumir (o que até pode ser verdade, embora não necessariamente) que não houvesse qualquer trecho plano de estrada a percorrer. E mesmo assim você estaria errado. NIILISTA ainda afirma que:

$$y = \frac{6x - 3y}{6} \quad (1°) \qquad\qquad x = \frac{6}{4{,}5} \quad (2°)$$

Concordo com seu primeiro raciocínio, mas discordo do segundo, visto que se baseia na suposição de que uma jornada percorrida em parte a 3 milhas por hora e em parte a 6 milhas por hora dispenderá o mesmo tempo que se percorrida à velocidade uniforme de 4,5 milhas por hora. Isso apenas seria correto se as duas partes fossem iguais, ou seja, se eles subissem a ladeira durante 3 horas e a descessem durante as outras 3, o que certamente não ocorreu.

Os 16 que acertaram parcialmente a resposta foram DONZELA DELGADA, FILHO AMOROSO, F.K., GATINHA, G.E.B., H.P., IAQUE, INÊS MURALHA, M.E.T., MYSIE, NAIRAM, PÍFARO, REDRUTHIAN, SOCIALISTA, T.B.C. e VIS INERTIAE. Destes, F.K.,PÍFARO, T.B.C. e VIS INERTIAE sequer tentaram responder a segunda questão. F.K. e H.P. não expuseram seu raciocínio. Os restantes partiram de pressupostos particulares, tais como o de não existir trecho plano (quando havia 6 milhas planas explicitamente citadas) e assim por diante. Todos chegaram a conclusões pessoais quanto ao tempo gasto para chegar ao alto da ladeira.

A suposição mais curiosa foi de INÊS MURALHA, que "*Seja x o número de horas dispendidas na subida, e x2 o das horas gastas na descida, sendo 4x3 o das horas gastas no trecho plano da estrada*". Imagino que sua suposição se refira a velocidades relativas, no que se refere a subir e caminhar no plano, mais ou menos o mesmo que se fosse dito assim: se eles subirem *x* milhas num determinado tempo, caminharão *4x3* milhas planas gastando o mesmo tempo. Na realidade, porém, o que você presumiu foi que eles tivessem gasto o mesmo tempo, tanto subindo, como caminhando no plano.

PÍFARO presumiu que, quando o caminhante mais velho disse que eles teriam percorrido o trecho plano a 4 milhas por hora, estava querendo dizer que 4 milhas seria a distância percorrida, e não apenas a velocidade de seu passo. Perdoe-me dizer-lhe, PÍFARO que, se assim fosse, nosso caminhante mais velho teria agido como um gaiato, coisa que ele efetivamente não era.

Vamos por fim aos 9 heróis que acertaram em cheio a solução do problema. Um hurra para eles, que o merecem. Seus nomes são: BRISA DO MAR, G.D., JUBILOSA, L.B., MENINO DE MARLBOROUGH, PUTNEY WALKER, ROSA, SUSANA SINGELA & FAZEDOR DE DINHEIRO (esses dois devem ser considerados um só, pois mandaram uma resposta em conjunto) e V.L.

ROSA e SUSANA SINGELA & CIA. não chegaram a afirmar propriamente que o alto da ladeira foi atingido entre 6 e 7 horas; porém, como demonstraram ter concluído que uma milha, subindo e descendo, dispendia o mesmo tempo que duas milhas seguindo no plano, considerei correta sua resposta.

MENINO DE MARLBOROUGH e PUTNEY WALKER merecem menção honrosa por suas soluçõcs algébricas, tendo sido os únicos a perceber que a pergunta leva a uma equação indeterminada.

A Srta. G.D, acusou o mais velho de faltar à verdade acusação muito grave, em se tratando de um cavalheiro de ilibada moral. Disse ela: "*De acordo com os dados fornecidos, o tempo gasto até chegar ao topo não cria condição de estimar a distância total percorrida. Não nos proporciona condição alguma de afirmar precisamente qual seria a proporção entre o trecho plano e o da ladeira da estrada.*" Deixo o próprio caminhante mais velho incumbido de lhe dar a resposta:

"*Senhorinha: Se, como conjecturo, tuas iniciais signifiquem Gentil Donzela, trata de refletir que a expressão não nos proporciona condição alguma é tua, e não minha. O tempo gasto para atingir o ápice da estrada foi apenas uma condição minha e pessoal para uma futura conferência. Se, depois disso, a senhorinha ainda persistir em negar minha condição de amante da verdade, terei de concluir, consequentemente, que tuas iniciais signifiquem não aquilo que eu disse, mas sim Garota Descortês!*"

QUADRO DE CLASSIFICAÇÃO

I

MENINO DE MARLBOROUGH	PUTNEY WALKER

II

JUBILOSA	ROSA
G.D.	BRISA DO MAR
L.B.	SUSANA SINGELA
O.V.L.	FAZEDOR DE DINHEIRO

JUBILOSA acrescentou um final engenhosíssimo ao problema, e SUSANA SINGELA e seu parceiro apresentaram uma solução poética, em versos extremamente bem feitos. Faço questão de transcrever na íntegra as duas respostas. Alterei uma ou duas palavrinhas no texto de JUBILOSA, na certeza de que ela haverá de me perdoar a liberdade. A intenção foi apenas a de tornar ainda mais claro o que ela queria dizer. Eis a sua resposta:

"Vede", disse o mais jovem, com um lampejo de inspiração a iluminar os músculos em repouso de suas feições imóveis, "e raciocinai comigo: parece-me de parca importância precisar o instante em que atingimos o ponto culminante da estrada, o ápice, o coroamento de nossos esforços. Isso porque, no espaço de tempo dispendido para escalar uma milha na ida e descê-la na volta, teríamos percorrido o dobro, num percurso plano. Por conseguinte, trilhamos vinte e quatro milhas durante essas seis horas de caminhada ingente, uma vez que em momento algum paramos para tomar fôlego, ou mesmo com a simples intenção de contemplar a paisagem.

"Muito bem cogitado", concordou o mais velho. "Doze milhas de ida e doze de volta. O ponto culminante deve ter sido atingido em algum instante entre as seis e as sete horas. Agora, presta bem atenção: a cada cinco minutos passados das seis e pouco, no instante em que alcançamos o ponto culminante, esse será o número de milhas que percorremos enquanto subíamos aquele fatigante trecho da estrada!"

Ruminando essa última informação, o mais jovem entrou velozmente na estalagem.

Jubilosa.

Segue-se a poesia:

Dois cavaleiros, um velho e um jovem,
Saíram em jornada;
Eram três horas quando do início
De sua caminhada.
Foi alcançado o sopé de um morro
Algum tempo depois
Mas ninguém sabe a distância andada,
Nem mesmo aqueles dois.

Outra questão que ninguém responde:
Qual seria a distância
Entre o sopé e o topo do momo?
Não é deselegância
Dizer "não sei", já que importa apenas
Saber que suas trilhas
Totalizaram, em extensão,
Só vinte e quatro milhas.

Das três às nove foi percorrida
Essa extensão total,
Tanto no plano quanto no morro
Dando em média, ao final,
Quatro milhas por hora. Porém
É preciso saber
Que essa velocidade varia
Ao subir ou descer.

O tempo gasto em transpor o morro
Foi de dois terços na ida,
Sendo o tempo restante, portanto,
Gasto com a descida.
Assim, se esta história inicialmente
Parecia intrincada,
Com esses cálculos, como veem,
Foi desemaranhada.

Susana Singela/Fazedor de Dinheiro.

Desfazendo o Segundo Nó

§ 1. A festa do Governador

Problema: O Governador de Kigovjni quer dar uma festa bem íntima, e convidou apenas o cunhado de seu pai, o sogro do seu irmão, o irmão do seu sogro e o pai de seu cunhado. Descubra o menor número possível de convidados.

Resposta: Um.

Solução: Veja o esquema genealógico. Os homens estão indicados com maiúsculas, e as mulheres com minúsculas. O Governador é E, e seu convidado único é C.

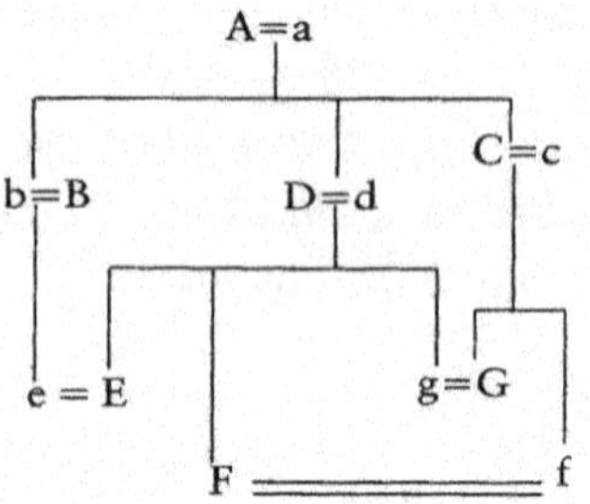

Foram recebidas dez respostas. Destas, a de GALANTHUS NIVALIS MAJOR estava errada. Ele insistiu em afirmar que os convidados seriam 2, sendo um deles o pai do irmão da mulher do Governador. Se, em vez desse, ele tivesse convidado o pai do marido de sua irmã, provavelmente teria reduzido a um o número de convidados...

Dos 9 que enviaram respostas certas, BRISA DO MAR certamente a mais tênue aragem que jamais portou esse nome! Ela simplesmente afirma que o tio do Governador poderia preencher todas essas condições, "*por meio de casamentos endogâmicos*"! O Zéfiro Oceânico, por que apelar para tão estreita saída? Agradeça por eu ter relevado essa estranha explicação, deixando-o participar do quadro de classificação!

Já VELHO CARVALHO e ITINERÁRIO DO FUTURO usaram genealogias compostas de 16 elementos, em vez de 14, uma vez que decidiram convidar o marido da irmã do pai do Governador, em lugar do irmão da mulher de seu pai! Discordo dessa solução, preferindo antes a que se resolve com uma genealogia de 14 indivíduos.

CAIO e VALENTINA merecem menção especial, pois foram os únicos que juntaram um esquema genealógico a suas respostas.

QUADRO DE CLASSIFICAÇÃO

I

ABELHA — MATT MÁTICO — GATO VELHO
CAIO. — M.M. — VALENTINA.

II

ITINERÁRIO DO FUTURO — VELHO CARVALHO.

III

BRISA DO MAR.

§2. Quartos para alugar

Problema: Uma praça quadrada tem 20 casas de cada lado, todas com fachadas do mesmo tamanho. Sua numeração é crescente, iniciando-se numa das esquinas. Tomemos as casas de nº 9, 25, 52 e 73: de qual delas a soma das distâncias até as outras 3 casas é menor?

Resposta: Da casa de nº 9.

Solução: Seja A a casa de n° 9, B a de n° 25,
C a de n° 52 e D a de n° 73.

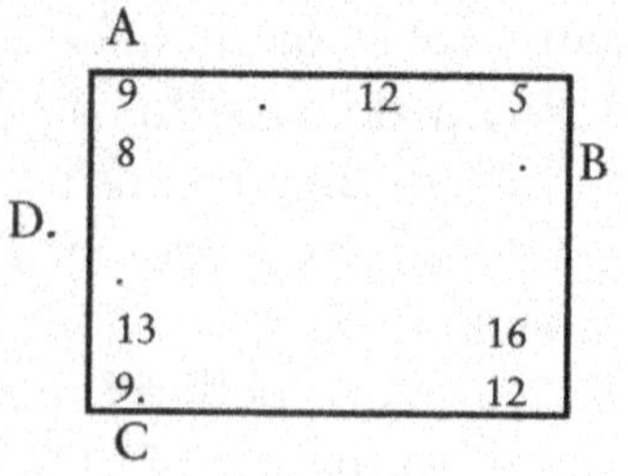

Portanto, AB = $\sqrt{(122 + 52)} = \sqrt{169} = 13$.

$AC = 21$.

$AD = \sqrt{(9^2 + 8^2)} = \sqrt{145} = 12 +$ D

(ou seja, entre 12 e 13)

$BC = \sqrt{(16^2 + 12^2)} = \sqrt{400} = 20$.

$BD = \sqrt{(3^2 + 21^2)} = \sqrt{450} = 21+$.

$CD = \sqrt{(9^2 + 13^2)} = \sqrt{250} = 15+$.

Assim sendo, a soma das distâncias de A está entre 46 e 47; de B, entre 54 e 55; de C, entre 56 e 57; de D, entre 48 e 51 (por que não entre 48 e 49? Tentem responder vocês mesmos).

Conclusão: a menor distância é a que corresponde à casa de n° 9.

Recebi 25 respostas. Destas, 15 mereceram zero, 5 estavam parcialmente certas, e 5 inteiramente corretas. Das 15 primeiras, descarto já de saída as respostas enviadas por AMIGAO, CARVALHO VELHO, DINÁ MITE, FANTASMA ALFABÉTICO, GALANTHUS NIVALIS MAJOR (é possível que a chegada da primavera tenha sido a responsável pelo "derretimento" desse floco de neve...), JANET, H.M.S. PINAFORE e VALENTINA, pelo simples fato de terem insistido em manter nossos amigos andando somente no passeio, quando deixei bem claro, ao afirmar que eles "atravessaram a rua e chegaram ao nº 73", que nada impedia atalhar-se o caminho.

BRISA DO MAR também comete o mesmo erro, acrescentando que o resultado não iria sofrer alteração alguma se eles tivessem atravessado a rua, sem contudo comprovar essa afirmação.

MM. traçou um esquema, concluindo que a resposta é a casa de n° 9, "*conforme se pode ver no esquema*". Olhei e não vi.

GATO VELHO presumiu que a casa fosse a de nº 9, ou então a de n° 73, sem contudo especificar as razões de sua indecisão.

A aritmética de ABELHA é falha. Ela acredita que a soma das raízes de $\sqrt{169}$, $\sqrt{442}$ e $\sqrt{130}$ seja 741. Se dissesse que era igual à raiz de 742, estaria mais correta.

Lembro-lhe, entretanto, que raízes não podem ser somadas assim. Acaso imagina, minha abelhinha, que $\sqrt{9} + \sqrt{16}$ seja igual a 25, ou então a raiz de $\sqrt{25}$?

Mais atrevida ainda é a afirmação feita por AYR, que chegou a uma conclusão ilógica sem sequer piscar os olhos. Depois de mostrar (acertadamente) que AC é menor que BD, conclui: "*Portanto, a casa mais próxima das outras três deve ser A ou C*"! Em seguida, depois de afirmar (acertadamente) que B e D estão dentro da metade do quadrado que contém A, arremata: "*Daí, AB + AD deve ser menor que BC + CD*", Ora, isso não tem a menor lógica! Para a primeira distância, tente os números 1,21, 60 e 70. Isso tornará sua premissa certa, mas deixará errada sua conclusão. Para o segundo caso, tente os números 1, 30, 51 e 71, e obterá resultado idêntico.

Dos 5 que responderam parcialmente certo, TRAPOS E FARRAPOS e CHAPELEIRO LOUCO (que trabalharam em dupla) colocaram 6 casas num dos lados, o do nº 25, em vez de 5, que seria o correto.

Já CHEAM, ER.D.L. e MEGGY MOTTS não puseram casas nas quinas da praça, o que fugiu às especificações. Além disso, CHEAM "mediu" as distâncias, sem mencionar que se tratava de medidas arbitrárias.

CROPHI E MOPHI arriscaram a atrevida e infundada suposição de que as casas existentes em cada lado da praça totalizariam 21, e não 20, o número explicitado por Balbus, alegando o seguinte: "*Pode-se presumir que as casas de n° 21, 42, 63 e 84 ficassem invisíveis, para quem se postasse no centro da praça*"! A valer isso, fica valendo qualquer coisa....

Dos 5 que acertaram em cheio, 4 CAIO, CLIFTON, ITINERÁRIO DO FUTURO E MARTREB merecem menção especial, em virtude de suas soluções inteiramente analíticas. Já MATT MÁTICO acertou ao indicar o n° 9, comprovando a afirmação de dois modos distintos, e usando argumentos inteligentes e engenhosos. Só não explicou a razão de ter escolhido exatamente aquela casa. Sua comprovação sintética é excelente, mas ficou faltando a análise da resposta, o que lhe confere uma qualificação inferior à dos outros 4.

QUADRO DE CLASSIFICAÇÃO

I

ITINERÁRIO DO FUTURO.
CAIO.
CLIFTON.
MARTREB.

II

MATT MÁTICO

III

CHEAM
CROPHI E MOPHI
E.R.D.L.

MEGGY POTTS e a dupla constituída por TRAPOS E FARRAPOS e CHAPELEIRO LOUCO.

Chegou-me às mãos um protesto assinado por PERSCRUTADOR, com referência à resposta anterior (Desfazendo o Primeiro Nó). Diz ele que, naquele caso, "*não se configurou propriamente um problema*". E explica o motivo: "*Fo-*

ram colocadas duas questões. Para solucionar a primeira, não haviam dados suficientes. Quanto à segunda, esta se respondia por si só."

Vamos à minha resposta. Quanto à primeira, PERSCRUTADOR está equivocado. Configurou-se o problema, porque havia (e não "haviam") dados suficientes para a resposta. Quanto à segunda, achei interessante saber que ela "se respondia por si só", pois isso me obriga a acrescentá-la à relação dos que me enviaram suas respostas. Apenas sinto não poder colocá-la no Quadro de Classificação, pois esta brincadeira matemática está aberta somente para os seres humanos.

Desfazendo O Terceiro Nó

Problemas: (1) Duas viajantes seguem em direções opostas, tendo embarcado ao mesmo tempo em dois trens circulares, que partem de 15 em 15 minutos. O comboio que segue para leste gasta 3 horas para cobrir seu percurso, enquanto que o que parte para oeste gasta duas. Quantos trens cruzam com cada um deles durante o percurso, não contando eles próprios à hora da chegada e da saída?

(2) A mesma questão, iniciando-se a contagem no momento em que os dois trens se cruzam.

Respostas: (1) 19. (2) A passageira do trem que seguiu para leste avistou 12 trens; a outra, 8.

Explicação: Os trens que seguem para um lado gastam 180 minutos para cobrir o percurso, enquanto que os outros gastam 120. Tomemos o mínimo múltiplo comum, que é 360, e dividamos o percurso em 360 unidades. O primeiro conjunto de trens percorre seu trajeto à velocidade de duas unidades por minuto, em intervalos de 30 unidades entre um e outro. A velocidade dos que partem em sentido oposto é de 3 unidades por minuto, e os intervalos de 45 unidades. O trem que parte para leste tem 45 unidades entre ele e o primeiro com o qual haverá de cruzar. Perfaz 2/5 dessa distância ao mesmo tempo em que o outro perfaz 3/5, e desse modo cruza com ele ao final de 18 unidades, repetindo-se esse fato por todo o restante do trajeto. Já o trem que parte para oeste tem 30 unidades entre ele e o primeiro com o qual cruza. Perfaz 3/5 da distância, enquanto que o outro perfaz 2/5. Irá cruzar com ele após percorrer 18 unidades, repetindo-se esse fato por todo o restante do trajeto. Portanto, se a ferrovia for dividida em 20 partes iguais, separadas por 19 postes equidistantes, cada qual encerrando 18 unidades, os trens haverão de cruzar um como outro à altura de cada um desses postes. No caso do problema n° 1, cada passageira encontrará 19 postes em seu caminho, ou seja, cruzará com 19 trens. No 2° problema, porém, a passageira que seguiu para leste apenas começará a contar os trens após percorrer 2/5 do trajeto, ou seja, depois de passar pelo 8° poste, tendo apenas outros 12 a contar. De maneira semelhante, a outra passageira haverá de contar apenas 8 postes. As duas voltarão a encontrar-se ao final de 2/5 de 3 horas, ou de 3/5 de duas horas, o que dá no mesmo: após 72 minutos.

Recebi 45 respostas. Destas, 12 não serão analisadas, porquanto não vieram acompanhadas do raciocínio. Limito-me a mencionar os nomes dos remetentes: ARDMORE, E.A., F.A.D., LD., MATT MÁTICO, M.E.T., PL-PL, RAINHA DE COPAS (erraram a resposta), BETA, ROWENA (acertaram o 1° problema e erraram o 2°), BOB AGEM e ANAIRAM (enviaram respostas corretas). Destes dois últimos, espero que o primeiro se conscientize da bobagem que fez em não expor seu raciocínio, e que a segunda mude sua visão invertida das coisas, lembrando-se de que, se houvesse prêmios a ganhar, ela não poderia recebê-los, ainda que os merecesse.

Uma observação: respeitando o pedido de E.A., não declinarei seu nome por extenso, já que ela me pediu para apenas: fazer isso caso tivesse acertado a resposta.

Das 33 pessoas que me enviaram o raciocínio anexo à resposta, 10 erraram tudo, 11 acertaram em parte (o que significa terem errado a outra parte), 3 quase acertaram tudo (partiram do pressuposto de que Clara teria seguido para leste, sem qualquer base para tal suposição) e 9 acertaram em cheio.

Os 10 que mandaram respostas erradas foram ESCONDE-ESCONDE, FINANCISTA, GAIVOTA, LW.T., KATE B., LANUGEM DE CARDO, M.A.H., Q.Y.Z., TOM QUAD e alguém que esqueceu de assinar o nome.

ESCONDE-ESCONDE afirmou corretamente que o viajante oriental cruzou com todos os trens que partiram durante as 3 horas de seu percurso, assim como todos os que partiram até duas horas antes, ou seja, todos os que saíram no início de 20 períodos de 15 minutos, e também acertou no que se refere a não levar em consideração aquele com o qual ela cruzou no momento de sua partida. No entanto, errou em colocar na mesma categoria o último trem, já que não teria cruzado com ele durante sua chegada, e sim 15 minutos antes. No 2° problema voltou a cometer o mesmo erro.

FINANCISTA inventou que qualquer trem, desde que encontrado pela segunda vez, não devesse ser computado.

I.W.T. descobriu, por meio de um processo não revelado, que as viajantes se encontraram ao cabo de 71 minutos e 26,5 segundos...

KATE B. errou ao supor que os trens com os quais as duas cruzaram na saída e na chegada nunca devessem ser contados, mesmo se encontrados alhures.

Q.Y.Z arriscou uma solução algébrica bastante complexa, e foi bem sucedido ao calcular o tempo de cada cruzamento, mas errou no que se refere a todo o restante.

GAIVOTA parece acreditar que, no 1° problema, o trem de leste teria ficado estacionado durante 3 horas, e afirma que, no 2°, as viajantes se encontraram ao cabo de 71 minutos e 40 segundos.

LANUGEM DE CARDO confessou candidamente não se ter dado ao trabalho de proceder a cálculos, tendo apenas desenhado a figura dos trilhos e contado os trens. No 1° caso, contou errado; no 2°, fez com que os trens se cruzassem a cada 75 minutos.

TOM QUAD esqueceu-se de resolver o primeiro problema, e no segundo fez Clara contar o trem que chegou junto com ela no final da viagem.

O missivista que não assinou também não se fez compreender, ao afirmar que "*as viajantes percorreram 1/24 a mais que a distância total a ser percorrida*"!

A "teoria Clara", à qual já me referi, foi adotada por 5 pessoas: ESCONDE-ESCONDE, FINANCISTA, KATE B, TOM QUAD e o sem-nome.

Os 11 que acertaram pela metade foram AMIGÃO, BRIDGET, CARVALHO VELHO, CASTOR, GATO RISONHO, G.F.R, M.AH, MARY, MOÇA VELHA, RW.e VENDREDI Todos adotaram a "teoria Clara".

CASTOR nem tentou resolver o 1° problema.

VENDREDI acertou o 1º; no 2º, porém, cometeu o mesmo erro de ESCONDE-ESCONDE.. Observei em sua solução, VENDREDI, uma curiosa proporção: "*300 milhas correspondem a duas horas, assim como uma milha corresponde a 24 segundos*". Você parece estar adquirindo uma crença na existência de uma proporção entre millas e horas!... E quanto às observações sarcásticas de seus dois amigos com relação a seus "caminhos sinuosos", não se deixe desencorajar por elas. O fato é que seu método simplificado de adicionar 12 e 8 apresenta uma ligeira desvantagem: acaba levando à resposta errada. Mesmo um método sinuoso teria sido melhor...

M.A.H, no 2° problema, fez as viajantes contarem "*Um*!" Depois de terem cruzado uma pela outra, e não exatamente naquele instante, como teria de ser.

GATO RISONHO e MOÇA VELHA dão "20" como resposta ao 1° problema, esquecendo-se de descartar o trem com o qual se cruza na saída.

Os demais chegaram à resposta "18", tomando caminhos diversos. AMIGÃO, CARVALHO VELHO e R.W. dividiram os trens a serem encontrados pela viajante de oeste em dois conjuntos: os em trânsito, que calcularam corretamente como sendo 11, e os que partiram durante sua jornada de duas horas (sem contar o encontrado na saída), chegando à resposta "7" errada. O mesmo erro foi cometido com referência ao outro trem.

BRIDGET afirmou (corretamente) que a viajante ocidental encontrou 1 trem a cada 6 minutos, durante duas horas, o que resultaria em 20. Errado: seriam 21.

G.E.B. adotou o método usado por ESCONDE-ESCONDE, mas descartou erroneamente, no caso da viajante de leste, o trem que saiu no início das primeiras duas horas.

MARY imaginou que o trem com que as viajantes cruzam na chegada não deva ser contado em instante algum.

Os três que acertaram tudo, mas adotaram a infeliz "teoria Clara", foram F. LEE, G.S.C. e X.A.B.

Segue-se, por fim, a relação da dezena de acertadores plenos. Seus nomes são AIX-LES-BAINS, ALGERNON BRAY (a quem agradeço pelas palavras de amizade, revelando um calor humano que nem mesmo as águas frias do Atlântico seriam capazes de arrefecer), ARVON, ESPERANDO O TREM, H.L.R., ITINERÁRIO DO FUTURO, J.L.O, OMEGA, PÍFARO e S.S.G. Alguns deles colocaram Clara provisoriamente no trem oriental, mas parece terem compreendido que esse fato em si não iria condicionar a resposta.

QUADRO DE CLASSIFICAÇÃO

I

AIX-LES-BAINS	H.L.R.
ALGERNON BRAY	OMEGA
ITINERÁRIO DO FUTURO	S.S.G.
FLAUTINHA	ESPERANDO O TREM

II

ARVON	J.L.O

III

F. LEE	G.S.C.	X.A.B.

DESFAZENDO O QUARTO NÓ

Problema: São cinco sacolas. A 1ª e a 2ª pesam 12 libras; a 2ª e a 3ª, 13,5; a 3ª e a 4ª, 11,5; a 4ª e a 5ª, 8; a 1ª, a 3ª e a 5ª, 16 libras. Quanto pesa cada sacola?

Resposta: 1ª sacola: 5,5 libras; 2ª: 6,5 libras; 3ª: 7 libras; 4ª: 4,5 libras; 5ª: 3,5 libras.

Solução: A soma de todas as pesagens, 61 libras, inclui 3 vezes a 3ª sacola e duas vezes as outras quatro. Deduzindo duas vezes a soma da 1ª e da 4ª pesagens, restam 21 libras para 3 vezes a 3ª sacola, que, por conseguinte, pesa 7 libras. Deduz-se ainda, da 2ª a e da 3ª a pesagens, 6,5 e 4,5 libras para as sacolas de n° 2 e 4, enquanto que a 1ª e a 4ª pesagens resultam em 5,5 e 3,5 libras para as sacolas de n° 1 e 5.

Foram recebidas 97 respostas, das quais 15 estão fora das especificações, pois não vieram acompanhadas do raciocínio. Limito-me a mencionar os nomes de quem respondeu, aproveitando a oportunidade para dizer que esta será a última vez que farei tal coisa. Da próxima, apenas mencionarei o número desses correspondentes. No que tange à solução de um quebra-cabeças ou à caçada e captura de uma pulga, não é de se esperar que o ofegante vitorioso nos relate, a sangue-frio, o histórico dos esforços mentais ou musculares que o levaram ao sucesso, mas no que se refere a cálculos matemáticos, aí a coisa é diferente. Com essa ressalva, segue-se a relação dos lacônicos e inglórios respondedores: D.E.R, DOUGLAS, E LELLEN, HUMILDE, LM.T., JOSEPH, J.M.C, LUCY, M.F.C, PRIMEIRO NÓ, PYRAMUS, SENSO COMUM, VERITAS e XÁ.

Das 82 cartas contendo a resposta e o raciocínio (ou algo parecido), uma estava inteiramente errada; 17 chegaram a respostas que, por uma razão ou por outra, são praticamente despidas de qualquer valor, e os 64 remanescentes serão distribuídos num Quadro de Classificação de acordo com os diversos graus de objetividade e simplicidade apresentados em suas respostas.

A solitária resposta errada é de NELL. Não deixa de ser uma distinção ficar "sozinha dentro da multidão" dolorosa, por certo, mas sempre uma distinção. Sinto por você, jovem NELL, e até acredito estar escutando sua lacrimosa exclamação, ao ler estas linhas: "Oh! Eis o fim de minhas esperanças!" Agora, diga-me: onde foi você encontrar o peso de 4 libras, tanto para a 4ª como para a 5ª sacola? Por correta? Mas não desista, por favor. Tente outra vez. E, peço-lhe, conserve esse seu *nom de plume*, NELL, pois ainda haverei de vê-lo encimando o Quadro de Classificação!

As 17 respostas que me pareceram despidas de qualquer valor vieram de ARDMORE, ARTHUR, BRIDGET, BRISA DO MAR, CALCULISTA BEM-DISPOSTO, CARVALHO DO PÂNTANO, COTOVIA DO BREJO, J.L.C., LANUGEM DE CARDO, MAIS QUE MEIO ADORMECIDO, M.E.T., PRIMEIRA TENTATIVA, ROSA, ROWENA, SÍLVIA, VENDREDI e WINIFRED.

Por meio do "método confuso", COTOVIA DO BREJO partiu do pressuposto de que os números 1 e 2 pesassem 6 libras cada. Desse modo, tendo obtido 17,5, em vez de 16 libras, como sendo o peso da soma das sacolas 1, 3 e 5, retirou "*a libra e meia supérflua*", sem explicar o porquê dessa providência!

MAIS QUE MEIO ADORMECIDO afirmou (provavelmente quando estava mais que meio desperto) que lhe parecia "*perfeitamente claro que, como 3 das 5 sacolas pesaram em conjunto 45 libras, e que, sendo 3/5 de 43 igual a 27, portanto seria este o peso total das cinco*"! Ante esse exótico raciocínio, só me resta fazer dueto com o Capitão, exclamando: "Oh, estou inteiramente confuso!"

WINIFRED com a desculpa de que "*é preciso ter um ponto de partida*", supôs (melhor seria dizer: "inventou") que o nº 1 pesaria 5,5 libras. Todo o restante de sua dedução prosseguiu nessa linha meio divinatória.

O problema consiste efetivamente, como qualquer algebrista logo vê, num caso de "equações simples simultâneas", mas pode também ser resolvido facilmente por simples aritmética. Quando ocorre um caso desses, parece-me ser mau negócio utilizar o método mais complexo. Desta vez, não atribuí um valor maior à solução aritmética, mas hei de agir assim das próximas vezes em que de novo ocorrer situação similar.

Coloquei no nível mais alto as respostas mais breves e simples, deixando na terceira classe as particularmente longas e desajeitadas. Nesta última categoria deixei A.C.M., ENTOJADO, ESPERANDO O TREM, JAMES, PERDIZ e R.W., que me enviaram soluções compridas e carentes de objetividade, contendo substituições sem método definido, um tanto aleatórias e experimentais.

CHILPOME e DUBLINENSE omitiram parte de seu raciocínio. ARBON e MENINO DE MARLBOROUGH só conseguiram calcular o peso de uma sacola.

QUADRO DE CLASSIFICAÇÃO

I

B.E.D.	Nº 5
C.H.	PEDRO
CONSTANCE JOHNSON	R.E.X.
GREYSTEAD	OS SETE VELHOS
AMIGÃO	VIS INERTIAE
POUPA	WILLY B
J.F.A.	YAHOO
M.A.H.	

II

ASSINANTE AMERICANO	J.B.B.
VELHA ESTUDANTE COMPREENSIVA	KIGOVJNI
AYR	MARINHEIRO DE ÁGUA
ITINERÁRIO DO FUTURO	L.D.
CHEAM	PEGA
C.M.G.	MARY
DINÁ MITE	MHRUXI
DUCKWING	MINNIE
E. C. M.	FAZEDOR DE DINHEIRO
E.N. LOWRY	NAIRAM
ERA	GATO VELHO
EUROCLYDON	POLICHINELO
F.H.W.	SUSANA SINGELA
PÍFARO	S.S.G.
G.E.B.	THISBE
ARLEQUIM	VERENA
ESTREPE	WAMBA
VERDE ESTROPIADO	LOBÃO
J.A.B.	WINCHESTERIANO
JOÃO ALCATRÃO	Y.M.A.H

III

A.C.M.
ARVON MARLBOROUGH
CHILPOME
DUBLINENSE
ENTOJADO
JAMES
PERDIZ
R.W.
ESPERANDO O TREM

Desfazendo o Quinto Nó

Problema: Dar notas a quadros expostos numa galeria, atribuindo 3 cruzinhas a dois ou três, duas a 4 ou 5, e uma nove ou dez, e 3 círculos a um ou dois quadros, dois a três ou quatro e um a oito ou nove, de modo a assinalar o menor número possível de quadros e a conferir-lhes o maior número possível de notas.

Resposta: Total de 10 quadros, tendo 29 marcas, assim arranjadas:

X X X X X X X X X O
X X X X X O O O
X X O O O O O O O O

Explicação: Usando todas as cruzinhas possíveis, deixando entre parênteses as opcionais, teremos 10 quadros com as seguintes marcações:

X X X X X X X X X (X)
X X X X (X)
X X (X)

Agindo da mesma forma com os círculos, mas iniciando na outra extremidade, teremos 9 quadros assim assinalados:

(O) O
(O) O O O
O O O O O O O O O

Depois disso, tudo o que teremos de fazer será juntar as duas "cunhas", reduzindo ao mínimo o número de quadros. Para tanto, desmancharemos as marcas opcionais onde elas se misturarem às definitivas, mantendo-as onde não forem encobertas pelas outras.

É necessário termos 10 marcas na primeira fileira, e o mesmo número na terceira, mas bastam 7 na segunda. Daí, apagamos as marcas opcionais da primeira e da terceira fileiras, mantendo-as apenas na segunda.

Recebi 22 respostas. Destas, 11 não enviaram em anexo o raciocínio. Assim, conforme anunciei na edição passada, não mencionarei seus nomes, informando apenas que havia 5 certas e 6 erradas.

Das 11 restantes, contendo algum tipo de raciocínio junto com a resposta, 3 estavam erradas.

C.H. começou com a irrefletida afirmativa de que, dentro das condições estabelecidas, "*a soma é impossível*". Para justificar, ele (ou seria ela? Esses pseudônimos constituídos apenas pelas iniciais são desoladoramente vagos no que concerne ao sexo do remetente) continua: "*Dez é o menor número possível de quadros assinaláveis*" (vá lá..); "*portanto, teremos de atribuir duas cruzinhas a 6 quadros, ou 2 círculos a 5*". Ora, por que "teremos" de fazer isso, ó meu prezado fantasma alfabético? Jamais foi ordenado que todo quadro "tivesse de ter" 3 marcações!

A resposta enviada por PÍFARO ocupou uma lauda, e bem merecia melhor sorte. Na realidade, ele apresenta três respostas possíveis, em todas as quais 10 quadros receberam 30 marcas. Numa delas ele atribui duas cruzinhas para 6 quadros; noutra, para 7; na terceira, atribui 2 círculos para 5 quadros em todos esses casos, sempre ignorando as condições estabelecidas.

(Faço uma pausa para frisar que, quando estabeleci como condição "duas cruzinhas para 4 ou 5 quadros", pareceu-me muito óbvio que isso excluía tanto 3 ou menos, quanto 6 ou mais, Entretanto, alguns correspondentes não entenderam assim...)

I.E.I.A. (para minha satisfação, nenhum desses "fantasmas alfabéticos assexuados" entrou no Quadro de Classificação. No caso presente de I.E.I.A, será que se trata de uma IDEIA para a qual só falta o D?) atribuiu duas cruzinhas para 6 quadros. Pois, apesar disso, censurou-me por empregar a palavra "círculo", em lugar de "circunferência". Para quem entra num jogo sem respeitar suas regras, chega a ser estranho tal precisão dos termos. É claro que sei distinguir as duas palavras, IEIA. A diferença entre elas é a mesma que se verifica entre um anel e uma rodela de papelão. Entre elas costuma-se estabelecer a mesma contusão que entre as palavras "côncavo" e "convexo". Todos sabem qual é a diferença entre ambas, e mesmo assim, fica-se confuso quando se tem de responder se a letra C é côncava ou convexa.

No Quadro de Classificação, que apresentarei a seguir, espero que o ocupante único da 3 Classe recolha suas garras afiadas, ao saber que por um triz não teve seu nome sequer mencionado aqui, já que o método utilizado por ele para chegar à resposta é tão precário, que estive a ponto de considerá-lo errado, destinando-lhe uma nota redondinha, bem parecida com um círculo (ou melhor, com uma circunferência).

QUADRO DE CLASSIFICAÇÃO

I

AMIGÃO GATO VELHO BRISA DO MAR

II

AYR F. LEE
ITINERÁRIO DO FUTURO H. VERNON

III

GATO.

DESFAZENDO O SEXTO NÓ

1º problema: A e B, no começo do ano, tinham apenas 1.000 libras cada um. Durante todo o correr do ano não pediram emprestado nem roubaram. Entretanto, no último dia do ano, podiam-se contar 60.000 libras entre os dois. Como foi isso aconteceu?

Solução: Naquele dia eles foram até o Banco da Inglaterra. A ficou parado na frente do banco, enquanto B foi postar-se exatamente do lado oposto.

Recebi duas respostas, ambas dignas de louvor. Segundo TOLEIRÃO, os dois pediram emprestado "zero" e roubaram "zero", Acrescentando-se esses dois zeros à frente de 1.000, que era a quantidade de libras que os dois possuíam, ele transformou aquele número em 100.000, quantia que contém as 60.000 libras especificadas no problema.

Já AT SPES INFRACTA apresentou uma solução ainda mais engenhosa. Juntando o primeiro zero ao algarismo 1 do número 1.000, transformou-o em 9.000. Somando os dois números, obteve 10.000. Então, com o segundo zero, transformou o 1 de 10.000 em 6, obtendo dessa vez a quantia 60.000, exatamente aquela que o problema especificou.

QUADRO DE CLASSIFICAÇÃO

I

AT SPES INFRACTA

II

TOLEIRÃO.

2° problema: Loló faz 5 cachecóis, enquanto Mimi faz 2; Zuzu faz 4, enquanto Loló faz 3. Cinco cachecóis de Zuzu pesam tanto quanto 1 de Loló; 5 de Mimi pesam tanto quanto 3 de Zuzu. Um cachecol de Mimi é tão quente quanto 4 de Zuzu, 1 de Loló é tão quente quanto 3 de Mimi. Qual das três é a melhor, atribuindo igual peso às qualidades de rapidez de confecção, leveza do artigo e poder de aquecimento?

Resposta: Em ordem decrescente, Mimi, Loló, Zuzu.

Solução: No que concerne apenas à rapidez, o mérito de Loló está para o de Mimi na proporção de 5 para 2, e o de Zuzu em relação a Loló na proporção de 4 para 3. Para conseguir um conjunto de 3 números que preencham essas condições, talvez seja mais simples tomar aquele que ocorre duas vezes como unidade, reduzindo os demais a frações. Assim, as "notas" de Loló, Mimi e Zuzu ficam sendo 1, $^2/_5$ e $^4/_3$.

Na valorização do quesito *leveza*, o mérito já será inversamente proporcional ao peso. Assim, o de Zuzu em relação ao de Loló está na proporção de 5 para 1, e as "notas" a ser $^1/_5$, $^5/_3$, 1.

Já quanto ao poder de aquecimento, as "notas" ficam sendo 3,1, ¼.

Para a obtenção do resultado final, o que temos a fazer é multiplicar as 3 notas de cada concorrente e comparar o produto, estabelecendo uma sequência decrescente. Vamos às contas. Loló; 1 x $^1/_5$ x 3 = $^3/_5$; Mimi: $^2/_5$ x $^5/_3$ x 1 = $^2/_3$; Zuzu: $^4/_3$ x 1x = ⅓. Para facilitar a comparação, vamos multiplicar todos os resultados por 15 (sem com isso desfazer a proporção entre eles) e teremos: 9, 10 e 5. Portanto, em ordem decrescente, a sequência será: Mimi, Loló, Zuzu.

Das 29 respostas que recebi, 5 estavam certas e 24 erradas. Destas, com apenas 3 honrosas exceções, todas as demais incorreram no erro de somar os resultados obtidos para cada candidato, em lugar de multiplicá-los. Por que o certo é multiplicar, e não somar? Isso está fartamente explicado nos livros didáticos, de maneira que não vou perder tempo para demonstrá-lo. Limitar-me a lembrar que se trata de um caso semelhante a algum que envolva comprimento, largura e altura. Suponhamos que Fulano e Beltrano sejam dois profissionais rivais, especializados em cavar tanques retangulares. Para avaliar quem é o melhor, não há outro modo senão verificar o volume de terra que cada qual conseguiu retirar. Ou seja, a quantidade de pés cúbicos escavados. Digamos que Fulano cavou um tanque de 10 pés de comprimento, 10 de largura e 2 de profundidade, no mesmo tempo em que Beltrano cavou um de 6 pés de comprimento, 5 de largura e 10 de profundidade. Fulano cavou 200 pés cúbicos; Beltrano, 300. Portanto, ele é melhor que Fulano na proporção de 3 para 2. Chegamos a esse resultado porque multiplicamos as medidas, Se as tivéssemos somado, o resultado iria ser inteiramente diferente. E errado.

Dentre os 24 *malfeitores* (ou seja, que *fizeram mal as contas*), um não juntou seu raciocínio à resposta, o que me faria omitir seu nome na relação dos respondedores. Todavia, abro aqui uma exceção, em deferência a seu sucesso na solução do 1° problema. Trata-se de TOLEIRÃO.

Os outros 23 serão divididos em 5 grupos.

Começando pelos piores, creio que devo pôr nessa categoria os que inverteram tudo, deixando a melhor concorrente em último lugar. Sua sequência ficou assim: Loló, Zuzu, Mimi. Os nomes desses subversivos irrecuperáveis são AMIGÃO, AYR, ENTOJADO & POLLX, GREYSTEAD, ITINERÁRIO DO FUTURO, SUSANA SIMPLÓRIA & GALINHA VELHA. A primeira componente desta última dupla já obteve o primeiro lugar há mais tempo, desatando um outro nó. Naquela ocasião, estava em outra companhia. Agora que ela resolveu tornar-se parceira de uma galinácea entrada em anos, tudo o que conseguiu foi uma nota... oval!

Em seguida, aponto o dedo do desprezo para aqueles que ergueram a pior candidata às culminâncias do 1° lugar, formando essa sequência: Zuzu, Mimi, Loló. Trata-se de GATO VELHO, GRÉCIA, M.M. e R.E.X. Como se vê, no meio deles está a Grécia, o que me faz lembrar o velho ditado latino que dizia: "*Nem tudo o que vem da Grécia é sábio e sensato*".

Passemos agora aqueles que erraram um pouco menos. No terceiro grupo pus os que conseguiram acertar a colocação da pior candidata, arranjando as três nesta sequência: Loló, Mimi, Zuzu. Seus nomes são AYR (que de certa vez obteve o 1° lugar), CLIFTON C., F.B., GRIG, JANET, MRS. SAIREY GAMP e PÍFARO

F.B. não incorreu no erro comum dos outros cinco, pois multiplicou os resultados parciais. Acontece que ele considerou o alto poder de aquecimento como um defeito, invertendo a sequência qualitativa das concorrentes. Analisando suas iniciais, imagino que signifiquem algo como Frialdade Benigna, ou Fugindo de Bombaim.

JANET e MRS. SAIREY GAMP igualmente não incorreram nesse erro, mas o método que usaram estava envolto num mistério tal, que me senti incompetente para entendê-lo e julgá-lo. Vejam o que disse a Sra. Gamp: "*Se Zuzu faz 4 enquanto Loló faz 3, ela fará 6, enquanto a outra fará 5*" (uma lógica meio sem lógica), "*ao mesmo tempo em que Mimi faz 2*". Partindo dessa premissa, ela conclui: "*Por conseguinte, no tocante ao quesito rapidez, Zuzu supera por 1 ponto*" (supera Loló ou Mimi?). Utilizando essa metodologia "mística" para os demais quesitos, ela por fim chega a seu resultado, não inteiramente errôneo, como já foi dito.

JANET, por sua vez, partindo da premissa de que "*Loló faz 5, enquanto Mimi faz 2*", acaba concluindo que "*enquanto Loló faz 3, Mimi faz 1 e Zuzu faz 4*" (raciocínio ainda mais esquisito que o precedente), chegando por fim a esse desfecho inesperado: "*Portanto, Zuzu supera em rapidez por ⅛*"!: Como chegou a tal conclusão? Mistério dos mistérios!

O quarto conjunto foi o daqueles que puseram Mimi no topo da classificação, arranjando assim as competidoras: Mimi , Zuzu, Loló. O grupo é formado por ESTROFE, MARQUÊS & CIA, MARTREB e S.B.B. (ou J.B.B, não deu para distinguir).

O quinto grupo é constituído por CAMELO e PEIXE ANTIGO. Essa estranha combinação zoológica não poderia fazer diferente do que fez: com suas patas fendidas e barbatanas primitivas, os dois acabaram acertando a resposta, sabe-se lá como, pois seguiram um método inteiramente equivocado. PEIXE ANTIGO, além disso, demonstrou que ainda precisa evoluir muito para perder seus estranhos conceitos quanto à representação numérica das qualidades. Com efeito, num determinado trecho de raciocínio, ele diz que "*Lulu supera Mimi por* $2\,^1/_5$", sem deixar bem claro o que quer dizer com isso. Será que outro peixe iria entendê-lo?

Quanto aos cinco acertadores, deixei dois deles BALBUS CAMINHANTE MAIS VELHO ligeiramente abaixo dos demais. O primeiro, por causa de seu raciocínio um tanto tortuoso; o segundo, por não deixar bem clara a sequência de suas deduções e conclusões. BALBUS, depois de apresentar dois argumentos condenando a soma dos resultados (aliás, bons argumentos), arrematou: "*Donde se conclui que o correto é multiplicá-los*". Essa conclusão é tão lógica quanto seria afirmar que, já que não estamos na primavera, então estamos no outono...

QUADRO DE CLASSIFICAÇÃO

I

DINÁ MITEE.B.D.L. JORAM

II

BALBUS CAMINHANTE MAIS VELHO.

Com relação ao Quinto Nó, quero expressar a VIS INERTIAE e a outros que, como ela, entenderam que todos os quadros deveriam ter 3 marcações, meu sincero pesar por terem sido levados a tal conclusão devido à má interpretação da frase "*Preencha as colunas com círculos e cruzinhas*", o que lhes acarretou enorme perda de tempo e dispêndio de esforço. Eu quis apenas dizer que todos os quadros deveriam ter marcações, sem especificar que tivessem de ser três. Se VIS INERTIAE tivesse enviado na ocasião certa a solução que agora me chegou às mãos, ela certamente teria sido posta na primeira fila do Quadro de Classificação.

DESFAZENDO O SÉTIMO NÓ

Problema: Uma vez que 1 copo de limonada, 3 sanduíches e 7 biscoitos custam 1 xelim e 2 *pence*, e que 1 copo de limonada, 4 sanduíches e 10 biscoitos custam 1 xelim e 5 *pence*, calcule o custo de: (1) 1 copo de limonada, 1 sanduíche e 1 biscoito; (2) 2 copos de limonada, 3 sanduíches e 5 biscoitos. (Observação: 1 xelim é dividido em 12 pence).

Respostas: (1) 8 pence; (2) 1 xelim e 7 *pence*.

Solução: Este problema deve ser solucionado algebricamente, expressando-se todas as quantias em *pence*, para permitir a comparação. Seja x o custo de 1 copo de limonada, y o de um sanduíche e z o de 1 biscoito. Desse modo, temos que $x+3y+7z = 14$, e que $x+4y+10z = 17$. Pede-se o valor de $x+y+z$ e de $2x+3y+5z$. Ora, com apenas duas equações é impossível calcular separadamente os valores de 3 incógnitas. Entretanto, por meio de determinadas combinações, elas podem ser descobertas. Sabemos ainda que é possível, com ajuda das equações fornecidas, eliminar duas das 3 incógnitas, deixando todos os valores ligados diretamente à terceira que restou. Nesse caso, para se determinar o valor pedido, há que se reduzir a zero a terceira incógnita. Se isso não for possível, o problema não tem solução.

Sendo assim, vamos eliminar a limonada e os sanduíches, reduzindo tudo o mais a biscoito (um estado de coisas menos depressivo que o mencionado pelo poeta naquele verso que diz: "*Ah, se todo o mundo se tornasse uma torta de maçã!...*"). E como conseguiremos isso? Subtraindo a primeira equação da segunda, o que eliminará a limonada, tendo como resultado $y+3z=3$, ou $y=3-3z$. Aí, substituindo o valor de y na primeira equação, teremos: $x-2z=5$, ou $x=5+2z$. Por fim, se substituirmos os valores de x e y nas quantidades cujos valores são pedidos, o primeiro se transforma em $(5+2z)+(3-3z)+z$, ou seja, 8, e o segundo em $2(5+22)+3(3-3z)+5z$, que resulta em 19. Por conseguinte, as respostas serão: 1) 8 *pence*; 2) 19 pence, isso é, 1 xelim e 7 *pence*.

Trata-se de um método universal, ou seja, que com absoluta certeza ou leva à resposta, ou prova não haver resposta possível.

O problema pode também ser resolvido combinando-se as quantias cujos valores foram fornecidos, até se chegar àqueles cujos valores são pedidos.

Trata-se aí de um típico caso de engenho e sorte, que além do mais pode falhar, mesmo quando a coisa é possível, e que não é capaz de demonstrar a impossibilidade de se encontrar uma solução. Não posso considerar que tal método seja da mesma categoria que o anterior. Mesmo que leve à resposta certa, trata-se de um método bastante tedioso. Imaginemos que esses 26 competidores cujas respostas corretas eu chamo de acidentais tivessem de lidar com um problema cujas variáveis possuíssem 8 ou 10 algarismos! Suspeito que mesmo os mais jovens já estivessem de cabelos encanecidos no momento em que chegassem ao resultado final...

Recebi 45 respostas, dentre as quais, alegra-me dizê-lo, 44 continham algum tipo de raciocínio, merecendo por isso ter ao menos aqui mencionados os nomes de quem as enviou, e analisados seus vícios e virtudes. Treze destes fizeram suposições que não tinham direito de fazer, donde não terem sido incluídos no Quadro de Classificação, muito embora 10 deles tenham logrado acertar a resposta. Dos que sobraram, não menos que 26 enviaram soluções acidentais, não lhes cabendo, destarte, um lugar de honra entre os acertadores.

Vamos agora discutir cada caso individualmente, começando pelos piores, como de hábito.

RÃZINHA não apresentou propriamente um raciocínio, limitando-se a concluir, depois de formular as equações: "*Portanto, 3 pence foi o preço de 1 sanduíche e 3 biscoitos*", e encerrando com um ror de contas incompreensíveis e não justificadas. Ah, pequeno batráquio, você correu o risco de não ter sequer seu nome mencionado entre os que tentaram desfazer esse sétimo nó!

Dentre os que me enviaram respostas erradas, a de VIS INERTIAE caracterizou-se por um raciocínio extremamente errôneo, capaz de fazer estremecer quem entende de matemática. Depois de indicar que x seria o preço de um sanduíche (teria sido melhor escolher a letra y para representar essa incógnita), concluiu (até aí, tudo bem) que um biscoito deveria custar 3— y/3.

Em seguida, subtraiu a segunda equação da primeira, chegando à conclusão de que 3y+7(3-y/3)-4y+10(3-y/3)=3. Então, depois de cometer dois erros graves na mesma linha, arrematou dizendo que y=3/2. Oh, VIS INERTIAE, abaixo essa "inertia" e trate de empregar um pouco mais de "vis", e desse modo chegará finalmente ao resultado correto (embora um tanto desenxabido): 0=0! Com isso, verá como é inútil tentar calcular separadamente a equivalência de cada incógnita.

Outro competidor que errou inapelavelmente foi o de três iniciais que não entendi direito se seriam J.M.C. ou T.M.C. De fato, ele tanto pode ser um Jovem e Miserável Calculador como um Terrível Matemático Confuso, pois conseguiu obter como respostas os seguintes valores: (1): 7 *pence*; (2): 1 xelim e 5 *pence*. Ele presumiu, com Triste e Melancólica Confiança, que cada biscoito devia custar meio *pence*, e que Clara de fato teria comido 7 biscoitos, mas que teria pago por 8!

Vamos agora analisar os casos daqueles 13 que enviaram respostas certas, mas decorrentes de raciocínios errôneos. Sem tentar estabelecer uma hierarquia de erros, vou analisar cada caso de acordo com a ordem de chegada das respostas.

ANITA afirmou corretamente que "*1 sanduíche e 3 biscoitos custam 3 pence*", mas em seguida concluiu erradamente que "*1 sanduíche* = 1,5 *pence*, 3 *biscoitos* = 1,5 *pence* e *uma limonada* = 6 *pence*"...

DINÁ MITE começou como ANITA, e em seguida provou (corretamente) que um biscoito deveria custar menos de 1 pence; todavia, na sequência de seu raciocínio, errou ao supor que "*portanto, cada um custa 0,5 pence*"...

F.C.W. parece tão resignado a aceitar o veredito de "culpado", que quase suspendi sua sentença, decidindo-me por fim a proferi-la, mas seguida de uma ressalva: "recomendado à clemência em virtude de circunstâncias extenuantes". Por quê? Vejamos. Ele (ou ela) começou pressupondo que limonada custasse 4 *pence*; os sanduíches, 3 *pence* cada um (e com isso fazendo com que, nas duas equações, 3 miseráveis incógnitas tivessem de preencher 4 condições diferentes!). Ao chegar à conclusão óbvia de que tais preços não dariam certo, tentou outros: 5 *pence* e 2 *pence*. O resultado foi similar. Vale lembrar Período Terciário, os megatérios ainda estariam quebrando a cabeça até hoje.

Nesse ponto, porém, parece que uma luzinha se acendeu em sua cabeça, e ele experimentou meio penny por biscoito, conseguindo por fim um resultado mais consistente. Se estivesse resolvendo um quebra-cabeças, tudo bem, mas não um problema matemático, já que esse método não é científico.

JANET aprontou uma confusão com os itens, afirmando que "*1 sanduíche + 3 biscoitos = 4*". Quatro o quê, JANET? Sanduscoitos ou biscuíches?

GATO VELHO defende a ideia de que o preço de 1,5 penny seja "*o único modo de evitar aquelas frações indomáveis*", na certa querendo referir-se às dízimas periódicas. Mas por que evitá-las, meu veterano felino? Não lhe parece haver um certo requinte de audácia em tentar domá-las? Estou até escutando: "Damas e cavalheiros, a fração que tendes diante de vossos olhos desafiou, durante anos a fio, todos os esforços destinados a conferir-lhe refinamento, mas ela se obstinava em conservar sua natureza mesquinha e extremamente vulgar. Frustrou-se a tentativa de elevá-la à condição de dízima periódica: ela recusou a honraria. A solução encontrada foi uma só: reduzi-la a seus mínimos termos e extrair sua raiz quadrada!"

Brincadeiras à parte, deixo aqui meu agradecimento a GATO VELHO pelas palavras amistosas e simpáticas que me destinou, defendendo-me daquele correspondente (cujo nome felizmente já esqueci) que me agrediu gratuitamente com críticas ferinas e descorteses.

O.V.L. extrapolou de minha compreensão. Depois de subtrair a segunda equação da primeira, representando essa conta pelos símbolos "II — I", chega à conclusão de que "III: s + 3b = 3". Até aí, entendi e aprovei. Mas em seguida, dizendo que ia multiplicar todos os termos dessa terceira equação por 3, lançou mão de uma aritmética misteriosa e concluiu que "3s + 4b = 4". Depois dessa, desisti de tentar acompanhar seu raciocínio.

Disse BRISA DO MAR: "*É irrelevante para a resposta final" (será mesmo?) "em qual proporção 3 pence serão divididos entre o sanduíche e os 3 biscoitos*". E, já que é irrelevante, ele arbitra os preços em 0,5 *penny* por biscoito e 1,5 por sanduíche...

A métrica de ESTROFE parece ser bastante irregular. No início, à moda de JANET, ela misturou indistintamente sanduíches e biscoitos. Em seguida, ela arriscou duas suposições (s1, b=2/3 e s=, b=5/6), o que naturalmente a fez cair em contradições. Em vista disso, ela retomou a primeira suposição, e acabou deduzindo o valor das três incógnitas separadamente, *quod est absurdum*.

ESTILETE refere-se a sanduíches e biscoitos indistintamente, chamando-os de "artigos". Será que os confeiteiros também procedem "*Que artigo a senhora deseja, madame?*" seriam antes os balconistas de lojas de tecidos.

DUAS IRMÃS, de início, presumiram que o preço dos biscoitos fosse de 4 por um penny; encarecendo-os depois e taxando— os a 2 por 1 penny, mas tendo a delicadeza de lembrar que "*evidentemente, a resposta não será a mesma, caso se considere um ou outro preço*". Essa observação faz-me lembrar a de Macbeth, na cena em que ele se apodera da adaga espectral, e vejo-o dizendo: "*Terei acaso uma declaração diante de meus olhos?*" Digamos que vocês duas afirmassem irmãmente: "*Hoje de manhã nós fizemos uma caminhada, seguindo pelo mesmo caminho*", e que eu retrucasse: "*Uma de vocês seguiu pelo mesmo caminho, mas a outra não*" — qual de nós três seria o mais desesperadamente confuso?

TARTARUGA PAPATORTA (espécie até então desconhecida dos zoólogos) e CORVO VELHO, que se juntaram para enviar uma só resposta, além de Y.Y., adotaramo mesmo método. Y.Y. chegou à equação s + 3b = 3, concluindo em seguida: "A resposta deverá ser dividida num dos 3 modos indicados a seguir", etc. Por que "deverá" ? Não seria melhor e mais prudente dizer que "poderá"? Os outros dois conspiradores usaram essa palavra menos atrevida, embora acrescentando : "*dada a possibilidade de que ambos os preços estejam corretos*", o que não deixa de ser muito esquisito, tanto quanto uma dupla formada por animais tão dessemelhantes.

Dos que mereceram menção honrosa, SERPENTE DE SHETLAND ocupou isoladamente a 3ª Classe dos acertadores. Ela respondeu apenas metade da questão, ou seja, o custo do lanche de Clara, deixando as duas gorduchinhas na mesma situação perplexa em que as vimos pela derradeira vez. Aproveitando o ensejo, agradeço-lhe as palavras gentis, ao mesmo tempo em que esclareço que as participações nessas brincadeiras matemáticas são gratuitas. Matrículas e mensalidades são coisas inteiramente desconhecidas neste nosso "Clube dos Desata-Nós".

Os autores das 26 respostas "acidentais" diferem apenas na quantidade de passos dados entre o tratamento dos dados e as respostas. Com o objetivo de ser justo e imparcial, dividi a 2° Classe em seções, conforme a quantidade dos passos dados. Reservei as últimas para dois reis tremendamente vagarosos, o que não me parece condizente com a dignidade de sua condição de soberanos. Um deles foi TESEU, que até parecia estar "marcando passo", tal a sua lentidão. O outro foi o VELHO REI COLE, cujo nome, presumo, tenha sido inspirado no monarca que reinou logo depois da gestão do Rei Arthur. Quem nos dá notícias desse soberano o historiador Henrique de Huntingdon, ao informar ter sido no reinado de "Coël" que se erigiram as muralhas ao redor de Colchester, cujo nome provém exatamente desse fato ("*Coël Chester*" = *muralhas de Coël*). Outra menção vem na Crônica de Roberto de Gloucester, na qual se pode ler:

Após Aruirag, do qual já falei,
Seu filho, o audaz Mário, torna-se o rei,
E quando da vida ele se despede,
É Coil, seu filho, quem o sucede.

BALBUS declara, como se se tratasse de uma regra geral, que, "*a fim de determinar o custo de um lanche, há que se chegar ao mesmo resultado mediante dois processos diferentes*". De fato, trata-se de uma medida prudente, mas não obrigatória. Dito isso, lá vem ele com seus dois processos: no primeiro, os sanduíches saem de graça; no segundo, os biscoitos! Num ou noutro caso, essa lanchonete vai ficar apinhada de fregueses! Com essa benevolente atitude, ele consegue chegar duas vezes aos resultados de 8 e 19 pence, concluindo: "*Tendo em vista essa coincidência, verifica-se que as duas respostas estão corretas*". Vou tentar provar que essa "regra geral" nem sempre funciona. Para tanto, basta-me um exemplo. Na linguagem lógica, quando se deseja refutar alguma "afirmativa universal", basta desmoralizá-la, fazendo-a cair em contradição, por meio de uma "negativa particular". (Antes de prosseguir nessa linha de raciocínio, farei uma pausa para tecer umas breves considerações acerca de um ramo muito especial da Lógica: a "Lógica Feminina". Tomemos uma afirmativa universal: "Todos dizem que ele é um pato". Como refutá-la? Fácil: basta contrapor uma negativa particular, tal como "Todos, não, pois Pedro diz que ele é um ganso". De fato, se ele for um ganso, não poderá ser um pato. Vejamos agora uma outra. Se alguém disser: "Ninguém a tem visitado", e você retrucar: "Como não? Eu mesmo estive ontem na casa dela", pronto: foi refutada uma afirmativa universal. Em ambos os casos, bastou uma contradição específica para derrubar uma premissa genérica. Conclusão: já que é mais fácil manter uma proposição particular do que uma afirmativa universal, evitemos esta última quando estivermos discutindo com mulheres, deixando para elas o ônus de comprovar suas generalizações. Talvez assim consigamos derrotá-las numa discussão, nem que obtenhamos apenas uma vitória *lógica*, já que uma vitória *prática* sempre será impossível, uma vez que elas empreguem aquela frase capaz de esmagar qualquer ponderação que acaso façamos: "E daí?". Contra essa frase homem algum descobriu uma resposta satisfatória até hoje. Dito isso, voltemos a BALBUS. Para checar sua "regra geral", vamos a uma negativa particular. Examinemos dois lanches parecidos, constituídos dos seguintes itens e quantidades: I) 2 brioches, um pedaço de bolo, duas salsichas e uma garrafa de soda — custo: 1 xelim e 9 *pence*. II) 1 brioche, 2 pedaços de bolo, uma salsicha e uma garrafa de soda — custo: 1 xelim e 4 pence. Agora suponhamos que Clara tivesse consumido, sem se lembrar em quanto montou a despesa, "3 brioches, 1 pedaço de bolo, uma salsicha e duas garrafas de soda", enquanto que o lanche das duas gorduchinhas tivesse sido constituído de "8 brioches, 4 pedaços de bolo, duas salichas e 6 garrafas de soda" (nesse dia elas estavam com uma sede terrível). Tratando esses dados à maneira preconizada por BALBUS, podemos primeiramente presumir que um brioche enormes. As pegadas do pé esquerdo eram mais profundas que as do direito, dando para ver que ele mancava. Em seguida, examinei o muro que ele havia saltado, e notei sinais de fuligem. Pensei, então: quem pode ser um limpador de chaminés grande, que manca do pé esquerdo? Ora, quem: Bill Sykes, é claro!" Agora, estamos diante de nosso *policial algébrico*, que, como se pode ver, é bem mais intelectual que o outro, ao menos no meu modo de entender.

A solução enviada por JOÃOZINHO pede uma palavra de elogio, uma vez que ele conseguiu a proeza de elaborar uma resposta algébrica utilizando *palavras*, sem reduzir os fatos a equações. Se for dele mesmo o raciocínio, creio que esse jovem irá tornar-se um excelente matemático com o tempo.

Quero agradecer a SUSANA SINGELA pelas palavras corteses e simpáticas, ditas com o mesmo objetivo das que me foram expressas por GATO VELHO, ao qual já agradeci previamente.

HECLA e MARTREB foram os únicos que lançaram mão de um método efetivamente correto para deduzir a resposta ou provar que ela seria impossível de ser deduzida. Por essa razão, apenas eles fizeram por merecer o laurel máximo desta competição.

QUADRO DE CLASSIFICAÇÃO

I

HECLA.	MARTREB.

II

§ 1º GRAU (2 PASSOS):	§ 2º GRAU (3 PASSOS):
ADELAIDE	A.A.
CLIFTON C.	BALBUS, CANTIGA DE NATAL
E.K.C.	CHÁ DAS CINCO
AMIGÃO	NENÉM, RAINHA DE COPAS
L'INCONNU	VELHA ESTUDANTE COMPREENSIVA
JOÃOZINHO, LANOSO	VELHO CARVALHO
NIL DESPERANDUM	
SUSANA SINGELA, VERDELHA	
GOIVO AMARELO	

§3º GRAU (4 PASSOS):
ESTREPE
JORAM
S.S.G.

§4º GRAU (5 PASSOS):
REBOQUE

§5º GRAU (6 PASSOS):
ITINERÁRIO DO FUTURO
LOUREIRO.

§6º GRAU (9 PASSOS):
VELHO REI COLE

§7º GRAU (14 PASSOS):
TESEU.

Respostas aos Correspondentes

Tenho recebido diversas cartas sobre os problemas que constituem o Segundo e o Terceiro Nós, e diante disso achei deveria acrescentar algumas explicações adicionais a esse respeito.

No Segundo Nó, creio ter explicado bem que a numeração das casas tinha início num dos cantos da praça, e isso, parece, foi compreendido pela maior parte dos competidores, senão por todos eles. Todavia, houve um, TROIANO, que fez o seguinte comentário: "*Presumindo, na falta de qualquer informação, que em cada lado da praça conflua uma rua, que com ela se encontre na metade de cada um desses lados, pode-se com razão supor que a numeração das casas tenha início numa dessas esquinas*". Pergunto: será essa, de fato, a suposição mais lógica, e não aquela entendida por todos os demais competidores?

No Sexto Nó, o primeiro problema não passou, obviamente, de um mero jogo de palavras, de uma brincadeira, cuja presença não me pareceu destoante neste conjunto de problemas destinados antes a entreter que a instruir. Entretanto, não foi esse o modo de pensar de dois de meus correspondentes, que criticaram acerbamente meu proceder. Para eles, ao que parece, Apolo terá sempre de se manter com o arco retesado, sem jamais poder relaxar. Como era de se esperar, nenhum desses críticos conseguiu matar a charada, o que talvez explique sua má vontade.

A esse propósito, quero relatar que, outro dia, encontrei na rua com meu velho amigo Brown e lhe propus um desafio semelhante àquele. Depois de dar tratos à bola, ele arriscou uma resposta — e acertou. Ao saber que havia acertado, foi esse o seu comentário: "Ah, eu tinha a certeza de que era isso. Certeza absoluta. Mas sei que nem todos conseguiriam acertar. Nem todos." Com efeito, Brown é dotado de excepcional inteligência. Poucos passos à frene, deparei com outro amigo, o Smith, e lhe propus a mesma charada. Ele ficou de cenho franzido durante mais ou menos um minuto, tentando encontrar a solução, até que se deu por vencido e desistiu. Timidamente, disse-lhe qual era a resposta. "É isso?", indagou Smith, revoltado. "Mas tolice! Espanta-me ver você perdendo tempo com uma asneira dessas!" Em seguida, sem dizer palavra, foi-se embora. Sou forçado a confessar que, em matéria de inteligência, a de Smith é ainda mais excepcional que a de Brown.

O segundo problema proposto no Sexto Nó é um exemplo clássico de Dupla Regra de Três, cujo aspecto essencial é que o resultado depende da variação de diversos elementos tão inter-relacionados entre si que, se apenas um não for constante, sua variação acompanhará a deste um, e se nenhum for constatnte, o resultado irá variar como seu produto. Assim, por exemplo, o volume de dois tanques retangulares variará em função do comprimento, caso ambos tenham a mesma largura e a mesma profundidade. Se nenhuma dessas medidas for constante, a variação ocorrerá em função do produto dessas três medidas.

Quando o resultado não depender desses elementos variáveis, a solução do problema já não dependeria de uma Regra de Três, tormando-se extremamente complexa.

Sirva-nos de ilustração um concurso de línguas para o que se tenham apresentado dois candidatos: A e B. Ganhará o prêmio aquele que demonstrar maior conhecimento de francês, alemão e italiano. Regras do concurso:

(a) Fica estabelecido que o resultado irá depender do conhecimento *relativo* de cada língua. Assim, se as notas de A e B no teste de francês forem 1 e 2, ou 100 e 200, o resultado será o mesmo. Fica ainda estabelecido que, se eles obtiverem as mesmas notas em dois testes, o resultado final ficará na estrita dependência da nota que obtiverem no terceiro.

Trata-se de um típico caso de Regra de Três. Para obtermos o resultado, teremos de multiplicar as 3 notas de A e as 3 de B. Portanto, se um deles tirar um zero, sua nota final será zero, ainda que ele tire nota máxima nas outras duas provas, e que o outro tire três notas bem bisonhas. Pode até ser injusto, mas cumpre as exigências estabelecidas previamente.

(b) Vamos agora mudar as regras da disputa. Desta vez, o resultado continuará dependendo do conhecimento relativo das três línguas, mas fica estabelecido que o francês terá um peso maior — o dobro de cada uma das outras línguas, por exemplo.

Desta vez, estamos diante de um tipo menos usual de questão, que nos inclina a dizer: "A nota resultante estará mais próxima da nota de francês do que estaria se as multiplicássemos como no caso a, e tão mais próximo do que seria necessário para usar os outros multiplicadores duas vezes, para produzir o mesmo resultado obtido em a". Exemplo: se a nota de francês fosse $^9/_{10}$, e as outras $^4/_9$ e $^1/_9$, o resultado final, de acordo com a regra (a), seria $^3/_{45}$. No caso presente, seria necessário multiplicar aquela nota por $⅔$ e $⅓$, obtendo como resultado $^1/_5$, mais próximo de $^9/_{10}$ do que se tivéssemos empregado a primeira regra.

(c) O resultado dependerá do volume efetivo de conhecimento das três línguas, em conjunto. Nesse caso, estaremos diante de duas questões: (1) Qual deverá ser a unidade (isso é, o padrão de medida) de cada língua examinada? (2) Essas unidades teriam valores iguais ou não?

Um padrão razoável de medida seria o conhecimento revelado pela resposta correta de todo o teste. Digamos que isso equivalha a 100, e que uma totalidade de erros equivalha a zero, deixando os números intermediários para caracterizar o conhecimento imperfeito da língua. Assim, se essas "unidades" forem de igual valor, o que teremos a fazer será simplesmente somar as 3 notas de A, fazendo o mesmo para B.

(d) As mesmas condições de (c), porém atribuindo-se um peso duplo à língua francesa.

(e) O francês terá um peso tal que, se as outras notas forem iguais, o resultado final será o da nota dessa prova. Assim, um zero em frances acabará "afundando" o candidato, mas as outras duas notas afetarão coletivamente o resultado final, pela quantidade de conhecimento demonstrada, uma vez que as outras duas línguas tenham igual peso no computo final. Nesse caso, eu teria de somar as notas de alemão e italiano de A. multiplicando-as depois pela nota de francês.

Não preciso prosseguir: o problema pode ser formulado dentro de uma enorme diversidade de condições, cada qual exigindo seu próprio método de solução. O problema do Sexto Nó pertencia à variedade (a), e para deixar isso bem claro, inseri o seguinte trecho: "Em geral, apenas uma dessas qualidades estabelece a diferença. No ano passado, por exemplo, Fifi e Gogó fizeram o mesmo número de cachecóis durante a competição, e os artigos confeccionados possuíam idêntica leveza, mas os de Fifi aqueciam duas vezes mais que os de Gogó. Em vista disso, foram declarados duas vezes melhores."

Isso me parece suficiente, imagino, para responder a BAL BUS, quando esse concorrente afirma que as condições (a) e (C) são as únicas variáveis possíveis desse problema, donde ter ele concluído: "Não podemos lançar mão da adição; portanto, e de se presumir que devamos usar a multiplicação". Ora, lógica disso não é maior do que a daquele que diz: ja que ele não nasceu à noite, então nasceu de manhã".

Quero também repreender PÍFARO, que disse: "Creio que você deveria ter demonstrado um pouco mais de consideração para com aqueles que somaram os resultados, em vez de multiplicá-los, porque isso não constitui propriamente um erro". Mesmo que a adição fosse o método correto (e não é), não me lembro de nenhum correspondente que tenha revelado possuir alguma consciência da necessidade de estabelecer uma "unidade" para cada assunto. E quanto a "não constituir propriamente um erro", sinto muito, PÍFARO, mas constitui, sim.

Um leitor cujo nome prefiro não mencionar, já que sua carta não foi redigida em tom amistoso, disse o seguinte: "Quero acrescentar, com todo o respeito, que condeno esse seu hábito de criticar com palavras sarcásticas os pobres coitados que não lhe enviam respostas corretas. Pode ser que essas pessoas nada representem para o senhor, que todavia também poderá incorrer eventualmente em erro. Por isso, não critique o próximo senão quando estiver absolutamente certo de não estar errado". E cita dois exemplos de tratamentos "sarcásticos" que eu teria empregado contra meus leitores, nas vezes em que os chamei de "desventurados" e de "malfeitores". Pois posso assegurar-lhe, meu prezado (e sirva essa explicação para todo aquele que tenha pensamento idêntico), que tais palavras foram usadas em tom de gracejo, como brincadeiras que jamais poderiam ferir quem quer que fosse. Se por azar alguém se agastou com elas, externo aqui meu mais profundo pesar. Possa eu no futuro discernir criteriosamente as palavras que sirvam de gracejo sem ofender o próximo, jamais empregando aquelas que possuiriam "um azedume não-intencional", conforme a elas se referiu Coleridge, na encantadora passagem que começa com as palavras "Uma criança, um elfo que se esgueira". Quer meu correspondente consulte esses versos, quer recorra ao prefácio de Fogo, Fome Massacre, em qualquer uma das duas ele haverá de encontrar essa distinção, formulada com muito mais arte do que eu o conseguiria com minhas pobres e inexpressivas palavras.

Quanto a sua insinuação de que eu me importaria bem pouco com o aborrecimento que possa causar aos meus leitores, prefiro passar por cima sem replicar, mas quero dizer alguma coisa acerca da sua observação final de apenas criticar o próximo quando estiver "*absolutamente certo de não estar errado*". Posso garantir-lhe, meu prezado, que isso não reflete de maneira alguma o relacionamento que penso ter com meus amigos "desatadores de nós".

Por fim, quero agradecer a G.B. pela charada que me ofereceu graciosamente, mas que infelizmente não poderei aproveitar, visto ser ela bastante parecida como conhecido quebra-cabeças de "transformar 4 noves em 100".

Desfazendo o Oitavo Nó

§ 1. Os Porcos

Problema: Distribuir 24 porcos em 4 chiqueiros, de mancira que, ao andar em circulos contínuos diante deles, você sempre encontre, no chiqueiro seguinte, uma quantidade de porcos mais próxima de dez que a encontrada no chiqueiro anterior.

Resposta: Coloque 8 porcos no primeiro chiqueiro, 10 no segundo, nenhum no terceiro e 6 no quarto. Dez é mais próximo de 10 que 8; zero é mais próximo de 10 que 10; 6 é mais próximo de 10 que 0; 8 é mais próximo de 10 que 6.

Apenas duas pessoas responderam. Disse BALBUS: "*Este problema não pode ser respondido matematicamente, e não vejo como poderia ser respondido por meio de sofismas verbais*". Já NOLENS VOLENS faz Sua Resplandecência mudar a direção de sua ronda, e mesmo assim foi obrigado a fazer com que um leitãozinho tivesse de ser levado sempre a sua frente, para completar a quantidade necessária..

§2. Os "grurmstipths"

Problema: Saem dois ônibus de determinado ponto, cada qual num sentnido, a cada 15 minutos. Um viajante, saindo a pé ao mesmo momento em que eles partem, encontra um outro dali a 125 minutos. Quando será ele alcançado pelo outro ônibus?

Resposta: Em 6 minutos e ¼,

Solução: Seja a a distância que um ônibus percorre em 15 minutos, e x a distância do ponto de partida ao ponto em que o viajante é alcançado pelo ônibus. Uma vez que esse ônibus deverá chegar ao ponto de saída em 2,5 minutos, conclui-se que ele percorre, nesse tempo, a mesma distância que o viajante percorreu a pé em 12,5 minutos. Portanto, sua velocidade é cinco vezes maior. Por sua vez, o ônibus que será alcançado pelo viajante está a uma distância a quando ele parte, e percorre a+x, enquanto o viajante percorre x. Portanto, a+x = 5x, ou seja, a = 4x, e x= a/4. Essa distância será percorrida pelo ônibus em 15/4 minutos, e pelo viajante num tempo cinco vezes maior (5 x 15 4). Portanto, ele será ultrapassado 18 minutos e ¾ depois de sua partida, ou seja, 6 minutos e ¼ depois de cruzar com o outro ônibus.

Recebi quatro respostas, das quais duas estavam erradas. DINÁ MITE afirmou corretamente que o ônibus que ultrapassou o viajante alcançou o ponto onde ele encontrou o outro ônibus 5 minutos depois que eles saíram, mas concluiu erroneamente que, andando 5 vezes mais depressa, ele os ultrapassaria um minuto depois. Os viajantes estão a 5 minutos de caminhada à frente do ônibus, e ainda terão de caminhar ¼ dessa distância antes que o ônibus os alcance, o que corresponderá a 5 da distância percorrida pelo ônibus no mesmo tempo. Isso exigirá mais um minuto e um quarto.

NOLENS VOLENS experimentou um processo semelhante ao do problema de "Aquiles e a Tartaruga". Afirmou corretamente que, quando o ônibus que os irá ultrapassar sai do ponto de partida, os viajantes estariam a $^1/_5$ de a à frente, e que o ônibus levaria 3 minutos para percorrer essa distância. "*Durante esse tempo os viajantes ja estariam a mais $^1/_{15}$ de a*" (ele deveria ter dito $^1/_{25}$). E já que estariam a essa distância, conclui: "*Portanto, os viajantes ainda percorrerão $^1/_{60}$ de a, enquanto o ônibus percorrerá $^1/_{12}$*". Com efeito, o princípio é correto, e poderia ter sido aplicado desde o início de sua resolução.

QUADRO DE CLASSIFICAÇÃO

I

BALBUS DELTA

Desfazendo o Nono Nó

1. Os baldes

Problema: Lardner afirma que um sólido mergulhado num fluido desloca uma porção desse fluido igual a seu volume. Como pode ser isso verdade no caso de um balde pequeno que esteja flutuando dentro de um balde maior?

Solução: Quando afirma que o sólido "desloca" o líquido, Lardner quer dizer que esse sólido "ocupa um espaço que poderia ser preenchido com água sem qualquer modificação no meio líquido externo". Se a porção flutuante do balde, ou seja, aquela que ficou acima do nivel da água, pudesse ser aniquilada, e o restante dele transformado em líquido, a água circundante não mudaria sua posição, o que concorre para confirmar sua afirmativa.

Dentre as cinco respostas que recebi, nenhuma explicou devidamente a dificuldade resultante conhecido o fato de que um corpo flutuante pesa tanto quanto o fluido deslocado.

HECLA disse que "*apenas aquela porção do balde pequeno que afunda abaixo do nível original da água pode ser chamada de imersa, e apenas é deslocado um volume de água igual a ela*". Donde se conclui que um sólido cujo peso seja igual ao de um determinado volume de água não irá flutuar até que todo ele esteja abaixo do nível original. Em outras palavras, ele irá flutuar tão logo esteja todo mergulhado naquela água.

PÊGA encontrou tremenda falácia "*na suposição de que um corpo pode deslocar outro de um lugar onde ele não se encontra*", classificando a afirmativa de Lardner como incorreta, a não ser que a vasilha que contém água "*esteja cheia até a borda*". Ela parece ter-se esquecido de que o fato de flutuar depende do estado atual das coisas, e não de sua situação pretérita.

VELHO REI COLE adotou ponto de vista idêntico ao de HECLA e de TÍMPANO, enquanto que VINDEX presumiu que "deslocar" significasse "erguer acima do nível original", limitando-se a explicar como teria acontecido que a água, sendo assim erguida, teria volume menor que a porção imersa do balde. Como se vê, acabou embarcando na mesma canoa de HECLA.

Por tudo o que foi explicado, entender-se-á por que esse problema não terá seu Quadro de Classificação. Sinto muito.

§ 2. Ensaio de Balbus

Problema: Balbus afirma que se um sólido for mergulhado numa vasilha com água, o líquido subirá sem parar, numa sequência contínua de deslocamentos, começando com duas polegadas, depois uma, depois meia, e assim por diante, não havendo limite para essa ascensão líquida. Será verdade?

Solução: Não. Essa série de deslocamentos não poderá atingir 4 polegadas, sejam quantos forem os termos considerados. Sempre estará faltando uma quantidade igual à do último termo considerado, para totalizar as 4 polegadas.

Foram recebidas 3 respostas, mas apenas duas me pareceram dignas de louvor.

TÍMPANO disse que a afirmativa de Balbus sobre a vareta "não passa de cortina de fumaça, à qual se aplica a velha resposta, *solvitur ambulando*, ou antes *mergendo*". Espero que ele não vá experimentar pessoalmente essa teoria, tomando o lugar do sujeito citado no ensaio. Se o fizer, acabará inexoravelmente morrendo afogado!

VELHO REI COLE assinalou corretamente que a série 2, 1, 0, 5, etc. constitui uma progressão geométrica decrescente, enquanto que VINDEX identificou corretamente a falácia como sendo semelhante à de "Aquiles e a Tartaruga".

QUADRO DE CLASSIFICAÇÃO

I

VELHO REI COLE VINDEX

§3. O jardim

Problema: Um jardim oblongo, meia jarda mais comprido do que largo, consistindo inteiramente de um caminho encascalhado, arranjado espiraladamente, de uma jarda de largura e 3630 jardas de comprimento. Calcular as dimensões desse jardim.

Respostas: 60, 60,5.

Solução: O número de jardas e fração de uma jarda percorridos quando se segue ao longo de um caminho reto é evidentemente o mesmo que o número de jardas quadradas e fração de jarda quadrada contidos naquele trecho, e a distância percorrida durante uma jarda quadrada numa quina é evidentemente uma jarda, Portanto, a área do jardim é de 3.630 jardas quadradas. Se x for a largura, $x (x +) = 3630$. Resolvendo essa equação de segundo grau, verificamos que o valor de x é igual a 60. Por conseguinte, as dimensões serão 60 e 60,5.

Doze respostas foram recebidas, sendo 7 certas e 5 erradas.

C.G.L, NABOB, CORVO VELHO e TÍMPANO disseram que o comprimento do caminho, em jardas, seria igual ao número de jardas possuídas pelo jardim. Isso é verdade, mas teria de ser comprovado. Mas eles ainda são culpados de crimes mais que esse. O raciocínio enviado por C.G.L limitou-se dividir 3630 por 60. De onde teria surgido esse divisor, meu Caro e Gentil Leitor? Ciência infusa? Sonho? Receio que, por causa disso, sua resposta seja despida de qualquer valor.

CORVO VELHO foi ainda mais direto (se isso for possível). apresentando uma resposta que, por isso, tem ainda menos valor que a do precedente. Segundo suas palavras, "*logo se vê que as respostas são 60 e 60,5*". Isso é que é raciocinio rápido!

Os cálculos de NABOB são curtos, mas "*tão ricos como Nabob*" no que concerne a erros. Disse ele que a raiz quadrada de 3630, multiplicada por 2, é igual à soma do comprimento e da largura. Ou seja: 60,25 x 2 = 120,5. A primeira afirmativa é válida para um jardim de formato quadrangular, e a segunda é irrelevante, uma vez que 60,25 não é a raiz quadrada exata de 3630. Portanto, tudo o que ele disse não passou de uma... *Nabobagem*.

TÍMPANO disse que, se extrairmos a raiz quadrada de 3630, obteremos 60 jardas, deixando um resto de 30/60, ou seja, de meia jarda, que deveremos acrescentar à primeira resposta, obtendo desse modo 60 e 60,5 jardas. O raciocínio é terrivel, mas não para por aí. Ele afirmou em seguida: "*E de que nos serve essa meia jarda? Serve para dar espaço às flores. Bem no meio do jardim está reserado para elas um terrenozinho de duas jardas por meia jarda, o único espaço não ocupado pelo caminho encascalhado.*" Esqueceu-se esse leitor da confissão de Balbus quanto ao fato de que o caminho "ocupava toda a área do jardim". Ó Tímpano: por que não escutastes tal confissão?

HECLA incorreu e não foi a primeira vez! no mais fatal de todos os erros na arte de calcular: cometer dois erros, de maneira que um anule o outro. Depois de considerar que x seria a largura do jardim, e x + 1/2 seu comprimento, calculou que a "dobra" do caminho corresponderia à soma de (x-1/2)+ (x-1/2) +(x-1)+(x-1), ou seja, 4x=3. Mas seu quarto termo deveria ter sido (x-1,5), de maneira que sua primeira "dobra" deveria ter sido meia jarda mais comprida. Já a segunda dobra seria a soma de (x-2,5)+(x-2,5) + (x-3)+ (x-3). Acontece que o primeiro termo deveria ter sido (x-2), e o quarto (x-3,5). Os dois erros se anularam, e desse modo a extensão da dobra acabou ficando certa. E o mesmo foi ocorrendo em cada nova dobra, exceção feita à última, que necessitaria de uma meia jarda extra para chegar à extremidade oposta do jardim. Essa meia jarda acabou compensando aquela outra da primeira dobra, acarretando uma resposta correta, mas apenas aparentemente, já que se assentou em fundamentos errados.

Dos 7 que acertaram, DINÁ MITE, JANET, PEGA e PUXA-PUXA partiram do mesmo pressuposto de C.G.L. & Cia., solucionando o problema por meio de uma equação de segundo grau.

PEGA tentou descnvolver uma progressão aritmética, esquecendo, no entanto, de que a primeira e a última dobra tinham valores especiais.

ALUMNUS ETONAE tentou provar o que C.G.L. presumiu intuitivamente, considerando um jardim medindo 6 x 5,5. Sua prova só tem valor genérico, pois o que é válido para um número nem sempre será válido para outro.

VELHO REI COLE resolveu o problema por meio de uma progressão aritmética, chegando a um resultado correto, mas através de método muito extenso, bem inferior ao da solução por meio de equação de segundo grau.

VINDEX foi direto ao ponto, indicando que uma jarda de caminho medida corresponde a uma jarda quadrada do jardim, "*desde que consideremos os trechos retilineos, ou as jardas quadradas nos ângulos, nos quais o eixo do caminho segue meia jarda numa direção, dobra-se em ângulo reto e segue meia jarda na outra direção*".

QUADRO DE CLASSIFICAÇÃO

I

VINDEX

II

ALUMNUS ETONAE — VELHO REI COLE

III

DINÁ MITE — PÊGA

JANET — PUXA-PUXA.

Desfazendo o Décimo Nó

§ 1. Os mutilados de Chelsea

Problema: Se 70% perderam um olho, 75% uma orelha, 80% um braço e 85% uma perna, quantos por cento, pelo menos, devem ter perdido olho, orelha, braço e perna?

Resposta: Dez por cento.

Solução: (Adotei a de ESTRELA POLAR, que considerei melhor do que a minha). Somando todas as mutilações, teremos 70+75+80+85=310, entre 100 homens, o que dá 3 para cada um, e 4 para cada grupo de 10 homens. Por conseguinte, o menor percentual é 10.

Recebi 19 respostas. Uma delas foi curta e objetiva: "*Resposta: 5*", sem expor o raciocínio que teria levado a tal conclusão. Assim, de acordo com a regras que temos obedecido, omito o nome de quem assim respondeu.

JANET respondeu que o percentual seria de 35,7. Sinto que ela tenha entendido mal a formulação do problema, imaginando que os que perderam uma orelha fossem 75 por cento dos que perderam um olho, e assim por diante. Se assim fosse, os percentuais teriam de ser multiplicados entre si, coisa que ela fez. Infelizmente, sua má interpretação da questão não lhe permitirá ser mencionada no Quadro de Classificação.

TRÊS E MEIA VINTENAS respondeu que seriam 19 3/8. Essa resposta, não direi que me tenha causado "muitos dias de ansiedade e noites de insônia" não chegou a tanto, mas que me causou alguma perplexidade, ah, isso causou! Em seu raciocínio, esse veterano diz que "*os mutilados com um só ferimento somam 310*" (por cento?). Então, dividindo esse número por 4, ele chega ao resultado de 77,5, que afirma ser "*um percentual médio*". Em seguida, dividindo novamente por 4, chega ao resultado de 19 3/8, que afirma ser "*o percentual dos que receberam 4 ferimentos*". Ao que parece, ele entendeu que mutilações diferentes "absorver-se-iam" umas as outras. Sem dúvida, seus dados referem-se a 77 sujeitos possuidores de uma única mutilação, mais meio sujeito com meia mutilação.. Além disso, parece supor que mutilações superpostas fossem transferíveis, de maneira que 3/4 desses infelizes portadores pudessem desfrutar de saúde perfeita, bastando para tanto transferir seus ferimentos para o remanescente. Admitindo-se essas suposições, sua resposta estaria correta. Seria mais ou menos como se a pergunta tivesse sido assim formulada: "Uma estrada é coberta por uma polegada de cascalho, ao longo de 77,5% de sua extensão. Quantos por cento dela estariam cobertos com 4 polegadas de cascalho? Infelizmente, não era desse gênero a pergunta contida em nosso problema...

DELTA parte para suposições bem espantosas, do gênero desta: "*Suponhamos que quem não perdeu um olho tenha perdido uma orelha, e que quem não perdeu os dois olhos e as duas orelhas tenha perdido um braço*". Seu conceito de campo de batalha deve ser bem curioso, considerando aquele local como ocupado por guerreiros que continuam combatendo após perderem seus olhos, suas orelhas e seus dois braços!

Vêm em seguida oito pessoas que adotaram o insustentável princípio de que, se 70% dos soldados perderam um olho, os restantes 30% permanecem dotados dos dois. Isso não é lógico. Se você me entregar uma bolsa contendo 100 libras, e se dentro e uma hora eu voltar até você, agora não mais com a face reluzente de felicidade e gratidão como antes, e lhe disser: "Sinto ter de contar-lhe que 70% dessas notas são falsas", isso significa que as demais 30% sejam automaticamente boas? Talvez eu apenas não as tenha examinado detidamente. Os oito componentes desse grupo são: ALGERNON BRAY, DINÁ MITE, GS.C. JANE E., J.D.W., PEGA (a quem devo essa deliciosa observação: "*Portanto, 90% possuem dois membros ou partes do corpo que não sofreram mutilação, sejam quais forem*", frase que me fez lembrar a daquele feliz monarca que, para agradar Xerxes, ofereceu-lhe "*dez coisas quaisquer que Vossa Majestade determine, sejam quais forem*"), S.S.Ge TÓQUIO.

ITINERÁRIO DO FUTURO e T.R. tentaram solucionar o problema de maneira fragmentada, baseados no princípio de que 70% e 75%, ainda que iniciados em extremidades opostas, "*superpõem-se entre si em ao menos 45%*". Ainda que esse raciocínio seja correto, não me parece ser essa a melhor maneira de resolver este problema.

Quanto aos demais competidores, em número de 5, creio que irão sentir-se suficientemente glorificados pelo simples fato de terem sido colocados no Primeiro Lugar do Quadro de Classificação, sem que eu precise por causa disso compor-lhes uma Ode Triunfal.

QUADRO DE CLASSIFICAÇÃO

I

GATO VELHO	ESTRELA POLAR
GALINHA VELHA	SUSANA SINGELA

AÇÚCAR BRANCO

II

ITINERÁRIO DO FUTURO	T.R.

III

ALGERNON BRAY	J.D.W.
DINÁ MITE	PEGA
G.S.C.	S.S.G.
JANE E.	TÓQUIO

§ 2. Mudança de dia

Prefiro adiar *sine die* esse problema geográfico; uma, por não ter recebido respostas continuo esperando; outra, por estar eu mesmo aturdido, sem saber como resolvê-lo corretamente. Ora, quando o próprio examinador acredita que não mereça senão um segundo ou terceiro lugar no Quadro de Classificação, que moral terá para julgar os demais concorrentes?

§ 3. As idades dos filhos.

Problema: Numa primeira ocasião, a soma de duas idades era igual à terceira. Alguns anos mais tarde, a soma de duas era igual ao dobro da terceira. Quando o número de anos transcorridos desde a primeira ocasião for igual a dois terços da soma das idades, uma delas será 21 anos. E as outras duas, quais serão?

Resposta: 15 e 18.

Solução: Consideremos, na primeira ocasião, que as 3 idades fossem x, y e (x+y). Ora, se a+b=2c, então *(a+n) + (b-n) = 2(c-n), seja qual for o valor de n. Portanto, a segunda relação, se for verdadeira uma vez, será sempre verdadeira. E ela foi verdadeira na primeira ocasião.* Porém, não faz sentido supor que a soma de x+y seja igual ao dobro de *x+y*, donde termos de considerar a soma de (x+y) com x, ou com y, não importa qual. E já que é assim, vamos ficar com ox, daí resultando que *(x+y)+x=2y*; ou ainda que y=2x. Por conseguinte, as três idades, no primeiro momento, eram *x, 2x, 3x*, e o número de anos transcorridos desde aquela data será ⅔ de 6*x*, ou seja, *4x*. Portanto, as idades atuais serão *5x, 6x, 7x*. Trata-se de idades representadas por números inteiros, evidentemente, uma vez que o pai se refere ao fato de que, no presente ano, o filho irá alcançar a maioridade. Conclui-se, portanto, que 7x é igual a 21 anos, e que as demais idades serão 18 (*6x*) e 15 (*5x*).

Em suma: na primeira ocasião, as idades eram 3, 6 e 9 anos (3+6-9); na segunda, 5, 8 e 11 (5+11-16, isto é, 2x8); doze anos mais tarde (12= ⅔ da soma de 3+6+9), 15, 18 e 21.

Foram recebidas 18 respostas. Um dos correspondentes limitou-se a declarar que a primeira ocasião teria ocorrido 12 anos antes, quando as três idades seriam 9, 6 e 3, e que, na segunda ocasião, seriam 14, 11 e 8! Chegou 3 anos atrasado. Fosse eu um pai romano, e esconderia o nome desse adivinhador de números, mas o respeito pela sua provecta idade obriga-me a nomeá-lo: foi TRÊS VINTENAS E MEIA.

JANE E. também concluía que as idades seriam, na primeira ocasião, 3, 6 e 9, e daí saltou diretamente para a época atual, sem mencionar a segunda ocasião.

GALINHA VELHA agiu intuitivamente, "*tentando várias idades, até encontrar aquelas que preenchiam as condições requeridas*". Esse método de ficar ciscando a terra e bicando a esmo não é o melhor para se resolver um problema matemático, ó venerável ave!

Certamente à espreita dessa velha galinha com olhos esfaimados, GATO VELHO afirma, sem quê nem por quê, que quem estaria atingindo a maioridade seria o filho mais velho. Podia não ser ele. Com esse tipo de atrevimento não posso concordar.

Tenho ainda outros dois zeros para distribuir. Um vai para MINERVA, que afirmou haver um filho atingindo a maioridade em cada uma das três ocasiões, e que só ele receberia as moedas existentes no saco verde. Como fica então a frase do pai mencionada no Décimo Nó: "*E para que agora recebam o que lhes tenho a dar, basta que primeiro calculem suas idades*", etc.

ITINERÁRIO DO FUTURO começa "supondo" que as idades fossem 3, 6 e 9, presumindo em seguida que a segunda ocasião teria ocorrido 6 anos mais tarde. Pode ser que ele entenda bem do FUTURO; quanto ao passado, porém, parece estar um tanto perdido, necessitando urgentemente de um ITINERÁRIO..

Dentre os que mereceram louvores, dois foram colocados numa categoria inferior, devido aos pecadilhos que cometeram: DINÁ MITE e M.F.C. A primeira, depois de determinar (corretamente) a relação existente entre as três idades, presumiu que uma delas fosse 6, baseando nessa mera suposição todo o restante de seu raciocínio. Já a segunda manipulou bravamente a álgebra até concluir que as idades atuais seriam *5z, 6z e 7z*, e nesse ponto, sem qualquer justificativa, disse que 7z seria igual a 21...

Numa categoria superior, DELTA tentou uma novidade: descobrir por eliminação qual o filho que iria tornar-se maior de idade. Presumiu, de início, que seria o do meio; depois, o caçula; em ambos os casos, acabou chegando a resultados absurdos. Adotou, então o seguinte raciocínio algébrico: "*63=7x+4y; portanto, 21= x + 4/7 de y*". É interessante, mas não pode ser considerado conclusivo. O resto de seu raciocínio, porém, é muito bom.

PEGA não nega sua raça, agarrando a esmo a primeira conclusão fato de ter ou não direito líquido e certo de adotá-la. Supondo que as três primeiras idades seriam A, B e C, e E o número de anos transcorridos desde então, formulou 3 equações (corretas) "2A=B, C=B+A, D=2B", mas em seguida prosseguiu desse modo: "*Suponhamos que A=1, B=2, C=3 e D=4. Será essa, portanto, a proporção entre os números: 1:2:3:4*". E nesse "*portanto*" que detectei sua apropriação indébita, ó ave de poucos escrúpulos. A conclusão é verdadeira, mas unicamente porque as equações são "homogêneas" (i.e., têm uma incógnita em cada termo), fato que suspeito fortemente não ter sido captado apesar da agilidade de suas garras por essa pêga. Imagine, minha cara, que eu lhe armasse a seguinte arapuca: "A+1=B; B+1=C; supondo-se que A seja igual a 1, então B será igual a 2 e C 3, e a proporção entre os três números será de, portanto, 1:2:3". Será que você cairia nela tão inocentemente como se fosse uma pomba sem malícia?

SUSANA SINGELA não me pareceu tão singela assim. Após determinar que a proporção entre as três primeiras idades seria de 3:2:1, afirmou: "*Como dois terços de sua soma, adicionados a uma dessas idades, totalizam 21, e a soma não pode exceder 30, por consegueinte a idade mais alta não poderá exceder 15*". Suponho que essa sua maneira de raciocinar corresponda à que apresento a seguir: "Dois terços da soma, mais uma das idades, é igual a 21; portanto, a soma deles, mais 3 metades de uma idade, 31,5. E como a soma de três meias idades não pode ser inferior a 1,5 (donde percebo que SUSANA SINGELA não daria uma moeda ao bebê que ainda não tivesse um ano completo), pode-se dizer que essa soma não exceda 30." Não deixa de ser engenhoso, embora se trate de uma prova, ela mesma candidamente assim o reconhece, "tosca e subjetiva". E tanto é assim, que ela chegou a 5 possíveis conjuntos de idades, eliminando os 4 que lhe pareceram menos razoáveis. Suponhamos que, em vez de 5 opções, houvesse 5 milhões! Haja tinta e papel para ir eliminando uma por uma as menos razoáveis!

A solução enviada por C.R., como a de SUSANA SINGELA, é um tanto empírica, não permitindo a seu autor senão uma Colocação Razoável na segunda categoria de acertadores.

Entre os que realmente mereceram o primeiro lugar, ALGERNON BRAY lembrou que não seria insensato supor que as idades pudessem ser fracionárias, o que ampliaria infinitamente a possibilidade de respostas corretas. Permita-me lembrar-lhe, meu prezado, não ser minha intenção levar meus leitores a devorar o resto de suas existências a quebrar suas cabeças com cálculos matemáticos!

E.M.RIX salientou que, se fossem admissíveis idades fracionárias, qualquer um dos três filhos poderia ser o que estivesse chegando à maioridade, mas rejeitou sensatamente essa suposição, considerando que isso provocaria a indeterminação do problema.

AÇÚCAR BRANCO foi o único que detectou um erro meu, lembrando que esqueci a possibilidade (naturalmente válida) de que o filho que se tornaria maior de idade naquele ano não teria de forçosamente estar fazendo aniversário aquele dia, de maneira que ele poderia estar apenas com 20 anos. Isso permitiria imaginar uma segunda solução, ou seja, 20, 24, 28. Muito bem, meu pulvurulento amigo! Gostei de sentir a doçura de seu raciocínio.

QUADRO DE CLASSIFICAÇÃO

I

ALGERNON BRAY	S.S.G.
VELHO TURRÃO	TÓQUIO
EM.RIX	T.R.
G.S.C	AÇÚCAR BRANCO

II

CR.	PEGA
DELTA	SUSANA SINGELA

III

DINÁ MITE	M.F.C.

Recebi mais de um protesto com respeito a minha afirmativa de que, no problema dos mutilados de Chelsea, seria ilógico presumir que, a partir do dado de perderam um olho", 30 por cento não teriam perdido um olho. ALGERNON BRAY, por exemplo, afirma, alegando um caso paralelo, o seguinte: "*Suponha que o pai de Tommy lhe tenha dado 4 maçãs, e que ele tenha comido uma. Quantas sobraram?*". E ele responde: "*Penso ser plenamente justificado responder que sobraram 3*". Também penso assim, meu caro. Os dados são por demais evidentes para não admitir que essa resposta seja exata. Todavia, se a pergunta fosse essa: "Quantas podem ter sobrado?", nesse caso eu poderia ser tentado a supor que o pai não lhe tenha dado apenas 4 maçãs, mas um número maior do que 4.

Aproveito a oportunidade para agradecer aqueles que me enviaram, juntamente com suas respostas referentes ao Décimo Nó, reclamações quanto ao fato de não haver novos nós a desatar, ou solicitações de que eu reveja minha decisão de encerrar aqui essa série de problemas. Sensibilizaram-me profundamente essas palavras gentis, mas penso ser mais sensato encerrar por aqui aquilo que, se muito, não passou de uma canhestra tentativa de divertir os leitores deste periódico. "A métrica alongada de uma antiga canção" está além de meu compasso, e meus fantoches não estão nem distintamente presentes em minha vida (como aqueles a quem agora me dirijo), nem distintamente fora dela (como Alice e a Tartaruga Zombeteira).

Entretanto, deixem-me ao menos imaginar, agora que vou descansar minha pena, que eu possa estar levando comigo para a vida silenciosa que me aguarda, caro leitor, um sorriso de despedida de seu rosto que não posso ver, e um simbólico aperto de mão a desejar-me adeus! E assim sendo, boa noite! Esta despedida me está causando uma tão doce mágoa, que até sinto vontade de me quedar a repetir "boa noite" até que sobrevenha a manhã.

FIM

Este livro foi composto com a tipografia Times New Roman
e impresso pela Meta Brasil.